INTRODUCTION AUX AFFAIRES

Pierre G. Bergeron
Alfred L. Kahl

INTRODUCTION AUX AFFAIRES

Ce manuel a été élaboré en collaboration avec l'

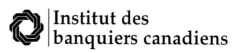 Institut des banquiers canadiens

pour le programme en Gestion des affaires.

Données de catalogage avant publication (Canada)

Bergeron, Pierre G.

Introduction aux affaires

Comprend des réf. bibliogr. et un index.

Publ. aussi en anglais sous le titre : Introduction to business.

ISBN 2-89105-505-5

1. Gestion. 2. Gestion – Canada. 3. Marketing. 4. Production – Gestion. 5. Finances. 6. Personnel – Direction. I. Kahl, Alfred L. II. Titre.

HF5351.B4714 1993   650   C93-096688-0

gaëtan morin éditeur

C.P. 180, BOUCHERVILLE, QUÉBEC, CANADA
J4B 5E6   TÉL. : (514) 449-2369   TÉLÉC. : (514) 449-1096

Dépôt légal 3ᵉ trimestre 1993
Bibliothèque nationale du Québec
Bibliothèque nationale du Canada

1 2 3 4 5 6 7 8 9 0   G M E 9 3   2 1 0 9 8 7 6 5 4 3

Nous dédions ce livre à nos épouses respectives, Pierrette et
Lola, compagnes extraordinaires et soutiens sans pareil,
en remerciement de leur compréhension, de leur patience,
de leur prévenance et de leur compassion.

AVANT-PROPOS

Les gestionnaires actuels sont confrontés à un monde de plus en plus complexe et doivent faire face à leurs concurrents dans un vaste réseau interdépendant de nations. Il importe de bien comprendre ce qui donne aux affaires leur caractère compétitif, efficient, productif et efficace, car elles influent constamment sur notre manière de vivre et sur notre niveau de vie.

Une révolution touche actuellement la structure et la gestion des entreprises au Canada. La visualisation de l'interrelation des entreprises exploitées au Canada, sur les plans national et international, devrait ne pas se limiter à une simple observation. Malgré la croissance économique phénoménale enregistrée depuis quelques décennies, les entreprises actuelles font face à divers problèmes tels que l'augmentation de la dette nationale, le taux élevé du chômage, le spectre de l'inflation toujours présent et une concurrence plus vive des entreprises des pays européens ou de l'Asie du Pacifique.

Pendant les années de déclin de cette décennie, l'allure du changement sans précédent s'accélère encore. Afin de survivre et de réussir, les gestionnaires canadiens doivent réorganiser leurs institutions ; ils doivent chercher des solutions novatrices et créatrices qui les rendront plus efficients et plus compétitifs. Le mouvement d'aplanissement des niveaux hiérarchiques dans les organisations en vue de rationaliser celles-ci et le processus de responsabilisation des membres du personnel afin de faire participer ces derniers à la réussite de leur organisation sont maintenant courants.

Ce volume met l'accent sur les défis auxquels les gestionnaires ont à faire face à mesure que s'approche le XXIe siècle. Les défis n'ont jamais été plus grands, en particulier sur des enjeux tels que la gestion internationale, la concurrence mondiale, la qualité des produits et la qualité de vie au travail, ainsi que la productivité organisationnelle. Ce volume démontre comment les gestionnaires actuels devraient tenir compte de ces défis et comment les entreprises canadiennes devraient être gérées.

Le volume offre trois niveaux de lecture : la théorie, l'exemple et la pratique. Il présente les notions et les principes de base en matière de gestion des entreprises canadiennes modernes. Ces principes sont illustrés par des exemples d'entreprises de toutes tailles qui servent d'inspiration puisqu'elles ont dû réagir face aux nouveaux enjeux. Lors d'ateliers et grâce à des exercices d'apprentissage, les étudiants auront l'occasion d'appliquer les principes des affaires.

Les objectifs du volume

Le volume repose sur notre conviction profonde que les gens constituent l'élément clé de la réussite ou de l'échec des organisations. Notre *objectif professionnel*, à long terme, vise à préparer les étudiants de toutes disciplines à devenir des gestionnaires efficaces et à relever les défis de demain. Grâce à un réservoir d'idées, de suggestions, d'approches et de notions utiles, nous espérons améliorer les chances des étudiants actuels de devenir les gestionnaires professionnels de demain dans des entreprises modernes. Nous espérons aussi leur donner l'occasion de contribuer positivement à la réussite de leur organisation, de réaliser leurs aspirations professionnelles, d'améliorer les lieux de travail des employés et d'aider les entreprises canadiennes à devenir des concurrents plus dynamiques sur les marchés mondiaux.

Nous avions fixé quatre objectifs *immédiats* lors de la rédaction de ce volume. Premièrement, nous voulions un juste équilibre entre *l'ampleur* et la *profondeur* des sujets traités. Nous désirions à la fois donner un aperçu de la gestion d'une entreprise et insister sur des points particuliers utiles et pratiques. La gestion des affaires offre un vaste choix de sujets à cerner, mais vu la difficulté de les traiter tous en un seul volume, nous avons voulu souligner ceux qui procurent une base solide et qui décrivent le mieux l'administration des affaires ainsi que le rôle du gestionnaire dans un monde en rapide évolution.

Deuxièmement, nous souhaitions *démystifier* le rôle de l'administration des affaires et la gestion. Certains associent la gestion des entreprises soit à une série complexe d'activités fonctionnelles et orientées sur les tâches, soit à des personnes qui assument des fonctions très spécialisées telles que la production, les finances, le marketing, l'administration et les relations avec la main-d'œuvre. Même si toutes ces fonctions sont importantes pour la réussite et le bien-être de toute organisation, les gestionnaires du XXIe siècle seront les catalyseurs qui produisent des effets synergiques, animent et revigorent nos entreprises, en plus de stimuler les nombreuses activités en place.

Troisièmement, nous voulions donner plus d'*éclaircissements* sur ce qui conduit les entreprises à la réussite ou à l'échec. Nous signalons souvent que les principales causes d'échec des entreprises reposent sur les techniques de marketing médiocres, le manque de financement, les réseaux de distribution inefficaces, la démoralisation des employés, les procédés de fabrication contestables, la faible productivité ou la vive concurrence. Mais il ne s'agit que de symptômes, car tous ces échecs sont imputables à un seul problème : une gestion inadéquate.

Quatrièmement, nous voulions faire de ce manuel d'introduction à l'administration des affaires une *expérience enrichissante*. À cette fin, nous avons adopté un style vivant qui, nous l'espérons, permettra une lecture agréable et même distrayante. De nombreuses anecdotes agrémentent le texte.

L'organisation du texte

Le texte est divisé en neuf parties.

La partie I, *Les défis des entreprises canadiennes*, contient des éléments de base importants concernant le contexte dans lequel les entreprises canadiennes évoluent. On y souligne en particulier les enjeux complexes relatifs aux forces externes et internes du milieu, on y fait le profil des gestionnaires du XXIe siècle, on décrit brièvement le système économique canadien, on donne un aperçu des nouveaux enjeux liés à l'éthique commerciale et on esquisse les différentes formes juridiques des entreprises.

La partie II, *La gestion*, traite du rôle et des responsabilités des gestionnaires dans les entreprises canadiennes contemporaines. On y brosse un tableau de l'organisation dans laquelle œuvrent les gestionnaires en démontrant comment ces derniers prennent des décisions et résolvent des problèmes. Elle comporte une description des quatre fonctions des gestionnaires, soit la planification, l'organisation, la direction et le contrôle.

La partie III, *La gestion des ressources humaines*, porte sur les éléments plus importants de la gestion des organisations. Elle débute par les diverses théories de la motivation, les différents styles de leadership et l'importance de la communication en gestion. On y examine aussi les notions de base concernant la structure des organisations, les divers types d'autorité dans ces dernières et la façon dont celles-ci sont segmentées. Un autre thème porte sur les processus de gestion des ressources humaines tels que le recrutement, la formation et la rémunération du personnel. Le dernier segment traite du mouvement ouvrier au Canada et de l'organisation des syndicats.

La partie IV, *La gestion de la fonction marketing*, démontre la façon dont les entreprises en arrivent à mettre sur le marché leurs produits et leurs services. On étudie les principales activités de marketing : l'étude de marketing, la segmentation des marchés, le comportement des consommateurs (ce qui les pousse à choisir un produit ou un service plutôt qu'un autre) ainsi que les différents types de biens de consommation et de biens industriels. On retrouve aussi les quatre principaux éléments dont il faut tenir compte dans la formulation d'une stratégie de marketing : le produit, l'établissement des prix, la promotion et la distribution.

La partie V, *La gestion de la fonction de production*, aborde les éléments essentiels qui rendent les entreprises canadiennes compétitives sur les marchés internationaux. On y voit les principes de gestion de la production qui rendent les entreprises plus productives et plus efficaces. La première section précise les nouvelles techniques de planification utilisées en production telles que les notions de gestion juste-à-temps et de mise en œuvre, de même que le cycle de vie des produits. La seconde section précise les divers outils de contrôle de la production dans des activités telles que les achats, la réception, l'expédition, l'entreposage et la gestion des stocks. La parie V se termine par une démonstration de l'importance des ordinateurs dans la fonction de production.

La partie VI, *La gestion des fonctions financières*, donne des renseignements essentiels au sujet de la prise de décision des gestionnaires. Les cinq thèmes de cette partie portent sur les éléments suivants : une description de la tenue des livres, du processus comptable et des quatre principaux états financiers ; une présentation de la façon dont les états financiers sont analysés à l'aide de ratios et les trois principaux types de décisions des gestionnaires (les décisions d'investissement, d'exploitation et de financement) ; une explication des différentes sources de capital ; un aperçu du système bancaire canadien ainsi que des principales institutions financières et de leurs services ; un aperçu des divers aspects du risque et plus particulièrement les différents types d'assurance qui sont importants pour les entreprises canadiennes.

La partie VII, *La gestion de la fonction administrative*, aborde le type de travail administratif et l'utilisation efficace des ordinateurs dans les affaires afin d'améliorer les prises de décisions des gestionnaires. Cette partie comporte des renseignements essentiels concernant le rôle des ordinateurs et des systèmes intégrés de gestion, de même que de la bureautique.

La partie VIII, *La gestion des catégories d'entreprises*, traite de l'utilisation de la gestion dans les petites entreprises, les sociétés internationales ou les organismes sans but lucratif. Elle décrit plus précisément les étapes de la mise sur pied d'une petite entreprise, de même que les avantages et les inconvénients dans la gestion d'une petite entreprise ou d'une entreprise franchisée. Le deuxième thème porte sur la nature de la gestion d'une entreprise au niveau international dans le cadre du marché global. Le troisième thème présente les différents types d'organismes sans but lucratif et les techniques de gestion efficaces utilisées par celles-ci.

La partie IX, *Le milieu des affaires*, traite des diverses contraintes inhérentes au milieu des affaires qui touchent les entreprises. On y aborde notamment les contextes économique et social (macroéconomie, méso-économie, microéconomie et enjeux sociaux), l'environnement (le rôle du gouvernement, la crise urbaine, la pollution et les enjeux écologiques), le contexte juridique (les sources du droit, la nature des tribunaux et les différentes divisions du droit commercial), de même que les relations entre les entreprises et l'État (les contrôles gouvernementaux, les impôts les liens entre les entreprises et l'État).

Les caractéristiques du volume

Ce volume comporte des caractéristiques uniques et distinctes. Premièrement, des thèmes concernant les affaires et la gestion sont surtout présentés de façon générique. En effet, comme la gestion s'applique à tous les types d'entreprises, les étudiants verront comment l'art de la gestion peut être mis en pratique dans des organismes de grande, de moyenne et de petite taille, dont les banques, les hôpitaux, les établissements scolaires, les municipalités, les sociétés d'État, les multinationales ou les magasins de détail. Deuxièmement, des sujets plus importants qui touchent les notions relatives aux affaires, à la gestion et à l'organisation sont traités en profondeur et dans un souci d'équilibre. Troisièmement, le volume est rédigé dans un style qui suscite l'intérêt. Quatrièmement, chaque chapitre propose les notions, les techniques et les pratiques de gestion les plus récentes. Cinquièmement, et c'est le point le plus important, ce volume est rédigé en vue de faciliter l'étude du contenu, puisque nous sommes professeurs du domaine des affaires et de la gestion, lors de la rédaction nous avions toujours en tête les étudiants et leurs professeurs.

Afin de maximiser l'apprentissage des étudiants, nous avons utilisé divers éléments pédagogiques. Chaque chapitre contient les points suivants.

Le plan du chapitre   Le plan du chapitre sert de guide. Il souligne les principaux thèmes et sous-thèmes du chapitre.

Les objectifs du chapitre   Chaque chapitre débute par une liste d'objectifs qui précisent ce que les étudiants devront retenir après avoir lu le chapitre.

Le cas d'une entreprise   Au début de chaque chapitre, un exemple tiré de la réalité canadienne illustre bien les notions du chapitre.

Un enjeu commercial actuel et un point de vue   Chaque chapitre comporte des sections appelées « Un enjeu commercial actuel » tirées de la réalité et permettant une observation plus poussée de l'application, dans la vie, des notions reliées aux affaires et à la gestion. De plus, chaque chapitre comporte des sections appelées « Un point de vue » qui exposent la vision de dirigeants ou d'universitaires réputés à propos des thèmes les plus importants du chapitre.

Les figures et les tableaux   Afin de clarifier certaines notions et techniques relatives à la gestion et aux affaires et d'améliorer la compréhension du texte, on retrouve plus de 80 figures et tableaux.

Les exemples   Un grand nombre d'exemples et d'anecdotes utilisés dans le texte visent à rendre la lecture plus intéressante et à relier les notions aux applications quotidiennes.

Le sommaire   À la fin de chaque chapitre, se trouve un sommaire des principaux points présentés, ce qui donne aux étudiants un aperçu rapide du chapitre.

Les notions clés   La liste des notions les plus importantes en affaires et en gestion que les élèves doivent retenir figure à la fin de chaque chapitre.

Les exercices de révision   La fin de chaque chapitre contient une série d'exercices de révision destinés à aider les lecteurs à tester leur compréhension des thèmes clés des chapitres. Les réponses se trouvent directement dans le texte.

Les sections intitulées «matière à discussion»   Ces sections contiennent des questions qui demandent réflexion en allant au-delà du contenu du chapitre. Ces questions portent sur des enjeux de gestion et visent à aider les étudiants à intégrer, dans un ensemble logique, les nombreux thèmes, notions, approches et techniques. Elles exigent des réponses réfléchies et fondées sur une compréhension profonde du contenu du chapitre. Elles sont destinées à une recherche approfondie, à des discussions en petits groupes ou avec tous les membres de la classe.

Les exercices d'apprentissage   Des exercices d'apprentissage sont présentés à la fin de chaque chapitre afin d'aider les étudiants à saisir totalement les thèmes et les concepts du chapitre. Ils servent aussi à couvrir l'aspect technique de chaque chapitre. Sur les 59 cas présentés, de nombreux sont réels ; les autres sont des cas fictifs destinés à concentrer les efforts sur des enjeux de gestion particuliers. Le but de ces exercices est double : aider les étudiants à appliquer le contenu du chapitre à une situation précise et vraisemblable et améliorer l'aptitude des étudiants à analyser la situation de certaines entreprises au moyen d'un processus de résolution de problèmes graduel et logique.

Les références   Des notes figurent sur des sujets précis. Une liste d'ouvrages stimulants et intéressants sur de nombreux sujets liés à la gestion est présentée à la fin du volume.

Les index   Deux index se trouvent à la fin du volume : un index des auteurs et un index des sujets.

REMERCIEMENTS

Un volume de cette ampleur représente un travail d'équipe. De nombreuses personnes ont joué un rôle important tout au long de la rédaction de ce livre. Nous voulons tout d'abord remercier les membres du personnel de Gaëtan Morin Éditeur, pour leur aide et leur encouragement. Nos remerciements vont à Josée Charbonneau, à Diane Legros et à Céline Laprise, qui, par magie, ont dirigé tout le processus en veillant à ce que tout se passe en douceur et promptement. Nous remercions la firme GDC et associés qui a soigneusement traduit et mis en forme le manuscrit, en plus d'apporter de nombreuses suggestions en vue d'améliorer la clarté du texte. Nous sommes également reconnaissants envers Alton Craig qui a consacré énormément de temps à réviser le chapitre sur les relations ouvrières-patronales tout en suggérant des améliorations. Notre reconnaissance va aussi à Gilles Levasseur qui, à son tour, nous a donné d'excellentes suggestions à propos du chapitre sur le contexte juridique.

Finalement, *un gros merci* à nos femmes, Pierrette et Lola, qui ont supporté les exigences et les sacrifices que ce travail implique. Leur patience et leur dévouement ont fréquemment été mis à l'épreuve. Nous nous sommes lancés dans la rédaction de livres de nombreuses fois et, comme avec les livres précédents, Pierrette et Lola ont toujours pris le temps de corriger les épreuves, de réviser et, ainsi améliorer le manuscrit. Elles nous ont été d'une aide inestimable pendant cette tâche longue et ardue. Nous leur sommes reconnaissants pour leur aide, leur encouragement, leur empathie et leur soutien constants.

Pierre G. Bergeron
Alfred L. Kahl

Autres publications de **Pierre G. Bergeron**

— *Modern Management in Canada: Concepts and Practices*
— *Gestion dynamique : concepts, méthodes et applications*
— *Finance for Non-Financial Managers*
— *Gestion moderne : théorie et cas*
— *Planification, budgétisation et gestion par objectifs*
— *Capital Expenditure Planning for Growth and Profit*

Autres publications d'**Alfred L. Kahl**

— *Canadian Financial Management*
  (en collaboration avec E. Brigham, W. Rentz et L. Gapenski)
— *Spreadsheet Applications in Engineering Economics*
  (en collaboration avec W. Rentz)
— *Engineering Economics*
  (en collaboration avec J. Riggs, W. Rentz et T. West)
— *Essentials of Engineering Economics*
  (en collaboration avec J. Riggs et W. Rentz)
— *International Business: The Canadian Way*
  (en collaboration avec H. Overgaard, M. Crener et B. Dasah)
— *Corporate Financial Disclosure in Canada*, CCGAA Research Monograph
  (en collaboration avec A. Belkaoui)
— *Investment Management and the Computer: Limitations and Prospects*, University of Georgia
  Research Monograph

Avertissement

Dans cet ouvrage, le masculin est utilisé comme représentant des deux sexes, sans discrimination à l'égard des hommes et des femmes et dans le seul but d'alléger le texte.

TABLE DES MATIÈRES

PARTIE I   **Les défis des entreprises canadiennes** 1

   • CHAPITRE 1   Les affaires au XXIe siècle 4

Une méthode de gestion modifiée 6
   Les tendances qui influeront sur les décisions de gestion 7

Un point de vue : la concurrence mondiale. 10

La structure et les membres des organisations 11
   Le conseil d'administration 11
   Le profil de la population active 13
   La structure des organisations 13
   La nouvelle orientation des communications. 14
   La redéfinition des tâches 15

Un enjeu commercial actuel : les aptitudes à la gestion dans
   l'avenir 16

Le gestionnaire du XXIe siècle. 17
   La cinquième vague de gestion 17
   Le nouveau mandat des gestionnaires 19
   Les aptitudes à la gestion dans l'avenir. 21
   Le profil du gestionnaire de l'avenir. 24
   Les répercussions du changement sur les fonctions
     de gestion 25
   Les défis des futurs gestionnaires 27

Un point de vue : la gestion dans les années à venir 29

Résumé 30

   • CHAPITRE 2   Le système économique canadien 36

Les composantes du système économique 38
   Les ressources naturelles. 38
   La main-d'œuvre 39
   Le capital. 40
   L'entrepreneuriat 40

Le système d'entreprises fermées 41
   La propriété privée. 41

L'entreprise fermée......................................41
La liberté de choix......................................41
Le rôle du gouvernement...............................42

Les types de concurrence 43
La concurrence pure....................................43
La concurrence impure..................................43
L'oligopole...44
Le monopole 44

D'autres types de systèmes économiques 44
Le communisme 45
Le socialisme..45
Les économies mixtes..................................45

Le système économique canadien 46

Un point de vue : le système d'entreprises, le meilleur à
plusieurs égards..47

Résumé..55

CHAPITRE 3   **L'éthique commerciale** 60

La définition de l'éthique 62
L'éthique personnelle...................................63
L'éthique professionnelle (ou déontologie)..............63

L'éthique commerciale 64
Un nouvel intérêt à l'égard de l'éthique commerciale 64
Les normes éthiques....................................65
Les codes de déontologie...............................65
Les difficultés reliées aux codes 65

Les enjeux reliés à l'éthique commerciale 67
Les produits...67
Les fournisseurs 67
Les concurrents..67
Les clients 67
Le personnel 68
Les actionnaires 68
La collectivité 69
L'État...69

Un point de vue : l'éthique commerciale aux États-Unis 69

Un point de vue : l'éthique commerciale en France 71

Résumé..72

CHAPITRE 4

Les formes d'entreprises 76

Les formes d'entreprises 78

L'entreprise personnelle 78

La société en nom collectif 79

La société 81
    La société fermée 83
    La société ouverte 83
    La société d'État 83
    Un point de vue : les sociétés d'État commerciales 85
    La société d'économie mixte 86

La coopérative 86

L'organisme à but non lucratif 86

Résumé 87

PARTIE II

La gestion 91

CHAPITRE 5

La gestion et le processus décisionnel 94

Définition de la gestion 96
    L'importance de la gestion 97

Les fonctions et processus de gestion 98
    Le processus de gestion 99

Les niveaux et les catégories de gestionnaires 100
    Les niveaux de gestionnaires 101
    Les catégories de gestionnaires 102

Un point de vue : la culture de l'entreprise 102

Les compétences en gestion 104
    Les compétences conceptuelles 104
    Les compétences psychologiques 105
    Les compétences techniques 105

L'importance relative des niveaux de gestion, des fonctions et
des compétences 105

Un enjeu commercial actuel : les compétences en gestion 107

Les rôles du gestionnaire 108

Les rôles interpersonnels 108
Les rôles informationnels. 109
Les rôles décisionnels 109

Le processus décisionnel et la résolution de problèmes 110
La prise de décisions et les fonctions de gestion 110
La prise de décisions et les niveaux de gestionnaires 112
Les conditions qui entourent la prise de décisions 113

Les catégories de décisions 113
Les décisions programmées 113
Les décisions non programmées 115

Les étapes du processus décisionnel. 115

Un enjeu commercial actuel : la prise de décisions 117

Résumé. 119

CHAPITRE 6   **Les fonctions de gestion** 126

La discipline de gestion. 127
L'évolution de la discipline de la gestion. 128

Un point de vue : le style de gestion 131

La fonction de planification 131
L'importance de la planification 132

Le profil et les composantes de la planification. 133
Les objectifs. 133
La gestion par objectifs. 134
Les plans 135
Le processus de planification 135
Les plans auxiliaires 138

Un enjeu commercial actuel : la planification stratégique 140

La fonction d'organisation 141

La fonction de direction 142

La fonction de contrôle. 143
Le processus de contrôle. 143
Les types de contrôle. 146
Les qualités des contrôles efficaces 147
Les techniques de contrôle 147

Un point de vue : le contrôle 148

Résumé. 149

PARTIE III

La gestion des ressources humaines 155

CHAPITRE 7

La gestion des relations humaines 158

Les gestionnaires en tant que leaders 161

La motivation 162
   La nature de la motivation 162
   Les théories de la motivation 163

Un enjeu commercial actuel : l'habilitation des employés 170

Le leadership 171
   La nature du leadership 171
   La comparaison entre gestionnaire et leader 172
   L'importance du pouvoir en matière de leadership 172
   Les styles de leadership 174
   Les approches de leadership 175

Un point de vue : le leadership 181

La communication de gestion 181
   Les bases du processus de communication 181
   Les obstacles à une communication efficace 182

Un point de vue : le recrutement du P.-D. G. de 1990 184

Résumé 185

CHAPITRE 8

L'organisation 192

Les notions fondamentales sur l'organisation 194
   La division du travail 195
   L'organigramme 195
   La coordination verticale 197
   La coordination horizontale 199

Les types d'organisation 199
   L'organisation hiérarchique 199
   L'organisation hiérarchique et l'état-major 200
   Les types de postes d'état-major 200
   Les différends au sein de l'organisation hiérarchique
      et fonctionnelle 201

Un point de vue : les structures organisationnelles 202

L'autorité organisationnelle 203
   L'autorité hiérarchique 203
   L'autorité d'état-major 204

L'autorité fonctionnelle 204

La centralisation et la décentralisation 205
    Les organisations centralisées 206
    Les organisations décentralisées 206

Un point de vue : la restructuration 207

La départementalisation 208
    La départementalisation fonctionnelle 208
    La départementalisation divisionnaire 209
    L'organisation matricielle. 210

Les comités. 212
    Les types de comités 212
    Les avantages et les inconvénients 212

Un point de vue : l'élimination des barrières
organisationnelles. 213

Résumé. 214

• CHAPITRE 9   **La gestion des ressources humaines** 222

Qu'entend-on par processus de gestion des ressources
humaines ?. 224
    Les responsables de la gestion des ressources
    humaines. 225
    Le processus de gestion des ressources humaines 225

La présélection. 229
    L'analyse des postes 229
    La description de poste. 230
    La définition des tâches 232

Le recrutement 232
    Le recrutement interne. 233
    Le recrutement externe 233

Un enjeu commercial actuel : formation et emplois de
demain. 233

La sélection des candidats. 235
    Les étapes de la sélection 236
    Les facteurs externes 239
    La période de familiarisation 239

Un enjeu commercial actuel : l'embauche de nouveaux
employés 240

La formation et le perfectionnement. 241
Les étapes de la formation et du perfectionnement. 241
Les programmes de formation. 243
Le perfectionnement des cadres 243
Garantir l'efficacité des programmes de formation et de
perfectionnement. 244

L'évaluation du rendement 245
Les objectifs de l'évaluation du rendement 245
Les techniques d'évaluation du rendement 246
L'évaluation du rendement comme instrument efficace de
gestion. 247

La rémunération et les avantages sociaux. 247

Promotions, mutations, rétrogradations et
cessations d'emploi. 248

Un point de vue : la façon de garder ses meilleurs employés 249

Résumé 250

CHAPITRE 10   **Les relations ouvrières-patronales** 256

Le mouvement ouvrier au Canada 258
Pourquoi les travailleurs se syndiquent-ils ? 259
L'histoire du syndicalisme au Canada 259
Le droit du travail 261
Le cadre des systèmes des relations industrielles. 263

L'organisation d'un syndicat 263
La classification des syndicats. 265
Les objectifs des syndicats 266
L'accréditation syndicale. 267

Un enjeu commercial actuel : les syndicats canadiens à
présent 268

La négociation collective 270
Le travail préliminaire. 270
La négociation d'une convention collective 271
La gestion d'une convention collective. 271

Le règlement des différends ouvriers-patronaux 271
La conciliation 271
La médiation. 272
L'arbitrage 272

Les procédures de règlement des griefs .272

Un point de vue : les relations ouvrières-patronales 273

Lorsque les parties ne s'entendent pas. .274
    Les stratégies syndicales. 274
    Les stratégies patronales. 275

Un enjeu commercial actuel : les effets d'une grève 275

Résumé. 277

PARTIE IV   **La gestion de la fonction marketing** 283

CHAPITRE 11   Le marketing. 286

La définition du marketing. 288
    L'organisation du marketing 289
    La raison d'être du marketing 290

Un point de vue : le marketing international. 291

Les fonctions du marketing 292

L'étude de marketing 294
    La définition d'un marché ? 295
    La segmentation des marchés. 296

Un enjeu commercial actuel : la segmentation
des marchés 297

Le comportement des consommateurs. .298
    Les influences personnelles 299
    Les influences externes. 299

Les biens de consommation et les biens industriels 300
    Les biens de consommation 300
    Les biens industriels. 301

La stratégie de marketing 302

Un enjeu commercial actuel : la stratégie de produit 304

Résumé. 306

CHAPITRE 12   La gestion des variables de marketing 312

Les variables de marketing 314

La stratégie de produit 315
   Le développement de nouveaux produits 316
   Le cycle de vie d'un produit. 316
   Un enjeu commercial actuel : le développement
   de produit 319
   Le marquage 320
   L'emballage 321
   L'étiquetage 321

Un point de vue : la stratégie de produit 321

La stratégie des prix 322
   Les méthodes d'établissement des prix 324

La stratégie de promotion 325
   La publicité 325
   La vente personnelle 327
   La promotion des ventes 328

Un point de vue : la publicité 328

La stratégie de distribution 329
   Les grossistes 329
   Les détaillants 331
   Les types de circuits de distribution 332
   La distribution matérielle 333

Résumé 335

PARTIE V

La gestion de la fonction de production 341

  • **CHAPITRE 13**

La planification de la production 344

La production de masse et la technologie 347
   La mécanisation 348
   La standardisation 348
   L'automatisation 349

La planification de la production. 350
   Le cycle de vie du produit 350
   L'emplacement de l'usine 352
   L'aménagement de l'usine 353
   L'acheminement. 355
   L'ordonnancement. 355

La méthode de production au moment adéquat
(juste-à-temps) 356
La mise en marché 357

Résumé..358

CHAPITRE 14   **Le contrôle de la production** 362

Le processus de contrôle...............................365
La répartition 365
Le suivi 366
Le contrôle de la qualité...........................366

Les autres fonctions de production 367
La gestion des matières............................367
L'achat...368
La réception et l'expédition 369
L'entreposage 370
La gestion et le contrôle des stocks 370

Les ordinateurs et la production 372

Résumé..373

PARTIE VI   **La gestion des fonctions financières**..............377

CHAPITRE 15   **La comptabilité et les états financiers**...............380

La tenue des livres et le processus comptable 382
La tenue des livres 383
La comptabilité 386
Le rapport des vérificateurs 388

Un point de vue : le rapport annuel des vérificateurs..........389

Le bilan 389
L'actif à court terme 391
Les immobilisations 391
Le passif à court terme 391
Le passif à long terme............................392
Les capitaux propres..............................392

Un enjeu commercial actuel : les rapports annuels...........393

L'état des résultats...................................394
La section des activités d'exploitation 394

La section des activités autres que d'exploitation 396
La section des propriétaires. 396

L'état des bénéfices non répartis 396

L'état de l'évolution de la situation financière 397
Le relevé des sources et des utilisations des fonds.......... 397
La variation nette des comptes de fonds de roulement hors
caisse. 398
L'état de l'évolution de la situation financière 399

Un enjeu commercial actuel : le financement par
emprunt 401

Résumé 402

CHAPITRE 16   **La gestion financière** 406

La définition de la gestion financière 408
L'attribution de la responsabilité de la fonction de
finances. 409

L'analyse des états financiers à l'aide de ratios 410
Les ratios de liquidité. 411
Les ratios d'endettement 412
Les ratios d'exploitation 413
Les ratios de rentabilité 415

Les décisions d'investissement 416
L'actif à court terme. 416
Les immobilisations 419

Un enjeu commercial actuel : les décisions
d'investissement. 421

Les décisions de financement 422
La règle de l'équilibre financier. 422
Les sources et formes de financement 422
Le coût du capital. 423
La composition du financement 423

Un enjeu commercial actuel : les décisions de financement 424

Les décisions d'exploitation. 424
Les techniques du budget. 425
Les unités organisationnelles 426

Un point de vue : la restructuration financière 428

Résumé 429

CHAPITRE 17

Les sources de capital 434

Pourquoi les entreprises ont besoin de fonds 436
   Le cycle des mouvements de trésorerie 436

Les sources de fonds 437
   Les sources internes 438
   Les sources externes 438

Où obtenir les fonds externes. 438
   Les fournisseurs (crédit commercial, comptes
     fournisseurs). 438
   Les banques. 440
   Les établissements parabancaires 441
   Les courtiers en valeurs mobilières 446
   Les sociétés d'investissement en capital-risque. 446

L'aide gouvernementale 447
   Les établissements financiers gouvernementaux 447

Résumé. 449

Annexe A : le plan d'entreprise — la demande de crédit 452

CHAPITRE 18

La monnaie et les banques 456

La monnaie 457
   Les caractéristiques de la monnaie 458
   Les fonctions de la monnaie. 458
   Les motifs de la demande de monnaie. 459

La masse monétaire. 459
   Les cartes de crédit (monnaie plastique). 459
   Les cartes de débit (autre monnaie plastique). 459
   Le système canadien des paiements. 459

La Banque du Canada 460
   Les fonctions de la Banque du Canada 460
   Le taux d'escompte 460
   La politique monétaire 460

Un point de vue : la politique monétaire : le relâchement
   monétaire pourrait avoir empiré la situation 461

Le système bancaire canadien 463
   Les banques à charte. 463
   Le rôle des banques à charte. 463

Les autres institutions financières 463

Les sociétés de fiducie 464
Les coopératives de crédit et les caisses populaires 465
Les compagnies d'assurance 466
Les sociétés de placement 467
Les caisses de retraite. 468

Les marchés financiers. 470
Les Bourses. 471
L'achat et la vente de valeurs mobilières 471
Les actions 472
Les obligations 472
Les autres instruments financiers. 473

Le marché financier international. 474
Le marché des eurodollars. 475

Un enjeu commercial actuel : la victoire de Crow sur
l'inflation vaut-elle son pesant d'or ? 475

Résumé 476

CHAPITRE 19   **Le risque et l'assurance** 480

Vue d'ensemble du risque et de l'assurance 482
La définition du risque 482
Les formes de risques. 483
La gestion des risques 483
Qu'est-ce que l'assurance ? 484
La répartition des risques 485

Le secteur de l'assurance 486
Les compagnies d'assurance 486

Un enjeu commercial actuel : le SIDA. 489

Les formes d'assurances. 489
L'assurance automobile 489

Un enjeu commercial actuel : l'assurance automobile 490

L'assurance contre le cambriolage, contre le vol qualifié et
contre le vol 491
L'assurance contre les pertes d'exploitation. 491
L'assurance crédit 491
L'assurance incendie 492
L'assurance détournement et l'assurance
cautionnement. 492
L'assurance maladie. 492

L'assurance société 492

L'assurance des frais de justice 493

L'assurance maritime 493

L'assurance responsabilité civile 493

L'assurance titres 493

L'assurance chômage 494

L'assurance des accidents du travail 494

Un enjeu commercial actuel : l'Ontario doit repenser son
régime des accidents du travail 494

L'assurance vie 495

L'assurance de groupe 499

Résumé................................499

PARTIE VII

La gestion de la fonction administrative...........503

CHAPITRE 20

Le rôle des ordinateurs et des SIG.......................506

Les systèmes intégrés de gestion informatisés................508

Le traitement des données 509

La collecte des données................................509

L'analyse des données.................................510

La présentation des données 511

Les ordinateurs 511

Le système informatique et ses éléments.................513

Le matériel.................................513

Les langages informatiques 514

Les logiciels 515

L'utilisation des ordinateurs dans l'entreprise 515

La comptabilité 515

Le marketing.................................515

La production 516

Les micro-ordinateurs.................................516

Un point de vue : la technologie de l'information — plus
qu'un simple outil, un investissement....................522

Résumé.................................525

CHAPITRE 21 **La bureautique**........................ 528

La bureautique 530

La planification, l'aménagement et
les installations du bureau........................ 531
    La planification du bureau 531
    La construction du bureau 531

L'organisation et le personnel du bureau 532
    Le nouveau bureau.......................... 532
    Le bureau existant 532
    Le personnel............................. 533

La gestion administrative du bureau.................... 533
    Les machines et l'équipement 533
    Les logiciels............................. 533
    Les fournitures de bureau 543
    Les opérations de bureau...................... 544
    La sécurité du bureau 544

La gestion des documents 544

Un point de vue : les entreprises à court d'informaticiens
compétents 545

Résumé 547

PARTIE VIII **La gestion des catégories d'entreprises**............. 551

CHAPITRE 22 **La petite entreprise et la franchise**................. 554

Le profil de la petite entreprise 556
    Les mythes au sujet de la possession d'une petite
    entreprise 558

Les phases nécessaires à l'établissement d'une entreprise....... 559

Les domaines des petites entreprises................... 563
    Les entreprises de fabrication 563
    Les entreprises commerciales 564
    Les entreprises de services..................... 564

Un point de vue : la possession d'une petite entreprise 565

Les avantages et les inconvénients de la petite entreprise....... 566
    Les avantages de la petite entreprise................ 566

Les inconvénients de la petite entreprise 567

Les facteurs de réussite ou d'échec des petites entreprises 567
Les facteurs de réussite des petites entreprises 567
Les facteurs d'échec des petites entreprises 568

Un point de vue : l'esprit d'entreprise 569

Le franchisage 570
La signification du franchisage 570
Les types de franchises 571
Les avantages et les inconvénients du franchisage 572

Un point de vue : le franchisage 572

Le gouvernement et la petite entreprise 573

L'avenir de la petite entreprise 575

Résumé 575

CHAPITRE 23 **Les entreprises et la gestion internationale** 582

La nature de la gestion internationale 585
La participation des entreprises à l'échelle
internationale 586

La mondialisation 587
La spécialisation 587
L'import-export 589

Un point de vue : la compétitivité du Canada à l'échelle
internationale 590

Un aperçu sur le commerce international 591
La balance commerciale 591
La balance des paiements 591
Le taux de change 592
Les barrières ou restrictions au commerce international 593
Le rôle du gouvernement 594
Les communautés économiques 595
L'Accord général sur les tarifs douaniers et le commerce
(le GATT) 595
L'accord de libre-échange entre le Canada et
les États-Unis 596

Un point de vue : le libre-échange tripartite 597

La société multinationale (SM) et son contexte 599

Le contexte économique 599
Le contexte politico-juridique 600
Le contexte socio-culturel 601

Les fonctions de gestion et la SM 602
La planification 603
L'organisation 604
La direction 606
Le contrôle 609

Un enjeu commercial actuel : la gestion internationale 609

Résumé 611

CHAPITRE 24   **Les organismes sans but lucratif** 618

La définition des organismes sans but lucratif 620

Les types d'organismes sans but lucratif 622
Les organismes axés sur le public 623
Les organismes axés sur les membres 623
Les autres organismes 623

Un point de vue : un organisme sans but lucratif 624

Les fonctions de gestion d'un organisme sans but lucratif 625
La planification 628
Un point de vue : la planification 636
L'organisation 637
La direction 639
Le contrôle 640

Les outils de gestion des organismes sans but lucratif 640
Les outils adaptés d'organismes du secteur privé 640
Les outils conçus à l'intention des organismes sans but
lucratif 642

Un enjeu commercial actuel : la budgétisation 643

Résumé 644

PARTIE IX   **Le milieu des affaires** 651

· CHAPITRE 25   **Les contextes économique et social** 654

Le contexte économique 656

La macroéconomie 656
    Le produit intérieur brut 657
    Le produit national brut...........................658
    Le produit nominal et le produit réel.................658
    L'inflation 658
    Les déficits...658
    Le chômage 658
    L'infrastructure......................................659
    Les investissements..................................659
    La participation étrangère 659
    Les cycles économiques 660

Un point de vue : les économistes.........................661

Un point de vue : la dette nationale 663

Un point de vue : le déficit 664

La mésoéconomie 665

La microéconomie..666
    Le lien entre l'offre et la demande.....................666
    Les indicateurs de la productivité 667
    Un point de vue : la productivité internationale...........667
    La loi de la jungle 668

Le contexte social 668

Les systèmes commercial et social 669
    Qu'entend-on par système social?.....................669
    La réglementation sociale.............................669

Les enjeux sociaux 669
    L'équité en matière d'emploi 670
    La protection des consommateurs.....................670
    La protection des travailleurs.........................670

La régie interne et la réglementation de l'état 670

Le consumérisme.......................................671

Résumé..671

CHAPITRE 26 L'environnement 674

Les composantes de l'environnement 676

Le rôle de l'État 676

Un point de vue : l'environnement.........................677

Le rôle des entreprises 678

La crise urbaine 678
Le problème urbain 679
Les entreprises et les villes 679

La pollution 679
Les sources 679
Les types 679
Les effets 680

Les enjeux écologiques 680
L'air 680
Le sol 680
L'eau 681
Des suggestions destinées à améliorer la qualité de
l'environnement 682

Un enjeu commercial actuel : qui doit payer la note ? 683

La collaboration internationale 685

Un point de vue : les projets de développement durable de
Shell Canada 685

Résumé 688

CHAPITRE 27   **Le contexte juridique** 692

Le droit et ses divisions 694

Les sources du droit 695
La *common law* 696
Le droit du Code civil 696
Le droit législatif 696
Le droit constitutionnel 696

Un enjeu commercial actuel : les limites raisonnables de la
charte 697

La nature des tribunaux 698
Les cours provinciales 698
Les cours fédérales 698
La Cour suprême du Canada 699
La Cour canadienne de l'impôt 699
Les tribunaux administratifs 699

Le droit commercial 699

Les différentes divisions du droit commercial 700

Le droit et la commercialisation. 700
Le droit et les finances 700
Le droit et le travail. 703
Un enjeu commercial actuel : premiers résultats de la loi
  sur l'équité. 703
Le droit foncier 704
Le droit des sociétés 704

Résumé. 705

CHAPITRE 28   **Les relations entre les entreprises et l'État** 708

L'État et l'économie. 711

Les modes d'intervention de l'État. 711

Les contrôles de l'État. 711
Les tarifs et le commerce 719
La concurrence 712
Les investissements étrangers 712
Un point de vue : la pertinence des investissements
  étrangers 714
Les investissements intérieurs. 716
Un point de vue : le crédit d'impôt à l'investissement 717
Les tarifs et le commerce 719

Impôts et taxes. 719
L'impôt sur le revenu 720
Les droits régulateurs 721

L'interface entre les entreprises et l'État. 721

Un enjeu commercial actuel : le gaspillage de l'État 722

Résumé. 724

Bibliographie 729

Index des auteurs. 733

Index des sujets 735

PARTIE I

LES DÉFIS
DES ENTREPRISES
CANADIENNES

L es gestionnaires canadiens doivent composer avec des enjeux complexes relatifs à leurs organisations et d'ordre économique, social, politique, éthique et international. Ils doivent donc parfaitement comprendre les contextes internes et externes. Ils doivent aussi susciter la motivation, être des leaders, des innovateurs et, par-dessus tout, prendre des décisions.

La première partie du livre (chapitres 1 à 4) contient des renseignements de base essentiels au processus décisionnel des gestionnaires. Elle donne un profil du gestionnaire moderne et décrit les tendances importantes. Elle traite aussi des diverses formes d'organisations qui peuvent servir à rendre les entreprises plus productives et plus compétitives dans les marchés mondiaux, de même que plus aptes à réagir aux pressions exercées par les différents groupes d'intérêt qui interviennent.

Le chapitre 1, *Les affaires au xxie siècle*, définit certaines tendances qui influeront sur les décisions de gestion. Il met l'accent sur le service à la clientèle et décrit les changements à venir. Il se termine par le profil du gestionnaire du xxie siècle.

Le chapitre 2, *Le système économique canadien*, donne un aperçu des notions économiques de base. Il précise les divers types de systèmes économiques et leurs composantes, de même que les différents types de concurrence. Il se termine par une description du système économique canadien actuel.

Le chapitre 3, *L'éthique commerciale*, commence par la définition de l'éthique personnelle et professionnelle, traite de l'intérêt qui se manifeste à l'égard des enjeux liés à l'éthique commerciale et se termine par divers points de vue sur cette dernière.

Le chapitre 4, *Les formes d'entreprises*, examine l'entreprise personnelle, la société en nom collectif et la société. Il indique les principaux avantages et inconvénients de chacune de ces formes. Il traite également des coopératives et des organismes à but non lucratif.

CHAPITRE

1

PLAN

Une méthode de gestion modifiée
    Les tendances qui influeront sur les décisions de gestion

Un point de vue : la concurrence mondiale

La structure et les membres des organisations
    Le conseil d'administration
    Le profil de la population active
    La structure des organisations
    La nouvelle orientation des communications
    La redéfinition des tâches

Un enjeu commercial actuel : les aptitudes à la gestion
  dans l'avenir

Le gestionnaire du XXIe siècle
    La cinquième vague de gestion
    Le nouveau mandat des gestionnaires
    Les aptitudes à la gestion dans l'avenir
    Le profil du gestionnaire de l'avenir
    Les répercussions du changement
      sur les fonctions de gestion
    Les défis des futurs gestionnaires

Un point de vue : la gestion dans les années à venir

Résumé

LES AFFAIRES
AU XXIe SIÈCLE

Les objectifs du chapitre

Après avoir lu le présent chapitre, vous pourrez :

1. définir les grandes tendances qui influeront sur les décisions de gestion ;

2. décrire les changements futurs dans la structure et les membres des organisations ;

3. traiter du profil du gestionnaire du XXIe siècle.

Jusqu'à cette année, l'organisation de Xerox était orientée sur les fonctions habituelles, soit notamment la recherche et le développement, la fabrication et les ventes. L'entreprise fait maintenant l'objet d'une nouvelle organisation horizontale. La nouvelle planification crée neuf entreprises axées sur des marchés tels que les petites entreprises et les particuliers, les systèmes de documents de bureau et les systèmes d'ingénierie. Chaque entreprise aura un état des résultats, un bilan ainsi qu'un groupe reconnu de concurrents. De nouveaux aménagements en matière de fabrication permettront d'utiliser des usines dites « axées », dédiées à des entreprises spéciales.

La plupart des entreprises effectueront leurs ventes par l'intermédiaire d'un nouveau groupe des services à la clientèle, dans lequel les ventes, l'expédition, l'installation, le service et la facturation sont combinés afin que les clients n'aient à composer qu'un seul numéro de téléphone. En fait, les entreprises vendent à ce groupe — c'est-à-dire négocient les contrats — de façon que les forces du marché s'enracinent bien dans l'entreprise. Des équipes dirigent les entreprises, dont les composantes sont ce que le P.-D.G. (Président-directeur général), Paul Allaire, appelle des « unités de micro-entreprises ». M. Allaire les définit comme des processus de travail entiers ou partiels et décrit leur effet de la façon suivante : « Nous avons donné à chaque personne dans l'entreprise une vue directe sur la clientèle. »

Dans une hiérarchie fonctionnelle, les descriptions de poste, les cheminements de carrière et le flux d'information visent tous la maîtrise du travail, des travailleurs et des connaissances. Comparons cela à l'entreprise en évolution du XXIe siècle où le travail est déterminé par les clients et non par les patrons. La haute direction est responsable de quelques processus cruciaux pour la satisfaction des clients. La main-d'œuvre autonome procède à la majorité de l'embauche, établit les horaires et exécute d'autres tâches de gestion qui coûtaient autrefois une fortune en coûts indirects de main-d'œuvre. Les quelques rares personnes entre la haute direction et les équipes de travail consacrent leur temps à essayer de changer l'organisation au lieu de la contrôler. Elles tentent de se saisir de nouvelles techniques ou de nouveaux clients, ou encore de répondre à de nouvelles exigences. Les emplois, les carrières et les connaissances sont en perpétuel changement[1].

UNE MÉTHODE DE GESTION MODIFIÉE

Les quelques décennies à venir constitueront une période de défis pour la nouvelle génération de gestionnaires. L'économique, la politique, l'éthique, le milieu social et les techniques obligent les entreprises à changer fondamentalement leurs structures ainsi que leurs méthodes et processus de gestion.

Même les plus grandes et les plus puissantes sociétés nord-américaines doivent s'ajuster afin de garantir leur succès. General Motors, qui fut la plus importante société de fabrication au monde, devra peut-être être divisée. Les trois réseaux américains de télévision, ABC, CBS et NBC, qui ont dominé les ondes américaines depuis le début de la télévision, voient leur part du marché diminuer si rapidement qu'ils ne survivront peut-être pas[2].

Les résultats financiers d'IBM en 1991 furent médiocres : son chiffre d'affaires de 65 milliards $, en baisse de 5 p. 100 par rapport à l'exercice précédent, a produit une perte de 2,8 milliards $, le premier déficit de cette entreprise. Comme elle fait maintenant face à une vive concurrence mondiale, IBM a été divisée en 13 entités qui permettent une plus grande autonomie. Elle réévalue sa culture axée sur le contentement de soi et insiste maintenant sur le service, met l'accent sur la satisfaction de la clientèle, réduit le personnel sans licenciements et diminue les coûts. Elle établit également des liens avec des concurrents comme Wang, Lotus, Intel, Mitsubishi et Toshiba afin de pouvoir offrir un meilleur service à la clientèle[3].

Dans son livre, *The Icarus Paradox*, Danny Miller démontre comment les mêmes cheminements stratégiques qui ont permis aux entreprises géantes de réussir, contribuent maintenant à la chute de ces dernières[4].

Le chapitre 1 du présent livre, *Initiation aux affaires*, présente un aperçu des changements qui se produisent actuellement dans le secteur des affaires. Le chapitre est divisé en trois sections : la première s'attarde aux forces de l'environnement qui provoquent les changements

---

1. Traduit de Thomas A. Stewart, « The Search for the Organization of Tomorrow », *Fortune*, 18 mai 1992, p. 92.

2. Alvin Toffler, *Les nouveaux pouvoirs*, Fayard, Paris, 1991.
3. David Kirkpatrick, « Breaking Up IBM », *Fortune*, 27 juillet 1992, p. 44.
4. Danny Miller, *The Icarus Paradox*, Harper Business, New York, 1990.

dans les entreprises, la deuxième concerne les changements structurels organisationnels et la troisième a trait aux méthodes, compétences et styles nouveaux qui seront nécessaires aux gestionnaires du XXIᵉ siècle.

Les tendances qui influeront sur les décisions de gestion

Les changements ambiants auront sûrement un effet sur les décisions de gestion. Voici quelques-uns des facteurs qui influeront sur les structures et méthodes organisationnelles de gestion.

La conjoncture économique

Au cours de la dernière décennie, les entreprises ont connu des changements économiques spectaculaires qui les ont obligées à modifier leur mode d'exploitation. Les changements qui devraient subsister dans les années à venir comprennent un taux de chômage élevé, des fluctuations de la devise, des ressources restreintes, une récession d'une durée record, des taux d'intérêt variables et une domination économique de pays concurrents comme le Japon, la Corée, l'Allemagne et la France.

Ces facteurs obligeront les gestionnaires à rationaliser les coûts par la fermeture d'usines, de divisions et de bureaux régionaux, la consolidation des activités et la restructuration des entreprises (la compression des effectifs et la déstratification en ce qui concerne les travailleurs et les cadres moyens). De tels changements auront des effets positifs : les gestionnaires se préoccuperont davantage de l'utilisation des ressources, augmenteront l'efficacité au niveau des exécutants, provoqueront un accroissement crucial de la productivité et introduiront plus de discipline dans la méthode de gestion. La répercussion de ces changements sera double : les consommateurs bénéficieront de produits et de services de meilleure qualité, et les entreprises nationales seront mieux préparées à faire face à la vive concurrence étrangère.

Les tendances technologiques

Le progrès technologique aura les effets les plus spectaculaires dans le milieu du travail. Les spécialistes en prospective s'entendent sur le fait que les changements des vingt prochaines années dépasseront tous les changements survenus depuis la révolution industrielle. Le secteur de l'électronique jouira dans les années à venir du statut que détenait le secteur de l'automobile dans le passé.

La technologie, particulièrement dans le secteur de l'électronique, accroîtra certainement le rendement des entreprises canadiennes et leur position compétitive dans les marchés mondiaux. Le progrès technologique améliorera les secteurs de l'agriculture, des ressources naturelles, du transport, des télécommunications, de l'aérospatiale, des ordinateurs, de l'industrie, des sciences, des lasers médicaux et scientifiques ainsi que de la robotique. Le secteur de l'électronique connaîtra des changements inhabituels dans les domaines suivants :

- les micro-ordinateurs (à la maison et au travail) ;
- la CAO et la FAO (conception assistée par ordinateur et fabrication assistée par ordinateur) ;
- la transformation du travail de bureau (par exemple, le traitement de texte, le courrier électronique et les produits de systèmes de bureau connexes) ;
- la robotique et d'autres appareils de traitement industriel (introduction des techniques des microprocesseurs dans la production industrielle).

Les changements sociaux

Notre société pluraliste oblige les entreprises à être socialement plus responsables et à améliorer la qualité de vie au travail. Les groupes d'intérêt continueront d'insister auprès des dirigeants d'entreprises, afin que ces derniers deviennent plus responsables de leurs décisions concernant la qualité de vie en général. Les groupes de consommateurs persisteront à dénoncer les produits de piètre qualité, à boycotter les producteurs irresponsables et à obliger tous les paliers de gouvernement à adopter des règlements plus stricts, afin d'exercer un contrôle sur les pratiques commerciales, particulièrement dans les domaines de la pollution et de la sécurité.

Les travailleurs seront plus instruits. La plupart d'entre eux détiennent déjà un diplôme d'études secondaires, et un nombre croissant détient des diplômes collégiaux ou universitaires. Ils exigeront de leurs employeurs plus de défis, d'autonomie et d'emplois rémunérateurs et gratifiants.

La tendance en faveur des femmes dans le milieu du travail s'accentuera. Plus de femmes entrent sur le marché du travail; elles occuperont de plus en plus de postes axés sur la technique et la gestion, et elles continueront de prendre les mesures nécessaires afin d'être mieux préparées à occuper ces postes.

Le mode de vie

Le « mode de vie » désigne la façon dont les gens vivent. Il comprend le temps libre, le travail, les passe-temps et les attitudes face à la vie. Les gens seront davantage préoccupés par l'utilisation et la réutilisation de tous les types de ressources, ce qui se reflétera dans leur comportement général. Les « cinq R » de la société d'économie (rejet, réutilisation, réparation, recyclage et reconception) occuperont une part importante des activités à la maison, pendant les loisirs et au travail. Les services sociaux deviendront de plus en plus un enjeu politique, et tous les paliers de gouvernement en offriront davantage.

Les gens seront plus mobiles : une personne pourra naître dans une certaine localité, étudier dans une autre, se marier trois ou quatre fois, et poursuivre un plan de carrière afin d'atteindre des objectifs dans de nombreuses autres localités. Le mariage ne sera plus considéré comme une institution sacrée; il sera plutôt remplacé par une éthique profane moins idéaliste. Les divorces continueront d'augmenter et les modifications des lois fédérales faciliteront les procédures à ce sujet. On assistera à un changement catégorique de la structure familiale et à un intérêt croissant pour d'autres modes de vie fondés sur le partage des ressources.

Bref, les questions sociales, comme les soins accordés aux pauvres et aux personnes handicapées physiquement, les centres de jour, les pensions de retraite, les régimes d'assurance-maladie, les heures de travail, le transport entre la résidence et le travail, les droits culturels (le multiculturalisme) et les temps libres, seront la préoccupation de tous.

On assistera également à un changement du comportement des acheteurs. Il existe déjà une tendance en faveur des grands magasins et des hypermarchés (comme le Club Price). L'ère de la spécialisation des produits et du libre-service offert aux clients entraînera une diminution du personnel de vente.

Le changement de la composition de la population

Après la Seconde Guerre mondiale, la population du Canada augmentait de 3 p. 100 par an. Depuis, elle diminue de 1 p. 100 par année. Cette importante baisse a surtout été causée par une chute nette du taux de natalité. La composition de la population changera énormément, car cette dernière vieillit rapidement. En 1976, plus de la moitié des Canadiens étaient âgés de moins de 27,8 ans. En l'an 2001, plus de la moitié de la population aura plus de 36 ans.

Le vieillissement de la population est une préoccupation non seulement nationale mais également internationale. Selon une étude menée par l'Organisation des Nations Unies, il y aura, en 2025, deux fois plus de grands-parents que de bébés. On prévoit également que d'ici le premier quart du XXIe siècle, le taux de natalité mondial aura baissé de moitié. La durée de vie moyenne de la population mondiale, qui était de 47 ans en 1950, passera à 70 ans en 2025. En raison de l'amélioration des services de santé et des normes alimentaires, la population mondiale comprendra 1,12 milliard de personnes de plus qui seront âgées de 60 ans et plus, et ces dernières constitueront 13,7 p. 100 de la population totale.

Ces changements cruciaux exerceront davantage de pression financière sur les gouvernements et sur les régimes de retraite privés, en plus de causer une pénurie de main-d'œuvre. De plus, la publicité sera moins axée sur la jeunesse. La population plus âgée retiendra davantage l'attention et exercera une influence considérable sur les politiques gouvernementales relatives aux questions d'ordre économique, social et politique.

La coopération internationale

La tendance vers une interdépendance mondiale se maintiendra. Le monde est un marché planétaire et la pollution est devenue un problème international. Par le passé, la concurrence se limitait au niveau national, alors qu'aujourd'hui, c'est toute la planète qui constitue le marché.

Le libre-échange peut se révéler avantageux pour les marchés internationaux, mais il peut également causer des problèmes au sein d'une nation. Les Canadiens hésitaient entre le protectionnisme et le libre-échange à la fin des années 1980 et au début des années 1990. Le Canada a maintenant conclu un contrat de libre-échange avec les États-Unis et le Mexique à la faveur de l'Accord de libre-échange nord-américain (ALÉNA). Certains économistes estiment qu'il

s'agit là d'une étape importante pour le Canada ; plusieurs prévoient que le commerce, à l'avenir, s'effectuera entre des blocs de pays et non pas des pays isolés.

Les changements culturels

En raison de ces changements si rapides, les gens se retrouvent dans une société très différente de celle à laquelle ils étaient habitués. L'expression « choc culturel » désigne la réaction à ces changements qui concernent notamment les consommateurs, les travailleurs, les employeurs et les prêteurs. De trop rapides changements auront des répercussions défavorables sur les gens. Ces derniers se sentiront désorientés et mal à l'aise, ou seront négatifs et hostiles. Dans la première moitié de ce siècle, les changements survenaient graduellement et les gens pouvaient s'adapter le temps d'une vie. Les gens devront dorénavant s'ajuster plus rapidement. Les facteurs les plus importants propices au choc culturel portent sur la répartition par âge, les incertitudes économiques, l'automatisation du travail de bureau et d'usine (le progrès technologique), l'explosion de l'information, les modes de vie changeants, la pression exercée au travail en vue d'une productivité et d'un rendement accrus, l'égalité ethnique et économique, les incertitudes politiques, le déplacement des objectifs matérialistes vers une plus grande préoccupation des besoins humains, le déplacement vers une société planifiée et communautaire (moins individualiste), la pression des pays du Tiers monde, le besoin d'un plus haut niveau d'instruction, l'égalitarisme, des règlements plus souples au sujet de la retraite, le changement dans la formation de la famille canadienne, les valeurs de travail changeantes, la pénurie de ressources, la sécurité d'emploi, la pression en provenance des producteurs étrangers, les préoccupations en ce qui concerne l'environnement, les nouvelles compétences professionnelles et un taux élevé de chômage.

UN POINT DE VUE

John S. McCallum,
professeur en gestion à la
University of Manitoba

La concurrence mondiale

Les magazines *Fortune* et *Business Week* ont publié, cet été, le classement des plus grandes sociétés mondiales. La performance du Canada est préoccupante. Nos plus grandes entreprises ne sont peut-être pas assez importantes pour se maintenir au niveau des plus grandes sociétés mondiales. Selon *Fortune*, seules 12 sociétés canadiennes figuraient parmi les 500 premières sociétés industrielles mondiales classées d'après le chiffre d'affaires de 1990.*Les cinq premières sociétés canadiennes étaient Alcan Aluminium (150e), Noranda (164e), Northern Telecom (200e), Thomson (257e) et Seagram (291e).

La dimension d'une entreprise ne constitue que l'un des éléments d'une production efficace, mais est néanmoins très importante. Elle permet de longues phases de production qui réduisent les coûts moyens.*Grâce à elle, la recherche, le développement, la formation, la comptabilité, l'administration et la publicité, notamment, sont plus rentables. La dimension d'une entreprise permet d'obtenir des capitaux à moindre coût et facilite l'accès aux marchés internationaux. En outre, elle réduit les risques liés à un échec dans le cas d'un investissement unique, et elle facilite la possibilité de conserver la production à la fine pointe de la technologie.

Il est facile de comprendre la petitesse de nos plus grandes entreprises selon les normes internationales : notre pays est de dimension moyenne. De plus, jusqu'à maintenant, notre mode de vie n'était pas lié à la dimension des sociétés. Nous avons toujours été chatouilleux en ce qui concerne le pouvoir, propre aux grandes entreprises, d'abuser des marchés. Finalement, la rémunération de l'entrepreneuriat est bien plus élevée ailleurs.

Un milieu favorable aux grandes entreprises est souhaitable si nous désirons une amélioration de notre mode de vie. Quelques étapes semblent intéressantes à cet égard.

– Les accords commerciaux, comme l'accord de libre-échange, ouvrent d'autres marchés à nos producteurs et vice-versa. Tant que les chances restent égales, on doit encourager ces accords. L'accès aux vastes marchés est indispensable à la prospérité de nos sociétés.

– Les fusions et les prises de contrôle soulèvent toujours la question de savoir si les consommateurs seraient plus avantagés si les entreprises d'un secteur d'activité donné étaient moins nombreuses, mais plus grandes. Il peut être nécessaire de voir à plus long terme le bien-être des consommateurs et d'accepter les risques reliés à des entreprises de grande dimension.

– Les initiatives fiscales qui augmentent la rémunération de l'entrepreneuriat et des investissements sont souhaitables.

– La formation d'entreprises en participation internationales dirigées par des Canadiens devrait être encouragée. Il se peut qu'il ne soit pas possible, dans de nombreux secteurs d'activités, que des entreprises canadiennes à part entière réussissent dans les marchés mondiaux.

Les données contenues dans *Fortune* et *Business Week* laissent entendre que nos entreprises n'ont peut-être que peu de chances de succès au sein du marché planétaire émergent. La dimension des sociétés est un enjeu qui justifie une sérieuse réflexion.

Source : Traduit de John S. McCallum, « Canada Must Have Larger Firms to Compete », *The Financial Post,* 28 août 1991, p. 9.

LA STRUCTURE ET LES MEMBRES DES ORGANISATIONS

La gestion future des entreprises peut sembler une tâche impossible. Le fait d'essayer de toujours plaire à tout le monde et de devoir satisfaire d'innombrables groupes d'intérêt exercera sûrement des pressions considérables sur les dirigeants d'entreprises. Afin de faire face à ces modifications, ceux-ci effectueront des changements fondamentaux de la structure organisationnelle.

Dans leur livre, *Re-inventing the Corporation*[5], les spécialistes en prospective John Naisbitt et Patricia Aburdene démontrent les quatre points suivants : le déplacement de l'utilisation des ressources, qui passent du capital financier dans la société industrielle au capital humain dans la société de l'information ; des coupures aux postes de cadres intermédiaires dues à l'aplanissement des structures organisationnelles, à la faveur de la compression des effectifs et de la déstratification ; une pénurie de main-d'œuvre imputable à un retour au plein emploi, lorsque l'économie nouvellement structurée commencera à s'améliorer ; et, enfin, une baisse de la population active sur le marché du travail. Ce sera un marché vendeur, car la concurrence sera vive entre les travailleurs et parmi les employeurs qui embaucheront les meilleurs éléments. En raison de ce déplacement, Naisbitt et Aburdene affirment que les entreprises opteront pour la restructuration. On trouvera au tableau 1.1 un résumé des dix éléments que, selon les auteurs, les gestionnaires prendront en considération lorsqu'ils effectueront des changements dans leur entreprise.

Les paragraphes suivants donnent un aperçu des éléments organisationnels qui changeront à l'avenir, dont la composition du conseil d'administration, le profil de la population active, la structure de la prochaine génération d'entreprises, le flux de communication organisationnelle et la redéfinition des emplois.

Le conseil d'administration

Le rôle du conseil d'administration comprend de nombreuses tâches, telles que l'approbation des politiques, de la mission, des objectifs et des stratégies de l'entreprise, la répartition des ressources, l'évaluation et la recommandation de la rémunération des cadres dirigeants, les relations avec les spécialistes externes comme les avocats, comptables et banquiers, la nomination des futurs collègues, l'approbation de la nomination des cadres supérieurs, et plus important encore,

5. John Naisbitt et Patricia Aburdene, *Re-inventing the Corporation*, Warner Books, New York, 1985.

TABLEAU 1.1
Facteurs à envisager lors de
la restructuration d'une entreprise

1. Les entreprises qui créent les milieux les plus propices à la croissance personnelle attireront les gens les plus doués.

2. Dans l'entreprise, le nouveau rôle du gestionnaire consistera à cultiver et à maintenir un milieu propice à la croissance personnelle.

3. Les systèmes de rémunération qui récompensent le rendement et l'innovation transforment les employés en actionnaires.

4. Nous passons du contrat d'embauche de main-d'œuvre à une main-d'œuvre contractuelle, dans une tendance plus vaste à conclure des contrats relativement à différents services.

5. Le style de gestion autoritaire vertical descendant fait place à un style de gestion de consultation latérale horizontal. En vertu de ce dernier, les gens apprennent les uns des autres, représentent chacun une ressource pour quelqu'un d'autre, en plus d'obtenir un appui et de l'aide en provenance de différentes directions.

6. De nombreuses entreprises optent pour la restructuration sous forme d'une confédération d'entrepreneurs qui œuvrent sous le chapiteau principal de l'entreprise.

7. Dans l'entreprise restructurée, la qualité sera primordiale.

8. L'intuition devient à nouveau reconnue dans le monde des sociétés régi jusqu'à présent par les nombres.

9. Les grandes entreprises découvrent que pour se mesurer à la concurrence dans un marché changeant, elles doivent adopter un grand nombre des valeurs des petites entreprises.

10. Dans la société de l'information, nous passons de l'infrastructure à la qualité de vie.

Source: Traduit de John Naisbitt et Patricia Aburdene, *Reinventing the Corporation*, Warner Books, New York, 1985, p. 46-78.

la protection des intérêts des actionnaires. Ces activités se poursuivront à l'avenir; toutefois, les changements qui surviendront au niveau du conseil toucheront les administrateurs, de même que les fonctions et la participation de ceux-ci dans le domaine de la planification stratégique.

La composition du conseil (la haute direction)

Un certain nombre d'études sur la composition des membres d'un conseil révèlent que 90 p. 100 de ces membres dans d'importantes sociétés seront des administrateurs externes (en dehors de l'entreprise), qu'une grande société sur cinq comptera des membres de groupes minoritaires dans son conseil d'administration et que 40 p. 100 compteront au moins une administratrice.

Les fonctions du conseil

Par le passé, un conseil fonctionnait comme un comité d'ensemble; on discutait des questions à l'ordre du jour et les membres prenaient position. Les questions plus complexes étaient soumises à un autre comité, afin d'être étudiées en profondeur. Certains membres étaient affectés à des comités dans le but 1) d'étudier une question déterminée qui avait été soulevée par une vérification externe, 2) d'évaluer et de recommander un programme de rémunération des cadres dirigeants, 3) d'évaluer les candidats à un poste d'administrateur et 4) de chercher un nouveau membre de la direction. Ce processus important continuera probablement. On prévoit toutefois que les membres du conseil prendront davantage part aux activités de l'entreprise: ceux qui s'intéressent à un domaine particulier peuvent demander des renseignements précis aux cadres supérieurs qui préparent les présentations du conseil. Le rôle du conseil d'administration devrait s'accroître.

La planification stratégique

Le conseil d'administration continuera à jouer un rôle participatif et administratif qui prendra de l'ampleur. En ce qui concerne le rôle **participatif**, les membres du conseil joueront un rôle plus interactif auprès des dirigeants d'entreprise. Ils seront davantage engagés dans la planification stratégique, du début à la fin. Quant au côté **administratif** de la planification stratégique, le conseil d'administration s'assurera que le processus de planification par étapes est exécuté efficacement et que les gestionnaires adoptent une méthode de préparation des plans stratégiques.

Le profil de la population active

Afin de mieux répondre à un vaste éventail de demandes de plus en plus précises (de la part des groupes d'intérêt et des organismes gouvernementaux, par exemple), les entreprises engageront davantage de spécialistes et d'experts. On pourra même créer de nouvelles fonctions. Ainsi, plus de gens établiront des rapports avec les organismes gouvernementaux. Certains employés seront engagés à plein temps dans des rôles de liaison. D'autres personnes, employées à temps partiel, exerceront des pressions au sujet d'enjeux précis. La spécialisation deviendra primordiale. Des services professionnels et techniques seront exigés dans différentes disciplines (des spécialistes en comptabilité, des experts juridiques, des fiscalistes, etc.), afin d'établir des rapports avec tous les paliers de gouvernement, et chacune de ces personnes aura une tâche déterminée relativement à un organisme gouvernemental donné (chargé, par exemple, de l'environnement, du commerce international et des finances).

Les membres de la direction responsables des services fonctionnels créeront de nouveaux postes qu'ils confieront à des homologues ou à des spécialistes techniques ayant un sens aigu des réalités en jeu. On verra davantage de conseillers techniques dans les bureaux centraux. Ils ne remplaceront pas les membres de la haute direction, mais les aideront à s'acquitter d'une

multitude de nouvelles activités. On trouvera ainsi des spécialistes en marketing, en exploitation, en énergie, en rémunération, en techniques et en stratégie. Le spécialiste en prospective John Naisbitt prévoit que les entreprises organiseront des groupes internes dirigés par des «gestionnaires d'enjeux» chargés de découvrir les tendances clés.

Les travailleurs de première ligne, toutefois, développeront plusieurs champs de compétences. En raison de la tendance à délaisser l'organisation verticale au profit de l'organisation horizontale (méthode plus intégrante, orientation axée davantage sur le processus ou sur les fonctions croisées), les employés devront mieux connaître toutes les activités clés du service à la clientèle (par exemple, le marketing, l'assemblage, les finances, l'expédition et le contrôle de la qualité).

La structure des organisations

Les organisations seront aplanies. Les unités organisationnelles travailleront en équipes et seront davantage intégrées afin d'atteindre les objectifs en matière de service et de qualité. La structure organisationnelle intégrante servira en particulier aux entreprises qui œuvrent dans des marchés très concurrentiels touchés par des techniques rapidement changeantes.

Les systèmes par équipes deviendront également de plus en plus populaires. Dans son livre, *Future Shock*, Alvin Toffler forge le terme « adhocracy », ce qui signifie que les entreprises fonctionneront en s'appuyant sur « des groupes d'étude permanents ou des équipes officielles ». Le secteur de la construction peut servir à illustrer la notion des systèmes par équipes officielles. Qu'il s'agisse de construire des maisons de toutes dimensions, des logements en copropriété, des appartements de petite, moyenne ou grande envergure, de petits bâtiments industriels ou de petits centres commerciaux, les problèmes et les techniques de contrôles sont identiques. Des équipes de travailleurs spécialisés peuvent prendre en main n'importe lequel de ces projets. Le même principe s'applique en affaires. Les principaux groupes de travail qui alimentent la majeure partie des activités d'une entreprise travailleront en « équipes », et non seuls.

La nouvelle orientation des communications

✶ Depuis des milliers d'années, la structure organisationnelle pyramidale semble représenter le mode de planification organisationnelle le plus efficace. Quelques personnes qui détiennent le pouvoir se trouvent en haut de la pyramide, alors que des « rangées » d'employés occupent le bas, et tous avancent à la même cadence. Cette hiérarchie ressemble beaucoup à celle de l'Église catholique: la majorité des prêtres ne rencontrent jamais le pape, mais c'est lui qui mène leur destinée. La structure traditionnelle de type pyramidal est surtout caractérisée par le fait que chaque personne ou travailleur exécute une tâche déterminée et relève d'un seul patron. Le plus grand inconvénient de cette structure, c'est que les travailleurs fonctionnent seuls et ne disposent pas de moyens d'améliorer constamment le flux de travail.

✶ Dans un tel système, le processus de communication **vertical descendant** était courant et la consigne « faites ce qu'on vous dit » était incontournable. Dorénavant, les travailleurs prendront non seulement part au processus décisionnel, mais détiendront également le pouvoir et les outils nécessaires à la planification et au contrôle de la production. Les subalternes ne dépendront plus de leurs patrons, étant donné que les travailleurs détiendront davantage de pouvoir grâce à l'habilitation et à la formation d'équipes; en revanche, les patrons qui voudront atteindre leurs objectifs personnels et organisationnels dépendront de plus en plus de leurs subalternes. Les travailleurs préféreront

relever d'un patron qui possédera peut-être un poste d'autorité, mais qui agira d'une façon non autoritaire. La structure sera moins officielle et la méthode de **gestion itinérante** adoptée par d'excellentes entreprises illustre également la diminution de l'importance du système bureaucratique officiel.

Malgré la tendance vers une méthode de gestion plus détendue, de nombreuses personnes croient que la structure pyramidale qui prédomine dans les organisations depuis un millier d'années reste valable pour l'avenir. En tout cas, la forme changeante des structures organisationnelles (qui est passée de la verticale à l'horizontale, des divisions aux processus) ne constitue pas une menace pour l'autorité des gestionnaires. Même si l'autorité sera plus relâchée, les employés ne peuvent évidemment pas être laissés uniquement à eux-mêmes, sans aucune restriction. Les entreprises conserveront des politiques, des objectifs et des exigences auxquels toutes les composantes organisationnelles devront se soumettre (soit la réduction du temps des cycles, du gaspillage, de l'énergie et du temps nécessaire à la commercialisation de nouveaux produits). La clé de la réussite de la gestion reposera donc sur la compétence à créer des conditions de travail qui feront accepter les politiques et objectifs de l'entreprise. Bref, les gestionnaires agiront de façon que leurs subalternes **cherchent de leur propre gré** à se conformer aux politiques de l'entreprise. La méthode participative à la gestion d'entreprises et l'engagement des subalternes dans le processus décisionnel (super-équipes, cercles de qualité) semblent représenter les moyens les plus efficaces en vue de créer des conditions de travail propices à l'amélioration de la productivité.

La pyramide renversée

Certains théoriciens de la gestion reconnaissent le rôle prépondérant des employés et commencent à présenter les structures organisationnelles sous forme de pyramide renversée. Ainsi, la figure 1.1 représente le président au bas de la pyramide et les employés au-dessus. Elle illustre l'importance croissante, pour les gestionnaires, d'être plus proches de leurs employés, de les traiter comme des adultes et des êtres humains, de les respecter et d'être convaincus que les employés constituent l'atout le plus important d'une entreprise.

Les communications fonctionnelles croisées

Conformément à la notion de la pyramide renversée, les unités organisationnelles fonctionneront davantage selon un style de gestion horizontal (équipes fonctionnelles croisées) et non plus vertical (système de cheminée). Les gestionnaires constatent que les produits et services résultent de nombreux processus distincts liés de façon non linéaire. Des personnes diversement spécialisées, occupées dans différents secteurs d'une entreprise, travailleront en relations plus étroites grâce aux équipes, afin d'accroître la synergie et la productivité, et d'aboutir à la satisfaction totale des clients. Dans ce système, les employés jouiront de plus de pouvoir et feront partie d'une équipe, comme au base-ball ou au hockey, et travailleront dans le cadre de directives générales. La figure 1.2 montre comment la communication fonctionnelle croisée circule dans le système fondé sur des équipes.

La redéfinition des tâches

Afin de pouvoir réagir au milieu continuellement changeant, des emplois seront créés, d'autres, abolis et certains, redéfinis, ce qui aura une incidence sur les unités de travail elles-mêmes. Des unités de travail diminueront, d'autres s'agrandiront et subiront des transformations, et d'autres encore porteront une nouvelle désignation (ainsi, le service de la dactylographie

FIGURE 1.1
La pyramide renversée

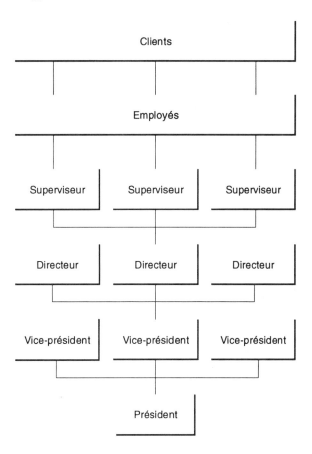

est devenu le service du traitement de texte). En raison des nombreux changements dans les emplois de niveaux inférieurs, l'automatisation du travail de bureau rendra les emplois de bureau et administratifs beaucoup plus perfectionnés. Même le titre des postes change, non seulement pour des raisons techniques, mais aussi par égard à la dignité individuelle. Par exemple, la « surveillante de prison » devient « l'agente de correction », « l'hôtesse de l'air » s'appelle « l'agente de bord », la « bonne d'enfants » fait place à la « puéricultrice » et le « messager » est le « commis au courrier ».

FIGURE 1.2
Communication horizontale à la faveur d'équipes
fonctionnelles croisées

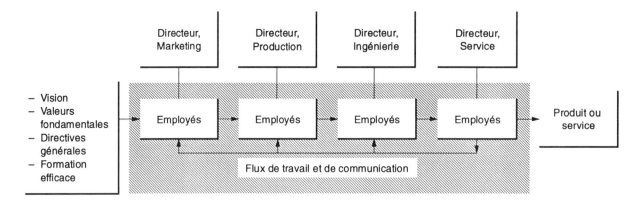

Les aptitudes à la gestion dans l'avenir

Nombre d'étudiants en commerce ont relié le succès d'une entreprise aux caractéristiques de commandement de ses dirigeants. Toutefois, dans le processus visant à souligner l'importance du chef d'entreprise, le mot gestionnaire s'est vu quelque peu dévalorisé. On décrit le chef d'entreprise comme une personne qui a une vision, qui inspire et qui entraîne les autres, tandis que le gestionnaire renvoie maintenant souvent à quelqu'un qui ne fait qu'administrer et qui exécute les ordres. « Qui a jamais entendu parler d'un gestionnaire mondial, d'ailleurs ? », pouvait-on lire récemment dans une publicité du *Wall Street Journal*.

Le plus grand défi du chef d'entreprise de la prochaine décennie sera de combler le vide entre stratégie et exploitation, affirme David Ulrich, consultant en gestion reconnu de la University of Michigan, dans un livre récent intitulé *Organizational Capability : Competing From the Inside Out*. Selon Ulrich, le rôle d'un dirigeant d'entreprise doit être celui d'un architecte social chargé de concevoir un cadre qui permet à l'entreprise d'atteindre ses buts. Un bon architecte social réussira à créer une structure qui encourage et soutien le rendement maximum des employés. Pour utiliser une métaphore, la survie d'un navire pris dans un ouragan dépend dans une large mesure du courage, de l'expérience et de la compétence du capitaine. Mais une autre personne a autant d'importance : l'ingénieur qui a conçu le navire.

Dans la conjoncture économique actuelle, les entreprises ressemblent à des navires surpris par la tempête. Mais, chaque capitaine doit non seulement commander, mais aussi constamment apporter des modifications au navire afin d'être prêt à affronter les tempêtes futures.

Selon Ulrich, les tâches clés de l'architecte social se résument ainsi :

- Modeler les emplois de façon qu'ils soient un défi intellectuel pour les employés. De nombreux emplois exigent des employés qu'ils laissent leur intelligence de côté. Ce gaspillage d'intelligence constitue un luxe que nous ne pouvons plus nous permettre.

- Créer des entreprises au sein desquelles les cadres intermédiaires peuvent relier la vision de l'entreprise à leurs propres tâches. Les cadres intermédiaires ne peuvent plus se limiter à exécuter des ordres. Les entreprises efficaces ont besoin de cadres intermédiaires qui font preuve de jugement et d'initiative dans la poursuite des objectifs de l'entreprise.

- Créer et maintenir des processus efficaces de règlement des conflits. On a besoin de créer des processus afin que les conflits entre les divisions ou les services soient résolus au niveau de l'exploitation et non renvoyés plus haut aux cadres supérieurs.

- Créer un climat de confiance, en s'assurant que les mesures prises dans les entreprises sont compatibles avec les objectifs établis. Une entreprise réussit l'épreuve de la confiance, si ses mesures sont équitables selon les normes usuelles et si les gens connaissent les conséquences de leurs gestes.

- S'assurer que les systèmes fondamentaux sont conformes aux objectifs organisationnels. Ces systèmes organisationnels, comme la paye des employés et la circulation de l'information, doivent appuyer les objectifs de l'entreprise et non pas les entraver.

- S'assurer que les dynamiques culturelles organisationnelles concordent avec les objectifs. Ainsi, une entreprise qui cherche à renforcer une méthode par équipes doit s'assurer que ses systèmes techniques et politiques ne sont pas axés sur le rendement individuel.

Source : Traduit de Peter Larson, « Good Leaders Must Be Social Architects », *The Montreal Gazette*, 16 décembre 1991, p. 4.

LE GESTIONNAIRE DU XXIe SIÈCLE

On peut définir les prochaines décennies comme l'ère de la gestion. Si les entreprises veulent s'adapter à leur milieu extérieur, elles devront être gérées par des personnes ayant des compétences différentes. On trouvera ci-après un aperçu des compétences du gestionnaire de l'avenir, un profil de cette personne et un résumé de la façon dont les quatre fonctions de gestion seront assumées à l'avenir.

La cinquième vague de gestion

Ce n'est pas la première fois que les industries nord-américaines sont préoccupées par la productivité et la motivation. Chaque fois, de nouvelles méthodes de gestion ont permis de résoudre les

problèmes du moment. L'actuelle **crise de productivité et de motivation** ne fait pas exception.
Depuis le début du siècle, la gestion a connu cinq
vagues. Chaque fois, de nouvelles méthodes ont
aidé les gestionnaires dans leur tâche.

1   La **première vague de gestion** remonte au
début du siècle avec le mouvement classique,
mécaniste ou scientifique, lorsqu'un groupe
d'auteurs, de consultants et de chercheurs émi-
rent l'hypothèse selon laquelle la logique, l'ordre
et le bon sens constituaient les conditions préalables à l'organisation du travail et à l'accroissement de la productivité. Une série de principes
de gestion découla de cette première vague.

2   La **deuxième vague de gestion** prit naissance
au début des années 1930, lorsqu'on se rendit
compte que les entreprises et les gens ne devaient
pas être considérés comme des **pions** motivés
uniquement par des encouragements financiers.
Le balancier allait vers une méthode davantage
axée sur les personnes, c'était le mouvement
comportementaliste ou humaniste. De nouvelles
valeurs découlèrent de cette deuxième phase,
surtout la valeur selon laquelle les personnes devaient être traitées comme des êtres humains.

3   La **troisième vague de gestion** débuta au milieu des années 1940. Dans une certaine mesure, il s'agissait du retour du mouvement scientifique, c'est-à-dire de la méthode quantitative,
qui donna lieu à l'utilisation de solutions mathématiques et statistiques comme les modèles
d'optimisation, les modèles d'information, les
simulations par ordinateur, la planification linéaire, l'établissement d'un calendrier de travail
et la recherche opérationnelle. Même si le mouvement quantitatif contribua surtout au processus décisionnel, particulièrement dans le domaine de la planification et du contrôle, il a
exercé, et exerce toujours, une influence considérable sur la pratique de la gestion.

4   La **quatrième vague de gestion** prit naissance au début des années 1960, lorsqu'on res-
sentit le besoin d'une méthode de gestion plus
intégrante et unifiante. Les sujets de gestion

d'actualité à ce moment-là concernaient les styles de gestion, l'approche systémique et les processus de gestion. Il était au goût du jour de
faire des recherches sur le style de gestion le
plus adéquat. Un gestionnaire devait-il être
autocratique ou démocratique, du type X ou Y,
axé sur les résultats ou les personnes ? En fin de
compte, la plupart des auteurs arrivèrent à la
conclusion qu'une entreprise devait être considérée comme un **système**, que les gestionnaires
devaient utiliser le style de gestion le plus approprié aux besoins d'une **situation donnée**, et
qu'on devait considérer la gestion comme un
processus. On eut droit à une pléthore d'articles, de livres et de conférences sur ces sujets.

5   Nous nous trouvons maintenant dans la **cinquième vague de gestion**, celle de la culture organisationnelle. De nos jours, les entreprises
nord-américaines recherchent les raisons sous-
jacentes qui font qu'une entreprise est plus prospère qu'une autre. Cette vague prit naissance
avec les recherches d'Ouchi qui le menèrent finalement à écrire son livre, *Theory Z*[6], dans lequel
il compare les styles de gestion nord-américain et
japonais. Cet ouvrage fut suivi du livre de Peters
et Waterman, *In Search of Excellence*[7].

Le message était clair : une **solide culture organisationnelle** semblait être la clé du succès d'une
entreprise. Les entreprises nord-américaines se retrouvent donc actuellement prises à clarifier
leur culture organisationnelle. L'expression culture organisationnelle a été définie par Edgar
Schein comme étant « le modèle d'hypothèses
fondamentales qu'un groupe donné a inventé,
découvert ou élaboré lorsqu'il apprenait à affronter ses problèmes reliés à l'adaptation externe et à l'intégration interne, et qui a suffisamment bien fonctionné pour être considéré
comme valable et, par conséquent, digne d'être

6. William Ouchi, *Theory Z : How American Business Can Meet
    the Japanese Challenge*, Addison-Wesley Publishing Company,
    Reading, Mass., 1981.
7. Thomas J. Peters et Robert H. Waterman Jr., *In Search of
    Excellence*, Harper & Row Publishers, New York, 1982.

enseigné aux nouveaux membres à titre de façon adéquate de percevoir, de penser et de ressentir en ce qui concerne ces problèmes[8] ».

On peut énoncer simplement que la culture d'entreprise correspond essentiellement à « la façon dont nous faisons les choses[9] ».

C'est pourquoi chaque entreprise a une culture. Certaines cultures sont plus autocratiques que démocratiques, d'autres, plus centralisées que décentralisées et, entre ces extrêmes, des variantes existent.

Le nouveau mandat des gestionnaires

Certains chercheurs en gestion laissent entendre que les gestionnaires devraient retourner aux sources. Depuis une trentaine d'années, on a essayé toutes sortes de techniques de gestion. Bien qu'on ait beaucoup avancé, on a entre-temps perdu de vue la notion qui consiste à **faire faire le travail par des gens**. La révolution de la cinquième vague en matière de gestion est si puissante que certains auteurs ont même proposé de délaisser les mots **gérer** et **gestion** qui sous-entendent arranger et contrôler. Selon ces auteurs, le mot **leadership** est plus approprié, car il connote la stimulation, la création d'équipes, l'éducation, l'encadrement et l'amélioration du moral.

On a tiré une leçon de la toute nouvelle méthode de gestion fondée sur la culture d'entreprise : les gestionnaires de demain ne devront plus disposer seulement de techniques, de systèmes et de processus. Ils devront reconnaître l'importance d'établir des objectifs, de laisser les gens agir, d'utiliser le temps efficacement et de comprendre la valeur de la communication (surtout de l'écoute). Ils devront également

accorder leur appui et leur confiance, et devront savoir comment entretenir le moral, traiter l'information, réagir aux changements, déléguer les tâches et motiver les employés. La créativité et l'innovation constitueront la norme. Les entreprises d'aujourd'hui reconnaissent l'importance de ces valeurs ; les gestionnaires actuels se rendent compte que les **aptitudes des gens** et la motivation ne constituent pas de simples théories qui sont enseignées à l'école pour être ensuite oubliées sur le marché du travail.

Sam Walton, qui a ouvert le premier magasin Wal-Mart à 44 ans et construit un empire au chiffre d'affaires de 40 milliards de dollars en trente ans seulement, constitue un bel exemple de leadership qui a saisi l'importance de son personnel. Il représente le commerçant américain qui a le mieux réussi, aux yeux de bien des gens. En 1985, le magazine *Forbes* le déclarait « l'homme le plus riche d'Amérique ». Dans son livre, *Sam Walton : Made in America*[10], Walton énumère dix règles qui ont contribué à construire son empire (voir tableau 1.2).

Un des éléments importants de la culture d'entreprise est l'existence de valeurs fondamentales partagées par tous les employés. De nombreux auteurs contemporains du domaine de la gestion estiment que les entreprises prospères emploient des personnes dotées d'un solide système de valeurs qui les propulse vers une orientation commune et un objectif collectif. Une organisation qui jouit d'une forte culture d'entreprise reflète des valeurs que chacun respecte et applique. Ce sont ces valeurs, telles que la loyauté, l'honnêteté, l'équité et l'effort maximum, qui guident leur comportement et leurs gestes. Dans son livre, *The « I » of the Hurricane : Creating Corporate Energy*, Art McNeil définit les valeurs fondamentales les plus répandues dans les entreprises (voir tableau 1.3).

8. Edgar H. Schein, « Coming to a New Awareness of Organizational Culture », *Sloan Management Review*, hiver 1984, p. 4.

9. Terrence E. Deal et Allen A. Kennedy, *Corporate Culture : The Rites and Rituals of Corporate Life*, Addison-Wesley Publishing Company, Reading, Mass., 1982, p. 18.

10. Sam Walton et John Huey, *Sam Walton : Made in America*, Doubleday, New York, 1992.

TABLEAU 1.2
Les dix règles qui ont fait la réussite
de Sam Walton

Règle	1	Engagez-vous envers votre entreprise.
Règle	2	Partagez vos bénéfices avec vos associés et traitez ces derniers comme des partenaires.
Règle	3	Motivez vos partenaires.
Règle	4	Communiquez tout ce que vous pouvez à vos partenaires.
Règle	5	Faites cas de tout ce que vos associés font pour l'entreprise.
Règle	6	Célébrez vos réussites.
Règle	7	Écoutez chacun dans votre entreprise.
Règle	8	Dépassez les attentes de vos clients.
Règle	9	Contrôlez vos dépenses mieux que vos concurrents.
Règle	10	Nagez à contre-courant.

Source: Traduit de Sam Walton et John Huey, *Sam Walton : Made in America*, Doubleday, New York, 1992, p. 246-249.

TABLEAU 1.3
Les valeurs fondamentales les plus
répandues dans les entreprises

Choix les plus fréquents	Choix fréquents
1. Le service	5. L'honnêteté
2. Le respect d'autrui	6. La compétence
3. La qualité des produits	7. La fiabilité
4. La capacité d'innovation	8. La valeur ajoutée
	9. La confiance
	10. Le fait de gagner

Source: Traduit de Art McNeil, *The «I» of the Hurricane : Creating Corporate Energy*, Stoddart Publishing Company Limited, Toronto, 1987, p. 88.

De nos jours, deux méthodes clés de gestion ont émergé dans les excellentes entreprises : l'habilitation au moyen de la création d'équipes et la gestion de la qualité totale.

L'habilitation au moyen de la création d'équipes

Les entreprises prospères transfèrent les responsabilités et les décisions aux gestionnaires subalternes et même aux employés. La méthode bureaucratique de gestion du personnel est maintenant souvent considérée comme une activité qui entrave la productivité en plus de réprimer la créativité et l'innovation sur le lieu de travail. Les meilleures entreprises ont déstratifié leur organisation, c'est-à-dire qu'elles ont aboli de nombreux postes de cadres intermédiaires et accordé plus d'autorité et de contrôle aux employés. Nombre d'entre elles font maintenant référence à la structure organisationnelle sous sa forme de pyramide renversée (figure 1.1), dans laquelle le président se place au bas de la pyramide et laisse le sommet au personnel chargé du service à la clientèle. Par cette notion, on tente de s'assurer que la priorité absolue de la direction consiste à appuyer les travailleurs qui fournissent les produits ou services à la clientèle.

Lorsqu'un groupe d'employés travaillant en équipes et collaborant entre eux se voit accorder le niveau approprié d'autorité et d'outils décisionnels, il peut travailler plus efficacement et ainsi améliorer la productivité organisationnelle. Dans de nombreux cas, ces équipes **se gèrent elles-mêmes** ; elles établissent leur propre horaire de travail, procèdent à l'embauche et au renvoi du personnel, achètent leur équipement, matériel et outillage, établissent leur propre objectif de bénéfices et même s'occupent de stratégie et du renvoi du gestionnaire, le cas échéant.

Un article de la revue *Fortune* écrit par Brian Dumaine, « Who Needs a Boss[11] », donne plusieurs exemples, cités en partie ci-dessous, sur la façon dont des équipes autogérées ont

---

11. Brian Dumaine, « Who Needs a Boss », *Fortune,* 7 mai 1990, p. 52.

amélioré la qualité de produits et de services ainsi que la productivité.

- Les employés de bureau de Federal Express ont découvert et résolu un problème de facturation qui coûtait 2,1 millions $ par an à l'entreprise.
- À Ætna Life & Casualty, le ratio employés/cadre intermédiaire a été augmenté de 6 à 30, ce qui a amélioré le service à la clientèle.
- Les travailleurs de l'usine Chaparral Steel ont voyagé dans le monde afin d'évaluer du nouvel outillage de production, à la suite de quoi ils ont choisi et installé une machine qui a contribué à faire de leur usine l'une des plus efficaces au monde.
- Les employés de nuit d'une usine de céréales de General Mills à Lodi, en Californie, travaillent sans la présence de gestionnaire ; la productivité s'est améliorée de 40 p. 100.

La gestion de la qualité totale

L'habilitation des employés et la création d'équipes ont entraîné la notion de la gestion de la qualité totale. Les dirigeants d'une entreprise qui veulent offrir des produits et des services de qualité supérieure peuvent atteindre cet objectif au moyen du processus de gestion couramment appelé la gestion de la qualité totale. Atteindre la qualité totale signifie que l'on satisfait le client du fait que l'on se conforme totalement aux exigences du client ayant fait l'objet d'une entente préalable.

Une étude portant sur la «satisfaction du client grâce à la qualité[12]», menée en 1991 par le Conference Board of Canada, illustre comment 14 des entreprises mondiales les mieux gérées s'évertuent à assurer la satisfaction totale des clients au moyen de la gestion de la qualité totale (GQT).

La figure 1.3 donne un aperçu du modèle de GQT. L'objectif fondamental organisationnel consiste à satisfaire les clients sur la base d'une vision clairement définie et d'un ensemble de valeurs joints à

- un appui et un engagement inconditionnels de la part des gestionnaires afin que la GQT réussisse. Ainsi qu'il est indiqué à la figure 1.1, la direction joue un rôle de soutien envers les personnes qui dispensent des services à la clientèle ;
- une structure organisationnelle qui permet aux employés d'intégrer leurs fonctions. La figure 1.2 illustre comment le système de gestion intégrée et l'alignement de la structure organisationnelle visent à combler les attentes des clients ;
- un consensus des cadres supérieurs partagé par tous les employés au sujet de la vision et des valeurs de qualité. Cette vision et ces valeurs importent au succès du système de GQT. En effet, les employés doivent visualiser comment leur effort quotidien les avantage et profite à l'entreprise ;
- la mise en pratique des quatre principes de gestion indiqués au tableau 1.4.

Les aptitudes à la gestion dans l'avenir

Les gestionnaires dans l'avenir devront raffiner leurs compétences reliées aux systèmes, aux processus et aux relations humaines.

Les compétences reliées aux systèmes

Autrefois, les entreprises étaient constituées de différentes parties qui n'avaient que peu d'interaction entre elles et qu'une interaction limitée avec les membres externes de la société (les clients, les actionnaires, les fournisseurs et les employés). Les gestionnaires de demain auront à agir à l'intérieur d'un réseau complexe de relations. Comparons le mécanicien garagiste

---

12. Catherine G. Johnston et Mark J. Daniel, « Customer Satisfaction Through Quality : An International Perspective », *The Conference Board of Canada*, 1991.

FIGURE 1.3
Notion de la gestion
de la qualité totale

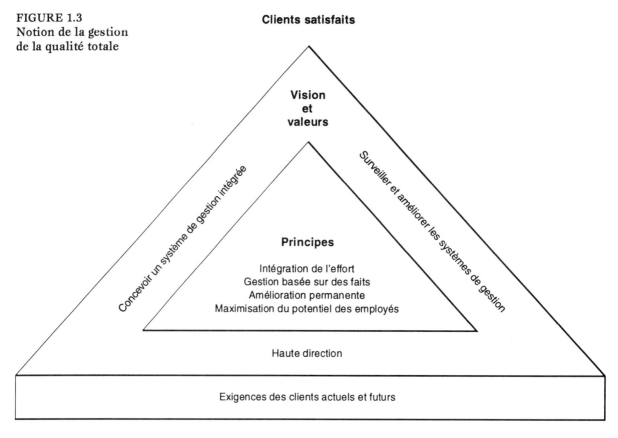

Clients satisfaits

Vision et valeurs

Concevoir un système de gestion intégrée

Surveiller et améliorer les systèmes de gestion

Principes

Intégration de l'effort
Gestion basée sur des faits
Amélioration permanente
Maximisation du potentiel des employés

Haute direction

Exigences des clients actuels et futurs

Source: Traduit de Catherine G. Johnston et Mark J. Daniel, « Customer Satisfaction Through Quality », *The Conference Board of Canada*, 1991, p. 2.

de 1990 à celui des années 1950. Lorsque, de nos jours, une voiture équipée de tous les gadgets mécaniques et électroniques tombe en panne, le mécanicien doit être plus sensibilisé aux liens qui existent entre toutes les parties de la voiture avant de procéder à une réparation. De même, étant donné que les groupes internes au sein des entreprises se multiplient, les gestionnaires doivent être plus sensibles aux rapports qui existent entre les groupes. Ils doivent considérer l'ensemble du tableau avant de résoudre un problème dans une unité organisationnelle donnée. Les unités administratives croissent non seulement en nombre, mais également en dimension. Le gestionnaire du XXIe siècle devra se concentrer sur

les systèmes et considérer les entreprises comme des unités en interconnexion qui doivent fonctionner efficacement ensemble afin que l'entité atteigne son objectif.

Le gestionnaire sera un « synchroniseur », c'est-à-dire une personne capable de reconnaître l'interdépendance des gens, des unités, des entreprises, des groupes d'intérêt et des nations. Il devra être capable de relier de nombreuses activités les unes aux autres, afin de voir comment chaque partie fonctionne seule et collectivement et, plus important encore, comment l'ensemble peut être structuré afin que chaque unité et l'entreprise tout entière soient plus efficaces et plus productives. L'analyse fonctionnelle servira à évaluer et à

TABLEAU 1.4
Les principes de la gestion de la qualité totale

La maximisation du potentiel des employés

La maximisation du potentiel des employés est obtenue par la formation, le perfectionnement, la reconnaissance et l'habilitation. Tous ces moyens permettent au personnel de devenir plus créatif, novateur et productif.

L'intégration

L'intégration signifie que les produits finis ou les services que les clients reçoivent résultent d'une foule d'activités et de processus intimement liés qui ont besoin d'être entièrement intégrés. Les entreprises qui réussissent mettent davantage l'accent sur l'intégration horizontale (équipes fonctionnelles croisées) que sur l'organisation verticale traditionnelle (consulter la figure 1.2). Comme l'indique cette figure, la responsabilité de satisfaire les clients n'incombe pas uniquement au service du marketing ni au service de la production; la satisfaction totale de la clientèle résulte d'un effort intégré de groupe (d'équipes).

L'amélioration permanente

L'amélioration permanente repose sur le principe que sans elle la satisfaction de la clientèle ne peut augmenter. Chez Federal Express, par exemple, les indicateurs de la qualité incluent le service fourni à une date inexacte, le service tardif, l'absence de preuve de livraison, la perte de colis, l'omission de la prise d'envois, l'abandon d'un appel téléphonique. Les indicateurs des besoins des clients, chez Florida Power & Light, comprennent la fiabilité du service électrique, la sécurité du personnel et le coût par kWh.

La gestion basée sur des faits

Les décisions doivent reposer sur des faits et non sur la mémoire ni l'instinct. L'utilisation des faits, à la base des décisions de chacun dans l'entreprise, lèvera quelques obstacles entre la direction et les employés.

Source: Traduit de Catherine G. Johnston et Mark I. Daniel,
« Customer Satisfaction Through Quality », *The Conference Board of Canada*, 1991.

résoudre les problèmes. Ces compétences reliées aux systèmes seront grandement utiles aux gestionnaires ; la capacité de communiquer sera encore plus importante.

Les compétences reliées aux processus

Un gestionnaire est constamment préoccupé par deux facteurs reliés entre eux, soit la fin (les objectifs tels que réduire le temps de cycle, le débit ou les coûts) et les moyens à utiliser afin de parvenir à cette fin ; le processus de gestion constitue le lien entre les deux. Les compétences en gestion, auparavant orientées vers des systèmes axés sur les activités, le seront maintenant vers des systèmes axés sur les résultats. Les gestionnaires devront apprendre l'importance de la logique derrière les compétences reliées aux processus, expérience continuelle fondée sur les besoins de la clientèle tels que les bas prix et un service rapide. Les gestionnaires auront à créer un milieu de travail favorable qui motive les gens, stimule la productivité et, par-dessus tout, permet aux travailleurs d'exceller dans leurs tâches quotidiennes.

Les gestionnaires devront raffiner leurs compétences afin de mener leurs entreprises vers des objectifs accessibles. Le succès à long terme de toute entreprise repose sur des personnes vouées à la réussite de leurs projets, des personnes qui ont un sens de l'orientation, de la discipline et une grande volonté d'atteindre leurs objectifs. Les dirigeants d'entreprises prospères ont tous une chose en commun : une vision. La vision donne un point de convergence, ce qui anime les gens, dynamise les activités et transforme les objectifs en gestes concrets. Grâce à cette vision, un dirigeant peut accomplir sa plus importante tâche, celle de relier le présent au futur. Dans le cadre du processus, la vision inspire confiance aux gens et renforce leur sentiment de posséder les compétences, l'habileté et le potentiel qui leur permettent d'accomplir les tâches nécessaires.

Les livres d'histoire regorgent de nombreux personnages qui ont réalisé de grands projets.

Christophe Colomb, par exemple, partit d'Europe avec une idée fixe et une détermination à toute épreuve. Pierre Elliott Trudeau, qui a occupé le plus longtemps le poste de premier ministre du pays, soit pendant seize ans, avait une vision du pays que tous les Canadiens ne partageaient pas forcément, mais tous connaissaient ses convictions sur de nombreux enjeux cruciaux. John F. Kennedy avait également une vision lorsqu'il fut élu président des États-Unis en 1960, celle d'envoyer des hommes sur la lune avant la fin de la décennie.

Des réalisations exceptionnelles émergent de visions, de buts et d'objectifs. Les entreprises qui veulent réussir sont régies par des buts clairement établis convertis en objectifs précis. Il est difficile aux entreprises d'évoluer sans des objectifs bien déterminés, principaux moteurs de l'organisation. C'est pourquoi l'une des plus importantes tâches du gestionnaire dans l'avenir sera d'encourager ses subalternes à s'engager dans des programmes nés d'objectifs stimulants.

Les compétences reliées aux relations humaines

Les gestionnaires de demain ne se concentreront pas uniquement sur la réalisation de bénéfices, mais seront plus sensibles aux relations interpersonnelles. Comme les gens déterminent la réussite de l'entreprise, ils deviendront la préoccupation principale des gestionnaires. Les compétences reliées aux relations humaines comprendront la compréhension, la motivation positive, la capacité de susciter le dynamisme et un sentiment d'accomplissement, les bonnes relations avec autrui, la subtilité dans l'exécution des tâches, la stabilité émotionnelle et la satisfaction au travail effectué seul ou en équipes.

Les gestionnaires seront des dirigeants plus sensibles. Auparavant, ils s'intéressaient à la façon d'organiser, de diriger les gens et d'exercer un contrôle sur eux en vue de la production. On s'attendait à ce que les employés agissent en fonction de ce qui **devait** être fait en vue

d'atteindre les objectifs organisationnels. Les gestionnaires de demain s'en remettront plus au potentiel humain afin d'accroître la productivité, c'est-à-dire qu'ils chercheront à mobiliser l'efficacité humaine. Pour eux, les objectifs de rendement et l'évaluation de toutes les activités seront reliés à la satisfaction de la clientèle. Ils récompenseront le perfectionnement des compétences individuelles et le rendement des équipes au lieu de ne récompenser que le rendement personnel. Ils se concentreront sur les gens et agiront à titre d'enseignants et de moniteurs. Bref, les gestionnaires du XXIᵉ siècle seront en mesure de contribuer au développement des personnes.

Le profil du gestionnaire de l'avenir

Il est difficile de dire précisément à quoi ressemblera le futur gestionnaire efficace typique; toutefois, on peut dresser un profil général à partir des tendances actuelles.

1. Tout d'abord, le futur gestionnaire sera un professionnel. Il possédera un solide bagage de connaissances fondamentales ou théoriques et saura mettre en pratique les principes généraux de gestion. Il sera également persuadé que l'on peut utiliser les principes de la profession comme lignes directrices afin de résoudre certains problèmes et de poursuivre un idéal au point de vue professionnel.

2. Deuxièmement, le gestionnaire ne sera pas un isolationniste, mais prendra plutôt part aux activités socio-politiques. Il sera sensible aux problèmes mondiaux ainsi qu'aux questions d'ordre municipal et national. Il s'intéressera à toute chose qui pourrait toucher les fonctions internes et externes de l'entreprise.

3. Troisièmement, en raison du rapprochement entre le monde des affaires et le gouvernement, le gestionnaire de demain prendra part aux activités politiques. Il sera non seulement intelligent en affaires, mais également astucieux en politique en raison de trois principes fondamentaux:

1. Tout comme les autres groupes d'intérêt qui luttent pour obtenir une plus grande part du gâteau, les entreprises n'obtiendront ou ne conserveront la leur que si elles jouissent de l'appui gouvernemental. À cette fin, elles devront avoir recours à des groupes de pression politiquement bien avisés.

2. Au niveau local, particulièrement dans les petites villes, les représentants d'entreprises devront trouver des alliés qui agiront comme tampons entre les activités commerciales de ces entreprises et la collectivité, dans des domaines tels que la pollution par la fumée, le bruit et les odeurs, la pollution de l'eau et surtout, la qualité de vie.

3. Sur la scène nationale, afin d'obtenir l'appui gouvernemental sur des questions socio-économiques, les gestionnaires agiront à titre d'émissaires du monde des affaires. Ils aideront ainsi les organismes gouvernementaux à énoncer des politiques et des règlements qui touchent le secteur des activités industrielles.

4. Quatrièmement, en raison du milieu constamment changeant, le gestionnaire démontrera de la souplesse, de l'aisance dans le changement, du pragmatisme et de la facilité d'adaptation (c'est-à-dire qu'il sera un gestionnaire de situations). Il sera un fervent disciple de l'école de pensée de la gestion participative. Il sera fortement convaincu que les actions en matière de gestion doivent être adaptées aux situations de travail, et que les gens doivent agir en équipes afin de résoudre les problèmes et de prendre des décisions efficaces. Les gestionnaires auront des formations et des antécédents différents. Chaque gestionnaire aura reçu une solide instruction et saura comment avoir l'esprit ouvert, être sensible et vigilant face aux ressources humaines. Il se concentrera sur les besoins véritables de la société, des clients et des employés. Il recherchera le consensus, sera un moniteur, un enthousiaste et une personne logique. Il descendra de sa tour d'ivoire afin de se mêler aux autres et, surtout, il aura la passion de travailler efficacement avec les gens.

Les répercussions du changement sur les fonctions de gestion

Les gestionnaires de demain continueront d'assumer les fonctions de planification, d'organisation, de direction et de contrôle; les problèmes organisationnels existeront toujours. Grâce à la venue de nouveaux outils de gestion, on s'occupera plus rapidement et avec plus de compétence des problèmes techniques de comptabilité, de production, de fabrication, d'ingénierie et de transport. Toutefois, on devra s'attaquer à une autre série d'enjeux particulièrement cruciaux. Comme il a déjà été mentionné, ces derniers comprennent l'explosion de l'information, la dynamique de groupe, l'innovation, le rendement et la productivité, la culture organisationnelle, la qualité de vie au travail, les rapports entre les unités organisationnelles, les liens entre les groupes officiels et officieux, les systèmes de valeurs au sein des entreprises, la motivation, l'intégration d'un plus grand nombre d'activités et les changements constants. Tous ces enjeux, de même que d'autres, auront une incidence sur les fonctions de gestion.

La fonction de planification

La planification conservera un rôle important dans le processus de gestion, mais sera doublement modifiée. Premièrement, on incorporera davantage de variables dans le processus de planification. Les plans ne reposeront pas seulement sur les coûts, les risques, les marchés et la capacité de production; on prendra davantage en considération le milieu global et immédiat. On inclura aussi dans le processus de planification les préoccupations des groupes d'intérêt. Deuxièmement, les outils de planification à court et à long terme seront plus perfectionnés. En raison des changements rapides, surtout dans le domaine de la haute technologie, les gestionnaires auront tendance à porter davantage attention à la planification à long terme. Ils veilleront à profiter des possibilités offertes, ils feront les choses différemment et plus efficacement et surtout, ils chercheront à apporter des changements et à saisir les occasions d'innover.

✳ La prise de décisions représente l'un des aspects les plus importants de la planification. Le gestionnaire de l'avenir accordera plus d'importance aux idées qui proviennent des équipes d'employés ; ces idées seront en fin de compte incorporées dans ses décisions et dans ses stratégies.

La fonction d'organisation

Trois aspects de la fonction d'organisation seront touchés : les structures, l'autorité et le processus.

Les structures   Les entreprises connaîtront des changements constants en raison de l'effervescence du milieu technique et social. Elles devront s'adapter à la diversité croissante des valeurs culturelles du milieu social. En vue d'une adaptation rapide au changement, on devra diminuer la rigidité organisationnelle. Par exemple, les entreprises seront davantage décentralisées (habilitation) ; les équipes de travail se révéleront particulièrement utiles afin de faire face aux processus complexes. L'augmentation massive de diverses activités rendra plus difficile leur intégration et leur coordination ; on y réussira par un aplanissement de la structure organisationnelle et par l'intégration fonctionnelle croisée des équipes de travail.

L'autorité   En raison de la tendance à la décentralisation des entreprises, on déléguera l'autorité et les personnes qui auront des compétences techniques prendront un plus grand nombre de décisions. On favorisera davantage les conseils et la persuasion, plutôt que la coercition et le pouvoir autoritaire.

Le processus   L'enrichissement de la tâche et la création d'équipes seront au point. En raison du nombre croissant de professionnels dans la population active, de la participation croissante des spécialistes et des revendications des

travailleurs à l'égard d'un travail stimulant assorti de responsabilités, les tâches seront enrichies et les travailleurs prendront part au processus décisionnel sur les questions qui les concernent. Ils voudront se prononcer davantage sur leur travail et sur la façon de l'accomplir. Par exemple, les cercles et les équipes de qualité constitueront des outils de gestion efficaces qui aideront les travailleurs et les entreprises à atteindre un rendement supérieur. Les travailleurs trouveront des façons d'améliorer la qualité de leur milieu de travail et celle des produits et services. On passera des organisations stables et mécanistes aux systèmes adaptatifs mieux appropriés aux changements.

La fonction de direction

Comme il n'existe pas de meilleure façon de mener, surtout dans des systèmes complexes, les gestionnaires devront analyser leur propre milieu de travail et adopter un style approprié à la situation. La gestion et la souplesse adaptées aux circonstances constitueront la clé de l'efficacité des dirigeants.

✳ En raison de la décentralisation, les gestionnaires détiendront davantage d'autorité et auront plus de responsabilités en ce qui concerne leur propre unité organisationnelle. Ils devront être plus tolérants face à l'incertitude, au stress et à l'ambiguïté ; ils encourageront même la diversité. Ils seront plus professionnels et auront acquis un plus solide bagage de connaissances et d'expertise technique dans les domaines de la direction et de la motivation.

Comme les structures organisationnelles hiérarchiques rigides seront moins importantes, les gestionnaires travailleront dans des situations moins structurées et seront appelés plus souvent à travailler dans des groupes d'étude. Ils agiront davantage comme le gestionnaire de la théorie Y de McGregor, qui considère ses subalternes comme des personnes qui peuvent grandir, être autonomes et se contrôler, s'engager à atteindre les objectifs, créer et innover, et utiliser leurs compétences et capacités intellectuelles afin d'améliorer la productivité organisationnelle. Bref, les attitudes de la direction vis-à-vis des gens seront plus positives.

Étant donné la tendance vers une méthode plus humaniste, les gestionnaires auront davantage à cœur de promouvoir un climat d'ouverture d'esprit, de confiance, d'efficacité des groupes, de création d'équipes, de collaboration et de travail en équipe. Ils seront plus ouverts aux techniques de gestion par objectifs, à la gestion de la productivité, à la compression des effectifs et à la gestion de la qualité totale.

Les gestionnaires apprendront comment gérer plus efficacement leur temps et celui de leurs subalternes. Ils perfectionneront leur processus de pensée intuitive et leur créativité de façon équilibrée par rapport à leurs compétences en analyse, leurs processus de rationalisation et leurs méthodes. Afin d'acquérir ces nouvelles compétences, l'accent sera mis sur la formation et le perfectionnement permanents.

La fonction de contrôle

En raison de la fluidité et de la complexité plus grandes des organisations, de même que de l'importance accrue de la collaboration entre les groupes, le processus de contrôle deviendra une fonction plus difficile. L'évaluation et les redressements seront fondés sur l'analyse des conditions du milieu, y compris des milieux économique, social et technique. La gestion sera proactive (anticipation des résultats) plutôt que réactive.

On mettra davantage l'accent sur les vérifications de gestion (macro-tableau) plutôt que sur les vérifications financières (micro-tableau). Grâce aux meilleurs systèmes de renseignements, les gestionnaires auront accès à l'information plus rapidement.

Les contrôles implicites (autodiscipline) remplaceront les contrôles explicites (méthode policière). Ce changement est déjà manifeste dans les entreprises japonaises et dans les entreprises nord-américaines prospères. Les gestionnaires considéreront d'une façon plus positive les contrôles de gestion. On considérera les systèmes de contrôle comme des outils de motivation. Les gestionnaires travailleront dans un milieu plus décentralisé et auront plus d'autorité. Ils seront responsables de la destinée de leur unité organisationnelle, apprendront davantage sur les techniques de gestion et de motivation, et se verront confier la direction de leurs propres affaires. Les gestionnaires créeront un milieu de travail qui motivera les gens et les rendra plus productifs, c'est-à-dire qu'ils se concentreront davantage sur le contrôle du comportement de leurs subalternes par la création de conditions de travail adéquates, propices et plaisantes.

Les défis des futurs gestionnaires

Que signifieront ces rapides changements de milieu aux yeux des futurs gestionnaires ? Certaines choses resteront telles quelles ; les gestionnaires de demain ne disposeront encore que de vingt-quatre heures par jour et continueront de gérer à l'aide de ressources restreintes ; ils continueront de prendre des décisions, de planifier, d'organiser, de diriger et de contrôler, et devront rendre compte à leur supérieur. Toutefois, ils auront à relever de nombreux nouveaux défis dont les plus stimulants sont indiqués ci-dessous.

La progression géométrique des variables
Les gestionnaires devront faire face à une profusion de variables lorsqu'ils prendront d'importantes décisions pour l'entreprise ; ils devront tenir compte non seulement des variables organisationnelles internes, mais également des variables externes. Ces dernières suivent une progression géométrique annuelle : par exemple, les revendications des consommateurs, les règlements gouvernementaux, le progrès technique, les nouvelles institutions, les diverses forces à l'échelle nationale et internationale et les facteurs humains. La **profusion** de variables n'est

pas la seule complication ; on devra évaluer le **réseau** et l'**interrelation** de toutes les variables.

Une nouvelle génération d'employés Les futurs groupes de travail seront constitués de personnes plus âgées, dont les moyens financiers, la mobilité, la polyvalence, l'instruction et l'indépendance seront plus grands. La main-d'œuvre sera, dans sa composition et dans sa nature, davantage axée sur l'aspect technique et professionnel. Elle comprendra plus de minorités et de femmes, et disposera de plus de temps libre. Le défi des futurs gestionnaires consistera à augmenter la capacité d'apprentissage des employés et à rendre le milieu de travail plus agréable.

La sensibilité aux questions sociales, de morale et d'éthique Les plus prospères entreprises prouvent qu'afin de réussir, les gestionnaires doivent se préoccuper des questions sociales, de morale et d'éthique. Les dirigeants d'entreprise auront la lourde responsabilité de réagir adéquatement et efficacement face aux différents groupes d'intérêt de la société de même qu'aux clients, aux employés et aux actionnaires.

La concurrence accrue en vue d'occuper un poste de gestionnaire D'ici la fin des années 1990, la tranche la plus importante de la population se trouvera dans le groupe des 25 à 45 ans. Comme celui-ci comprend le plus grand nombre de cadres intermédiaires, plus de gens (femmes et groupes minoritaires inclus) tenteront d'obtenir un poste de gestionnaire intermédiaire. En outre, si on abolit l'âge de la retraite obligatoire, les personnes plus jeunes qui tentent d'obtenir de l'avancement auront encore moins de possibilités d'occuper un tel poste.

L'augmentation des structures organisationnelles décentralisées Vu les enjeux plus complexes auxquelles la société doit faire face, la main-d'œuvre plus qualifiée et le désir des gens d'occuper des emplois stimulants et gratifiants, les dirigeants d'entreprise devront créer des structures qui fourniront un milieu de travail propice aux aspirations de la nouvelle génération

de travailleurs et de gestionnaires. Les entreprises changeront leurs structures hiérarchiques traditionnelles en structures de processus. Elles seront plus décentralisées, tout comme, en conséquence, la planification, l'autorité, la responsabilité et le processus décisionnel.

Les compétences liées à l'adaptation L'une des compétences essentielles des futurs gestionnaires sera l'adaptation aux changements. Ces derniers sont inévitables et surviendront sans doute rapidement, ce qui exigera des compétences spécialisées afin d'aider les gens à faire facilement la transition. Ils surviendront probablement dans toutes les sphères de la société : technologiques, économiques, internationales, humaines et culturelles, notamment. Les gestionnaires devront, afin de rendre leurs entreprises efficaces, agir à titre d'**agents de changement**, c'est-à-dire être capables d'harmoniser l'entreprise avec le milieu. Ils devront être en mesure de prévoir le changement, de savoir comment le mettre en application et utiliser des techniques comportementalistes en vue d'aider les gens à faire la transition.

La gestion de l'information Comme il a déjà été mentionné au début du présent chapitre, nous nous dirigeons vers une société de l'information. Les gestionnaires seront inondés, entre autres, de données, d'information, de rapports et de documents. Le savoir représentera la ressource la plus importante. La prise de décisions efficace repose dès maintenant sur l'organisation de l'information qui doit être prise en considération. Les ordinateurs seront essentiels à la gestion de l'information.

La formation permanente On peut définir la formation comme le processus qui consiste à aider les travailleurs à acquérir les connaissances, les compétences, les expériences et les attitudes nécessaires afin de réussir ou de continuer de réussir dans leur poste. Étant donné que le progrès technique touche les entreprises à une cadence vertigineuse, les gestionnaires qui voudront demeurer à jour devront acquérir des compétences en gestion ou en technique et suivre les derniers développements dans leur champ d'activité. Ils devront s'engager à recevoir en permanence une formation par la lecture, l'étude, la recherche, les cours, ou toute autre méthode qui augmentera leur savoir.

L'adaptabilité dans le style de direction   Le gestionnaire efficace sera en mesure de s'adapter à diverses situations. Les futurs gestionnaires devront apprendre la véritable signification de la gestion des contingences et de la direction adaptée aux situations. Ils devront rapidement s'adapter au changement et composer avec des situations complexes et diverses. Un théoricien, George Odiorne, a prédit que le gestionnaire de l'avenir serait davantage un gestionnaire de situations par rapport à ses prédécesseurs. On

mettra en pratique la théorie Y de McGregor. Les entreprises bien dirigées nous ont permis de constater que la gestion participative n'est pas seulement une **méthode agréable à utiliser**, mais une technique essentielle d'amélioration de la productivité et du milieu de travail. Plus que jamais, l'établissement d'objectifs et la constitution d'équipes feront partie des outils du gestionnaire. En raison d'une plus vive concurrence internationale, les gestionnaires devront apprendre à être efficients, efficaces et économes. Les futurs gestionnaires seront davantage **axés sur les résultats et les responsabilités**. Ils atteindront leurs buts non seulement par leurs efforts personnels, mais également grâce à ceux de leurs employés.

UN POINT DE VUE   La gestion dans les années à venir

Edward E. Lawler III, professeur à la University of Southern California

Dans les années 1990, nous réinventerons la gestion et nous la modifierons constamment. Je crois que toutes les sortes de gestion participative et d'engagement de la part des employés augmenteront, en partie parce que les systèmes traditionnels de gestion échouent. On assiste à un besoin indiscutable de changement; il s'agit là d'une importante différence par rapport à il y a dix ans, lorsque les grandes entreprises ne voulaient pas admettre qu'elles étaient en mauvaise posture. Regardons maintenant les modèles effondrés — IBM, GM et Kodak — qui sont devenus trop bureaucratiques pour se mesurer à la concurrence internationale dans des secteurs d'activités que nous croyions acquis.

L'engagement de la part des employés offre à la direction ce dont elle a besoin afin d'être compétitive sur le plan international — une meilleure qualité, l'accent mis sur la clientèle, un temps de réponse rapide — pendant que les frais généraux diminuent et que la structure organisationnelle est aplanie. Il existe peut-être 50 à 60 p. 100 des grandes sociétés qui utilisent les cercles de qualité, les groupes de résolution de problèmes et d'autres méthodes en vue de connaître les suggestions de leurs employés. Par ailleurs, 5 à 10 p. 100 ont des équipes de travail qui confient le pouvoir aux travailleurs, de sorte que ces derniers doivent prendre des décisions difficiles en ce qui concerne l'embauche, le licenciement et la rémunération.

Grâce au changement radical actuel dans l'engagement de la part des employés, ceux-ci assumeront des responsabilités dans l'ensemble des processus de l'entreprise. Ainsi, les équipes de travail de la nouvelle usine Volvo à Uddevalla, en Suède, prendront dorénavant les commandes des clients, communiqueront avec les concessionnaires et auront en permanence des données sur la qualité et sur l'entretien des voitures qu'ils construisent. Finalement, il se peut qu'un client vienne observer ceux qui construisent sa voiture et, pourquoi pas, qu'il les aide même.

La question clé, l'inconnu, à propos de l'engagement de la part des employés se résume à savoir, à long terme, sur quel appui de la haute direction compter. Nous pouvons clamer haut et fort que nous ne survivrons pas si nous ne changeons pas, mais il revient à la direction de se restructurer et d'utiliser la main-d'œuvre. La haute direction ne se concentre pas suffisamment sur la façon dont les entreprises sont réellement gérées. Elle se préoccupe davantage des événements spectaculaires à court terme. Elle devient de plus en plus indifférente à ce qui se passe dans sa propre entreprise.

Source : Traduit de « Let the Workers Make White-Knuckle Decisions », *Fortune*, 26 mars 1990, p. 49.

RÉSUMÉ

Sommaire

1. Les prochaines décennies seront une période de changement pour la nouvelle génération de gestionnaires. Ceux-ci modifieront leur entreprise et la géreront de façon fondamentalement différente. Les changements apportés au milieu toucheront les décisions de gestion et ils se produiront dans tous les aspects du milieu externe de l'entreprise : les secteurs économique, technique, social et culturel, le mode de vie, le changement dans la composition de la population et la coopération internationale.

2. On assistera à des changements spectaculaires dans les structures organisationnelles et la haute direction. La structure du conseil d'administration sera différente, et les membres de celui-ci joueront un rôle transformé. La communication organisationnelle sera davantage ascendante, comme l'illustre la structure organisationnelle de type pyramide renversée, et fonctionnelle croisée plutôt que verticale.

3. La gestion a connu cinq vagues : scientifique, humaniste, quantitative, axée sur le processus et celle de la culture organisationnelle. Une solide culture organisationnelle semble être dorénavant la clé du succès des entreprises. Par ailleurs, les entreprises de demain accorderont plus de pouvoir à leurs cadres subalternes et à leurs employés. Elles insisteront sur la gestion de la qualité totale, c'est-à-dire qu'elles s'assureront que la satisfaction de la clientèle est conforme à

100 p. 100 avec les exigences connues de celle-ci. Les gestionnaires du XXIᵉ siècle amélioreront leurs compétences dans trois secteurs principaux : le système, le processus et les relations humaines.

Notions clés

L'habilitation

La communication fonctionnelle croisée

La création d'équipes

La culture organisationnelle

La gestion de la qualité totale

La pyramide renversée

Les compétences reliées aux processus

Les compétences reliées aux relations humaines

Les compétences reliées aux systèmes

Les valeurs fondamentales

Exercices de révision

1. Comment les milieux économique et technologique influenceront-ils les entreprises à l'avenir ?

2. Décrivez le profil de la main-d'œuvre future.

3. Qu'entend-on par pyramide renversée en ce qui a trait à la structure organisationnelle ?

4. Pourquoi la culture organisationnelle est-elle si importante de nos jours ?

5. Expliquez ce qu'est l'habilitation et la création d'équipes.

6. Comment une entreprise peut-elle atteindre la **qualité totale** ?

7. Pourquoi croyez-vous que le gestionnaire de demain sera considéré comme un **synchroniseur** ?

8. De quelles compétences le gestionnaire de demain aura-t-il besoin afin de se concentrer davantage sur les résultats ?

9. De quelle façon les changements du milieu toucheront-ils les quatre fonctions de gestion ?

10. Précisez certains des plus grands défis auxquels les gestionnaires devront faire face à l'avenir.

Matière à discussion

1. Les entreprises de l'avenir seront-elles plus difficiles à gérer que celles du passé ? Pourquoi ?

2. Quelles sont les différences entre la gestion des entreprises nord-américaines et celle d'autres pays comme le Japon, l'Allemagne et la Corée ?

Exercices d'apprentissage

1. L'environnement de demain

La longue récession n'a pas été tendre envers les détaillants de vêtements et, malgré des signes timides de reprise économique, les perspectives dans ce secteur d'activité semblent encore sombres. Celui-ci a souffert d'une faible demande, de la taxe sur les produits et services et de l'augmentation du magasinage outre-frontière, ce qui a provoqué une vague de faillites au cours des 12 derniers mois, y compris parmi des chaînes connues comme Town & Country et Elks and Ayre.

D'autres détaillants ont réagi en fermant des magasins. Grafton-Fraser Inc. a récemment échappé à la faillite en se défaisant de 103 de ses 221 magasins. Dalmys Canada Ltd. a refait surface après avoir fermé 47 de ses 247 points de vente. Malgré les faillites et les coupures massives, les observateurs de ce secteur d'activité prévoient encore plus de remous dans le secteur de la vente au détail, étant donné que les consommateurs demeurent sur leurs positions.

Pendant les cinq premiers mois de l'année, les ventes de vêtements pour hommes ont chuté de 8 p. 100 et s'élèvent à 537,6 millions de dollars. Les ventes de vêtements pour dames ont baissé de 2,4 p. 100 et atteignent 1,2 milliard de dollars pendant la même période. Le plus grand détaillant de vêtements dans le pays avec ses 1 350 magasins aux diverses dénominations, Dylex, a été durement touché. Pour les trois mois terminés le 2 mai, l'entreprise a affiché une perte nette de 15,8 millions de dollars (24 cents par action), comparativement à une perte nette de 21,7 millions de dollars (46 cents) l'exercice précédent. Dylex a réussi à accroître ses ventes de 6 p. 100, soit à leur faire atteindre 389,3 millions de dollars, mais a dû sabrer dans ses marges afin d'écouler la marchandise.

L'une des grandes difficultés auxquelles les détaillants font maintenant face est la réduction sensible des prix causée par les détaillants qui veulent désespérément écouler les stocks. Le consultant en ventes au détail, Len Kubas, déclare que pour survivre, les détaillants devront s'approprier les parts de marché de leurs concurrents. « L'homme sera un loup pour l'homme», précise Kubas. Oskar Rajsky, président et directeur général de la fabrique de vêtements John Forsyth Co. Inc., affirme que les clients ont changé de tactiques. «Il semble que les consommateurs de 1990 ne soient pas ceux de 1980. Ils sont très sélectifs dans leur façon de dépenser, surtout dans le domaine de la mode, et ils veulent leur dû. »

Harry Rosen, président de la chaîne de vêtements de qualité pour hommes, Harry Rosen Inc., soutient qu'en ces années 1990 de prise de conscience des coûts, les détaillants doivent mettre l'accent sur la valeur afin d'encourager les acheteurs. Rosen ajoute que son entreprise a étroitement surveillé les prix et, dans de nombreux cas, les a réduits et a introduit de nouveaux articles au plus bas prix. «J'ai l'impression qu'il s'agit d'un marché de détail différent, et il faut donc changer le message. Je plains les gens qui n'ont rien fait et ont attendu une amélioration. »

Rajsky précise de son côté qu'un progrès majeur résulte d'alliances stratégiques entre les détaillants et les fabricants destinées à réduire les coûts de façon que les deux parties puissent réaliser de saines marges bénéficiaires. «Tandis que, par le passé, les détaillants faisaient de l'argent en fonction du prix qu'ils fixaient, nous affirmons plutôt maintenant : Ne nous nuisons pas mutuellement. Évitons la duplication, réduisons les coûts et transmettons cette économie aux consommateurs. »

Source : Traduit de Mark Evans, «The Clothing Sector in Tatters», *The Financial Post*, 17 août 1992, p. 6.

Question

Si vous étiez le directeur général d'un magasin canadien de vente au détail, quels changements apporteriez-vous à votre entreprise et à votre style de gestion afin de soutenir la féroce concurrence à l'avenir ?

2. La gestion de l'avenir

Le Journal de l'Est, tiré à 170 000 exemplaires par jour, occupe plus de 500 employés à plein temps et à temps partiel. En 1950, Jean Vyteck lançait l'entreprise avec son frère, et pendant les 40 années suivantes, l'entreprise a prospéré. Jean est maintenant président du conseil d'administration et a délégué la plupart des responsabilités reliées aux activités quotidiennes de l'entreprise à Marie Fauquier, l'éditrice.

Au cours des années, Le Journal de l'Est a réussi à conserver un tiers du marché des lecteurs de la ville ; les deux autres tiers sont également partagés entre deux autres journaux. L'énoncé de mission du Journal de l'Est est le suivant :

« Nous devons être la source de nouvelles et de publicité considérée comme la plus utile et la plus fiable de la région métropolitaine et des régions environnantes. Nous serons les chefs de file reconnus de l'information, au service des clients et de la collectivité, en utilisant les moyens qui répondent le mieux aux besoins de ces deux groupes. »

Même si Marie était convaincue qu'ils étaient en mesure de réaliser une grande part de la mission, elle était quelque peu préoccupée par le fait que le service des ventes n'offrait pas le service le plus fiable possible. Au cours de l'année écoulée, le nombre de plaintes adressées à ce service avait considérablement augmenté. Elle demanda à Robert Dugay, directeur du service, de lui faire un rapport sur ce problème. Bien qu'il reconnût l'augmentation du nombre de plaintes, il n'était pas en mesure de donner des raisons précises, ni de proposer des solutions. Le problème inquiétait Marie, car de nombreux lecteurs abandonnaient le journal au profit des concurrents. Comme Marie le faisait remarquer à Robert, les clients ne délaissaient pas le journal en raison de la qualité du contenu, mais plutôt à cause de la piètre qualité du service de livraison.

Le service de Robert est divisé en deux parties :

- la livraison des journaux, ayant à sa tête Philippe Wong ; et

- l'administration, dirigée par Aline Fortin.

L'unité de l'administration a pour principales fonctions de :

- répondre aux appels des clients (réclamations, abonnements et résiliations, renouvellements et annulations) ;

- rajuster les comptes ;

- répondre aux demandes des livreurs.

Chaque fois qu'un représentant du service à la clientèle reçoit un appel, celui-ci est enregistré dans le système d'information de gestion (SIG), puis transmis aux superviseurs concernés.

Chaque semaine, les deux directeurs de section rencontrent Robert afin de discuter de leurs objectifs et de leurs problèmes. Bien que la communication fut assez efficace à ce niveau, les résultats des rencontres n'étaient pas transmis aux employés. Robert sentit que la source du problème pouvait résider dans cette absence de communication entre les directeurs de section et leurs employés. Il se rendit compte que si le service des ventes voulait offrir un **service de qualité**, la participation des employés était essentielle.

Robert savait que de nombreuses entreprises (y compris l'un de ses concurrents) introduisaient la méthode de la **gestion de la qualité totale**. Il savait qu'il s'agissait là de la nouvelle méthode de gestion destinée à offrir un meilleur service à la clientèle. Toutefois, comme il ne savait pas exactement comment appliquer cette nouvelle méthode de gestion, il envisageait de se mettre en rapport avec un bureau de consultants en gestion expérimentés dans la gestion de la qualité totale.

Questions

1. Si vous étiez Robert, que feriez-vous ?
2. Pensez-vous que le système de gestion de la qualité totale l'aiderait à résoudre son problème ?
3. Si vous étiez le consultant en gestion, que proposeriez-vous à Robert ?

CHAPITRE 2

PLAN

Les composantes du système économique
    Les ressources naturelles
    La main-d'œuvre
    Le capital
    L'entrepreneuriat

Le système d'entreprises fermées
    La propriété privée
    L'entreprise fermée
    La liberté de choix
    Le rôle du gouvernement

Les types de concurrence
    La concurrence pure
    La concurrence impure
    L'oligopole
    Le monopole

D'autres types de systèmes économiques
    Le communisme
    Le socialisme
    Les économies mixtes

Le système économique canadien

Un point de vue : le système d'entreprises, le meilleur
    à plusieurs égards

Résumé

LE SYSTÈME ÉCONOMIQUE CANADIEN

Les objectifs du chapitre

Après avoir lu le présent chapitre, vous pourrez:

1. décrire les composantes fondamentales d'un système économique;
2. décrire le système d'entreprises fermées;
3. expliquer les différents types de concurrence;
4. décrire les autres types de systèmes économiques;
5. comprendre le fonctionnement du système économique canadien.

L'Organisation des Nations Unies (ONU), qui dispose d'une très grande base de données d'indicateurs socio-économiques sur ses pays membres, considère le Canada comme le meilleur endroit au monde où vivre. Dans son *Human Development Report 1992*[1], l'ONU classe en effet le Canada au premier rang de 160 pays par son indice d'épanouissement humain sur la qualité de la vie. Cet indice permet de mesurer la qualité de vie globale, grandement tributaire du système économique qui constitue la base des autres facteurs compris dans cet indice. En outre, selon l'ONU, «l'une des grandes leçons que l'on peut tirer des dernières décennies est que les marchés concurrentiels fournissent la meilleure garantie d'épanouissement humain. Ils favorisent la création d'entreprises

---

1. Traduit de United Nations Development Programme, *Human Development Report 1992*, Oxford University Press, 1992, p. 19.

innovatrices et donnent accès à toute une gamme de choix économique (…) Jamais n'avait-on assisté à un tel consensus sur les facteurs essentiels au développement[2]. »

LES COMPOSANTES DU SYSTÈME ÉCONOMIQUE

Le système économique d'une société ne correspond pas seulement au mode selon lequel celle-ci a choisi d'organiser ses activités économiques ; il englobe et intègre en outre ses valeurs et ses convictions. Le rôle que le monde des affaires joue varie selon chaque système économique. En outre, nous vivons dans un monde où les ressources sont restreintes et où le système économique de chaque pays a pour fonction de maximiser l'utilisation de ces ressources au profit des habitants du pays.

Tous les systèmes économiques reposent sur les **composantes** fondamentales suivantes : les ressources naturelles, la main-d'œuvre, le capital et l'entrepreneuriat. Les économistes appellent habituellement ces composantes **facteurs de production**. Chaque système économique organise les facteurs de production de façon à obtenir les résultats escomptés par la société. Avec le temps, on a découvert que lorsque des gens se spécialisent dans certains secteurs d'activités, ils deviennent plus efficaces et produisent davantage, souvent beaucoup plus que ce dont ils ont besoin. Il s'avère alors nécessaire de partager ces excédents entre les spécialistes. De cette façon, tout le monde tire profit de la situation, chacun ayant la possibilité de consommer davantage. Par conséquent, on doit établir un genre de marché permettant cet échange d'excédents. En somme, le système économique correspond au cadre dans lequel s'organisent la spécialisation du travail et les échanges d'extrants.

Tous les systèmes économiques doivent tenir compte de la rareté des ressources et de leurs divers usages, et, parallèlement, de la demande quasi illimitée de la population. L'une des mesures de la production économique d'un pays est le produit intérieur brut (PIB), constitué de la somme de la valeur marchande de tous les biens et services produits dans le cadre de l'économie d'un pays au cours d'une certaine période (soit une année). En 1990, le PIB canadien s'élevait à 671 577 000 000 $, soit une augmentation de 3,5 p. 100 par rapport à celui de l'année précédente. Une partie de cette production peut être exportée en échange d'importations. En général, ces exportations correspondent à des articles dont les coûts de production sont relativement peu élevés et qui sont échangés contre des articles dont la production serait trop onéreuse (ou même impossible) pour le pays. Enfin, l'ajout des importations au produit intérieur brut donne le produit national brut (PNB).

Les ressources naturelles

Les **ressources naturelles** comprennent les terres et les ressources épuisables et renouvelables découvertes sur ou sous ces terres, y compris les terres qui se trouvent sous les eaux entourant un pays, dans ses limites territoriales. Les ressources naturelles constituent généralement le fondement de tout système économique. Chaque pays, avec ses régions, est doté de différentes formes et quantités de ressources naturelles. On doit bien sûr découvrir celles-ci avant de pouvoir les exploiter, processus qui peut être difficile à accomplir et qui est appelé à se modifier avec le temps. On suppose normalement que les ressources naturelles les moins coûteuses sont d'abord découvertes puis exploitées, jusqu'à la découverte d'une nouvelle ressource, les frais d'exploitation d'une ressource ayant tendance à devenir de plus en plus élevés. À très long terme, il se peut bien sûr que toutes les ressources naturelles d'un pays s'épuisent, mais d'ici là,

---

2. *Ibidem*, p. iii.

on remplace une ressource par une autre, comme le pétrole a remplacé l'huile de baleine. Un jour, la science arrivera peut-être à créer de nouvelles ressources à partir d'éléments que nous ne pouvons actuellement utiliser, n'ayant pas encore trouvé la façon de le faire. Notre conception des ressources naturelles est donc susceptible de changer dans les années à venir.

Le Canada possède une large part de certaines des ressources naturelles les plus précieuses au monde, dont les terres, le bois de coupe et le nickel, mais il est également l'un des principaux consommateurs de certaines ressources telles que le pétrole. Le tout premier stade du développement économique canadien a été lié à la production de produits de première nécessité. Un produit de première nécessité est une marchandise composée en majeure partie de ressources naturelles principalement destinée à l'exportation. Au Canada, les premiers produits de ce genre ont été le poisson, la fourrure et le bois de coupe. Au fil du temps et avec l'arrivée des immigrants, la potasse et le blé sont devenus les principales ressources exportées. Or, comme l'amélioration du système de transport des marchandises s'avérait nécessaire, l'infrastructure est devenue un important facteur du développement économique du pays. Immédiatement après la Confédération, les objectifs de la politique nationale du gouvernement étaient l'augmentation des exportations de produits de première nécessité (particulièrement le blé), l'encouragement de l'établissement de colons dans l'Ouest, surtout dans les prairies, et l'augmentation de la fabrication de produits finis, surtout au centre du pays, au moyen d'un tarif de protection élevé. L'une des principales conséquences de cette politique a été la création d'un réseau ferroviaire canadien, d'un bout à l'autre du pays. Le développement ultérieur s'est fait en deux volets, le blé et les produits manufacturés, qui ont été suivis de décennies de croissance économique continue. Les riches ressources naturelles du Canada ont favorisé une économie assez fermée où les sociétés nationales,

bénéficiant depuis longtemps de tarifs de protection, avaient tendance à ignorer le reste du monde. Actuellement, on observe cependant un changement d'attitude à cet égard de la part des entreprises et du gouvernement.

La main-d'œuvre

Pour être utiles, la plupart des ressources naturelles doivent être transformées. La main-d'œuvre est donc la composante la plus importante d'un système économique, étant donné que nous sommes à la fois producteurs et consommateurs. Tout comme les ressources naturelles, qui varient en qualité et en quantité selon chaque pays, la main-d'œuvre n'est pas homogène, chaque personne présentant des caractéristiques différentes, selon ses aptitudes physiques, son intelligence, son éducation, sa formation et son expérience. Plus la production devient complexe, plus les travailleurs ont besoin d'instruction et de formation, ce qui rend la production plus coûteuse et incite au remplacement de la main-d'œuvre par des machines (capital). On peut dénombrer dans un même pays ou une même région diverses catégories de main-d'œuvre, comme la main-d'œuvre non qualifiée, semi-qualifiée et qualifiée.

Ce que produit cette main-d'œuvre n'est pas seulement tributaire de ses qualités, mais également des outils (capital) mis à la disposition des travailleurs. Or, le Canada a toujours souffert d'une pénurie de capital. La productivité, c'est-à-dire la capacité de produire un maximum d'extrants utiles avec un minimum d'intrants, est le principal facteur déterminant, en bout de ligne, du niveau de vie d'un pays. La productivité détermine le revenu national par habitant qui, en retour, dépend de l'aptitude d'une nation à concevoir, à produire et à commercialiser des biens et des services. De surcroît, les caractéristiques de ces biens et de ces services (entre autres relativement à leur prix) doivent être plus attirantes que celles des produits de la concurrence.

En 1988, le Canada se classait au dernier rang du groupe des Sept (Allemagne, Japon, Italie, France, Grande-Bretagne, États-Unis et Canada) quant au pourcentage (25,7 p. 100) de sa population active dans le secteur industriel. Il se classait troisième relativement au pourcentage (19,4 p. 100) de sa population active au gouvernement. La main-d'œuvre du Canada provient évidemment de sa population, qui ne correspondait qu'à 26,2 millions d'habitants en 1989, lors du dernier recensement. La plupart des Canadiens sont de religion chrétienne (92,3 p. 100) et d'origine ethnique britannique (44,2 p. 100) ou française (29,4 p. 100); ils partagent donc un héritage commun. L'espérance de vie de l'homme canadien est de 72 ans tandis que celle de la femme canadienne est de 80 ans. Enfin, on entend par « main-d'œuvre » les personnes de 18 à 65 ans qui ont un emploi rémunéré.

Le niveau de vie des Canadiens est, évidemment, étroitement lié au niveau de connaissances et de compétence de ses travailleurs. Bien que le Canada dépense plus pour l'éducation que la plupart des autres pays, près de 40 p. 100 des Canadiens ne peuvent pas effectuer de calculs ou comprendre les directives écrites reliées à leur travail. En outre, près du tiers des étudiants du niveau secondaire abandonnent leurs études avant d'obtenir un diplôme. En ce qui a trait à la formation en milieu de travail, les entreprises canadiennes n'y consacrent que 0,3 p. 100 du PIB, comparativement au double chez nos voisins du Sud et davantage dans certains pays. Le Japon, par exemple, consacre cinq fois plus d'argent à la formation en milieu de travail, et l'Allemagne huit fois plus que les entreprises canadiennes.

Le capital

Le **capital** signifie souvent l'argent, mais en économie, ce terme comprend les outils, les machines, le matériel et les bâtiments utilisés dans la production de biens et de services. Le capital disponible est le fruit de l'épargne des personnes qui ont dépensé moins que leurs revenus. Par conséquent, la croissance de l'économie d'une nation dépend de la capacité à épargner de cette économie, c'est-à-dire à produire davantage que ce qu'elle consomme. Dans notre société, une grande partie du capital provient, d'une part, de l'épargne des sociétés, c'est-à-dire les bénéfices non distribués qui sont réinvestis dans une entreprise, après les taxes et les impôts, et, d'autre part, des propriétaires de capital, canadiens et étrangers, qui ont investi dans des entreprises.

Le Canada a toujours importé des capitaux. Il dépend donc de l'épargne d'investisseurs étrangers. Ces capitaux importés sont investis dans des projets d'affaires dont les Canadiens ne pouvaient ou ne voulaient pas se charger. Résultat : une grande partie des entreprises canadiennes sont la propriété d'étrangers, qui s'attendent que le rendement de leurs investissements soit proportionnel aux risques qu'ils ont pris. Il est évidemment difficile d'établir ce qui aurait pu arriver à l'économie canadienne sans ces investissements étrangers.

L'entrepreneuriat

L'entrepreneuriat est l'action de combiner des ressources naturelles, de la main-d'œuvre et du capital, au moment de lancer une nouvelle entreprise, de commercialiser de nouveaux produits pour répondre à une demande, de procéder à des innovations technologiques, de gérer des organismes et de prendre les risques nécessaires afin de saisir des occasions d'affaires. L'entrepreneuriat comprend non seulement les nouvelles idées, mais également les méthodes. Les entrepreneurs jumellent les composantes ou les facteurs nécessaires pour produire les biens et les services que la population demande. Ils constituent donc une composante essentielle, peut-être même l'élément le plus important du système économique. Les entrepreneurs jouent un rôle clé dans le monde des affaires, et ce rôle diffère selon chaque système.

LE SYSTÈME D'ENTREPRISES FERMÉES

Le système économique canadien est fondé sur la propriété privée, qui appartient à des personnes ou à des groupes de personnes qui prennent toutes leurs décisions de façon indépendante. Ainsi, les facteurs de production mentionnés plus haut (ressources naturelles, main-d'œuvre, capital et entrepreneuriat) relèvent pour la plupart de la propriété privée. Certaines de ces ressources appartiennent aux gouvernements, qui les vendent à des entreprises du secteur privé. Ce système fonctionne également avec un minimum d'intervention et d'administration de la part du gouvernement, sauf lorsque le secteur privé est incapable de répondre aux besoins de la société.

La propriété privée

La **propriété privée** sous-entend le droit fondamental des personnes de posséder, d'utiliser, de vendre ou d'acheter tout bien, notamment les terrains, les bâtiments, le matériel, l'outillage et les biens incorporels. Ainsi, toute personne peut être par exemple propriétaire de maisons, d'entreprises, d'automobiles, d'avions, de bateaux. Chacun a en outre le droit de disposer de ses biens à sa guise, à la condition de ne pas infliger de dommages à d'autres et de ne pas violer les règlements adoptés par les municipalités, dans l'intérêt de tous les citoyens. Enfin, le travail de chacun et le temps dont il dispose relèvent également de la propriété privée, une personne pouvant décider du genre de travail qu'elle désire accomplir, de même que du moment de le faire et de l'endroit où l'effectuer.

L'entreprise fermée

L'**entreprise fermée** incarne le stimulant économique qui consiste à tenter de tirer profit d'un projet d'affaires permettant d'offrir des biens et des services que les consommateurs recherchent et pour lesquels ils sont prêts à payer. Dans toute société, si l'on veut que des personnes soient motivées à donner le maximum d'elles-mêmes, il faut leur donner un stimulant. Dans la nôtre, ce stimulant est le profit. Lorsqu'une entreprise réussit à fabriquer et à vendre un produit qui a de la valeur aux yeux des consommateurs, ceux-ci paieront ce bien ou ce service plus cher qu'il n'aura coûté pour sa création. Ensuite, une fois les taxes et les impôts payés (le coût de la société), l'entreprise fait un profit, ce qui lui permet d'employer des travailleurs qui continueront de fournir le produit ou le service que les consommateurs désirent. Lorsque ces derniers ne seront plus prêts à payer pour ce produit ou ce service, l'entreprise aura la motivation nécessaire pour modifier le produit ou le service en question, dans la crainte de devoir cesser ses activités.

La liberté de choix

Dans notre société, chacun a le droit de choisir et d'échanger des produits et des services sans intervention ni contrainte. Chacun a en effet la liberté de choisir ce qu'il veut acheter, le moment où il veut acheter et sa façon de payer. Chaque personne peut négocier la meilleure transaction, selon sa propre perception des coûts et des bénéfices en jeu. Cette **liberté de choix** permet la concurrence entre les producteurs qui doivent tendre à la satisfaction des consommateurs.

Les consommateurs canadiens qui vivent près de la frontière américaine, soit la plupart, ont également la possibilité d'aller faire leur magasinage aux États-Unis. Résultat: en plus d'être concurrentes entre elles, les entreprises canadiennes doivent également se mesurer à une certaine concurrence étrangère.

Le rôle du gouvernement

Le rôle que joue le gouvernement dans notre système économique est moins important qu'il ne le serait dans un système totalitaire ou socialiste. Habituellement, le gouvernement canadien n'entrave pas la liberté des personnes, sauf dans l'**intérêt public** ou dans les cas d'**échecs du marché**, c'est-à-dire lorsque la situation concurrentielle ne permet pas une répartition optimale des ressources.

Le gouvernement adopte des règlements dans l'intérêt public (comme les lois qui établissent le salaire minimum à verser aux travailleurs) ou pour servir des intérêts particuliers (comme les régies des marchés agricoles qui réglementent quantitativement la production, ce qui a des conséquences sur les prix payés par les consommateurs). L'Office national de l'énergie réglemente pour sa part le prix et la quantité de l'énergie canadienne exportée. De plus, certains secteurs d'activité, comme celui de la radiodiffusion, font l'objet d'une réglementation et d'un contrôle de la part du gouvernement fédéral et des gouvernements provinciaux, afin de sauvegarder et d'enrichir la culture canadienne.

On assiste à un échec du marché lorsqu'il existe un monopole naturel dans le cadre duquel un seul producteur est économiquement viable ou que l'absence de concurrence efficace favorise l'exploitation des consommateurs par un ou quelques producteurs. Le cas échéant, le gouvernement réglemente normalement l'industrie en cause ou adopte des lois qui exigent certains comportements tout en interdisant d'autres qui nuisent au bien-être de la population.

Il peut également y avoir échec du marché lorsqu'on se trouve en présence d'**effets externes**. Un effet externe existe lorsque les coûts ou les avantages des personnes qui participent directement à une opération commerciale diffèrent des coûts et des avantages de l'ensemble de la société. Par conséquent, il se peut que les coûts et les avantages privés ne soient pas les mêmes que les coûts et les avantages publics. Les effets externes peuvent être négatifs, comme dans le cas de la pollution. Prenons l'exemple d'une usine de pâtes et papiers qui déverse ses déchets dans une rivière; elle oblige ainsi les gens habitant en aval du cours d'eau à défrayer la dépollution de l'eau pour pouvoir utiliser cette dernière. Dans un tel cas, le gouvernement pourrait par exemple imposer des taxes et prélever des impôts aux pollueurs pour ensuite remettre les fonds aux personnes vivant en aval du cours d'eau, leur offrant ainsi une compensation pour l'effet externe dont elles auront été victimes. Par ailleurs, il existe des effets externes positifs, comme l'éducation. Chacun de nous en tire en effet profit, nos revenus étant généralement proportionnels à notre nombre d'années de scolarité. En outre, plus une personne est productive en raison de l'éducation qu'elle a reçue, plus la société y gagne, car celle-ci pourra consommer davantage. Enfin, si tout le monde avait un emploi productif, on assisterait probablement à moins d'actes criminels, et les coûts du gouvernement liés à l'application de la loi en seraient réduits. Le gouvernement encourage l'éducation en accordant des déductions fiscales ou du crédit, des prêts et, dans certains cas, des subventions et des bourses.

Le manque de renseignements et l'immobilité des facteurs de production constituent d'autres causes moins évidentes d'échecs du marché. Le modèle économique de la répartition concurrentielle des ressources dépend des personnes qui prennent part aux opérations commerciales et qui détiennent la totalité ou, du moins, la majorité des renseignements nécessaires pour prendre les décisions pertinentes. Or, si l'on ne dispose pas de l'information appropriée, les marchés ne seront pas aussi efficaces qu'ils le devraient, ce qui pourrait nécessiter une intervention du gouvernement pour la divulgation des renseignements en question ou l'adoption de lois à cet effet. Il pourrait par exemple s'agir de lois portant sur le contenu des étiquettes et, dans le contexte canadien, des étiquettes bilingues. Quant à l'immobilité des facteurs de production, elle constitue un très grave problème pour un grand pays comme le Canada. Par exemple, il pourrait y avoir un surplus de main-d'œuvre dans les Maritimes, tandis qu'au même moment les provinces de l'Ouest seraient aux prises avec une pénurie de main-d'œuvre. Or, les frais relatifs au déménagement de la main-d'œuvre pourraient constituer une barrière insurmontable. Le gouvernement apporterait alors son aide en diffusant des renseignements sur les possibilités d'emploi à l'échelle du pays et en accordant des déductions ou des crédits fiscaux aux personnes qui déménagent pour occuper un nouvel emploi.

LES TYPES DE CONCURRENCE

La **concurrence** est le modèle économique fondamental en vue d'assurer une répartition efficace des ressources limitées mises à la disposition de toute société. En général, il est préférable d'avoir plus de concurrence que pas assez, celle-ci favorisant une baisse des prix et, par conséquent, une plus grande satisfaction des consommateurs. Les économistes définissent habituellement trois catégories de concurrence : la concurrence pure, la concurrence impure et le monopole. Bien que toutes les entreprises aient pour but la maximalisation des profits, les entreprises des systèmes de concurrence impure et de monopole produisent moins et demandent des prix plus élevés que les entreprises du système de concurrence pure.

La concurrence pure

Le concept de **concurrence pure** correspond à une situation idéale qui mettrait en scène un grand nombre de producteurs et de consommateurs avertis négociant des biens et des services homogènes dans un marché libre que chacun peut pénétrer ou quitter à sa guise, et où personne n'est soumis à des pressions excessives l'obligeant à négocier. Tous ces producteurs et ces consommateurs ont la même importance, car aucun acheteur ni vendeur n'est assez important pour influencer les prix. L'interaction de l'offre et de la demande établit le prix d'équilibre de ce marché. Tous les vendeurs peuvent y vendre la totalité de leur production et tous les acheteurs peuvent acheter autant qu'ils le désirent à ce prix. Quand un vendeur est en mesure, à court terme, de faire des profits anormaux (supérieurs à ce qui lui serait nécessaire pour continuer ses activités), de nouveaux venus font leur apparition sur le marché, augmentant ainsi la production totale et entraînant une baisse des prix.

La réalité est évidemment tout autre : il existe peu, s'il en est, de marchés de concurrence pure. S'il n'y avait pas d'intervention gouvernementale ou autre (subventions, cartels, par exemple), les marchés internationaux de produits homogènes, comme les céréales ou le pétrole, pourraient être parfaitement concurrentiels. La situation réelle est donc imparfaite, car tous les producteurs et les consommateurs n'ont pas la même importance, ne disposent pas des mêmes moyens et ne sont pas tous aussi bien renseignés, ou encore parce qu'il existe des contraintes gouvernementales ou autres qui ne permettent pas au marché de fonctionner aussi bien qu'il le devrait, en théorie. Par conséquent, certains participants établissent les prix plutôt qu'ils ne les respectent.

La concurrence impure

La **concurrence impure** est une situation qui ne met en scène que quelques grandes sociétés, ou dans laquelle les produits ou les services ont leurs propres caractéristiques et se distinguent les uns des autres, en réalité ou dans la perception des consommateurs. On a donc affaire à un environnement concurrentiel imparfait. Nombre d'entreprises tentent de distinguer leurs produits et leurs services par la publicité qui vante les mérites et justifie le prix, plus élevé, auprès des clients éventuels. Notons que ce prix serait encore plus élevé s'il s'agissait d'un monopole. Quand la concurrence est impure, la courbe de la demande fléchit, le prix influe sur le volume des ventes et incite le producteur à augmenter le nombre d'unités produites, jusqu'à ce que le revenu marginal soit égal au coût marginal, de manière à maximiser les profits. Quand une ou plusieurs entreprises deviennent plus importantes que toutes les autres, on obtient alors un oligopole ou un monopole.

L'oligopole

Quand seuls quelques producteurs dominent un secteur d'activité, on parle d'oligopole. Ces producteurs essaient de tenir compte des réactions des autres entreprises lorsqu'ils prennent une décision, mais comme rien de tout cela n'est certain, il est difficile de prévoir le comportement des oligopoles. Étant donné qu'une concurrence directe et libre pourrait nuire à chacun d'eux, ces producteurs s'associent parfois en cartel pour tenter de restreindre l'ensemble de leur production et la partager entre eux. Quand une guerre des prix éclate, le comportement de ces producteurs se compare à celui des entreprises soumises au régime de la concurrence pure. Toutefois, quand ils s'associent en cartel, ils agissent davantage comme en situation de monopole.

Le monopole

Un monopole existe lorsqu'il n'y a qu'un seul producteur, et on parle de monopsone lorsqu'il n'y a qu'un seul consommateur. Dans ces deux cas, l'unique producteur ou l'unique consommateur

tentera de tirer profit de la situation et de maximiser ses profits aux dépens des autres. Ainsi, les producteurs monopolistes demanderont des prix plus élevés que la concurrence ne le nécessiterait et les consommateurs monopsonistes paieront des prix inférieurs aux prix normalement demandés par des concurrents, tout cela au détriment de la société. Comme les monopoles sont beaucoup plus courants que les monopsones, les gouvernements essaient habituellement de réglementer les monopoles. Quant aux monopsones, les gouvernements en sont souvent eux-mêmes, mais ils doivent agir dans l'intérêt public, au risque de ne pas être réélus, ce qui a des conséquences favorables pour la société.

Un exemple bien connu d'une situation de monopsone–monopole quasi totale est la Central Selling Organization (CSO), division responsable de l'achat de diamants de la société DeBeers. Celle-ci a acheté quelque 80 p. 100 de la production mondiale de diamants pendant de nombreuses années et ne vend aujourd'hui qu'une petite partie de ses achats chaque année, de façon à maintenir le prix de détail des diamants aussi élevé qu'elle le désire. Les consommateurs tirent profit, en quelque sorte, de ce marché, le prix des diamants demeurant relativement stable. Toutefois, certains producteurs de diamants pourraient être insatisfaits des prix inférieurs qu'ils obtiennent comparativement au prix de détail demandé. Cette situation pourrait en inciter certains à vendre leurs produits à une entreprise autre que la CSO, bien qu'ils profitent également du fait qu'une unique entreprise soit toujours prête à acheter tous leurs produits.

D'AUTRES TYPES DE SYSTÈMES ÉCONOMIQUES

Le système d'entreprises fermées que nous avons décrit plus haut est appelé aussi **capitalisme**. Il existe d'autres systèmes d'organisation de la société, tels le communisme, le socialisme et les systèmes mixtes.

Récemment, la plupart des pays communistes et socialistes ont fait l'objet de vives critiques de la part de leurs habitants. En conséquence, depuis 1989, on assiste à une vague de changements capitalistes en Europe de l'Est et en Russie. De plus, d'anciens pays socialistes d'Amérique latine s'orientent davantage vers le capitalisme.

Le communisme

Le **communisme** représente une société idéale dans laquelle les consommateurs reçoivent des biens et des services selon leurs besoins, et où les producteurs travaillent selon leurs capacités. Dans cette organisation utopique, aucun gouvernement n'est élu, puisqu'il est désormais inutile. Or, dans les faits, quelqu'un doit bien établir les besoins des consommateurs et les capacités des producteurs, pour déterminer le travail qui doit être accompli. Dans les pays où l'on a tenté cette expérience (la Chine, l'ancienne Union soviétique et l'ancienne Allemagne de l'Est), le peuple détenait collectivement tous les capitaux de production et le gouvernement décidait de tout ; l'individu possédait peu (ou pas) de biens, à l'exception des appareils ménagers et des vêtements.

En outre, il existait peu de programmes d'encouragement pour motiver les gens à fournir le maximum au travail. Enfin, la pollution était aussi un fléau pour nombre de ces pays, ce qui semble indiquer que les gouvernements en place assumaient mal leurs responsabilités envers l'environnement. Dans un système communiste, l'individu a très peu de liberté et tout repose sur la société, sur le groupe. Ce système semble convenir davantage à des cultures qui accordent une valeur élevée au groupe, telles certaines nations asiatiques, par exemple.

Le socialisme

Entre les extrêmes du capitalisme et du communisme, il y a le **socialisme,** qui représente différentes choses pour différentes personnes. Le socialisme est un système selon lequel la société devrait posséder et (ou) contrôler les principales ressources économiques et les industries de base d'un pays, et planifier le développement de ce pays, d'une façon démocratique plutôt que par décret. Le socialisme est habituellement un État-providence qui a pour but le partage des richesses. Certains critiques sont d'avis que, dans ce système, les impôts élevés ont pour seule conséquence de rendre tout le monde également pauvre plutôt qu'également riche, en raison du nombre insuffisant de mesures qui visent à inciter les gens à travailler plus fort en vue de s'enrichir.

Les économies mixtes

Les véritables systèmes économiques du monde ne correspondent pas aux purs concepts que nous venons d'énoncer. Il s'agit plutôt de compromis qui tendent à maximiser les avantages dont bénéficiera la société. Au Canada, par exemple, la Crise de 1929 a augmenté la pauvreté et amené la population à remettre en question la pertinence du capitalisme et à exiger du gouvernement qu'il trouve des solutions pour remédier à la situation. Au début, les gouvernements (fédéral et provinciaux) de cette époque ne voulurent rien entreprendre, mais ils durent plier sous la pression publique. La période d'après-guerre, au cours des années 1940 et 1950, a donné l'élan nécessaire en vue d'une participation accrue du gouvernement à l'économie. Toutefois, depuis les années 1980, on assiste à un désengagement gouvernemental et à la privatisation de plusieurs entreprises d'État, comme Air Canada. Par conséquent, une **économie mixte** réunit des entreprises fermées et une certaine intervention gouvernementale. Elle peut varier d'une société à l'autre, selon les objectifs et les capacités de celle-ci.

LE SYSTÈME ÉCONOMIQUE CANADIEN

Le système économique canadien est un système d'économie mixte dans le cadre duquel la plupart des secteurs sont capitalistes, mais où la concurrence est relativement faible. Nombre de secteurs ne comportent que quelques joueurs, alors que d'autres comprennent un nombre important de sociétés d'État, comme Canadien National, Air Canada, Radio-Canada, la Société canadienne des postes. La personne est encore au centre de la vie économique canadienne ; les mesures d'encouragement y existent et on peut toujours s'y enrichir de millions de dollars. La propriété privée y est présente, mais est réglementée par certaines lois, comme celles sur le zonage, en vue d'empêcher certains abus. Les consommateurs peuvent acheter ce qu'ils veulent, au moment et à l'endroit où ils le désirent. On y jouit d'une grande liberté personnelle, qui est toutefois réglementée dans l'intérêt public (on ne peut, par exemple, décider de pratiquer la médecine sans obtenir au préalable un diplôme à cet effet). Le rôle du gouvernement canadien est limité, mais semble tout de même trop important pour certains. Notre système est-il le meilleur qui soit ? Si l'on en juge par au moins un sondage et par le nombre de personnes qui désirent y immigrer, le Canada est le pays où les conditions de vie sont les meilleures. Or, pouvons-nous encore améliorer notre système économique ? Toute entreprise humaine est susceptible de l'être, et chaque fois qu'un consensus est adopté, nous pouvons nous attendre à une amélioration du système économique canadien.

Quant à déterminer quel est le meilleur système économique qui soit, diverses personnes ont leur opinion à ce sujet, même au Canada. En outre, le monde est un processus dynamique en constante évolution. À titre d'électeur, vous avez un rôle à jouer dans l'avenir du Canada. À l'heure actuelle, la majorité des Canadiens appuient le système économique de leur pays, une économie mixte, principalement capitaliste.

Selon le gouvernement canadien, le récent accord de libre-échange avec les États-Unis a eu des conséquences globales positives. Une entente trilatérale avec le Mexique devrait s'avérer également positive en permettant l'ouverture d'un plus grand nombre de marchés aux exportations canadiennes. La population du Mexique est près de quatre fois supérieure à celle du Canada et elle augmente à un plus grand rythme. Quant au marché américain, son importance est dix fois plus élevée que celle du marché canadien. Par conséquent, un accès assuré à ces deux marchés pourrait représenter un avantage certain pour les entreprises canadiennes qui désireront tirer profit des possibilités d'y faire des affaires.

Sur la scène internationale, les pays se concurrencent entre eux, tout comme des entreprises. Or, cette concurrence revêt de plus en plus un caractère global. Une étude récente indique d'ailleurs qu'un avantage soutenu sur le plan international découle de l'instauration d'améliorations et d'innovations continues. L'économie canadienne doit donc reposer sur les innovations. Selon certains observateurs, le Canada doit augmenter le raffinement du secteur des ressources naturelles, éliminer les barrières empêchant la modernisation au sein de l'économie, s'appuyer sur les forces de chaque région, prendre des décisions rapides et fermes en vue de la signature d'un accord de libre-échange complet au sein du pays, transformer les filiales étrangères en sociétés canadiennes et créer et maintenir un climat économique positif et stable[3].

---

3. Michael E. Porter *et al., Canada at the Crossroads : The Reality of a New Competitive Environment*, Business Council on National Issues, Ottawa, 1991.

UN POINT DE VUE   Le système d'entreprises, le meilleur à plusieurs égards

Le système a plusieurs désignations : capitaliste, de libre entreprise, des affaires, de concurrence, d'entreprises fermées, d'entreprises responsables, d'entreprises concurrentielles. Quoi qu'il en soit, il s'agit du moteur économique de notre société, et du moteur le plus efficace connu.

Ce système est fort, résistant et adaptable, mais non indestructible.

Or, à l'heure actuelle, on dénombre de plus en plus d'attitudes et de convictions qui mettent en péril notre système économique.

Ce document, rédigé par dix hommes d'affaires qui œuvrent dans le secteur de l'entreprise fermée, a pour but de faire contrepoids à cette tendance. Il nous rappelle six valeurs particulières du système d'entreprises, qui le caractérisent comme le meilleur qui soit :

1. Le système d'entreprises produit davantage pour chacun

La principale force motrice du système d'entreprises est cette caractéristique propre aux humains qui consiste à vouloir grandir, progresser, prendre les rênes. Notre système encourage cette attitude en récompensant ceux qui travaillent le plus fort, qui produisent le plus et qui montrent le plus d'ingéniosité. Or, cette énergie déployée amène la richesse, pour ces personnes, mais aussi pour la société en général. Le niveau de vie élevé de l'Amérique du Nord est en fait un produit des ressources naturelles, de l'accumulation de capitaux et de ces énergies.

Dans un système concurrentiel, axé sur la récompense, différentes personnes réussissent inévitablement à différents degrés. Chacun a une chance de se trouver au sommet ou risque de finir dernier. Néanmoins, les richesses générées permettent même aux perdants, moyennant une gestion raisonnable de la société, de bien s'en tirer.

Toute société éclairée, qu'elle soit capitaliste ou socialiste, a pour but de rendre les pauvres plus riches. Pour ce faire, on peut soit redistribuer les richesses existantes, soit accroître l'ensemble des richesses.

Les socialistes d'Amérique du Nord mettent l'accent sur la redistribution des richesses en place. Pour leur part, les gens d'affaires sont d'avis que les pauvres pourraient s'enrichir plus vite si ces mêmes efforts étaient consacrés à l'accroissement de l'ensemble des richesses, une tâche qu'accomplit particulièrement bien le système d'entreprises. Selon eux, la redistribution ne rime à rien : si tous les Canadiens recevaient exactement le même revenu, la moyenne n'en serait presque pas modifiée, mais la motivation à aller de l'avant n'existerait plus, ce qui entraînerait un affaiblissement de la croissance et du progrès.

2. Le système d'entreprises correspond à la démocratie du marché

Le système de concurrence est soumis aux règles du marché et les prix sont établis par l'offre et la demande. C'est sur le marché que les consommateurs indiquent aux entreprises les produits qu'ils désirent acheter et les prix qu'ils sont prêts à payer. Chaque décision du consommateur est un vote démocratique pour ou contre un produit, ou un service et son prix.

On pourrait comparer le marché à un énorme ordinateur, le plus grand jamais créé, contrôlé ou copié. Aucun mécanisme de planification gouvernemental ne peut fournir une information aussi détaillée et aussi exacte que les renseignements véhiculés chaque jour par le marché qui, à tout moment, d'un bout à l'autre du Canada, traite des millions de décisions de la part d'acheteurs.

La loi de l'offre et de la demande sur le marché établit le prix des biens de consommation, comme les voitures, les appareils photo, les contenants de lait, et d'éléments à l'intention des entreprises, comme l'emplacement des usines, les rubans de machines à écrire ou les services juridiques. La loi de l'offre et de la demande établit les salaires et la vitesse à laquelle chacun gravit les échelons au cours de sa carrière.

Le fonctionnement du marché est si complexe que des experts choisis ou indépendants ne peuvent, quelles que soient leur formation ou leurs intentions, le reproduire ou le manipuler à leur guise. Tout effort pour régulariser les achats et les dépenses n'entraîne qu'une distorsion du fragile équilibre qui existe entre l'offre et la demande. On pourrait comparer cet effort à la tentative d'emprisonner la vapeur formée par l'eau en ébullition ; le résultat serait une pression accumulée finissant par produire une explosion.

Certains n'aiment pas le marché. Ils l'accusent de vendre des articles « inutiles ». Lorsqu'ils voient des personnes à faible revenu s'acheter des bonbons plutôt que des aliments nutritifs, ils accusent le marché de rendre les bonbons accessibles. Lorsqu'ils voient les rues encombrées de grosses voitures à l'heure de pointe, défilant à un rythme de tortue avec une seule personne à leur bord, ils aimeraient bien mettre un terme à ce qui leur semble être une absurdité. Selon eux, on devrait protéger les gens contre l'apparent illogisme de certains de leurs désirs, et des « experts » devraient décider de ce qui devrait ou non être vendu.

Or, ceux qui sont de cet avis ne croient pas vraiment en la démocratie. En effet, ils n'acceptent pas l'idée qu'à long terme, si on lui en laisse la chance, l'« homme moyen » fera montre d'un jugement infaillible.

Dans un marché concurrentiel, les entreprises réussissent ou échouent en fonction de leur aptitude à « déterminer correctement ce que les gens désirent ». Il est en outre réconfortant de voir tous ces entrepreneurs soucieux de nous plaire se concurrencer pour nous offrir ce qu'il y a de mieux, le plus rapidement possible.

Le marché peut parfois sembler réagir avec excès, surtout quand on assiste à un succès commercial. Par exemple, lorsqu'un nouveau dentifrice se vend bien, on voit rapidement apparaître une douzaine d'imitations sur le marché. Or, même dans une telle situation, le marché finit par remettre les choses à leur place, dans l'intérêt de la plupart des gens. Ainsi, les imitateurs empêchent le concepteur du produit de faire des profits déraisonnables à long terme : leur concurrence l'oblige à baisser son prix au minimum.

3. Le système d'entreprises favorise la liberté

Lorsque des parents achètent une boîte de céréales à calories vides, c'est bien souvent pour s'éviter une discussion avec leurs enfants. Ils ont fait un choix, geste rendu possible par le système d'entreprises et les forces du marché.

Seules quelques personnes ont besoin de protection en raison de leur inadaptation (et la société les protège). Nous vivons dans une société libre, car nous voulons avoir la liberté de faire nos propres choix, même s'ils sont « mauvais ». Plus nous avons de choix, plus notre liberté est grande.

Chaque fois que nous élisons un gouvernement, nous accordons à certains le droit de réduire cette liberté. Si nous sommes d'avis qu'ils la réduisent trop, nous les remplaçons au plus tard après quatre ans. Nous ne pouvons donc exercer un contrôle sur nos gouvernants qu'au moment des élections.

En revanche, notre contrôle sur le marché est immédiat, fréquent et très précis. Tout achat d'un produit ou d'un service envoie un message à son fournisseur. En quelque sorte, un référendum quotidien a lieu à l'échelle du pays chaque fois qu'un article est mis en vente.

Le marché est donc un moyen de communication et de contrôle public plus efficace que les élections. Par conséquent, chaque fois qu'une décision ne relève plus du marché mais du gouvernement, notre contrôle sur ce mécanisme diminue et nous perdons un peu plus de liberté.

Le système d'entreprises favorise la liberté sur d'autres plans.

Une société moderne a, par exemple, besoin de capitaux de placement importants. Elle les puise dans le marché, en payant des gens pour l'utilisation de leurs épargnes. Or, chacun a le choix de dépenser la totalité de ses revenus ou d'en économiser une partie et de la prêter à d'autres, à profit.

Mais ce n'est pas la seule façon d'accumuler des capitaux. Les gouvernements peuvent en effet les recueillir en impôt, puis les redistribuer. Néanmoins, ce système **oblige** tout le monde à épargner et réduit notre liberté.

Chaque fois que la liberté et le système d'entreprises sont en jeu, ils se renforcent l'un l'autre. Certaines personnes, par exemple, aiment travailler aussi fort et gagner autant d'argent qu'elles le peuvent. D'autres préfèrent en revanche travailler moins pour se consacrer davantage à leurs loisirs. Le système d'entreprises, par définition, leur donne cette liberté de choix.

4. Le système d'entreprises fait fructifier les profits

La question de « l'œuf et de la poule » transposée au système d'entreprises moderne se pose ainsi : les entreprises existent-elles pour réaliser des profits ou les profits existent-ils pour réaliser les entreprises ? Eh bien, contrairement à ce que l'on pourrait penser, il semble que la seconde supposition soit la bonne.

En effet, si les profits n'étaient pas nécessaires, ils disparaîtraient, comme la concurrence de notre système le prévoit. Il est certain que si un homme d'affaires était en mesure de battre ses concurrents en baissant ses prix de 10 p. 100 ou de la valeur correspondant à ses « profits » bruts, il le ferait avec plaisir. Or, dans les faits, il ne peut agir de la sorte puisque sans profits, son entreprise serait rapidement vouée à disparaître.

Les profits (la différence entre les coûts de création d'un produit ou d'un service et sa valeur auprès des acheteurs) sont essentiels pour de nombreuses raisons. Les profits d'une entreprise servent à payer le matériel et l'équipement qui doivent être remplacés, et ils récompensent les investisseurs en leur fournissant les fonds supplémentaires nécessaires à l'expansion et à l'innovation.

Les profits sont donc essentiels, mais ils représentent aussi un problème en ce sens que nombre de gens n'en comprennent pas l'utilité et les associent davantage à la cupidité qu'au besoin. La plupart des Nord-Américains croient en effet que les sociétés font des profits après impôt de près de 30 p. 100, alors que les profits sont en réalité de 5 p. 100. En période d'inflation, on a l'impression qu'ils augmentent, parce que la valeur comptable des produits stockés augmente, mais comme les stocks devront être remplacés par des produits manufacturés à un coût qui sera plus élevé, la hausse n'est qu'illusoire.

⚹ Les profits entraînent la croissance et la croissance est une bonne chose tant qu'elle ne compromet pas la « qualité de vie ».

La croissance ne signifie pas nécessairement qu'un nombre grandissant d'usines couvriront des champs entiers ou que les horreurs industrielles seront légion. On assiste plutôt à une croissance chaque fois qu'un processus amélioré en remplace un moins bon, qu'une gamme de produits est diversifiée pour offrir un choix plus complet, qu'un investissement supplémentaire dans de l'équipement ou des personnes aide à réduire les coûts ou à augmenter la valeur d'un produit.

Une productivité accrue est une forme de croissance, et une productivité améliorée augmente le niveau de vie et les chances de succès pour tous.

5. Le système d'entreprises entraîne un processus d'institutionnalisation

Les entreprises de grande envergure sont, de nos jours, une réalité, en raison de l'importance des tâches à entreprendre. Les petites entreprises ne peuvent pas construire des usines d'envergure mondiale, des pipelines et des réseaux de communications transcontinentaux. Les sociétés composées d'une centaine d'employés ne peuvent extraire des ressources, fondre le minerai ou fournir les assises industrielles sur lesquelles une centaine d'entreprises indépendantes pourraient croître. Seules des sociétés de très grande envergure peuvent entreprendre ces travaux.

Les sociétés (qui permettent aux gens de mettre en commun leurs énergies, leurs aptitudes et leurs dollars à des fins productives) se sont avérées capables de coordonner une quantité stupéfiante de ressources humaines et de capitaux. En 1970, le Canada comptait une centaine d'entreprises qui fournissaient 17 p. 100 de tous les produits manufacturés. Des 100 plus grandes puissances financières au monde, 51 sont des sociétés et 49 sont des pays.

La croissance d'une entreprise peut-elle mettre en péril la société ? Une commission d'enquête parlementaire est sur le point d'étudier la question. Les entreprises de grande envergure présentent au moins un avantage que la commission soulignera certainement puisqu'elles amènent l'**institutionnalisation** qui renforce les mesures d'éthique au sein du système d'entreprises.

L'institutionnalisation oblige en effet les sociétés à s'intéresser aux considérations à long terme de leur exploitation, une institution étant faite pour **durer**. Les projets d'enrichissement à court terme ne lui servent à rien.

Les institutions ne peuvent entraver l'intérêt général, leurs activités étant constamment scrutées par le public, à presque tous les niveaux.

Les institutions doivent sembler justes aux employés puisqu'elles dépendent de la confiance, de l'énergie et de l'enthousiasme d'un grand nombre d'entre eux. Notons que les principales sociétés canadiennes offrent à leurs employés des avantages sociaux et des prestations de retraite qui dépassent peut-être ceux que n'importe quelle entreprise socialiste donne à ses salariés.

Détail très important, l'institutionnalisation d'entreprises nous permet surtout à tous d'en partager les profits. Nous les partageons au moyen de l'impôt qui soutire chaque année des millions de dollars à chacune des sociétés. Nous les partageons aussi à titre de propriétaires; quelques centaines de milliers de Canadiens ont en effet acheté des actions de sociétés à la bourse. La plupart des autres possèdent indirectement des titres, sous la forme de fonds de pension, de fonds communs de placement et de polices d'assurance-vie.

Les fonds de pension non gouvernementaux totalisent actuellement quelque 20 milliards de dollars au Canada, et une large part de cet argent est placée dans les grandes sociétés. Il en va de même pour les assurances-vie, qui totalisent près de 29 000 $ par foyer canadien. L'industrie des fonds communs de placement représente quant à elle des milliards de dollars en actions. Enfin, une partie de vos épargnes à la banque servent à acheter des obligations de sociétés ou sont prêtées à des entreprises, et les produits vous reviennent.

Toute institution importante est le fruit d'années de travail (50, 60 années ou plus), au cours desquelles elle s'est efforcée de réaliser des profits, de les réinvestir, d'accroître ses activités, de réaliser davantage de profits et de les réinvestir de nouveau. Ces entreprises productives (en réalité, des machines), qui valent des millions et des milliards de dollars, ont été établies au prix de dur labeur. Elles constituent véritablement des éléments d'actif qui appartiennent à la collectivité, non seulement parce que la plupart d'entre nous en possèdent indirectement une partie, mais aussi parce que seules des « machines » de cette envergure peuvent nous fournir économiquement des biens et des services pour répondre à nos besoins. Chaque fois qu'une grande société doit fermer ses portes, en raison d'une mauvaise gestion ou d'une intervention non pertinente du gouvernement, il faut entreprendre tout ce processus difficile qui consiste à rebâtir cet important atout économique.

L'envergure d'une société ne confère pas nécessairement à sa direction un pouvoir démesuré (la commission d'enquête pourra se pencher sur ce point), et si le propriétaire d'une petite entreprise peut agir à sa guise, il n'en est pas de même du personnel de direction d'une société. Les cadres supérieurs relèvent tous du chef de la direction qui, à son tour, relève du conseil d'administration. Les administrateurs doivent quant à eux rendre des comptes aux actionnaires et, avec le nombre grandissant d'actions détenues sous forme de fonds de pension et de fonds communs de placement, cette responsabilité n'est pas uniquement symbolique. Les gestionnaires de fonds surveillent constamment d'un œil vigilant le rendement de leurs fonds.

En outre, les directeurs, les administrateurs et les actionnaires ne peuvent prendre des décisions que dans le cadre des besoins de la société qui, à son tour, est contrôlée par le marché et assujettie à des règlements gouvernementaux de plus en plus rigides.

En fait, les personnes qui dirigent ces institutions agissent davantage à titre de fonctionnaires ou de diplomates que d'entrepreneurs. L'instinct et les façons de procéder d'un requin de la finance sont peu utiles au chef de la direction d'une société de 10 000 employés, qui doit rencontrer des représentants du gouvernement, traiter avec les directeurs d'autres sociétés, inspirer et coordonner le travail de vice-présidents brillants et ambitieux, relever d'un puissant conseil d'administration, représenter la société devant les médias et continuer de mettre l'accent sur les objectifs d'une énorme et complexe entreprise et sur ses contributions envers la société.

6. Le système d'entreprises réunit les meilleures caractéristiques de deux systèmes

Peu de gens d'affaires sont aujourd'hui d'avis que seul le marché établit les règles. Ils ont d'autres références : les médias, les politiciens, les conseillers et les spécialistes en ressources humaines qui leur prodiguent des conseils sur le bien-être et les attentes de la société. Les gens d'affaires savent que sans la participation du gouvernement, le marché pourrait être un environnement plus féroce et plus primitif pour les Canadiens privilégiés du XXᵉ siècle.

Les dirigeants des sociétés d'aujourd'hui n'ont pas de parti pris, ils sont pragmatiques. Entre la gauche et la droite politique, ils se situent plutôt au centre. Ils acceptent que le gouvernement établisse des règles, mais ils craignent que sa participation augmente au point de dominer toute entreprise productive. Ils ne veulent pas que le Canada adopte un régime socialiste sans que la population n'ait voté en ce sens.

L'approche sournoise du gouvernement envers les entreprises préoccupe beaucoup ces dernières. Les gouvernements dépensent en effet déjà 40 cents pour chaque dollar canadien, proportion qui augmente d'année en année. En outre, les restrictions du gouvernement entravent le bon fonctionnement de nombreux aspects du système d'entreprises. Chaque fois qu'une entreprise fermée n'est plus en mesure de fournir un produit ou un service demandé, le gouvernement entre en scène pour pallier cette situation. Et chaque fois, l'efficacité de la machine économique canadienne baisse d'un cran, entraînant des conséquences négatives sur la répartition des ressources.

Les dirigeants de sociétés ne sont pas des optimistes béats qui répètent à satiété que tout va bien dans le meilleur des mondes. Le monde des affaires est si vaste et si diversifié que pratiquement chaque accusation qu'on lui porte peut être justifiée quelque part. Les dirigeants prétendent seulement que le système de production des entreprises et le système de communication du marché représentent ce qu'il y a de mieux dans ce domaine, à l'heure actuelle.

Le Canada a depuis longtemps adopté un système d'économie mixte. En effet, nous avons toujours été plus disposés que les États-Unis à fonder des sociétés d'État pour concurrencer les sociétés fermées. Ainsi, Radio-Canada, l'Office national du film, Canadien National, Polysar, Air Canada, Petro-Canada ne sont que quelques-unes des sociétés de notre secteur public. Ce jumelage de sociétés du secteur public et du secteur privé constitue une force propre au Canada. Il indique notre volonté de faire des compromis pour allier les meilleures caractéristiques de deux systèmes.

✳ Il est inévitable, et même sain, qu'il y ait des tensions constantes entre ceux qui aimeraient que le gouvernement prenne les rênes et ceux qui laisseraient plus de latitude aux entreprises fermées. Une société moderne doit fournir de l'aide aux citoyens qui éprouvent des difficultés à atteindre la prospérité : c'est le rôle du gouvernement. Ce dernier doit, en revanche, assurer un certain équilibre.

Ainsi, quand un gouvernement ne fournit pas suffisamment d'aide ou ne fait pas assez d'efforts pour éliminer les injustices présentes dans la société, un climat favorable à la révolution s'installe. Mais, s'il consacre une trop grande part des richesses nationales à cet effet, il favorise un « état de bien-être », élimine toute motivation à produire et réduit ainsi la capacité du système d'entreprises à fournir un rendement.

Certains Canadiens croient que les entreprises ont une influence considérable sur les gouvernements. Les gens d'affaires sont loin d'être de cet avis. En fait, ils s'inquiètent grandement du fait qu'on ne prête pas attention à leurs opinions. Aucun homme politique ne parle en effet en leur nom. De nos jours, lorsqu'on affirme qu'un homme politique « favorise les grandes entreprises », il ne s'agit pas d'une déclaration, mais d'une accusation.

Puisque le gouvernement n'explique pas les points suivants à la population canadienne, d'autres devraient s'en charger :

- Les critiques des entreprises devraient s'assurer qu'ils ne se battent pas contre des moulins à vent. La force du système d'entreprises est sa souplesse. Le monde des affaires évolue de façon constante sous la pression des exigences sociales, politiques et du marché. On a remédié aux abus d'hier et on passe en revue ceux d'aujourd'hui.

- Les gens d'affaires ne demandent pas aux Canadiens d'accepter le système d'entreprises en bloc, mais de l'analyser avec soin, de protéger ses meilleurs aspects, d'aider son évolution et de ne pas le laisser disparaître par mégarde.

Les Canadiens se moquent parfois de leur tendance aux compromis. Le compromis est en effet une caractéristique du Canada qui confirme la phrase célèbre : « Il n'y a pas de solutions simples, il n'y a que des choix intelligents. »

Source : Traduit de Dean Walker, *A Case for the Enterprise System*. Avec la permission de l'Investors Group.

RÉSUMÉ

Sommaire

1. Tous les systèmes économiques reposent sur les composantes fondamentales suivantes : les ressources naturelles, la main-d'œuvre, le capital et l'entrepreneuriat.

2. Le système d'entreprises fermées est fondé sur la propriété privée, qui sous-entend le droit fondamental des personnes de posséder, d'utiliser, de vendre ou d'acheter des biens. Il est axé sur les profits et permet aux personnes d'obtenir des produits découlant de l'exercice de leur droit à choisir quel travail accomplir, à quel moment le faire et comment le faire. Dans le système d'entreprises fermées, ou capitalisme, le gouvernement joue un rôle de second plan.

3. La concurrence est le modèle économique fondamental pour assurer une répartition efficace des ressources limitées mises à la disposition de toute société. En général, il est préférable d'avoir plus de concurrence que pas assez, celle-ci favorisant une baisse des prix et, par conséquent, une plus grande satisfaction des consommateurs.

a) Le concept de concurrence pure correspond à une situation idéale mettant en scène un grand nombre de producteurs et de consommateurs avertis qui négocient des biens et des services homogènes. Tous les participants y établissent des prix, et les profits qui y sont réalisés suffisent à permettre à tout le monde de demeurer dans la course.

b) La concurrence impure est une situation qui ne met en scène que quelques grandes sociétés, ou dans laquelle les produits ou les services ont leurs propres caractéristiques et se distinguent les uns des autres, en réalité ou dans la perception des consommateurs. On a donc affaire à un environnement concurrentiel imparfait.

c) Quand seuls quelques producteurs dominent une industrie, on parle d'oligopole. Ces producteurs essaient de tenir compte des réactions des autres entreprises lorsqu'ils prennent une décision.

d) Un monopole existe lorsqu'il n'y a qu'un seul producteur, et on parle de monopsone lorsqu'il n'y a qu'un seul consommateur. Ce système économique ne met en jeu aucune concurrence.

4. Les autres types de systèmes économiques sont le communisme, le socialisme et le système d'économie mixte.

a) Le communisme représente une société idéale dans laquelle les consommateurs reçoivent des biens et des services conformément à leurs besoins, et où les producteurs travaillent selon leurs capacités. La société est alors propriétaire des moyens de production, et la propriété privée est rare ou inexistante.

b) Le socialisme correspond habituellement à un système selon lequel la société est propriétaire des moyens de production et planifie le développement de l'économie, mais accorde le droit à la propriété privée dans d'autres domaines.

c) L'économie mixte, dans les faits, essaie de jumeler le secteur privé à une certaine intervention et à une planification de la part du gouvernement.

5. Le système économique canadien est un système d'économie mixte dans le cadre duquel la plupart des secteurs sont capitalistes, mais où la concurrence est relativement faible.

Notions clés

L'échec du marché

L'économie mixte

L'entrepreneuriat

L'entreprise fermée

L'oligopole

La concurrence impure

La concurrence pure

La liberté de choix

La main-d'œuvre

La propriété privée

Le capital

Le capitalisme

Le communisme

Le monopole

Le PIB

Le PNB

Le rôle du gouvernement

Le socialisme

Le système économique

Les ressources naturelles

Exercices de révision

1. Quels sont les principales composantes de tout système économique ?

2. Quels sont les principaux éléments du système d'entreprises fermées ?

3. Décrivez les principaux types de concurrence. Quelles en sont les différences les plus importantes ?

4. Quelles sont les principales différences entre l'oligopole et le monopole ?

5. Quels sont les principaux avantages et inconvénients du communisme ?

6. Quels sont les principaux avantages et inconvénients du socialisme ?

7. Quels sont les principaux avantages et inconvénients des économies mixtes ?

8. Quelles sont les caractéristiques du système économique canadien ?

Matière à discussion

1. Pourquoi les anciens pays communistes de l'Europe de l'Est ont-ils adopté le capitalisme ?

2. Expliquez pourquoi l'économie canadienne est mixte. Le rendement de l'économie canadienne pourrait-il s'améliorer si le gouvernement réduisait ou éliminait son intervention ? Pourquoi ?

3. Êtes-vous d'accord avec le point de vue « Le système d'entreprises, le meilleur à plusieurs égards » ?

Exercices d'apprentissage

1. Un nouveau modèle économique

Vous devez conseiller le gouvernement de Cuba sur la stratégie à adopter à l'égard de son modèle économique qui vient d'être rejeté par le pays qui l'avait créé.

Questions

1. Préparez un rapport sur les avantages et les inconvénients de chacun des autres systèmes économiques qui s'offrent au gouvernement.

2. Quel système économique recommanderiez-vous ? Pourquoi ?

2. Le lancement d'une nouvelle entreprise

De vieux amis, Aline, Bertrand, Chantal et David, qui viennent tout juste de gagner 10 millions de dollars à la loterie, vous demandent à quel endroit ils devraient démarrer leur nouvelle entreprise. Ils sont au courant des négociations qui ont cours dans le cadre de l'accord de libre-échange entre le Canada, le Mexique et les États-Unis et aimeraient se lancer en affaires dans l'un de ces trois pays, afin d'exporter des produits dans les deux autres. Ils se demandent donc dans lequel de ces trois pays ils devraient établir leur entreprise.

Questions

1. Devraient-ils lancer leur entreprise en Amérique du Nord ? Pourquoi ?

2. Le cas échéant, pour quel secteur d'activité devraient-ils opter ? Pourquoi ?

3. La nationalité ou la citoyenneté canadienne est-elle un facteur important? Pourquoi?

CHAPITRE

3

PLAN

La définition de l'éthique
    L'éthique personnelle
    L'éthique professionnelle (ou déontologie)

L'éthique commerciale
    Un nouvel intérêt à l'égard de l'éthique commerciale
    Les normes éthiques
    Les codes de déontologie
    Les difficultés reliées aux codes

Les enjeux reliés à l'éthique commerciale
    Les produits
    Les fournisseurs
    Les concurrents
    Les clients
    Le personnel
    Les actionnaires
    La collectivité
    L'État

Un point de vue : l'éthique commerciale aux États-Unis

Un point de vue : l'éthique commerciale en France

Résumé

L'ÉTHIQUE COMMERCIALE

Les objectifs du chapitre

Après avoir lu le présent chapitre, vous pourrez :

1. définir l'éthique ;
2. faire la distinction entre l'éthique personnelle et l'éthique professionnelle (ou déontologie) ;
3. analyser l'éthique commerciale ;
4. évaluer les codes de déontologie ;
5. analyser des questions d'éthique commerciale.

L'éthique commerciale a été le sujet d'une conférence sur l'économie mondiale qui a eu lieu à Columbus (Ohio), aux États-Unis, du 25 au 27 mars 1992, sous le parrainage du Council for Ethics in Economics (CEE). Des participants de dix-huit pays et des six continents ont débattu les défis éthiques qui se posent à l'échelle mondiale.

Les entreprises et les gouvernements ne sont pas sans principes éthiques. Ce sont plutôt les personnes qui les dirigent qui en sont dotées ou exemptes. Par conséquent, l'éthique constitue un trait personnel, et il revient à chaque être humain d'adopter une conduite morale.

La conférence a abordé l'éthique du point de vue du gestionnaire d'entreprise. Si nous constituons un seul monde sur le plan économique, il en est autrement au niveau culturel, et les difficultés résultent de notre absence de compréhension et de tolérance interculturelles.

Richard C. Chapen, ancien vice-président de Knight-Ridder, estime que nos valeurs se sont dégradées et qu'il n'existe pas de modèles de comportement éthique. Il suggère de mettre en pratique les valeurs importantes suivantes :

- favoriser la diversité, étant donné que nous devons tous nous entendre ;

- être responsable envers les autres et envers soi-même ;

- savoir dire merci ;

- s'encourager les uns les autres ;

- progresser d'une réussite à l'autre ;

- établir un climat de confiance dans sa vie personnelle et professionnelle en se montrant digne de confiance ;

- fonder une famille et participer à la création de la famille étendue, c'est-à-dire la société ;

- savoir que la religion est le fondement de toutes les croyances ;

- faire du bénévolat (donner un peu de soi-même à autrui).

Hiroyuki Yoshimo, président de Honda America, exprime une philosophie simple. Tout d'abord, il faut avoir le respect de la personne en connaissant très bien ses clients et en respectant les besoins de ceux-ci. Deuxièmement, il faut partager le bonheur que l'on éprouve au contact des employés, des clients et de la collectivité, ainsi que celui que l'on tire des biens de consommation. Enfin, il faut s'en tenir aux affaires, la seule façon d'être efficace.

Pour sa part, le Dr Wilfred Guth, ancien directeur général de la Deutsche Bank, affirme que ce sont les organisations et non le cours des événements qui façonnent nos vies. La croissance et les bénéfices ne peuvent plus constituer le but unique, étant donné que toute croissance incontrôlée bouleverse l'équilibre naturel.

Comme l'illustrent ces exemples, les points de vue sur le sujet sont multiples. Si des convictions diverses ont donné lieu à des éthiques commerciales différentes, comment pourrons-nous un jour nous entendre sur des normes internationales ? À Rome, comment faut-il vivre ?

Le défi consiste à examiner les enjeux d'ordre éthique, à lire et à réfléchir sur le sujet, et à en discuter avec d'autres. Il se peut que nous n'arrivions jamais à définir un comportement éthique universel. Cela ne doit cependant pas nous empêcher de tenter notre chance, et nos efforts nous permettront peut-être de nous rapprocher du but[1].

LA DÉFINITION DE L'ÉTHIQUE

L'éthique se rapporte à la conduite des personnes, à ce qui est **bien** et à ce qui est mal. On s'attend à ce que les gestionnaires soient à la fois efficients et efficaces. Être efficient veut dire que l'on tire le maximum d'extrants du minimum d'intrants, c'est-à-dire que l'on accomplit les choses de la bonne manière. Être efficace signifie que l'on accomplit les bonnes choses, c'est-à-dire ce qui doit être fait. Dans le passé, cela voulait dire faire tout ce qui entraîne la maximisation des bénéfices. De nos jours, l'efficacité a également des connotations éthiques. Le processus décisionnel — personnel et commercial — comporte des aspects moraux[2]. À titre de personnes et d'administrateurs, les gestionnaires font inévitablement face à des questions d'éthique. La responsabilité de certaines décisions est parfois évidente, comme dans les cas flagrants de torts ou de préjudices graves qui risquent de mettre en péril certaines personnes au sein de l'entreprise ou à l'extérieur de celle-ci. Toutefois, il arrive souvent que la situation ne soit pas aussi claire.

Selon le philosophe Alan Gewirth, l'éthique (ou moralité) se rapporte surtout aux actions interpersonnelles, c'est-à-dire à celles qui touchent

---

1. Traduit de William J. Ramson, « Solving the Challenge of Global Business Ethics : When in Rome, Do What ? », *Industrial Engineering*, juin 1992, p. 10.

2. Le chapitre 5 examine ce processus plus en détail.

les personnes autres que leurs agents. Il définit ces actions comme des **transactions**, et les gens touchés par celles-ci, comme des **destinataires**. Dans ce contexte, le gestionnaire est l'**agent**. Ainsi, l'agent et le destinataire prennent également part aux transactions, bien que le premier soit actif et le second, passif, en étant l'objet sur lequel s'exerce l'action de l'agent[3]. Par conséquent, les transactions pertinentes du point de vue moral sont celles où la liberté, la capacité d'agir ou le bien-être du destinataire sont compromis. Le commerce se fonde sur des transactions : des ventes sont effectuées, et on a besoin d'acheteurs. Les administrateurs et leurs employés sont des agents qui s'occupent des clients, lesquels sont les destinataires, selon le vocabulaire de Gewirth.

L'éthique qui nous intéresse le plus est l'éthique « normative », qui cherche à prononcer et à défendre des jugements sur le bien et le mal, le bon et le mauvais, la vertu et le vice, sans tenir compte des lois humaines qui s'appliquent à cet égard. Ainsi, il se peut qu'un comportement soit légal, mais immoral et contraire à l'éthique. Par exemple, les Nord-Américains voient généralement les pots-de-vin d'un mauvais œil, et aucune des parties engagées dans une transaction ne doit en offrir. Ailleurs toutefois, ceux-ci sont tout à fait légaux et éthiques, voire habituels. Les gestionnaires nord-américains doivent-ils tenter d'imposer leurs normes en matière de morale aux personnes d'autres cultures avec qui ils entretiennent des relations commerciales ? Le gouvernement américain a adopté des lois qui interdisent l'offre de pots-de-vin aux étrangers ; ces lois s'appliquaient déjà aux marchés nationaux des États-Unis. Il est cependant difficile d'appliquer ces règles, et peu de pays ont emboîté le pas aux Américains dans ce domaine.

L'éthique personnelle

En général, l'éthique personnelle normative reflète les valeurs religieuses et culturelles acquises inconsciemment au sein de la famille, de l'église ou de l'école. Elles résultent de nombreuses années d'expérience et font partie du mode d'organisation des activités collectives.

La plupart des gens conviendront du sens moral des valeurs suivantes :

- éviter de faire du tort à autrui ;
- être juste ;
- ne pas mentir ni tricher ;
- aider les personnes dans le besoin ;
- respecter ses engagements ;
- obéir aux lois ;
- respecter les droits d'autrui ;
- inculquer ces principes à autrui.

Ces valeurs personnelles s'appliquent aussi, par extension, aux petites et moyennes entreprises dirigées par leurs propriétaires, et ont constitué l'essentiel des principes éthiques jusqu'à la révolution industrielle, à l'époque où un nombre croissant de personnes ont envahi les villes.

L'éthique professionnelle (ou déontologie)

L'éthique professionnelle désigne les convictions morales que les travailleurs appliquent à leurs activités de production. Tous ne considèrent pas le travail de la même façon. Certains sont de véritables bourreaux de travail, tandis que d'autres considèrent celui-ci comme une activité pénible qu'il faut toutefois supporter, afin de jouir des bonnes choses de la vie. La révolution industrielle et le capitalisme furent accompagnés de l'éthique professionnelle protestante, dont un de ses célèbres défenseurs fut Benjamin Franklin. Ce dernier affirma : « La voie vers la richesse est aussi évidente que celle qui mène

---

3. Alan Gewirth, *Reason and Morality,* University of Chicago Press, Chicago, 1978, p. 129.

au marché. Elle repose principalement sur deux notions, le travail et la frugalité. Ne perdez ni temps ni argent, et faites-en le meilleur usage possible. Sans le travail et la frugalité, rien ne se peut, et grâce à eux, tout est possible. Qui sait profiter honnêtement de tout et épargner tout ce qu'il gagne deviendra certainement riche...[4] »

L'ÉTHIQUE COMMERCIALE

On a déjà jugé inutile l'éthique commerciale. La responsabilité sociale des entreprises se limitait alors à la maximisation des bénéfices. C'est d'ailleurs une idée à laquelle certains économistes modernes comme Milton Friedman[5] adhèrent toujours. Selon ce dernier, seules les personnes peuvent avoir des responsabilités sociales. Une entreprise ne saurait en avoir, étant donné qu'elle n'existe que pour réaliser des bénéfices pour ses propriétaires. Ces derniers emploient des administrateurs qui les représentent et qui dirigent l'entreprise conformément à leurs désirs. Les propriétaires s'intéressent vraisemblablement à la maximisation des bénéfices. Le gestionnaire a, bien entendu, des responsabilités individuelles envers lui-même et la société. Selon Friedman, l'État ne doit pas intervenir, et doit laisser les entreprises mener leurs activités.

Un nouvel intérêt à l'égard de l'éthique commerciale

L'intérêt à l'égard de l'éthique commerciale a connu trois phases : la rentabilité, la fiducie et la responsabilité sociale ou la qualité de vie.

La première, la rentabilité, fut à l'honneur jusqu'à la crise de 1929. On peut la décrire brièvement ainsi : **ce qui profite à l'entreprise profite à la société**. La rentabilité possède les caractéristiques suivantes :

- la maximisation des bénéfices ;
- la mise en garde de l'acheteur (*caveat emptor*) ;
- les administrateurs sont responsables devant les actionnaires ;
- les travailleurs sont des biens ;
- les techniques importent ;
- l'État ne doit pas intervenir dans les activités économiques ;
- les valeurs d'ordre esthétique sont sans importance.

La deuxième phase, la fiducie, connut ses heures de gloire après la Seconde Guerre mondiale. Elle est toujours à l'honneur dans la plupart des entreprises. Les administrateurs sont les fiduciaires des ressources de l'entreprise et ils sont chargés d'atteindre un équilibre entre la rentabilité et les intervenants de l'entreprise, notamment les actionnaires, les employés, les fournisseurs, les divers paliers de gouvernement, les consommateurs et la population en général. La fiducie comporte les caractéristiques suivantes :

- la réalisation de bénéfices acceptables (atteindre un niveau satisfaisant, bien qu'il soit inférieur au niveau maximum) ;
- l'argent est important, mais les gens sont aussi importants ;
- le traitement équitable des clients ;
- le traitement équitable des travailleurs ;
- les techniques importent, mais les gens également ;
- l'intervention de l'État est un mal nécessaire ;
- on peut tenir compte des valeurs d'ordre esthétique.

La dernière phase, soit la responsabilité sociale ou la qualité de vie, porte sur le comportement humain à adopter pour vivre au sein de collectivités nombreuses. Un tel comportement

4. Matthew Josephson, *The Robber Barons*, Harcourt Brace, New York, 1934, p. 10.
5. Milton Friedman, « The Social Responsibility of Business Is to Increase Its Profits », *The New York Times Magazine*, New York, 13 septembre 1970.

ne déroge pas aux normes sociales relatives aux convenances, aux bonnes manières, au bon goût et aux lois généralement acceptées par la collectivité. Cette conception a pris naissance à la fin des années 1960. Bien qu'un nombre grandissant d'entreprises y adhèrent, toutes n'y souscrivent pas. On peut résumer ce point de vue moderne de la manière suivante : **ce qui profite à la société profite à l'entreprise**. La responsabilité sociale possède les caractéristiques suivantes :

- les gens importent plus que l'argent ;
- les gens importent plus que les techniques ;
- il faut garantir la dignité des employés ;
- les administrateurs ont des comptes à rendre aux intervenants ;
- la mise en garde du fournisseur ou du producteur (*caveat venditor*) ;
- l'entreprise et les divers paliers de gouvernement doivent coopérer ;
- il faut préserver, si possible, les valeurs d'ordre esthétique.

On peut affirmer que la notion de comportement commercial éthique est en constante évolution.

Les normes éthiques

De nombreuses entreprises ont tenté d'appliquer des normes éthiques à l'ensemble de leurs activités. On considère généralement que les entreprises doivent se doter d'un système aux caractéristiques suivantes :

- un engagement visant l'excellence à tous les niveaux ;
- un énoncé précis des attentes relatives à la productivité et à la qualité ;
- des programmes de formation détaillés comprenant les valeurs professionnelles et le service à la clientèle ;
- l'obligation de rendre compte fondée sur une hiérarchie ;

- une rétroaction régulière sur le rendement ;
- une rémunération suffisante selon le rendement ;
- l'encouragement de tous les employés à l'autoperfectionnement.

On peut intégrer ces pratiques aux activités régulières ou rédiger un manuel, pour en faciliter la communication.

Les codes de déontologie

Certains groupes, y compris les clubs sociaux comme Rotary, Kiwanis et Lions ainsi que les corporations professionnelles (de comptables ou d'avocats, par exemple) ont établi un code de déontologie à l'intention de leurs membres.

De nombreuses entreprises disposent d'un tel code écrit. Un code de déontologie est un ensemble officiel de valeurs et de règles destinées à améliorer et à régir le comportement de chaque personne au sein de l'entreprise. Le code d'une entreprise établit généralement des normes qui s'appliquent à tous les intervenants. En général, il porte sur différentes questions comme l'acceptation de cadeaux d'entreprise, l'utilisation des biens de l'entreprise à des fins personnelles et les tentatives d'influence des fonctionnaires. Le code de déontologie des entreprises peut ne compter qu'une page ou prendre la forme d'une brochure, selon la matière qu'il renferme et la portée des questions abordées.

Les difficultés reliées aux codes

Les codes de déontologie sont d'importants outils de communication des valeurs à l'échelle de l'entreprise, mais ils doivent être appliqués et mis à jour périodiquement. Il est fort probable que certains éléments aient échappé aux concepteurs du code. Par conséquent, les employés doivent appuyer leur conduite sur leurs propres valeurs morales.

L'application de tout nouveau code requiert l'approbation et le soutien de la haute direction, à défaut de quoi personne n'obtempérera. L'exemple doit venir des échelons supérieurs.

De temps à autre, les gouvernements établissent des lois qui régissent les opérations commerciales, mais affichent souvent un certain laisser-faire par la suite. Des abus comme le fait d'exiger que les employés travaillent un nombre d'heures excessif par jour ou par semaine, ou la discrimination en raison du sexe, de l'âge ou de l'origine ethnique ont été déclarés illégaux. Par ailleurs, l'équité salariale fait maintenant partie des lois de la plupart des territoires. Il s'agit là de quelques exemples de changements qu'il faut parfois apporter à un code.

On recommande de réviser régulièrement toute politique ou modalité écrite, y compris les codes de déontologie, environ tous les cinq ans. On trouvera un exemple de code de déontologie à la figure 3.1.

FIGURE 3.1
Un exemple de code d'éthique

Notre credo

Notre premier devoir est de bien servir les médecins, les infirmières, les patients, les mères et les pères de famille et toute personne qui utilise nos produits et nos services. Nous devons faire preuve d'un souci constant de la qualité dans tout ce que nous faisons pour satisfaire nos clients. Nous devons toujours nous efforcer de réduire les coûts de façon à maintenir des prix modérés. Nous devons exécuter les commandes de nos clients avec rapidité et minutie et permettre à nos fournisseurs et distributeurs de toucher leur juste part de profits.

Il est aussi de notre devoir de respecter le principe de la dignité de la personne humaine qui s'applique à tous nos employés, hommes et femmes, partout à travers le monde. Nous devons nous assurer que nos employés travaillent dans un climat de confiance et dans un milieu propre, ordonné, où leur santé et leur sécurité ne sont pas menacées; nous devons rémunérer nos employés de façon juste et équitable. Nous devons songer à des façons d'aider nos employés à remplir leurs responsabilités familiales. Nous devons permettre à nos employés d'exprimer librement toute plainte ou suggestion et offrir des chances égales d'emploi, de perfectionnement et d'avancement à toute personne qualifiée. Nous devons nous assurer que nos entreprises soient dirigées par des personnes qualifiées, qui fassent preuve de justice et d'éthique professionnelle.

Nous avons aussi un devoir envers notre environnement immédiat et envers l'humanité tout entière. Nous devons être de bons citoyens, accorder notre appui aux œuvres de bienfaisance et acquitter notre quote-part d'impôts. Nous devons favoriser toute amélioration du bien-être de l'ensemble des citoyens, contribuer à la protection de la santé et encourager toute action visant à rendre l'éducation accessible au plus grand nombre possible. Nous devons entretenir notre propriété, car nous avons un rôle à jouer dans la protection de l'environnement et des ressources naturelles.

Nous sommes aussi responsables envers nos actionnaires. L'entreprise doit réaliser un juste profit. Nous devons être à l'avant-garde du progrès, poursuivre les recherches, mettre au point des programmes novateurs et assumer le coût de nos erreurs. Nous devons renouveler nos équipements, construire de nouvelles installations et lancer de nouveaux produits. Nous devons créer des réserves en prévision des temps plus difficiles. Si nous adoptons cette ligne de conduite, nos actionnaires seront satisfaits de leurs profits.

Source: Johnson & Johnson, rapport annuel des employés, 1991.

LES ENJEUX RELIÉS À L'ÉTHIQUE COMMERCIALE

Il existe un tel nombre d'enjeux reliés à l'éthique commerciale qu'on ne peut tous les traiter. Nous n'en abordons que quelques-uns, selon qu'il s'agit des produits, des fournisseurs, des concurrents, des clients, du personnel, des actionnaires, de la collectivité ou de l'État.

Les produits

Une entreprise qui fabrique deux produits comme des tondeuses à gazon à essence et des tondeuses électriques, est aux prises avec un dilemme. Doit-elle continuer de fabriquer les premières, ou ne fabriquer et ne vendre que les secondes ? Les tondeuses à essence polluent l'air, endommagent la couche d'ozone et contribuent au réchauffement de la planète. En revanche, les tondeuses électriques sont nettement moins polluantes. La pollution causée par ces dernières se produit à proximité de la centrale électrique, plutôt que de la pelouse. Par conséquent, non seulement y a-t-il moins de pollution, mais celle-ci se produit loin de la pelouse, dans un endroit vraisemblablement moins peuplé, là où ses effets sont moins nuisibles à la société.

Un autre aspect des difficultés reliées aux produits concerne la pratique de certaines entreprises qui cherchent à économiser en utilisant des composantes les moins coûteuses possible, ce qui leur permet d'offrir un bien à un prix inférieur. Cependant, en raison de ses composantes moins coûteuses et vraisemblablement de qualité inférieure, le produit se détériore plus rapidement. Les biens que l'on jette au rebut ajoutent inévitablement à la pollution, en plus d'encombrer les sites d'enfouissement. Ce genre de pratique constitue une fausse économie et peut nuire à la réputation de l'entreprise.

Les gouvernements ont tout à fait raison d'adopter des lois contre des pratiques commerciales trop polluantes.

Les fournisseurs

Les liens entre les fournisseurs et leurs clients sont souvent inégaux. Un fournisseur influent qui détient la presque totalité du marché peut menacer un plus petit producteur de retards de livraison. Ce dernier commande alors de vastes quantités de stocks, afin de ne pas en manquer, lesquels occasionnent des coûts d'entreposage élevés. De même, dans le contexte actuel de production et de livraison au moment adéquat (juste-à-temps), fournisseurs et producteurs ont maintes occasions de se comporter de façon répréhensible.

Les concurrents

Bien que des lois antitrust offrent une protection contre la concurrence injuste, certains enjeux font encore l'objet de discussions. Par exemple, est-il acceptable d'espionner ses concurrents ? La ligne de démarcation entre le réseau de renseignements et l'espionnage est mince. On sait que des entreprises ont fouillé dans les rebuts de concurrents pour connaître les activités de recherche et de développement de ceux-ci. L'espionnage commercial ne se limite pas au secteur des techniques de pointe. En effet, certaines entreprises achètent périodiquement des produits concurrents, les démontent pour en examiner le fonctionnement, puis fabriquent un bien semblable sans violer aucun brevet ou droit d'auteur.

Les clients

Des lois protègent un grand nombre d'opérations commerciales entre les entreprises et leurs clients. Par exemple, l'alignement des prix et la publicité mensongère sont illégales. En publicité, la démarcation est mince entre la simple exagération, qui est légale, et la fraude, qui ne l'est pas. Certains arguent que la publicité à l'intention des enfants devrait être assujettie à des règles différentes, afin que l'on n'encourage pas ces derniers à boire ou à fumer, activités qui sont nuisibles à la santé et qui ont des répercussions négatives sur le plan social, étant donné qu'elles occasionnent une hausse des coûts médicaux et des frais reliés aux accidents. L'État pourrait interdire la publicité ayant trait à ces activités, par exemple.

De même, la recherche révèle que la plupart des médecins prescrivent des médicaments qu'ils ne connaissent pas et pour lesquels la seule information dont ils disposent provient des représentants commerciaux des fabricants de produits pharmaceutiques. La société est donc en droit de se demander si l'on peut exiger que ces entreprises adoptent un comportement plus responsable.

Par ailleurs, les fabricants d'automobiles se comportent-ils correctement en forçant les consommateurs à acheter des accessoires qu'ils offrent à titre d'équipement de série, au lieu d'options? L'avantage du coût moindre de ces articles (en raison de leur production massive) entre en conflit avec les inconvénients causés aux particuliers, qui doivent payer davantage pour une voiture pourvue d'accessoires.

S'il s'agit d'accessoires qui augmentent la sécurité des véhicules comme les freins antidérapants ou les coussins d'air, on peut arguer que les bienfaits que la société en retire excèdent les coûts additionnels des acheteurs, étant donné que ce matériel peut aider à réduire le nombre ou la gravité des accidents.

Mais que dire de ces accessoires qui n'augmentent pas la sécurité, comme les systèmes de climatisation, dont les émissions polluent l'environnement? Doit-on permettre à ceux qui en ont les moyens de se les procurer, ou imposer une taxe additionnelle en raison des dommages causés à l'environnement?

Le personnel

Les entreprises commerciales doivent accorder la priorité à l'honnêteté dans leurs relations avec le personnel, avoir recours à des modes d'évaluation du rendement équitables aux fins des augmentations salariales et des promotions, en plus de veiller à la sécurité du personnel. Des lois régissent l'équité salariale.

Un enjeu éthique important est le harcèlement sexuel au travail. Étant donné qu'il est très difficile de prouver les infractions, un grand nombre de celles-ci ne sont probablement pas rapportées, bien que ce genre de harcèlement soit illégal. Les employeurs ont l'obligation morale de s'assurer que les victimes sont traitées de façon équitable lorsqu'elles s'adressent aux tribunaux.

Les actionnaires

Il semble de plus en plus évident qu'une «bonne» conduite commerciale se traduit par des bénéfices accrus. Une étude américaine récente comparait les entreprises, en existence depuis au moins trente ans, dotées de codes de déontologie écrits, avec l'ensemble des grandes entreprises (censées être plus enclines à posséder de tels codes). Les quinze sociétés ouvertes dotées de ces codes affichaient une croissance des bénéfices annuels moyens de 11 p. 100 au cours des trente années terminées en 1982. Ce pourcentage tranche sur les résultats, pendant la même période, de 500 entreprises, publiés dans *Fortune* et limités à 6,1 p. 100 quant à la croissance des bénéfices moyens, ce qui semble illustrer la rentabilité à long terme d'une gestion éthique.

Certaines sociétés de fonds mutuels offrent maintenant aux consommateurs la possibilité d'investir dans des firmes responsables sur le plan social. Il s'agit de fonds relativement nouveaux, dont certains ont connu un meilleur rendement que l'indice boursier de Toronto, sur une période de cinq ans. On saura, à la longue, si ce type d'investissement est rentable, mais beaucoup semblent le croire. Dans l'avenir, on refusera vraisemblablement des fonds aux entreprises qui ne sont pas responsables sur le plan social.

La collectivité

Les administrations locales ne sont pas à l'abri des activités immorales. Dans le célèbre cas de Love Canal, l'entreprise en cause, Hooker Chemical, prit toutes les précautions alors nécessaires et souhaitables. Elle informa la municipalité et rendit publique la documentation relative aux types et aux modes d'entreposage de produits chimiques. Plus tard cependant, des représentants de l'administration locale fermèrent les yeux et modifièrent le zonage des terres (qui avaient servi de dépotoir de produits chimiques toxiques). Ces représentants vendirent une partie des terrains à un promoteur immobilier, et l'autre partie servit à la construction d'une école, en raison du coût peu élevé! Ce genre de comportement est indéniablement injustifiable.

L'État

Le gouvernement fédéral n'est pas à l'abri. Dans la célèbre affaire du thon avarié, il permit que du poisson qu'on avait déclaré impropre à la consommation humaine fût mis en conserve et vendu comme nourriture destinée à la consommation humaine plutôt qu'animale. Le gouvernement avait agi de la sorte pour préserver les emplois du secteur de la transformation du poisson dans les provinces de l'Atlantique. Le ministre fédéral responsable dut démissionner.

Les gouvernements se trouvent aussi dans des situations de monopsone (d'acheteur unique), où des entreprises du secteur privé fournissent les biens et les services dont l'État a besoin. Tous les gouvernements ont une piètre réputation en matière de règlement de leurs factures. Le processus est très lent, et cela place souvent les petites entreprises dans des situations financières très difficiles ; il se peut même que certaines fassent faillite.

UN POINT DE VUE

Diane Caldwell, étudiante à la Stern School of Business, New York

L'éthique commerciale aux États-Unis

La présente étude du rôle de l'éthique commerciale s'ouvre par un examen du sens du mot lui-même. Selon le dictionnaire *Webster*, l'éthique est l'étude des traits, des gestes et des buts idéaux de l'être humain. Pour ma part, une telle définition soulève davantage de questions qu'elle n'apporte de réponses. Tout d'abord, un tel comportement cadre-t-il avec le contexte commercial actuel ? Cela fut-il jamais le cas ?

L'histoire des États-Unis nous apprend que la cupidité et la corruption ne sont pas l'apanage des années 1980. En effet, le rôle de nombre de nos aïeux dans l'esclavage, Tammany Hall et la révolution industrielle sont autant d'exemples qui montrent que l'éthique a été reléguée au second rang durant toute l'histoire de notre pays.

De ce point de vue, je ne crois pas que les années 1980 méritent leur réputation de décennie de déchéance morale sans précédent. Il semble que les gens considèrent le vice comme une espèce de dégénérescence de la société qui détériore nos valeurs au fil des progrès. J'estime au contraire que cela a toujours fait partie de la nature humaine. Dans sa lutte pour survivre, chaque culture est sujette aux mêmes — et très humaines

— tendances. Selon moi, les années 1980 ne se caractérisent pas par la prolifération du vice, mais par le refus d'obéir à ces tendances. Elles marquent, pour ainsi dire, l'avènement d'une conscience économique. Michael Milken ne fut pas davantage un criminel que Joseph P. Kennedy; la seule différence est que le premier fut poursuivi en justice pour sa conduite. En exigeant une telle responsabilité, nous nous sommes rendu compte que nous avions le choix.

C'est justement cette capacité de choisir qui indique la voie d'une nouvelle éthique commerciale. Nous ne pouvons nier la propension au mal qui nous habite et nous n'évoluerons jamais dans un milieu qui en est totalement exempt. Les dirigeants d'entreprise et la population en général s'aperçoivent peu à peu que nous ne sommes pas obligés d'accepter ce genre de comportement, et la mondialisation de l'économie a accéléré ce processus d'éveil des consciences. Lorsque nous regardons nos voisins, tant à l'Est qu'à l'Ouest, nous nous rendons compte de la mainmise que nous avons sur de vastes ressources humaines et naturelles. Nous voyons en même temps que ces ressources ne sont pas illimitées. En élargissant notre champ d'action, nous avons acquis un nouveau sens des responsabilités devant la destruction graduelle de la planète, et il nous incombe de faire preuve d'équité envers les travailleurs et les consommateurs.

Ce genre d'ouverture d'esprit est un élément indispensable de toute stratégie commerciale. Il s'agit manifestement d'un processus évolutif, qui passe de la survie à l'autosuffisance, puis à une sensibilisation supérieure. Les entreprises ont plus que jamais besoin d'avoir une conscience.

Au cours de la dernière décennie, des entreprises comme Johnson & Johnson, Union Carbide et Perrier ont dû faire face à leurs responsabilités dans des circonstances extrêmement difficiles. George Dillion, ancien président de Manville, a réfléchi longuement à ce que l'on entend par entreprise responsable. Fabricant de premier rang de produits en amiante, Manville a appris sa leçon durement — bien qu'elle demeure au bas de la liste des «entreprises les plus admirées» de *Fortune*. Cette entreprise s'est engagée à devenir plus responsable au cours des années à venir. Dans *Across the Board*, le magazine du Conference Board, Dillion affirme: «L'éthique concurrentielle repose sur la cohérence des convictions et des gestes (...) Nous devons être convaincus chaque jour, et non seulement lorsque cela est commode ou populaire, que le choix moral sert toujours l'intérêt à long terme de l'entreprise. Nous devons favoriser les discussions sur l'éthique au sein de nos entreprises afin d'effectuer finalement le choix moral approprié.»

Comme M. Dillion, je crois que l'éthique doit jouer un rôle important dans le marché mondial. Les entreprises américaines et étrangères sont devenues des entités sociales hautement influentes. Bien qu'un grand nombre d'employés se tournent vers la direction pour obtenir une orientation professionnelle, ils sont également influencés sur le plan éthique. Ce n'est qu'en établissant des normes et en communiquant celles-ci que les dirigeants d'entreprises peuvent espérer que se manifeste le « caractère humain idéal » en chacun de nous.

UN POINT DE VUE

Xavier Leroy,
étudiant à l'ESSEC
(École supérieure des
sciences économiques
et commerciales), Paris

L'éthique commerciale en France

Au cours des dernières années, on a souvent associé le mot **immoral** au mot **capitalisme**. Et maintenant que ce dernier s'impose de plus en plus dans le monde, sans véritable opposition, on continuera sans doute de s'interroger sur son caractère moral.

Par suite du déclin de la religion, et des idéologies en général, ainsi que du rejet des valeurs traditionnelles comme la famille, il semble que la société cherche à s'appuyer sur de nouvelles valeurs et des droits individuels axés sur la santé, l'environnement et la qualité de vie. Au cours de la dernière décennie, nous avons cessé de blâmer les politiciens de tous les maux de la société, et notre attention s'est tournée vers les médias, la science et, bien entendu, le commerce.

Certains considèrent l'éthique commerciale comme la toute dernière « folie » des gestionnaires, mais c'est bien plus que cela. En effet, plus de 90 p. 100 des 2 000 sociétés américaines les plus importantes disposent d'un code de déontologie, et bien que l'idée ait traversé l'Atlantique, elle suscite moins d'enthousiasme en Europe. Il suffit d'encourager les entreprises et leurs employés à agir de manière responsable, et le monde ne s'en portera que mieux !

Mais le raisonnement est trompeur. Le commerce et la déontologie sont présents dans différents milieux, et la question n'est pas de savoir si le capitalisme est moral ou immoral. Après tout, ce ne sont pas les discours sur l'humilité et la charité qui nous ont protégés de la misère dont nos parents ont souffert, mais bien la cupidité et la recherche d'un avantage personnel. Comme nous l'apprend l'Évangile selon Matthieu : « Aucun homme ne peut servir deux maîtres. Ou bien il haïra l'un et aimera l'autre, ou s'attachera à l'un et méprisera l'autre. Nul ne peut adorer Dieu et le Veau d'or. »

Par conséquent, le monde des années 1990 ne sera peut-être pas plus compatissant, mais on remarque une préoccupation grandissante pour les valeurs, et les gestionnaires en sont conscients. Les codes de déontologie ou principes moraux mis en place créent une atmosphère efficace — et affective — au sein et autour d'une entreprise, qui favorise un sentiment de fierté parmi les employés et de confiance parmi les fournisseurs et les clients. Il faut considérer ces codes comme des investissements stratégiques en communication.

L'éthique commerciale capte l'esprit de notre époque, en plus de correspondre à la tendance à des droits plus individuels. Ce nouveau mode de gestion plus «fluide» considère les personnes comme les principaux éléments d'actif de l'entreprise, et nombre d'administrateurs ont compris la nécessité de la participation des effectifs à la «culture» de l'entreprise. Ils savent en effet qu'ils sont responsables de l'établissement de cette «culture» et que leurs propres valeurs morales importent grandement, étant donné qu'ils servent d'exemples. Comment doivent-ils alors se comporter, lorsque les intérêts de l'entreprise se heurtent à des enjeux moraux? Il leur suffit de poser les questions suivantes:

– Est-ce légal?

– La situation profite-t-elle à toutes les parties intéressées?

– Y a-t-il de quoi être fier?

Bien que l'on ne puisse définir le paradoxe éthique, tout le monde se fait une idée de ce que l'éthique est et n'est pas.

Pour que l'entreprise devienne l'institution sociale importante de l'avenir, il faudra qu'objectifs sociaux et commerciaux concordent. En outre, les entreprises devront investir dans l'éthique commerciale et vendre une image morale où primeront la justice pour les employés, la qualité pour les clients, la fiabilité pour les fournisseurs, la loyauté envers les supérieurs et la responsabilité devant la société. Les entreprises de demain doivent dépasser la notion de Friedman selon laquelle «la responsabilité sociale de l'entreprise se limite à la maximisation de ses bénéfices»; les bénéfices à court terme ne constituent plus la fin de l'entreprise, mais seulement le moyen d'atteindre un autre but, celui de créer de la richesse et d'innover pour les générations actuelles et futures.

Enfin, les administrateurs savent maintenant qu'ils doivent écouter et réfléchir plus que d'autres — à leurs employés, à leurs clients, à leur pays, à l'environnement et aux générations futures. Après tout, notre séjour sur terre n'est-il pas très limité?

Source: «Corporate Ethics: Tomorrow's Decision Makers Speak Out», *Fortune*, 27 juillet 1992, p. 42-43.

RÉSUMÉ

Sommaire

1. On peut définir l'éthique comme étant l'étude des traits, des gestes et des buts de l'être humain. Sous un angle plus pratique, on peut dire qu'elle s'intéresse aux actions interpersonnelles qui touchent les personnes autres que les agents. Dans ce contexte, les administrateurs sont des agents. Par conséquent, on peut considérer l'éthique comme le cadre normatif des activités de gestion.

2. L'éthique personnelle reflète généralement les valeurs religieuses et culturelles acquises inconsciemment au sein de la famille, de l'église ou de l'école. L'éthique professionnelle est particulière à la sous-culture du milieu de travail, et la plus importante est l'éthique protestante, qui repose sur le travail (labeur) et la frugalité.

3. Nous abandonnons peu à peu l'idée de l'inutilité de l'éthique commerciale, fondée sur la notion d'administrateurs agissant à titre de fiduciaires au nom des intervenants, et nous mettons davantage l'accent sur la qualité de vie et les entreprises responsables sur le plan social.

4. Le code de déontologie écrit est un important outil de communication des valeurs à l'échelle de l'entreprise, mais il faut l'appliquer et le mettre à jour. Dans le monde dynamique dans lequel nous vivons, il arrive qu'on oublie d'y inclure certains éléments, et cela crée des inconvénients aux employés, qui doivent alors compter sur leurs propres valeurs morales.

5. Les principaux enjeux éthiques commerciaux portent principalement sur les produits, les fournisseurs, les concurrents, les clients, le personnel, les actionnaires, la collectivité et l'État. On peut examiner ces questions à la lumière des principes directeurs énoncés au présent chapitre.

Notions clés

L'éthique

L'éthique commerciale

L'éthique personnelle

L'éthique professionnelle

La normativité

La responsabilité sociale

Le caractère moral

Les actions interpersonnelles

Les agents

Les codes de déontologie

Les transactions

Exercices de révision

1. Peut-on établir un code de déontologie universel qui régisse les affaires ou la vie de tous les jours ?

2. Quels sont les principaux avantages et inconvénients de la méthode transactionnelle de Gewirth appliquée à l'étude de l'éthique ? S'applique-t-elle aux opérations commerciales ?

3. Quels sont les principaux avantages et inconvénients d'un code de déontologie écrit ?

4. Quels sont les principaux enjeux éthiques commerciaux à l'heure actuelle ?

Matière à discussion

1. Une entreprise doit-elle disposer d'un code de déontologie ? Pourquoi ?

2. Existe-t-il une éthique commerciale typiquement canadienne ?

3. Est-il possible ou souhaitable d'avoir une éthique commerciale mondiale ?

4. L'État doit-il restreindre la liberté individuelle des citoyens en interdisant l'usage des tondeuses à gazon à essence, parce que celles-ci sont polluantes ? Les souffleuses à neige à essence polluent-elles également ? Si oui, doit-on en interdire également l'usage ?

Exercices d'apprentissage

1. Le cas de Dow Corning Corporation

Le 20 février 1992, la Food and Drug Administration des États-Unis a recommandé de restreindre sérieusement l'usage des prothèses mammaires. Santé et Bien-être social Canada imposa un moratoire sur leur utilisation. Ces interdictions sont survenues après que de nombreuses femmes se furent plaintes que leur prothèse s'était perforée ou avait éclaté, et que cela leur avait occasionné des problèmes de santé. Dow Corning Corporation, le fabricant des prothèses mammaires gélatinées, décida d'en arrêter la production et la vente. L'entreprise en avait vendu plus de 600 000, dont quelque 27 000 au Canada — ce qui représente environ un pour cent de son chiffre d'affaires. L'entreprise a offert de rembourser certaines femmes aux États-Unis qui ont décidé de se faire enlever leur prothèse. Les Canadiennes ne seront toutefois pas indemnisées, étant donné que les frais de chirurgie sont assumés par les programmes de soins de santé provinciaux.

Questions

1. L'entreprise a-t-elle agi moralement en commercialisant ces prothèses mammaires ? La recherche préalable montrait que celles-ci pouvaient

occasionner certains problèmes médicaux. Au lieu de pousser la recherche, l'entreprise a commencé à vendre les prothèses.

2. L'entreprise a-t-elle agi moralement ou fait preuve de responsabilité sociale en attendant que des organismes de l'État interviennent? Aurait-elle dû agir plus tôt?

2. Une question d'éthique

Vos bons amis Alain, Bertrand, Charles et Danielle songent à mettre sur pied une entreprise locale de concessionnaire d'automobiles. Ils s'interrogent sur les questions d'ordre éthique reliées à la vente de voitures fabriquées au pays, au Japon, en Corée ou en Amérique du Sud.

CHAPITRE

4

PLAN

Les formes d'entreprise

L'entreprise personnelle

La société en nom collectif

La société
    La société fermée
    La société ouverte
    La société d'État
    Un point de vue : les sociétés d'État commerciales
    La société d'économie mixte

La coopérative

L'organisme à but non lucratif

Résumé

LES FORMES D'ENTREPRISES

Les objectifs du chapitre

Après avoir lu le présent chapitre, vous pourrez :

1. donner les grandes lignes des diverses formes d'entreprises légales ;

2. expliquer les principaux avantages et inconvénients de l'entreprise personnelle ;

3. expliquer les principaux avantages et inconvénients de la société en nom collectif ;

4. expliquer les principaux avantages et inconvénients de la société ;

5. décrire la coopérative ;

6. décrire l'organisme à but non lucratif.

Il était une fois une bande de copains à l'allure bohème, un ordinateur et des gros sous. Une histoire vécue, qui débute dans un sous-sol d'Ottawa, pour se terminer par un contrat de quelques millions de dollars avec l'un des plus grands fabricants de logiciels au monde.

Peter Heney, président de New Vision Technologies Inc., et Tom Barradas, vice-président créatif de l'entreprise, travaillaient à leurs débuts dans le sous-sol de Peter. À l'aide d'un chevalet électronique et d'un crayon optique, ils y créaient des centaines de dessins représentant entre autres des personnes en train de travailler ou de s'amuser.

À cette époque, l'éditique était en plein essor et la création de logiciels s'orientait de plus en plus vers une recherche graphique, ce qui ouvrait les portes d'un nouveau marché plein de promesses. Nos entrepreneurs en herbe avaient donc pour objectif de vendre leurs dessins sous la forme d'une bibliothèque d'images informatiques destinées à orner divers documents, comme des notes de service, des diapositives et du matériel publicitaire.

Or, les commandes n'ont pas tardé à fuser de toutes parts pour cette collection iconographique comptant quelque 1 700 images. Ce produit, un coffret qui contient plusieurs disquettes et manuels et dont la fabrication coûte 20 $, se vend à plus de 200 $ à des acheteurs du monde entier. L'entreprise a enregistré des bénéfices d'exploitation de plus de un million de dollars en 1991.

New Vision est donc sortie de l'ombre de son sous-sol pour emménager dans un parc industriel de Nepean et s'adjoindre les services de nouveaux employés. Ces derniers participent à toutes les étapes de la fabrication de leur produit, de la reproduction de disquettes à l'emballage sous film plastique.

En 1991, l'entreprise signait un contrat de cinq ans avec la société Lotus Development Corporation, la deuxième société de logiciels au monde, en vertu duquel New Vision devra créer des images qui seront ensuite revendues par Lotus sous le nom de SmartPics.

« C'est incroyable qu'une si petite entreprise ait accompli autant », lance Mark Charlesworth, l'un des créateurs de Corel Draw, le logiciel vedette de la société Corel Systems Corporation. Les premières versions de ce logiciel comprenaient environ 60 images de New Vision ; pour les dessins de la dernière version du programme, on a puisé dans plus de 20 sources.

Il va sans dire que le succès de New Vision dépasse tous les espoirs qu'avaient formulés ses deux fondateurs. Ceux-ci pourraient même déjà prendre leur retraite et vivre du produit de leurs droits d'exploitation vendus à Lotus ! Dans l'espoir de mener à bien tous leurs projets et d'exploiter leur entreprise avec souplesse, tout en réduisant leurs impôts au minimum, ils ont décidé de constituer leur entreprise en société plutôt que de former une société en nom collectif[1].

LES FORMES D'ENTREPRISES

Les entreprises canadiennes se divisent habituellement en deux catégories, selon qu'elles sont axées sur la production ou sur les services. Les premières se consacrent à la production de biens ou à la transformation de ressources naturelles, alors que les deuxièmes ont pour mandat d'offrir des services spécialisés dans des domaines tels que les biens immobiliers, les transports, les communications, les services financiers ou les services publics.

Quant une ou plusieurs personnes désirent se lancer en affaires, leur première préoccupation devrait être la forme d'entreprise qu'elles désirent bâtir. Leur choix dépendra alors de nombreux facteurs, notamment le genre d'entreprise dont il s'agit, le nombre de propriétaires et l'aptitude de ces derniers à la gestion, les coûts relatifs à l'organisation, les restrictions, les impôts et les programmes d'encouragement gouvernementaux, les exigences financières, la durée prévue de l'entreprise et le rendement des investissements.

Les quatre principales formes d'entreprises sont : l'entreprise personnelle, la société en nom collectif, la société et la coopérative. Au Canada, on estime que 45 p. 100 de toutes les entreprises sont des sociétés (on ne dispose d'aucune donnée sur la représentation des autres formes), qui y enregistrent près de 95 p. 100 de la totalité des ventes. On peut donc mesurer toute leur importance.

L'ENTREPRISE PERSONNELLE

Ce genre d'entreprise est la propriété et la responsabilité d'une seule personne. Il est très facile

---

1. Traduit de Dominique Lacasse, « From Basement to Big Time », *The Ottawa Citizen*, 9 août 1991, p. F1.

de se lancer en affaires à titre de propriétaire : il suffit de mettre en branle les activités de l'entreprise. Toutefois, la plupart des établissements, même les plus petits, doivent demander un permis municipal, et même parfois un permis provincial. En outre, on doit enregistrer l'entreprise pour la soumettre à la taxe de vente provinciale et à la taxe fédérale sur les produits et services. Si on a recours à une dénomination fictive, elle devra alors être également enregistrée auprès des autorités provinciales ou fédérales appropriées. Soulignons que l'entreprise personnelle unique convient particulièrement aux petits commerces de détail, comme les dépanneurs, les tabagies, les salons d'esthétique, les fleuristes et les restaurants.

Avantages L'entreprise personnelle unique présente des avantages majeurs pour les petites exploitations. Elle nécessite peu de formalités et de coûts, n'exige la rédaction d'aucune charte et est assujettie à relativement peu de règlements gouvernementaux. Malgré tout, le propriétaire devra informer les autorités gouvernementales appropriées de son nom et de son adresse personnelle, de la nature de l'entreprise, de la date du début des activités et de l'adresse de l'entreprise. De plus, ce genre d'entreprise ne fait l'objet d'aucun impôt sur les sociétés, car tous les bénéfices de l'entreprise, qu'ils soient réinvestis dans celle-ci ou retirés, sont assujettis à l'impôt sur le revenu personnel. Le propriétaire encaisse donc tous les bénéfices ou subit les pertes de l'entreprise et ne les partage avec personne, sauf, bien sûr, avec le gouvernement, sous forme d'impôt. Cette façon de procéder donne au propriétaire une grande latitude, à titre de seul responsable de l'entreprise, et lui procure certains privilèges relativement au caractère privé des renseignements sur les activités de l'entreprise, qu'il n'est pas obligé de divulguer publiquement.

Inconvénients Cette forme d'entreprise comporte en revanche certaines restrictions majeures, dont la plus considérable est l'impossibilité

d'obtenir des capitaux importants. Le propriétaire est en effet la seule personne qui puisse investir des capitaux pour le lancement de son entreprise. Par conséquent, la croissance de l'entreprise pourrait être limitée, en raison de l'investissement initial minime, mais aussi des bénéfices qui peuvent être réinvestis. De surcroît, le propriétaire assume la responsabilité illimitée et exclusive des dettes de l'entreprise, que l'on considère en fait comme ses dettes personnelles. Par conséquent, si les dettes de l'entreprise sont supérieures à la valeur des éléments d'actif, on pourrait devoir liquider les biens personnels du propriétaire pour rembourser les créanciers. Enfin, l'existence de l'entreprise personnelle correspond à celle de son fondateur. Les possibilités de croissance à long terme risquent donc d'être limitées. Par ailleurs, cette forme d'entreprise, plus que toute autre, en particulier les sociétés, peut être plus lourdement imposée. Pour toutes ces raisons, seules les petites entreprises peuvent généralement adopter cette forme d'exploitation. D'ailleurs, nombre de firmes commencent de cette façon, avant de se transformer en sociétés en nom collectif, puis en sociétés, au moment où leur croissance nécessite un tel changement.

LA SOCIÉTÉ EN NOM COLLECTIF

Toutes les provinces et tous les territoires canadiens ont une loi sur ce genre d'entreprises, qui définit la société en nom collectif comme l'association de plusieurs personnes qui dirigent une entreprise. Une société en nom collectif peut avoir un statut plus ou moins officiel, qu'il s'agisse d'une entente verbale informelle ou d'un contrat officiellement déposé auprès du gouvernement approprié. Quoi qu'il en soit, on recommande habituellement aux associés de rédiger un document à cet effet, afin d'éviter tout problème ultérieur. Par ailleurs, si un nouvel associé se joint à l'équipe en place, l'ancienne société en nom collectif n'est plus en vigueur et on doit en constituer une nouvelle. Il en va de même avec le décès ou le retrait de l'un des associés. Or, pour éviter tout litige dans ces circonstances, on devrait prévoir dans l'accord de la société en nom collectif des conditions relatives à la distribution des éléments d'actif dans l'éventualité d'une dissolution. Évidemment, la dissolution de la société en nom collectif ne signifie pas la fin de ses activités ; les associés qui demeurent peuvent racheter la part de celui qui a décidé de partir. D'ailleurs, il est très courant que les membres d'une société en nom collectif souscrivent une assurance-vie en nommant comme bénéficiaires les autres associés, ce qui évite les pertes financières qu'entraîne le décès d'un membre, car le capital-décès peut servir à racheter la participation de l'associé décédé. Les membres de professions libérales, comme les avocats, les architectes, les ingénieurs, les médecins et les dentistes choisissent souvent de s'associer sous cette forme d'entreprise. Notons que la raison sociale de la société en nom collectif comprend généralement le nom de tous les associés. Enfin, ces derniers sont collectivement responsables des activités de l'entreprise.

On distingue cinq catégories d'associés : gérants, passifs, commanditaires, anonymes et de complaisance. Les **associés gérants** sont ceux qui participent activement à l'exploitation de l'entreprise et dont le nom figure habituellement dans la raison sociale ; toute entreprise en nom collectif doit avoir au moins un associé gérant. La responsabilité de celui-ci envers l'entreprise est illimitée. Les **associés passifs** peuvent limiter leurs risques à la valeur du capital qu'ils ont investi dans l'entreprise, à condition que l'entente écrite déposée auprès du gouvernement en fasse mention. Les **associés passifs** ne participent généralement pas aux activités de l'entreprise. Il en va de même pour les **associés commanditaires**, dont la responsabilité envers l'entreprise est cependant illimitée. En revanche, les **associés anonymes** jouent un rôle actif dans l'entreprise, bien qu'ils ne soient pas ouvertement

considérés comme des associés, car leur nom ne figure pas dans la raison sociale de l'entreprise. En outre, ils ont habituellement une responsabilité limitée envers l'entreprise. Quant aux **associés de complaisance**, ils occupent symboliquement ce poste, puisqu'ils n'investissent aucune somme dans l'entreprise et qu'ils n'y prennent aucune part active. On leur attribue toutefois le nom d'associés passifs.

Avantages   Comme pour l'entreprise personnelle, l'établissement de la société en nom collectif nécessite peu de moyens, repose sur la grande motivation des associés et n'est soumis à aucun règlement particulier du gouvernement. Là encore, les associés doivent malgré tout fournir aux autorités gouvernementales appropriées leur nom et leur adresse personnelle, la raison sociale, la nature et l'adresse de l'entreprise, et la date du début de leurs activités. En outre, certaines sociétés, particulièrement celles dont les associés ne sont pas égaux, devront préciser le rôle de chaque associé dans l'entreprise, la valeur du capital qu'il y a investi et la façon dont les bénéfices seront divisés. Ces derniers, qu'ils soient distribués ou réinvestis dans l'entreprise, sont imposés à titre de revenus personnels, au prorata de la part de chaque associé.

Inconvénients   Tout comme l'entreprise personnelle, la société en nom collectif comporte des restrictions importantes. Le plus grand inconvénient qu'elle présente est que chaque associé doit, en plus du capital qu'il investit dans l'entreprise, risquer son actif personnel, la Loi sur les sociétés en nom collectif prévoyant que chaque associé est responsable de toutes les dettes de l'entreprise. Par conséquent, si l'un des associés n'est pas en mesure de rembourser sa part de dettes à la suite de la faillite de la société, les autres associés doivent le faire à sa place, puisant même, s'il y a lieu, dans leurs éléments d'actif personnel. Dans la plupart des provinces, il est en revanche possible de limiter la responsabilité de certains associés à cet égard par l'établissement d'une société en commandite, où certains associés agissent à titre d'associés gérants et d'autres, à titre d'associés passifs. Ce genre d'entreprise existe surtout dans le domaine de l'immobilier, car elle ne fonctionne pas très bien dans d'autres secteurs d'activités. Notons l'inconvénient, quoique minime, de l'existence limitée de la société en nom collectif. De plus, lorsque la société ne regroupe que quelques associés et que l'un d'eux se trouve dans une situation financière précaire ou désire prendre sa retraite, il pourra trouver difficile de réussir à vendre sa part de l'entreprise.

La durée de vie limitée de la société en nom collectif, la difficulté d'y céder sa part et la responsabilité illimitée peuvent entraîner un autre problème : la difficulté d'attirer des capitaux importants. Ce n'est pas un problème grave pour une entreprise à croissance lente ; mais si les produits d'une firme ont du succès et si elle doit obtenir des capitaux supplémentaires pour prendre de l'expansion, cette difficulté devient un véritable obstacle. Voilà pourquoi les entreprises à croissance rapide commencent généralement leurs activités comme entreprises personnelles ou sociétés en nom collectif, avant de devenir, pour les besoins de la cause, des sociétés.

LA SOCIÉTÉ

Une **société** (ou société de capitaux) est une entité juridique, ou personne morale, constituée par un gouvernement. Elle se distingue entièrement de ses propriétaires et de ses gestionnaires. Sa raison sociale comprend notamment le mot compagnie, société ou limitée (ou l'abréviation c^{ie}, s^{té} ou ltée).

Une société est la propriété de ses actionnaires. Les actionnaires qui ont des actions avec droit de vote élisent les membres du conseil d'administration qui les représenteront. Ce conseil a pour mandat de superviser la gestion de l'entreprise. C'est également le conseil d'administration qui décide de la destinée des bénéfices de la société, versés sous forme de dividendes aux actionnaires ou réinvestis dans l'entreprise. Le conseil choisit les membres de la haute direction de la société, qui, à leur tour, choisissent les autres employés. Le président du conseil peut être l'un des membres de la haute direction ou peut uniquement présider aux réunions du conseil. Le président est habituellement le chef de la direction de la société ; il peut s'adjoindre des vice-présidents qui, le cas échéant, auront des responsabilités particulières, selon l'importance de la société. Un membre de la direction de toute société doit agir à titre de secrétaire. Son mandat sera de s'assurer que la société respecte toutes ses obligations juridiques, dont le dépôt de rapports aux autorités gouvernementales appropriées. Toute société doit obligatoirement avoir à sa direction un président et un secrétaire.

Avantages   Le caractère distinct de la société lui confère trois avantages majeurs : son existence illimitée, même après le décès des propriétaires fondateurs, la cession aisée des parts (celles-ci peuvent être divisées en de nombreuses actions ordinaires, qui peuvent être ensuite cédées beaucoup plus facilement) et la responsabilité limitée (la responsabilité de l'investisseur est limitée à la somme qu'il aura investie). Ce dernier avantage est particulièrement important pour une société qui désire amasser des capitaux. Supposons que vous ayez investi 100 000 $ dans une société en nom collectif qui fait ensuite faillite après avoir contracté des dettes considérables. À titre d'associé, vous devrez alors peut-être rembourser une partie de ces dettes, ou la totalité de celles-ci si vos homologues ne peuvent payer leur part. Un investisseur dans une société en nom collectif s'expose donc à une responsabilité illimitée. En revanche, si vous avez acheté 100 000 $ d'actions d'une société qui fait ensuite faillite, vos pertes éventuelles ne dépasseront pas ce montant. Dans le cas des petites sociétés, la question de responsabilité limitée est souvent illusoire puisque les prêteurs exigent souvent des garanties personnelles des principaux actionnaires.

Inconvénients   Malgré ses avantages indéniables comparativement à l'entreprise personnelle et à la société en nom collectif, la société présente deux inconvénients majeurs. Premièrement, les revenus de la société font l'objet d'une double imposition : les revenus provenant des activités de la société sont assujettis à l'impôt des sociétés et tout revenu des actionnaires tiré de dividendes est assujetti à l'impôt personnel. Deuxièmement, l'établissement d'une société est beaucoup plus long et plus complexe que celui d'une entreprise personnelle ou d'une société en nom collectif et nécessite habituellement les services d'un avocat.

En effet, contrairement à l'entreprise personnelle et à la société en nom collectif, qui peuvent commencer leurs activités sans qu'il soit nécessaire de produire de nombreux documents, l'établissement d'une société exige que l'on rédige une charte et des statuts. Trois documents permettent la constitution de sociétés au Canada : la charte royale, la loi spéciale et la loi générale.

À l'origine, les sociétés étaient constituées par charte royale (comme la Compagnie de la Baie d'Hudson), méthode peu usitée de nos jours. Il est également possible de constituer une entreprise par une loi spéciale du gouvernement fédéral ou d'un gouvernement provincial. On donne alors la dénomination de « société créée par loi spéciale » à toute entreprise constituée de cette façon ; la plupart sont des sociétés d'État, comme Petro-Canada.

Quoi qu'il en soit, la plupart des sociétés canadiennes sont aujourd'hui constituées en vertu d'une loi générale qui appartient à l'une des trois catégories suivantes. Le gouvernement fédéral, celui de l'Ontario et celui du Manitoba accordent un **certificat d'incorporation**. D'autre part, les gouvernements de l'Alberta, de la Colombie-Britannique, de Terre-Neuve, de la Nouvelle-Écosse et de la Saskatchewan utilisent quant à eux le système d'enregistrement, qui permet, par **actes constitutifs**, la création de sociétés, souvent dites « sociétés enregistrées ». Enfin, le Nouveau-Brunswick, l'Île-du-Prince-Édouard et le Québec ont recours aux **lettres patentes**.

Quelle que soit la méthode choisie pour leur création, toutes les sociétés doivent être régies par des documents de base, que l'on pourrait comparer à la constitution d'un pays. Il s'agit habituellement d'une charte et des statuts, ou de statuts constitutifs.

Dans la **charte** figurent habituellement la dénomination sociale, l'adresse du siège social et le lieu d'affaires principal, le genre d'activités de l'entreprise, le capital social, le nombre, le nom et l'adresse des administrateurs, la durée prévue de l'entreprise (si elle est limitée) et la possibilité ou non d'offrir des actions au public.

Quant aux **statuts**, il s'agit d'un ensemble de règles qui régissent la gestion interne de la société. Ils portent généralement sur la façon dont les membres du conseil d'administration sont élus et la durée de leur mandat, le droit de préemption (il permet aux actionnaires d'acheter des nouvelles actions émises par l'entreprise avant qu'elles soient offertes au public), les dispositions à l'égard des comités de gestion (sur le plan de la vérification, des finances ou de la direction) et de leurs tâches, de même que sur les procédures de modification éventuelle des règlements.

Étant donné qu'il est possible de constituer une société en vertu de lois fédérales ou provinciales, et que les exigences légales et les frais varient dans chacun des cas, les fondateurs de la société doivent opter pour l'un ou l'autre des gouvernements. Si on prévoit que l'entreprise aura des activités à l'échelle nationale ou internationale, la constitution en société par actions sous le régime fédéral serait appropriée. En revanche, si on prévoit que les activités de l'entreprise auront une portée beaucoup moins large, il conviendrait alors d'opter pour la constitution en société par actions sous le régime provincial. Notons que, dans l'un ou l'autre des cas, si la société exerce ses activités dans d'autres territoires, elle devra probablement s'y enregistrer. Ainsi, une société constituée en Ontario ou sous le régime fédéral qui désirerait faire affaire au Québec aurait à s'enregistrer auprès du gouvernement du Québec. On devrait également tenir compte de considérations relatives à l'impôt ou de certains programmes d'encouragement destinés aux petites et moyennes entreprises, étant donné que chaque province adopte des dispositions particulières à cet égard.

La valeur de toute entreprise, à moins qu'il ne s'agisse d'un très petit établissement, sera probablement maximisée si elle est exploitée à titre de société, car la responsabilité limitée réduit les risques des investisseurs. En outre, puisque les sociétés, plus que toute autre forme d'entreprise, peuvent obtenir plus facilement des capitaux, elles sont mieux en mesure de saisir les occasions de croissance et d'augmenter ainsi leur valeur. Comme les actions d'une société correspondent davantage à des placements liquides (facilement négociables) que celles d'une entreprise personnelle ou d'une société en nom collectif, elles contribuent elles aussi à augmenter la valeur d'une société. Enfin, les lois sur l'impôt favorisent souvent ce genre d'entreprises, ce qui, une fois de plus, augmente leur valeur. Étant donné que la gestion de la majorité des entreprises repose sur la maximisation de leur valeur, on peut facilement comprendre pourquoi la plupart d'entre elles optent pour une constitution en société. Habituellement, les lois provinciales et fédérales permettent la création de quatre catégories de sociétés : la société fermée, la société ouverte, la société d'État et la société d'économie mixte.

La société fermée

La société fermée comporte trois restrictions. Premièrement, le nombre de ses actionnaires ne peut être supérieur à 50. Deuxièmement, ces derniers ne peuvent vendre leurs titres sans l'approbation préalable du conseil d'administration et doivent en aviser le gouvernement approprié. Troisièmement, le public n'a pas le droit d'acheter des titres de placement d'une société fermée ; celle-ci ne peut donc se procurer des capitaux par l'entremise d'un courtier en valeurs mobilières. Les sociétés fermées sont la plupart du temps la propriété de familles ou d'actionnaires étrangers (elles peuvent bien sûr appartenir à des familles étrangères). Le tableau 4.1 donne la liste des dix plus grandes sociétés fermées au Canada.

La société ouverte

Contrairement aux **sociétés fermées**, les sociétés ouvertes offrent leurs titres de placements (obligations et actions) au public. Elles peuvent appartenir à plus de 50 actionnaires — dans certains cas, elles en comptent des milliers. Les actions de nombreuses sociétés ouvertes sont inscrites auprès des principales bourses. On peut par conséquent régulièrement consulter dans les journaux le cours et le volume des échanges de leurs actions. Le tableau 4.2 donne la liste des dix plus grandes sociétés ouvertes du Canada.

La société d'État

Les **sociétés d'État** appartiennent au gouvernement, fédéral ou provincial. Elles sont souvent fondées à la suite d'un échec commercial. Par exemple, lorsque le secteur privé n'est pas en mesure d'offrir un service essentiel ou que celui-ci est soumis à un monopole, le gouvernement peut alors avoir à offrir ce service ou à établir un concurrent. Prenons l'exemple du

TABLEAU 4.1
Les dix plus grandes sociétés fermées du Canada (montants en milliers de dollars)

	Ventes en $	Dénomination sociale	Actif en $	Bénéfices en $	
1	1 195 720	Groupe Ro-Na Home Inc.	113 812	(1)	Ro-Na, Home
2	870 200	Roins Holding Ltd.	1 693 819	30 887	Étranger
3	797 943	Enron Oil T & T	123 526	2 612	Étranger
4	712 375	Kruger Inc.	1 397 941	(11 313)	Étranger
5	455 928	Kuehne & Nagel Int'l Ltée	82 963	7 036	Étranger
6	455 799	Motorola Canada Ltée	284 722	(13 627)	Étranger
7	431 010	CBR Materials Corp.	516 241	31 031	Étranger
8	411 583	B.I.D. Materials	16 381	S.O.	Ro-Na
9	398 573	Gillette Canada	370 436	5 545	Étranger
10	380 887	Uniroyal Goodrich Canada	299 497	207	Étranger

Source: Traduit de *The Financial Post 500*, été 1992, p. 152.

TABLEAU 4.2
Les dix plus grandes sociétés ouvertes du Canada (montants en milliers de dollars)

	Ventes en $	Dénomination sociale	Actif en $	Bénéfices en $
1	19 884 000	BCE Inc.	45 704 000	1 329 000
2	19 303 908	General Motors du Canada	6 227 781	323 310
3	12 174 100	Ford du Canada	3 446 100	(208 900)
4	10 770 000	George Weston Ltd	3 829 000	92 000
5	10 070 400	Canadien Pacifique	20 587 100	(913 800)
6	8 878 000	Alcan Aluminium Ltée	12 555 000	(41 000)
7	8 412 000	Noranda Inc.	14 583 000	(133 000)
8	8 337 400	Chrysler Canada Ltée	3 125 100	34 200
9	8 330 000	Imperial Oil Ltée	13 532 000	162 000
10	7 143 000	Ontario Hydro	43 244 000	204 000

Source: Traduit de *The Financial Post 500*, été 1992, p. 92-93.

Canadien National, qui englobe un certain nombre de sociétés de chemins de fer qui étaient vouées à l'échec. Celles-ci ont été fusionnées en une société d'État qui concurrence une entreprise majeure du secteur privé, Canadien Pacifique; de cette façon, la concurrence est maintenue, et le public peut choisir entre deux fournisseurs.

Un gouvernement peut également choisir de créer une société d'État, lorsqu'il estime qu'un secteur de l'économie est trop important pour être laissé entièrement au secteur privé. La société Petro-Canada a d'ailleurs été créée en 1980 afin de permettre au gouvernement canadien d'exercer un contrôle plus serré dans le secteur essentiel du pétrole.

UN POINT DE VUE

Les sociétés d'État commerciales

Il semble probable que la privatisation des sociétés d'État devienne une priorité à l'ordre du jour des politiciens. Toutefois, on ne sait pas avec certitude si ce sujet complexe fera l'objet de l'analyse économique rigoureuse qui s'impose.

Jusqu'ici, les efforts de privatisation au Canada semblent être le résultat sans suite logique de réponses **ad hoc** à divers événements. La prolifération des sociétés d'État, fédérales et provinciales, entre 1960 et 1980, a provoqué un malaise et généré un revirement afin de renforcer le marché, et ce aux dépens de l'État.

Les résultats financiers médiocres d'un certain nombre d'entreprises étatiques et la détérioration de la situation fiscale générale du gouvernement ont fait tardivement comprendre que des fonds publics considérables avaient été engagés dans des sociétés d'État, sans aucune obligation de rendre des comptes et sans contrôle approprié. Dans certains milieux, la privatisation semble représenter une possibilité de solution à ce problème.

Les enjeux sont considérables. En 1984, il existait 50 sociétés d'État fédérales qui exerçaient des activités commerciales. Ces sociétés et leurs 129 filiales en propriété exclusive employaient plus de 209 000 personnes et possédaient un actif de plus de 47 milliards de dollars. De plus, les éléments d'actif des sociétés gouvernementales des provinces excédaient ceux du gouvernement fédéral. Dix-huit des plus importantes sociétés d'État provinciales employaient plus de 129 000 personnes et possédaient un actif de près de 77,5 milliards de dollars. Donc, au total, 68 sociétés d'État commerciales employaient quelque 338 000 personnes et possédaient un actif de près de 125 milliards de dollars. En comparaison, les 50 plus importantes entreprises industrielles du secteur privé, au Canada, employaient 1 137 000 personnes et possédaient un actif de 165,3 milliards de dollars.

Au total, les sociétés d'État commerciales, aussi bien fédérales que provinciales, représentaient près d'un neuvième du PIB du Canada. Ainsi, on pourrait soutenir que toute autre initiative de politique publique, qui aurait des répercussions sur l'influence ou l'efficience de ces entreprises, pourrait avoir des retombées économiques aussi considérables, par exemple, que toute politique sectorielle d'inspiration gouvernementale qu'il serait possible de concevoir et de réaliser financièrement dans le contexte de l'économie de marché existante.

En tant que politique, la privatisation n'est pas une fin en soi; elle s'inscrit plutôt dans un ensemble plus vaste, soit en tant que partie intégrante d'une composante, soit simplement comme moyen de mise en application. Dans les deux cas, son efficacité devrait être mesurée en fonction de sa compatibilité avec les objectifs plus vastes et de sa capacité à améliorer ces derniers.

Source: Tom Kierans, « Commercial Crowns », traduit avec la permission de *Policy Options,* vol. 5, n° 6, novembre/décembre 1984, page 23.

La société d'économie mixte

Les sociétés d'économie mixte appartiennent conjointement au public et au gouvernement (fédéral ou provincial). Les membres du gouvernement ne participent cependant pas à la gestion quotidienne de ces entreprises. Notons que la plupart de celles-ci exploitent des ressources naturelles. La société Syncrude Canada, société affiliée du gouvernement fédéral, et la Société québécoise d'exploitation minière (SOQUEM), société affiliée du gouvernement du Québec, en constituent deux exemples.

LA COOPÉRATIVE

Les coopératives se distinguent des autres entreprises par leur but premier, qui n'est pas de réaliser des bénéfices, mais de servir leurs membres, qui en sont aussi les propriétaires. Si des bénéfices sont réalisés, ils sont distribués aux membres sous forme de remises, ou d'escomptes plus importants, sur les biens et les services offerts. Les coopératives permettent à de nombreux particuliers qui disposent de peu de capitaux de se regrouper afin d'acheter ou de vendre ensemble des biens de façon à obtenir des remises quantitatives ou de meilleurs prix de vente de leurs produits. On trouve des coopératives dans la vente au détail, la commercialisation de produits agricoles, les assurances, les finances ou tout autre secteur de services. Bien que les capitaux d'une coopérative proviennent de la vente d'actions aux membres et que ceux-ci doivent contribuer au capital, chacun d'eux — et il s'agit là d'une caractéristique propre aux coopératives — n'a droit qu'à un vote, quel que soit le nombre d'actions qu'il possède. Les membres élisent chaque année le conseil d'administration, et il est interdit de voter par procuration. Enfin, la plupart des coopératives sont constituées en sociétés.

Avantages   Les membres d'une coopérative tirent profit de la durée de vie illimitée de la coopérative si celle-ci est constituée en société et si la responsabilité des membres se limite à leur participation dans l'entreprise. La règle d'un seul vote par personne élimine le risque de la prise de direction de la coopérative par un particulier ou un groupe de particuliers, au détriment des autres. Les membres bénéficient de rabais sur les biens et les services offerts, qui sont achetés en grandes quantités. Ils peuvent en outre bénéficier d'avantages fiscaux.

Inconvénients   Le montant des capitaux que l'on peut se procurer est limité. De plus, établir une coopérative est un processus relativement complexe, et il existe de nombreuses restrictions gouvernementales auxquelles la coopérative doit faire face, une fois ses activités commencées. Enfin, on note l'absence de motivation personnelle, bien que parfois la solidarité des membres puisse compenser cette lacune.

L'ORGANISME À BUT NON LUCRATIF

Il existe en outre de nombreux organismes pour lesquels les bénéfices ne constituent nullement un objectif. Ces organismes se consacrent à offrir des services à leurs membres. Un exemple de ce genre d'entreprise est l'Association récréative de la fonction publique, à Ottawa, qui offre toute une gamme de services de loisirs, comme la danse sociale, le hockey et le base-ball aux fonctionnaires de la région de la capitale nationale. La plupart des organismes à but non lucratif sont des organismes gouvernementaux, des œuvres de bienfaisance, des associations professionnelles et des groupes d'intérêts. Soulignons que tous ces organismes ont besoin de ressources, afin d'atteindre leurs objectifs, et de gestionnaires, en vue de prendre en charge leurs activités.

RÉSUMÉ

Sommaire

1. Les principales formes légales d'entreprises sont l'entreprise personnelle, la société en nom collectif et la société. Les éléments les plus importants dont il faut tenir compte dans le choix de la forme d'entreprise sont le genre d'entreprise dont il s'agit, le nombre de propriétaires et l'aptitude de ces derniers à la gestion, les coûts relatifs à l'organisation, les restrictions, les impôts et les programmes d'encouragement gouvernementaux, les exigences financières, la durée prévue de l'entreprise et le rendement des investissements.

2. L'entreprise personnelle a l'avantage de nécessiter peu de formalités et de coûts, en plus d'être assujettie à relativement peu de règlements gouvernementaux. Elle ne fait l'objet d'aucun impôt sur les sociétés. Le propriétaire encaisse tous les bénéfices (ou subit les pertes) de l'entreprise. Le propriétaire bénéficie d'une grande latitude. Les inconvénients de l'entreprise personnelle sont : l'impossibilité d'obtenir des capitaux importants, ce qui limite la croissance et les bénéfices ; le fait que le propriétaire assume la responsabilité illimitée et exclusive des dettes de l'entreprise ; et, enfin, la durée limitée de l'entreprise. Cette forme d'entreprise, plus que toute autre, en particulier les sociétés, peut être plus lourdement imposée.

3. La société en nom collectif présente comme avantages que son établissement nécessite peu de moyens, repose sur la grande motivation des associés, et n'est soumis à aucun règlement particulier du gouvernement. On distingue cinq catégories d'associés : gérants, passifs, commanditaires, anonymes et de complaisance. Les bénéfices, qu'ils soient distribués ou réinvestis dans l'entreprise, sont imposés à titre de revenus personnels, au prorata de la part de chaque associé. Les inconvénients de la société en nom collectif sont une existence limitée, la difficulté de transférer les parts, la responsabilité illimitée et la difficulté d'attirer des capitaux suffisants.

4. Une société est une entité juridique, ou personne morale, constituée par un gouvernement. Elle se distingue entièrement de ses propriétaires et de ses gestionnaires. Elle présente comme avantages une existence illimitée, la cession aisée des parts et la responsabilité limitée. Ce dernier avantage facilite l'obtention de capitaux. Les principaux inconvénients de la société sont la double imposition des gains (l'entreprise est assujettie à l'impôt des sociétés, et les dividendes sont aussi imposés à titre de revenu personnel des actionnaires), et la complexité de l'établissement de cette société, qui nécessite d'habitude les services d'un avocat en ce qui concerne la charte et les statuts. Les sociétés peuvent être constituées par charte royale ou encore par lois spéciales ou générales du gouvernement fédéral ou des

gouvernements provinciaux. Dans la plupart des territoires, les sociétés peuvent être fermées, ouvertes, d'État ou d'économie mixte.

5. <u>Une coopérative est une entreprise dont le but premier est de servir ses membres, qui en sont aussi les propriétaires. Si des bénéfices sont réalisés, ils sont distribués sous forme de remises, ou d'escomptes plus importants, sur les biens et les services offerts.</u> La règle d'un seul vote par personne élimine le risque de la prise de direction de la coopérative par un particulier ou un groupe de particuliers, au détriment des autres. Les membres bénéficient de rabais dus à l'achat, en grandes quantités, des biens et des services offerts. Ils peuvent en outre bénéficier d'avantages fiscaux. La coopérative présente aussi des inconvénients. Ainsi, le montant des capitaux que l'on peut se procurer est limité. De plus, établir une coopérative est un processus relativement complexe, et il existe de nombreuses restrictions gouvernementales auxquelles la coopérative doit faire face, une fois ses activités commencées. Enfin, on note l'absence de motivation personnelle, bien que parfois la solidarité des membres puisse compenser cette lacune.

6. Pour les organismes à but non lucratif, les bénéfices ne constituent nullement un objectif. Ces organismes se consacrent à offrir des services à leurs membres. La plupart de ces organismes sont des organismes gouvernementaux, des œuvres de bienfaisance, des associations professionnelles et des groupes d'intérêts.

Notions clés

L'associé anonyme

L'associé commanditaire

L'associé de complaisance

L'associé gérant

L'associé passif

L'enregistrement

L'entreprise personnelle

L'organisme à but non lucratif

La charte

La charte royale

La coopérative

La loi générale

La loi spéciale

La responsabilité illimitée

La société

La société d'économie mixte

La société d'État

La société en nom collectif

La société fermée

La société ouverte

Les statuts

Exercices de révision

1. Quelles sont les principaux éléments à prendre en considération quand on choisit une forme d'entreprise ?
2. Quels sont les principaux avantages et inconvénients de l'entreprise personnelle ?
3. Quels sont les principaux avantages et inconvénients de la société en nom collectif ?
4. Décrivez les principales catégories d'associés. Y a-t-il de grandes différences entre chacune d'elles ? Pourquoi ?
5. Quels sont les principaux avantages et inconvénients de la société ?
6. Quels sont les principaux avantages et inconvénients de la coopérative ?
7. Faites la distinction entre les sociétés d'État et les sociétés d'économie mixte.

Matière à discussion

1. Pourquoi est-il important pour chacun des associés de signer un contrat lors de l'établissement d'une société en nom collectif ?
2. Expliquez pourquoi on trouve des sociétés d'État et des sociétés d'économie mixte au sein de l'économie canadienne. Cette dernière aurait-elle un meilleur rendement si on éliminait ces sociétés ? Pourquoi ?

Exercices d'apprentissage

1. Les formes d'entreprises

Jacinthe Doe veut créer une entreprise et elle vous demande de l'aider à choisir la forme que celle-ci devrait prendre. Elle possède 50 000 $ d'économies et a remarqué que la danse sociale connaît en ce moment une popularité grandissante au Canada. Elle désire donc ouvrir un magasin de vente au détail spécialisé en vêtements et chaussures de danse. Or, elle a besoin d'un fonds de roulement pour acheter les agencements, le mobilier et le stock initial. Elle prévoit louer un magasin dans un centre commercial linéaire sur rue doté d'un stationnement gratuit. Elle a le choix entre lancer une entreprise personnelle, s'associer pour lancer une société en nom collectif ou constituer immédiatement une société.

Questions

1. Préparez un rapport comparatif sur les avantages et les inconvénients de chacune de ces formes d'entreprises.

2. Quelle forme d'entreprise lui recommanderiez-vous? Pourquoi?

2. Un choix judicieux

De vieux amis, Alain, Bruce, Charles et Pascale, viennent tout juste de vous demander conseil sur la forme d'entreprise qu'ils devraient adopter pour leur nouvelle opération commerciale à risque. Ils ont tous occupé différents emplois auprès de Capitol Chrysler, un concessionnaire d'automobiles de la région. Or, ils viennent d'apprendre que le propriétaire actuel désire vendre son entreprise et prendre sa retraite en Floride. Vos amis ont épargné 500 000 $ et se sont adressés à une succursale bancaire de leur région, qui est prête à fournir le reste du financement nécessaire à un taux de 10,5 p. cent. Si vos amis achètent l'entreprise, ils emploieront dix personnes, y compris le personnel de bureau et les mécaniciens. Notons que les ventes de ce concessionnaire se sont révélées relativement bonnes pour une petite entreprise en cette période de récession, et l'avenir semble sourire à vos amis. Comme le contrat de concessionnaire avec Chrysler Canada arrive à échéance au cours de l'année suivante, les nouveaux propriétaires pourraient opter pour la vente d'une autre marque de voitures, ou alors créer une entreprise distincte qui offrirait cette deuxième marque. Ils estiment d'ailleurs que la région n'est pas très choyée en concessionnaires de petites voitures sportives, et ils ont envisagé de changer de marque au profit de Suzuki.

Questions

1. Devraient-ils acheter Capitol Chrysler? Pourquoi?

2. S'ils achètent Capitol Chrysler, pour quelle forme d'entreprise devraient-ils opter (société en nom collectif ou société)? Pourquoi?

3. La marque de voitures à privilégier est-elle importante? Pourquoi?

4. Quelle marque de voitures recommanderiez-vous? Pourquoi?

PARTIE II

LA GESTION

Les gestionnaires jouent un rôle important dans le milieu des affaires canadien et contribuent à notre niveau de vie élevé. Leur tâche est difficile, car ils doivent composer avec des enjeux commerciaux et sociaux complexes qui concernent tant le milieu interne, comme les relations humaines, qu'externe, soit économique, politique, moral, social et international. Les gestionnaires doivent être conscients de la manière dont ils déploient leurs ressources matérielles et humaines s'ils veulent assurer la croissance de leur entreprise dans ce monde en évolution rapide. Ils doivent s'attaquer à des problèmes de taille, et les possibilités sont infinies. On dit souvent des gestionnaires qu'ils sont les principaux responsables de la réussite ou de l'échec de leur entreprise.

La présente partie traite du rôle et des responsabilités des gestionnaires modernes et des tâches dont ils doivent s'acquitter afin que leur entreprise se montre plus productive, plus compétitive sur les marchés mondiaux et réagisse mieux aux pressions exercées par les divers groupes d'intérêt de la société. Les gestionnaires doivent susciter la motivation, saisir les occasions, être des chefs et des innovateurs, prendre des décisions et résoudre des problèmes.

La première section du chapitre 5, *La gestion et le processus décisionnel*, traite des fonctions de gestion et explique pourquoi on les assimile à un « processus ». Elle met l'accent sur les diverses catégories de gestionnaires des différents niveaux d'une entreprise, et sur les compétences nécessaires pour faire preuve d'efficacité et d'un rendement supérieur. La seconde section du chapitre traite du processus décisionnel et de la résolution de problèmes, souvent considérés comme le cœur de la gestion. En particulier, le processus décisionnel est examiné dans le contexte de chaque fonction de gestion et des catégories de décisions prises par les gestionnaires à divers niveaux de l'entreprise. Les étapes les plus importantes du processus décisionnel sont également abordées.

Le chapitre 6, *Les fonctions de gestion*, commence par un aperçu de l'évolution de la discipline de gestion, et passe aux quatre fonctions de gestion, soit la planification, l'organisation, la direction et le contrôle. Il couvre les composantes principales de la fonction de planification et les principaux types de plans qu'utilisent les gestionnaires aux différents niveaux de l'entreprise. Les fonctions d'organisation et de direction font l'objet d'un bref survol, car les détails figurent dans la partie III, *La gestion des ressources humaines*. Le chapitre se termine par la fonction de contrôle et, plus précisément, examine les étapes du processus de contrôle, les types de contrôle, les qualités des contrôles efficaces et les techniques de contrôle.

CHAPITRE
5

PLAN

Définition de la gestion
    L'importance de la gestion

Les fonctions et processus de gestion
    Le processus de gestion

Les niveaux et les catégories de gestionnaires
    Les niveaux de gestionnaires
    Les catégories de gestionnaires

Un point de vue : la culture de l'entreprise

Les compétences en gestion
    Les compétences conceptuelles
    Les compétences psychologiques
    Les compétences techniques

L'importance relative des niveaux de gestion, des fonctions
    et des compétences

Un enjeu commercial actuel : les compétences en gestion

Les rôles du gestionnaire
    Les rôles interpersonnels
    Les rôles informationnels
    Les rôles décisionnels

Le processus décisionnel et la résolution de problèmes
    La prise de décisions et les fonctions de gestion
    La prise de décisions et les niveaux de gestionnaires
    Les conditions qui entourent la prise de décisions

Les catégories de décisions
    Les décisions programmées
    Les décisions non programmées

Les étapes du processus décisionnel

Un enjeu commercial actuel : la prise de décisions

Résumé

LA GESTION
ET LE PROCESSUS
DÉCISIONNEL

Les objectifs du chapitre

Après avoir lu le présent chapitre, vous pourrez :

1. définir le terme «gestion» et en reconnaître l'importance ;
2. décrire les quatre principales fonctions de gestion ;
3. préciser les trois niveaux de gestion ;
4. connaître les trois compétences spécialisées que doivent posséder les gestionnaires efficaces ;
5. communiquer l'importance relative des fonctions et des compétences de gestion aux niveaux de gestion ;
6. comprendre ce que font vraiment les gestionnaires ;
7. expliquer et distinguer les termes **processus décisionnel** et **résolution de problèmes** ;
8. aborder les différentes catégories de décisions de gestion ;
9. déterminer les étapes principales du processus décisionnel.

En 1978, lorsque Lee Iacocca est devenu président de Chrysler Corporation, l'entreprise venait de faire savoir que le 3e trimestre de l'exercice se soldait par une perte de 160 millions de dollars, le pire déficit de son histoire. À cette époque, l'entreprise faisait face à une série de problèmes d'exploitation et de gestion. Cela comprenait un manque de fonds, plus de 100 000 véhicules invendus qui représentaient un stock de quelque 600 millions de dollars, des factures acquittées à partir d'une trentaine d'endroits dispersés, des frais de garantie qui atteignaient jusqu'à 350 millions de dollars par an, une image du produit ternie et la réputation de produire des véhicules ruineux en essence. Les problèmes de gestion s'accumulaient aussi : une faible interaction entre les différents secteurs d'exploitation (ingénierie, fabrication et ventes), une absence de planification ou d'examens financiers officiels, aucun effort d'équipe, mais une série de participants indépendants et aucune structure de comité officielle. Outre les problèmes internes d'exploitation et de gestion, l'entreprise faisait face simultanément à une réglementation gouvernementale excessive et à la crise du pétrole. Pour ajouter au sombre tableau, l'économie glissait vers la récession, et la concurrence des constructeurs d'automobiles japonais et européens s'intensifiait.

Iacocca devait redonner vie à une entreprise moribonde si celle-ci devait être compétitive à l'échelle internationale dans le domaine des voitures et des camions. Rapidement, il a dû mettre sur pied une équipe de direction solide et s'entourer de gestionnaires compétents, novateurs et créateurs, capables d'analyser et de résoudre des problèmes, de se concentrer sur les résultats et pas seulement sur le processus, d'agencer des groupes de travail et de s'adapter aux rapides changements sociaux et techniques. Il a également dû favoriser un milieu de travail stimulant et instaurer un système de processus de gestion et d'information qui permettent à Chrysler de devenir une entreprise gagnante. Afin de remplir cette mission, Iacocca a pris des mesures audacieuses et impopulaires, telles que la mise à pied de milliers de travailleurs, la vente de biens marginaux, la baisse du salaire de quelque 1 700 cadres supérieurs, la cessation des augmentations de paye au mérite et des régimes d'actionnariat des employés, et l'élimination des dividendes d'actions ordinaires, tout en maintenant la production d'une gamme complète de voitures et de camionnettes.

À la fin de 1979, l'entreprise était grevée de dettes ; elle devait 4,75 milliards de dollars à plus de 400 banques et compagnies d'assurances. Pour la sauver, Iacocca n'avait d'autre choix que d'enfreindre l'esprit de libre entreprise en demandant une garantie des prêts au Congrès américain. Aux yeux des tenants de l'économie libérale, ce geste a été considéré comme un sacrilège parce qu'essentiellement, Iacocca suppliait le gouvernement de récompenser un échec. À la suite d'une longue bataille, en juin 1980, Chrysler a obtenu la garantie d'un prêt de 486 millions de dollars.

L'orchestration d'une série de décisions efficaces sur le plan de la gestion et de l'exploitation a produit des résultats financiers positifs plus rapidement que quiconque ne l'avait prévu. Le 15 août 1983, Chrysler a remboursé intégralement son prêt garanti par le gouvernement et la même année, a enregistré un bénéfice d'exploitation de 925 millions de dollars, soit un record pour l'entreprise. Cette année-là, l'entreprise a mis en vente 12,5 millions d'actions. La confiance du public était devenue si forte que Chrysler a vendu 26 millions d'actions dès la première heure.

Voilà un exemple où les efforts d'une direction solide, appuyés par une équipe de gestion compétente, ont été en mesure de sauver une entreprise de ce qui aurait pu être la plus grande faillite de l'histoire américaine. Cette faillite aurait coûté aux contribuables plus de 16 milliards de dollars en chômage, en aide sociale et en autres dépenses. Ce redressement a également évité à des milliers de petits fournisseurs et concessionnaires d'automobiles de mordre la poussière, et aux actionnaires d'alors de perdre leur investissement.

DÉFINITION DE LA GESTION

La gestion est essentiellement un processus qui encourage les gens à travailler ensemble à des objectifs organisationnels communs, par l'utilisation rationnelle des ressources humaines, financières et physiques. Puisque les entreprises existent dans un but précis, la responsabilité de la gestion consiste à atteindre des objectifs au moyen de quatre fonctions : la planification, l'organisation, la direction et le contrôle. Le rôle de la gestion consiste à diriger une entreprise du **point où celle-ci se trouve** au **point où on la souhaite.**

Il existe une différence importante entre le travail accompli par un gestionnaire et celui qu'exécutent les travailleurs. Le gestionnaire ressemble beaucoup à un chef d'orchestre. Il joue le rôle d'un coordinateur en intégrant une infinité d'activités, de fonctions et de tâches conçues en vue de l'atteinte d'objectifs clairement définis. Les organisations comprennent des employés comme des commis de bureau, des comptables, des informaticiens, des secrétaires, des acheteurs, des vendeurs, des architectes et des ingénieurs. En réalité, ces personnes exécutent le travail matériel. Mais il ne relève pas des gestionnaires d'accomplir le travail courant ; ceux-ci supervisent plutôt le travail ou les activités des autres en guidant, en inspirant et en instruisant les travailleurs.

L'importance de la gestion

Une organisation réussit lorsqu'elle atteint ses objectifs en y affectant la quantité adéquate de ressources. Il s'agit d'un des mandats principaux de la gestion. N'est-ce pas le rôle fondamental de l'entraîneur d'une équipe de hockey ou de base-ball de gagner la partie (l'objectif) avec des ressources limitées (joueurs, matériel, équipement, temps, par exemple) ?

Peter Drucker, l'une des sommités mondiales en matière de gestion, a déjà déclaré qu'une organisation est efficace si elle **fait les bonnes choses** et efficiente si elle **fait bien les choses.** L'efficacité désigne le choix des objectifs, des buts, des priorités et des plans les mieux appropriés afin de produire des résultats satisfaisants

et d'amener une organisation à remplir sa mission. L'efficience concerne l'utilisation des ressources. Essentiellement, il s'agit d'une notion économique qui relie les intrants aux extrants. L'efficience traite des moyens, tandis que l'efficacité est axée sur le résultat final.

Examinons quelques exemples afin de comprendre ces deux notions. Vous pouvez mesurer respectivement l'efficience ou l'efficacité d'une dactylo par le nombre de mots tapés à la minute ou par le pourcentage d'erreurs commises. Un hôtel est efficient si le coût de nettoyage par chambre est minimal, et efficace si le taux d'occupation est élevé. Dans le cas d'une usine de fabrication, le coût unitaire mesure l'efficience et le pourcentage de pièces rejetées, l'efficacité. Les gestionnaires doivent faire preuve d'efficacité et d'efficience, c'est-à-dire **atteindre le plus haut degré de rendement accompagné d'une dépense minimale de ressources.** Il s'agit du rôle primordial des gestionnaires et d'une raison clé de l'importance de la gestion. Comme l'indique la figure 5.1, les organisations peuvent être efficientes si elles veillent à l'utilisation de leurs ressources, mais inefficaces si elles poursuivent des objectifs inadéquats ; d'autres organisations peuvent se révéler à la fois efficaces et non efficientes. Les administrateurs d'une école secondaire pourraient utiliser peu de ressources, ce qui rendrait l'école efficiente en matière de prestation des programmes (le coût par élève serait faible), mais inefficace sur le plan pédagogique (l'expérience d'apprentissage serait médiocre ou inadéquate) et les élèves n'apprendraient pas beaucoup.

Dans ce monde rapidement changeant, turbulent et complexe, les gestionnaires doivent constamment analyser les forces externes qui influent sur leur organisation (notamment les tendances économiques, le progrès technique, les menaces de la concurrence, les règlements gouvernementaux et les groupes d'intérêts). De tels changements obligent les gestionnaires à réévaluer sans cesse leurs objectifs et à redéployer les

FIGURE 5.1
L'efficience et l'efficacité de la gestion

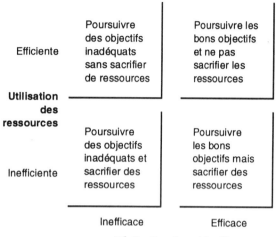

ressources humaines, physiques, matérielles et financières de leur organisation. À quoi servirait de fabriquer d'excellents produits et d'offrir un service médiocre ? Cela mènerait à la perte de la part de marché et serait ainsi inefficace. Une organisation qui offrirait des produits et des services adéquats, à des prix non compétitifs, verrait aussi une différence dans ses résultats financiers. L'essentiel d'une saine gestion consiste à atteindre un équilibre entre les objectifs de l'entreprise et les ressources nécessaires pour les atteindre.

Les gestionnaires se retrouvent toujours devant des choix difficiles ; la nature de leurs choix et de leurs moyens détermine dans une large mesure le degré de réussite de leur organisation. La capacité d'offrir des services qui répondent aux besoins et aux attentes de la clientèle, et qui produisent des biens d'excellente qualité, est sérieusement touchée par l'inflation tenace, les impôts et intérêts élevés, l'exigence de respecter l'environnement, les demandes exagérées de la main-d'œuvre en vue d'obtenir un meilleur milieu de travail, une trop grande capacité de production, l'explosion des

techniques et le déclin des marges bénéficiaires. Cela signifie que le statu quo n'est plus de mise.

De nos jours, la partie ne se joue plus de la même manière, et les règles sont plus sévères. La seule option consiste à atteindre un rendement supérieur en modifiant les organisations afin de les rendre plus efficaces, en réévaluant les stratégies et en recourant aux ressources de manière plus diligente, plus économique et plus efficiente. Pour réussir, les gestionnaires doivent comprendre les nouvelles règles du jeu et repérer quels changements sont nécessaires afin de survivre et de gagner.

LES FONCTIONS ET PROCESSUS DE GESTION

Au début du xxe siècle, l'industriel français Henri Fayol a décrit le schéma fonctionnel de la gestion en cinq mots : prévision, organisation, maîtrise, coordination et contrôle[1]. Il s'agit essentiellement des activités que le gestionnaire doit exécuter dans sa quête d'une meilleure efficience et efficacité organisationnelles. Dans sa description des activités de gestion, Fayol a donné un schéma fonctionnel à l'étude de la gestion. Les manuels contemporains décrivent la gestion comme étant un processus qui comprend quatre principales fonctions de gestion : la planification, l'organisation, la direction et le contrôle.

La planification est axée sur l'avenir. Cette activité vise l'énoncé des objectifs organisationnels et esquisse les étapes, les activités et la hiérarchie des plans destinés à atteindre ces objectifs.

L'organisation s'occupe des structures et de la dotation en personnel. Elle se concentre plus particulièrement sur l'affectation des tâches et des missions attribuées à des groupes et à des employés déterminés au sein d'une organisation.

_____

1. Henri Fayol, *Administration générale et industrielle*, Paris, Dunod, 1916.

Elle définit les relations structurelles, et qui devrait faire quoi au sein de l'organisation. Elle vise principalement à intégrer les ressources humaines et matérielles par la formalisation des structures et le repérage des tâches et des relations d'autorité. Le but poursuivi consiste à synchroniser les structures et les personnes. L'organisation s'occupe également de déterminer les besoins de personnel, et les exigences de formation et de perfectionnement.

La **direction** est orientée sur l'action. Elle transforme les plans en réalité. Étant donné que le travail et les tâches sont effectués par des gens, cette fonction revêt une importance particulière, puisque l'une des fonctions clés des gestionnaires consiste à influencer le comportement des gens et, finalement, à diriger leurs efforts vers les résultats souhaités. Ici, les gestionnaires doivent comprendre le comportement humain — ce qui fait «cliquer» les personnes ou les groupes, et comment les soutenir et les entretenir. La gestion est souvent décrite comme une façon de **faire faire les choses par d'autres** : son rôle est de motiver ceux-ci et d'obtenir le meilleur rendement d'un employé. La méthode actuelle de motivation des gens consiste à refaçonner le milieu de travail en donnant plus de latitude aux cadres subalternes et aux employés, ce qui semble constituer la découverte capitale pour l'avenir, en matière de productivité. Cela signifie que les équipes des postes de travail fixent leur propre horaire, des cibles de profit et participent même aux décisions d'embauche et de licenciement des membres de l'équipe.

Le **contrôle** consiste à élaborer des normes d'exploitation et à vérifier les résultats, c'est-à-dire à interpréter et à évaluer le rendement organisationnel afin de déterminer dans quelle mesure les objectifs et les plans sont réalisés, et à prendre des mesures de redressement au besoin. Le contrôle, qui constitue la dernière étape du processus de gestion, est étroitement lié à la planification.

Le processus de gestion

Assurément, la planification, l'organisation, la direction et le contrôle sont inextricablement liés. Une fonction n'existe pas sans l'autre, et c'est pourquoi on qualifie souvent la gestion de **processus**. La figure 5.2 se rapporte au modèle classique du processus de gestion et à la relation des quatre fonctions de gestion et des sous-fonctions qui visent toutes à atteindre les objectifs organisationnels. Ces activités fonctionnelles constituent le fondement qui sous-tend le cadre général d'exécution du travail de gestion. La figure montre qu'une séquence logique existe au sein du processus même, et que chaque fonction doit être exécutée dans cet ordre. Toutefois, cela n'est pas toujours le cas. Il faut souligner qu'il n'est pas nécessaire de terminer une fonction avant d'en entreprendre une autre. La séquence des fonctions doit convenir aux situations données. Par exemple, si une nouvelle entreprise démarre, la séquence des fonctions serait probablement conforme à celle de la figure 5.2. Toutefois, dans le cas d'une entreprise en exploitation, un gestionnaire aux prises avec un problème organisationnel étudierait probablement ce dernier jusqu'au bout, mettrait en œuvre des changements et passerait directement à la planification. En d'autres cas, il se peut qu'on mette davantage l'accent sur certaines fonctions. Un changement minime dans les plans peut provoquer des modifications importantes dans les activités et les relations de travail. En outre, les fonctions d'organisation, de direction et de contrôle comportent une certaine planification. De même, le contrôle ne s'effectue pas dans le vide, et il est présent dans chaque autre fonction de gestion.

Il importe aussi de souligner que tous les gestionnaires d'une organisation exécutent les quatre fonctions de gestion. Comme nous le mentionnerons ultérieurement dans la section **L'importance relative des niveaux de gestion, des fonctions et des compétences,** les dirigeants tels que les P.-D.G. ou les vice-présidents,

FIGURE 5.2
Le processus de gestion

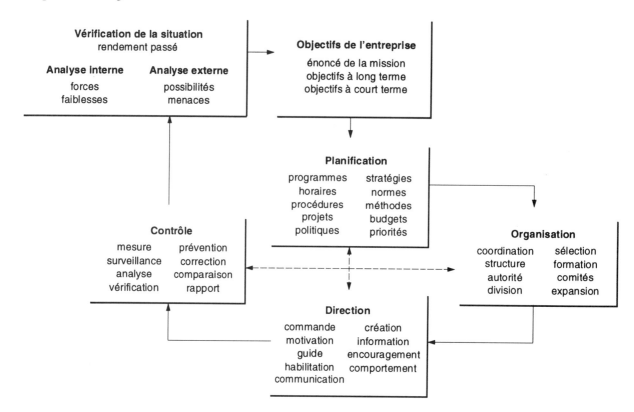

peuvent consacrer plus de temps à la planification que les cadres subalternes tels que les superviseurs de fabrication ou les directeurs des ventes régionaux. En outre, les outils de planification, d'organisation, de direction et de contrôle utilisés à chaque niveau de gestion peuvent différer.

Il ne fait aucun doute cependant que chaque fonction influe sur les autres. C'est pourquoi la figure 5.2 affiche des pointillés au centre.

LES NIVEAUX ET LES CATÉGORIES DE GESTIONNAIRES

Dans toute organisation, les personnes responsables de la supervision des employés s'appellent des « gestionnaires » ou des cadres. Dans une petite entreprise, le propriétaire peut être l'unique gestionnaire. Toutefois, dans les grandes sociétés, des douzaines, voire des centaines de cadres spécialisés assument la responsabilité de l'exploitation efficace de l'organisation. Dans l'ensemble, tous les cadres d'une entreprise font partie de l'« équipe de gestion ». Certains gestionnaires sont responsables de la réalisation de l'ensemble de la mission et des objectifs de l'entreprise. D'autres se concentrent principalement sur des tâches ou sur des groupes de personnes déterminés.

Une organisation comprend diverses catégories de cadres, dont chacun porte un titre qui désigne une fonction donnée. Les exemples habituels sont le président, le vice-président du marketing, le chef des ventes, le directeur d'usine et le directeur du crédit. Dans une certaine mesure, ces titres décrivent l'emplacement des cadres dans la hiérarchie organisationnelle et la nature des responsabilités respectives de ces derniers. Comme l'indique la figure 5.3, l'équipe de gestion consiste en trois strates ou niveaux : les cadres subalternes, les cadres intermédiaires et les cadres supérieurs. La figure indique également des titres représentatifs appropriés à chaque niveau.

Les niveaux de gestionnaires

Les gestionnaires à la base de la hiérarchie ou de la pyramide organisationnelle sont naturellement appelés gestionnaires de premier niveau, **cadres subalternes** ou directeurs d'exploitation.

Ces cadres sont directement responsables des employés de base, c'est-à-dire ceux qui effectuent les tâches quotidiennes. Le directeur d'unité d'une région, qui relève du Service du crédit, peut être responsable d'un certain nombre d'employés chargés de la facturation, tandis que le directeur des ventes régional d'un territoire donné supervise le travail d'un certain nombre de vendeurs. Dans une usine, le contremaître veille à ce que le travail des ouvriers de production soit effectué de manière économique, rapide et efficace. Dans un bureau, le directeur peut superviser le travail exécuté par le personnel chargé du traitement de texte. Puisque ces cadres subalternes supervisent les tâches répétitives des employés, ils aident constamment à résoudre les problèmes d'ordre technique qui surviennent. Ils doivent donc bien connaître les détails techniques des tâches,

FIGURE 5.3
Les niveaux de gestion

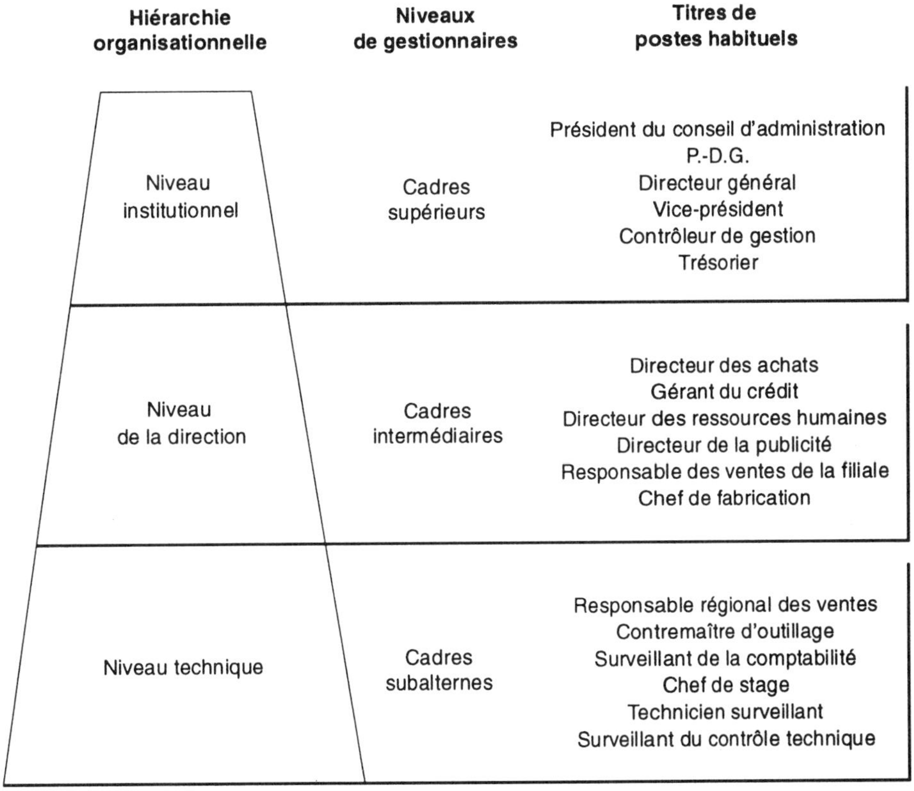

Hiérarchie organisationnelle	Niveaux de gestionnaires	Titres de postes habituels
Niveau institutionnel	Cadres supérieurs	Président du conseil d'administration P.-D.G. Directeur général Vice-président Contrôleur de gestion Trésorier
Niveau de la direction	Cadres intermédiaires	Directeur des achats Gérant du crédit Directeur des ressources humaines Directeur de la publicité Responsable des ventes de la filiale Chef de fabrication
Niveau technique	Cadres subalternes	Responsable régional des ventes Contremaître d'outillage Surveillant de la comptabilité Chef de stage Technicien surveillant Surveillant du contrôle technique

puisqu'ils peuvent avoir à piloter, à conseiller et à former leurs employés.

Les gestionnaires situés au milieu de la hiérarchie s'appellent les **cadres intermédiaires**. Ce groupe rend compte directement aux cadres supérieurs et comprend, par exemple, les chefs de fabrication, les directeurs de ressources humaines, les directeurs des ventes d'une division et les gérants du crédit. L'étendue de leurs responsabilités est plus importante, et ils doivent donc jouer un rôle de coordination et d'intégration afin d'atteindre l'ensemble des buts organisationnels. Puisque ces cadres participent moins directement aux activités quotidiennes de l'organisation, ils passent plus de temps dans des réunions, examinent des rapports de rendement, analysent l'information, planifient le travail des autres, rédigent des rapports et exécutent les tâches nécessaires afin de diriger l'unité dont ils sont responsables dans la bonne voie, c'est-à-dire vers les objectifs fixés. Ces cadres sont responsables de la recommandation de nouvelles politiques ou de la modification des anciennes. Ils arrivent généralement à des résultats grâce aux efforts des cadres subalternes.

Les gestionnaires au sommet de la pyramide portent le nom de **cadres supérieurs** ou membres de la haute direction. Ils assument la responsabilité de la direction générale de l'organisation, et se concentrent sur les politiques, les stratégies et le succès global de l'entreprise. Dans ce groupe figurent le président du conseil d'administration, le P-D.G., le directeur général et les vice-présidents directement responsables des grandes divisions ou fonctions de l'organisation.

Les catégories de gestionnaires

Les gestionnaires peuvent également être classés en cadres « hiérarchiques » ou « consultatifs ». Les **cadres hiérarchiques** sont responsables du travail directement relié à la mission de l'entreprise. Par exemple, chez un fabricant de voitures, où la mission consiste à produire et à vendre des véhicules, les gestionnaires qui travaillent dans les Services du marketing et de la production sont des cadres hiérarchiques puisque leurs efforts influent sur la conversion d'intrants en extrants et sur la vente des produits à la clientèle. Dans une organisation axée sur le service telle qu'un hôpital, les cadres hiérarchiques sont ceux qui supervisent les infirmières ou les médecins.

Par ailleurs, les **cadres consultatifs** recourent à des compétences, à des connaissances et à un savoir-faire spéciaux afin de « soutenir » le travail effectué par les cadres hiérarchiques. Chez notre fabricant d'automobiles, le directeur du contrôle technique et le directeur du personnel s'adonnent à des activités de soutien, en prodiguant avis et conseils aux directeurs du marketing ou de la production. À l'hôpital, le directeur des systèmes informatiques de gestion ou le chef d'entretien soutiennent les cadres hiérarchiques.

UN POINT DE VUE

John F. Welch Jr.,
P-D.G. de Générale Électrique

La culture de l'entreprise

La cadence du changement dans les années 1990 donnera aux années 1980 l'allure d'une fête champêtre ou d'une promenade dans un parc. La concurrence sera féroce. Le niveau d'excellence qui touche tout ce que nous accomplissons sera haussé chaque jour.

Plusieurs secteurs se ressentiront du rythme du changement. La mondialisation n'est plus un objectif mais bien un impératif, car les marchés s'ouvrent et les frontières géographiques deviennent de plus en plus floues, voire négligeables. Les alliances des sociétés, qu'il s'agisse d'entreprises conjointes ou d'acquisitions, seront commandées de plus en plus par les pressions et les stratégies concurrentielles, plutôt que par la structure financière. L'innovation technique qui se traduit par un avantage de marché s'accélérera encore. Et au cours de la prochaine décennie, nous assisterons à des revendications croissantes reliées au respect de l'environnement. Seul un engagement total de chacun au sein de l'entreprise peut offrir le niveau de responsabilité acceptable aux yeux des membres du gouvernement, des employés et de la clientèle.

Se limiter à dépasser ce qui a réussi dans les années 1980 — la restructuration, la déstratification, les mesures mécaniques descendantes que nous avons prises — serait trop graduel, et qui plus est, trop lent. Les gagnants des années 1990 seront ceux qui réussiront à mettre au point une culture qui leur permet de bouger plus rapidement, de communiquer plus clairement et de faire participer chacun à l'effort concentré de servir une clientèle sans cesse plus exigeante.

Afin de nous acheminer vers cette culture, nous devons créer ce que nous appelons une entreprise « sans frontière ». Nous n'avons plus le temps d'enjamber les obstacles entre les fonctions comme l'ingénierie et le marketing, ou entre les travailleurs horaires, les salariés, la direction et ainsi de suite. Les frontières géographiques doivent disparaître. Notre personnel doit être aussi à l'aise à Delhi et à Séoul qu'à Louisville ou à Schenectady. Les démarcations entre, d'une part, l'entreprise et ses vendeurs, et d'autre part, ses clients doivent se fondre en un processus souple et fluide qui n'a d'autre objectif que de satisfaire la clientèle et de régner sur le marché.

Si nous voulons obtenir les réflexes et la vitesse qu'il nous faut, nous devrons simplifier et déléguer davantage, autrement dit, faire plus confiance. Il faut ancrer la confiance en soi au sein de l'organisation. Celle-ci ne peut distribuer la confiance en soi, mais elle peut la provoquer en éliminant les strates et en donnant aux gens une chance de réussir. Il faut se débarrasser d'un concept vieux de cent ans et convaincre nos gestionnaires que leur rôle ne consiste pas à dominer les gens et à rester « au-dessus de leurs affaires », mais plutôt à guider, à stimuler et à susciter l'enthousiasme.

Mais en plus de tout cela, nous devons nous doter d'outils intellectuels, ce qui signifie l'éducation permanente de chaque personne à chaque niveau de l'entreprise. Chez GE, nous consacrons quelque 500 millions de dollars par année à la formation et à l'éducation. Nous considérons qu'il s'agit d'un investissement dans le renouveau permanent plutôt que d'une charge, et de la clé de la croissance de la productivité. L'éducation permanente amène chacun à faire un effort quotidien afin de découvrir une meilleure solution. Nous fabriquions un disjoncteur — rien de compliqué, le genre que vous trouvez dans tout édifice commercial — qui parcourait quelque 25 000 kilomètres avant même d'atteindre le marché et qui prenait 20 semaines à fabriquer. Il passait 10 de ces semaines en transit entre les huit usines qui devaient y travailler. Pouvions-nous trouver une meilleure solution? Bien sûr, et c'est ce que nous avons fait. Nous nous posons ce genre de questions à propos de tout ce que nous fabriquons, et nous commençons à trouver des réponses.

Les années 1980 ne manquaient pas de héros d'entreprise individuels. Dans les années 1990, les héros, les vainqueurs, seront des entreprises entières qui auront mis au point des cultures qui apprécieront la cadence du changement, au lieu de la craindre.

Source: Traduit de Stratford P. Sherman, «Today's Leaders Look to Tomorrow», *Fortune*, 26 mars 1990, p. 30.

LES COMPÉTENCES EN GESTION

Afin de déployer les ressources organisationnelles de manière efficiente et efficace à la faveur des quatre fonctions de gestion, les cadres des différents niveaux de la hiérarchie organisationnelle doivent acquérir, accroître et appliquer une certaine expertise. Puisque les cadres sont tenus de diriger et non d'exécuter le travail courant, ils doivent posséder un assortiment de compétences qui amélioreront leur capacité de rendement. Robert Katz a défini trois sortes de compétences que doivent posséder les cadres: les compétences conceptuelles, psychologiques et techniques[2].

Les compétences conceptuelles

Les compétences conceptuelles désignent l'aptitude à analyser, à interpréter et à résoudre des problèmes. Elles font appel à la capacité mentale de concevoir, d'organiser, de traiter des situations abstraites et ambiguës, de coordonner et d'intégrer tous les intérêts et les activités d'une entreprise en un tout logique et cohérent. Ces compétences comprennent la capacité d'observer les parties de l'entreprise et leur interdépendance. Les gestionnaires doivent être en mesure de comprendre comment les forces externes peuvent influencer toutes les activités internes de l'organisation.

Pour être un bon joueur d'échecs, il faut détenir des compétences conceptuelles exceptionnelles. Non seulement le joueur doit-il envisager comment déplacer les 16 pièces du jeu, mais il doit également prévoir comment chaque coup peut influencer ceux de l'adversaire. En outre, les maîtres de ce jeu doivent se représenter en esprit l'effet éventuel d'un seul coup sur le plan d'ensemble, et être en mesure d'imaginer de nombreux coups à l'avance. Il leur faut la capacité de savoir quand agir, comment éviter la confusion jusqu'à ce que le jeu devienne plus clair, et comment intégrer le nombre infini de coups et de relations dans un cadre de référence logique. Il s'agit là des compétences fondamentales qu'il faut à un gestionnaire pour reconnaître comment plusieurs activités reliées à une situation donnée sont associées, afin que toute

---

2. Robert L. Katz, « Skills of an Effective Administrator », *Harvard Business Review*, septembre-octobre 1974, p. 90-102.

décision prise le soit dans l'intérêt de l'entreprise au complet.

Les compétences psychologiques

Les compétences psychologiques relèvent de la compréhension, de l'interaction et de la collaboration avec les gens. Elles comprennent la capacité de communiquer, de motiver les autres, et de mener des personnes et des groupes. Ces compétences sont primordiales puisque les gestionnaires passent beaucoup de temps en réunion, à écouter et à vendre des idées. Parmi elles, on compte aussi la tolérance et la sensibilité aux émotions et aux craintes des pairs, des supérieurs et des subalternes, ainsi que la capacité de promouvoir un milieu de travail coopératif et sain.

On dit souvent que les ressources humaines sont l'atout le plus important d'une organisation. Celles-ci souhaitent un traitement juste et équitable. Assurément, les gestionnaires doivent exceller à transiger avec des situations délicates, et à résoudre les conflits personnels et organisationnels. Ne s'agit-il pas de compétences que doit posséder tout étudiant lorsqu'il participe à des activités parascolaires? Elles prennent plus d'importance lorsqu'on assume la charge d'une activité comme l'organisation d'une fête, d'un club de finances ou de marketing ou d'une activité de financement. Pour être efficace, une personne responsable doit posséder les compétences psychologiques qui lui permettent de traiter avec les personnes et les groupes, de transmettre des idées et de motiver quiconque travaille au sein du groupe. Ces compétences psychologiques sont essentielles à qui s'intéresse à mener et à influencer les autres, et à rendre les organisations plus concurrentielles, souples et responsables. Sans ces qualités, la gestion risque d'être ensevelie sous les aspects pathologiques des corps à corps bureaucratiques dans les organisations modernes, des particularismes politiques, des conflits de pouvoir destructeurs, car tous ces aspects diminuent régulièrement l'initiative, l'innovation, le moral et l'excellence dans toutes les catégories d'organisations[3].

Les compétences techniques

Les compétences techniques concernent les techniques, les méthodes et le matériel nécessaires à l'exécution de certaines tâches. Fondamentalement, ces compétences sont axées sur l'aspect mécanique d'un travail. Elles sont indispensables aux cadres subalternes responsables du travail quotidien des employés. Par exemple, les cadres responsables de la supervision des caissières dans un supermarché ou du personnel d'un magasin de détail doivent savoir comment entrer les commandes des clients dans la caisse enregistreuse, et connaître les caractéristiques de produits particuliers. La manipulation d'objets, le traitement de l'information ou de questions techniques comptent parmi ces compétences.

L'IMPORTANCE RELATIVE DES NIVEAUX DE GESTION, DES FONCTIONS ET DES COMPÉTENCES

Quelle est l'importance de la fonction de planification pour les cadres supérieurs, comparativement aux cadres subalternes? Les compétences conceptuelles sont-elles plus essentielles aux cadres subalternes que supérieurs? Qu'en est-il des compétences techniques ou psychologiques? La présente section se penche sur l'importance relative des fonctions de gestion et des compétences en gestion aux divers niveaux de gestionnaires.

---

3. John L. Kotter, *Power and Influence : Beyond Formal Authority*, The Free Press, New York, 1985, p. 3

Comme l'indique la figure 5.4, l'importance et la combinaison relatives des fonctions de gestion et des compétences en gestion varient aux différents niveaux de gestionnaires. Les **cadres supérieurs** accordent plus d'importance à la fonction de planification qu'à celle de direction. En revanche, pour les cadres intermédiaires et subalternes, la direction prime sur la planification. Il existe un lien étroit entre la fonction de planification et les compétences conceptuelles. Les cadres supérieurs doivent analyser les activités organisationnelles dans un contexte élargi, considérer les revendications des divers services de l'organisation, et examiner leurs forces et leurs faiblesses en relation avec les forces du milieu, et tout cela, afin de repérer les possibilités externes ainsi que les menaces, et de voir dans quelle mesure chacun influera sur l'efficience et l'efficacité de fonctionnement de l'organisation, aujourd'hui et à l'avenir.

Comme dans la reconstitution d'un casse-tête composé de mille pièces, les gestionnaires doivent sonder la meilleure combinaison de mesures à prendre afin d'atteindre les objectifs à long terme. Les cadres supérieurs doivent se fier à leurs compétences conceptuelles en vue d'élaborer des plans stratégiques qui influeront sur la destinée de leur organisation à long terme. En outre, puisque la fonction de contrôle est étroitement reliée à celle de planification, il faut analyser simultanément une foule d'activités, ce qui exige des compétences conceptuelles qui permettent aux cadres de prendre des décisions essentielles.

Par ailleurs, la fonction de planification et les compétences conceptuelles sont de moindre importance pour les **cadres subalternes**. À ce niveau, la planification n'exige pas l'évaluation de variables aussi nombreuses, ce qui explique qu'il y ait moins d'ambiguïté. Pour les cadres subalternes, la fonction de direction et les compétences techniques sont plus essentielles à la réussite, puisqu'ils supervisent le travail des employés de base. Ils doivent connaître en détail les méthodes de travail, le matériel ou la machinerie nécessaires à certaines fonctions, et être parfaitement au fait des aspects techniques du fonctionnement s'ils veulent résoudre les problèmes précis qui surgissent. Il ne serait pas raisonnable qu'un superviseur demande à un employé d'exécuter des tâches que lui-même ne comprend pas. En outre, comment les superviseurs pourraient-ils former leurs employés de

FIGURE 5.4
L'importance relative des fonctions de gestion et des compétences en gestion aux différents niveaux de gestionnaires

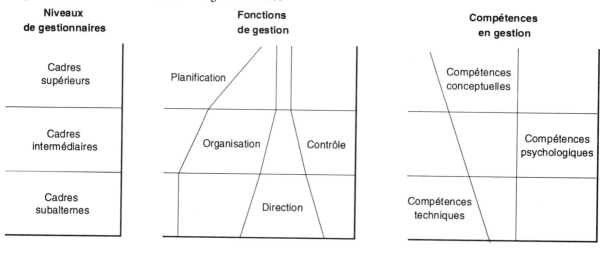

manière efficace s'ils ne connaissaient pas ce qu'ils enseignent? Ils perdraient leur crédibilité ainsi que le respect du personnel.

Les cadres subalternes consacrent beaucoup de temps à l'interaction avec les employés et à la résolution de problèmes d'employés qui exécutent le travail courant. Ces cadres jouent un rôle clé au chapitre de la créativité et de l'innovation. Ils sont les premiers à savoir comment améliorer les produits ainsi que le service à la clientèle. C'est pourquoi la fonction de direction leur est essentielle, car ils sont en mesure d'influencer le comportement de leurs employés, de leur remonter le moral, lorsque la productivité est en cause, et de trouver des façons d'améliorer l'efficience et l'efficacité de l'exploitation.

Les **cadres intermédiaires** planifient à moyen terme et doivent évaluer une foule d'activités reliées entre elles. Par conséquent, ils doivent acquérir certaines compétences conceptuelles et une bonne dose de compréhension des aspects techniques du travail exécuté par les cadres et employés de première ligne, au sein de leur organisation.

Ils jouent un rôle d'intégration entre les cadres supérieurs et subalternes, puisqu'ils sont tenus de lier ou d'intégrer les objectifs et les plans généraux aux objectifs d'exploitation ainsi qu'aux activités quotidiennes.

Les **cadres des trois niveaux** consacrent un temps considérable à la fonction d'organisation. Ils composent tous avec les structures organisationnelles, la dotation en personnel, l'affectation des ressources matérielles aux unités organisationnelles et la répartition du travail en unités. Les compétences psychologiques importent aussi aux cadres de tous les niveaux. Peu importe la nature ou la taille de l'organisation, tous les cadres doivent interagir avec les gens à l'intérieur comme à l'extérieur. Pour être efficaces, tous les cadres doivent être en mesure de transformer des groupes d'employés en équipes de travail extrêmement productives, en poussant leurs aptitudes à la limite, en encourageant la prise de risques, en gardant les canaux de communication ouverts en tout temps et en offrant un encouragement.

UN ENJEU COMMERCIAL ACTUEL

Les compétences en gestion

S'il se trouve une personne assez compétente pour insuffler un système de gestion de valeurs et d'intérêts partagés à la Banque de Montréal, c'est bien Matthew Barrett, un gestionnaire âgé de 45 ans. Sa personnalité provoque une étonnante unanimité au sein de la banque. N'importe qui vous dira que Matthew est un type brillant et plaisant dont les talents de communicateur, de conciliateur et de motivateur sont exceptionnels.

Mais quiconque croit que M. Barrett n'est qu'un autre «bon gars» devrait jeter un coup d'œil à son curriculum vitæ. Après tout, il s'agit d'un homme qui s'est rapidement hissé au sommet d'une des sociétés les plus importantes du Canada sans avoir de diplôme universitaire, ni de relations au sein de la classe dirigeante, ni même de famille de ce côté-ci de l'Atlantique.

Lorsqu'il a joint les rangs de la Banque de Montréal en 1967, il a été immédiatement frappé par les possibilités qui s'offraient à quiconque d'assez astucieux et autonome. Comme tout jeune immigrant qui veut réussir, Barrett s'est rapidement replié sur une stratégie accélérée: occuper les emplois dont ne veulent pas les gens du pays. Partant du principe qu'il était plus facile de se distinguer en donnant bon — ou seulement meilleur — aspect à ce qui était sans aucun attrait, il a demandé à être muté aux pires succursales du réseau. La stratégie de Barrett a pleinement réussi. Après qu'il eut travaillé dans quelques succursales de «fin de carrière», on a reconnu ses compétences auprès des gens, et on l'a formé pour travailler au Service du personnel du siège social.

À un certain stade de son ascension, Barrett a attiré l'attention de l'ex-président du conseil William Mulholland qui l'a propulsé vers le sommet. Lorsque Mulholland lui a offert de devenir chef de l'exploitation de la Banque de Montréal en automne 1987 — offre que Barrett qualifie de «cadeau du ciel» —, il avait acquis plus d'expérience de gestion générale dans des domaines plus nombreux que quiconque de sa génération. Et, bien sûr, il avait la personnalité d'un gagnant, combinaison magique que Mulholland et le conseil d'administration trouvaient de toute évidence irrésistible.

Source: Traduit de Robert Collison, «Banking on the Consumer», *Canadian Business*, mai 1990, p. 46.

LES RÔLES DU GESTIONNAIRE

Henry Mintzberg, chercheur en gestion et professeur à l'Université McGill, a examiné les rôles du gestionnaire dans un contexte différent. Dans son ouvrage de 1973, *The Nature of Managerial Work*[4], un classique dans le domaine de la gestion, il a décrit ce à quoi les gestionnaires passent leur temps et la façon dont ils exécutent leur travail. En intégrant ses propres recherches aux propos de cinq P-D.G., il a pu esquisser un profil du travail du gestionnaire en ce qui a trait aux rôles variés de cette personne. L'étude combinée se penchait sur tous les types d'emploi, depuis les chefs de fabrication et les directeurs des ventes jusqu'aux membres de la haute direction et aux administrateurs.

Mintzberg a conclu que les gestionnaires à tous les niveaux d'une entreprise se comportent de manière semblable. Il a caractérisé la tâche du gestionnaire par l'action, la discontinuité, l'orientation et la concision. Il a conclu que les gestionnaires sont investis d'une autorité officielle sur leurs unités organisationnelles respectives, et qu'ils tirent du prestige de cette autorité, ce qui à son tour mène à diverses relations interpersonnelles et, finalement, leur donne accès à l'information. Enfin, cette information les amène à prendre des décisions.

Mintzberg a distingué dix rôles qui se classent en trois catégories, soit les rôles interpersonnels, informationnels et décisionnels. La figure 5.5 en donne la liste.

Les rôles interpersonnels

Ces rôles exigent des gestionnaires de traiter avec les gens à l'intérieur et à l'extérieur de leur organisation, à la faveur de communications orales et écrites. Les trois rôles interpersonnels inhérents à la tâche du gestionnaire sont : faire

4. Henry Mintzberg, «The Manager's Job : Folklore and Fact», *Harvard Business Review*, juillet-août 1975.

FIGURE 5.5
Les rôles du gestionnaire

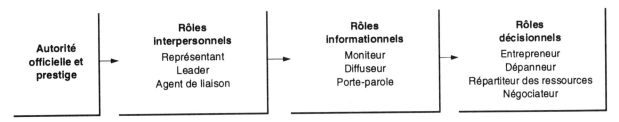

Source: Traduit de Henry Mintzberg, « The Manager's Job: Folklore and Fact », *Harvard Business Review*, juillet-août 1975, p. 55.

office de représentant, agir à titre de leader et exécuter les fonctions d'un agent de liaison. En vertu de sa position, c'est-à-dire comme **représentant** responsable d'une unité organisationnelle, le gestionnaire doit s'acquitter de tâches sociales courantes qui consistent notamment à accueillir les visiteurs, à signer des documents juridiques et à assumer des fonctions honorifiques. À titre de **leader**, le gestionnaire est tenu d'embaucher, de former, de guider, de motiver et de discipliner ses subalternes. Le rôle d'**agent de liaison** du gestionnaire consiste à maintenir des canaux de communication ouverts avec ses pairs, ses subalternes et ses supérieurs par l'intermédiaire de la chaîne de commande normale, et à cultiver les relations avec les personnes à l'extérieur de l'entreprise, surtout afin d'acquérir et de transmettre de l'information.

Les rôles informationnels

Une part importante du travail du gestionnaire consiste à former un réseau de relations aux fins de traitement de l'information. Les gestionnaires consacrent jusqu'à la moitié de leur temps à recevoir et à recueillir l'information, en lisant le courrier, des revues et des rapports, en organisant des réunions et en faisant des appels téléphoniques. Les rôles de moniteur, de diffuseur de l'information et de porte-parole sont inhérents à la tâche du gestionnaire. Comme **moniteur**, le gestionnaire scrute son milieu afin d'y recueillir de l'information qui le renseignera davantage sur l'organisation. À titre de **diffuseur**, le gestionnaire partage l'information en la transmettant aux membres à l'intérieur et à l'extérieur de son organisation. Les rôles de moniteur et de diffuseur sont essentiels puisqu'ils contribuent à forger des liens au sein du réseau de communications de l'organisation. Comme **porte-parole**, le gestionnaire rédige des notes de service, fait des appels téléphoniques et assiste aux réunions aux côtés de personnes étrangères à son unité organisationnelle.

Les rôles décisionnels

Le gestionnaire recherche et offre de l'information dans un dessein primordial: elle est indispensable à la prise de décisions. Il s'agit d'une des responsabilités principales du gestionnaire — prendre des décisions. À titre d'**entrepreneur**, le gestionnaire fait débuter des projets, repère les occasions d'améliorer la productivité et procède à des changements afin d'améliorer le rendement. Il organise des séances de stratégie, définit de nouvelles responsabilités et fait surgir de nouvelles idées en matière de service. Comme **dépanneur**, le gestionnaire est responsable d'adopter des mesures de redressement

lorsque l'entreprise fait face à certains problèmes, comme des conflits entre personnes au
sein de l'organisation, ou entre les membres de
son groupe et ceux de l'extérieur, lorsque le matériel se brise, qu'un compte important est
perdu ou que les employés ne sont pas satisfaits.
En tant que **répartiteur des ressources**, le gestionnaire supervise l'affectation des ressources
humaines et physiques, à la faveur de la budgétisation, de la programmation des activités et de
l'affectation à des tâches précises. Il filtre également toutes les décisions importantes. Comme
négociateur, le gestionnaire est responsable
d'assister aux négociations à titre de représentant de son unité organisationnelle ou de l'entreprise. Par exemple, le gestionnaire peut négocier une convention collective ou une entente
avec un conseiller.

✳ Afin de faire connaître le travail du gestionnaire, Mintzberg a rendu compte de l'emploi du temps des gestionnaires au travail. Le
temps considérable que ceux-ci consacrent aux
réunions est étonnant. L'interaction verbale
représente 78 p. 100 de leur temps, comparativement à 22 p. 100 de travail individuel.
Sa recherche a également révélé que les P.-D.G.
consacrent habituellement 48 p. 100 de leur
temps aux relations avec leurs subalternes,
20 p. 100 avec des clients, des fournisseurs et
des associés, 16 p. 100 avec leurs pairs, 7 p. 100
avec les administrateurs et 8 p. 100 avec
d'autres.

Le tableau 5.1 donne des exemples précis
sur la façon dont les P.-D.G. occupent leur
temps au travail. Le lecteur y trouvera un
compte rendu des activités quotidiennes de
Purdy Crawford, d'Imasco Limitée, et de John
Jarvis, de Mitel Corp., deux des P.-D.G. canadiens de 500 entreprises qui ont répondu à l'enquête menée par *Canadian Business*. Cette enquête révèle que les P.-D.G. aiment ce qu'ils font
et consacrent beaucoup de temps à écouter plutôt qu'à parler, tout en menant subtilement la
conversation plutôt qu'en donnant des ordres.

LE PROCESSUS DÉCISIONNEL ET LA RÉSOLUTION DE PROBLÈMES

Les gestionnaires de tous les niveaux doivent
prendre des décisions. Certaines sont plus importantes que d'autres, car elles peuvent influencer la destinée financière de l'organisation
pour longtemps. Par exemple, la décision de
consacrer des sommes substantielles à la construction d'une nouvelle usine ou au lancement
d'un nouveau produit aura des répercussions
importantes sur l'exploitation et les finances.
De telles décisions peuvent exiger la contribution de nombreuses personnes et accaparer
beaucoup de temps. D'autres décisions, comme
celles de traiter les réclamations de la clientèle
ou d'acheter des fournitures de bureau sont
simples et s'expédient rapidement ; elles ne
comportent pas de risques.

La prise de décisions fait partie du quotidien du gestionnaire. En fait, certains limitent le rôle des gestionnaires essentiellement
aux prises de décisions, puisque ces derniers
consacrent un temps considérable à évaluer
les possibilités d'affaires et à résoudre des problèmes. La **prise de décisions** signifie que
l'on doit choisir la bonne ligne de conduite —
parmi plusieurs solutions — qui mènera l'entreprise vers le résultat final escompté. Les
gestionnaires sont également responsables de
résoudre les problèmes qui vont au-delà du
processus décisionnel. La distinction entre
prise de décisions et **résolution de problèmes**
sera abordée plus loin, à la section **Les étapes
du processus décisionnel**.

La prise de décisions et les fonctions de gestion

Le tableau 5.2 indique des décisions habituelles
prises par des gestionnaires dans les quatre fonctions de gestion. La fonction de planification est
souvent considérée comme un exercice de

TABLEAU 5.1
La journée de deux P.-D.G. canadiens

Purdy Crawford, président d'Imasco Limitée, géant montréalais des filiales de détail : pharmacie, restauration rapide, services financiers et produits du tabac.	**John Jarvis, président de Mitel Corp., producteur de systèmes téléphoniques dont le siège social est à Ottawa.**
7 h 50 Rédige son horaire de la journée, qu'il consulte au cours de celle-ci.	7 h 50 Il parcourt son agenda avec son adjoint administratif.
8 h 10 Le vice-président de direction de l'expansion de l'entreprise et de l'évolution de la procédure le met à jour puisqu'il était absent depuis deux jours.	8 h 00 Il dirige une réunion du comité des opérations hebdomadaires avec six cadres supérieurs et examine le rendement du marché.
8 h 30 Le chef des finances et trésorier ainsi que le vice-président directeur se joignent à eux afin de discuter des dossiers importants.	9 h 00 La discussion bifurque vers des questions de recherche et de développement, et le programme de réduction des effectifs de l'entreprise.
9 h 40 En tant que président du conseil d'administration de Sackville, la Mount Allison University du Nouveau-Brunswick, il rencontre le nouveau recteur intérimaire de l'université.	9 h 50 Il visite le vice-président directeur du service des semi-conducteurs.
11 h 20 Il fait quelques appels, lit son courrier et réfléchit aux dossiers à plus long terme.	10 h 15 Il procède à son inspection hebdomadaire de l'usine de production principale.
12 h 00 Il rencontre le vice-président des relations publiques au sujet d'une entrevue prévue après le repas du midi, avec Dow Jones Canada Inc.	11 h 00 De retour à son bureau, il examine son courrier, imprimé et électronique.
12 h 10 Il rencontre les cadres supérieurs dans la petite cafétéria afin de poursuivre les discussions entamées le matin.	11 h 35 Il rencontre le vice-président du perfectionnement des ressources humaines.
13 h 15 Il rencontre le vice-président directeur au sujet d'un voyage à Ottawa, dans le but d'exercer des pressions auprès du président d'un comité parlementaire.	12 h 15 Au cours du repas dans la cafétéria de Mitel, il écoute certains directeurs parler de leurs services.
13 h 35 L'entrevue avec Dow Jones a lieu dans son bureau.	12 h 45 À son bureau, il passe quelques coups de fil.
15 h 10 Il assiste à une réunion avec la haute direction pour discuter des plans de l'assemblée générale.	13 h 30 Il dirige la première réunion du «conseil de qualité» de l'entreprise, dont la mission est de projeter une image de qualité auprès de la clientèle et de répandre le credo au sein de l'entreprise.
15 h 35 Il s'entretient au téléphone avec le vice-président de l'expansion de l'entreprise, du bureau de Toronto.	14 h 35 L'adjoint du vice-président de l'expansion de l'entreprise examine une proposition révisée.
16 h 10 Il conclut les affaires en suspens de la journée et se prépare à la séance d'interrogation qui doit avoir lieu à l'École des Hautes Études Commerciales.	15 h 10 Il révise et corrige le contenu du bulletin de nouvelles de l'entreprise avec un cadre des relations publiques.
	15 h 30 Il se prépare à aller rencontrer les Soviétiques, visite de courtoisie, et retourne à son bureau où il prévoit demeurer jusqu'à 19 heures environ.

Source : Traduit de Charles Davies, « Lessons in leadership : three CEOs show their stuff », *Canadian Business*, juin 1990, p. 61.

TABLEAU 5.2
La prise de décisions et les fonctions de gestion

Planification	– Quel type d'entreprise doit-on être? – Quels doivent être nos objectifs à court et à long terme? – Quelles doivent être nos politiques? – Quelles doivent être nos stratégies?
Organisation	– Comment organiser nos services? nos divisions? nos unités organisationnelles? – De quel degré d'autorité doit-on investir chaque niveau de l'entreprise? – Doit-on centraliser ou décentraliser l'entreprise? – Que faire de la dotation en personnel de l'entreprise?
Direction	– Comment améliorer la productivité? – Comment habiliter nos cadres subalternes et nos employés? – Comment satisfaire aux besoins des employés? – Comment résoudre les conflits personnels et de groupe?
Contrôle	– Quels systèmes d'information gestionnelle doit-on posséder? – Quels rapports faut-il produire, et qui doit les recevoir? – Quelle doit être la fréquence des études opérationnelles? – Quel rôle doivent jouer le personnel consultatif et le personnel hiérarchique lors de l'étude opérationnelle mensuelle?

prise de décisions, car c'est au cours de cette phase précise que les gestionnaires prennent des décisions importantes pour l'avenir de leur

organisation, division ou unité. Toutefois, il faut souligner que le processus décisionnel n'est pas une activité qui se limite à la planification. Comme l'illustre le tableau, des décisions se prennent également au cours des fonctions d'organisation, de direction et de contrôle. Par exemple, lorsqu'on prend la décision, à l'étape de la planification, d'introduire une nouvelle gamme de produits, cette décision aura certaines répercussions sur la structure organisationnelle, la dotation en personnel de nombreux postes, l'ouverture de canaux officiels de communication et sur les nouveaux procédés de contrôle.

La prise de décisions et les niveaux de gestionnaires

Le tableau 5.3 illustre la relation entre les catégories de décisions prises par les gestionnaires aux différents niveaux de l'organisation. Les cadres supérieurs des grandes sociétés reçoivent des traitements élevés et des avantages sociaux importants en raison de leur capacité de prendre des décisions cruciales qui influencent l'avenir de leur entreprise. Les décisions que prennent les cadres supérieurs sont plus compliquées et ont des conséquences d'une portée supérieure. Par exemple, une piètre décision qui aboutit à la mise en marché d'un nouveau produit qui ne se vend pas, ou à la construction d'une usine mal située, peut coûter des millions de dollars et comporter de graves répercussions financières. Elle peut même mener à la faillite. Cependant, les décisions judicieuses prises par les cadres supérieurs feront s'épanouir l'entreprise, apporteront la prospérité aux actionnaires, créeront des emplois et en feront un atout plus important dans la collectivité.

Les cadres subalternes prennent des décisions qui se bornent à une activité précise. Dans la plupart des cas, ces décisions techniques sont prises dans un cadre de travail propice. Par

TABLEAU 5.3
La prise de décisions et les niveaux de gestionnaires

Hiérarchie organisationnelle	Niveaux de gestionnaires	Types de décisions	Exemples de décisions
Niveau institutionnel	Cadres supérieurs	Décisions institutionnelles	– Doit-on étendre notre bassin de clientèle aux États-Unis? en Europe? – Doit-on ajouter de nouveaux produits ou de nouvelles lignes de service à ceux qui existent déjà?
Niveau de direction	Cadres intermédiaires	Décisions de direction	– Doit-on augmenter la capacité de notre usine de Toronto? de Calgary? – Dans quels médias faut-il annoncer nos produits?
Niveau technique	Cadres subalternes	Décisions techniques	– Doit-on acheter ou louer une photocopieuse? – Quel niveau de crédit faut-il accorder à ce nouveau compte?

exemple, le directeur responsable du Service de l'entretien d'un hôpital peut avoir à rédiger un rapport sur la fréquence d'entretien d'un matériel déterminé.

Les conditions qui entourent la prise de décisions

Les conditions qui entourent les décisions varient beaucoup, ce qui rend le processus difficile. Certaines décisions se prennent dans un univers déterminé. Par exemple, en achetant une photocopieuse, un gestionnaire peut étudier toutes les caractéristiques de plusieurs machines, ce qui rend plus facile la décision d'acheter. D'autres décisions se font dans un univers aléatoire, puisqu'il se peut que le gestionnaire ne soit pas en possession de tous les faits et de toutes les données nécessaires afin de juger du résultat. Il ne peut qu'évaluer le résultat probable de chaque option. Par exemple, comment pourrait-on être certain des points suivants: une nouvelle usine coûtera exactement ce qu'indique l'estimation; elle fonctionnera bien dès le premier jour; les ventes atteindront les niveaux prévus; le prix correspondra à ce que révèle l'estimation du chiffre d'affaires

du prochain exercice et la concurrence ne changera pas? Le gestionnaire peut n'avoir d'autre issue que de prendre un risque calculé et d'imaginer les probabilités de chaque variable qui influe sur la décision en question. D'autres décisions sont prises dans un **climat d'incertitude**, notamment lorsque le gestionnaire ne connaît même pas toutes les options ou qu'il ignore les conséquences de celles-ci. Il ne peut même pas alors affecter de probabilité aux résultats de chaque option. Face à un climat d'incertitude, le gestionnaire décide par intuition ou par pressentiment.

LES CATÉGORIES DE DÉCISIONS

La plupart des décisions de gestion sont programmées ou non programmées. La figure 5.6 permet de distinguer entre les catégories de décisions prises par les gestionnaires à divers niveaux, les caractéristiques de ces décisions et la façon de les prendre.

Les décisions programmées

Les décisions programmées portent aussi le nom de décisions de routine ou répétitives. Elles se

FIGURE 5.6
Les catégories de décisions

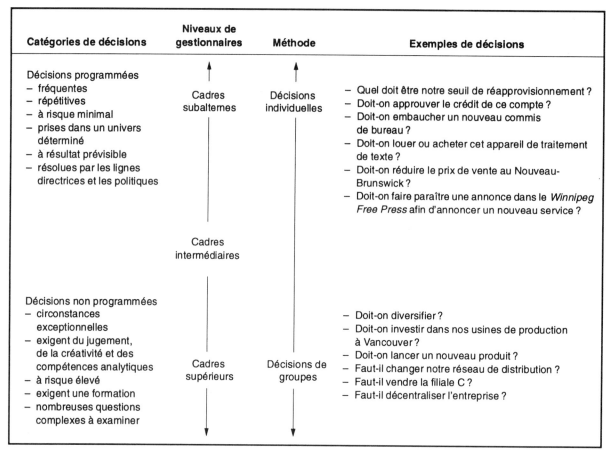

Catégories de décisions	Niveaux de gestionnaires	Méthode	Exemples de décisions
Décisions programmées – fréquentes – répétitives – à risque minimal – prises dans un univers déterminé – à résultat prévisible – résolues par les lignes directrices et les politiques	Cadres subalternes	Décisions individuelles	– Quel doit être notre seuil de réapprovisionnement ? – Doit-on approuver le crédit de ce compte ? – Doit-on embaucher un nouveau commis de bureau ? – Doit-on louer ou acheter cet appareil de traitement de texte ? – Doit-on réduire le prix de vente au Nouveau-Brunswick ? – Doit-on faire paraître une annonce dans le *Winnipeg Free Press* afin d'annoncer un nouveau service ?
	Cadres intermédiaires		
Décisions non programmées – circonstances exceptionnelles – exigent du jugement, de la créativité et des compétences analytiques – à risque élevé – exigent une formation – nombreuses questions complexes à examiner	Cadres supérieurs	Décisions de groupes	– Doit-on diversifier ? – Doit-on investir dans nos usines de production à Vancouver ? – Doit-on lancer un nouveau produit ? – Faut-il changer notre réseau de distribution ? – Faut-il vendre la filiale C ? – Faut-il décentraliser l'entreprise ?

prennent facilement puisque ceux qui en sont responsables disposent de lignes directrices ou de modes de fonctionnement précis. Parmi les exemples de cette catégorie de décisions, on trouve : admettre un étudiant au programme d'études d'une université ou d'un collège donné, passer une nouvelle commande de marchandises, accorder du crédit à un client, envisager l'augmentation de salaire d'un employé ou répondre à la réclamation d'un client relativement à un produit défectueux. Les directives écrites, les règles et les règlements facilitent la prise de ces décisions car, sans eux, les gestionnaires devraient consacrer beaucoup de temps et d'énergie à analyser différentes options avant de décider. Par exemple, si un client renvoie un produit trouvé défectueux pendant la période de garantie de 30 jours, le traitement de la plainte devrait être bref. Évidemment, les règlements limitent la liberté d'action, et des circonstances exceptionnelles peuvent commander que le gestionnaire prenne une décision s'il semble que le client ne s'est pas servi du produit conformément au mode d'emploi ou a fait preuve de négligence en le manipulant. Il se peut que ces faits additionnels prolongent le temps nécessaire à la prise de décisions du gestionnaire. Comme l'indique la figure 5.6, de telles décisions se prennent une à une par les cadres subalternes.

Les décisions non programmées

On peut qualifier les décisions non programmées d'uniques, de non répétitives, d'exceptionnelles et de non structurées. Elles traitent de circonstances exceptionnelles et elles sont taillées sur mesure en fonction d'une situation ou d'un problème précis.

Le gestionnaire qui veut les prendre doit faire preuve de perspicacité créatrice, d'intuition, de logique et de bon sens. Chaque situation doit être traitée de façon très particulière parce qu'il n'y a pas de réponse standard ni écrite quelque part. Les décisions non programmées typiques concernent la commercialisation d'une nouvelle gamme de produits, l'acquisition d'une nouvelle division, l'automatisation de toute une unité de production et la décentralisation d'une organisation.

La principale raison de la distinction entre les décisions programmées et non programmées est d'aider les gestionnaires à déterminer la meilleure méthode pour aborder une situation donnée. Par exemple, les décisions programmées de routine se prennent d'habitude cas par cas, à l'aide de la marche à suivre standard. Les décisions non programmées peuvent nécessiter un groupe de personnes formées qui ont un bon jugement, de l'intuition et de la créativité. Les gestionnaires voudront peut-être aussi recourir à des outils perfectionnés de prise de décisions et à du matériel assisté par ordinateur.

LES ÉTAPES DU PROCESSUS DÉCISIONNEL

Il existe un processus systématique et logique de prise de décisions de gestion, et les gestionnaires peuvent le suivre intuitivement ou sciemment. La figure 5.7 présente un modèle par étapes du processus rationnel de prise de décisions et de résolution de problèmes. Les étapes 1 à 7 traitent du processus décisionnel même, et les étapes 8 et 9, de la résolution de problèmes.

Prendre des décisions ne suffit pas à résoudre un problème ni à profiter pleinement d'une occasion; si l'on veut modifier une situation, il faut appliquer un plan d'action suivi d'un processus de vérification destiné à évaluer les répercussions (positives ou négatives) de la décision. Par exemple, une personne qui souffre de graves maux de tête peut faire l'objet d'un diagnostic de tension artérielle élevée. Le médecin peut prescrire certains médicaments (la décision) en vue de soulager la douleur. Il a pu mettre

FIGURE 5.7
La prise de décisions et la résolution de problèmes

Prise de décisions	Étape 1 : Reconnaître l'existence du problème	Prise de décisions	Résolution de problèmes
	Étape 2 : Cerner le problème		
	Étape 3 : Obtenir les faits et l'information		
	Étape 4 : Analyser l'information		
	Étape 5 : Énoncer les solutions		
	Étape 6 : Évaluer les solutions		
	Étape 7 : Prendre la décision		
Application	Étape 8 : Appliquer la décision		
Évaluation et suivi	Étape 9 : Évaluer et faire le suivi		

en pratique le processus décisionnel (étapes 1 à 7) et conseillé le patient sur les mesures à prendre (étape 8) afin de soulager la douleur. Le médecin souhaitera fixer un autre rendez-vous de suivi (étape 9) afin de vérifier si le problème a été résolu. Les neuf étapes du processus décisionnel et de la résolution de problèmes sont brièvement décrites dans les paragraphes suivants.

1. *Reconnaître l'existence du problème* Avant de s'engager dans le processus décisionnel, le gestionnaire doit d'abord se rendre compte qu'il existe vraiment un problème (ou une occasion) qui exige une action de gestion. Cette étape enclenche vraiment le processus. Parfois, il est simple de reconnaître le problème, dans le cas d'une machine qui tombe en panne, par exemple. Toutefois, à d'autres moments, le problème ou l'occasion ne sont pas aussi évidents. Par exemple, pourquoi le gestionnaire n'a-t-il pas prévu la panne? Et qu'en est-il d'une situation où un nouveau service (ou une nouvelle possibilité) peut être offert et peut avoir des répercussions positives sur la satisfaction de la clientèle et le rendement commercial?

2. *Cerner le problème* On dit souvent qu'un «problème bien défini est à moitié résolu». Cette étape est essentielle au processus décisionnel, car si la cause du problème n'est pas clairement repérée, le gestionnaire peut gaspiller beaucoup de temps, d'énergie et d'argent. Naturellement, le problème n'est pas toujours manifeste. Prenons le cas d'un mal de tête, par exemple: bien souvent, il ne s'agit pas du problème même, mais du symptôme du problème. Songez au patient qui souffre de tension artérielle élevée (le véritable problème), mais qu'on opère d'une tumeur au cerveau! Cerner un problème est certainement l'étape la plus importante du processus décisionnel, puisque toutes les étapes ultérieures n'ont pas de sens si la cause véritable n'est pas décelée.

3. *Obtenir les faits et l'information* Cette étape est étroitement reliée à la précédente. Plus

le gestionnaire obtient d'informations sur un problème ou une occasion, plus il est enclin à prendre les bonnes décisions. L'information aide les gens à mieux diagnostiquer une situation. Les gestionnaires obtiennent ainsi une compréhension plus complète des sources véritables du problème, ce qui leur permet d'en repérer les causes plus exactement. Ils doivent toujours interroger différentes personnes directement ou indirectement relativement à la situation qui les occupe. Pour en revenir au problème de la machine en panne, le gestionnaire voudra s'entretenir avec l'opérateur, appeler le fournisseur et le préposé au service, et lire le manuel d'instructions.

4. *Analyser l'information* La collecte des faits mène à l'analyse, à l'interprétation et au diagnostic. À ce stade, le gestionnaire doit distinguer entre l'information essentielle et celle qui est de moindre importance, tout en séparant les faits des opinions. Plus les gestionnaires obtiennent de renseignements, plus ils peuvent définir d'options, et plus efficaces seront-ils lors de l'évaluation des conséquences positives ou négatives de chaque option. Il se peut qu'un gestionnaire désire obtenir les conseils d'autrui, afin de cerner les points essentiels qui causent un problème ou qui conduisent à profiter d'une occasion. Les médecins ne le font-ils pas lorsqu'ils demandent une deuxième, voire une troisième opinion?

5. *Énoncer les solutions* Une fois la situation bien établie, l'étape suivante consiste logiquement à mettre au point un certain nombre de solutions créatrices ou novatrices. La mise au point de solutions comporte l'avantage d'atténuer la tentation d'agir trop rapidement. Afin d'évaluer les situations plus complexes, un gestionnaire peut organiser des séances de remue-méninges au cours desquelles des personnes émettent des idées sur le genre de solutions les mieux aptes à résoudre un problème donné. Il ne s'agit pas ici d'analyser les solutions, mais bien de les énoncer. Certaines options peuvent sembler absurdes, mais cela se réglera lorsque les gestionnaires se pencheront sur celles qui sont viables. Dans le cas de la machine en panne, les options peuvent consister simplement à changer une pièce ou à remplacer la machine (en acheter ou en louer une autre).

6. *Évaluer les solutions* Cette étape vise à analyser les avantages et les inconvénients de chaque solution, afin de choisir celle qui résoudra le mieux le problème. Chaque solution est examinée et jugée selon sa faisabilité. De nombreuses questions surgissent à ce stade. Combien cela coûtera-t-il? Qu'adviendrait-il dans chaque cas? Quels sont les risques? Qu'en est-il des profits? Quels sont les effets qualitatifs et quantitatifs de chaque solution?

7. *Prendre la décision* Il s'agit probablement de l'étape la plus facile du processus décisionnel si toutes les étapes précédentes se sont bien déroulées. Elle devrait découler automatiquement de la sixième étape. Après avoir classé les solutions dans l'ordre décroissant d'intérêt, les gestionnaires choisiront celle qui semble la plus économique, c'est-à-dire celle qui conduit à résoudre le problème ou à saisir l'occasion sans gaspiller de ressources.

8. *Appliquer la décision* Jusqu'ici, les gestionnaires se sont adonnés à une suite d'exercices intellectuels. Le problème n'est pas résolu, ni l'occasion saisie tant que des mesures ne sont pas adoptées, ce qui exige une certaine planification. Bref, la décision doit être soutenue par un plan d'exécution afin d'assurer l'atteinte des objectifs, c'est-à-dire résoudre le problème ou profiter de l'occasion. En certaines circonstances, le processus peut se révéler relativement aisé. S'il s'agit simplement de remplacer les pièces d'une machine, un appel peut suffire. Toutefois, remplacer la machine exige une analyse plus approfondie des coûts, de la formation et de l'effet éventuel sur les autres processus, ainsi que de la réaction des travailleurs qui utiliseront la machine, notamment. L'application se complique encore davantage lorsque de nombreux employés et unités organisationnelles sont touchés, et qu'il faut intégrer un nombre considérable d'éléments. Les employés touchés par une telle décision peuvent alors participer au processus décisionnel, ce qui peut réduire le niveau d'anxiété, de crainte et de résistance au changement, et également contrer les conséquences négatives qui pourraient provenir de l'insécurité et de la peur de l'inconnu, puisque les employés seraient mieux renseignés et auraient leur mot à dire dans la façon dont la décision est appliquée. Les gestionnaires qui s'attaquent à des problèmes complexes peuvent recourir à des outils particuliers de prise de décisions, notamment le modèle mis en file d'attente, le modèle de gestion des stocks, la programmation linéaire, l'analyse du seuil de rentabilité, la matrice de gains, l'analyse des probabilités, l'arbre décisionnel, la recherche opérationnelle, la budgétisation des investissements, le modèle de simulation et la théorie des jeux.

9. *Évaluer et faire le suivi* Toute décision doit être vérifiée afin de déterminer à quel point le problème a été résolu et si l'application s'est bien déroulée. Simplement, le gestionnaire doit savoir ce qui s'est passé et ainsi pouvoir évaluer l'efficacité de la décision et apporter les changements nécessaires. Le suivi fournit également au gestionnaire des renseignements sur la manière de traiter les situations semblables à l'avenir.

UN ENJEU COMMERCIAL ACTUEL

La prise de décisions

L'entreprise aguerrie Apple Computer Inc. doit lancer trois ordinateurs Macintosh à bas prix cet automne, afin de réduire la portée de récentes attaques par les entreprises rivales IBM Corp. et Microsoft Corp. Apple refera son entrée sur le marché des ordinateurs domestiques en octobre, grâce à un ordinateur de taille et de puissance réduites appelé le Macintosh Classic qui pourrait se vendre moins de 900 $ US, selon les rapports qui proviennent de ce secteur d'activité et de la presse informatique, ce qui représente 500 $ US de moins que le principal produit Apple, le Macintosh Plus.

On s'attend également qu'Apple lance un nouvel ordinateur en couleurs, appelé le Pinball, qui comprend le son numérisé, pour 3 000 à 4 000 $ US. Un troisième modèle, le Macintosh LC, se vendra environ 2 000 $ US au début de l'année prochaine. Le LC sera compatible avec les logiciels conçus pour l'ordinateur domestique initial Apple II.

Les représentants d'Apple ne font aucun commentaire sur ces rumeurs. Mais les analystes qui disent connaître certains de ces nouveaux ordinateurs sont heureux de l'arrivée de ces appareils sur le marché. John Murphy, analyste pour le compte des consultants Wohl and Associates de Philadelphie, affirme que les nouveaux produits feront taire les critiques qui déploraient qu'Apple ait tourné le dos au marché de masse. Selon Murphy, « Apple avait désespérément besoin d'établir sa présence au sein du marché de l'éducation, et ensuite, de servir de nouveau modèle dans le monde des affaires. »

De nombreux acheteurs dans les sociétés ont été détournés d'Apple en raison du nouveau programme Windows de Microsoft, qui offre aux ordinateurs économiques IBM compatibles des caractéristiques autrefois uniques à Apple, notamment un simple menu de commandes. Lucianne Painter, de Salomon Brothers Inc. à San Francisco, a déclaré que les nouveaux produits semblent adéquats, mais qu'elle demeurait prudente. « Ils auront à relever le défi de jongler avec les dépenses et les marges », de dire Mme Painter.

Les ordinateurs d'utilisation facile d'Apple ont toujours procuré une marge bénéficiaire brute de quelque 50 p. 100, jusqu'à 10 points supérieure à celle d'autres concurrents. « Vous ne pouvez passer d'un Macintosh de 10 000 $ à un Macintosh de 1 000 $ et conserver les mêmes marges. » Mme Painter ne recommande pas l'achat d'actions d'Apple en raison de l'incertitude des nouveaux produits. « À court terme, il existe de nombreuses difficultés. Réussiront-ils ? »

Mme Painter se déclare satisfaite qu'Apple garde également ses produits haut de gamme. « Je craignais qu'ils n'abandonnent ce volet des affaires, mais manifestement, ce n'est pas leur intention. »

Source : Traduit de Mike Urlocker, « Apple to Launch New Low-cost Units », *The Financial Post*, 15 août 1990, p. 5.

RÉSUMÉ

Sommaire

1. La gestion est un processus de planification, d'organisation, de direction et de contrôle du travail des gens au sein des organisations, afin d'atteindre les objectifs organisationnels. La gestion est importante, car les gestionnaires doivent atteindre le plus haut niveau de rendement (efficacité) à l'aide du minimum de ressources (efficience).

2. Les quatre fonctions de gestion sont : la **planification**, qui consiste à définir les objectifs et à mettre au point les plans pertinents ; l'**organisation**, qui concerne la mise en place d'une structure organisationnelle ainsi que la relation entre les personnes et les autres ressources ; la **direction**, qui est axée sur la motivation des employés et la mise sur pied du milieu de travail le plus favorable ; et le **contrôle**, qui consiste à surveiller le rendement afin d'assurer la réalisation des objectifs et des plans.

3. Les trois niveaux de gestionnaires correspondent aux cadres subalternes (superviseurs), aux cadres intermédiaires (administrateurs) et aux cadres supérieurs (vice-présidents).

4. Pour être efficaces, les gestionnaires doivent posséder trois sortes de compétences : les **compétences conceptuelles**, qui confèrent l'aptitude à analyser et à résoudre des problèmes complexes ; les **compétences psychologiques**, qui ont trait aux communications et aux interactions avec autrui ; et les **compétences techniques** qui aident les gestionnaires à s'occuper du matériel, des processus et des tâches précises.

5. L'importance des quatre fonctions de gestion et des trois sortes de compétences en gestion varie entre les trois niveaux de gestionnaires. Par exemple, la fonction de planification et les compétences conceptuelles importent davantage aux cadres supérieurs, tandis que la fonction de direction et les compétences techniques sont plus importantes aux cadres subalternes.

6. Les rôles du gestionnaire se divisent en trois catégories, soit les rôles interpersonnels, informationnels et décisionnels.

7. La prise de décisions consiste à choisir une ligne de conduite parmi plusieurs solutions, qui conduira une entreprise vers le résultat final escompté.

8. Il existe deux catégories de décisions de gestion : les **décisions programmées**, qui sont des solutions aux problèmes courants déterminées par la marche à suivre, et les **décisions non programmées**, qui sont des solutions spéciales créées afin de résoudre des problèmes uniques, non répétitifs.

9. Les neuf étapes du processus décisionnel et de la résolution de problèmes sont: reconnaître l'existence du problème, cerner le problème, obtenir les faits et l'information, analyser l'information, énoncer les solutions, évaluer les solutions, prendre la décision, appliquer la décision, et finalement évaluer et faire le suivi.

Notions clés

L'efficacité

L'efficience

L'organisation

La direction

La gestion

La planification

La prise de décisions

La résolution de problèmes

Le contrôle

Les compétences conceptuelles

Les compétences psychologiques

Les compétences techniques

Les décisions non programmées

Les décisions programmées

Les rôles décisionnels

Les rôles informationnels

Les rôles interpersonnels

Exercices de révision

1. Que signifie le terme **gestion** ?

2. Établissez une distinction entre efficience et efficacité.

3. Pourquoi traite-t-on souvent la gestion de **processus** ?

4. Détaillez le profil du gestionnaire aux trois niveaux de gestion.

5. Traitez des trois sortes de compétences en gestion.

6. Quelle est la relation entre, d'une part, les fonctions de gestion et les compétences en gestion et, d'autre part, les niveaux de gestionnaires?

7. Analysez les trois rôles du gestionnaire selon Mintzberg.

8. Quelle est la relation entre la prise de décisions et la résolution de problèmes?

9. Quelle est la différence entre les décisions programmées et les décisions non programmées?

10. Indiquez les étapes du processus décisionnel.

Matière à discussion

1. «La plupart des gens se présentent au travail bien préparés, bien motivés et désireux d'atteindre leur potentiel. L'un des principaux enjeux des années 1990 sera d'aider les gestionnaires à comprendre que le travail de ces derniers ne consiste pas à superviser ni à motiver, mais bien à libérer et à donner plus de latitude.» Êtes-vous d'accord avec cet énoncé? Pourquoi ou pourquoi pas?

2. À l'avenir, les décisions importantes ne seront pas réservées uniquement aux gestionnaires, les employés de base auront également leur mot à dire. Est-ce réaliste? Pourquoi ou pourquoi pas?

Exercices d'apprentissage

1. La gestion

Danièle Aubry vient d'être nommée directrice du service de la recherche de marché. Après avoir œuvré durant six ans au sein de ce service, elle a maîtrisé les aspects techniques de son poste et jouit d'une très bonne réputation auprès d'un certain nombre de directeurs clés de l'entreprise. Comme quelqu'un l'a fait remarquer: «Danièle ira loin dans l'entreprise. Elle a le don de voir les choses lucidement et de trouver des solutions sensées. Elle travaille de nombreuses heures et est loyale à l'entreprise. Je ne crois pas qu'on puisse en demander guère plus à un employé.»

Lorsque le poste de directeur s'est libéré au service de la recherche de marché, le choix a été spontané. Bien que le service compte près de 12 employés, seuls deux ont postulé l'emploi. L'opinion favorable qu'avait le directeur principal de Danièle était bien connue de nombreuses personnes au sein de l'organisation.

Presque six mois après avoir obtenu le poste de directrice, le rendement de Danièle a commencé à prêter à la controverse. La productivité du service était à la baisse, le moral des employés était en chute libre et les directeurs des autres services commençaient à craindre de faire affaire avec elle. Nombreux sont ceux qui croyaient qu'elle travaillait fort — c'était une perfectionniste extrêmement dévouée à l'entreprise. Mais beaucoup d'autres jugeaient Danièle trop ambitieuse et égocentrique, ce qui influait sur ses relations avec ses pairs et ses subalternes. Un analyste de recherche l'a décrite de la façon suivante: «Avant sa promotion, nous avions de bonnes communications et nous nous entendions bien avec elle. Nous avions l'habitude de prendre nos repas du midi plusieurs fois par semaine ensemble, et de nous aider lorsque nous avions des problèmes. Aujourd'hui, elle semble distante et s'est isolée dans son bureau. Elle nous traite de haut et notre relation est glaciale. »

Questions

1. Selon vous, quelle est la cause du changement négatif du rendement de Danièle ?
2. Qu'aurait dû faire l'entreprise ?
3. Que devrait faire l'entreprise ?

2. La prise de décisions

Lors d'une réunion d'un comité de gestion, Jean Dobec, P.-D.G. chez un important producteur canadien de matériel électronique, a déclaré ce qui suit:

«Le temps est maintenant venu pour nous d'envisager de nouvelles façons de nous structurer. Nous sommes très centralisés et cela laisse peu de latitude à nos cadres intermédiaires et subalternes en vue de communiquer efficacement et de prendre des décisions. Depuis quinze ans, nous avons la même structure et je crois fermement qu'afin d'être en mesure de faire face à la concurrence en Amérique du Nord et à l'étranger, nous devons passer de notre méthode autoritaire actuelle à une méthode de prises de décisions partagées, à un nivellement de la pyramide, au comblement du fossé culturel, à l'octroi de plus de renseignements aux employés et à une plus grande ouverture d'esprit. Voilà ma vision de notre organisation, et c'est le seul chemin à emprunter si nous voulons améliorer la productivité, atteindre un niveau de production sans défaillance et offrir à tous les employés un milieu de travail qui favorise la créativité, l'innovation et la loyauté. Aller dans cette direction sera un long processus qui exigera beaucoup de travail. Nous n'avons pas le choix, nous ne pouvons tout simplement pas manœuvrer dans les années 1990 et nous diriger vers le XXIe siècle avec une méthode de gestion vieille de 20 ans. »

Questions

1. Que pensez-vous de la déclaration de M. Dobec ?
2. Comment procéderiez-vous à tous les changements proposés par M. Dobec ?

CHAPITRE

6

PLAN

La discipline de gestion
    L'évolution de la discipline de la gestion

Un point de vue : le style de gestion

La fonction de planification
    L'importance de la planification

Le profil et les composantes de la planification
    Les objectifs
    La gestion par objectifs
    Les plans
    Le processus de planification
    Les plans auxiliaires

Un enjeu commercial actuel : la planification stratégique

La fonction d'organisation

La fonction de direction

La fonction de contrôle
    Le processus de contrôle
    Les types de contrôle
    Les qualités des contrôles efficaces
    Les techniques de contrôle

Un point de vue : le contrôle

Résumé

LES FONCTIONS
DE GESTION

Les objectifs du chapitre

Après avoir lu le présent chapitre, vous pourrez :

1. décrire l'évolution de la discipline de gestion ;

2. décrire la nature et l'importance de la fonction de planification ;

3. expliquer les étapes et les composantes principales de la fonction de planification ;

4. analyser des éléments de la fonction d'organisation ;

5. résumer les éléments intrinsèques de la fonction de direction ;

6. expliquer la notion de contrôle et le processus du contrôle ;

7. déterminer les catégories de contrôle et les techniques de contrôle les plus importantes.

Il y a quelque soixante ans, J. A. Bombardier perdait son fils de deux ans, décédé par suite d'une appendicite parce que les médecins de campagne n'étaient pas en mesure de se déplacer assez vite en hiver sur le sol accidenté du Québec. Après cette tragédie, M. Bombardier a expérimenté plusieurs modes de transport avant finalement de mettre au point un véhicule voisin du tank appelé « autoneige » et qu'il a baptisé Ski-Doo. Cette découverte a lancé Bombardier dans le commerce des véhicules de consommation et donné naissance à un nouveau sport.

Grâce au succès du Ski-Doo, l'entreprise a prospéré et est devenue une puissance mondiale du transport collectif. De nos jours, Bombardier réalise un chiffre d'affaires de deux milliards de dollars par année et jouit d'une réputation de chef de file dans le secteur du transport. En 1974, l'entreprise est entrée dans le commerce du transport collectif, lorsqu'elle a acheté la technique française en vue de fabriquer 423 wagons destinés à l'expansion du métro de Montréal. En 1978, Bombardier a construit les trains LRC (légers, rapides et confortables) à l'intention de VIA Rail, ce qui a fourni à l'entreprise la possibilité de bénéficier des techniques ferroviaires novatrices. En 1981, Bombardier a construit le révolutionnaire TGV (train à grande vitesse) destiné au parcours Paris-Lyon. Un an plus tard, l'entreprise a vendu 825 wagons de métro, en acier inoxydable et à l'épreuve des graffiti, à la ville de New York. En 1986, Bombardier a diversifié ses activités vers l'industrie aérospatiale lorsqu'elle a acquis Canadair Inc. qui se trouvait dans une situation difficile et qui appartenait au gouvernement fédéral. L'année suivante, elle a produit 72 voitures de monorail pour Disney World. En 1989, Canadair a conçu une nouvelle version allongée du jet d'affaires Challenger destinée à des corridors aériens plus longs et moins encombrés. Aujourd'hui, l'entreprise prévoit construire un train à grande vitesse qui roulera à 300 kilomètres à l'heure dans le corridor entre Québec et Windsor, à un coût estimé à 5 milliards de dollars.

Les réussites répétées de Bombardier ne doivent rien au hasard ni aux coïncidences. L'essence de son succès se fonde en grande partie sur une combinaison de solides pratiques de gestion en matière de planification, d'organisation, de direction et de contrôle.

Du côté de la **planification**, Bombardier semble bien savoir le genre d'entreprise qu'elle est, et ne le perd pas de vue. Un analyste financier a déjà dit: «Bombardier est constamment à la recherche des meilleures techniques, des meilleures conceptions, de licences exclusives ou de l'achat d'entreprises. Son expérience a toujours

consisté à fabriquer et à commercialiser, et l'entreprise s'est édifiée sur ces forces.» Un autre conseiller de Bombardier pense que les risques calculés ont été pris au bon moment lorsque l'entreprise se lançait dans de nouveaux secteurs d'activités.

Il ne fait aucun doute que l'entreprise est également bien **organisée**. Sinon, comment une compagnie qui compte des usines au Canada, aux États-Unis, en Autriche, en Belgique, au Royaume-Uni, en Finlande, en Suède et en France et qui emploie au-delà de 22 000 personnes peut-elle afficher une croissance durable importante tant dans les ventes que les bénéfices, dans quatre secteurs distincts: l'aérospatiale, la défense, le matériel de transport et les produits de consommation motorisés? Bombardier semble posséder le talent de conserver une organisation à rendement élevé et axée sur le changement, dotée d'une grande énergie et de synergie.

En ce qui a trait à la **direction**, les cadres supérieurs articulent une vision et définissent la voie à suivre de l'entreprise, tout en mettant à contribution l'esprit d'initiative, l'autonomie, l'affirmation de soi et un engagement à l'excellence. Dans le milieu actuel soumis à la concurrence, une entreprise ne peut être chef de file d'un secteur de pointe si elle dirige une organisation avec une mentalité bureaucratique.

De tels projets à grande échelle exigent de l'entreprise d'exercer des **contrôles** efficaces. Autrement, comment un organisme mondial peut-il être en mesure de gérer des mégaprojets et de célébrer de telles réalisations? Laurent Beaudoin est aux commandes de l'entreprise Bombardier. Il est très conscient des possibilités du marché et sait que les transports en commun deviennent une réalité de plus en plus incontournable. Comme il le souligne: «Bombardier peut constituer l'instrument d'une partie de la solution.» Cette affirmation prouve que M. Beaudoin comprend son milieu et le rôle que doit jouer l'entreprise à l'avenir si elle veut saisir les occasions qui se présenteront au seuil du XXIᵉ siècle.

LA DISCIPLINE DE GESTION

La gestion est une discipline. Déplacer des organisations à grande échelle d'un point vers un autre exige des gens et des méthodes disciplinés. Afin d'exécuter cette tâche noble et gigantesque, les gestionnaires doivent recourir à un agencement de techniques de planification efficaces, de structures organisationnelles orientées vers les résultats, de bonnes méthodes de motivation et de techniques de contrôle axées sur l'information.

Beaucoup considèrent la gestion comme une profession, au même titre que le droit, la médecine, la comptabilité et le génie. Ces professions se fondent sur un ensemble de connaissances et de principes, et la gestion ne fait pas exception à la règle. Les principes de gestion sont établis sur une vaste réserve de renseignements qui s'est construite à partir de la recherche liée à la gestion, au cours du siècle dernier. Il est vrai que pour gérer divers services d'une entreprise, il existe une « meilleure façon » d'exécuter certaines tâches. Par exemple, on peut planifier les activités d'une fabrique de façon économique. Certains principes de base acceptés décrivent la manière de structurer un organisme de 10 000 ou de 100 000 employés. Il existe une façon très appropriée d'influencer les gens et d'encourager le travail d'équipe afin de provoquer le genre de synergie qui mène les personnes et les entreprises vers des niveaux plus élevés d'accomplissement. Nombre de techniques et de processus ont été mis à l'essai afin de mesurer le rendement individuel et organisationnel. Au cours du siècle dernier, de nombreux observateurs chevronnés ont fait l'expérience des idées, des processus, des méthodes et des techniques de la gestion en vue de déterminer la meilleure façon de pratiquer la gestion. Ces connaissances ont été transmises aux générations suivantes de gestionnaires.

Avant d'examiner certaines découvertes qui ont conduit les gestionnaires contemporains à utiliser des méthodes et des techniques de gestion plus efficaces, jetons un coup d'œil à la gestion dans le cadre d'une profession. J. P. Barger a décrit le terme « professionnel » de la façon suivante : « L'une des façons de naître d'une "profession" résulte de la mise au point d'une compréhension fondamentale ou théorique sous-jacente des activités courantes de cette profession. À mesure que la connaissance et les compétences mises au point deviennent plus descriptibles, chaque génération peut enseigner à la suivante. Une masse de documentation voit le jour, des centres d'enseignement se créent afin de préparer les novices, et des normes d'exécution, de conduite et de morale apparaissent. La profession devient plus "professionnelle"[1]. »

Une quantité substantielle de recherches et d'efforts a servi à assurer le progrès dans le domaine de la gestion et à rendre les gestionnaires plus professionnels. Les études axées sur la recherche offrent aux gestionnaires des compétences régularisées et reconnaissables, enseignées tout comme celles de la médecine, du droit et du génie. Les universités et les collèges enseignent désormais les **notions** de gestion, idées abstraites généralisées à même un cas particulier, les **principes** de gestion, convictions ou propositions générales qui servent de guide à l'action gestionnelle, les **lois** de gestion, énoncés de ce qui surviendrait dans certaines conditions et, en se fondant sur ces preuves, la manière dont la gestion doit se **pratiquer**.

Des études ont démontré que la gestion est à la fois art et science. Il s'agit d'un **art**, car les gestionnaires se fient à leur comportement et à leur jugement, ainsi qu'à leur expérience, afin de provoquer les résultats escomptés. Cela importe,

---

1. J. P. Barger, ancien président de Dynatech Corp., dans *Handbook of Business Administration*, H. B. Maynard (éd.), McGraw-Hill, New York, 1967, p. 1-3.

car les gestionnaires doivent fonctionner dans des situations souvent exceptionnelles qui exigent créativité, habileté et **savoir-faire**. Ils sont en interaction constante avec les gens. Ils assument la responsabilité d'encourager, d'inspirer et d'instruire leurs subalternes dans un seul but : obtenir un rendement supérieur afin d'atteindre un objectif commun.

La gestion est également une **science** puisque les gestionnaires doivent être logiques et analyser l'information en vue de prendre des décisions. Il leur faut un bagage de connaissances qu'ils peuvent utiliser au travail. Par exemple, lorsque les gestionnaires examinent un problème ou qu'ils évaluent une possibilité, ils parviendront à une solution en analysant tous les faits reliés à une situation donnée. La gestion emprunte à de nombreuses disciplines, dont la psychologie, les mathématiques, l'économie politique, la sociologie et le génie.

✳ Tout simplement, l'art enseigne aux gens «comment» faire les choses, et la science, «ce qu'il faut savoir» afin d'exécuter le travail. Les gestionnaires doivent recourir à un agencement des deux, dans des proportions variées, selon la situation. En général, lorsque les gestionnaires exercent leurs compétences analytiques au cours du processus décisionnel, ils se fieront aux aspects scientifiques de la gestion. Mais lorsqu'ils communiquent avec les gens ou les motivent, la méthode de gestion prend une dimension artistique et, par conséquent, le gestionnaire doit se fier à son intuition et à son jugement.

L'évolution de la discipline de la gestion

Depuis de nombreux siècles, les grandes civilisations pratiquent la gestion. Par exemple, les Égyptiens ont édifié d'immenses pyramides qui nécessitaient des talents de planification et d'organisation. Les Romains se sont lancés dans des entreprises commerciales complexes, ont instauré

un gouvernement civil et ont mobilisé un réseau militaire à nul autre pareil. La vision architecturale des Grecs a pris forme lorsqu'ils ont créé la main-d'œuvre spécialisée et le salaire aux pièces. Les Chinois disposaient d'armées organisées (le traité militaire le plus ancien est l'*Art de la guerre*, de Sun Tzu et qui remonte à 500 av. J.-C. ; beaucoup plus tard, en Italie, Machiavel, dans son ouvrage *Le Prince*, a décrit les principes de gestion fondamentaux).

Malgré ces réalisations précoces, ce n'est qu'au siècle dernier que les théoriciens du domaine de la gestion se sont systématiquement consacrés à la recherche afin de révéler comment exécuter le meilleur travail de gestion. La figure 6.1 indique l'évolution des principales écoles de gestion qui ont influé sur cette discipline. On peut les regrouper sous quatre rubriques : classique, behavioriste, quantitative et moderne.

L'école classique de gestion

Deux méthodes de gestion sont issues du mouvement classique. D'abord, la **méthode scientifique**, qui a émané de la révolution industrielle. Cette école se fonde sur l'hypothèse qui veut que la gestion se fasse de façon logique et structurée. Elle est principalement axée sur les micro-aspects de la gestion, soit au niveau de l'usine. Les stimulants pécuniaires sont perçus comme le principal facteur nécessaire à l'amélioration de l'efficacité de l'usine et de la motivation des ouvriers. Les tenants les plus importants du mouvement de gestion scientifique sont Frederick Taylor, Henry Gantt, Lillian et Frank Gilbreth et Harrington Emerson.

La **méthode administrative** constitue la deuxième école, et s'articule autour des macro-aspects de la gestion, qui touchent les principes, les systèmes, les structures et les règles. Parmi les partisans de ce mouvement, on trouve Henri Fayol, Max Weber, Lyndall Urwick et Chester Barnard.

FIGURE 6.1
L'évolution de la discipline de gestion

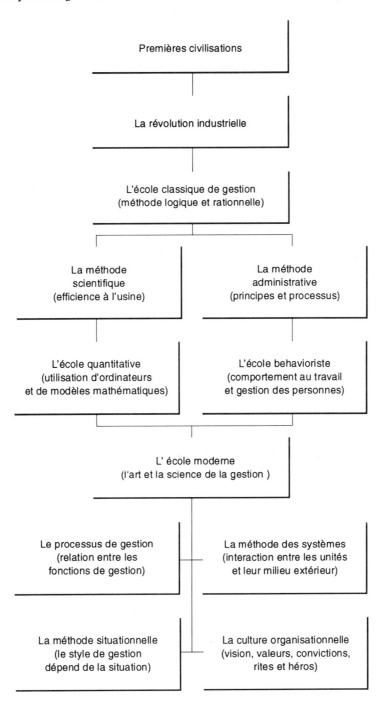

L'école behavioriste de gestion

Les opposants au mouvement classique trouvaient que le facteur humain ne faisait pas l'objet d'une attention suffisante, que les gens ne sont pas seulement motivés par la nature et la marche à suivre du travail, mais aussi par les relations humaines, le comportement individuel et de groupe. Ils désiraient souligner l'accomplissement personnel. Les chercheurs et auteurs les plus célèbres au chapitre du comportement humain sont Hugo Münsterberg, Mary Parker et Elton Mayo. Leurs études ont permis de faire davantage cas du comportement de direction popularisé par Douglas McGregor (les théories X et Y), Rensis Likert (les quatre systèmes de gestion), Robert Tannenbaum et Warren Schmidt (la continuité de la direction), de même que Blake et Mouton (la grille de gestion)[2].

L'école quantitative de gestion

Dans son essence, cette école résulte de la méthode scientifique. Grâce à l'utilisation d'ordinateurs ultrarapides, de modèles mathématiques complexes, de la simulation de problèmes aux multiples facettes et de l'application de calculs subtils, les gestionnaires sont devenus des décideurs plus efficaces dans une vaste gamme d'opérations commerciales, dont la gestion des stocks, la budgétisation des investissements, le calendrier de travail et les réseaux de distribution, afin d'utiliser de façon optimale les ressources humaines et matérielles d'une installation industrielle.

L'école moderne de gestion

La complexité de la gestion des établissements modernes a mené récemment à la découverte de nouvelles méthodes de gestion réparties en quatre groupes.

1. Premièrement, le **processus de gestion** souligne la relation et l'interdépendance importantes des quatre fonctions de gestion : la planification, l'organisation, la direction et le contrôle.

2. Deuxièmement, la **méthode des systèmes** se fonde sur l'hypothèse qui veut que les entreprises fonctionnent non pas en système fermé, mais ouvert. La méthode des systèmes applicable à la gestion laisse entendre que toutes les unités comme le marketing, la production ou les finances sont interdépendantes (à l'instar des systèmes nerveux, digestif ou musculaire du corps humain). En outre, puisque les entreprises sont considérées comme des agents de traitement, c'est-à-dire qu'elles traitent des intrants (par exemple, le matériel, la machinerie, les équipements, l'effort humain, l'argent) qui deviennent des extrants (produits et services), il existe un lien direct entre le milieu extérieur et l'entreprise (tout comme l'organisme humain est influencé par le climat).

3. Troisièmement, la **méthode situationnelle** aborde la façon dont les gestionnaires devraient diriger les entreprises. Les tenants des théories situationnelles prétendent que le comportement et la méthode du gestionnaire dépendent de la situation donnée. Les chercheurs qui ont popularisé les théories situationnelles sont Fred Fiedler (la théorie de la contingence), Martin Evans et Robert House (le modèle trajet-but), Victor Vroom et Philip Yetton (le modèle de décision de direction), ainsi que Paul Hersey et Kenneth Blanchard (la théorie du cycle de vie).

4. Quatrièmement, les plus récentes théories de gestion soulignent l'importance d'une solide **culture organisationnelle**, des valeurs et des convictions partagées, des rites et des héros. La recherche actuelle a suscité un intérêt considérable en gestion qui s'est traduit par de nouvelles idées et méthodes de gestion.

Le reste du présent chapitre se penche sur les quatre fonctions de gestion qui ont été brièvement décrites au chapitre 5 : la planification, l'organisation, la direction et le contrôle. Les

---

2. Un plus grand nombre de ces auteurs et de leurs théories figure au chapitre 7, *La gestion des relations humaines*, sous la section *Les styles de leadership*.

diverses écoles de gestion ont profondément influencé la façon dont les gestionnaires exécutent ces fonctions. Le présent chapitre décrit plus en détail les fonctions de planification et de contrôle, tandis que les fonctions d'organisation et de direction sont traitées en détail dans la troisième partie, *La gestion des ressources humaines*.

UN POINT DE VUE

Jean-Marie Descarpentries, président de CMB Packaging

Le style de gestion

La pyramide aplanie du président du SAS, Jan Carlzon, constitue le futur style de gestion. Il ne s'agit pas d'une astuce, mais bien d'une invention géniale : vous ne régnez pas sur les gens depuis le sommet, vous les dirigez. Vous leur procurez vision et assistance. Par le passé, si une unité de l'entreprise connaissait des difficultés, les personnes au sommet dictaient les mesures à adopter. Aujourd'hui, nous aidons d'abord le directeur de l'unité fonctionnelle dans ses tentatives de régler les problèmes. Une seule décision importe : celle de le remplacer ou non. Il faut le laisser régler les choses à sa façon, sinon, l'entreprise ne fonctionne pas assez rapidement. La pyramide aplanie contient une foule de personnes motivées parce que vous leur accordez plus de responsabilités et de confiance.

Dans notre entreprise, nous constituons une communauté d'entrepreneurs, dont les meilleurs proviennent de petites et de moyennes entreprises — ils ont l'habitude d'agir rapidement et de créer de nouveaux produits. Habituellement, les gens tentent d'améliorer les disponibilités existantes. Mais vous ne pouvez fonctionner rapidement de cette manière. Nous voulons 90 p. 100 d'entrepreneurs et 10 p. 100 d'optimiseurs. Dans la plupart des entreprises, le contraire se produit.

Source : Traduit de Shawn Tully, « Today's Leaders Look to Tomorrow », *Fortune*, 26 mars 1990, p. 42.

LA FONCTION DE PLANIFICATION

La planification est la fonction de gestion qui traite de l'énoncé des objectifs de l'entreprise et de la définition de la meilleure ligne de conduite pour les atteindre. La planification efficace est axée sur l'avenir et se fait de façon systématique. À la mise au point de leurs plans, les gestionnaires doivent reconnaître les limites qui leur sont imposées par les milieux externe et interne. La planification confère à la gestion un but et une orientation, car elle souligne ce qui doit être fait, **quand** et **comment** l'accomplir, et **qui** doit être responsable de le faire.

Comme l'indique la figure 6.2, la planification est l'activité qui aide les gestionnaires à décider **maintenant** de l'endroit où ils désirent que leur entreprise se situe **demain**, et qui les oblige à se poser quatre questions fondamentales :

1. Quelle est notre situation actuelle (forces et faiblesses organisationnelles), et à quoi ressemblera le milieu externe (possibilités et menaces) à l'avenir ? Il s'agit donc de l'analyse des FFPM (forces, faiblesses, possibilités et menaces).

**FIGURE 6.2
La nature
de la planification
gestionnelle**

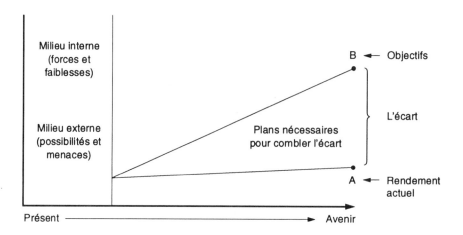

2. Que désirons-nous accomplir dans un proche avenir et à plus long terme (objectifs) ?

3. Quels plans faut-il pour combler l'écart entre là où nous sommes présentement, et là où nous désirons aller (du point A au point B) ?

4. Qui va mettre en œuvre les plans, et quand (affectation des ressources et des responsabilités) ?

Afin d'illustrer le fonctionnement de cette démarche, examinons la situation d'une entreprise qui désire lancer un nouveau produit de consommation dans le marché. Les premiers éléments que la gestion voudra analyser seront les possibilités et les menaces qui accompagnent l'aventure. En ce qui a trait aux possibilités, l'entreprise examinera le marché éventuel et la réponse possible des consommateurs au produit dans les divers marchés où celui-ci sera vendu. La gestion analysera également les risques comme la concurrence et les règles imposées par le gouvernement (tarifs douaniers, taxes, etc.) ainsi que le contexte économique. Si l'analyse s'avère favorable, la gestion examinera ses forces compétitives, notamment son image, son réseau de distribution et ses coûts, ainsi que ses faiblesses, peut-être son équipe et son service de vente. L'analyse des milieux externe et interne peut se révéler avantageuse et conduire l'entreprise à entreprendre le projet.

L'étape suivante consiste à formuler des objectifs réalistes qui feront passer l'entreprise du point A au point B (voir figure 6.2). Afin de combler l'écart, l'entreprise mettra au point des plans déterminés qui la propulseront dans la bonne direction. La gestion examinera certainement diverses options relativement au réseau de distribution, aux programmes de promotion et aux stratégies de prix, et choisira celles qui sont le plus rentables.

L'importance de la planification

La planification est importante pour les raisons suivantes. D'abord, les gestionnaires ne se précipitent pas dans une situation puisqu'ils doivent examiner les nombreuses options disponibles et choisir celle qui est la plus **efficace**.

Ensuite, la planification assure la **convergence des efforts**. Par exemple, le marketing, la fabrication et les finances sont des entités indépendantes qui exigent des efforts coordonnés si l'on veut mettre en œuvre des projets et des plans de manière organisée. La planification incite les gestionnaires de différentes unités organisationnelles à communiquer, à s'informer l'un l'autre de ce qui sera fait, et quand. De plus, la planification permet à la gestion non seulement de réagir aux changements, mais d'**agir** efficacement face aux possibilités et aux menaces. La planification réduit l'ampleur des surprises et permet à la gestion d'intervenir si des changements se produisent.

Finalement, la planification **facilite les contrôles**. Comment peut-on contrôler une action qui n'a pas été planifiée? La planification permet de fixer des objectifs, et les contrôles aident à la réalisation de ces objectifs.

LE PROFIL ET LES COMPOSANTES DE LA PLANIFICATION

Le tableau 6.1 montre que la planification est une fonction pratiquée par les gestionnaires à tous les niveaux des entreprises. Chacun assume la responsabilité d'énoncer des objectifs et de préparer des plans. La nature des objectifs et des plans relativement au contenu, à la portée,

au délai et à la caractéristique varie considérablement. La présente section examine les composantes fondamentales de la fonction de planification, et la manière d'intégrer chaque plan afin d'assurer une mise en œuvre efficace. Le sujet sera étudié sous deux principales rubriques: les objectifs et les plans.

Les objectifs

Un **objectif** est un résultat final escompté qu'une personne ou une entreprise désire atteindre. L'objectif remplit plusieurs fonctions: il clarifie le rôle d'une unité organisationnelle, contribue à intégrer diverses activités exécutées par différentes unités organisationnelles et sert de repère à l'évaluation du rendement.

La fixation d'objectifs constitue la responsabilité de tous les gestionnaires. Les cadres supérieurs énoncent des objectifs généraux qui

TABLEAU 6.1
Profils et composantes de la planification

	Cadres supérieurs	Cadres intermédiaires	Cadres subalternes

Objectifs	– mission
	– objectifs officiels
	– objectifs à long terme
		– objectifs divisionnaires
		– objectifs de fonctionnement
			– objectifs de fonctionnement pour:
			  • les activités en cours
			  • les projets

Plans	– plans stratégiques – plans à long terme – politiques	– plans intermédiaires	plans de fonctionnement – plans à court terme – budgets – projets – normes – calendriers
Période de temps	De 3 à 15 ans	De 1 an à 3 ans	De 1 an ou moins
But	Direction générale	Intégrer les objectifs et plans généraux aux objectifs et aux plans de premier niveau	Est fondé sur l'action et sert à motiver les cadres
Caractéristiques	D'ordre qualitatif et quantitatif	D'ordre qualitatif et quantitatif	D'ordre quantitatif

touchent tous les aspects d'une entreprise. Parmi ceux-ci se trouve la **mission**, qui est l'énoncé de la **raison d'être** d'une entreprise. L'énoncé de mission d'une municipalité pourrait être : «Procurer une gamme complète de services sociaux et de protection aux citoyens. »

Les **objectifs officiels** sont révélés dans le rapport annuel d'une entreprise et sont parfaitement fidèles à la contribution que veut apporter cette entreprise à la société. Par exemple : «Fournir des produits et services de la meilleure qualité possible à nos clients, afin de mériter et de conserver ainsi le respect et la loyauté de la clientèle. »

Les **objectifs à long terme** touchent ce que désire accomplir une entreprise dans plusieurs années. Voici un exemple de formulation : «Augmenter le rendement des investissements de 15,5 p. 100 d'ici cinq ans. »

Les cadres intermédiaires sont responsables d'énoncer les **objectifs fonctionnels** de leur division. Ces objectifs ont force exécutoire puisqu'ils concernent des segments précis comme le marketing, la production, les finances ou les ressources humaines. Le délai imparti à ces objectifs varie de 1 an à 5 ans. Un des objectifs pourrait être ainsi formulé : «Porter notre part du marché à 13 p. 100. »

Les cadres subalternes doivent énoncer des **objectifs spécifiques**. Ceux-ci peuvent se concentrer sur une activité en cours précise ou sur un projet spécial. De tels objectifs s'échelonnent normalement sur une période d'un an. Voici un exemple d'objectif concentré sur une activité en cours : «Réduire le coût de production de 2,35 $ à 2,15 $» ou sur un projet : «Terminer l'étude de marché avant le 20 août à un coût qui ne dépasse pas 2 500 $ et 35 jours-personnes. »

Des objectifs valables doivent posséder les caractéristiques suivantes[3] :

– être déterminés et mesurables ;

– être axés sur le temps ;

– être réalistes et stimulants ;

– être établis, ou du moins acceptés, par les personnes chargées de les mettre en œuvre ;

– être équilibrés ;

– être intégrés au processus d'évaluation du rendement ;

– être souples ;

– se fonder sur les résultats, et non sur les activités ;

– être bien compris par ceux qui les mettront en œuvre.

La gestion par objectifs

Le processus d'énoncé d'objectifs contribue de façon importante à assurer l'engagement de tous les gestionnaires à la réalisation de ces objectifs. La gestion par objectifs (GPO) fournit ce véhicule, puisqu'elle incite les gestionnaires à coordonner leurs plans personnels et organisationnels avec les objectifs globaux de l'entreprise.

Selon George Odiorne, la GPO est «un processus de gestion par lequel le superviseur et le subalterne, qui œuvrent selon une définition claire des priorités et des buts communs de l'entreprise établis par la haute direction, définissent conjointement les secteurs de responsabilité importants de la personne relativement aux résultats qu'on attend de celle-ci, et utilisent ces mesures comme guides dans l'exploitation de l'unité et l'évaluation de la contribution de chacun de ses membres[4]. »

L'importance sous-jacente de la GPO est celle de l'«engagement des employés», car ceux-ci

3. Pierre G. Bergeron, *Modern Management in Canada : Concepts and Practices*, Nelson Canada, Toronto, 1989, p. 275-278.

4. G.S. Odiorne, *Management by Objectives : A System of Managerial Leadership*, Pitman, New York, 1965, p. 55-56.

participent activement au processus d'énoncé. En vertu de cette méthode, les objectifs ne sont pas imposés par les cadres supérieurs aux cadres intermédiaires et subalternes. Au contraire, les supérieurs et les subalternes œuvrent ensemble afin d'examiner les priorités et les objectifs généraux de l'entreprise, et d'énoncer un ensemble d'objectifs spécifiques que les subalternes seront responsables de réaliser.

Essentiellement, il existe six étapes à la GPO :

1. Les priorités et objectifs généraux sont énoncés par les cadres supérieurs et transmis aux cadres subalternes.

2. Les superviseurs examinent ces intentions générales avec leurs subalternes et énoncent conjointement des objectifs spécifiques.

3. Les plans d'action détaillés qui décrivent la manière d'atteindre les objectifs sont établis.

4. Les objectifs et plans sont mis en œuvre.

5. Le gestionnaire révise régulièrement le processus.

6. La formation est dispensée aux employés lorsqu'il faut améliorer les compétences (ce qui est déterminé au cours du processus d'appréciation du rendement des employés).

Les plans

Les gestionnaires à différents niveaux préparent également des plans. La profondeur et la portée de ces derniers varient considérablement.

Les cadres supérieurs établissent les **plans stratégiques** qui déterminent la destinée générale de l'entreprise et soulignent les mesures principales à prendre afin d'y arriver. Les cadres subalternes préparent les **plans opérationnels** qui déterminent la façon dont seront réalisés les objectifs à court terme.

On peut également classifier les plans selon un calendrier. Les **plans à court terme** (plans opérationnels) concernent les activités qu'il faut accomplir en moins de 12 mois. Les **plans intermédiaires** sont l'œuvre des cadres intermédiaires, et concernent les activités que l'on poursuivra durant une période de 1 an à 3 ans. Les **plans à long terme** relèvent des cadres supérieurs et s'échelonnent sur une période de 5 à 10 ans. On trouve aussi des **plans auxiliaires** établis par des cadres de différents niveaux, notamment des plans permanents (politiques, procédés, méthodes et règles) et des plans à usage unique (programmes, projets et budgets). Nous aborderons ces plans ultérieurement dans la section **Les plans auxiliaires**.

Le processus de planification

Le processus de planification varie d'une entreprise à une autre, selon la dimension et la structure. Toutefois, certaines activités doivent être exécutées en séquence logique si l'on veut que la planification s'applique efficacement. La figure 6.3 résume les principales étapes du processus de la planification.

Étape 1 : La vérification de la situation

La planification commence par une vérification de la situation, qui signifie l'évaluation de ce que l'entreprise a accompli par le passé, ses forces dans le milieu extérieur et son profil d'exploitation interne. Cette analyse comporte trois volets.

1. En premier lieu, les cadres supérieurs examinent la mission, les objectifs et les plans de l'entreprise afin de déterminer le degré de réussite de son rendement le plus récent.

2. En deuxième lieu, puisque l'entreprise subit fortement l'influence du milieu extérieur, il faut évaluer les possibilités et les menaces, ce qui exige une évaluation des composantes principales du milieu global, dont les conditions économiques, sociales, techniques et internationales, de même que du milieu immédiat, notamment les clients, les concurrents principaux,

FIGURE 6.3
Le processus
de planification

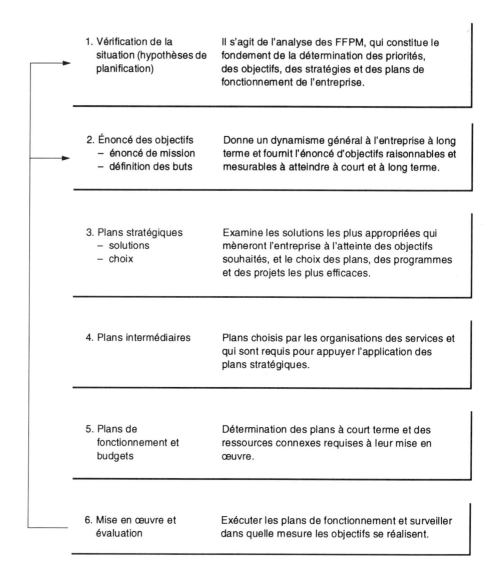

1. Vérification de la situation (hypothèses de planification)

Il s'agit de l'analyse des FFPM, qui constitue le fondement de la détermination des priorités, des objectifs, des stratégies et des plans de fonctionnement de l'entreprise.

2. Énoncé des objectifs
   – énoncé de mission
   – définition des buts

Donne un dynamisme général à l'entreprise à long terme et fournit l'énoncé d'objectifs raisonnables et mesurables à atteindre à court et à long terme.

3. Plans stratégiques
   – solutions
   – choix

Examine les solutions les plus appropriées qui mèneront l'entreprise à l'atteinte des objectifs souhaités, et le choix des plans, des programmes et des projets les plus efficaces.

4. Plans intermédiaires

Plans choisis par les organisations des services et qui sont requis pour appuyer l'application des plans stratégiques.

5. Plans de fonctionnement et budgets

Détermination des plans à court terme et des ressources connexes requises à leur mise en œuvre.

6. Mise en œuvre et évaluation

Exécuter les plans de fonctionnement et surveiller dans quelle mesure les objectifs se réalisent.

les fournisseurs et l'état général du secteur d'activité correspondant.

3. En troisième lieu vient l'examen des services existants, comme le marketing, les ressources humaines, la fabrication, afin de mesurer les forces et les faiblesses. Cette analyse contribue à déterminer la forme de la mission, des objectifs, des stratégies et des plans de l'entreprise.

Étape 2 : L'énoncé des objectifs

Ce processus vise à mettre au point une mission qui définit le but de l'entreprise et les objectifs généraux, lesquels servent de base à la préparation des plans. Tandis que l'énoncé de mission clarifie le but de l'entreprise, les objectifs traduisent la mission en résultats finaux mesurables et fondés sur l'action. Les objectifs comportent une hiérarchie qui transforme les objectifs qualitatifs à long terme énoncés par les cadres supérieurs en cibles quantitatives à court terme, fondées sur l'action. Le tableau 6.2 illustre ce processus.

Étape 3 : Les plans stratégiques

Une fois que les cadres supérieurs ont terminé l'analyse des FFPM (forces, faiblesses, possibilités et menaces) et qu'ils ont énoncé leurs objectifs généraux, l'étape logique suivante consiste à déterminer les stratégies les mieux appropriées en vue de l'atteinte des cibles.

Il existe diverses façons d'atteindre un objectif. Par exemple, si une entreprise désire accroître sa part de marché dans une région donnée, elle peut le faire en achetant une entreprise existante ou en ouvrant de nouveaux points de vente dans cette région. Au sein d'une entreprise, on peut énoncer des stratégies à différents niveaux : au niveau de l'entreprise (stratégies générales), au niveau divisionnaire, comme les divisions Chevrolet ou Pontiac chez General Motors (appelées unités stratégiques sectorielles ou USS), ou au niveau des services, notamment le marketing, la distribution, la production ou les finances (stratégies fonctionnelles).

Les entreprises disposent d'un certain nombre de stratégies. Premièrement, la **stratégie de croissance** est destinée à l'entreprise qui veut accroître ses profits ou son volume aux dépens de la rentabilité. Deuxièmement, la **stratégie de profits** se concentre sur la compression des

coûts ou l'élimination de divisions qui affichent des rendements à peine rentables. Troisièmement, les **stratégies de diversification** font appel à la production et à la vente de produits qui ne font pas partie de l'exploitation actuelle d'une entreprise. Quatrièmement, les **stratégies de fusion** traitent de l'acquisition d'entreprises qui produisent des produits identiques ou dispensent des services semblables. Cinquièmement, les **stratégies d'intégration** peuvent rapprocher une entreprise de sa clientèle (par exemple, poursuivre l'intégration à l'endroit où un fabriquant ouvre des commerces de détail ou encore là où les détaillants ou les grossistes produisent leurs marchandises). En dernier lieu, les **stratégies de repli** font appel à la vente de divisions ou d'exploitations qui ne font plus partie des activités principales d'une entreprise ou qui ne produisent pas suffisamment. Lorsque les stratégies sont évaluées, la gestion peut choisir celles qui seront le plus aptes à combler l'écart comme l'indique la figure 6.2.

Étape 4 : Les plans intermédiaires

Les plans intermédiaires convertissent les stratégies à long terme en programmes de travail divisionnaires afin de déterminer comment les ressources générales seront affectées à chaque division au cours de chacun des cinq exercices suivants. Essentiellement, ces plans indiquent comment les plans de fonctionnement établis par les cadres subalternes au niveau de l'unité organisationnelle sont intégrés aux plans à plus

TABLEAU 6.2 Le processus de formulation des objectifs	Niveau de gestion	Description d'un objectif
	Supérieur	Accroître le rendement des investissements à 18 p. 100 d'ici 5 ans.
	Intermédiaire	Faire passer les profits à 20 millions de dollars d'ici 5 ans.
	Subalterne	Augmenter les ventes de 15 p. 100 dans la région Ouest au prochain exercice.

long terme. À chaque exercice, ces plans sont révisés afin de tenir compte des changements survenus au cours de l'exercice précédent.

Étape 5 : Les plans fonctionnels et les budgets

Ces plans visent les objectifs à court terme. Ils portent sur un exercice et affichent en détail les activités qui seront exécutées par une unité organisationnelle à chaque mois, voire à chaque semaine au cours de l'exercice à venir. Par exemple, ils peuvent indiquer la production hebdomadaire, une description détaillée de plans de promotion ou de publicité et des activités de vente comme le nombre de clients actuels avec qui communiquer à chaque semaine, et le nombre de clients éventuels avec qui communiquer à chaque semaine au cours des 12 mois suivants. Certains plans peuvent comprendre des programmes ou des projets détaillés qui visent un objectif à court terme en particulier. Chaque plan est accompagné d'un budget détaillé.

Le plan fonctionnel touche cinq points importants : ce qui sera fait (l'objectif), l'endroit où l'activité sera exécutée (l'emplacement), quand elle le sera (dates de démarrage et de cessation), comment elle le sera (méthodes, marche à suivre et séquence) et qui l'exécutera (responsabilités, autorité).

Étape 6 : La mise en œuvre et l'évaluation

L'étape finale de la planification est la prestation et la surveillance des programmes qui assurent l'atteinte des objectifs et l'exécution des plans conformément au plan directeur. C'est à ce moment que commence le processus de contrôle (que nous étudierons plus loin, dans la section **La fonction de contrôle**).

Les plans auxiliaires

On a recours à divers types de plans auxiliaires afin d'assurer la réalisation des objectifs et la mise en œuvre des plans stratégiques et de fonctionnement. Comme l'indique la figure 6.4, on peut regrouper ces plans en deux catégories : les plans permanents et les plans à usage unique.

Les plans permanents

Ces plans sont utilisés dans les situations dont la nature est semblable. Par exemple, le calendrier d'une université ou d'un collège fourmille de plans semblables qui traitent des exigences d'admission, des changements de cours, de crédits accordés lors d'examens, de la révision des notes, des échecs et des exigences de diplômes. Les plans permanents comprennent les politiques, les modalités, les méthodes et les règles.

Une **politique** offre des directives générales afin d'aider les gestionnaires de tous les niveaux à concentrer leur pensée dans une direction précise lorsqu'ils prennent des décisions. Ces directives sont énoncées par les cadres supérieurs afin de venir en aide aux cadres intermédiaires et subalternes dans l'atteinte des objectifs de l'entreprise, et ce de façon cohérente. Principalement, les politiques ne traitent pas de situations exceptionnelles mais servent de « repères » afin de traiter les situations de type répétitif. Par exemple, voici une politique typique rédigée à l'intention des étudiants intéressés à suivre un cours comme auditeurs : « Les étudiants qui s'inscrivent à titre d'auditeurs sont ceux que la faculté autorise à s'inscrire à un cours ou plus sans obtenir de crédits. Ils n'ont pas le droit de subir des examens ni de présenter des travaux. Ils ne peuvent changer de statut après l'échéance des changements de cours. »

Une **modalité** indique une série d'instructions qui précisent l'ensemble de mesures à prendre de façon logique et chronologique afin d'exécuter une tâche particulière. Le but d'une politique consiste à offrir des directives générales, celui d'une modalité, à présenter la façon de mettre en œuvre une politique. La marche à suivre afin de traiter un cas de fraude dans une université peut se présenter comme

FIGURE 6.4
La hiérarchie des plans auxiliaires

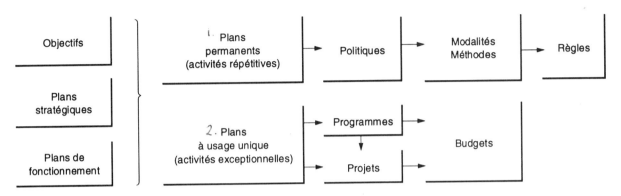

suit : 1) des allégations de fraude sont présentées par écrit ; 2) le doyen décide si les allégations sont fondées ; 3) le cas échéant, un comité d'enquête est formé et étudie l'affaire ; 4) lorsque le comité a entendu toutes les parties et étudié toute la preuve, il informe le doyen ; 5) le rapport est soumis au comité de direction de la faculté ; 6) la sanction est déterminée par le comité et enfin, 7) le doyen convoque l'étudiant.

Une **méthode** présente la façon d'accomplir une tâche particulière. Tandis qu'une modalité traite de la manière d'accomplir un travail, une méthode vise la manière la plus efficiente de le faire. Par exemple, le bureau d'admission d'un collège ou d'une université peut être à la recherche de la façon la plus efficiente d'admettre les étudiants. Le processus entier ou partiel peut se faire manuellement ou être complètement informatisé.

Une **règle** est un plan inflexible qui mène à une action précise. Essentiellement, une règle indique aux employés ce qu'ils doivent et ne doivent pas faire ; elle limite les agissements et ne prête à aucune interprétation. Des exemples typiques en sont les affiches « Interdit de fumer » ou « Entrée interdite ».

Les plans à usage unique

On a recours à ces plans afin de pourvoir aux besoins d'activités déterminées ou exceptionnelles. Par exemple, un étudiant inscrit au programme d'un collège ou d'une université (par exemple, un DEC ou un baccalauréat en communications) peut en être à sa deuxième année (sous-programme) et avoir accompli quatre projets pour différents cours. Lorsque l'étudiant aura répondu aux exigences de la deuxième année, il n'aura pas à répéter ces sous-programmes ou projets.

Un **programme** est une variété de plans, dont les objectifs, les stratégies, les projets, les modalités et les budgets sont nécessaires à l'exécution d'une tâche donnée. Il se peut qu'une entreprise dispose d'un programme de formation et de perfectionnement pour ses cadres et de trois sous-programmes distincts : supérieur, intermédiaire et subalterne. Manifestement, on trouverait une politique, un budget, des cours particuliers et des modalités disponibles afin de mettre en œuvre chaque programme efficacement.

Un **projet** est un plan détaillé qui fait habituellement partie d'un programme. Il ressemble à un programme, à petite échelle, affecté à une personne qui doit le mettre en œuvre. Afin de poursuivre l'exemple du programme de formation et de perfectionnement destiné aux cadres supérieurs, on pourrait confier à une personne des ressources humaines la tâche d'organiser une série de colloques en vue de perfectionner les compétences en relations humaines de 15 gestionnaires.

Un **budget** est un plan financier qui précise combien coûtera un programme, un sous-programme ou un projet. Par exemple, chaque cours de formation et de perfectionnement des cadres doit être défini. Ensuite, si la direction désire savoir le coût de formation des cadres des trois programmes, des sous-programmes ou même de chaque cours, un budget fournira ces renseignements.

UN ENJEU COMMERCIAL ACTUEL

La planification stratégique

Le trafic commercial aérien croissant exerce une énorme pression sur l'aérospatiale qui doit trouver des moyens plus efficaces de guider les avions vers un atterrissage en sécurité. Les systèmes d'atterrissage hyperfréquences (SAHF) constituent le progrès technique le plus récent, et depuis que l'Organisation de l'aviation civile internationale a décidé que le monde entier allait délaisser les anciens systèmes d'atterrissage aux instruments (SAI) au profit des SAHF, les entreprises aérospatiales canadiennes courent la chance de réaliser des profits dans un marché mondial de l'ordre de 5 milliards de dollars.

Le potentiel de ce marché n'est pas passé inaperçu auprès de la compagnie Marconi Canada, fabricant d'avions commerciaux et militaires, dont le siège social est à Montréal. Récemment, Marconi et IMP Group Ltd., de Halifax, ont présenté une offre d'achat à Micronav Ltd., petite entreprise de Sydney en Nouvelle-Écosse, qui est une des rares entreprises au monde à posséder la maîtrise de la technique SAHF. Micronav, actuellement filiale de l'entreprise en faillite Leigh Instruments Ltd., a reçu des commandes d'Ottawa pour 42 SAHF.

Le SAHF offre un avantage important sur le SAI actuel, car il accorde aux avions un plus grand choix d'approches, au lieu d'aligner les appareils en ligne droite. La technique opératoire du SAHF utilise également une plus vaste gamme de canaux — 200 comparés aux 40 du SAI. L'achat de Micronav par Marconi et IMP donnerait à ces dernières entreprises les ressources nécessaires en vue de continuer la recherche et le développement dans ce domaine. Marconi a réalisé un bénéfice net de 18,8 millions de dollars sur un chiffre d'affaires de 321,5 millions de dollars, pendant l'exercice terminé le 31 mars.

L'opération permettrait à Marconi d'accroître sa participation à la technologie aérospatiale civile à un moment où les sommes consacrées à la défense sont à la baisse dans le monde entier. «Les événements spectaculaires et imprévus qui se déroulent en Europe de l'Est semblent représenter, pour l'humanité, un réel espoir de connaître un avenir plus paisible et marqué de moins de conflits », pouvait-on lire dans le rapport annuel de 1989-1990 de Marconi. Mais le document fait également valoir que pour une entreprise qui tire une importante partie de ses bénéfices de contrats de défense, cela signifie qu'il faut mettre davantage l'accent sur la technique civile. Aujourd'hui, la défense occupe quelque 80 p. 100 des affaires de Marconi.

« Micronav contribuera à équilibrer le secteur de la défense, dans l'entreprise, avec des contrats plus commerciaux », de dire John Simons, P.-D.G. de Marconi. Mais le passage à des applications plus commerciales ne signifie pas que la compagnie Marconi Canada délaissera les tâches reliées à la défense. La défense nécessitera toujours des budgets, même en temps de paix. « Ce marché est encore très viable », déclare Sherif Atallah, porte-parole de l'entreprise.

Source : Traduit de « Marconi Eyes Landing-System Opportunities », *The Financial Post*, 6 août 1990, p. 14.

LA FONCTION D'ORGANISATION

Lorsque les objectifs et les plans sont énoncés, l'étape logique suivante consiste à organiser les gens, les structures et le travail nécessaires à la mise en œuvre. Comme l'indique la figure 6.5, la fonction d'organisation touche trois facteurs : la structuration de l'entreprise, la gestion des ressources humaines et les relations ouvrières-patronales.

La **structuration de l'entreprise** signifie la formalisation ordonnée des groupes et du travail. Essentiellement, il s'agit du processus d'affectation des tâches aux personnes et aux groupes, et de l'assurance d'une coordination efficace des personnes et des activités dans la poursuite des objectifs d'une entreprise. La structure désigne les relations entre les unités organisationnelles, c'est-à-dire qu'elle définit qui va accomplir quoi. Les objectifs et les plans d'une entreprise influencent beaucoup la façon dont elle est structurée. Voici les étapes de la structuration : conformément aux plans et aux objectifs, les tâches principales sont déterminées et subdivisées en sous-tâches, puis dotées d'un financement adéquat afin d'exécuter les activités. L'organisation importe, car elle permet

aux établissements de mettre leurs plans en œuvre de manière efficace et efficiente. Cette fonction sera étudiée en détail au chapitre 8, *L'organisation*.

La **gestion des ressources humaines** repose sur les processus de planification des besoins futurs d'une entreprise, d'acquisition du genre adéquat de personnes destinées à exécuter les tâches définies dans les plans, de formation des employés et des cadres, et d'amélioration de leurs compétences et de leurs aptitudes. Les ressources humaines doivent également établir une structure de paye équitable et un programme d'avantages sociaux, en plus d'évaluer le rendement des employés, afin de déterminer jusqu'à quel point la tâche est bien accomplie et ce qui peut être fait en vue d'accroître l'efficacité au travail. Étant donné que les personnes sont essentielles à la réussite d'une entreprise, la gestion des ressources humaines joue un rôle prépondérant en ce qu'elle veille à ce que cet atout important — les ressources humaines — soit traité avec beaucoup d'attention. Le chapitre 9, *La gestion des ressources humaines*, donne des détails sur les divers processus, fonctions et activités dont se charge le service des ressources humaines.

FIGURE 6.5
La fonction d'organisation

Structuration de l'entreprise	Gestion des ressources humaines	Relations ouvrières-patronales
– La structure officielle – La structure officieuse – L'organisation consultative et hiérarchique – L'autorité : consultative, hiérarchique et fonctionnelle – La centralisation et la décentralisation – La division en services – L'organisation du comité	– La planification des ressources humaines – La sélection des employés – La formation, le perfectionnement et la consultation des employés – L'appréciation des employés – Les promotions, les mutations et les licenciements – Le salaire et les avantages sociaux des employés	– L'organisation du syndicat – Le syndicat en milieu de travail – Le processus de négociation collective – Les tactiques patronales et syndicales – Les conflits patronaux-syndicaux

Les **relations ouvrières-patronales** font partie intégrante de la structure qui compose nos établissements. La relation entre les syndicats (qui représentent des groupes de travailleurs) et la direction (qui représente l'organisme employeur) est importante puisque les ententes qui touchent les salaires, les conditions et les heures de travail, les avantages sociaux, la sécurité au travail et les droits des travailleurs sont déterminées lorsque les deux parties négocient une convention collective. En outre, lorsqu'un conflit survient entre patrons et employés, les deux parties règlent le différend selon les modalités appropriées. Le chapitre 10, *Les relations ouvrières-patronales* examine une vaste gamme de ces sujets.

LA FONCTION DE DIRECTION

Jusqu'ici dans le processus de gestion, aucune mesure n'a été prise. La planification fixe la ligne de conduite, tandis que l'organisation traite des structures et du déploiement des ressources qui placent l'entreprise en position d'adopter des mesures. Le but de la fonction de direction consiste à convertir les plans en réalité.

Essentiellement, la direction est la fonction de gestion qui traite de mener, de guider, d'encourager, de motiver, d'intégrer et de communiquer. Le but est de faire agir les gens et de faire en sorte que les employés s'acquittent de leurs tâches au mieux. Comme l'indique la figure 6.6, la fonction de direction est axée sur trois principaux aspects : la motivation, le leadership et la communication. Le chapitre 7, *La gestion des relations humaines*, abordera ces questions plus en détail.

La **motivation** concerne la découverte des exigences et des besoins individuels et organisationnels, et des façons d'y répondre. Il s'agit de la partie la plus difficile du travail du gestionnaire, car les personnes et les groupes sont motivés par différentes raisons (notamment, l'aspect pécuniaire, l'accomplissement personnel, la sécurité d'emploi et la satisfaction professionnelle). Lorsque les besoins sont définis, l'étape suivante consiste à trouver des solutions qui susciteront l'enthousiasme et le rendement élevé.

Le **leadership** fait appel à cette qualité intangible qui permet à certaines personnes d'exercer une autorité bienveillante sur d'autres afin d'influencer leur comportement et leurs efforts en

FIGURE 6.6
La fonction de direction

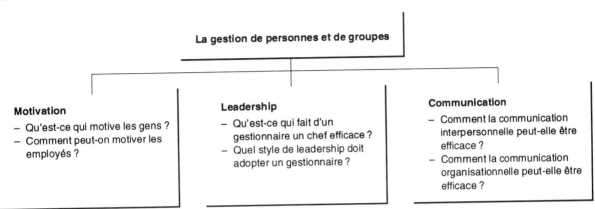

vue de l'accomplissement d'un objectif en particulier. Le leadership est axé sur l'affectation des tâches, la transmission d'objectifs et de modalités, l'observation, l'orientation, l'entraînement, l'enseignement, la résolution de problèmes et l'aide apportée aux autres. Il existe différentes méthodes de commander autrui et aucune n'est «la meilleure»; la situation dicte au leader le style le plus efficace à adopter.

La **communication** est le processus important qui consiste à envoyer et à recevoir des messages significatifs. Sinon comment accomplir les quatre fonctions de gestion? Sans communication, rien ne bougerait. La communication efficace est une activité de gestion clé, car un gestionnaire consacre un temps considérable à l'expédition et à la réception de messages (notamment, dans des réunions limitées à peu de personnes ou étendues à un groupe, des appels téléphoniques, des discours, la lecture et la rédaction de lettres et de rapports).

LA FONCTION DE CONTRÔLE

Afin d'évaluer si les plans et les objectifs se réalisent, les gestionnaires doivent se fier à la fonction de contrôle, qui consiste essentiellement à surveiller chaque étape du processus de mise en œuvre, ce qui se fait par l'établissement de normes et par l'adoption de mesures de redressement, au besoin, afin d'assurer l'atteinte des résultats escomptés. Le contrôle est une partie essentielle du processus de gestion. La planification énonce l'orientation, le contrôle veille à ce que les intentions de la direction à tous les niveaux de gestion soient accomplis de la bonne manière et au moment opportun.

Le processus de contrôle

Comme l'indique la figure 6.7, le contrôle est intimement lié à la fonction de planification, ce qui importe, car à quoi sert de fixer des objectifs et d'énoncer des plans s'ils ne sont pas surveillés? En outre, que valent des systèmes de contrôle efficaces s'il n'y a rien à contrôler? La **planification** détermine l'endroit où veut aller une entreprise (objectifs) et la façon de s'y rendre (plans); l'**organisation** prévoit les personnes et le matériel afin d'assurer une coordination efficace entre les unités organisationnelles; la **direction** rassemble les gens afin de travailler de manière concertée et harmonieuse; le **contrôle** ferme la boucle de la planification en veillant à ce

FIGURE 6.7
Le processus de contrôle

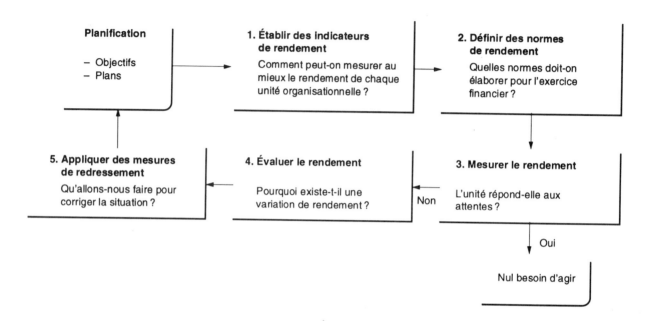

que les choses se déroulent comme prévu. Le processus de contrôle comporte cinq étapes.

Étape 1 : Établir des indicateurs de rendement (output)

Il existe plusieurs façons de mesurer le rendement gestionnel à divers niveaux et dans différentes activités. Par exemple, les services de marketing ne mesureront pas le rendement de la même manière que les services de production, des ressources humaines, des finances ou de distribution. Le but de cette première étape consiste donc à trouver la meilleure manière de mesurer le rendement. Le tableau 6.3 présente divers indicateurs de rendement.

Étape 2 : Définir des normes de rendement

Les indicateurs de rendement traitent, au niveau qualitatif, de la façon de mesurer une unité organisationnelle, tandis que les normes de rendement sont déterminées au niveau quantitatif. Ici, les gestionnaires décident du niveau d'accomplissement que doit atteindre une unité. Autrement dit, quels sont les objectifs ou buts de l'unité ? (C'est pourquoi il est parfois difficile de distinguer où s'achève la fonction de planification et où commence le contrôle.) Une norme réaliste et mesurable doit être établie au sujet de chaque unité organisationnelle si l'on veut y exercer un contrôle. Les mots clés sont : **réaliste** et **mesurable**. Examinons l'exemple d'élèves dotés d'aptitudes à l'apprentissage, d'expérience de travail et de connaissances différentes. Bien qu'une note de 85 p. 100 semble réaliste pour un élève, elle peut être complètement irréaliste pour un autre. C'est à ce moment-là que la GPO (gestion par objectifs) devient utile. Le supérieur et son subalterne peuvent discuter ensemble des normes les plus appropriées. Si l'on se sert des exemples précédents, les normes appropriées à chaque indicateur pourraient se présenter comme l'indique le tableau 6.4.

TABLEAU 6.3
Divers indicateurs
de rendement

Unité organisationnelle	Indicateurs de rendement
Étudiant	Notes
Président	Rendement des investissements
Vice-président, marketing	Part de marché
Chef de fabrication	Coût unitaire
Directeur des ventes	Nombre d'unités vendues
Directeur de production	Pourcentage de rejets

TABLEAU 6.4
Diverses normes
de rendement

Unité organisationnelle	Indicateurs de rendement	Normes de rendement
Étudiant	Notes	85 %
Président	Rendement des investissements	17 %
Vice-président, marketing	Part de marché	23 %
Chef de fabrication	Coût unitaire	12,743 $
Directeur des ventes	Nombre d'unités vendues	14 000
Directeur de production	Pourcentage de rejets	1,45

Étape 3 : Mesurer le rendement

Cette étape constitue la réponse à la première question du processus de contrôle : Avons-nous réussi ? Elle ne révélera pas pourquoi le rendement est au-dessus ou en dessous de la norme, ce qui est le but de l'étape 4, mais elle présente le rendement à l'attention des responsables de chaque activité, projet ou unité. Cette étape peut se comparer aux feux de circulation. Si le feu est vert, cela signifie que tout semble fonctionner conformément au plan et que la situation n'exige aucune mesure. Un feu jaune réclame la prudence ; nul besoin de paniquer, mais cette activité particulière doit être surveillée de plus près. Un feu rouge commande un arrêt et une analyse. Il indique un mauvais fonctionnement et le besoin d'examiner le rendement de très près (l'étape suivante). Les rapports d'exploitation et financiers servent à mesurer le rendement. Le tableau 6.5 montre comment les rapports comparent le rendement aux normes.

Étape 4 : Évaluer le rendement

Lorsque les rapports d'exploitation ou financiers montrent que tout va bien, il est inutile d'analyser l'information. Mais si un feu rouge apparaît, les gestionnaires évaluent le rendement afin de découvrir **pourquoi** il se situe sous la norme. Si un gestionnaire est responsable de 10 activités ou représentants et que l'état des ventes montre que seuls huit territoires ont atteint leurs objectifs, le gestionnaire enquêtera sur les causes des rendements défavorables. Cette méthode de gestion porte le nom de **gestion par exception** qui signifie ceci : le temps est un important facteur de gestion ; ne le

TABLEAU 6.5
Une analyse de rendement

Unités organisationnelles	Normes de rendement	Rendement réel	Variations
Étudiant	85 %	86 %	1 % (favorable)
Président	17 %	15 %	2 % (défavorable)
Vice-président, marketing	23 %	20 %	3 % (défavorable)
Chef de fabrication	12,743 $	12,640 $	0,103 $ (favorable)
Directeur des ventes	14 000 unités	14 500 unités	500 unités (favorable)
Directeur de production	1,45 %	1,35 %	0,10 % (favorable)

perdez pas à des activités qui fonctionnent bien, mais utilisez-le au profit d'activités qui réclament attention et mesures de redressement.

Étape 5 : Appliquer des mesures de redressement *(recovery)*

Cette dernière étape du processus de contrôle répond à la deuxième question, c'est-à-dire : maintenant que nous avons appris ce qui ne va pas et pourquoi, qu'allons-nous faire pour corriger la situation ? Il existe plusieurs options. D'abord, selon la cause du problème, il se peut qu'un gestionnaire souhaite apporter des changements. Si, par exemple, la situation relève du gestionnaire, c'est-à-dire si la difficulté provient d'un problème d'exploitation interne, la personne peut désirer adopter une mesure de redressement. Toutefois, si le problème émane de pressions extérieures, notamment des changements de taux d'intérêt, ou que l'économie indique certaines possibilités ou menaces, il se peut qu'on ne prenne pas de mesures et qu'on corrige plutôt l'objectif ou la norme en conséquence.

Les types de contrôle

Il existe trois systèmes de contrôle fondamentaux.

①En premier lieu, les **contrôles préventifs**, dont les mesures sont orientées et qui dirigent les activités vers les résultats que désire atteindre un gestionnaire. On les appelle également contrôles proactifs puisque les gestionnaires adoptent en fait certaines mesures avant même de mettre en œuvre un plan d'action, afin de prévenir les événements indésirables. Par exemple, au service des ressources humaines, la description de poste amène les intervieweurs à rechercher le candidat le plus apte à occuper un poste en particulier. La description de poste, que l'on peut considérer comme un instrument de contrôle, empêche les intervieweurs de perdre leur temps avec des candidats qui ne correspondent pas au profil de l'emploi. C'est également le cas lorsqu'on prévoit fabriquer un produit. Qu'il s'agisse de légumes en conserve, d'ordinateurs ou de calculatrices, le service de la production connaît exactement les ingrédients ou les éléments nécessaires à la production des biens. Ces « caractéristiques » fondamentales sont considérées comme des mécanismes de contrôle.

②En deuxième lieu, on trouve les **contrôles continus**, qui ont lieu au cours de l'exécution d'un projet. Par exemple, un entrepreneur en construction aura constamment recours aux graphiques de cheminement critique lorsqu'il construit des maisons afin de s'assurer que tout se fait conformément aux plans. Il serait absurde de découvrir que la plomberie ou l'électricité n'ont pas été bien installées, une fois les murs érigés et peints.

③ En troisième lieu, les **contrôles postérieurs**, qu'on appelle également contrôles de redressement, examinent le rendement une fois le travail terminé. Grâce à l'utilisation de rapports de contrôle périodiques (hebdomadaires, mensuels ou annuels), les gestionnaires sont en mesure de voir ce qui a effectivement eu lieu, et de réagir à la situation.

Les qualités des contrôles efficaces

Pour être efficaces, les systèmes de contrôle doivent comporter les attributs suivants[5] :

- être ajustés aux plans et aux positions, c'est-à-dire correspondre précisément aux besoins ;

- repérer les exceptions aux moments critiques, soit souligner les variations importantes ;

- être adaptés à chaque gestionnaire et à sa personnalité — ainsi, l'évaluation pourrait avoir lieu à la faveur de réunions, par des appareils électroniques ou au moyen de rapports écrits ;

- être énoncés objectivement, sans laisser de place à l'interprétation (les expressions quantitatives sont les meilleures) ;

- être souples, c'est-à-dire que si les événements échappent au contrôle du gestionnaire en charge, on devrait pouvoir modifier la norme ou l'objectif ;

- correspondre à la structure de l'entreprise. Si, par exemple, le style de gestion est décentralisé, chacun est chargé de contrôler son fonctionnement (contrôle implicite), mais si le style de gestion est centralisé, des groupes consultatifs ou des cadres supérieurs se chargent de la fonction de contrôle ;

- être économiques, c'est-à-dire qu'ils doivent rapporter plus qu'ils ne coûtent ;

- mener à des mesures de redressement, c'est-à-dire que le système même doit fournir

l'information en temps opportun aux gestionnaires concernés afin que ceux-ci prennent les mesures adéquates.

Les techniques de contrôle

Penchons-nous maintenant sur les différentes sortes de techniques de contrôle utilisées par les gestionnaires afin de surveiller leur exploitation. Comme nous l'avons mentionné, l'une des caractéristiques qui rend les instruments de contrôle efficaces est leur adaptabilité aux besoins de certaines activités. On peut regrouper les techniques de contrôle en quatre catégories principales : les contrôles budgétaires, les contrôles financiers, les contrôles d'exploitation et les contrôles de vérification.

Les contrôles budgétaires

Les budgets constituent probablement les techniques les plus populaires qu'utilisent les gestionnaires à tous les niveaux afin de surveiller le rendement. Il existe différents types de budgets.

On utilise les **budgets d'exploitation** en vue de surveiller les comptes qui figurent dans l'état des résultats, comme les produits, les charges et le bénéfice. Le but de ces budgets consiste à mesurer l'importance des charges relativement à certaines activités et à des unités organisationnelles déterminées, afin de relier les coûts à la réalisation des objectifs et des plans.

Les **budgets financiers** traitent des plans financiers reliés à la gestion de l'actif (actif à court terme et immobilisations), du passif (à court et à long terme) et de la valeur nette. On utilise les budgets des investissements en vue de surveiller les dépenses d'immobilisations. Des états financiers pro forma (bilans prévisionnels, états des résultats et états de la provenance et de l'utilisation des fonds) servent à contrôler les accomplissements dans les domaines de la structure et du rendement financiers. Le budget de trésorerie sert à surveiller, mensuellement, le flux des rentrées et des sorties de fonds.

5. H. Koontz, C. O'Donnell et H. Weihrich, *Management*, McGraw-Hill, New York, 1984, p. 561-565.

Les contrôles financiers

Ces contrôles portent sur l'analyse des états financiers à la faveur de l'interprétation des renseignements contenus dans l'état des résultats et le bilan. On les appelle des ratios financiers et ils entrent dans quatre grandes catégories.

1. Les **ratios de liquidité** établissent dans quelle mesure une entreprise peut honorer ses engagements actuels.

2. Les **ratios de levier** définissent dans quelle mesure une entreprise est financée par des emprunts comparativement à la participation aux capitaux propres.

3. Les **ratios de gestion,** ou ratios d'activité, mesurent l'efficience des éléments d'actif qui font l'objet de gestion (notamment, les comptes clients, les stocks, les immobilisations et les titres négociables).

4. Les **ratios de rentabilité** permettent d'évaluer l'efficacité générale d'une entreprise si l'on compare les bénéfices à d'autres variables, comme les ventes, l'actif ou les capitaux propres (le chapitre 16, *La gestion financière*, traite des ratios financiers).

Les contrôles d'exploitation

Chaque activité d'exploitation d'une entreprise nécessite des instruments de contrôle faits sur mesure. Dans la fabrication, il existe des instruments comme l'acheminement, le calendrier de fabrication, l'envoi, le suivi et le contrôle de la qualité. Le chapitre 14, *Les contrôles de la production*, contient des détails sur ces techniques. Dans le champ des ressources humaines,

les activités antérieures à l'emploi, comme la description de poste, l'évaluation du rendement de l'employé, les taux de rotation et d'absentéisme, servent souvent à mesurer le rendement. Le chapitre 9, *La gestion des ressources humaines*, en traite plus à fond. Il existe d'autres instruments qui servent à planifier et à contrôler les projets, comme l'analyse du seuil de rentabilité qui détermine le point auquel tous les coûts sont couverts par les bénéfices, les graphiques comme celui du cheminement critique et la méthode de programmation optimale.

Les contrôles de vérification

Les vérifications sont essentiellement des évaluations indépendantes destinées à mesurer les rendements financiers, d'exploitation et de gestion. Elles servent presque exclusivement d'instruments de contrôle. On trouve les **vérifications externes**, menées par des cabinets d'experts-comptables afin d'évaluer les systèmes et les états financiers de manière très objective et vérifiable. Les **vérifications internes** sont exécutées par les employés d'une entreprise. Le but principal de ces dernières consiste à vérifier des types de renseignements semblables à ceux qui sont examinés par les vérificateurs externes, mais l'accent est mis sur l'utilisation efficiente et efficace des ressources humaines et matérielles d'une entreprise. La plupart des grandes sociétés disposent d'un groupe de vérificateurs internes qui exécutent des vérifications d'exploitation et de gestion et rendent compte directement au président de l'entreprise. En général, les vérificateurs externes rendent compte au conseil d'administration.

UN POINT DE VUE

John Lorine

Le contrôle

Auriez-vous été en mesure de distinguer certains signes avant-coureurs, soit l'équivalent, dans une entreprise, d'une toux sèche ou d'une douleur sourde à l'épaule gauche ? Le géant américain des courtiers en valeurs mobilières, E. F. Hutton Group Inc., est finalement décédé à l'âge de 84 ans le 29 janvier 1988, englouti par Shearson Lehman Brothers Inc. pour la somme de 960 millions de dollars US, ou 29,25 $ l'action. La structure de Hutton était émaciée et pourtant, l'année précédente, l'entreprise, croyant valoir au moins 55 $ l'action, avait refusé l'offre de Shearson à 50 $ l'action. Même si Shearson était toujours intéressée, un an plus tard, en raison des sociétés de distribution impressionnantes de Hutton, cette dernière avait depuis acquis la réputation d'être en mauvaise posture.

L'échec d'une entreprise constitue un problème nébuleux, difficile à définir et à prévoir. Bruno Dyck, professeur adjoint de la faculté d'administration de la University of Manitoba, a mis au point un modèle d'échec d'entreprise qui décrit un cercle vicieux. Certains signaux mettent en garde contre des problèmes imminents — des évidences comme la baisse des marges bénéficiaires ou du chiffre d'affaires, et selon Dyck : « À ce stade-là, la haute direction devrait s'arrêter et se demander s'il s'agit d'une insignifiance à ignorer, ou s'il y a lieu d'apporter des changements. » D'autres analystes empruntent des voies différentes. Gary Colter, président du conseil de Peat Marwick Thorne Inc., recherche les systèmes inefficaces de contrôle des coûts. Eric Sprott, président de Sprott Securities Ltd., déclare : « Il faut surveiller le flux monétaire. S'il circule trop rapidement vers l'extérieur, le propriétaire aura des ennuis avec ses prêteurs. » Sprott surveille également les renseignements contenus dans le bilan, comme la rentabilité des ventes, et les ratios comme la valeur sur le marché de l'endettement. Selon lui, ces repères donnent une indication de la liquidité d'une entreprise et de la capacité d'obtenir des fonds : « Lorsque ces ratios se détériorent, personne ne veut vous prêter d'argent et c'est la fin. »

Évidemment, il est difficile de généraliser les solutions. Peter Lawton, associé du groupe de consultants en stratégie de l'entreprise William M. Mercer Ltd., nous prévient qu'une gestion de crise efficace ne garantit pas la réussite de l'entreprise : « L'absence de divorce signifie-t-elle un mariage réussi ? » Dyck aimerait que les entreprises examinent l'analogie de gros bon sens qui consiste à consulter un généraliste. Vous ne voyez pas le médecin seulement lorsque frappe la maladie, la prudence en matière de soins de santé conseille la prévention. La situation du médecin pourrait se transposer au niveau du conseil d'administration ou de la division de vérification interne. Dyck croit que le médecin de l'entreprise doit être en mesure de se tenir à l'écart des politiques de celle-ci, mais disposer tout de même de l'autorité de montrer la voie.

Source : Traduit de « The Anatomy of Failure : How to Spot a Disaster-in-the-Making », *Canadian Business*, août 1990, p. 63.

RÉSUMÉ

Sommaire

1. La gestion est une discipline qui a évolué au cours des cent dernières années à la faveur de différentes écoles de gestion, notamment les écoles classique, behavioriste, quantitative et moderne.

2. La planification est la fonction de gestion qui traite de l'énoncé d'objectifs organisationnels et de la définition de la meilleure ligne de conduite pour y parvenir.

3. Les éléments principaux de la planification gestionnelle sont les objectifs et les plans. Il existe divers types d'objectifs : par exemple, officiels, à long terme, fonctionnels, spécifiques et l'énoncé de mission.

   La gestion par objectifs est un mécanisme efficace en vue d'énoncer des objectifs organisationnels et individuels. Le processus de planification compte six étapes : la vérification de la situation, l'énoncé des objectifs, les plans stratégiques, les plans intermédiaires, les plans de fonctionnement et les budgets, la mise en œuvre et l'évaluation.

   Les plans auxiliaires se divisent en deux groupes distincts : les plans permanents (politiques, modalités, méthodes et règles) et les plans à usage unique (programmes, projets et budgets).

4. Les trois principales composantes de la fonction d'organisation sont la structuration de l'entreprise, la gestion des ressources humaines et les relations ouvrières-patronales.

5. Les trois divisions principales de la fonction de direction sont la motivation, le leadership et la communication.

6. Le contrôle est l'activité qui vise à surveiller le rendement et à déterminer les mesures à prendre si les objectifs et les plans ratent la cible. Les cinq étapes du processus de contrôle sont les suivantes : établir des indicateurs de rendement, définir des normes de rendement, mesurer le rendement, évaluer le rendement et appliquer des mesures de redressement.

7. Les principaux types de contrôle sont les contrôles préventifs, les contrôles continus et les contrôles postérieurs. On trouve quatre importantes catégories de techniques de contrôle : les contrôles budgétaires, les contrôles financiers, les contrôles d'exploitation et les contrôles de vérification.

Notions clés

L'indicateur de rendement

L'objectif spécifique

La gestion par objectifs

La mission

La politique

La vérification

Le contrôle continu

Le contrôle postérieur

Le contrôle préventif

Le processus de gestion

Les méthodes

Les modalités

Les normes de rendement

Les objectifs fonctionnels

Les objectifs officiels

Les plans auxiliaires

Les plans opérationnels

Les plans permanents

Les programmes

Les projets

Les règles

Exercices de révision

1. Dans vos mots, décrivez l'évolution de la discipline de gestion.

2. Qu'entend-on par planification et pourquoi est-elle si importante ?

3. Donnez des précisions sur les deux éléments clés de la fonction de planification : les objectifs et les plans.

4. Que signifie la gestion par objectifs ?

5. Décrivez les diverses étapes du processus de planification.

6. Quelle est la différence entre les plans permanents et les plans à usage unique ?

7. Traitez des fonctions d'organisation et de direction.

8. Décrivez le processus de contrôle.

9. Quels sont les différents types de contrôle ?

10. Faites la distinction entre les contrôles budgétaires et les contrôles financiers.

Matière à discussion

1. Croyez-vous qu'un changement de stratégie puisse provoquer une modification de la structure de l'entreprise ? Pourquoi, ou pourquoi pas ?

2. Beaucoup considèrent le contrôle comme une activité policière et, par conséquent, détestent, voire rejettent cette importante fonction de gestion. Pourquoi croyez-vous que des gestionnaires et des employés de certaines entreprises ont une telle attitude envers le contrôle ? Si vous deviez conseiller le P.-D.G. d'une entreprise où existe une telle situation, que lui recommanderiez-vous afin de susciter une opinion plus favorable envers le contrôle ?

Exercices d'apprentissage

1. La planification

Lucille Bégin, vice-présidente de la planification générale chez Société Leduc inc., a présenté la situation financière de fin d'exercice aux membres du comité de gestion et a déclaré ce qui suit :

« Au cours des cinq derniers exercices, Leduc inc. a enregistré une saine progression de son chiffre d'affaires et de ses bénéfices. Cet excellent résultat est notamment attribuable à la croissance économique qui nous a favorisés et au fait que nous avions très peu de concurrents en ce qui concerne quatre de nos six gammes de produits. Vu la hausse des taux d'intérêt et le ralentissement des secteurs clés de l'économie, les consommateurs hésitent à acheter et, par conséquent, notre taux de croissance au cours du dernier exercice a diminué de moitié. Je prévois une croissance modeste au prochain exercice. Je ne veux pas sembler pessimiste, mais il nous faudra prendre d'importantes décisions au sujet de ce que nous voulons faire au prochain exercice si nous devons rétablir un taux de croissance raisonnable. Quatre de nos produits font présentement face à une sérieuse concurrence de la part de fabricants américains, en raison du libre-échange. Des années difficiles s'annoncent, et je crois que notre équipe devrait consacrer plus de temps à examiner l'avenir et à prévoir ce qui nous attend dans le marché ainsi que la manière de planifier notre destinée, au lieu d'être à la merci des événements. »

L'un des directeurs de la division a réagi ainsi aux remarques de Lucille :

« Je crois que Lucille a raison. Nous avons eu de la chance depuis à peu près cinq ans. Je ne crois pas que nous consacrions assez de temps à examiner les possibilités qui existent pour nos différents produits, voire de nouveaux produits. Il semble que nous tenions tout pour acquis. Nous ne sommes pas préparés aux obstacles. Par exemple, dans ma division, 60 p. 100 de nos produits sont achetés par un grand magasin de détail. Je n'aime pas imaginer ce qui se produirait si je devais perdre ce client ! À la division de Jacques, il semble que l'organisation des ventes concentre toute son attention sur deux marchés, l'Ontario et la Colombie-Britannique. Qu'en est-il du reste du Canada et même des États-Unis ?

Je suis convaincu que nos produits y seraient bien accueillis, et que nous augmenterions nos chances de nous mesurer dans une plus grande variété de marchés. »

Questions

1. À quel type de planification a-t-on procédé (s'il y a lieu) à la Société Leduc inc. ?

2. Si vous étiez conseiller auprès de la Société Leduc inc., quel type de processus de planification proposeriez-vous aux membres du groupe de gestion ? Répondez aussi complètement et précisément que possible.

2. Les plans auxiliaires

Après avoir passé dix ans à titre d'agent du personnel dans différentes sections du service des ressources humaines, et comme directeur de la planification des ressources humaines au sein d'une grande société, Marc Joanisse a décidé de se joindre à une petite entreprise à titre de directeur du service des ressources humaines. Dans ses nouvelles fonctions, il a la responsabilité de quatre sections : la planification des ressources, le recrutement, la formation et le perfectionnement, et la rémunération du personnel. Après un certain temps à son poste, il a été surpris de l'absence de formalités dans l'entreprise à l'égard notamment de la planification des ressources humaines, ainsi que de la sélection et de la formation des employés. Lorsqu'il a demandé, à l'un des gestionnaires responsable de la section de formation, un exemplaire du manuel des politiques et des procédures, voici la réponse qu'il a reçue : « Nous n'en avons pas. Nos cadres supérieurs n'y croient pas. Ils pensent que toute cette paperasserie est inutile et préfèrent traiter les questions de personnel cas par cas. Jusqu'ici, tout va bien. »

Questions

1. Quelle serait votre réaction aux propos du gestionnaire ?

2. Si vous étiez Marc Joanisse, que diriez-vous aux cadres supérieurs pendant la réunion de gestion suivante, à propos de l'importance des plans auxiliaires ?

3. Donnez quelques exemples des plans auxiliaires suivants applicables aux sections du recrutement et de la formation du personnel :

Plans permanents	Plans à usage unique
1. Politiques	1. Programmes
2. Modalités	2. Projets
3. Méthodes	3. Budgets
4. Règles	

3. Le contrôle

En 1980, Les Entreprises ABC ltée a mis en chantier des immeubles d'habitation et des logements en copropriété destinés à la vente ou à la location. Dix ans plus tard, le président de la société immobilière, Bill Robinson, était très heureux de la réussite de son exploitation qui comptait deux divisions importantes, l'une responsable de la construction et l'autre, de la gérance des propriétés.

La gérance des propriétés relevait de Josée Charbonneau, directrice de bureau. Josée ne s'occupait pas des détails de gérance des quelque 250 logements en copropriété et appartements ; ce travail était confié en sous-traitance à une entreprise de gérance immobilière locale, Gestion Martin inc., propriété de Pierre Corbeil. Cette dernière entreprise s'occupait essentiellement de deux activités : 1) la location et 2) l'administration et l'entretien des propriétés. Du côté de la location, Martin inc. était chargée d'assurer un taux d'occupation maximum. En ce qui avait trait à l'administration et à l'entretien, Martin inc. percevait les loyers et fournissait à Josée un relevé mensuel, qui indiquait le dépôt à la banque après déduction de la commission. Martin inc. était aussi responsable de l'entretien des immeubles.

Même si Josée n'obtenait aucun rapport de contrôle officiel, elle recevait de M. Corbeil des rapports mensuels qui indiquaient le total des dépôts à la banque et des factures reçues de différents entrepreneurs embauchés pour la réparation des immeubles (entrepreneurs en plomberie et en électricité). Martin inc. n'acquittait pas de factures, mais en vérifiait plutôt le montant et les envoyait aux comptables des Entreprises ABC ltée, chargés des paiements.

Un jour, lorsque les vérificateurs externes ont présenté les états financiers trimestriels à M. Robinson, ils ont interrogé ce dernier sur la gestion de la division de gérance des propriétés. Le vérificateur a indiqué que Martin inc. jouissait d'une trop grande liberté relativement aux entrées et aux sorties de fonds. Par exemple, il n'y avait aucune façon de savoir le montant exact du loyer payé par les locataires, à l'exception des dépôts à la banque. En outre, les factures présentées par les entrepreneurs à Martin inc. et acheminées par la suite aux Entreprises ABC ltée pour être acquittées n'étaient validées par personne. Les vérificateurs étaient stupéfaits de l'absence de contrôles et ont conseillé à M. Robinson d'établir un système de contrôle complet le plus tôt possible.

Questions

1. Quelle est votre opinion sur la façon dont Josée administre la division de gérance des propriétés de l'entreprise ?

2. Si vous étiez le vérificateur de l'entreprise, quels systèmes de contrôle établiriez-vous afin d'assurer que l'on rende compte de tous les montants des loyers et des factures ?

PARTIE III

LA GESTION
DES RESSOURCES
HUMAINES

Les ressources les plus importantes d'une entreprise sont, dit-on souvent, les personnes qui la constituent. Les travailleurs bien motivés par la gestion des ressources humaines produiront des biens et des services de qualité qui assureront le succès de l'entreprise. La **motivation** permet de créer, dans l'organisation, des conditions favorables à l'atteinte des objectifs organisationnels. Le **leadership** sert à guider les personnes vers la mission et les objectifs organisationnels. La **gestion des relations humaines** assure au personnel une formation et une rémunération appropriées. Les **relations ouvrières-patronales** illustrent comment la direction et les syndicats visent ensemble des buts communs.

Le chapitre 7, *La gestion des relations humaines*, traite de la motivation, du leadership et de la communication. Le premier segment est axé sur les diverses théories de la motivation, essentielles à l'amélioration de la productivité. Le deuxième couvre le leadership, notamment les sujets reliés au pouvoir de gestion (le pouvoir émanant d'un poste et le pouvoir personnel), de même que les différents styles de leadership (autocratiques à démocratiques) et les principales théories du leadership (de traits, du comportement et de la contingence ou situationnelles). Le troisième aborde les éléments les plus importants du processus de communication.

Le chapitre 8, *L'organisation*, commence par les notions fondamentales sur l'organisation et les différents types d'organisation (hiérarchique, hiérarchique et de l'état-major, fonctionnelle). Il couvre aussi les principaux types d'autorité (hiérarchique, de l'état-major et fonctionnelle) et traite de la différence entre la centralisation et la décentralisation. Il met finalement l'accent sur les diverses formes de départementalisation (fonctionnelle et divisionnaire).

Le chapitre 9, *La gestion des ressources humaines*, couvre tout le processus de gestion des ressources humaines, soit la définition des objectifs et des politiques en matière de ressources humaines, la présélection (l'analyse des postes, la description de poste, la définition des tâches), le recrutement, la sélection, la familiarisation, l'évaluation et la rémunération du personnel, ainsi que les décisions concernant les promotions, les mutations et les cessations d'emploi.

Le chapitre 10, *Les relations ouvrières-patronales*, couvre le mouvement ouvrier au Canada, l'organisation et la classification des syndicats (selon l'adhésion ou la géographie), la négociation collective, le règlement des différends ouvriers-patronaux (conciliation, médiation et arbitrage), de même que les diverses stratégies qu'utilisent les syndicats (grève, piquetage, boycottage) et la partie patronale (lock-out, injonction) afin de forcer l'autre intervenant à en arriver à une entente.

CHAPITRE
7

PLAN

Les gestionnaires en tant que leaders

La motivation
    La nature de la motivation
    Les théories de la motivation

Un enjeu commercial actuel : l'habilitation des employés

Le leadership
    La nature du leadership
    La comparaison entre gestionnaire et leader
    L'importance du pouvoir en matière de leadership
    Les styles de leadership
    Les approches de leadership

Un point de vue : le leadership

La communication de gestion
    Les bases du processus de communication
    Les obstacles à une communication efficace

Un point de vue : le recrutement du P.-D. G. de 1990

Résumé

LA GESTION
DES RELATIONS
HUMAINES

Les objectifs du chapitre

Après avoir lu le présent chapitre, vous pourrez :

1. expliquer la nature de la motivation et les diverses théories de la motivation ;

2. définir le leadership et en décrire les différents styles et approches ;

3. traiter du processus de communication et de l'importance de la communication entre les personnes au sein d'une organisation.

À 44 ans, Sam Walton ouvrit son premier magasin Wal-Mart. Quand il mourut à 73 ans, son empire comptait 1 800 magasins, 200 Sam's Clubs, un effectif de 345 000 collaborateurs et un chiffre d'affaires annuel de 40 milliards de dollars. Un bon jugement en affaires pendant 29 ans explique cet essor. De nos jours, la fortune de la famille Walton est évaluée à près de 24 milliards, ce qui en fait la famille la plus riche en Amérique et la deuxième plus riche du monde.

Comment s'y est pris Sam Walton, considéré comme le roi incontesté des commerçants de la fin du xxe siècle ? Il était évidemment un génie de la motivation qui avait compris que ses élans de gestionnaire, ses démonstrations d'encouragement et ses slogans réussiraient auprès des gens qui travaillaient debout toute la journée au rayon des marchandises à la pièce et qui retrouvaient ensuite chez eux un conjoint et trois enfants qu'il fallait nourrir. Voici comment Sam Walton a géré ce colosse du commerce de détail.

L'encouragement   Sam Walton a fait participer chacun. Grâce à la participation aux bénéfices, aux primes d'encouragement et au régime d'actionnariat privilégié, ceux qui s'occupaient des marchandises et des clients étaient directement intéressés à suivre les méthodes de Wal-Mart.

La visite des troupes   Sam Walton se levait tous les jours avant l'aube et allait, dans ses magasins, prendre le café avec l'équipe de la réception afin de motiver les collaborateurs et d'écouter les clients. Selon lui: «Faire la tournée de mes magasins reste encore ma tâche la plus importante. Je sais que j'aide les gens quand j'y vais. J'en apprends beaucoup sur ceux qui travaillent bien au bureau. Je vois aussi des points à rectifier et j'aide alors. Tout bon gestionnaire dans le commerce de détail doit, comme moi, suivre de près ses affaires. C'est une question de chimie et d'attitude équilibrées envers ceux qui traitent avec les clients.» Sam Walton passait à l'improviste, sans planification écrite.

Une conversation caractéristique pendant sa visite à l'un de ses magasins   Ce matin, le personnel du magasin n° 950 situé près de Memphis a appris la venue de Sam quand ce dernier s'est présenté nonchalamment vers 7 h devant la vitrine cadenassée et a commencé à tambouriner sur la vitre afin d'attirer l'attention. Le premier collaborateur à reconnaître le vieux bonhomme en casquette de sport Wal-Mart laissa, un court instant, entrevoir une expression de panique. Tout le monde, y compris Sam, porte carrément son prénom en insigne, afin que les relations s'établissent sur cette base.

«Bonjour, M. Sam et bienvenue à Memphis», de dire Doug. «Bonjour Doug, je suis content d'être ici, réplique Sam. Je voudrais faire un petit tour, puis nous rassemblerons tout le monde. Mais j'aimerais voir vos états des résultats et de mise en marché, de même que vos plans à 30, à 60 et à 90 jours. Entendu?» Puis, comme s'il était le propriétaire des lieux, il commence à se promener dans le magasin.

«Bonjour Bill, ça va?», demande Sam. «Bonjour, M. Sam, je suis à la nouvelle clinique d'automobile. Nous aimerions vraiment que vous passiez nous voir. Nous en sommes si fiers.» «Bill, pensez-vous que nous allons réussir avec ces nouveaux centres de graissage qui doivent concurrencer les franchises de vidange d'huile rapide telles que Jiffy Lube?» «Certainement, M. Sam. Nous serons à la hauteur.» «C'est bien», répond Sam.

À la pharmacie, il déclare: «Bonjour, Georgie. Je suis content de voir que l'huile pour bébé Equate vaut ici 1,54 $. Je pense que c'est une bonne affaire pour les clients.» «C'est l'article que je vends le plus», répond Georgie.

L'habilitation   Sam Walton avait l'habitude de sortir brusquement son principal outil d'habilitation, soit son magnétophone. «À Memphis, au magasin n° 950, Georgie a fait un bel étalage de l'huile pour bébé Equate. J'aimerais que l'on essaye de l'imiter partout.» Georgie rougit de fierté.

Plus tard, un directeur accourt avec une collaboratrice. «M. Walton, j'aimerais vous présenter Renée. Elle dirige l'un des dix rayons d'animaux les plus importants du pays.» «Bravo! Quel pourcentage des ventes du magasin réalisez-vous?» «L'an dernier, c'était 3,1 p. 100, mais cette année j'essaie d'atteindre 3,3 p. 100», répond Renée. «C'est fantastique, avoue Sam. Vous savez que le rayon des animaux ne représente, en moyenne, que 2,4 p. 100. Continuez votre bon travail.»

Le service à la clientèle   Selon Sam Walton, le service à la clientèle constitue le défi de Wal-Mart. Quand il parlait à ses collaborateurs, il leur disait: «Pensez-vous à ces petits extras? Regardez-vous les clients dans les yeux et leur offrez-vous votre aide? Vous savez, vous êtes la véritable raison du succès de Wal-Mart. Si vous ne vous souciez pas de votre magasin et de vos clients, ça n'ira pas. Les clients aiment la qualité et l'attitude qu'ils trouvent ici. Ils sont contents d'économiser grâce à nous. Ils voient la différence chez Wal-Mart.»

La formation   Sam Walton précisait : « Ce qui nous distingue, c'est que nous formons les gens à devenir des commerçants. Nous leur communiquons les résultats chiffrés, afin qu'ils sachent exactement leur rang dans le magasin et dans l'entreprise ; ils connaissent le prix coûtant, la marge brute, les frais généraux et les bénéfices. Ils se voient octroyer une lourde responsabilité et de grandes possibilités. Vous confiez un rayon des animaux à un collaborateur qui a de l'initiative. Ce dernier découvrira que l'essentiel est d'acheter une grosse quantité à un moment donné et de la revendre par la suite. On n'obtient rien en se contentant de simplement exécuter ses tâches. »

Le personnel de bureau   Sam Walton était préoccupé au sujet du personnel de bureau qui ne travaillait pas dans les rayons et qui ne faisait rien pour aider les clients. « J'aimerais voir les responsables des achats venir vendre, une fois par semaine dans les magasins, à un groupe qui y travaille. Cela leur ferait connaître la réalité. Ils ont un ego envahissant et se pavanent quand ces escrocs de vendeurs les louangent. »

Les concurrents   Sam Walton entrait à l'improviste dans un magasin concurrent. Enlevant simplement la casquette de base-ball Wal-Mart, dont il se séparait rarement, et son insigne, il faisait soudain partie des aînés anonymes venus acheter chez Kroger ; personne ne faisait attention à lui. « Regardez-moi ça, se disait-il, ils vendent le lait à 79 cents. Nous devons réagir tout de suite. » Puis, il achetait quelques bananes et partait. Quand il quittait la ville, le lendemain, la publicité de Wal-Mart annonçait le lait à 69 cents.

Les avis étaient partagés à propos du secret de l'approche remarquable de Sam Walton à la stratosphère du commerce : optimisme, énergie, cran ou charisme. Mais le véritable secret du génie de Sam reposait peut-être seulement sur sa grande capacité de concentration[1].

---

1. Traduit de John Huey, « America's Most Successful Merchant », *Fortune*, 23 septembre 1991, p. 46.

LES GESTIONNAIRES EN TANT QUE LEADERS

Le leadership constitue le noyau de la tâche d'un gestionnaire ; il vise à stimuler les gens dans les organisations de sorte que les travaux soient exécutés avec l'aide d'une main-d'œuvre motivée. Le véritable rôle du gestionnaire est de **diriger** les autres afin qu'ils réalisent de bon gré leurs tâches et leurs objectifs. À cette fin, il faut savoir influencer, motiver, encadrer et communiquer. Plus les gestionnaires comprennent les outils et les techniques utilisés en vue d'influencer et de motiver les gens, plus ils sont en mesure d'atteindre un rendement organisationnel supérieur.

Les plans les plus efficaces et les organisations dotées de l'effectif le plus compétent fonctionnent souvent au ralenti, jusqu'à ce que des gestionnaires libèrent l'énergie et les compétences inhérentes du personnel. Certains gestionnaires ont d'exceptionnelles qualités innées en matière de leadership ; d'autres doivent acquérir celles-ci par les études, l'observation et l'expérience.

Le leadership efficace correspond au processus qui permet aux gestionnaires de lier tous les objectifs, les plans, les activités et surtout les employés de l'organisation. Les excellentes organisations ne sont pas le fruit du hasard. Les sociétés les plus admirées en Amérique du Nord, selon la liste annuelle publiée dans *Fortune*, telles que Merk, Coca-Cola et Rubbermaid, ou les équipes gagnantes de hockey, de base-ball ou de football américain sont le résultat d'une bonne gestion et d'un leadership efficace. Elles sont dirigées par des personnes qui comprennent comment on peut unir les performances de chacun dans un effort synchronisé et fortement coordonné en vue d'obtenir, par synergie, des résultats efficaces.

Comme l'indique la figure 6.6 du chapitre 6, *Les fonctions de gestion*, la fonction de direction comprend trois composantes étroitement liées :

1. la **motivation**, qui comprend, d'une part, la définition des besoins de chacun ainsi que

des organisations et, d'autre part, la recherche des moyens de répondre à ces besoins ;

2. le **leadership,** cette qualité intangible qui permet à un gestionnaire de persuader et d'influencer autrui à atteindre des objectifs communs ;

3. la **communication**, qui est le processus permettant de transmettre des messages d'orientation au personnel qui précisent, quand, comment et avec qui faire ce qui est demandé.

Le présent chapitre examine en détail ces trois aspects de la gestion.

LA MOTIVATION

Cette section traite de l'un des facteurs les plus importants qui servent à influencer autrui: la motivation. Il est crucial de connaître les sujets de motivation qui incitent les personnes à travailler et à donner le maximum, sinon les gestionnaires ne pourront faire travailler les gens en équipe, de façon efficiente et efficace.

Qu'est-ce qui influence les gens ? L'argent, un grand bureau, le prestige, la satisfaction au travail ou la reconnaissance ? Manifestement, les personnes sont motivées pour différentes raisons. Ainsi, pourquoi certains veulent-ils escalader l'Everest, gagner une médaille d'or olympique, travailler comme bénévole dans l'organisation de Mère Teresa, devenir premier ministre du Canada ou étudier à l'université à l'âge de 60 ou de 70 ans ? Vu la multitude de motifs possibles, nous traiterons en termes généraux le sujet de la motivation et des raisons qui amènent les gens à se conduire ou à agir d'une certaine façon.

La nature de la motivation

Le mot « motivation » vient du latin *movere* qui signifie *mouvoir*. Les gens sont mus par différentes raisons : des récompenses externes comme une prime, une promotion, un éloge,

une augmentation de salaire, ou la soustraction à une punition (par exemple, perte de revenu ou critique), ou encore des **récompenses internes** telles que le sentiment de réussite, le plaisir d'accomplir un travail et l'estime de soi. On peut affirmer que les gens ne sont mus et motivés par un objectif que s'ils sentent qu'il en va de leurs propres intérêts fondamentaux[2].

Les experts du comportement humain affirment que les besoins insatisfaits d'une personne influent sur sa conduite ; lorsque nous disons qu'une personne est motivée, cela sous-entend simplement que le comportement qui en résulte est stimulé. Ainsi, un marathonien qui vient de terminer sa course, par une journée chaude de juillet, sera certainement déshydraté (besoin) et se précipitera vers une fontaine (stimulation), afin de répondre à ce besoin précis (se désaltérer). Comme le montre la figure 7.1, les principales hypothèses dans le modèle de la motivation sont le besoin ressenti, le comportement et les actions ; le processus de motivation laisse à penser que le comportement humain est **gouverné par des causes** et **des objectifs**.

Contrairement à ce que peut laisser supposer ce modèle de base, motiver les gens n'est pas facile. La définition des besoins de chaque personne et de l'organisation est en elle-même une tâche ardue. S'ils n'arrivent pas à définir les besoins, les gestionnaires ne pourront certainement pas motiver les personnes. Comment vendre des automobiles sans savoir ce qui pousse les clients à acheter un véhicule en particulier ? Est-ce pour le prestige, le plaisir ou le modèle ? Est-ce pour satisfaire leur ego ou simplement avoir un moyen de transport ?

La personne qui veut acheter une voiture aura probablement des priorités et adoptera un comportement axé sur un objectif. Ainsi, elle fera des heures de travail supplémentaires ou aura

---

2. Chester I. Barnard, *The Functions of the Executive*, Harvard University Press, Cambridge, Mass., 1938, p. 165.

FIGURE 7.1
Un modèle de motivation

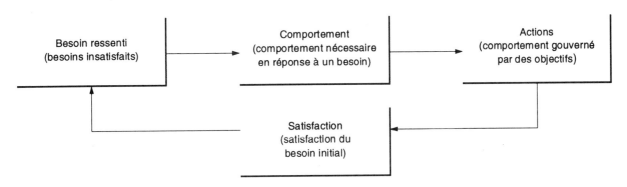

un second emploi afin de répondre à son désir. Une fois le véhicule acheté, ce besoin précis sera satisfait.

Les gestionnaires peuvent manipuler le comportement des gens en changeant le milieu et les situations de travail afin de leur permettre de répondre à des besoins reliés au travail, et ce à travers l'effort individuel et collectif. Les gestionnaires qui peuvent stimuler les organisations par la création d'un milieu de travail sain et par l'octroi d'une plus grande autonomie individuelle amèneront les employés à fournir leurs meilleurs efforts.

Les théories de la motivation

Dans les pages suivantes, nous traiterons des diverses théories de la motivation, regroupées sous trois modèles de base :

1. les **théories du contenu spécifique**, axées sur les exigences et les besoins que les personnes essaient de satisfaire dans des situations données ;

2. les **théories de processus**, qui portent sur la façon dont les gestionnaires peuvent effectivement modifier une situation afin d'obtenir une performance supérieure ;

3. les **théories de renforcement**, qui examinent la façon dont le comportement peut être justifié par des renforcements reliés à l'environnement.

Les théories du contenu spécifique de la motivation

Ces théories tentent de répondre à une question fondamentale : quels facteurs amènent une personne à se comporter d'une certaine façon ? Afin de trouver la réponse, on doit se concentrer sur 1) les besoins, désirs et motifs fondamentaux des gens (stimulations internes) qui les poussent à agir d'une certaine façon et 2) les mesures prises afin d'obtenir une récompense (facteurs externes) qui représente la valeur qu'une personne attribue à un objectif ou à un résultat déterminé. Les quatre théories les plus importantes du contenu spécifique de la motivation, dont les principaux éléments sont indiqués à la figure 7.2, sont la hiérarchie des besoins de Maslow, la théorie de motivation-entretien de Herzberg, la théorie d'Alderfer et la théorie du besoin d'accomplissement de McClelland.

La hiérarchie des besoins de Maslow

La théorie de Maslow[3] repose sur deux principes. D'abord, les besoins humains peuvent être classés en ordre croissant, depuis les besoins les plus fondamentaux ou d'ordre inférieur

---

3. A.H. Maslow, « A Theory of Human Motivation », *Psychological Review*, juillet 1943, p. 370-396.

FIGURE 7.2
Les quatre théories les plus importantes du contenu spécifique de la motivation

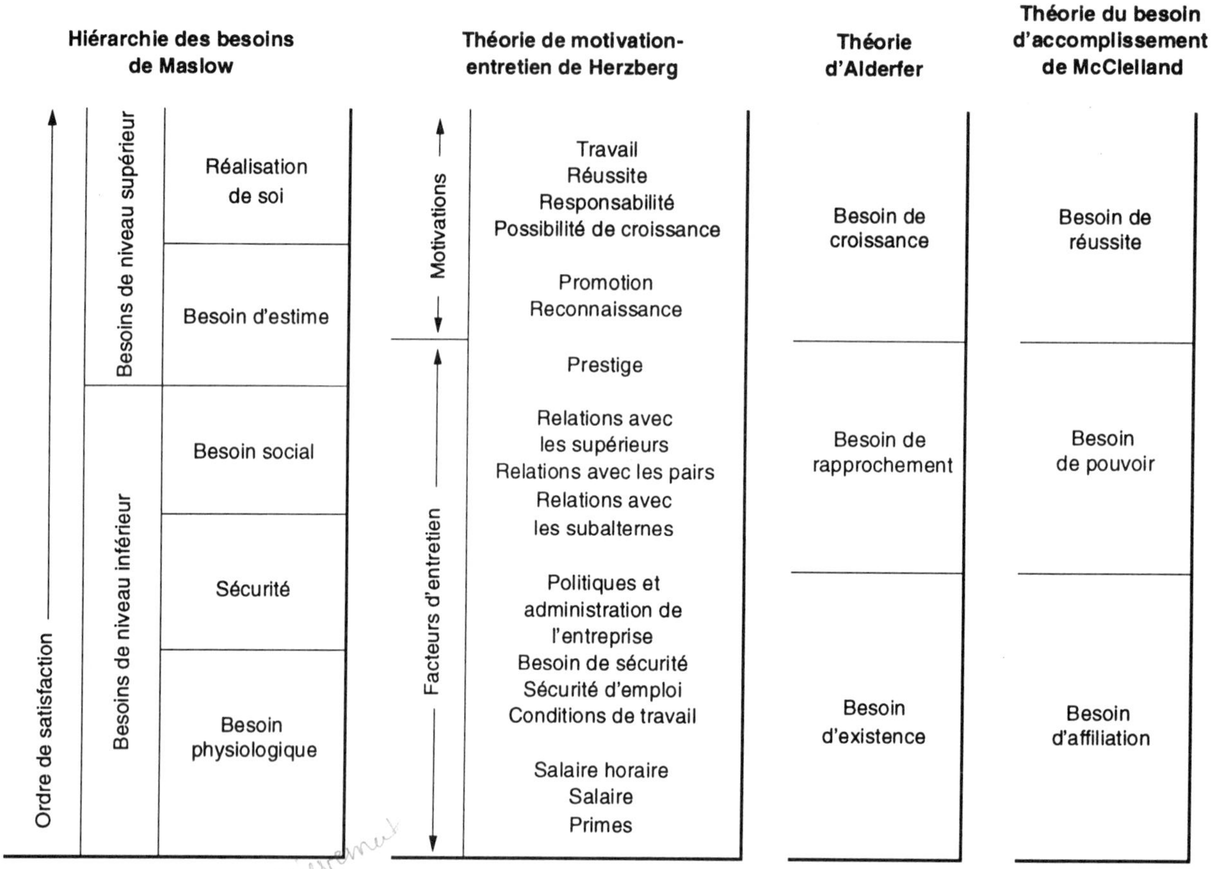

Hiérarchie des besoins de Maslow	Théorie de motivation-entretien de Herzberg	Théorie d'Alderfer	Théorie du besoin d'accomplissement de McClelland
Besoins de niveau supérieur — Réalisation de soi	**Motivations** — Travail, Réussite, Responsabilité, Possibilité de croissance	Besoin de croissance	Besoin de réussite
Besoin d'estime	Promotion, Reconnaissance		
	Prestige		
Besoins de niveau inférieur — Besoin social	**Facteurs d'entretien** — Relations avec les supérieurs, Relations avec les pairs, Relations avec les subalternes	Besoin de rapprochement	Besoin de pouvoir
Sécurité	Politiques et administration de l'entreprise, Besoin de sécurité, Sécurité d'emploi, Conditions de travail		
Besoin physiologique	Salaire horaire, Salaire, Primes	Besoin d'existence	Besoin d'affiliation

Ordre de satisfaction

(physiologiques, de sécurité et sociaux) jusqu'aux besoins plus obscurs ou d'ordre supérieur (estime et réalisation de soi). Ensuite, un besoin satisfait cesse de servir de motivation principale d'un comportement. Ainsi, quand un besoin de niveau inférieur est satisfait (le sujet fait dorénavant partie d'un groupe ou reçoit d'excellents avantages complémentaires), on essaie de satisfaire un besoin de niveau supérieur (obtention d'une reconnaissance de la part des amis et des supérieurs ou sélection d'un travail que l'on aime). Maslow a défini cinq niveaux de besoins : physiologiques, de sécurité, sociaux, d'estime et de réalisation de soi.

Les besoins **physiologiques** ou de survie sont les plus fondamentaux. Ils comprennent les besoins universels ou primaires tels que la nourriture, les vêtements et le logement. Une fois ces besoins satisfaits, les besoins suivants de niveau supérieur se font sentir.

Les besoins de **sécurité** concernent la nécessité de se libérer de souffrances physiques ou d'un revers économique (perte de revenu) afin d'éviter les dangers, les menaces ou les privations. Ces besoins sont satisfaits au moyen de l'importance connue de l'ancienneté professionnelle, des diverses assurances et de l'épargne. Une fois les besoins de sécurité satisfaits, le comportement change en vue d'apaiser les besoins sociaux.

Les besoins **sociaux** ou d'affiliation représentent, chez les gens, le désir de camaraderie, d'amour, d'amitié et d'interaction sociale; en bref, le sentiment d'appartenance à un groupe. De par leur nature, les gens aspirent à donner et à recevoir de l'amitié et de l'amour, de même qu'à être acceptés par autrui. Une fois ces besoins primaires satisfaits, les gens cherchent à apaiser des besoins de niveau supérieur.

Les besoins d'**estime** se rapportent au fait que les gens cherchent le respect et veulent se sentir bien dans leur peau. Ces besoins sont satisfaits à deux niveaux: les facteurs internes, soit le sentiment de confiance en soi et de satisfaction face à ses réalisations, et les facteurs externes qui consistent à faire l'objet de reconnaissance, de remerciements et de respect de la part d'autrui. Une fois ces besoins satisfaits, les besoins de réalisation de soi, eux aussi de niveau supérieur, se manifestent.

Les besoins de **réalisation de soi** ou d'épanouissement personnel constituent les besoins du niveau le plus élevé. Ils visent à l'atteinte du plein potentiel d'une personne par l'autoperfectionnement, la créativité et l'ingéniosité.

Le tableau 7.1 donne des exemples de la façon dont les gestionnaires peuvent utiliser la hiérarchie des besoins de Maslow afin de motiver leur personnel.

La théorie de motivation-entretien de Herzberg

Le modèle de Herzberg[4] part de la prémisse selon laquelle tous les postes impliquent des facteurs qui influencent le degré d'insatisfaction (facteurs d'entretien ou d'hygiène) et le degré de satisfaction (facteurs de motivation) que peut éprouver un travailleur.

Comme l'indique la figure 7.2, les **facteurs d'entretien** recoupent les besoins physiologiques, sociaux et de sécurité de Maslow. Les découvertes de Herzberg suggèrent que si les facteurs d'entretien ne sont pas présents, l'insatisfaction ou le mécontentement de l'employé sera maintenu. Pour éliminer ce sentiment négatif, il suffit d'améliorer les facteurs d'entretien au moyen de meilleurs avantages et conditions au sein de l'entreprise et de meilleures relations interpersonnelles entre les employés et leurs supérieurs.

Or, avant de prendre des mesures afin de motiver leurs subalternes, les gestionnaires doivent s'assurer que leur entreprise n'entretient pas de facteurs qui empoisonnent les journées des employés. En effet, il ne sert à rien de s'efforcer de motiver des employés si leurs besoins fondamentaux, comme celui d'obtenir un salaire raisonnable, de jouir de bonnes conditions de travail et de relations interpersonnelles saines, sont insatisfaits.

Quant aux **facteurs de motivation**, ils recoupent les besoins plus élevés (d'estime et de réalisation de soi), qui comprennent des facteurs comme la reconnaissance, la promotion, la possibilité de croissance, la responsabilité, la réussite et le travail lui-même (voir tableau 7.2).

Herzberg prétendait que les entreprises pouvaient arriver à motiver leurs employés en valorisant leur travail, processus d'ailleurs appelé **valorisation du travail**. On peut valoriser le travail d'un employé en lui conférant par exemple plus d'autorité, en augmentant ses responsabilités et en lui permettant d'utiliser son jugement.

L'approche de gestion contemporaine, appelée l'**habilitation des employés**, met l'accent sur la valorisation du travail, en réorientant les tâches des employés pour permettre à ceux-ci d'avoir plus de responsabilités quant à la planification, à la conception et à l'évaluation de leurs

---

4. Frederick Herzberg, « One More Time: How do You Motivate Employees ? », *Harvard Business Review*, janvier-février 1968.

TABLEAU 7.1
La hiérarchie des besoins de Maslow

habilita

Besoins de réalisation de soi	affectations stimulantes, perfectionnement des compétences, programmes de valorisation du travail, activités créatives et novatrices, compétence, réussites, souplesse, participation au processus décisionnel, autonomie
Besoins d'estime	titres, reconnaissance, éloges, primes au mérite, promotions, désignation de l'employé du mois, délégation de pouvoirs, augmentation de salaire au mérite, évaluation de haute performance
Besoins sociaux	groupes officiels et officieux, clubs, activités parrainées par l'entreprise, possibilité d'interaction (installations réservées aux repas, pauses), collègues aimables, compatibilité du superviseur
Besoins de sécurité	milieu sûr au travail, régimes d'assurance, indemnité de fin d'emploi, système d'arbitrage des griefs, droits d'ancienneté, allocations de chômage, sécurité d'emploi
Besoins physiologiques	salaires horaires, salaires, primes, vacances, périodes de repos, pause de midi, air et eau purs

TABLEAU 7.2
La théorie de motivation-
entretien de Herzberg

Facteurs d'entretien ou d'hygiène	**Facteurs de motivation**
– politiques et administration de l'entreprise	– réussite
– supervision	– reconnaissance
– relations interpersonnelles	– responsabilité
– conditions de travail	– promotion
– salaire et avantages sociaux	– nature du travail
– prestige	– possibilité de croissance

propres tâches. En d'autres mots, il s'agit de libérer le supérieur de certaines tâches en rendant le travail de ses subalternes plus stimulant et plus intéressant.

La théorie d'Alderfer

Le chercheur Clayton Alderfer a revu et condensé la théorie de Maslow en trois niveaux de besoins de base, soit l'existence, le rapprochement et la croissance[5]. Le premier niveau, l'**existence**, comprend tous les besoins physiques et matériels et correspond aux besoins physiologiques et de sécu-

rité de la théorie de Maslow. Ils englobent les avantages sociaux, le salaire et les conditions de travail. Les besoins d'existence correspondent également aux facteurs d'entretien de Herzberg, qui comprennent les conditions de travail et le salaire. Le deuxième niveau, celui des **besoins de rapprochement**, correspond aux besoins sociaux et d'estime de la théorie de Maslow, qui comprennent les relations avec les pairs, les subalternes et les supérieurs. Il correspond aussi aux facteurs d'entretien de Herzberg, comme les relations interpersonnelles et la supervision, et aux facteurs de motivation comme la promotion et la reconnaissance. Le troisième niveau de besoins, la **croissance**, comprend les efforts personnels d'un employé dans le but d'améliorer

---

5. Clayton P. Alderfer, *Existence, Relatedness and Growth*, New York, Free Press, 1972.

son milieu de travail en devenant plus créateur, plus innovateur et plus productif. Ces besoins se trouvent au sommet des besoins d'estime et de réalisation de soi de la théorie de Maslow. Ils correspondent en outre aux facteurs de motivation de Herzberg, comme la possibilité de croissance, la réussite et le travail.

Alors que Maslow soutient qu'une personne ne peut gravir les échelons des besoins qu'en suivant une progression de satisfaction, Alderfer évalue plutôt les besoins comme un continuum et est d'avis qu'une personne n'est pas obligée d'en respecter toutes les étapes. Il prétend que si une personne est incapable de progresser dans l'échelle des besoins, elle pourra régresser en raison de sa frustration et se tourner vers des satisfactions matérielles et physiques.

La théorie du besoin d'accomplissement

Une autre théorie importante a pour objet le besoin de réussite qu'éprouve toute personne ; on l'appelle d'ailleurs la théorie du besoin d'accomplissement[6]. Vulgarisée par David McClelland, cette théorie s'applique particulièrement à la motivation et au rendement et met l'accent sur la satisfaction de trois besoins particuliers : l'affiliation, le pouvoir et la réussite. Le **besoin d'affiliation** s'exprime par la stimulation qui pousse les gens à socialiser entre eux et à rechercher l'approbation des autres. Le **besoin de pouvoir** s'exprime par le désir d'une personne de contrôler et d'influencer les autres. Quant au **besoin de réussite**, il est lié à l'atteinte d'objectifs préétablis.

La théorie du besoin d'accomplissement illustre la volonté des gens d'accepter plus de responsabilités, leur désir d'obtenir une rétroaction immédiate et concrète sur leur rendement, et leur intérêt à faire un meilleur travail. Voici les trois principales conclusions de cette théorie :

1. La motivation à réussir est un élément clé pour les entrepreneurs, pour les représentants et pour les personnes qui dépendent exclusivement de leurs capacités et de leur désir de réussir.

2. Le pouvoir est important pour les gestionnaires d'entreprises qui sont responsables de mettre en valeur les talents et les habiletés de leurs subalternes.

3. L'affiliation est essentielle pour les personnes qui n'occupent pas un poste de gestionnaire.

Les théories de la motivation en tant que processus

Tandis que les théories du contenu spécifique de la motivation mettent l'accent sur le contenu et traitent des **besoins** et des **mesures d'encouragement** qui influent sur le comportement, les théories de la motivation en tant que processus portent sur **la façon dont le comportement est initié, maintenu, dirigé à nouveau et interrompu** et sur les objectifs qui motivent les personnes. Les théories les plus populaires de la motivation en tant que processus sont la théorie de l'anticipation comportementale et la théorie de l'équité.

La théorie de l'anticipation comportementale

Les deux théories de l'anticipation comportementale qui sont le plus fréquemment citées sont celle de Victor Vroom[7] et celle de Porter et Lawler[8]. La théorie de l'anticipation comportementale est fondée sur la prémisse selon laquelle une personne fournit 1) un certain effort 2) dans le but d'atteindre un certain rendement 3) qui permettra d'obtenir un résultat escompté. *— expected anticipé* En d'autres mots, on pourrait exprimer cette théorie sous forme de question : ma récompense

6. David C. McClelland, « Power Is the Great Motivator », *Harvard Business Review*, mars-avril 1976, p. 100-110.

7. Victor Vroom, *Work and Motivation*, Wiley, New York, 1964.

8. L.W. Porter et E.E Lawler, III, *Managerial Attitudes and Performance*, Homewood, Ill., Richard D. Irwin, 1968.

FIGURE 7.3
La théorie de l'anticipation comportementale

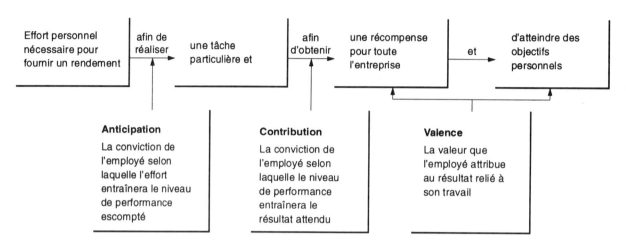

sera-t-elle à la hauteur des efforts que j'aurai fournis? Comme le montre la figure 7.3, la théorie de l'anticipation comportementale comprend entre autres les éléments suivants: l'**anticipation** effort-rendement, la **contribution** du rendement à la récompense et la **valence**.

L'anticipation effort-rendement signifie qu'une personne doit d'abord croire qu'elle a les aptitudes et les capacités nécessaires pour accomplir ses tâches et qu'en fournissant un certain effort ou travail, elle obtiendra un niveau de rendement attendu.

La **contribution du rendement à la récompense** a trait à la perception d'une personne du fait qu'un certain rendement entraînera la réalisation d'une récompense désirée (personnelle ou pour l'entreprise). Une personne qui a l'impression que son rendement ne sera pas remarqué ni récompensé pourra donc ne pas être motivée à fournir le maximum d'efforts. Cette étape correspond à la méthode dont dispose l'entreprise pour récompenser un employé en fonction de son rendement.

Quant à la **valence**, il s'agit de la valeur qu'une personne attribue à une récompense promise par l'entreprise pour avoir atteint un rendement d'un certain niveau. Si la personne juge cette récompense intéressante, elle pourra alors être prête à faire les efforts nécessaires. On appelle ce processus **valence de la récompense**. Par exemple, un employé à qui on aura promis une prime de 50 $ pour une augmentation de 5 p. 100 de ses ventes attribuera peut-être peu de valeur à cette récompense et ne sera pas motivé à faire les efforts demandés, tandis qu'une prime de 500 $ pourra constituer une valence suffisante. (Pour une formule de la théorie de l'anticipation comportementale, voir tableau 7.3.)

La théorie de l'équité

Cette théorie est étroitement liée aux travaux de J. Stacy Adams[9]. Elle s'appuie sur la prémisse selon laquelle les personnes veulent un **échange égal** entre 1) les efforts qu'elles investissent dans un travail particulier et 2) les profits qu'elles en tirent. En d'autres mots, si une personne a l'impression que ce qu'on lui demande de faire

9. J.S. Adams, «Toward an Understanding of Inequity», *Journal of Abnormal and Social Psychology*, 67, 1963, p. 425.

TABLEAU 7.3
La formule de la théorie de l'anticipation comportementale

Motivation	**=**	l'anticipation qu'un effort accru entraînera une récompense accrue	**×**	la valeur attribuée par une personne aux récompenses résultant de ses efforts

est équitable par rapport à ce que l'on demande aux autres de faire, cette personne fournira un effort suffisant à condition que la récompense accordée soit également équitable.

Les employés font habituellement des comparaisons pour évaluer le traitement dont ils font l'objet. Par exemple, un étudiant sortant à qui l'on offre 30 000 $ comme salaire annuel initial à titre d'analyste financier sera sans doute extrêmement satisfait de sa rémunération, jusqu'à ce qu'il découvre qu'un autre camarade qui occupe un poste identique a un salaire de 40 000 $. La question porte donc ici sur les récompenses relatives, et non le salaire absolu.

Au cœur de la théorie de l'équité se trouvent les notions d'**apports** et de **résultats** relativement à un travail donné. Les **apports** correspondent aux éléments fournis par un employé à l'égard d'un certain travail, comme son éducation, ses aptitudes, ses expériences, ses efforts et son ancienneté. Les **résultats** constituent ce qu'un employé reçoit en réponse à ses efforts, comme un salaire, des avantages sociaux, le niveau hiérarchique de son poste, des primes d'ancienneté, des conditions de travail et des privilèges. Il est donc impératif que les dirigeants d'une entreprise établissent un équilibre entre le travail et la rémunération de chaque employé. S'il y a déséquilibre entre les apports et les résultats, les employés s'efforceront de rétablir la situation. Par exemple, un employé qui a l'impression d'être trop récompensé en regard de ses apports au travail augmentera ces derniers afin de remédier à cette injustice. En revanche, si un employé a l'impression de ne pas être assez récompensé, on assistera à l'augmentation d'une certaine tension et

il pourrait réduire ses efforts afin de rendre la situation plus équitable.

Les théories de renforcement de la motivation

La théorie du contenu spécifique et la théorie de la motivation en tant que processus ont recours à des explications cognitives du comportement, c'est-à-dire aux raisons pour lesquelles une personne fait certaines choses afin de satisfaire des besoins, et laissent entendre que les buts d'une personne dirigent ses actions. Selon les théories du renforcement, le comportement est tributaire du milieu. Ces théories avancent qu'une personne recherche le plaisir, évite la souffrance et s'efforce d'accomplir des tâches qui lui apporteront le plus de satisfaction, au prix du moindre effort possible. Les théories de renforcement de la motivation, que l'on appelle parfois **modification du comportement** ou **conditionnement opérant,** sont souvent reliées aux travaux de B.F. Skinner[10]. Voici comment fonctionne ce concept : une personne qui recherche le plaisir accomplira certaines tâches dans le but d'être récompensée (renforcement positif). Si elle est récompensée, elle tendra alors à répéter ce comportement jusqu'à ce qu'il devienne une habitude (voir figure 7.4).

Selon Skinner, le comportement est relié à trois éléments clés :

1. le **stimulus**, soit l'environnement ou le milieu dans lequel le comportement s'inscrit ;

---

10. B.F. Skinner, *Science and Human Behaviour*, Free Press, New York, 1953, et *Beyond Freedom and Dignity*, Knopf, New York, 1971.

FIGURE 7.4
Le modèle de la théorie du renforcement

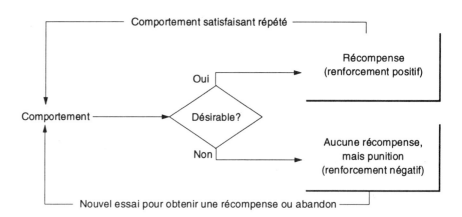

2. la **réponse**, soit le comportement lui-même ;

3. le **renforcement**, soit la récompense favorable obtenue à la suite d'un comportement positif.

Considérons cet exemple. Un représentant reçoit une prime de 500 $ pour avoir dépassé son objectif de ventes de 10 p. 100. La conséquence favorable (la prime) devient alors le stimulus, car l'employé l'associe à la récompense. Dans les mêmes conditions, le représentant fournira le même rendement, puisqu'il s'attend à recevoir cette récompense. Un renforcement continu peut donc entraîner un niveau de rendement plus élevé. Une punition infligée ne devrait toutefois favoriser en rien la répétition d'un comportement.

UN ENJEU COMMERCIAL ACTUEL

L'habilitation des employés

Nombre de sociétés américaines découvrent ce qui pourrait constituer la percée des années 1990 en matière de productivité. Ses noms sont variés : on l'appelle tantôt équipe autogérée, équipe à rendement élevé et même super-équipe. Selon le P.-D.G. de la société Texas Instruments, Jerry Junkins, « quel que soit le genre de votre entreprise, vous devrez compter avec ces équipes à l'avenir ». Sentiment partagé par Jamie Houghton, P.-D.G. de la société Coring, qui compte 3 000 équipes d'employés : « Si vous croyez vraiment en la qualité et si vous devez procéder à des réductions importantes, c'est l'habilitation de vos employés qui amènera la création d'équipes. »

Il n'est nullement question ici du travail d'équipe qui fait la fierté des déjeuners du Club Rotary ou des cercles de qualité si populaires au cours des années 1980, dans le cadre desquels les employés se réunissaient une fois par semaine pour échanger des trombones ou se plaindre des néons. Non, ce qui rend ces super-équipes si controversées, c'est qu'elles obligent, en bout de ligne, les gestionnaires à faire ce qu'ils n'auraient imaginé que dans leurs pires cauchemars : abandonner le contrôle. En effet, quand une super-équipe fonctionne bien, chose étonnante à dire, elle s'autogère ; elle n'a besoin d'aucun patron. Une super-équipe organise les horaires, établit les objectifs de profit et... peut même être au courant du salaire de chacun. En outre, elle a son mot à dire sur l'embauche et la mise à pied de ses membres ainsi que des gestionnaires. Elle se charge de commander le matériel et l'équipement, de traiter avec les clients, d'améliorer la qualité et, dans certains cas, d'élaborer des stratégies.

Source : Traduit de Brian Dumaine, « Who Needs a Boss », *Fortune*, 7 mai 1990, p. 52.

LE LEADERSHIP

Les gestionnaires doivent accomplir de nombreuses tâches relatives à la planification, à l'organisation, à l'orientation et au contrôle, et l'activité la plus cruciale consiste à diriger des personnes. Un gestionnaire efficace est capable de motiver les autres pour qu'ils le suivent volontairement et tendent vers un but commun. Mais que pouvaient bien avoir en commun Napoléon, Kennedy, Churchill, King et Gandhi ? Et que dire des chefs d'entreprises célèbres comme Jack Welch (de Générale Électrique), Sam Walton (de Wal-Mart), Lee Iacocca (de Chrysler), Roy Vagelos (de Merk), et Stanley Gault (de Rubbermaid) ? Ils peuvent tous se vanter d'avoir inspiré une vision, d'avoir amené leur établissement à aller de l'avant avec de nouvelles idées, de nouveaux produits ou de nouvelles façons de travailler, d'avoir agi comme modèles en démontrant aux autres qu'il est possible de concrétiser ses valeurs et ses convictions, avec succès.

Cette section présente certaines notions en matière de leadership. Elle traite d'abord de la nature du leadership et des différences entre un gestionnaire et un leader. Ensuite, nous nous pencherons sur l'une des plus importantes ressources de gestion, puis sur les styles et les approches de leadership les plus marquants.

La nature du leadership

Dans son survol des théories du leadership, Ralph M. Stogdill affirme qu'« il y a presque autant de définitions du leadership qu'il y a de personnes qui ont essayé de le définir[11] ». La plupart des observateurs s'entendent toutefois pour dire que le leadership constitue la capacité d'influencer le comportement d'autres personnes en vue de tendre vers un but commun. Les auteurs Koontz et O'Donnell définissent quant à eux le leadership comme « l'art d'influencer les autres afin que ces derniers s'efforcent, volontairement et avec enthousiasme, d'atteindre les objectifs de l'entreprise[12] ». Cette définition implique trois éléments essentiels.

① Premièrement, les leaders ont des perspectives d'avenir, se sont engagés à remplir une mission et accomplissent des activités qui visent l'atteinte d'objectifs et de buts. Ils ont une image bien précise de l'avenir, de ce qu'ils veulent réaliser et de l'orientation qu'ils veulent donner à leur entreprise. D'ailleurs, comment quelqu'un pourrait-il réussir à diriger d'autres personnes s'il ne savait dans quelle voie les mener ?

② Deuxièmement, le leadership met en jeu la présence d'autres personnes. Les leaders comprennent que ce sont les partisans qui font d'une personne un leader et non l'inverse. Tandis qu'un gestionnaire prend des décisions à la première personne du singulier, un leader a toujours

---

11. Bernard M. Bass, *Stogdill's Handbook of Leadership*, Free Press, New York, 1982, p. 9.
12. H. Koontz et C. O'Donnell, *Management : A System and Contingency Analysis of Managerial Functions*, McGraw-Hill, New York, 1976, p. 587.

recours à la première personne du pluriel. Cette façon de procéder explique pourquoi les leaders encouragent la collaboration, recherchent des solutions d'intégration et favorisent le travail d'équipe en laissant libre cours aux énergies et en établissant des liens de confiance.

③ Troisièmement, les leaders influencent les autres en partageant les pouvoirs et l'information, en se souciant d'eux, en leur donnant un sentiment de force, en accordant autorité et autonomie et en reconnaissant les réussites. Les leaders influencent les autres en articulant de façon efficace leur vision et en la gardant vivante, réitérant fréquemment leurs valeurs et leurs convictions et, surtout, en maintenant des voies de communication.

La comparaison entre gestionnaire et leader

La gestion et le leadership sont deux choses différentes. La gestion consiste à établir des buts et des stratégies, à déterminer le genre de ressources et de structures nécessaires à l'entreprise en vue d'atteindre ses buts, à s'assurer que les postes sont occupés par des personnes qui possèdent les aptitudes et les talents appropriés, à évaluer le rendement de chaque employé, à déterminer les récompenses ou les punitions qui s'appliquent et à s'assurer que les résultats sont conformes aux plans et aux objectifs établis. En outre, les gestionnaires sont nommés à leur poste et détiennent le pouvoir légitime de récompenser et de punir.

Quant au leadership, il constitue un aspect de la gestion. Il porte sur les questions de comportement et sur la capacité qu'a une personne à influencer les autres par ses habiletés en matière de relations humaines. Certains leaders n'ont aucune qualité de gestionnaires et vice versa. En effet, certains leaders ne sont pas à l'aise avec la planification, l'organisation et le contrôle. De même, certains gestionnaires éprouvent de la difficulté à pousser d'autres personnes à fournir

un rendement supplémentaire. Dans son livre *On Becoming a Leader*, Warren Bennis isole les différences fondamentales entre un gestionnaire et un leader. Il explique ces différences de la façon suivante: « Gérer signifie amener, accomplir, avoir la responsabilité de l'exploitation efficace d'une entreprise. Faire montre de leadership signifie influencer, diriger l'orientation, le déroulement, l'action, les opinions[13]. » Le tableau 7.4 illustre les différences entre le profil d'un gestionnaire et celui d'un leader.

L'importance du pouvoir en matière de leadership

Le pouvoir[14] est une importante ressource à la portée des chefs d'entreprises. En effet, comment peut-on être un leader si l'on ne peut influencer les autres ? Le pouvoir est donc la capacité d'influencer le comportement des autres et, finalement, de provoquer la réalisation de certaines choses. On ne doit toutefois pas confondre pouvoir et autorité. L'autorité est le droit légitime d'une personne à commander les autres, alors que le pouvoir est la capacité d'influencer ou de persuader les autres à accepter un point de vue particulier.

Comme l'indique la figure 7.5, on distingue deux catégories de pouvoirs: le pouvoir émanant du poste et le pouvoir personnel.

Le pouvoir émanant du poste correspond au pouvoir dont jouit un gestionnaire en raison du poste qu'il occupe au sein d'une entreprise. Les trois principales sources en sont le pouvoir de récompense, le pouvoir coercitif et le pouvoir légitime.

---

13. Pour une discussion intéressante à ce sujet, consulter Warren Bennis, *On Becoming a Leader*, Addison-Wesley Publishing Company, Reading, Mass., 1989, p. 44-49 ; et Warren Bennis et Burt Nanus, *Leaders : The strategies for taking charge*, Harper & Row Publishers Inc., New York, 1985, p. 19-24.

14. John R.P. French, Jr. et Bertram Raven, « The Bases of Social Power », *Group Dynamics : Research and Theory*, Evanston, Ill, Row, Peterson, Darwin Cartwright (éd.), 1962, p. 607-613.

TABLEAU 7.4
Les profils d'un gestionnaire et d'un leader

Le gestionnaire	Le leader
– administre	– innove
– est un double	– est unique
– maintient	– élabore
– se concentre sur les systèmes et les structures	– se concentre sur les personnes
– s'appuie sur le contrôle	– inspire confiance
– a des perspectives d'avenir à court terme	– a des perspectives d'avenir à long terme
– se penche sur les façons et le moment	– se penche sur l'objet et les raisons
– se préoccupe toujours des résultats financiers	– se préoccupe toujours de l'avenir
– imite	– crée
– accepte le statu quo	– essaie de changer le statu quo
– correspond au bon vieux soldat fidèle	– est fidèle à lui-même
– fait bien les choses	– fait les bonnes choses

Source : Traduit de Warren Bennis, *On Becoming a Leader*, Addison-Wesley Publishing Company, Reading, Mass., 1989, p. 45.

FIGURE 7.5
Les catégories et les sources de pouvoir

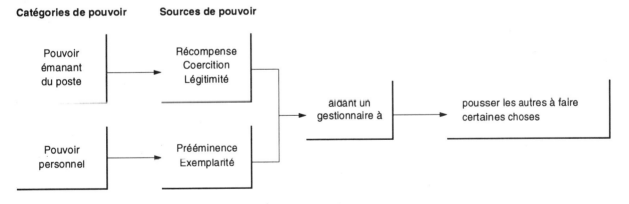

Le *pouvoir de récompense* correspond à la capacité d'une personne à offrir une ressource ou quelque chose de valeur aux autres afin de les remercier d'avoir fait du bon travail. Dans le cas d'un gestionnaire, il pourrait s'agir notamment de récompenses extrinsèques ou intrinsèques comme des salaires, des primes, des vacances, des compliments, des tâches particulières, des promotions. Cette source de pouvoir est associée à des retombées positives.

Le *pouvoir coercitif* est la capacité de punir ou d'infliger aux autres toutes sortes de mesures assorties de conséquences négatives. Il pourrait, par exemple, s'agir de rétrogradations, de cessations d'emploi, de retenues d'augmentation de salaires ou de primes, de réprimandes verbales ou écrites, d'affectations désagréables, d'humiliations. Cette source de pouvoir est associée à des conséquences négatives.

Le *pouvoir légitime* est le pouvoir qu'une personne a envers d'autres en raison du poste qu'elle occupe au sein d'une entreprise. Cette source de pouvoir ressemble à l'autorité. De par le poste qu'il occupe dans l'entreprise, un gestionnaire a le droit de récompenser et de punir. Il va sans dire que plus un poste est élevé dans la hiérarchie de l'entreprise, plus grand est le pouvoir légitime de celui qui l'occupe.

Le *pouvoir personnel* découle des relations humaines qu'une personne entretient avec les autres et de la mesure dans laquelle elle est respectée et admirée par ses disciples. Les deux principales sources de pouvoir personnel sont le pouvoir de prééminence et le pouvoir d'exemplarité.

Le *pouvoir de prééminence* provient des connaissances ou des compétences que possède une personne sur un sujet particulier. Les personnes qui jouissent de ce genre de pouvoir peuvent influencer les autres par l'information critique dont elles disposent sur un sujet important ainsi que par leur aptitude à prodiguer des conseils. Les médecins et les avocats peuvent, par exemple, influencer facilement leurs patients ou clients.

Le *pouvoir d'exemplarité* est la capacité d'une personne à influencer le comportement des autres en raison de l'image favorable qu'elle projette. Un leader rayonnant de charisme pourra s'attirer la fidélité de certaines personnes simplement en raison de ce charisme. Une personne peut détenir ce pouvoir en raison de la justice dont elle fait preuve, de la confiance qu'elle dégage, et de son aptitude à démontrer de l'empathie envers les autres.

Comme les qualités de chef dépendent de l'utilisation du pouvoir, les gestionnaires doivent être en mesure de l'utiliser efficacement en vue d'atteindre les objectifs de l'entreprise. Certains gestionnaires voudront partager leur pouvoir avec des subalternes en déléguant une part de leur autorité. La façon dont un gestionnaire utilise son pouvoir détermine en grande partie le genre de leadership dont il veut user.

Les styles de leadership

On peut définir le leadership d'une personne par la façon dont celle-ci interagit avec les autres. La figure 7.6 illustre les différents styles de leadership. Robert Tannenbaum et Warren Schmidt[15] ont déterminé trois styles de leadership, qu'ils ont placés selon une échelle allant de l'attitude autocratique à l'attitude démocratique, soit centrée sur le patron ou sur l'employé. Un leader peut être **centré sur les tâches**, c'est-à-dire préoccupé par la production, les activités et les objectifs. Il planifie et définit le travail à faire, attribue des tâches particulières, établit des normes de travail précises et s'assure que les tâches sont accomplies à temps.

En revanche, les leaders **axés sur l'employé** sont davantage préoccupés par les gens (les relations). Le leader qui porte une attention plus grande aux personnes est chaleureux, a d'excellentes relations avec les autres, respecte leurs sentiments et leurs opinions, est sensible à leurs besoins et, surtout, leur fait confiance. Un gestionnaire peut adopter un style de leadership autocratique, démocratique ou participatif, de laisser-faire ou d'abdication, axé sur les tâches ou la production ou encore axé sur les personnes ou les employés.

Les **leaders autocratiques ou directifs** sont centrés sur le travail et considèrent leurs subalternes simplement comme un autre facteur

---

15. Robert Tannenbaum et Warren H. Schmidt, « How to Choose a Leadership Pattern », *Harvard Business Review*, mai-juin 1973, p. 166.

FIGURE 7.6
Les styles de leadership

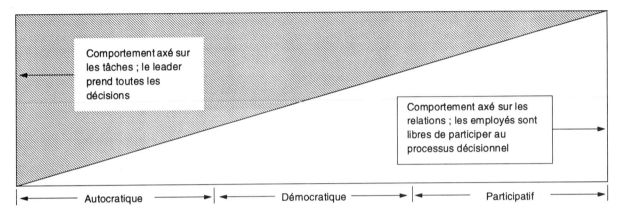

de production. Par conséquent, ils tendent à prendre toutes les décisions et à ne pas permettre à leurs employés de prendre part au processus décisionnel. Ces leaders émettent des ordres et s'attendent à voir le travail s'effectuer conformément à leurs directives.

Les **leaders démocratiques ou participatifs** se soucient des autres et permettent à leurs subalternes de participer au processus décisionnel. Ils favorisent le travail d'équipe et permettent à chacun de participer à l'établissement de buts et à l'élaboration de son propre plan et de ses propres tâches. Ces gestionnaires font montre d'un grand souci du travail et des employés, et encouragent l'échange de renseignements. Ils délèguent leur autorité et poussent leurs subalternes à jouer un rôle actif dans la gestion de leur propre unité administrative.

Les **leaders qui adoptent une attitude de laisser-faire ou abdiquent**, laissent leurs subalternes faire à leur guise. Ils s'intéressent peu au travail et aux employés. Toutes les décisions sont prises par leurs subalternes, et les résultats leur importent peu. En somme, ces leaders ne participent pas aux activités quotidiennes de l'entreprise. Ce genre de leadership peut être

favorable dans de rares occasions, particulièrement celles où les subalternes sont des professionnels motivés qui ont reçu une bonne formation et qui n'ont pas besoin de recevoir d'ordres. La seule chose que les subalternes peuvent exiger de leur leader est de l'aide quant aux ressources (fonds ou matériel) nécessaires en vue d'accomplir leur travail.

Les **leaders axés sur les tâches ou la production** se concentrent sur tous les aspects du travail, comme la planification, les horaires de travail, l'établissement de systèmes et le traitement d'activités. Ce style de leadership porte aussi le nom de **structure d'amorce**.

Enfin, les **leaders axés sur les personnes ou les employés** se soucient grandement du bien-être de leurs employés et ont un besoin caractéristique de se faire accepter par eux. On appelle aussi cette approche **style de leadership axé sur les relations, attentionné ou centré sur les employés**.

Les approches de leadership

Toutes les recherches sur le leadership des gestionnaires menées jusqu'à présent peuvent être divisées en trois : les théories de traits, du comportement, et de la contingence ou situationnelles.

Les théories de traits

Les premières tentatives visant à mesurer le comportement et l'efficacité du leadership ont eu lieu dans le cadre des théories de traits. Le principal objectif de ces premières recherches était d'isoler les traits ou les caractéristiques qui distinguent les leaders de ceux qui n'en sont pas, soit les suiveurs. Edwin Ghiselli[16] et Ralph Stogdill[17] sont peut-être les chercheurs les plus reconnus dans ce domaine. Voici quelques-uns des traits de leadership qui, selon les découvertes de ces deux chercheurs, semblent être importants :

- la capacité de supervision ;
- la volonté d'assumer des responsabilités ;
- les aptitudes sociales et en matière de relations humaines ;
- l'énergie physique ;
- les facultés intellectuelles ;
- la créativité ;
- l'esprit de décision ;
- l'indépendance ;
- la confiance en soi ;
- le contrôle de groupe informel ;
- l'équilibre affectif ;
- la motivation à accomplir un travail ;
- la communication ;
- le maintien d'une équipe de travail unie.

Les principales limites des théories de traits reposent sur le fait qu'il ne semble y avoir aucun point commun entre les traits de chefs célèbres comme Abraham Lincoln, Mahatma Gandhi, John Kennedy, Winston Churchill, Napoléon, Vince Lombardi ou Martin Luther King. En outre, un leader pourrait avoir connu du succès dans une situation donnée et avoir connu un échec dans une autre. Enfin, même si certains de ces traits semblent avoir été déterminants dans le charisme de certains leaders, d'autres ne semblent y avoir joué aucun rôle.

Les théories du comportement (behaviorisme)

L'une des faiblesses des théories de traits est leur incapacité à expliquer les **causes véritables** d'un leadership efficace. Or, les behavioristes ont souligné que l'étude du succès des leaders devait s'appuyer sur leur comportement. Les théories du comportement découlent des styles de leadership décrits plus haut. Les behavioristes concentrent leur attention sur les aspects particuliers du comportement des leaders par rapport à leurs subalternes. Trois célèbres théories de recherches à cet égard sont l'œuvre de Rensis Likert (le système 4), Douglas McGregor (la théorie X et la théorie Y) et Blake et Mouton (la grille de gestion).

Le **système 4**, ou **théorie de l'organisation participative**, de Rensis Likert, illustre le fait que les styles de leadership peuvent être regroupés en quatre systèmes[18]. Comme l'indique la figure 7.7, le **système 1** correspond à un style de leadership autocratique d'exploitation, adopté par des leaders qui prennent toutes les décisions. Le **système 2**, ou style autocratique bénévole, est l'apanage des leaders qui prennent des décisions, parfois après avoir invité leurs subalternes à participer au processus décisionnel. Néanmoins, ces derniers doivent accomplir leurs tâches selon les règlements prévus. Le **système 3**, ou style consultatif, est propre aux leaders qui établissent des objectifs en laissant à

16. E.E. Ghiselli, *Explorations in Managerial Talent*, Goodyear, Pacific Palisades, Californie, 1971.
17. Ralph M. Stogdill, « Personal Factors Associated with Leadership : A Survey of the Literature », *Journal of Psychology*, vol. 25, 1948, p. 65.
18. Rensis Likert, *New Patterns of Management*, McGraw-Hill, New York, 1961.

FIGURE 7.7
Les quatre systèmes de gestion de Likert

	Système 1 **Autocratique d'exploitation**	Système 2 **Autocratique bénévole**	Système 3 **Démocratique consultatif**	Système 4 **Démocratique participatif**
Leadership	Gestionnaires n'ayant pas confiance en leurs subalternes	Gestionnaires ayant une certaine confiance en leurs subalternes	Gestionnaires ayant considérablement confiance en leurs subalternes	Gestionnaires ayant une confiance absolue en leurs subalternes
Communication	Très faible	Moyenne	Considérable	Considérable
Prise de décisions	Non participative	Certaines décisions sont prises à des niveaux inférieurs, mais conformément à des directives précises	Haute direction responsable des politiques et employés subalternes chargés des décisions d'exploitation	Décisions prises par les gestionnaires de tous les niveaux au sein d'un processus de relations
Établissement de buts	Par des directives	Faible possibilité de donner son opinion	Participation des employés encouragée	Participatif
Contrôle	Exercé par les gestionnaires	Principalement exercé par les cadres supérieurs	Un certain partage des responsabilités	Exercé par les gestionnaires de tous les niveaux

Source : Traduit de Rensis Likert, *The Human Organization*, New York, McGraw-Hill, 1967, p. 197-211.

leurs subalternes la liberté de décider de la façon dont ils accompliront leurs tâches. Enfin, le **système 4**, ou organisation participative, correspond à un engagement entier de la part des subalternes dans la décision de leurs objectifs et de leurs méthodes de travail.

La **théorie X** et la **théorie Y** de Douglas McGregor sont fondées sur les prémisses selon lesquelles le comportement d'un leader est grandement influencé par ses suppositions sur la nature humaine[19]. Ainsi, les gestionnaires qui acceptent les suppositions de la théorie X font

montre d'autoritarisme, puisqu'ils croient que leurs subalternes détestent viscéralement leur travail, que la plupart des personnes doivent être dirigées, contrôlées et menacées par des punitions pour les obliger à accomplir un bon travail, que le commun des mortels préfère être contrôlé et dirigé, a peu d'ambition et que tout ce dont il se soucie est sa sécurité.

En revanche, les gestionnaires qui adoptent les suppositions de la théorie Y ont un style de leadership plus participatif, puisqu'ils croient que leurs subalternes adorent leur travail, qu'ils ont une tendance naturelle à se diriger et à se contrôler eux-mêmes, qu'ils recherchent constamment de nouvelles responsabilités et travaillent à atteindre les objectifs de la société

19. Douglas McGregor, *The Human Side of Enterprise*, McGraw-Hill, New York, 1960.

TABLEAU 7.5
La théorie X et
la théorie Y
de McGregor

Théorie X		Théorie Y
Autocratique	← *plutôt que* →	Démocratique
Centré sur la production	← *plutôt que* →	Centré sur l'employé
Supervision étroite	← *plutôt que* →	Supervision générale
Exerçant un contrôle externe	← *plutôt que* →	Exerçant un contrôle interne
Directif	← *plutôt que* →	Faisant preuve d'un grand soutien
Créateur de structures	← *plutôt que* →	Témoignant de la considération

(lorsque des récompenses sont en jeu), qu'ils sont ingénieux, créatifs et innovateurs. Ces deux styles de leadership sont résumés dans le tableau 7.5.

La **grille de gestion (Managerial Grid)** de Robert Blake et Jane Mouton correspond à un modèle de leadership à deux dimensions[20] qui illustre comment des gestionnaires peuvent jumeler simultanément deux styles de leadership, en des proportions variables, tantôt centrés sur les tâches, tantôt sur les employés. La grille comprend cinq styles de leadership ou comportements différents :

1. style peu axé sur les tâches et sur les relations ;

2. style peu axé sur les tâches mais beaucoup sur les relations ;

3. style très axé sur les tâches mais peu sur les relations ;

4. style moyennement axé sur les tâches et sur les relations ;

5. style très axé sur les tâches et sur les relations.

Les théories de la contingence ou situationnelles

Ces théories partent du principe selon lequel un leadership efficace s'adapte à la situation. Ainsi, dans certains cas, le style de leadership axé sur les personnes sera efficace, alors que d'autres situations nécessiteraient plutôt l'adoption d'un leadership axé sur les tâches. Contrairement aux théories des traits et aux styles de leadership, qui s'appuient davantage sur une approche descriptive, les théories de la contingence ou situationnelles sont fondées sur des études beaucoup plus fouillées.

Les théoriciens de la contingence ont tenté d'établir les facteurs les plus importants qui influencent le comportement des leaders. Le modèle de substitution de Fred Fiedler, l'approche trajet-but de Martin G. Evans et Robert J. House, et la théorie situationnelle de Kenneth H. Blanchard constituent trois célèbres modèles de leadership de contingence.

Le *modèle de substitution* de Fred Fiedler[21] s'appuie sur la supposition selon laquelle trois éléments de la situation d'activité déterminent le comportement de leadership le plus efficace, soit :

– Les **relations leader-membre** : jusqu'à quel point est-ce que le leader s'entend bien avec ses employés ? Il s'agit ici de mesurer le niveau de confiance que les employés ont envers leur supérieur, la personnalité de celui-ci, le niveau de loyauté, de respect et de soutien que les employés manifestent envers lui.

20. Robert R. Blake et Jane S. Mouton, *The New Managerial Grid*, Gulf Publishing, Houston, 1978.

21. Fred E. Fiedler, *A Theory of Leadership Effectiveness*, McGraw-Hill, New York, 1967.

TABLEAU 7.6
Le modèle de substitution de Fiedler

Situations	Relations leader-membre	Structure des tâches	Pouvoir du poste	Style de leadership efficace
1	Bonnes	Structurées	Fort	Axé sur les tâches
2	Bonnes	Structurées	Faible	Axé sur les tâches
3	Bonnes	Non structurées	Fort	Axé sur les tâches
4	Bonnes	Non structurées	Faible	Axé sur les relations
5	Médiocres	Structurées	Fort	Axé sur les relations
6	Médiocres	Structurées	Faible	Axé sur les relations
7	Médiocres	Non structurées	Fort	Axé sur les relations
8	Médiocres	Non structurées	Faible	Axé sur les tâches

- La **structure des tâches**: jusqu'à quel point les tâches des employés sont-elles routinières et répétitives, plutôt que non structurées et complexes, et jusqu'à quel point le travail nécessite-t-il l'élaboration de lignes directrices et de méthodes?

- Le **pouvoir du poste de leader**: jusqu'à quel point le poste qu'occupe le gestionnaire lui confère-t-il l'autorité et le pouvoir nécessaires pour récompenser ou punir les membres du groupe?

Les découvertes de Fiedler sur le style de leadership et le rendement sont illustrées dans le tableau 7.6.

Comme l'indique le tableau, le leadership axé sur les tâches s'appliquerait donc aux situations 1, 2, 3 et 8, dans le cadre desquelles le travail des employés est routinier et répétitif comparativement aux situations non structurées et complexes. Quant au leadership axé sur les relations, il s'appliquerait idéalement aux situations 4 à 7, dans le cadre desquelles le gestionnaire détient l'autorité et le pouvoir légitimes de récompenser et de punir.

L'approche trajet-but de Martin G. Evans et Robert J. House, qui emprunte de nombreux éléments à la théorie de l'anticipation comportementale, est fondée sur la prémisse selon laquelle le leader est la personne par excellence pour favoriser la motivation, la satisfaction et le rendement élevés de l'employé[22]. Selon cette théorie, le leader a la responsabilité de s'assurer que 1) toutes les tâches effectuées par ses subalternes sont clairement énoncées par lui, 2) tous les obstacles sont éliminés par le leader pour s'assurer que les objectifs sont atteints et que 3) ses subalternes peuvent en tirer une satisfaction personnelle. Contrairement à la théorie de Fiedler, la théorie trajet-but suggère l'application de quatre styles de leadership:

1. La **conduite directive** est utilisée par le leader afin de faire part à ses subalternes de ce qu'il attend d'eux, de leur prodiguer des conseils particuliers sur la nature du travail à accomplir et sur les méthodes à utiliser, de planifier le travail et de maintenir des normes de rendement précises.

---

22. Martin G. Evans, «The Effect of Supervisory Behavior on the Path-Goal Relationship», *Organizational Behavior and Human Performance*, mai 1970, p. 277-298; Robert J. House, «Path-Goal Theory of Leadership Effectiveness», *Administrative Science Quarterly*, septembre 1971, p. 321-338.

FIGURE 7.8
La théorie situationnelle de Hersey et Blanchard

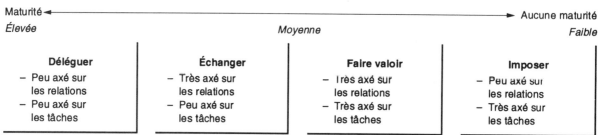

Maturité ◄──► Aucune maturité
Élevée   *Moyenne*   *Faible*

Déléguer	**Échanger**	**Faire valoir**	**Imposer**
– Peu axé sur les relations – Peu axé sur les tâches	– Très axé sur les relations – Peu axé sur les tâches	– Très axé sur les relations – Très axé sur les tâches	– Peu axé sur les relations – Très axé sur les tâches

2. La **sollicitude envers les employés** est adoptée par le leader afin de démontrer son intérêt à l'égard du bien-être de ses subalternes par un traitement d'égal à égal et par une attitude amicale de disponibilité.

3. Le **leadership dédié à l'excellence** est utilisé par le leader en vue de fixer des défis aux membres du groupe, de leur démontrer sa confiance en leurs capacités et de leur permettre de choisir leur propre voie.

4. Le **leadership participatif** est utilisé par le leader qui consulte ses subalternes et tient compte de leurs recommandations avant de prendre une décision.

La *théorie situationnelle* de Paul Hersey et de Kenneth H. Blanchard part de la prémisse selon laquelle le style de leadership le plus efficace dépend de la **maturité** des subalternes[23]. Les auteurs définissent la maturité comme la volonté des membres d'un groupe d'accepter des responsabilités, leur désir d'établir des buts élevés mais réalisables, et leurs compétences et leurs expériences reliées à leur travail. Selon leur théorie, il existe un lien étroit entre la maturité des employés et le style de leadership qu'adoptera leur leader, et celui-ci pourra changer son style à mesure que ses subalternes acquerront de la maturité.

Au cours du premier stade, au moment où les employés entrent au service d'une entreprise et ne connaissent pas les tâches qu'ils devront accomplir, un style de leadership hautement axé sur les tâches, jumelé aux règlements et aux procédures de l'entreprise, s'avérera des plus efficaces.

Au cours du deuxième stade, soit à mesure que les subalternes commenceront à se familiariser avec leur travail, le leader devrait continuer d'avoir recours à l'approche axée sur le travail, car ses employés ne sont pas encore prêts à accepter de grandes responsabilités. Néanmoins, à ce stade, le leader fait de plus en plus montre de confiance et de soutien, et les subalternes sont encouragés à faire preuve d'initiative.

Au cours du troisième stade, les aptitudes et le besoin d'accomplissement des subalternes continuent de s'accroître, et ils commencent à demander plus de responsabilités. Le gestionnaire constate alors qu'il n'a plus besoin d'avoir recours à une approche directive, mais il continue de manifester son soutien et sa considération. Au dernier stade, les employés ont développé leurs habiletés, sont plus confiants, autonomes et expérimentés, possèdent un grand besoin d'accomplissement et sont en mesure d'exercer un autocontrôle. Le leader peut maintenant réduire considérablement son niveau de soutien et d'encouragement puisque ses subalternes peuvent maintenant travailler de façon **autonome**. Les changements dans le comportement d'un leader sont illustrés à la figure 7.8.

23. Paul Hersey et Kenneth Blanchard, *Management of Organizational Behavior: Utilizing Human Resources*, Prentice-Hall, 4ᵉ édition, Englewood Cliffs, N.J., 1982.

UN POINT DE VUE

*Warren Bennis,
auteur et professeur à la
University of Southern
California*

Le leadership

Le leadership et le manque de confiance seront des enjeux d'une importance croissante au cours des années 1990, en raison d'un environnement risqué, irrégulier, fluide et ambigu. Au cours de mes quelque 40 ans au service d'entreprises, pendant lesquels je les ai conseillées et au cours desquels elles ont fait l'objet de mes recherches, je n'ai jamais observé un environnement aussi complexe et imprévisible que celui qui prévaut à l'heure actuelle. Cette situation crée de multiples problèmes de confiance et de morale au sein des entreprises, car leurs dirigeants éprouvent des difficultés à prévoir et à communiquer ces changements.

Imaginons un trépied (en raison de l'équilibre) dont chaque pied représenterait une qualité que doit posséder un gestionnaire. La première de ces qualités correspond à l'ambition ou à la motivation du cadre — élément fondamental. La deuxième est sa compétence, d'aussi grande importance. Enfin, la troisième correspond à ses valeurs, à son intégrité. Les meilleurs leaders réussissent à obtenir un équilibre parfait de ces trois qualités. Or, en temps de crise, de changement et de reprise, j'ai pu observer que certaines entreprises ont eu recours aux services d'une personne à l'ambition et aux compétences extraordinaires, mais n'ayant aucune intégrité. Je qualifie ces personnes de chefs de file destructeurs. Je pense que c'est un point sur lequel nous devons nous pencher. Certes, il ne s'agit pas de la seule solution au manque de confiance, mais nous devons essayer de résoudre le problème par le sommet.

Source : Traduit de « What I Want U.S. Business to do in '92 », *Fortune*, 31 décembre 1991, p. 26.

LA COMMUNICATION DE GESTION

La seule façon de faire bouger les choses dans une entreprise est la communication, soit le transfert de messages, de renseignements ou de connaissances entre des personnes, verbalement ou par écrit. Les messages transmis entre des membres au sein d'une entreprise comprennent notamment les objectifs, les plans, les politiques, les méthodes, les ordres, la mission et les valeurs. Un gestionnaire qui possède des habiletés à la communication pour le transfert et la réception de renseignements sera donc efficace lorsqu'il s'agira d'entrer en relation avec les autres. Seule la communication permet à un gestionnaire d'interagir avec des personnes ou des groupes lorsqu'il doit prendre des décisions. Le leadership serait impossible sans communication.

Les bases du processus de communication

Quand les membres d'une entreprise communiquent entre eux, ils doivent se conformer à un processus afin de permettre un transfert et une réception réussie des messages. Vous trouverez à la figure 7.9 les principaux éléments du processus de communication.

Étape 1   C'est la **source** ou l'émetteur du message qui a l'idée de communiquer avec une autre personne. Prenons l'exemple d'un directeur

FIGURE 7.9

Le processus de communication

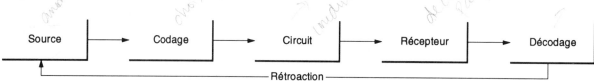

des ventes qui décide d'augmenter de 10 p. 100 le prix de vente d'un produit et qui doit transmettre cette information à ses représentants.

Étape 2 Le message doit être **codé**, c'est-à-dire que l'émetteur (par exemple, le directeur des ventes) décide de la façon dont le message sera transmis aux récepteurs (par exemple, aux représentants). Le codage détermine donc le contenu exact du message et le choix des mots, des gestes ou des actions qui permettront d'en assurer la bonne interprétation.

Étape 3 Le message est **transmis** par un médium. L'émetteur doit décider de la façon dont le message sera transféré, c'est-à-dire du circuit (médium) à emprunter. Un message peut, par exemple, être transmis par téléphone, de personne à personne, par une note de service, sur bande vidéo, par télécopieur ou au cours d'une réunion de groupe. Si l'on reprend notre exemple, le directeur des ventes devra décider du circuit de communication qui sera le plus efficace.

Étape 4 Le message est **reçu** par les récepteurs. Pour ce faire, ces derniers se servent de l'un ou de plusieurs de leurs cinq sens : la vue, l'ouïe, l'odorat, le goût ou le toucher. La façon dont un message sera reçu dépend en grande partie de la façon dont il aura été envoyé. Dans notre exemple, si le directeur des ventes transmet son message par écrit, il court le risque que certains représentants ne reçoivent pas sa missive. Également, s'il a recours à une transmission verbale (au cours d'une réunion), il court également le risque que l'un des récepteurs soit distrait par un collègue ou un bruit.

Étape 5 Le message est **décodé**, c'est-à-dire que le récepteur lui donne une signification (symboles, mots, gestes). Plus le message est précis, plus il a de chances d'être correctement interprété. Ainsi, le directeur des ventes doit être très précis au sujet de l'augmentation de prix afin de s'assurer que son message soit correctement décodé. Par exemple, il devra préciser les points suivants :

– les produits visés par l'augmentation ;
– l'entrée en vigueur de l'augmentation ;
– les territoires touchés ;
– la transmission de l'augmentation du prix aux clients ;
– les clients touchés ;
– le pourcentage et le montant véritable de l'augmentation de chaque produit visé.

Étape 6 Une fois son message transmis, l'émetteur pourra demander une réponse à son message (**rétroaction**) de la part du récepteur, en vue de s'assurer que ce dernier l'a bien compris (décodé). Dans notre exemple, si le directeur des ventes communique l'augmentation de prix au cours d'une réunion, il pourra ensuite amorcer une discussion pour déterminer jusqu'à quel point son message a été bien capté. En revanche, s'il choisit de transmettre son message par note de service, il ne dispose d'aucun moyen de vérifier la compréhension de chacun, en raison de la nature impersonnelle du moyen de communication.

Les obstacles à une communication efficace

Il existe plusieurs raisons pour lesquelles un message est mal interprété par le récepteur. Ces obstacles peuvent provenir de l'émetteur, du récepteur, ou de l'environnement. Voici les cinq obstacles les plus communs à une communication efficace.

1. La **perception**, c'est-à-dire quand les valeurs, l'éducation, l'origine et les expériences de l'émetteur et du récepteur diffèrent. Ces éléments peuvent, en effet, être la source d'une interprétation différente du message de la part des deux personnes. Prenons l'exemple d'un nouveau chef d'usine qui rend visite à ses employés pour les féliciter d'avoir bien accompli leur travail. Bien que le directeur soit sincère dans sa démarche, cette dernière peut être interprétée par les travailleurs comme une façon détournée de leur demander de se remettre au travail. Les différences de langue et de culture peuvent aussi entraîner des perceptions diverses. Plus l'émetteur est sensible à ces différences, plus il saura efficacement transmettre son message.

2. La **méfiance**, dans une large mesure, concrétise le manque de crédibilité de l'émetteur d'un message auprès de son récepteur. Un message correctement codé et efficacement transmis peut se buter à l'indifférence du récepteur si celui-ci n'y croit pas en raison du comportement antérieur de l'émetteur. Prenons l'exemple des discours éloquents de l'ancien premier ministre Brian Mulroney à la télévision ou lors de déjeuners d'affaires. Même s'il peut être sincère, lorsqu'il parle d'essayer de résoudre les problèmes politiques ou économiques du pays, il a de la difficulté à obtenir le soutien de la population en raison de son manque de crédibilité. Plus l'émetteur est fiable, plus le récepteur recevra le message aisément et correctement.

3. Les **distractions physiques** peuvent aussi facilement déranger, rendre confus ou causer de l'interférence dans le processus de communication. Prenons l'exemple d'un directeur qui désire faire part d'un important message à un subalterne. Le circuit de communication ou l'endroit où ces personnes se rencontrent peuvent causer une interruption du processus de communication. D'une part, si le message est transmis par téléphone, le récepteur peut avoir des distractions (par exemple, la présence de personnes ou d'objets), sans que l'émetteur le sache. D'autre part, si le directeur rencontre l'employé dans la cafétéria de l'entreprise, le récepteur pourra également être distrait par d'autres personnes ou des objets dans la pièce. Par conséquent, lorsqu'un message important doit être transmis, l'environnement paisible d'un bureau est peut-être plus indiqué, toute distraction devant être évitée dans la mesure du possible. L'émetteur devrait en outre savoir que certaines personnes ne savent pas écouter autrement que de manière superficielle, même si elles hochent la tête et qu'elles indiquent avoir compris le message. L'émetteur peut en outre repérer les mauvais écoutants en observant le langage non verbal (récepteur qui ne cesse de bouger ou qui fixe le mur, par exemple).

4. L'**évaluation prématurée** a lieu lorsque le récepteur établit un jugement avant même que le message n'ait été transmis en entier. Cet obstacle survient souvent lorsque le récepteur se méfie de l'émetteur ou qu'il anticipe la fin du message. Il pourrait aussi s'agir d'une écoute défensive du récepteur quand ce dernier se concentre davantage sur ce qu'il devrait dire plutôt que ce qui est dit. Le cas échéant, l'émetteur devrait faire plus attention à la façon dont il communique le message et devrait être au courant des situations susceptibles de placer ses subalternes dans une position défensive.

5. Les **différences de statut** entravent aussi la communication et peuvent entrer en jeu, lorsqu'un gestionnaire consacre une bonne partie de son temps à dire aux autres quoi faire, alors qu'il ne prend jamais le temps d'écouter. Dans d'autres cas, les subalternes peuvent avoir tendance à ne dire à leur patron que ce qu'ils croient qu'il veut bien entendre. Cette situation peut se produire quand la méfiance règne entre des personnes, par exemple, quand des subalternes désirent uniquement faire plaisir à leur patron ou craignent toute circonstance défavorable.

L'élimination des obstacles à la communication

On peut éliminer les obstacles à la communication de diverses façons.

L'émetteur ou le récepteur doit être **conscient de l'importance d'une communication efficace** et du rôle qu'elle joue dans une entreprise. L'efficacité d'une communication ne devrait jamais être laissée au hasard. Les membres de toute entreprise devraient se préparer à bien communiquer, grâce à des séminaires ou à des cours axés sur l'art et la science des bonnes stratégies de communication. De cette façon, ils pourront acquérir des techniques qui leur permettront d'améliorer leurs aptitudes dans l'art de rédiger et de parler.

La **recherche de rétroaction** constitue probablement le moyen le plus efficace de s'assurer qu'un message a bien été reçu et compris.

En outre, pouvoir pratiquer l'**écoute active** représente certainement une compétence de gestion des plus importantes. Bien que l'écoute nécessite des concessions (temps et patience), les bénéfices sont gratifiants. L'écoute attentive au contenu d'un message, à l'affût d'indices et d'impressions, constitue un outil très utile.

La **communication non verbale**, comme l'expression corporelle, la posture, les gestes, l'expression du visage et le mouvement des yeux, transmet aussi des messages et des émotions qui peuvent contredire le message verbal d'une personne. Le langage du corps ou la communication non verbale se transmet par des signaux inconscients. Les récepteurs doivent souvent tenter de trouver une signification qui dépasse de beaucoup les mots; ils doivent faire preuve d'empathie, qui consiste essentiellement en la capacité de voir les choses du point de vue de l'interlocuteur.

UN POINT DE VUE   Le recrutement du P.-D. G. de 1990

La sélection du P.-D.G. de 1990 a été effectuée par un groupe d'experts choisis par deux promoteurs, soit le *Financial Post* et la Société Caldwell Internationale. Les principaux critères établis par le groupe concernaient les perspectives d'avenir, le leadership, les réalisations dans l'entreprise, l'innovation, la compétitivité de l'entreprise à l'échelle internationale et la contribution à la collectivité. Toutes ces catégories avaient la même importance, puisque chacune d'entre elles constituait une qualité essentielle à tout P.-D.G. qui a réussi. Selon Douglas Caldwell, président de la Société Caldwell Internationale, le travail d'un P.-D. G. a considérablement changé au cours de la dernière décennie et est en constante évolution. « Il y a dix ans, cela correspondait au travail d'un gestionnaire. On exigeait les qualités d'une personne axée sur l'administration et l'organisation », affirme-t-il. Aujourd'hui, le P.-D.G. doit être un leader plus souple, doit passer plus de temps sur la première ligne et doit faire montre d'aptitudes à la communication supérieures afin de transmettre la vision de l'entreprise à un public diversifié. « La différence entre un gestionnaire et un leader, ajoute-t-il, est que le premier fait bien les choses, alors que le second fait les bonnes choses. »

Source: Traduit de John Godfrey, « Canada's CEO of the Year », *The Financial Post Magazine*, édition spéciale de 1990, p. 26.

RÉSUMÉ

Sommaire

vraise

1. Nous sommes motivés pour différentes raisons : principalement, par les **récompenses internes**, comme l'estime de soi, le sentiment de réussite et le plaisir d'accomplir un travail, et par des **facteurs externes**, comme les primes, les promotions, les éloges, les augmentations de salaire ou le fait d'éviter une punition. Il existe différentes théories de la motivation qui tentent de déterminer les facteurs qui poussent une personne à donner un bon rendement au travail. On peut classer en trois catégories les théories de la motivation qui mettent l'accent sur les besoins et les mesures d'encouragement qui favorisent un comportement : premièrement, les théories du contenu spécifique, dont la hiérarchie des besoins de Maslow, la théorie de motivation-entretien de Herzberg et la théorie d'Alderfer ; deuxièmement, les théories de la motivation en tant que processus, qui mettent l'accent sur le comportement et comprennent les théories de l'anticipation comportementale et de l'équité ; troisièmement, les théories de renforcement, selon lesquelles le comportement est tributaire du milieu.

2. Le leadership est l'aptitude nécessaire aux gestionnaires afin d'influencer les autres. Le pouvoir de gestion peut être issu de deux sources : pouvoir émanant du poste occupé (pouvoir de récompense, coercitif et légitime) ou pouvoir personnel (pouvoir de prééminence et d'exemplarité). Les divers styles de leadership sont placés selon une échelle allant de l'attitude autocratique à l'attitude démocratique, soit centrée sur le patron ou sur les employés. Ils comprennent le leadership d'autocratie, de laisser-faire, axé sur les tâches et axé sur les personnes. Les approches de leadership peuvent être groupées en trois catégories : les **théories de traits**, qui différencient les leaders sur le plan de leurs traits et de leurs caractéristiques ; les **théories du comportement (behaviorisme)**, qui mettent l'accent sur la façon dont les leaders se comportent et sur ce qu'ils accomplissent (dont la théorie du système 4 de Rensis Likert, la théorie X et la théorie Y de Douglas McGregor et la grille de gestion de Robert Blake et de Jane Mouton) ; et les **théories de la contingence ou situationnelles**, qui partent de la prémisse selon laquelle l'efficacité du leadership dépend du comportement du leader dans une situation donnée (les études importantes dans ce domaine comprennent le modèle de substitution de Fred Fiedler, l'approche trajet-but de Martin Evans et Robert J. House, et la théorie situationnelle de Paul Hersey et Kenneth H. Blanchard).

3. La communication de gestion est essentielle dans une entreprise. Les principaux éléments du processus de communication sont : la source, le codage, le circuit, le récepteur et le décodage. Les obstacles les plus

importants à une communication efficace sont : la perception, la méfiance, les distractions physiques, l'évaluation prématurée et les différences de statut. Les stratégies destinées à l'élimination des obstacles à la communication sont : être conscient de l'importance d'une communication efficace, rechercher la rétroaction, faire montre d'écoute active et porter attention à la communication non verbale.

Notions clés

La grille de gestion

La hiérarchie des besoins

La théorie X

La théorie Y

Le pouvoir émanant du poste

Les facteurs d'entretien

Les facteurs de motivation

Les leaders autocratiques

Les leaders axés sur le travail

Les leaders axés sur les personnes

Les leaders du laisser-faire

Les théories de l'équité

Les théories de la contingence

Les théories des traits

Les théories du renforcement

Exercices de révision

1. Qu'est-ce que l'on entend par « motivation » ?

2. Expliquez les théories de la motivation suivantes :

   a) la hiérarchie des besoins de Maslow ;

   b) la théorie de motivation-entretien de Herzberg ;

   c) la théorie d'Alderfer.

3. Quelles sont les différences entre les théories du contenu spécifique et de la motivation en tant que processus ?

4. Expliquez les différences entre les théories de l'anticipation comportementale et de l'équité.

5. Établissez la différence entre le pouvoir émanant du poste et le pouvoir personnel. Donnez des exemples.

6. Discutez des différents styles de leadership.

7. Expliquez le principe des théories de traits.

8. Discutez des théories de comportement suivantes :

    a) la théorie du système 4 de Rensis Likert ;

    b) la théorie X et la théorie Y de Douglas McGregor ;

    c) la grille de gestion.

9. Quelles sont les différences entre la théorie de la contingence de Fiedler et la théorie situationnelle de Paul Hersey et Kenneth H. Blanchard ?

10. Expliquez le processus de la communication de gestion.

Matière à discussion

1. Comment les valeurs et les convictions peuvent-elles influencer les employés d'une entreprise ?

2. Expliquez pourquoi l'inconstance du milieu affecte le style d'un leader.

Exercices d'apprentissage

1. Motivation

Après avoir obtenu son baccalauréat en commerce, Sylvie Éthier s'est jointe à l'équipe d'une petite entreprise qui ne comptait que 12 employés. Elle y occupait le poste d'adjointe administrative du propriétaire exploitant, Jean Nollin, un entrepreneur « exigeant et dur », au dire de ses employés, qui travaillait pendant de longues heures et qui savait ce qu'il voulait. M. Nollin s'attendait en outre que chaque membre du personnel travaille aussi fort que lui et fournisse un rendement aussi important. Malgré un salaire de 20 000 $, soit 5 000 $ de moins que ses amis de l'université qui occupaient un poste similaire, Sylvie aimait son travail, son bureau privé, l'ambiance amicale, ses collègues et les relations étroites qu'elle entretenait avec les clients et les fournisseurs de l'entreprise. Elle devait travailler de longues heures, mais ne se plaignait pas, se sentant privilégiée d'occuper un poste qui lui fournissait autant de satisfaction et de plaisir.

Au cours des deux années suivantes, le salaire de Sylvie est resté identique. En revanche, elle a reçu une prime de 2 000 $ à Noël, comme tous les autres employés. En de nombreuses occasions, M. Nollin expliqua à ses employés qu'il ne pouvait leur offrir une augmentation de salaire en raison de la récession qui faisait rage. Il ajouta cependant qu'il s'empresserait d'augmenter leur salaire aussitôt que l'on assisterait à une reprise économique.

Or, même si Sylvie aimait son travail, elle avait l'impression de perdre financièrement. Elle se mit donc à chercher un nouvel emploi. Elle envoya son curriculum vitæ à une douzaine d'entreprises et fut convoquée à une entrevue au siège social d'une importante société canadienne. La rémunération du poste en question était supérieure de 13 000 $ à son salaire actuel. Andrée Campbell interviewa Sylvie. Elle allait être sa future supérieure et était entrée à l'emploi de la société six mois auparavant, à titre de directrice d'un nouveau service. Au cours de trois entrevues distinctes, Sylvie éprouva des difficultés à comprendre ce qu'allaient être ses tâches et ses responsabilités exactes. Mme Campbell lui montra une description de poste qui mettait l'accent sur l'établissement de politiques et de méthodes, l'accomplissement de recherches et d'études, la participation à des réunions et un certain rôle de coordination entre les divisions de la société. Au cours de l'une de ces entrevues, Andrée souligna le point suivant :

« Il s'agit d'un poste type au sein du siège social d'une entreprise. Ici, on ne vous paiera pas pour faire des choses, mais pour penser. On pourrait comparer notre service à une caserne de pompiers : si nous recevons beaucoup de demandes de la part de la haute direction, nous devrons travailler d'arrache-pied, quitte à y consacrer des soirées et des fins de semaines. En revanche, si nous n'en recevons aucune, vous risquez de vous ennuyer. »

Il était clair, dans l'esprit de Sylvie, que comme il s'agissait d'un nouveau service, elle et Andrée devraient définir en termes précis, au cours des mois suivants, les responsabilités exactes du poste.

Ses deux premières semaines à son nouveau poste ne furent pas très encourageantes : Sylvie n'avait pratiquement rien à faire. Elle se plaignit à ses amis que les journées étaient longues, qu'elle essayait de se tenir occupée en discutant avec ses collègues, en assistant à des réunions et en lisant les revues et les manuels de politiques et de méthodes de la société. Elle se mit à remettre en question son rôle et ses responsabilités au sein du service et de l'entreprise. Les seules choses que Sylvie appréciait étaient son salaire et sa supérieure, Andrée, avec qui elle s'entendait à merveille.

Andrée était consciente des difficultés d'adaptation de Sylvie au sein d'une société d'envergure, et elle essaya de l'encourager en lui confiant des projets et en lui promettant que les choses allaient changer sous peu. À un certain moment, Sylvie demanda à sa supérieure la possibilité d'obtenir un ordinateur personnel dans lequel elle pourrait introduire des données qui leur seraient utiles plus tard. Andrée lui indiqua qu'une proposition d'acheter plusieurs ordinateurs avait été faite quelques mois auparavant, et qu'un comité étudiait la question. Sylvie s'enquérit même de la possibilité d'acheter son propre ordinateur et de l'apporter au bureau. Andrée lui dit que cela pourrait entraîner certains problèmes au bureau. Néanmoins, elle lui offrit de partager le sien.

Six semaines après la première journée de Sylvie à ce nouveau poste, la situation n'avait pas changé. Le rythme était toujours aussi lent, et Sylvie éprouvait encore des difficultés d'adaptation. Elle se demandait maintenant si elle avait pris la bonne décision en choisissant de se joindre au personnel d'une si grande société. Elle s'inquiétait de son avenir et appréhendait de devoir passer 30 ou 35 ans dans de telles conditions.

Questions

1. Pourquoi Sylvie Éthier était-elle si motivée dans son premier poste ?

2. Pourquoi Sylvie était-elle si malheureuse de travailler au sein d'une grande société ? Son attitude était-elle justifiée ? Pourquoi ?

3. Andrée Campbell aurait-elle pu prendre certaines mesures afin d'éviter ce problème ?

4. Que pourrait faire Andrée, maintenant, pour rendre le travail de Sylvie plus intéressant ?

2. Le leadership

Après avoir passé 15 ans comme employé au sein de différentes succursales d'une grande banque canadienne, Paul Lemire réalisait enfin son rêve : devenir directeur d'une succursale dans une grande ville. Plusieurs de ses supérieurs décrivaient Paul comme un employé sérieux et dévoué.

Fraîchement diplômé en administration des affaires, Paul s'était joint à l'équipe de la banque à titre de caissier. Au cours de sa carrière dans cette banque, il occupa divers postes dans quelque neuf succursales, avant d'être finalement nommé directeur adjoint d'une petite succursale bancaire rurale.

Un jour, le service des ressources humaines du siège social téléphona à Paul afin de le convoquer en vue d'un poste de directeur de succursale. En prévision de cette rencontre, Paul lut le plus de documents possible sur les politiques et les méthodes de la banque. Cinq employés furent interviewés, et Paul fut l'heureux élu. À titre de directeur de succursale, Paul allait être responsable de 12 employés à temps plein et de six employés à temps partiel. Avant de débuter dans ses nouvelles fonctions, il s'inscrivit à un cours de formation intensive de deux semaines, donné au siège social et axé sur tous les aspects de la gestion d'une succursale.

Lorsqu'il arriva à son nouvel établissement, sa première tâche consista à parcourir divers dossiers avec le directeur adjoint et de passer en revue les évaluations de rendement de chaque employé. Au cours de la semaine suivante, il rencontra individuellement chacun d'eux, pour discuter de leur travail et de leurs intentions relativement à l'amélioration de leur rendement.

Paul avait l'impression que le travail de tous les employés pouvait faire l'objet d'une amélioration considérable, qui résulterait en une augmentation de l'efficacité de la succursale, en des économies importantes et en un service à la clientèle supérieur. Il décida de partager sa philosophie de gestion avec tous les employés de la succursale et d'organiser une réunion de tous les membres du personnel (à temps plein et à temps partiel) après les heures d'ouverture de la succursale.

« ... Il me semble y avoir largement place à l'amélioration dans cette succursale. Je n'ai pas l'intention de dénigrer ce qui a été accompli par le passé ni vos efforts pour offrir un bon service à notre clientèle ; ce que je veux dire, c'est que nous pouvons travailler plus efficacement et plus économiquement. Au cours de ma carrière, j'ai œuvré au sein de plusieurs succursales, et je connais de bons moyens qui pourront nous aider à améliorer notre efficacité, à réduire le nombre de nos erreurs et le nombre de plaintes de la part des clients. J'ai l'intention d'établir des objectifs clairs, dont je veux discuter avec vous, individuellement et en groupe. Ces buts ne devront pas être mes buts personnels ; ils devront être aussi les vôtres. C'est pourquoi j'ai besoin de la participation de chacun. Nous sommes tous dans la même galère, et nous voulons atteindre le même objectif : améliorer l'image de cette succursale grâce au meilleur service qui soit à nos clients. Par conséquent, je veux que vous parliez ouvertement au cours de nos réunions ultérieures, puisque je travaillerai avec chacun de vous afin de savoir où et comment améliorer notre rendement. Nous ne devons pas perdre de vue que nous formons une seule et même équipe. Le succès de cette succursale dépend grandement de mes qualités de chef et de votre attitude envers l'application des politiques et des décisions de la société. »

Après la réunion, les employés étaient quelque peu perplexes et confus. Ils avaient toujours eu l'impression d'avoir accompli un travail formidable... du moins était-ce l'impression que leur donnaient l'ancien directeur de succursale et les vérificateurs du siège social.

Au cours des mois suivants, Paul décida de son propre chef de travailler avec chaque employé en lui montrant exactement la façon dont le travail devait être fait, et où il était possible d'améliorer les économies, l'efficacité et le service. À l'heure du lunch, les employés discutaient de leur travail avec Paul. Les employés à temps partiel et ceux qui n'occupaient un poste à la banque que depuis quelques mois étaient enchantés de cette expérience, qu'ils trouvaient particulièrement enrichissante. En revanche, les employés qui travaillaient à la banque depuis de nombreuses années n'appréciaient pas cette attitude, qu'ils considéraient comme autocratique. Ils avaient de plus l'impression qu'ils n'avaient pas le droit d'user de leur propre imagination afin d'améliorer leur rendement. Certains considéraient même une demande de mutation dans une autre succursale.

Questions

1. Que pensez-vous du style de leadership de Paul Lemire ?
2. Expliquez le style de leadership de Paul par rapport :
   a) à la théorie X et à la théorie Y de Doug McGregor ;
   b) aux théories de la contingence ou situationnelles ;
   c) à l'approche trajet-but.
3. Le style de leadership de Paul Lemire convient-il à cette succursale ? Pourquoi ?
4. Que recommanderiez-vous à Paul Lemire ?

CHAPITRE

8

PLAN

Les notions fondamentales sur l'organisation
  La division du travail
  L'organigramme
  La coordination verticale
  La coordination horizontale

Les types d'organisation
  L'organisation hiérarchique
  L'organisation hiérarchique et fonctionnelle
  Les types de postes consultatifs
  Les différends au sein de l'organisation hiérarchique
    et fonctionnelle

Un point de vue : les structures organisationnelles

L'autorité organisationnelle
  L'autorité hiérarchique
  L'autorité consultative
  L'autorité fonctionnelle

La centralisation et la décentralisation
  Les organisations centralisées
  Les organisations décentralisées

Un point de vue : la restructuration

La départementalisation
  La départementalisation fonctionnelle
  La départementalisation divisionnaire
  L'organisation matricielle

Les comités
  Les types de comités
  Les avantages et les inconvénients

Un point de vue : l'élimination des barrières
  organisationnelles

Résumé

L'ORGANISATION

Les objectifs du chapitre

Après avoir lu le présent chapitre, vous pourrez:

1. expliquer les notions fondamentales reliées à l'organisation;

2. décrire les différents types d'organisation;

3. faire la différence entre l'autorité hiérarchique, l'état-major et l'autorité fonctionnelle;

4. discuter la notion de structures organisationnelles centralisées et décentralisées;

5. préciser la notion et les types de départementalisation;

6. parler des avantages et de la nature des comités organisationnels.

Depuis le début de l'année, la Brasserie Labatt Limitée a éliminé ses directeurs régionaux, révisé sa stratégie et s'est défaite de quelque 120 cadres. Dans le nouvel aménagement, le style de gestion ostentatoire n'a plus sa place chez Labatt. George Creelman, le nouveau directeur général de la Saskatchewan, apprend le génie de la gestion des années 1990 avec un nombre restreint de cadres. Cela signifie qu'il délègue de véritables responsabilités, dirige ses effectifs comme un entraîneur plutôt qu'un patron et garde invariablement son attention braquée sur les objectifs de l'entreprise.

Dans les années 1990, la notion d'organisation horizontale fait partie du courant de pensée dominant relativement aux structures organisationnelles démesurées. En vertu de ce mode d'organisation, les axes de responsabilité croisent les services, et les équipes multidisciplinaires supplantent souvent l'autorité patronale. L'informatique a créé des excédents de personnel partout, et l'on s'est interrogé sur le rôle du cadre intermédiaire : ce poste ajoute-t-il une valeur ? Disons tout simplement que l'on peut inclure ce spécimen à la liste des espèces en voie de disparition !

Il semble que la tendance aux licenciements des cadres intermédiaires et à la contraction de l'appareil bureaucratique est omniprésente non seulement chez Labatt, mais également dans des entreprises telles que Domtar, Bell Canada, Canadien National, Banque Amex du Canada et Wood Gundy.

Comme M. Creelman s'en est rendu compte, les cadres des entreprises sont sur la corde raide. En raison d'une responsabilité accrue, ils doivent mieux connaître leur domaine, tout en acceptant de déléguer des responsabilités. Les changements effectués chez Labatt, en Saskatchewan, témoignent de l'application de deux objectifs : la détermination de gérer l'exploitation selon une stratégie établie et le désir de responsabiliser les employés. Le président de Labatt, John Morgan, a rendu visite aux divisions de la société à deux reprises, afin de communiquer la nouvelle orientation de l'entreprise. Gerry Burke, directeur général de Labatt à Terre-Neuve, estime que la véritable source d'inspiration est la responsabilité accrue qu'il peut offrir aux cadres. «On demande aux gens de participer pleinement à l'essor de l'entreprise, et la confiance que leur manifeste la compagnie les stimule grandement. »

Comme la direction de Labatt l'a constaté, il y a un lien très étroit entre le style de gestion et la structure de l'entreprise. Aux yeux du cadre supérieur, l'entreprise horizontale est très différente de l'entreprise verticale. L'étendue des responsabilités s'accroît, alors que diminue le temps que ce cadre-ci peut consacrer au personnel. Selon M. Creelman, la diminution du nombre de niveaux de surveillance met les gens davantage sur la sellette, particulièrement les

employés non productifs. Les jours des bâtisseurs d'empires sont comptés, et le service à la clientèle prime.

La notion d'horizontalité gagne peu à peu la faveur des cadres habitués aux pyramides bien définies. L'entreprise horizontale abaisse le processus décisionnel et la responsabilité budgétaire, afin de réduire la bureaucratie et d'encourager la prise d'initiatives au niveau du service à la clientèle. L'équipe de gestion interfonctionnelle — qui compte des cadres de services comme les ventes, le marketing, la recherche et le développement ainsi que la production — est un intervenant de premier rang.

M. Creelman cherche un moyen de définir le mode de gestion d'une entreprise qui a décidé de déléguer l'autorité comme nulle autre ne l'a jamais fait. «Par habilitation, dit-il, nous entendons que les gens agissent au travail de la même manière qu'à la maison. C'est très stimulant. C'est comme lorsque papa nous autorise à prendre la voiture[1]. »

LES NOTIONS FONDAMENTALES SUR L'ORGANISATION

Lorsque de nombreuses personnes acceptent de travailler ensemble à la réalisation d'un objectif commun, il importe de répartir les tâches et de définir les rapports dès le départ. Le présent chapitre examine les notions relatives à l'organisation. Conçue par les cadres responsables de la définition des objectifs de l'entreprise, la **structure organisationnelle** définit les liens entre les personnes et les ressources. L'**organisation** est la fonction de gestion qui consiste à :

- placer les personnes et les ressources matérielles dans une structure organisationnelle

---

1. Traduit de John Lorine, « Managing When There's No Middle », *Canadian Business*, juin 1991, p. 86.

officielle (groupes, activités, services ou divisions);

– définir les groupes ou les personnes qui seront chargés d'exécuter des tâches ou des activités organisationnelles précises afin d'atteindre les buts énoncés;

– préciser les rapports entre les unités organisationnelles et les personnes qui exécutent les tâches, les fonctions et les activités — c'est-à-dire établir qui est comptable envers qui au sein de la structure;

– déterminer qui doit rendre compte de quoi.

Essentiellement, l'organisation est la fonction qui consiste à répartir les responsabilités et à coordonner les efforts de tous, afin de réaliser les objectifs de l'entreprise. Comme l'illustre la figure 6.5 (chapitre 6), la structuration de l'entreprise est l'une des trois composantes de la fonction organisationnelle. Les deux autres, la **gestion des ressources humaines** et les **relations ouvrières-patronales**, sont présentées aux chapitres 9 et 10 respectivement.

Avant d'examiner les différents types de structures organisationnelles ainsi que les modes de répartition des responsabilités et des pouvoirs au sein des entreprises, nous allons définir certaines notions fondamentales clés de l'organisation, soit la division du travail, l'organigramme, la coordination verticale et la coordination horizontale.

La division du travail

La division du travail est la segmentation des tâches ou des activités entre les unités et les personnes au sein d'une entreprise. Elle porte sur la spécialisation, c'est-à-dire le regroupement des ressources d'une structure, fondé sur les compétences. Dans le cas de la construction par exemple, les travailleurs sont regroupés dans différentes catégories — menuisiers, plombiers, électriciens et maçons —, et on fait appel à eux

au moment approprié. On retrouve la même situation dans les entreprises.

La division du travail dans des unités organisationnelles déterminées est un principe d'organisation généralement reconnu, vu l'utilisation économique, efficiente et efficace des ressources humaines et matérielles qui aident à créer une synergie (2 + 2 = 5). Prenons l'exemple de groupes comme les équipes de hockey, de base-ball ou de football: on y retrouve notamment entraîneurs, entraîneurs adjoints, soigneurs, préposés, statisticiens et joueurs qui exercent des fonctions bien précises. Il en est de même des entreprises qui comptent un président et des vice-présidents à la tête de chaque unité organisationnelle importante comme le marketing, la production, les ressources humaines et les finances. Un personnel subalterne rend compte de ses activités à chaque unité importante (les directeurs de la publicité et des ventes sont comptables envers le service de marketing, et les directeurs de la dotation et de la formation, envers celui des ressources humaines).

L'organigramme

L'organigramme est un peu comme le plan d'un architecte, qui montre l'emplacement et la disposition de chaque pièce d'une maison. La figure 8.1 présente un organigramme type des rapports entre les unités organisationnelles et les personnes. Il décrit la structure organisationnelle, qui résulte du processus d'organisation. Les grands principes qui sous-tendent la structure organisationnelle sont les suivants.

La structure organisationnelle officielle La figure 8.1 présente la structure officielle d'une entreprise et montre comment les unités organisationnelles et les personnes sont reliées les unes aux autres. Les directeurs des services de la publicité, des ventes et des études de marché sont comptables au vice-président du marketing, et les vice-présidents, au président.

FIGURE 8.1
Organigramme

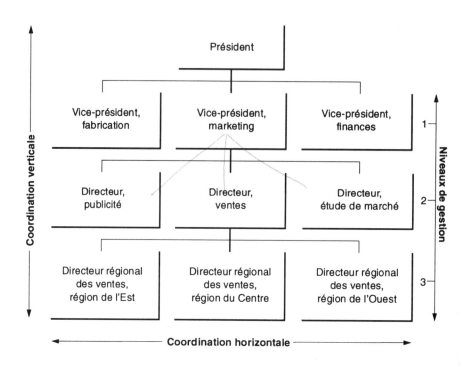

Dans la plupart des entreprises cependant, on retrouve une **structure officieuse** (ou subsidiaire), où les personnes interagissent de manière spontanée, tout en œuvrant au sein de la structure officielle. Par exemple, il peut y avoir des communications entre les vice-présidents et les directeurs, ainsi que des communications officieuses entre le directeur commercial et le vice-président de la fabrication, voire avec le président.

La coordination   Étant donné que les entreprises comptent parfois un grand nombre d'unités organisationnelles et de personnes qui exécutent différentes tâches, la coordination est cruciale, afin d'assurer l'intégration et l'unité des efforts.

La coordination s'effectue aux niveaux horizontal et vertical. Comme l'illustre la figure 8.1, l'**intégration verticale** veut dire que le vice-président du marketing est responsable de la coordination des activités de trois services (publicité,

ventes et étude de marché). Cette forme d'intégration relie les superviseurs au personnel subalterne à différents niveaux de l'entreprise. Par ailleurs, l'**intégration horizontale** relie les pairs et les unités à des niveaux similaires de la structure. Nous reviendrons sur ces deux notions.

La chaîne de commandement   La coordination verticale s'appuie sur une chaîne de commandement, le processus qui relie un supérieur à un subalterne. Comme le montre la figure 8.1, trois vice-présidents sont comptables directement au président, et trois directeurs, au vice-président du marketing. Cette **chaîne de commandement** continue (ou hiérarchie de l'autorité) est indiquée à l'aide du trait gras.

L'unité de commandement   Dans toute structure organisationnelle, chaque personne ne doit être comptable qu'à un seul superviseur. Cela signifie qu'un subalterne ne doit recevoir de directives que d'un seul patron. Par exemple, le directeur de la publicité ne doit recevoir de directives que du vice-président du marketing, et le vice-président des finances, du président. On s'assure ainsi que le personnel subalterne ne reçoit pas d'ordres contradictoires de différentes sources. On sait toutefois que l'application d'un tel principe n'est pas toujours pratique. Le directeur du crédit peut donner des directives ou fournir des renseignements aux directeurs commerciaux au sujet de la hausse du niveau de crédit des clients actuels ou de l'interdiction de la vente de biens à des clients insolvables.

Les niveaux de gestion Les niveaux de gestions sont reliés à la coordination verticale et aux principes de la chaîne de commandement. La figure 8.1 présente trois niveaux de gestion ou hiérarchiques : les vice-présidents, les directeurs généraux et les directeurs régionaux des ventes.

La départementalisation (ou sectionnement) Les activités menées au sein d'une entreprise sont divisées en sous-groupes ou services. La figure 8.1 présente trois services dirigés par des vice-présidents, lesquels sont comptables envers le président, ainsi que trois sous-services, dont les responsables sont comptables au vice-président du marketing.

Les objectifs Chaque service remplit une fonction, et c'est pourquoi chaque unité (marketing, publicité, par exemple) doit posséder un énoncé de mission et des objectifs organisationnels écrits. En outre, les activités ou responsabilités de chaque emploi de chaque unité doivent être décrites en détail dans un document appelé description de poste (sur lequel nous reviendrons au chapitre 9, *La gestion des ressources humaines*).

La coordination verticale

Comme nous l'avons précédemment mentionné, la coordination verticale concerne les liens entre supérieurs et subalternes à différents niveaux d'une entreprise, afin de s'assurer que toutes les fonctions contribuent efficacement à la réalisation d'un objectif commun. Elle se fonde sur les principes organisationnels suivants :

L'autorité est le droit de diriger et de prendre des décisions dans le cadre d'un champ d'activités donné. En s'appuyant sur l'organigramme de la figure 8.1, le directeur commercial a le droit de donner des directives à diverses personnes (directeurs régionaux et personnel de vente) qui relèvent de lui, en plus d'utiliser les ressources matérielles et humaines, sans avoir l'autorisation du vice-président du marketing. Il peut, par exemple, consentir une ristourne de 20 p. 100 aux clients, sans s'en remettre à ses supérieurs. Autrement, il s'adresse chaque fois au vice-président du marketing.

L'efficacité de la coordination verticale dépend d'un recours approprié à l'autorité. Par exemple, la façon dont le vice-président du marketing confère l'**autorisation relative au poste** aux directeurs commerciaux d'un secteur particulier (les activités de marketing) dicte la manière dont ceux-ci délégueront à leur tour leur autorité aux cadres subalternes, soit les directeurs régionaux des ventes.

Les cadres subalternes œuvrant au sein d'une structure organisationnelle centralisée ont peu d'autorité, à l'opposé de ceux qui travaillent au sein d'une entreprise décentralisée, lesquels en ont davantage. Nous reviendrons sur cette notion plus tard.

Bien qu'un directeur ait le droit de commander (pouvoir légitime), son autorité doit être reconnue et acceptée par le personnel subalterne (pouvoir de prééminence ou d'exemplarité), afin d'assumer pleinement son rôle de commandement. Ce genre d'autorité est acquis avec le temps, en gagnant le respect et l'estime des subalternes. Il importe de saisir la différence entre l'**autorité**, qui désigne le droit d'agir d'une personne, et le **pouvoir**, qui désigne la capacité d'influencer autrui à agir. Le voleur de banque, par exemple, a le pouvoir de faire obéir le personnel de l'établissement, mais il n'exerce aucune autorité.

La **délégation de l'autorité** est le processus en vertu duquel un supérieur délègue des pouvoirs à un subalterne. Étant donné que le vice-président du marketing ne peut pas prendre toutes les décisions, il déléguera certains pouvoirs aux directeurs, qui seront alors en mesure de prendre des décisions (comme celle d'accorder des ristournes).

En déléguant des pouvoirs, il faut :

- s'assurer que les fonctions sont clairement définies ;

- expliquer clairement ce qui doit être accompli (les objectifs) ;

- laisser suffisamment de latitude aux cadres subalternes pour qu'ils accomplissent leurs tâches.

La **responsabilité** est l'obligation en vertu de laquelle les subalternes doivent exécuter les tâches requises dans le cadre d'un mandat. Une fois que les tâches, les ressources et l'autorité ont été clairement réparties et acceptées par les subalternes, il revient aux supérieurs de créer un climat de travail qui permette aux subalternes de faire leur travail efficacement. La notion d'obligation est étroitement reliée à celle de responsabilité. Lorsqu'on dit d'une personne qu'elle est **responsable**, cela signifie qu'elle exécute ses tâches d'une manière consciencieuse.

Une autre notion apparentée à la responsabilité est l'**imputabilité**, c'est-à-dire l'obligation personnelle de répondre de ses gestes. Cette notion viendrait de l'armée, du fait qu'un officier envoyé au front devait, à son retour, rendre compte de la situation à ses supérieurs. Essentiellement, l'imputabilité désigne l'obligation des subalternes de présenter un compte rendu à leurs supérieurs relativement à leur utilisation des ressources (efficience) et à l'atteinte de leurs objectifs (efficacité).

Selon le **principe de parité**, l'autorité et la responsabilité sont réparties également. Pour faire leur travail efficacement, les personnes doivent posséder l'autorité appropriée. Comment les gestionnaires peuvent-ils être tenus responsables s'ils n'ont pas suffisamment d'autorité ? Par ailleurs, il ne faut pas qu'ils disposent d'une autorité illimitée s'ils ne sont pas obligés de rendre compte de leurs gestes. En acceptant l'autorité et la responsabilité reliées à l'exécution de certaines tâches, on accepte également les éloges ou les reproches relativement à la façon dont on s'acquitte de celles-ci. Par exemple, il serait ridicule qu'un entraîneur de hockey doive obtenir l'autorisation du gérant général à chaque changement de formation durant une rencontre. En revanche, il devra sûrement s'expliquer auprès de ses supérieurs si son équipe subit la défaite.

Selon le **principe hiérarchique**, l'autorité, la responsabilité et l'imputabilité suivent un axe vertical. Plus cet axe est défini avec précision, plus les rapports entre les cadres au sein de la structure sont clairs. Comme le montre la figure 8.1, la ligne hiérarchique entre le président et les directeurs régionaux des ventes est nette et continue, et permet à tous de comprendre :

- quelle autorité peut être déléguée et à qui ;

- d'où vient l'autorité ;

- envers qui les subalternes sont comptables.

L'**étendue des responsabilités** désigne le nombre de personnes qui rendent compte directement à un supérieur. La figure 8.1 montre la triple étendue des responsabilités du président et du vice-président. Il est important de définir le nombre approprié de subalternes, afin que ceux-ci puissent exercer leur autorité efficacement. Les facteurs qui déterminent le rapport idéal entre superviseur et subalternes sont :

- la nature du travail ;

- la capacité de gérer du superviseur ;

- le niveau d'interdépendance entre les unités organisationnelles ;

- la capacité et l'expérience des subalternes ;

- l'efficacité des méthodes de contrôle ;

– la philosophie de gestion (culture et convictions) ;

– la diversité des produits ou des services.

L'étendue des responsabilités dépend grandement de la **verticalité ou de l'horizontalité de la structure organisationnelle.** Une structure verticale possède de nombreux niveaux de gestion et suppose une faible étendue des responsabilités (quelques subalternes rendent compte à un superviseur). Par ailleurs, une structure horizontale présente un nombre peu élevé de niveaux de gestion et, partant, une vaste étendue des responsabilités. Chez Ford, on a déjà compté plus de quinze niveaux de gestion — depuis le président jusqu'aux superviseurs de premier niveau — comparativement à cinq chez Toyota.

La coordination horizontale

La coordination horizontale désigne l'entrecroisement des unités et des sous-unités de l'organisation en vue de l'intégration des activités dissemblables destinées à la réalisation d'un objectif commun. La coordination horizontale est importante, car les entreprises sont constituées d'une foule de services différents dirigés par des administrateurs dont les antécédents et les priorités varient grandement. Par exemple, le comité de gestion responsable de l'entreprise de la figure 8.1 doit voir à la synchronisation des services de marketing, de fabrication et des finances, afin de produire des biens d'excellente qualité et d'offrir un service supérieur. La détermination des politiques, des méthodes, des budgets, des programmes et des objectifs constitue une excellente façon de garantir l'efficacité de la coordination horizontale, un processus cependant technique et impersonnel.

Parmi les autres notions de gestion destinées à améliorer la coordination horizontale, on trouve la structuration des organisations, la définition et l'application de l'autorité, l'étendue de la délégation de pouvoir, la constitution de différents services ainsi que l'utilisation efficace des comités. Nous reviendrons sur ces notions.

LES TYPES D'ORGANISATION

On trouve essentiellement deux grands types d'organisation : ① l'organisation hiérarchique et ② l'état-major, lesquels peuvent être centralisés ou décentralisés, et comprendre différents types de services, notions que nous aborderons plus tard.

L'organisation hiérarchique

Deux notions sont reliées à la structure hiérarchique. Tout d'abord, les personnes œuvrant au sein d'une telle structure sont responsables de la mission fondamentale, des activités et des objectifs clés de l'organisation. Par exemple, les personnes à l'emploi des services de marketing et de production d'un constructeur et vendeur d'automobiles occuperont des postes hiérarchiques semblables à ceux présentés au tableau 8.1.

En second lieu, la structure hiérarchique suppose des rapports directs de subordination, ou une chaîne de commandement, depuis la haute direction jusqu'aux cadres et aux employés subalternes. Les personnes évoluant dans la structure

TABLEAU 8.1
Organisation hiérarchique

Organisation	Postes hiérarchiques
Université	Professeurs
Hôpital	Médecins et personnel infirmier
Détaillant	Vendeurs et acheteurs
Cabinet comptable	Comptables
Service de police	Agents
Armée	Soldats d'infanterie

hiérarchique de la figure 8.1 sont reliées par le trait gras, depuis le président jusqu'aux directeurs régionaux des ventes, voire aux vendeurs. Ce genre de structure ne s'applique toutefois qu'aux très petites organisations.

La structure hiérarchique :

1. est simple et montre clairement les liens entre les postes, l'autorité et la responsabilité y étant faciles à comprendre ;

2. – encourage les gens à réagir rapidement aux situations et à prendre des décisions promptes ;

3. – favorise l'établissement d'un excellent réseau de communication.

L'organisation hiérarchique et l'état-major

Lorsque les organisations prennent de l'expansion et que les cadres hiérarchiques ont besoin d'aide ou de conseils d'experts, il faut ajouter des postes. Comme le montre la figure 8.2, on ajoute deux vice-présidents à la structure organisationnelle, l'un affecté aux ressources humaines, l'autre à l'ingénierie. Cela signifie que trois vice-présidents occupent maintenant des postes qui ne sont pas directement reliés aux activités principales de l'entreprise, soit le marketing et la fabrication. Il s'agit des ressources humaines, des finances et de l'ingénierie.

Ces fonctions n'ont qu'un seul but : offrir des services spécialisés aux cadres qui occupent des postes hiérarchiques. On parle alors d'**organisation hiérarchique** et de l'**état-major**, en raison de la présence des deux types de postes au sein de la structure, c'est-à-dire les cadres hiérarchiques et les cadres de l'état-major. On trouve peu de structures mixtes pures au sein des grandes entreprises. Les cadres hiérarchiques ont généralement besoin de l'aide de spécialistes et des services d'autres personnes pour exécuter leurs propres fonctions (comme la fabrication et le marketing).

La présence des postes de l'état-major au sein des organisations s'explique facilement : on ne peut s'attendre à ce que les cadres hiérarchiques soient des experts dans tous les domaines. Le vice-président du marketing, par exemple, ne peut être un spécialiste en matière de ressources humaines (formation, orientation, échelle des salaires, avantages sociaux et classification des emplois), de gestion financière ou d'ingénierie. Les cadres hiérarchiques n'ayant ni la compétence ni le temps de s'occuper de telles activités, on embauche donc des spécialistes formés dans ces disciplines et qui occupent des postes consultatifs.

Comme le montre la figure 8.2, il existe deux de ces postes au second niveau de gestion de l'entreprise de marketing : la publicité et l'étude de marché. Les deux postes sont destinés à servir de soutien au directeur commercial. Bien qu'ils fassent partie de la structure hiérarchique globale, on les considère comme des postes d'état-major au sein de la structure de marketing.

Les types de postes d'état-major

On peut classer les postes d'état-major en quatre catégories : le personnel particulier, de consultation, de service et de contrôle.

Le **personnel particulier** désigne les personnes qui offrent une aide administrative aux cadres supérieurs. Par exemple, si le président ou le vice-président du marketing sont surchargés de travail administratif, ils songeront à confier ce travail à quelqu'un d'autre en créant un poste d'adjoint. Les titulaires de ces postes ne jouissent d'aucune autorité et n'exécutent des tâches qu'au nom des cadres supérieurs pour lesquels ils travaillent.

Le **personnel de consultation** désigne ceux et celles qui offrent des conseils objectifs ou des avis d'experts sur des sujets spécialisés, notamment les agents en ressources humaines, économistes, planificateurs, statisticiens et avocats.

FIGURE 8.2
Organisation à structure mixte

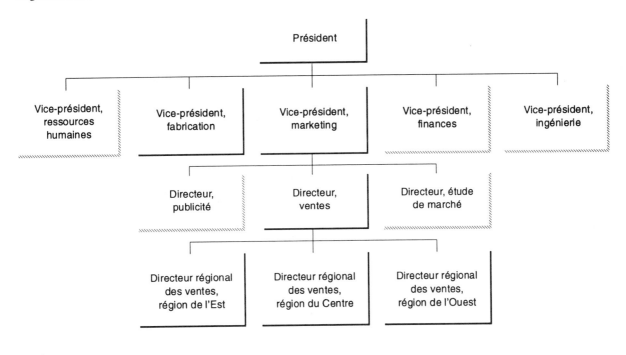

Poste consultatif

3. Le **personnel de service** désigne les gens qui, en plus d'offrir des conseils, dispensent un service dans leur discipline respective. Par exemple, l'avocat qui conseille les cadres hiérarchiques peut également examiner des documents juridiques. De même, le cadre d'état-major peut offrir ses services en matière de formation, d'orientation et de dotation ainsi que de relations publiques, de logistique, de planification et d'environnement.

4. Le **personnel de contrôle** est responsable de la surveillance de certains aspects du rendement de l'organisation et inclut les comptables et le personnel affecté au contrôle de la qualité.

Le principal avantage de l'organisation hiérarchique et fonctionnelle est qu'elle permet de conserver le pouvoir hiérarchique au sein de l'entreprise. Comme le montre la figure 8.2, ce pouvoir, ou chaîne de commandement, demeure intact, depuis le président jusqu'aux directeurs régionaux des ventes, même si l'on ajoute des postes consultatifs.

Les différends au sein de l'organisation hiérarchique et fonctionnelle

Bien que les personnes occupant des postes hiérarchiques ou d'état-major jouent des rôles définis au sein de la structure, des différends naissent, dont les principales causes sont les suivantes.

- Les idées en provenance des services consultatifs sont souvent tenues pour trop théoriques, compliquées et peu réalistes.

- Les personnes occupant des postes d'état-major ont souvent un **problème d'image**, étant donné que ces postes sont considérés comme secondaires, et que leurs titulaires n'ont pas l'autorité nécessaire pour faire accepter leurs points de vue par les cadres hiérarchiques.

- Les cadres hiérarchiques hésitent à accepter, ou même passent sous silence, les idées des membres du personnel d'état-major, ce qui s'avère une expérience souvent frustrante pour ces derniers.

- Les personnes occupant des postes d'état-major peuvent tenter d'exercer une forme d'autorité en **imposant** leurs points de vue aux cadres hiérarchiques.

UN POINT DE VUE

Peter Larson,
Conference Board du Canada

Les structures organisationnelles

En 1982, les consultants Tom Peters et Robert Waterman ont signalé 43 entreprises pour leur excellence. Leur ouvrage, *Le prix de l'excellence*, connut un succès immédiat. En 1990, en revanche, moins de la moitié de ces entreprises étaient encore jugées excellentes. D'autres affichaient des résultats modestes, et huit éprouvaient de sérieuses difficultés. Si ces entreprises s'était distinguées par leur excellence, pourquoi se trouvaient-elles alors dans une situation difficile ? Et si leurs modes de gestion étaient si efficaces, comment les choses avaient-elles pu se dégrader si rapidement ?

Dans son ouvrage *Managing on the Edge : How the Smartest Companies Use Conflict to Stay Ahead*, Richard Pascale, professeur de la Stanford Graduate School of Business, examine pourquoi certaines entreprises prospèrent et pourquoi d'autres échouent. En s'appuyant sur l'étude de 88 entreprises américaines et japonaises de pointe dont Honda, IBM, Sony et Générale Électrique, Pascale a conçu un nouveau paradigme de l'organisation fondé sur la théorie de l'équilibre dynamique.

« Nous sommes en période de révolution scientifique, affirme Pascale. En biologie, en chimie, en économie politique et en sociologie, l'insatisfaction est grande face à la théorie de l'équilibre. » À la lumière de ce point de vue sur les sciences, Pascale conteste l'idée selon laquelle l'entreprise doit aspirer à un état d'équilibre, jugé normal et souhaitable. Il montre comment les entreprises prospères peuvent échouer non parce qu'elles mettent un terme aux activités qui ont assuré leur réussite, mais plutôt parce qu'elles poursuivent ces mêmes activités, bien que celles-ci ne soient plus appropriées. Dans un chapitre consacré à Hewlett Packard, Pascale souligne le fait que dans les années 1970, l'entreprise appliqua avec brio sa célèbre stratégie de mise sur pied de nouvelles entreprises dès qu'une unité atteignait 1 500 employés. Durant les années 1980 cependant, la société prit le virage des techniques informatiques perfectionnées, et sa structure hautement diversifiée devint un sérieux inconvénient — aucune usine ne disposant des ressources nécessaires pour réaliser les projets importants. La part de marché de l'entreprise s'effrita rapidement.

Par contraste, dans le chapitre consacré aux changements importants que Jack Welsh a élaborés chez Générale Électrique, Pascale précise que les entreprises doivent, en période de pleine prospérité, apprendre à ajuster leur tir avant que ne surgissent les difficultés. Welsh engagea la restructuration radicale de l'entreprise à un moment où celle-ci affichait des résultats financiers satisfaisants et où les manuels spécialisés la considéraient comme une entreprise modèle. Tout semblait rouler rondement, mais Welsh se rendit compte que la réussite financière de Générale Électrique dissimulait la stagnation qui couvait dans des secteurs commerciaux clés.

Selon Pascale, la principale caractéristique des entreprises prospères est le maintien de la souplesse nécessaire afin de se mettre continuellement à l'heure des nouvelles réalités économiques. Les organisations rigides, dont les modes de gestion sont immuables, sont désavantagées lorsqu'elles doivent concurrencer celles dont le mode de gestion permet de réagir rapidement et avec souplesse.

Source : Traduit de Peter Larson, « Managing on the edge », *The Gazette*, Montréal, 8 juillet 1991.

L'AUTORITÉ ORGANISATIONNELLE

Jusqu'ici, nous avons traité des structures organisationnelles. Nous devons maintenant examiner le pouvoir légitime accordé à ceux qui occupent des postes consultatifs. La présente section examine trois types d'autorité : l'autorité hiérarchique, l'autorité d'état-major et l'autorité fonctionnelle.

L'autorité hiérarchique

L'autorité hiérarchique désigne les liens directs verticaux entre supérieurs et subalternes au sein d'une entreprise (entre le président et le vice-président, ou le directeur commercial et le directeur régional des ventes). Elle permet au superviseur de donner des directives aux subalternes. Comme le montre la figure 8.2, l'autorité hiérarchique précise la chaîne de commandement au sein d'une structure organisationnelle.

À ce stade, il importe de préciser la différence entre la structure et l'autorité hiérarchiques. Comme nous l'avons précédemment mentionné, les personnes œuvrant au sein de structures hiérarchiques sont responsables de la mission ou des activités principales de l'entreprise. Cependant, l'autorité hiérarchique peut être appliquée par tout directeur, qu'il occupe un poste hiérarchique ou consultatif. Dans la figure 8.2, le vice-président des ressources humaines peut donner des ordres aux directeurs de la dotation et de la formation œuvrant au sein du service des ressources humaines au même titre que le vice-président du marketing, à ses directeurs régionaux des ventes. L'autorité hiérarchique est descendante dans tous les secteurs d'une organisation et s'applique au personnel subalterne immédiat des unités hiérarchiques et d'état-major.

L'autorité d'état-major

L'autorité d'état-major appartient aux personnes qui occupent des postes d'état-major, mais elle n'est pas exécutoire. En effet, les directeurs d'état-major ne peuvent que faire des suggestions ou des recommandations aux directeurs hiérarchiques — ils ne dictent pas la conduite de ceux-ci ni ne prennent de décisions à leur place. Il serait inconcevable, par exemple, que le statisticien ou l'entraîneur adjoint d'une équipe de hockey demande aux joueurs de jouer offensivement ou défensivement.

Comme le montre la figure 8.3, l'autorité d'état-major appartient aux directeurs qui occupent des postes d'état-major comme aux ressources humaines et aux finances. Ces postes sont indiqués par les tracés striés. Par exemple, les vice-présidents des ressources humaines et des finances peuvent donner des conseils ou fournir des services spécialisés au président, aux vice-présidents ou à d'autres membres du personnel. De même, au niveau régional, l'analyste commercial peut faire des suggestions et offrir des services au directeur commercial.

L'autorité fonctionnelle

Les personnes travaillant au sein de services d'état-major disposent également d'une **autorité fonctionnelle**, laquelle confère aux directeurs d'état-major le droit de donner des ordres aux directeurs hiérarchiques relativement à des activités spécialisées ou fonctionnelles. Comme le montre la figure 8.4, le vice-président du marketing doit être responsable de l'ensemble des activités de son service comme les finances, la comptabilité, les systèmes, les affaires juridiques et la formation. Or, il ne dispose ni du temps ni de la compétence nécessaires à l'exercice de toutes ces fonctions, sa spécialité étant le marketing. Il fait donc appel à des experts comme des avocats, des comptables, des experts en systèmes et des spécialistes en ressources

humaines, à qui il délègue une partie de ses pouvoirs en disant, par exemple : « Mon personnel et moi n'avons ni les connaissances ni le temps d'exécuter ces tâches. Par conséquent, j'aimerais que vous aidiez le personnel du siège social et des bureaux régionaux à atteindre les objectifs de l'entreprise. En plus de vous assigner vos responsabilités, je vous donne également l'autorité nécessaire pour exercer vos fonctions. En outre, les personnes occupant un poste d'état-major au bureau principal auront le pouvoir, au sein de chaque fonction spécialisée, de donner des directives au personnel régional. »

En examinant la figure 8.3, on constate que les vice-présidents des ressources humaines et des finances (ou le personnel subalterne travaillant au siège social comme le directeur de la formation, le contrôleur ou le directeur des systèmes) ont le droit de donner des ordres au personnel régional.

L'autorité fonctionnelle donne également le droit aux directeurs d'état-major de donner des ordres aux directeurs hiérarchiques au sein d'un domaine fonctionnel ou spécialisé. En général, les services d'état-major font valoir leur autorité fonctionnelle à la faveur de politiques, de règlements et de manuels des procédures. Voici quelques exemples.

- Le service des finances peut demander de l'information aux directeurs hiérarchiques, laquelle sera incorporée aux états financiers de l'entreprise.

- Un spécialiste de la sécurité à l'unité du contrôle de la qualité, peut demander au directeur de la production d'achever une chaîne donnée parce qu'elle ne correspond pas aux normes de qualité.

- Le service des ressources humaines peut appliquer un programme relatif à l'égalité d'accès à l'emploi ou modifier l'échelle des salaires de certains postes.

- Une avocate peut s'opposer à un contrat signé par le service du marketing.

FIGURE 8.3
Autorité hiérarchique et fonctionnelle, et postes d'état-major

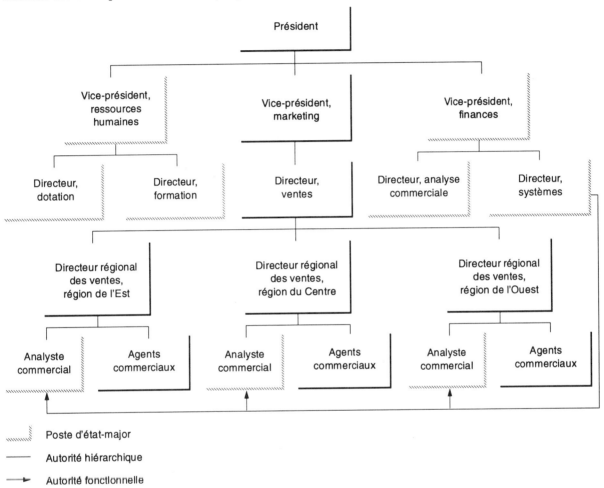

	Poste d'état-major
—	Autorité hiérarchique
→	Autorité fonctionnelle

LA CENTRALISATION ET LA DÉCENTRALISATION

Un aspect essentiel de la structure organisationnelle est l'importance que les cadres supérieurs décident d'accorder à la centralisation ou à la décentralisation de leurs activités, de leur autorité et du processus décisionnel. Aucune entreprise n'est complètement centralisée ou décentralisée. Comme le montre la figure 8.5, le niveau de centralisation ou de décentralisation est une espèce de continuum, et les facteurs qui influent sur celui-ci sont les suivants :

- les coûts reliés à chaque mode d'organisation ;
- la nature de l'activité (on peut décentraliser le marketing plus facilement que les finances) ;
- la taille de l'entreprise (plus l'entreprise est importante, plus sa structure sera décentralisée) ;
- l'expérience, les connaissances et les capacités des cadres intermédiaires et subalternes

FIGURE 8.4
Délégation de l'autorité fonctionnelle

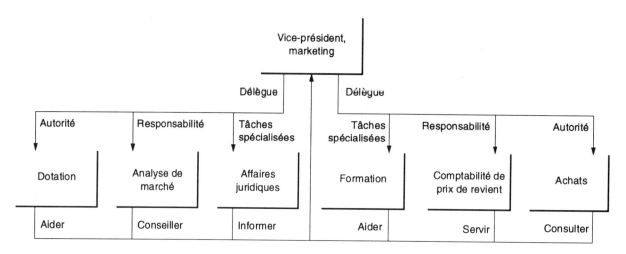

FIGURE 8.5
Continuum
organisationnel
centralisé ou décentralisé

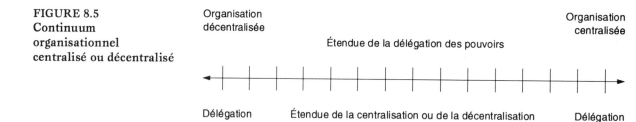

(plus ils seront compétents, plus ils pourront prendre des décisions seuls);

– la nature de l'entreprise et le milieu dans lequel elle évolue, les deux facteurs influant sur le niveau de délégation du processus décisionnel. Il faut déléguer davantage, si les clients sont dispersés et si l'on mène de nombreuses activités en région, où il faut prendre des décisions immédiates afin de répondre rapidement aux changements;

– la nature des gammes de produits (si les biens et services sont très hétérogènes, on préférera la décentralisation).

Les organisations centralisées

Les directeurs subalternes ont peu de pouvoir décisionnel. En général, les cadres supérieurs prennent les décisions que les cadres intermédiaires et subalternes sont chargés d'exécuter.

Les organisations décentralisées

Les cadres subalternes ont un certain pouvoir décisionnel. Essentiellement, l'autorité leur est déléguée ainsi qu'aux cadres intermédiaires. Les deux catégories jouent un rôle actif dans le processus de planification et de prise de décisions. Dans les entreprises décentralisées, où le pouvoir et l'autorité sont répartis à l'échelle de l'organisation, il importe de s'assurer que les cadres supérieurs maintiennent leur emprise sur les activités globales.

Lorsque les cadres supérieurs décident de décentraliser, ils rendent les cadres intermédiaires et subalternes responsables de leurs services respectifs, ce qui peut s'accomplir par la création de **centres de responsabilité**. Le moins que l'on puisse exiger des directeurs qui disposent d'un budget est qu'ils rendent compte de leur utilisation des ressources auprès de leurs supérieurs. Selon la nature de l'entreprise, on peut classer les centres de responsabilité de la manière suivante : centre de revenus, centre de coûts, centre de profit et centre de rentabilité.

Le **centre de revenus** est une unité organisationnelle comme les services des ventes ou à la clientèle, où le rendement se mesure au revenu (vente de biens ou de services).

Le **centre de coûts** (ou centre de charges) ne produit pas d'extrants ; il utilise des ressources.

Il dispose d'un budget déterminé qui doit servir à la réalisation de certaines activités, et le rendement se mesure aux intrants (ressources) utilisés quotidiennement. Le directeur d'un centre de coûts disposant d'un budget doit rendre compte de tout écart auprès des cadres supérieurs. Le rendement se mesure à l'économie, à l'efficience et à l'efficacité.

Le **centre de profit** constitue un moyen plus efficace de déléguer de l'autorité au sein d'une organisation décentralisée. Un tel centre sert à mesurer les revenus par rapport aux coûts et à établir le rendement d'une unité opérationnelle d'après le profit. La plupart des unités organisationnelles qui génèrent des revenus et enregistrent des coûts se mesurent sur le plan du profit (un commerce de détail, le rayon d'un commerce de détail, un territoire de vente, une unité de services, par exemple).

Le **centre de rentabilité** comprend tous les aspects de l'exploitation d'une entreprise, c'est-à-dire les investissements (matériel et outillage), le revenu et les coûts. Dans ce cas, le rendement du capital investi sert d'indicateur principal.

UN POINT DE VUE

Randall Litchfield

La restructuration

Dans le monde moins complexe de 1982, la **compression des coûts**, la **réduction des effectifs**, le **dédoublement d'entreprise** et d'autres mesures restrictives plaisaient aux actionnaires comme remèdes à la récession. À l'époque où les taux d'intérêt comptaient deux chiffres, on accordait la priorité à la survie de l'entreprise. Plus on retranchait, mieux c'était.

De telles mesures ne préparent pas nécessairement l'entreprise aux perspectives meilleures de la période post-récession. À l'instar des régimes amaigrissants instantanés, on reprend généralement le poids perdu. Durant la dernière ronde de compressions, c'est exactement ce qui s'est produit. George Hamilton, comptable agréé chevronné et spécialiste de la compression des effectifs à l'emploi de Ernst & Young, affirme : « Un grand nombre d'entreprises qui ont rationalisé leurs activités en 1982, en effectuant des réductions générales de l'ordre de 10 à 15 p. 100, sont revenues à la case de départ, lorsque l'économie a repris son souffle. Leur mode de fonctionnement ne leur a pas permis d'éviter de faire face aux mêmes difficultés. Elles n'ont amélioré ni leur productivité ni leur efficience. »

Si l'on se fie aux pages financières des quotidiens, les entreprises canadiennes ont retenu certaines leçons apprises en 1982. Il semble que personne ne procède à de simples compressions, et que l'heure est à la **restructuration**. Par exemple, Harris Steel Group Inc. « décide de vivre selon ses moyens » ; Cognos inc. « abandonne la croissance à tout prix (...) au profit de la productivité et des résultats » ; Central Capital Corp. se métamorphose et passe « d'un bâtisseur de conglomérats fortement endetté à une société de portefeuille plus traditionnelle » ; et Les Industries Charan inc. retourne aux sources « et redevient une entreprise d'importation et de distribution de jouets ». Le slogan suivant, de Dominion Textile inc., publié dans un journal, résume bien la situation : « Pour survivre, il faut restructurer. »

La restructuration est un de ces mots marqués au coin de la résolution. L'obtention d'une structure et d'une restructuration nécessite respectivement un plan et un plan révisé. Il s'agit de trouver des moyens de s'y prendre autrement, plutôt que de tenter de faire les mêmes choses, mais de manière plus économique. C'est la raison pour laquelle les entreprises préfèrent parler de restructuration plutôt que de compression des coûts. À une époque où les actionnaires s'affirment de plus en plus et sont devenus très sensibles, ce mot signifie que la direction possède un plan d'ensemble et qu'elle a songé aux éventualités. C'est pourquoi les réorganisations actuelles engagent très souvent la restructuration de l'entreprise et de ses activités, et ne se limitent pas à la réduction et à l'élimination.

Source : Traduit de Randall Litchfield, « The 90's Way to Tackle the Recession », *Canadian Business*, novembre 1990, p. 80.

LA DÉPARTEMENTALISATION

Les organigrammes des figures 8.1 et 8.2 présentent des groupes d'activités et de fonctions. Le regroupement des activités en unités administratives s'appelle la **départementalisation**.

La figure 8.6 montre plusieurs exemples d'unités. Les trois principaux types de départementalisation sont la départementalisation fonctionnelle, la départementalisation divisionnaire et l'organisation matricielle.

La départementalisation fonctionnelle

La départementalisation fonctionnelle intègre des activités reliées ou similaires au sein d'une unité organisationnelle. Le personnel est organisé selon des activités communes. Par exemple, le service du marketing peut comprendre des activités comme l'étude de marché, la publicité et les ventes.

La départementalisation fonctionnelle est le mode d'organisation le plus courant. Dans une usine, par exemple, elle inclurait le marketing, la fabrication, les finances et les ressources humaines ; dans une université, les facultés, la bibliothèque, la sécurité et l'administration ; et dans un hôpital, l'urgence, la chirurgie, la pédiatrie et les personnes hospitalisées. Ce genre de départementalisation permet de diviser les grandes unités organisationnelles en sous-fonctions souples.

FIGURE 8.6
Formes de
départementalisation

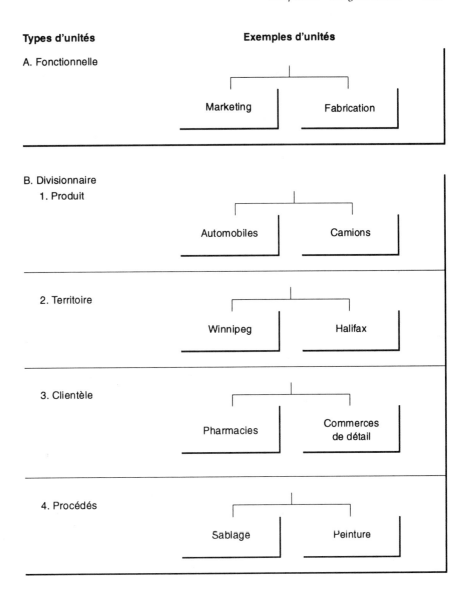

La départementalisation divisionnaire permet à une entreprise d'étendre ses activités — lancement de nouveaux produits ou services, commercialisation de ses produits ou services dans de nouveaux territoires, recherche de nouveaux clients ou d'une clientèle différente ou ajout d'un nouveau procédé de fabrication. Elle permet à l'entreprise de répondre rapidement au changement, d'être davantage sensible aux difficultés et aux possibilités locales et de lancer de nouveaux produits d'une manière plus efficiente et efficace. Les formes de départementalisation divisionnaire les plus courantes sont les suivantes.

La départementalisation divisionnaire

La départementalisation par gamme de produits permet à une entreprise — qui considère la départementalisation fonctionnelle trop encombrante aux fins d'expansion — de commercialiser différentes gammes de produits. Chaque directeur est responsable des siennes et doit en rendre compte. Par exemple, General Motors possède des divisions comme Chevrolet, Pontiac, Oldsmobile et Cadillac.

Le **sectionnement territorial** ou géographique désigne le regroupement d'activités dans des zones déterminées afin de fournir un meilleur service à la clientèle. Ce mode d'organisation est fréquent dans les écoles, les magasins à succursales et les hôpitaux. Il permet à une division de mettre l'accent sur les besoins particuliers de la clientèle d'une région donnée.

Le **sectionnement par clientèle** permet de répondre aux besoins de différents groupes de clients. Il permet aux entreprises de commercialiser des produits destinés à de nombreux clients aux besoins très variés. Les entreprises de matériel informatique, par exemple, peuvent diviser leur service des ventes en quatre grandes unités destinées aux institutions gouvernementales, aux établissements d'éducation, aux clients industriels importants et aux petits clients industriels.

Le **sectionnement par procédé ou matériel** porte sur les procédés et le matériel de production. Une usine de fabrication peut ainsi regrouper ses activités de soudage, de montage et de finition. Ce type de départementalisation est principalement dicté par des facteurs économiques.

L'organisation matricielle

L'organisation matricielle est une combinaison de la départementalisation fonctionnelle et de la départementalisation par gamme de produits. Il s'agit d'un moyen efficace de gérer une entreprise en expansion ou de plus en plus complexe. Une entreprise en pleine croissance multiplie ses activités, projets, tâches, postes, spécialités et services, et doit par conséquent ajouter des niveaux organisationnels.

Comme le montre la figure 8.7, cette structure se caractérise principalement par le fait que les personnes sont comptables à l'endroit de deux supérieurs, au lieu d'un seul. On parle alors de **chaîne de commandement double**, à la faveur de laquelle un employé est sous les ordres d'un cadre fonctionnel (services consultatifs comme le marketing, l'ingénierie et la fabrication) ainsi que du chef de projet (responsable d'une activité ou d'un objectif particulier). Dans la figure 8.7, Paul, Jean, Julie et Danièle, des employés de services consultatifs, sont directement comptables envers le chef du projet B, lequel doit rendre des comptes relativement à la réalisation de certains objectifs comme la mise au point d'un produit (une nouvelle imprimante, un ordinateur plus perfectionné ou une tondeuse plus efficace). Une fois que l'objectif est atteint, on abandonne la matrice. On retrouve cependant des organisations matricielles qui fonctionnent de façon continue.

Cette chaîne de commandement double brise la chaîne traditionnelle. Les matrices organisationnelles se présentent généralement sous les trois formes suivantes[2] :

- la **matrice produit-fonction** qui intègre, à une organisation de ressources fonctionnelle, différents gestionnaires de produits dont les responsabilités s'étendent à l'échelle de l'organisation ;
- la **matrice produit-région** qui intègre, à une structure géographique, des gestionnaires de produits dont les responsabilités s'étendent à l'échelle régionale ;
- la **matrice multidimensionnelle** dont les divisions géographiques sont structurées autour des matrices produit-fonction, lesquelles font,

---

2. Allan R. Janger, *Matrix Organization of Complex Businesses*, New York, The Conference Board Inc., 1979, p. 8.

FIGURE 8.7
Organisation matricielle

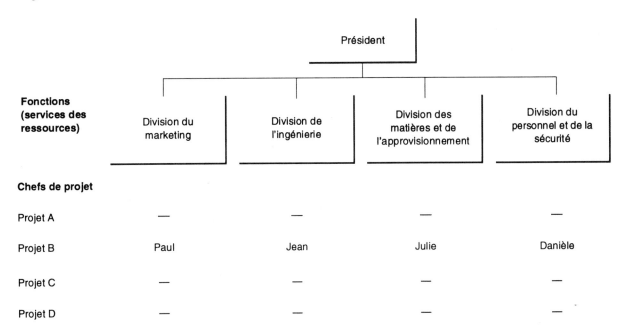

à leur tour, partie d'une matrice produit-région.

En vertu de la matrice organisationnelle, on accorde un pouvoir et un budget au chef de projet, aux fins de la réalisation de celui-ci. Le directeur commercial ou chef de projet exerce une autorité sur l'analyste budgétaire, qui est également comptable envers le contrôleur.

La matrice organisationnelle vise à créer une structure qui profite également de la départementalisation fonctionnelle et de la départementalisation par gamme de produits, inconvénients exclus. Cette structure permet notamment à l'entreprise :

– de s'adapter rapidement au changement ;

– d'exercer une meilleure emprise sur les projets ;

– de réduire les coûts de conception de projets ;

– d'aider les gens à se concentrer pleinement sur des objectifs particuliers ;

– d'offrir un meilleur service à la clientèle ;

– de réaliser les projets dans des délais plus courts ;

– d'assurer la grande visibilité des produits ;

– de définir clairement les responsabilités et les fonctions ;

– de former des cadres.

Parmi les inconvénients, la structure matricielle :

– accroît la complexité des activités et des politiques ;

– institutionnalise les différends entre les organisations fonctionnelles et les chefs de projet ;

– crée des incohérences dans l'application des politiques de l'entreprise ;

– complique la gestion de l'entreprise ;

– empêche de porter attention aux priorités générales à long terme.

LES COMITÉS

S'il faut recourir aux idées, à l'expérience, au jugement collectif, à la coordination des activités ou à la représentation pour aplanir des difficultés que l'on retrouve à l'échelle de l'entreprise, la direction songera sûrement à mettre sur pied un comité ou un groupe de travail chargé d'examiner une question particulière. Un comité désigne un groupe de personnes, élues ou nommées, qui se rencontrent pour examiner, discuter et réviser les enjeux organisationnels et fonctionnels à l'échelle d'une organisation et afin de présenter des recommandations, de mener des enquêtes, de résoudre des problèmes ou de prendre des décisions sur des questions particulières[3].

Les types de comités

On retrouve deux types de comités : les comités *ad hoc* et les comités permanents.

Ad hoc est une expression latine qui signifie « pour cela ». Un comité *ad hoc*, ou groupe de travail, est une structure temporaire mise sur pied afin de résoudre un problème relativement restreint ou à court terme, ou d'exécuter une activité à l'échelle de la structure fonctionnelle. Une fois le problème réglé, on dissout le comité. Ainsi, il se peut qu'une entreprise désire examiner un enjeu stratégique comme la possibilité de faire l'acquisition d'une autre entreprise ou de fusionner avec elle, ou qu'elle songe à acheter du nouveau matériel ou à réviser le régime des avantages sociaux des employés.

Les comités *ad hoc* visent trois objectifs. En premier lieu, s'il s'agit d'un enjeu qui touche plusieurs unités, la direction voudra donner l'occasion aux représentants de toutes les unités de prendre part aux débats et à la prise de

décisions. Deuxièmement, plus le processus décisionnel comprend des points de vues différents, plus on réduit le risque de présenter des recommandations sans valeur. Enfin, une fois les recommandations présentées, le fait qu'un grand nombre d'unités organisationnelles ont participé au processus décisionnel facilite l'exécution des recommandations. Par exemple, si l'on désire introduire un nouveau système de planification et de budgétisation, les membres du groupe de travail pourront provenir d'unités comme la planification, les finances, le marketing, les ressources humaines et la production. Ainsi, les directeurs de ces unités accepteront plus volontiers la décision relative au nouveau procédé de gestion que si on ne les avait pas consultés.

Les **comités permanents** sont créés afin de répondre à des besoins continus de l'entreprise. À l'instar des groupes de travail, ils sont ouverts à de multiples points de vue dans le processus analytique et décisionnel. Ils peuvent se réunir régulièrement ou pas, selon les besoins. Le comité permanent type inclut les comités de direction, des finances, des immobilisations ou des ressources humaines.

Les avantages et les inconvénients

Les principaux **avantages** des comités sont les suivants :

- la présentation de l'information avant toute prise de décision (compétence et jugement combinés) ;

- de meilleures coordination et planification des plans et des activités ;

- une acceptation accrue des décisions ou des solutions par les unités organisationnelles, qui sont plus enclines à les exécuter ;

- l'amélioration de la communication entre les unités ;

- un excellent mode de formation.

---

3. Pierre G. Bergeron, *Modern Management in Canada : Concepts and Practices*, Toronto, Nelson Canada, 1987, p. 387.

Parmi les **inconvénients**, on retrouve :

– un niveau de responsabilité dilué (on peut re-filer les responsabilités aux autres, étant donné que personne en particulier n'est responsable des décisions) ;

– la procrastination ;

– les frais engagés (temps et déplacements) ;

– les membres arrivent parfois à un compromis, plutôt que de prendre la **meilleure** décision ;

– il se peut qu'une personne domine le processus décisionnel et influence les autres.

UN POINT DE VUE

Harvey Kolodny, professeur à la University of Toronto

L'élimination des barrières organisationnelles

L'élimination des barrières constituera l'un des principaux facteurs organisationnels des années 1990. Dans le secteur manufacturier, les systèmes de qualité totale ont permis aux consommateurs de s'ingérer dans les affaires de leurs fournisseurs. Les systèmes juste-à-temps dictent les calendriers de livraison des fournisseurs, et lorsque le consommateur sera en ligne par la voie d'un ordinateur et d'un réseau de communication — et le phénomène est de plus en plus courant — le calendrier sera révisé à maintes reprises.

Au sein de l'entreprise, les barrières tombent à un rythme accéléré, et on peut parler alors de déstratification (ou d'élimination de niveaux de gestion). Les niveaux intermédiaires sont en train de disparaître complètement. La rationalisation des coûts en est en grande partie responsable, mais ce n'est pas le seul motif. La supervision et la gestion exercées par les rangs intermédiaires dans les entreprises traditionnelles sont dorénavant moins utiles en raison du recours grandissant à l'informatique, qui facilite le contrôle à des coûts moindres. L'information requise afin de saisir les enjeux et de prendre des décisions est disponible aux échelons supérieurs et subalternes, parfois simultanément.

Cette tendance à abattre les barrières ne s'exerce pas seulement sur l'axe vertical. En raison du recours croissant au travail d'équipe, parfois sans la présence d'un superviseur, les rôles hiérarchiques traditionnels sont assumés par les membres de l'équipe. On ne sait toutefois pas trop si la responsabilité a été déléguée aux échelons subalternes, ou si elle a été assumée par les échelons supérieurs.

Les barrières horizontales tombent également, bien que moins rapidement, et le phénomène est tout aussi révélateur. Il suffit notamment de voir comment disparaît le mur entre l'ingénierie et la fabrication. Le domaine du prêt-à-fabriquer est un secteur d'activité de plus en plus répandu. Les entreprises manufacturières font de plus en plus appel à des équipes horizontales, et les communications latérales sont devenues très courantes.

On retrouve les mêmes tendances aux niveaux national et international, comme l'illustre si bien la Communauté européenne. Les communications instantanées ont réduit le monde et accru la concurrence, et la chute des barrières est inévitable.

Source : Traduit de Harvey Kolodny, « Collapsing Boundaries — Within and Across Organizations », *Inside Guide*, vol. 4, n° 6, hiver 1990, p. 66.

RÉSUMÉ

Sommaire

1. Les principes fondamentaux de l'organisation incluent la division du travail, qui désigne la segmentation des activités en services ; l'organigramme, c'est-à-dire la structure de l'entreprise (qui est comptable envers qui) la coordination verticale, qui concerne le pouvoir et la délégation de pouvoir, la responsabilité, la parité et l'étendue des responsabilités ; et la coordination horizontale, qui relie les unités organisationnelles d'une entreprise.

2. On retrouve deux modes d'organisation : l'organisation hiérarchique, comprenant les personnes qui travaillent à la réalisation fondamentale de l'entreprise, et l'organisation hiérarchique et d'état-major, incluant les spécialistes et les unités de service qui dispensent conseils et services aux directeurs hiérarchiques. On compte quatre types de postes d'état-major : le personnel particulier, le personnel de consultation, le personnel de service et le personnel de contrôle.

3. On compte trois types d'autorité : l'autorité hiérarchique, qui désigne le rapport direct entre un supérieur et un subalterne ; l'autorité d'état-major, ou le pouvoir qu'exercent les personnes occupant un poste d'état-major ; et l'autorité fonctionnelle, ou le pouvoir qu'exercent les personnes occupant un poste d'état-major sur les directeurs qui ont un poste hiérarchique.

4. Les organisations sont centralisées ou décentralisées. Dans le cas d'une structure centralisée, le pouvoir est entre les mains des cadres supérieurs ; dans le cas d'une structure décentralisée, les décisions sont prises conjointement par les cadres intermédiaires et subalternes. Les quatre types de centres de responsabilité sont le centre de revenus, le centre de coûts, le centre de profit et le centre de rentabilité.

5. La départementalisation désigne le regroupement d'activités. On en compte trois types principaux : la départementalisation fonctionnelle, la départementalisation divisionnaire (gamme de produits, territoire, clientèle et procédé) et l'organisation matricielle.

6. Un comité est un groupe de personnes qui se réunissent pour examiner, discuter et réviser les enjeux organisationnels et fonctionnels à l'échelle d'une entreprise. On en compte deux types : le comité *ad hoc* (groupe de travail) et le comité permanent.

Notions clés

L'autorité

L'autorité d'état-major

L'autorité fonctionnelle

L'autorité hiérarchique

L'axe hiérarchique

L'étendue des responsabilités

L'imputabilité

L'organigramme

L'organisation hiérarchique

L'organisation hiérarchique et d'état-major

L'organisation matricielle

L'unité de commandement

La centralisation

La chaîne de commandement

La coordination horizontale

La coordination verticale

La décentralisation

La départementalisation

La responsabilité

Le comité

Le comité *ad hoc*

Le comité permanent

Le principe de parité

Le principe hiérarchique

Le sectionnement

Exercices de révision

1. Qu'est-ce qu'un organigramme ?

2. Quelle différence y a-t-il entre la coordination verticale et la coordination horizontale ?

3. Qu'entend-on par :
   a) chaîne de commandement ;
   b) unité de commandement ;

c) étendue des responsabilités ?

4. Quels facteurs déterminent l'étendue des responsabilités idéale ?

5. Quel rapport existe-t-il entre l'**organisation hiérarchique** et l'**autorité hiérarchique** ?

6. Expliquez les rôles et types de personnel d'état-major au sein d'une organisation.

7. Comment l'autorité fonctionnelle est-elle pratiquée ?

8. Quel rapport y a-t-il entre la décentralisation et la délégation ?

9. Expliquez la différence entre la départementalisation fonctionnelle et la départementalisation divisionnaire.

10. À quoi servent les comités ?

Matière à discussion

1. Comment la planification influe-t-elle sur la structure d'une organisation ?

2. Croyez-vous que la structure des organisations différera à l'avenir ? Sinon, pourquoi ? Si oui, de quelle manière ?

Exercices d'apprentissage

1. L'organisation

Deux ans après sa nomination au poste de doyen de la faculté d'administration d'une grande université canadienne, François Allard révisa, avec son comité de direction, les résultats d'une étude des nouveaux programmes proposés par le comité d'étude des nouveaux programmes. Pendant deux ans, les cinq membres du comité examinèrent les besoins futurs du marché au regard des diplômés. Bien que de nombreux programmes soient demeurés inchangés (à l'exception des modifications apportées aux descriptions de cours), on apporta un certain nombre de changements importants, notamment une nouvelle maîtrise en administration internationale, une maîtrise en administration pour gens d'affaires et un nouveau programme de doctorat.

Essentiellement, la faculté offre les programmes suivants :

– un programme de premier cycle (B. Com.) ;

– un programme de deuxième cycle (M.B.A) ;

– un programme de troisième cycle (doctorat).

La faculté offre des programmes d'étude dans les disciplines suivantes :

– la comptabilité ;

- les finances ;
- la gestion des ressources humaines ;
- le commerce international ;
- la gestion ;
- les systèmes intégrés de gestion (SIG) ;
- la science de la gestion ;
- le marketing ;
- les politiques gouvernementales et la gestion publique.

Le programme de premier cycle compte aussi deux sous-programmes importants :

- deux programmes de coopération en comptabilité et en systèmes intégrés de gestion (SIG) ;
- des programmes d'échange internationaux avec des écoles de France, d'Angleterre et des États-Unis.

Les programmes de deuxième cycle incluent également les sous-programmes suivants :

- une maîtrise en administration ;
- une maîtrise en administration internationale ;
- une maîtrise en administration pour gens d'affaires.

À l'heure actuelle, la faculté a deux doyens associés (programmes de premier et de deuxième cycles) qui disposent chacun de personnel administratif de soutien, ainsi qu'un vice-doyen, comptable envers le doyen. Un adjoint au doyen, responsable du personnel administratif et de bureau de la faculté, relève aussi du doyen.

Le doyen examine la façon la plus efficace d'organiser la faculté. Tous les programmes sont offerts en anglais et en français. Près de 55 p. 100 et de 45 p. 100 des étudiants sont inscrits aux programmes en anglais et en français, respectivement. Afin d'assurer une bonne coordination, le doyen étudie également différents types de comités que pourrait comprendre la faculté.

Questions

1. Quel type de structure organisationnelle recommanderiez-vous au doyen ?
2. Quels types de comités proposeriez-vous ?

2. L'autorité

Le Dr Jean Lemay fait partie du personnel médical de l'hôpital Tompkin depuis quatre ans. Diplômé d'une université canadienne de renom, le Dr Lemay est considéré par ses collègues comme un des spécialistes les plus prometteurs de sa discipline. Il est bien connu de la collectivité, en plus d'être un ami de Pierre Martin, le directeur général de l'hôpital.

Un après-midi d'été, après le tournoi de golf annuel de la collectivité, le Dr Lemay et M. Martin parlaient de l'événement, lorsque le premier fit le commentaire étonnant suivant : « Pierre, je dois avouer que je suis très fier de la collectivité et de la qualité des services médicaux qu'offre l'hôpital. Mais je n'apprécie pas l'attitude de certains membres du personnel infirmier de la chirurgie, particulièrement Lyne Gallispie. Il me semble qu'elle se mêle de ce qui ne la regarde pas et qu'elle devrait se limiter à sa tâche de soutien dans la salle d'opération. Ainsi, vendredi matin dernier, j'ai effectué six opérations dans la salle 6A, où Mme Gallispie était l'une des infirmières. Dans chaque cas, elle a pointé l'horloge du doigt en disant que nous devions quitter la salle d'opération à telle heure parce que nous avions pris plus de temps qu'on nous avait accordé. Je sais que l'hôpital a un budget serré et que les médecins attendent toujours qu'une salle d'opération soit libre. Mais franchement, si j'ai besoin d'une demi-heure additionnelle pour achever mon travail, je peux me passer des commentaires de Madame sur mes responsabilités. En plus, elle m'énerve quand elle remet en question certaines des méthodes que j'emploie durant les opérations. Je sais que je prends parfois des raccourcis pour gagner du temps. Comme je n'adopte pas toujours les méthodes officielles, cela l'irrite et elle me le rappelle souvent. C'est devenu une habitude et vendredi dernier, on a eu un différend, et je lui ai dit de se mêler de ses affaires. On s'est disputés pendant cinq minutes dans la salle d'opération, puis on a poursuivi une fois à l'extérieur. J'ai mis un terme à la discussion en lui disant que je ne voudrais dorénavant plus de ses services dans la salle d'opération. Je sais que tu vas en entendre parler d'ici peu, et j'aime autant t'avertir. »

Pierre n'a pas répondu au Dr Lemay, mais cela l'a tout de même préoccupé. Lorsqu'il est rentré au bureau le lundi matin, sa secrétaire l'a informé que Mme Bergevin, directrice des soins infirmiers, désirait le voir dès que possible. Elle lui a dit que Mme Bergevin avait l'air très contrariée. Connaissant la gravité de la situation, M. Martin convia Mme Bergevin immédiatement. Dès son arrivée, celle-ci se plaignit de la conduite non professionnelle, inconsidérée et insolente du Dr Lemay en ces termes : « M. Martin, j'en ai vraiment assez. De nombreuses infirmières se sont plaintes du comportement cavalier du Dr Lemay dans la salle d'opération. Mme Gallispie possède plus de vingt ans d'expérience ; c'est l'infirmière la plus respectée et la plus compétente de l'hôpital. En fin de semaine, elle s'est plainte des méthodes peu professionnelles du Dr Lemay dans la salle d'opération. Elle a demandé poliment au Dr Lemay de respecter les délais prévus de certaines opérations auxquels, vous en conviendrez, nous devons tous nous conformer, ainsi que les méthodes chirurgicales exactes, dans le cadre de certaines interventions. Mais il semble ignorer les remarques des infirmières. Il n'est pas l'unique médecin de cet hôpital ; tout le monde doit respecter les règlements, notamment ceux qui concernent les horaires. Si quelque chose va mal par suite de ses interventions, il ne pourra pas compter sur notre silence ; notre éthique professionnelle prime. Vendredi dernier, le Dr Lemay a dit à Mme Gallispie qu'il ne voulait plus recourir à ses services. Je m'oppose à cette décision : si Mme Gallispie ne fait pas l'affaire, aucune autre infirmière ne conviendra. J'aimerais que vous parliez au Dr Lemay et que vous l'informiez des politiques de l'hôpital ; sinon, je crois qu'aucune infirmière n'acceptera de travailler avec lui. »

M. Martin est aux prises avec un problème plus grave qu'il ne l'avait cru. Il sait que l'hôpital fonctionne en vertu de deux systèmes distincts, mais chevauchants, qui obéissent chacun à une autorité propre : l'administration et le professionnalisme.

Comme le montre la figure 8.8, toutes les questions d'ordre administratif relèvent du pouvoir légitime du directeur général, M. Martin, qui est comptable envers le conseil de direction. En outre, les employés de l'hôpital rendent compte de leurs activités à leur directeur respectif (soins infirmiers, finances, ressources humaines et personnel médical). Le personnel des unités administratives est composé de salariés, qui aident les médecins à dispenser les services de santé aux patients.

Il existe également une structure parallèle relative aux questions professionnelles. Comme le montre la figure 8.9, les médecins de l'hôpital sont soumis à l'examen d'un comité de vérification des références, qui fait ses recommandations au conseil des médecins. Les médecins ne

FIGURE 8.8
Organigramme administratif de l'hôpital Tompkin

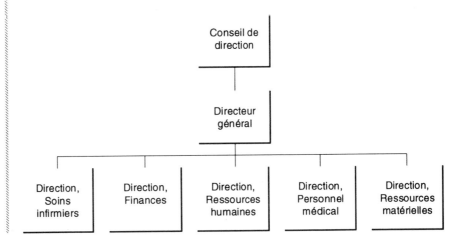

FIGURE 8.9
Organigramme professionnel de l'hôpital Tompkin

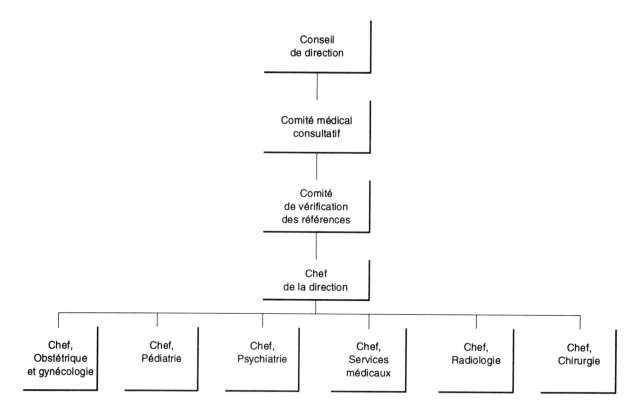

sont pas des employés de l'hôpital, mais des « invités ». Si les références d'un médecin sont jugées satisfaisantes, on lui accorde le « privilège » de pratiquer la chirurgie à l'hôpital. Les questions d'ordre professionnel et médical sont portées à l'attention du chef concerné. Si la question est grave et ne peut être réglée par le directeur de l'unité ou le directeur général de l'hôpital, elle est portée à l'attention du comité médical consultatif et, en dernier recours, elle sera soumise au conseil de direction.

M. Martin songe maintenant à rencontrer le responsable des services médicaux afin de régler le différend entre le Dr Lemay et Mme Gallispie. Il doit concevoir une stratégie à cette fin et en vue de maintenir de bons rapports professionnels à l'hôpital.

Questions

1. Qu'aurait dû faire le Dr Lemay afin de corriger la situation relative à Mme Gallispie ?

2. Que doit dire M. Martin au chef de la direction, lors de la réunion ?

3. Quelles mesures administratives doivent être prises afin d'éviter que ne se répètent de telles situations ?

CHAPITRE

9

PLAN

Qu'entend-on par processus de gestion des ressources humaines ?
    Les responsables de la gestion des ressources humaines
    Le processus de gestion des ressources humaines

La présélection
    L'analyse des postes
    La description de poste
    La définition des tâches

Le recrutement
    Le recrutement interne
    Le recrutement externe

Un enjeu commercial actuel : formation et emplois de demain

La sélection des candidats
    Les étapes de la sélection
    Les facteurs externes
    La période de familiarisation

Un enjeu commercial actuel : l'embauche de nouveaux employés

La formation et le perfectionnement
    Les étapes de la formation et du perfectionnement
    Les programmes de formation
    Le perfectionnement des cadres
    Garantir l'efficacité des programmes de formation et
        de perfectionnement

L'évaluation du rendement
    Les objectifs de l'évaluation du rendement
    Les techniques d'évaluation du rendement
    L'évaluation du rendement comme instrument efficace
        de gestion

La rémunération et les avantages sociaux

Promotions, mutations, rétrogradations et cessations d'emploi

Un point de vue : la façon de garder ses meilleurs employés

Résumé

LA GESTION DES RESSOURCES HUMAINES

Les objectifs du chapitre

Après avoir lu le présent chapitre, vous pourrez :

1. expliquer ce qu'on entend par processus de gestion des ressources humaines ;
2. établir la différence entre l'analyse des postes, la description de poste et la définition des tâches ;
3. expliquer le fonctionnement des méthodes de recrutement ;
4. discuter les étapes reliées à la sélection des employés éventuels ;
5. résumer les types de formation et les activités de perfectionnement ;
6. définir les différentes techniques d'évaluation du rendement ;
7. expliquer l'importance de la rémunération et des avantages sociaux des employés ;
8. établir la différence entre promotion, mutation, rétrogradation et cessation d'emploi.

Aux prises avec un problème, les travailleurs de l'atelier de garnissage de l'usine de montage de General Motors, au nord de Montréal, décidèrent d'en trouver la cause. Ils constatèrent que le problème provenait d'irrégularités d'une des pièces. Ils ne se contentèrent pas de rapporter le fait, mais conçurent un instrument de mesure et de vérification afin de détecter et de retourner les pièces défectueuses. Ces employés syndiqués firent ensuite part du problème directement au fabricant et persuadèrent celui-ci d'apporter les correctifs nécessaires. Les automobiles qu'ils construisirent à partir de ce moment-là présentèrent le nombre le moins élevé de fuites au niveau du liquide de refroidissement de toutes les usines de GM fabriquant un produit semblable.

Prise il y a quelques années, l'initiative eût auparavant été impensable de la part d'employés que l'on n'encourageait pas à agir au-delà des tâches qui leur étaient assignées. Mais cela se produisit parce qu'en 1986, au moment où l'on songeait à fermer l'usine de Sainte-Thérèse, les 3 000 membres de la Canadian Auto Workers optèrent pour un nouveau concept en provenance du Japon et proposé par la direction. Le vote fut serré, mais marqua le début d'une transformation remarquable, affirme le directeur d'usine Bob Moran. Située en marge de la zone de construction automobile, l'usine de Sainte-Thérèse, dont l'histoire a été ponctuée de différends entre la direction et les employés, est présentement un chef de file du renouveau chez General Motors.

Le cas de Sainte-Thérèse illustre bien comment les usines syndiquées traditionnelles de l'Amérique du Nord éprouvent de la difficulté à s'adapter au marché mondial. La première étape fut le vote de 1986 relativement au concept d'équipe. Grâce à des équipes de huit à dix personnes qui s'entraident et se sentent responsables du travail qu'elles présentent aux autres, la qualité et la productivité se sont améliorées à la fin des années 1980. En 1990, le syndicat accepta d'autres modifications afin d'appliquer le travail en continu, un mode de production destiné à améliorer l'efficacité des usines de GM et qui inclut la livraison au moment adéquat (juste-à-temps) afin de minimiser les stocks, la réduction du nombre d'emplois grâce à une meilleure conception des automobiles et de l'usine, ainsi que l'ininterruption de la chaîne de montage.

Peu après la signature de la convention collective de 1990, l'usine de Sainte-Thérèse présenta une soumission pour le montage des nouveaux modèles Camaro et Firebird de 1993.

Elle obtint le contrat, et 228 millions de dollars furent consacrés au rééquipement de l'usine. Après un temps d'arrêt d'un an, les nouveaux modèles sortiront de l'usine et prendront le chemin des salles d'exposition des concessionnaires à l'automne. Il serait peut-être exagéré de dire que GM a créé un lieu de travail qui encourage l'amélioration continue, à l'instar de certaines usines japonaises installées au pays. Mais les travailleurs de Sainte-Thérèse savent qu'ils doivent viser une qualité et une productivité supérieures afin d'être concurrentiels, et que leur propre engagement envers l'entreprise et la souplesse de cette dernière sont les plus sûrs garants de l'avenir. Ayant dirigé cinq usines de GM, M. Moran affirme que la survie de toute usine repose sur la qualité, les coûts et les relations syndicales-patronales.

Récemment, les employés ont suivi des cours de formation de trois semaines à l'extérieur de l'entreprise. GM Canada consacre 24 millions de dollars à la formation. On fera prochainement l'essai du nouveau matériel de production, et les travailleurs commenceront à construire et à reconstruire, jusqu'à ce qu'ils atteignent un niveau de qualité acceptable[1].

QU'ENTEND-ON PAR PROCESSUS DE GESTION DES RESSOURCES HUMAINES ?

On dit souvent que les personnes constituent les ressources les plus importantes d'une entreprise. La manière dont celle-ci recrute ses employés, les forme, assure leur perfectionnement et gagne leur loyauté détermine grandement sa réussite. Une fonction importante de la direction consiste à veiller à ce que l'entreprise dispose d'une main-d'œuvre hautement compétente et motivée, qui peut maintenir un niveau élev

---

1. Traduit de Timothy Pritchard, « Blood, Sweat and Gears : GM Reinvents the Factory », *The Globe and Mail*, 16 juin 1992, p. B28.

de productivité, de créativité et d'innovation. La notion actuelle de **gestion de la qualité totale** met l'accent sur l'importance d'une main-d'œuvre qualifiée et motivée, le seul moyen qui permette aux entreprises d'atteindre leur objectif le plus important : la production de produits et de services de qualité supérieure destinés à la clientèle. Une entreprise ne disposant pas de modes efficaces de gestion des ressources humaines éprouvera de la difficulté à atteindre ses objectifs.

Comme le montre la figure 6.5 (chapitre 6), la gestion des ressources humaines met l'accent sur des activités que l'on peut regrouper de la façon suivante :

①— l'**acquisition des ressources humaines**, qui comprend la planification, le recrutement et la sélection des effectifs ;

②— le **maintien des ressources humaines**, qui concerne l'orientation, la formation, le perfectionnement, l'évaluation, les promotions, les mutations, les cessations d'emploi, la rémunération et les avantages sociaux.

Les responsables de la gestion des ressources humaines

La gestion des ressources humaines revient à la fois aux **cadres hiérarchiques**, qui supervisent les employés, et au **service des ressources humaines** (en raison de sa compétence en la matière), qui aide et conseille les premiers relativement aux questions techniques qui concernent la gestion des ressources humaines.

Le personnel des services hiérarchiques et celui de l'état-major exercent des rôles distincts et complémentaires. Les cadres hiérarchiques ont un **rôle décisionnel**, alors que le personnel à l'emploi du service des ressources humaines joue un rôle consultatif. Le tableau 9.1 énumère les fonctions types des cadres hiérarchiques et du personnel du service des ressources humaines dans le contexte de la gestion des ressources

humaines. La **gestion des ressources humaines** relève principalement des cadres hiérarchiques, et l'**administration des ressources humaines**, du service des ressources humaines.

S'il faut, par exemple, pourvoir à un poste d'informaticien, c'est le directeur des services informatiques qui aura le dernier mot. Autrement dit, le cadre hiérarchique prend la décision finale en matière de dotation, mais le spécialiste du service des ressources humaines aide et conseille celui-ci relativement aux politiques et aux méthodes de dotation. Les mêmes démarches s'appliquent aux activités comme la formation, le perfectionnement et la rémunération.

Dans les petites entreprises, la gestion et l'administration des ressources humaines relèvent des cadres hiérarchiques ; dans les grandes entreprises, l'administration des ressources humaines relève du service des ressources humaines (état-major), et la gestion des ressources humaines, des cadres hiérarchiques.

Le processus de gestion des ressources humaines

Comme l'illustre la figure 9.1, la gestion des ressources humaines fait partie de la gestion stratégique générale de l'organisation, et on peut la considérer comme une activité permanente. Étant donné que les organisations modifient constamment leurs objectifs, leurs stratégies et leurs politiques, la direction doit s'assurer que l'entreprise dispose d'effectifs hautement qualifiés, dont les compétences et les connaissances font l'objet d'un perfectionnement continu à la faveur de programmes de formation efficaces.

Afin de veiller à ce que les postes soient occupés par les employés les plus qualifiés, la gestion des ressources humaines comprend un ensemble d'étapes logiques qui comporte les éléments suivants.

TABLEAU 9.1
Les fonctions des ressources humaines telles qu'exécutées par les cadres hiérarchiques et le service des ressources humaines

Activités	Service des ressources humaines (état-major)	Cadres hiérarchiques
Politiques et procédures	– Énonce des politiques – Surveille et contrôle – Révise les politiques et les procédures	– Aide à la formulation de politiques et de procédures
Présélection	– Obtient de l'information sur l'analyse des emplois – Rédige les descriptions de poste	– Fournit de l'information aux fins de l'analyse des emplois – Participe à la rédaction des descriptions de poste
Recrutement	– Rédige les procédures relatives au processus de recrutement – Est responsable de l'affichage des emplois – Cherche des candidats auprès de diverses organisations – Vérifie les références	– Rédige le formulaire de remplacement de poste – Participe à l'analyse des besoins en matière de ressources humaines
Sélection	– Mène les entrevues préliminaires – Administre les tests d'aptitude	– Mène les entrevues – Prend la décision relative à l'embauche
Formation	– Formule le programme de formation – Embauche les formateurs – Évalue l'efficacité des programmes de formation	– Participe à la formulation du programme de formation – Participe à la définition des besoins de formation – Participe à titre de formateur
Perfectionnement	– Évalue la conception des programmes de formation	– Agit à titre d'aide auprès des subalternes – Évalue les forces et les faiblesses des employés
Supervision	– Aide les cadres hiérarchiques à appliquer les règles de conduite à l'intention des employés – Participe aux décisions relatives aux mutations, aux promotions et aux cessations d'emploi des employés – Administre le programme d'évaluation des employés	– Clarifie les rôles et les responsabilités – Reçoit les plaintes et les suggestions des employés – Est responsable de l'application de mesures disciplinaires – Évalue le rendement des employés
Rémunération	– Établit les échelles de traitement – Administre le programme de traitement – Mène des recherches et des études	– Suggère les augmentations salariales

__Les politiques et objectifs en matière de ressources humaines__ Ceux-ci font partie des priorités, des politiques et des objectifs généraux d'une entreprise, et ils déterminent les modes d'administration des ressources humaines. Les politiques et les objectifs mettent généralement l'accent sur :

– la dotation (la définition des besoins futurs en matière de personnel) ;
– le recrutement (l'embauche ainsi que la promotion des cadres inférieurs et intermédiaires à l'intérieur et à l'extérieur de l'entreprise) ;

FIGURE 9.1
Le processus de gestion des ressources humaines

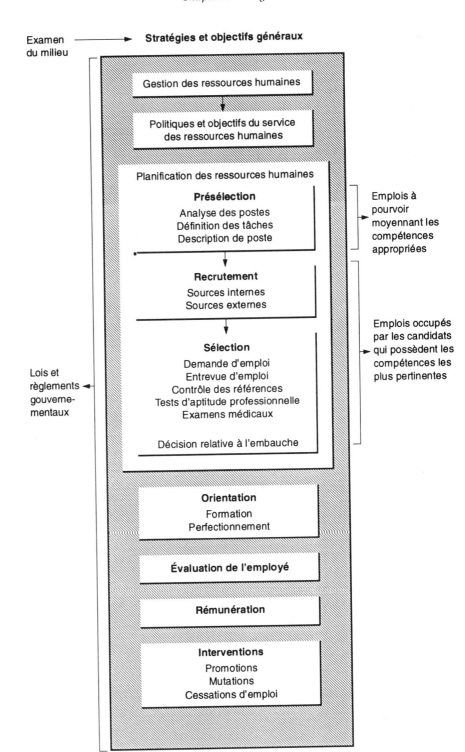

- la sélection (les modes et les critères d'embauche);

- la formation (les types de formation requise à l'intention des employés, des cadres et des professionnels);

- l'évaluation du rendement du personnel (comme la fréquence et les méthodes);

- la rémunération du personnel (comme les hausses de salaire, les primes, la participation aux bénéfices et les vacances).

2. **La planification des ressources humaines**

La planification des ressources humaines permet à l'entreprise de répondre à ses besoins d'une manière permanente et adéquate à la faveur de l'embauche d'employés qualifiés et du perfectionnement de ceux-ci. Comme le présente la figure 9.2, la planification des ressources humaines comprend trois phases. La première concerne l'étude des besoins en dotation existants de l'entreprise, c'est-à-dire le rapport entre les besoins et la disponibilité des effectifs. La deuxième examine la correspondance entre les stratégies et les projets futurs de l'entreprise en matière d'emplois à pourvoir (compétences, postes vacants, croissance des divisions et catégories professionnelles), et la disponibilité des effectifs qualifiés à l'intérieur et à l'extérieur de l'entreprise. L'analyse sert de fondement au processus de dotation et permet à l'entreprise de déterminer les mesures appropriées en vue de se doter du personnel et des cadres qui possèdent les compétences nécessaires grâce auxquelles elle pourra relever les défis à venir. La planification des ressources humaines examine généralement

FIGURE 9.2
Les phases
de la planification
des ressources humaines

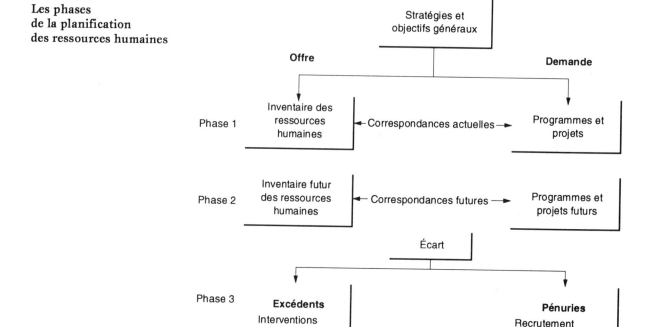

les besoins de l'entreprise pour une période allant des six prochains mois aux cinq prochaines années. La troisième phase présente les mesures requises afin de disposer d'une main-d'œuvre équilibrée et porte sur les cessations d'emploi, les licenciements et les retraites — en cas de surplus d'effectifs — et le recrutement, la sélection, la formation et le perfectionnement — en cas de pénurie d'effectifs.

La présélection La présélection comprend l'analyse des postes, la description de poste et la définition des tâches. Ces activités portent sur la détermination des types d'emplois à pourvoir et les compétences que doivent posséder les candidats pour exécuter efficacement les tâches reliées à l'emploi.

Le recrutement Lorsqu'elle connaît le type d'emploi à pourvoir, l'entreprise dispose de deux sources de recrutement d'employés éventuels : à l'intérieur ou à l'extérieur de ses rangs.

La sélection Cette étape concerne le choix des candidats les plus compétents pour doter un poste particulier. Les étapes les plus importantes de la sélection sont les entrevues d'embauchage, l'administration de tests et la vérification des références.

L'orientation Cette activité concerne le perfectionnement des compétences et des aptitudes dont ont besoin les employés pour exécuter leurs tâches de manière satisfaisante. Elle comprend trois activités : le programme d'accueil, qui présente l'information fondamentale dont les nouveaux employés ont besoin pour remplir leurs fonctions ; la formation, qui vise au maintien et à l'amélioration des compétences nécessaires à l'exécution des tâches existantes ; le perfectionnement, destiné à préparer les employés à des postes futurs.

L'évaluation du rendement de l'employé Cette activité concerne l'évaluation périodique du rendement de l'employé, généralement effectuée par un superviseur au moins deux fois par année.

La rémunération du personnel Les employés croient, avec raison, que leur rémunération doit être juste et équitable (salaire égal à travail égal). Par conséquent, la rémunération vise à assurer que les programmes d'indemnisation (comme le traitement de base, l'assurance-santé, l'assurance-vie et les congés) sont suffisamment intéressants pour attirer ou garder les bons employés.

Les programmes d'action Ces programmes concernent la mobilité du personnel au sein de l'entreprise, notamment les promotions, les mutations et les cessations d'emploi.

Le reste du chapitre examine plus en profondeur chaque étape de la gestion des ressources humaines, soit la présélection, le recrutement, la sélection, l'orientation, l'évaluation, la rémunération ainsi que les promotions, les mutations et les cessations d'emploi.

LA PRÉSÉLECTION

La présélection vise à associer les candidats compétents aux postes à pourvoir au cours d'une période donnée. Prenons l'exemple de l'entraîneur d'une équipe de base-ball désireux d'embaucher un nouveau lanceur (poste). Il établira d'abord la compétence et les capacités du lanceur, qui diffèrent de celles des autres joueurs. Le même raisonnement s'applique aux entreprises. Avant de recruter et de choisir les candidats éventuels, les cadres doivent définir les postes à pourvoir, énumérer les capacités et les compétences requises, puis établir le profil du candidat idéal.

Comme le montre la figure 9.3, les activités relatives à la présélection sont l'analyse des postes, la description de poste et la définition des tâches.

L'analyse des postes

La première étape de la présélection est l'**analyse des postes**, où l'on recueille de l'information

FIGURE 9.3
La présélection

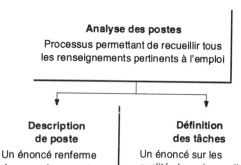

Analyse des postes
Processus permettant de recueillir tous les renseignements pertinents à l'emploi

Description de poste

Un énoncé renferme des renseignements comme :
– le titre du poste
– le lieu de travail
– le résumé de l'emploi
– les fonctions
– le matériel et l'outillage
– les matières et les formulaires utilisés
– le niveau de supervision
– les conditions de

Définition des tâches

Un énoncé sur les qualités humaines reliées au poste renferme généralement les renseignements suivants :
– la scolarité
– l'expérience
– la formation
– le jugement
– l'initiative
– l'effort physique
– les compétences physiques
– les responsabilités
– la capacité de communiquer
– les caractéristiques émotionnelles
– des renseignements sur l'acuité des sens (vue, odorat, ouïe)

détaillée sur un poste particulier. On obtient généralement ces renseignements en remplissant un questionnaire d'analyse de poste, qui porte notamment sur :

– les fonctions et les tâches à exécuter ;

– l'effort intellectuel requis (prise de décisions, planification, organisation) ;

– le type de supervision (le cas échéant) et le nombre d'employés que l'on doit superviser ;

– la nature des pouvoirs délégués et le type de décisions ;

– le matériel et les outils nécessaires pour effectuer le travail ;

– le type de directives requises (orales, écrites) pour accomplir les tâches efficacement ;

– les rapports avec autrui à l'intérieur et à l'extérieur de l'organisation (contact social) ;

– la responsabilité au niveau des budgets, du matériel et de l'outillage ;

– les activités physiques requises pour effectuer le travail (notamment se tenir debout, être assis, marcher ou conduire) ;

– les conditions de travail comme le bruit, la chaleur et la fumée.

Le questionnaire d'analyse des postes fournit une information précieuse aux fins de la rédaction de la description de poste et de la définition des tâches.

La description de poste

L'information tirée du questionnaire d'analyse des postes servira à la rédaction de la description de poste, qui comprend les éléments suivants : les objectifs, les fonctions et les responsabilités du poste ainsi que le lien de celui-ci avec d'autres emplois et conditions de travail.

Le tableau 9.2 présente une description de poste type. L'information qu'elle renferme est regroupée en quatre éléments :

– **l'identification du travail**, c'est-à-dire le titre du poste, le service, la division, le lieu, l'échelle salariale, le niveau de scolarité, l'expérience et le matricule de l'employé ;

– le **résumé de l'emploi**, qui décrit les tâches les plus importantes reliées au poste ;

– les **fonctions et les responsabilités**, que l'on présente généralement par ordre d'importance ;

– d'**autres éléments pertinents** comme le niveau de supervision, les rapports avec d'autres groupes, le matériel ou les outils requis ainsi que les conditions de travail.

TABLEAU 9.2
Exemple de description de poste

Poste	Commis à l'expédition
Service	Expédition et réception
Endroit	Entrepôt de l'édifice C
Résumé de l'emploi	Sous la supervision générale du directeur de l'entrepôt, traite les livraisons à la clientèle conformément aux formulaires d'autorisation en provenance du service des ventes. De concert avec d'autres commis et emballeurs, retire la marchandise des tablettes manuellement ou à l'aide du matériel mécanique, et place celle-ci dans les contenants aux fins d'expédition par camion, par train, par avion ou par service de messagerie. Prépare et traite les écritures appropriées et tient à jour des dossiers connexes.
Scolarité	Diplôme d'études secondaires
Expérience	Aucune expérience requise

Fonctions	1. Les fonctions suivantes représentent 70 p. 100 du travail :
	  a) Retirer la marchandise des tablettes et des étagères, et placer celle-ci dans les contenants appropriés aux fins d'expédition.
	  b) Peser et étiqueter les contenants par transporteur, tel qu'établi sur le bordereau d'expédition.
	  c) Aider au chargement des contenants.
	2. Les fonctions suivantes représentent 15 p. 100 du travail :
	  a) Préparer et traiter les formulaires d'autorisation (listes d'emballage, bordereaux d'expédition et connaissements).
	  b) Tenir à jour les registres d'expédition à l'aide de feuilles de contrôle et de perforateurs.
	  c) Taper étiquettes et formulaires variés.
	3. Les fonctions suivantes représentent 15 p. 100 du travail :
	  a) Conduire le camion de l'entreprise au bureau de poste ou lors d'une livraison locale.
	  b) Aider à l'inventaire.
	  c) Agir à titre de vérificateur pour le compte d'autres commis à l'expédition ou à la réception.
	  d) Tenir à jour les dossiers pertinents.

Supervision	Le candidat travaille sans surveillance, sauf lorsqu'il doit recevoir des directives générales ou régler des problèmes particuliers.
Relations	Travaille en étroite collaboration avec les emballeurs, les manutentionnaires et autres commis. Est en contact avec les chauffeurs de camion, au moment du chargement. A des contacts occasionnels avec le personnel du service des ventes et des commandes.
Matériel	Utilise chariot mécanique, convoyeurs, matériel de scellage, perforatrice à clavier et machine à écrire.
Conditions de travail	Aire de travail propre, bien éclairée et chauffée. Exige de travailler debout, de marcher, de grimper et de soulever. Sujet aux courants d'air, lorsque les portes sont ouvertes.

Source : Traduit de Lester R. Bittel, *The McGraw-Hill 36-Hour Management Course*, New York, McGraw-Hill Publishing Company, 1989, p. 132.

La description de poste est un instrument important :

- durant la sélection, étant donné qu'il veille à ce que les candidats éventuels répondent aux exigences du poste en question ;
- lors de l'évaluation, parce qu'il aide à déterminer si l'employé assume ses responsabilités de manière satisfaisante ;
- dans le cadre de la conception des programmes de formation ou de perfectionnement, étant donné qu'il précise les capacités et les compétences dont les employés ont besoin pour bien exécuter leurs tâches.

La définition des tâches

Un énoncé écrit décrivant les compétences requises par les titulaires de postes particuliers, soit la **définition des tâches,** accompagne la description de poste. Ce document renferme de l'information reliée au niveau de scolarité, aux connaissances, aux compétences ainsi qu'au type d'expérience requis pour accomplir les tâches.

La description de poste met l'accent sur la nature de l'emploi, alors que la définition des tâches porte sur les compétences nécessaires pour remplir efficacement les fonctions décrites dans la description de poste. La définition des tâches est un instrument précieux dont se servent les interrogateurs, étant donné qu'il permet d'établir le profil des personnes les plus compétentes pour occuper des emplois particuliers.

LE RECRUTEMENT

Après avoir établi le nombre et le type de personnes dont elle a besoin, l'entreprise précise les diverses sources où elle peut trouver les candidats éventuels, soit le **marché du travail.** Il s'agit d'une étape importante, car plus les sources sont nombreuses, meilleures sont les chances de trouver les candidats les plus qualifiés.

Comme le montre la figure 9.4, le recrutement commence lorsque le directeur désireux de pourvoir à un poste remplit un **formulaire**

FIGURE 9.4
Le recrutement

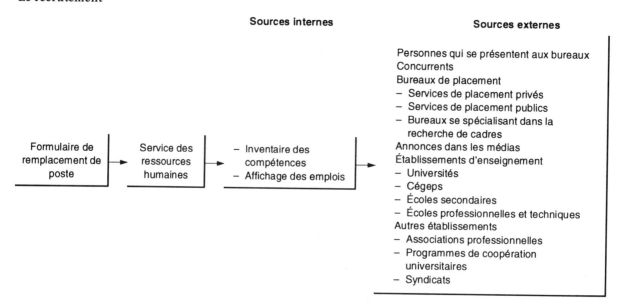

de remplacement de poste. Si le directeur du service de l'approvisionnement veut embaucher un nouvel acheteur, il doit d'abord remplir le formulaire en question, lequel est acheminé au service de dotation des ressources humaines. Le formulaire renferme de l'information sur le poste, et peut inclure des renseignements comme le titre et le niveau du poste, dire s'il s'agit d'un nouveau poste, donner le nom du titulaire du poste et la date de cessation d'emploi (le cas échéant), la date éventuelle d'entrée en fonction du nouvel employé et les motifs de la décision de pourvoir au poste.

Comme le montre la figure 9.4, les candidats éventuels peuvent être recrutés à l'intérieur ou à l'extérieur de l'entreprise.

Le recrutement interne

Les entreprises disposant d'une politique interne de recrutement ou de promotion examinent leurs propres effectifs, avant de faire appel aux gens de l'extérieur. La démarche offre les principaux avantages suivants :

- les employés connaissent déjà les autres membres du personnel et les politiques de l'entreprise ;
- les coûts associés au recrutement sont moindres, étant donné qu'il est nettement moins coûteux d'embaucher du personnel sur place que du personnel de l'extérieur ;

- étant donné que l'entreprise connaît le dossier de candidature de l'employé, elle compose avec une **quantité connue** ;

- il se produit un effet d'entraînement, étant donné que toute promotion au sein de l'entreprise se traduit par une ouverture de poste.

Lorsque le service des ressources humaines reçoit un formulaire de remplacement de poste, il peut mettre en branle le processus de recrutement de la manière suivante :

- en révisant le dossier de chaque employé pour obtenir des renseignements sur son niveau de scolarité, ses forces et ses faiblesses ainsi que son rendement actuel et possible ;

- en affichant la description de poste sur des babillards, à l'intérieur de l'entreprise.

Le recrutement externe

Si le services des ressources humaines échoue dans sa tentative de recruter des candidats qualifiés à l'intérieur de l'entreprise, il fera appel à des sources extérieures : bureaux de placement privés et publics, annonces dans les médias, établissements d'enseignement (écoles techniques, cégeps et universités), associations professionnelles, candidats présentés par des employés actuels et anciens.

UN ENJEU COMMERCIAL ACTUEL

Formation et emplois de demain

Le « meilleur des mondes » à l'heure de la mondialisation des marchés appartient aux nations industrialisées qui disposent d'une main-d'œuvre scolarisée, hautement qualifiée et polyvalente. Bien que la population active du Canada ait été une force dynamique, de nombreux observateurs estiment qu'elle n'est pas fin prête à affronter la concurrence croissante que lui réserve l'avenir. Le passage graduel d'une économie de production à une économie de services (70 p. 100 des Canadiennes et des Canadiens œuvrent maintenant dans le secteur des services), combiné avec les répercussions inévitables des techniques de pointe, exigera le déploiement d'importants efforts au niveau de la formation et du re-cyclage de la main-d'œuvre, si le pays désire demeurer dans la course à l'échelle mondiale.

Les secteurs d'emploi ont grandement changé au cours des deux der-nières décennies. Les postes dans les industries de services sont à la hausse, alors que ceux dans les domaines de la fabrication et de l'agri-culture sont en baisse. Voici un aperçu des tendances en matière d'em-ploi par secteur (%) au Canada :

	1970	1990
Services communautaires, commerciaux et personnels	25,8 %	34,6 %
Commerce, gros et détail	16,8 %	17,8 %
Fabrication	22,3 %	15,7 %
Transport et services publics	8,8 %	7,5 %
Administration publique	6,4 %	6,5 %
Construction	5,9 %	6,3 %
Finance, assurance et immobilier	4,8 %	6,0 %
Agriculture	6,5 %	3,4 %
Autres secteurs primaires	2,7 %	2,2 %

Bien que le Canada se classe au cinquième rang des pays industriali-sés selon le *Rapport sur la compétitivité internationale 1991*, nos pro-grammes de formation se sont classés au vingtième rang (sur vingt-trois). À une époque où 30 p. 100 des étudiants abandonnent leurs études secondaires, le système de projections des professions au Canada (SPPC) d'Emploi et Immigration Canada prévoit que 63 p. 100 des emplois créés dans les années 1990 exigeront un minimum de douze ans de scolarité et de formation, et que 40 p. 100 de ceux-ci requerront au moins dix-sept ans de scolarité, comparativement à 23 p. 100 à l'heure actuelle.

Certains des emplois qui seront de plus en plus en demande — analyste de système et ingénieur aérospatial, pour ne nommer que ceux-là — n'existaient même pas jusqu'à tout récemment. Parallèlement aux forces économiques mondiales, les changements techniques et démographiques influeront sur la composition de la population active de l'avenir. Par exemple, les domaines des techniques de pointe et des soins de santé se-ront des sources de nombreux emplois dans les années 1990. Voici un échantillon des emplois qui seront les plus en demande d'ici à l'an 2000, selon les prévisions du SPPC.

Emploi	Taux annuel de croissance (%)
Inhalothérapeute	5,1 %
Analyste de système	4,6 %
Opérateur de matériel électronique de traitement	4,1 %
Ergothérapeute	4,0 %
Ingénieur en aérospatiale	3,8 %
Hygiéniste dentaire	3,8 %
Administrateur médical	3,7 %
Directeur général — secteur services	3,5 %
Psychologue	3,1 %
Infirmier(ère)	3,1 %
Toutes les professions	1,4 %

Source : « Où sont les emplois », dans « Le commerce: jeux et enjeux », *La Voix Royale*, automne 1991, p. 10-11.

LA SÉLECTION DES CANDIDATS

L'étape logique suivante du processus de dotation — la procédure de sélection — est l'embauche des candidats les plus indiqués. La sélection permet à l'entreprise d'engager les postulants qui répondent le mieux aux exigences du poste. Il suffit de rapprocher les compétences du candidat des critères du poste. Il importe que les instruments utilisés pour ce processus soient valides et fiables.

Des instruments **valides** mesurent les compétences requises avec précision. L'entreprise désirant embaucher un représentant administrera des tests qui mesurent les compétences nécessaires pour être un agent commercial efficace (esprit d'entreprise, bon communicateur, sens de l'organisation, personnalité agréable). Par ailleurs, un instrument **fiable** produit des mesures cohérentes. Par exemple, si l'instrument indique qu'un commis peut entrer quatre-vingts mots à la minute aujourd'hui, il devrait également montrer que ce commis peut fournir le même rendement demain ou à tout moment.

Les critères suivants sont les plus fréquemment utilisés durant la sélection[2] :

La scolarité Il s'agit d'un critère important dans le cas des postes qui exigent des connaissances ou des aptitudes particulières. Les travailleurs sociaux, les économistes, les analystes financiers et les comptables doivent avoir un certain niveau de formation collégiale ou universitaire — les grandes entreprises exigent souvent que les candidats soient titulaires d'un diplôme universitaire. Les multinationales peuvent exiger que leurs agents commerciaux possèdent un tel diplôme, ce qui importera moins pour les petites ou moyennes entreprises. Cela ne veut pas dire que le titulaire d'un diplôme universitaire aura plus de succès que la personne qui n'en détient aucun. Bien que la plupart des entreprises se servent du critère de scolarité, celui-ci n'est pas toujours un indicateur prévisionnel précis.

---

2. Richard M. Hodgetts, *Management*, Orlando, Academic Press Inc., 1985, p. 248-249.

L'expérience   On pose souvent la question suivante durant une entrevue : quelle expérience possédez-vous ? La question s'appuie sur le principe selon lequel une personne qualifiée qui effectue un travail particulier sera plus efficace que d'autres sans expérience.

Les caractéristiques physiques   Ce critère est important dans la sélection de certains candidats. Bien qu'il ne s'agisse pas toujours d'une règle écrite, certaines entreprises exigeront que leurs représentants aient une « apparence » agréable qui impose le respect et inspire confiance. D'autres postes exigent de la force, et des entreprises soumettent les candidats à un examen médical afin de s'assurer que les employés sont capables de fournir un bon rendement dans des emplois qui nécessitent un travail manuel intense ou occasionne du stress. Dans de nombreux cas, le service des ressources humaines s'enquerra du dossier médical de candidats afin de protéger les travailleurs de maladies contagieuses et l'entreprise, de demandes d'indemnisation des accidents du travail.

Les caractéristiques personnelles et les types de personnalité   De nos jours, les entreprises tendent à embaucher des personnes dont les valeurs et les convictions sont compatibles avec les leurs. Les **caractéristiques personnelles** incluent notamment l'état civil, l'âge et le nombre d'enfants. Par exemple, une entreprise hésitera à engager une femme mariée qui a plusieurs enfants à titre de superviseure commerciale, étant donné que le poste exige de nombreux déplacements. Le **type de personnalité** désigne les aspects de la personnalité (introversion ou extraversion), la stabilité émotionnelle, l'objectivité, la confiance en soi et l'entregent.

Les étapes de la sélection

Avant de faire une offre à un candidat, le service des ressources humaines procède en plusieurs étapes pour s'assurer que le poste en question et les aspirations de l'employé éventuel sont compatibles. Étant donné que de nombreux candidats postulent le même emploi, le service a recours à un certain nombre de techniques de présélection afin de déterminer le candidat le plus indiqué. Comme le montre la figure 9.5, les étapes usuelles de la sélection sont le contact initial, la demande d'emploi, les entrevues, le contrôle des références et des lettres de recommandation, les tests d'aptitude professionnelle, les examens médicaux et, en dernier lieu, l'offre d'emploi.

Le contact initial   D'habitude, les candidats communiquent avec l'entreprise par téléphone, se rendent sur les lieux ou font parvenir une lettre qui renferme une demande d'information et une offre de services relativement à un emploi annoncé dans un quotidien local ou national ou par suite de la recommandation d'un bureau de placement. Lors de ce premier contact, l'agent des ressources humaines procède à une évaluation rapide afin de déterminer si le candidat possède les compétences reliées à un poste particulier. Par exemple, si l'emploi exige un diplôme collégial ou universitaire ainsi que trois ans d'expérience pertinente, et que le candidat ne possède qu'un diplôme d'études secondaires et cinq ans d'expérience non pertinente, on rejettera rapidement la demande.

La demande d'emploi   La demande d'emploi se présente sous la forme d'un formulaire d'une ou deux pages sur lequel le candidat inscrit de l'information relativement à ses antécédents, à ses études et à son expérience. Grâce à ces renseignements, l'entreprise sait si le candidat possède les compétences requises pour l'emploi, et décide ou non de lui accorder une entrevue. L'agent de dotation tente ensuite de relier l'information que contient la demande à la définition des tâches. Si deux cents candidats ont présenté une demande relative à un poste particulier, l'agent de dotation choisira les candidats les plus indiqués et les convoquera à une entrevue.

FIGURE 9.5
La sélection
d'un employé

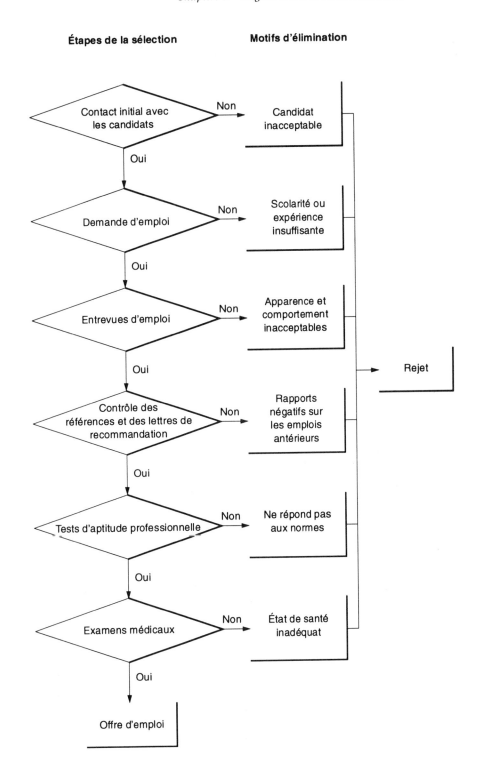

Étapes de la sélection   Motifs d'élimination

Contact initial avec les candidats — Non → Candidat inacceptable

Oui

Demande d'emploi — Non → Scolarité ou expérience insuffisante

Oui

Entrevues d'emploi — Non → Apparence et comportement inacceptables

Oui

Contrôle des références et des lettres de recommandation — Non → Rapports négatifs sur les emplois antérieurs

Rejet

Oui

Tests d'aptitude professionnelle — Non → Ne répond pas aux normes

Oui

Examens médicaux — Non → État de santé inadéquat

Oui

Offre d'emploi

L'entrevue d'emploi L'entrevue d'emploi peut se produire à différents stades de la présélection. L'entrevue **préliminaire** permet au bureau de dotation d'effectuer une évaluation rapide et de voir si le candidat est la personne indiquée pour le poste. À ce stade initial, l'interrogateur et l'interrogé définissent des intérêts communs et décident ou non de poursuivre le processus. La première entrevue sert à limiter le nombre de candidats. L'interrogateur pose des questions précises sur l'expérience, les intérêts, les objectifs et les aptitudes du candidat, et l'interrogé a l'occasion de s'enquérir de l'entreprise, de l'industrie, des fonctions du poste et de la rémunération. Si les deux parties décident de poursuivre la discussion, on prévoit alors une **entrevue de rappel** (ou **entrevue en profondeur**), qui permettra au cadre responsable de rencontrer les postulants. Il s'agit peut-être de l'étape la plus importante de la sélection, durant laquelle le comité des entrevues examinera notamment le comportement, la capacité de communiquer, les manières et l'apparence des candidats. On dénombre trois types d'entrevues en profondeur :

– l'**entrevue dirigée**, où les interrogateurs utilisent un ensemble de questions destinées à donner un cadre fixe à l'entrevue ;

– l'**entrevue semi-dirigée**, où les interrogateurs utilisent aussi un ensemble de questions préparées à l'avance, mais donnent l'occasion au candidat de s'exprimer sur un sujet particulier ou de poser des questions ;

– l'**entretien libre**, qui est entièrement ouvert afin de permettre au candidat de poser des questions, et aux interrogateurs, de répondre à celles qui donnent matière à discussion ou de ne pas donner suite à celles qui sont secondaires.

Le contrôle des références et des lettres de recommandation Lorsqu'un candidat retient l'attention, le service des ressources humaines examine les antécédents professionnels de celui-ci. S'il est un diplômé récent d'un cégep ou d'une université, les lettres de recommandation des professeurs ou des employeurs à temps partiel serviront de référence relativement à son caractère, à son intégrité, à sa fiabilité et à son sens de l'initiative. Ces mesures donnent une meilleure idée du comportement antérieur d'une personne ainsi que de la fidélité du curriculum vitæ et des renseignements que renferme la demande d'emploi. Dans maints cas, l'interrogateur téléphone au dernier employeur du postulant. Il importe cependant de noter que les organisations qui fournissent de l'information à d'autres entreprises doivent procéder avec prudence, afin d'éviter toute poursuite. En effet, un des enjeux actuels les plus importants reliés à la sélection concerne l'invasion de la vie privée par des organismes des secteurs public et privé.

Les tests d'aptitude professionnelle Certaines organisations administrent des tests en vue d'obtenir une information plus objective sur les compétences d'une personne qui sont pertinentes à un emploi particulier. On peut diviser les nombreux tests d'aptitude professionnelle en quatre catégories :

– les **tests d'aptitude**, qui mesurent notamment les capacités de calcul, les aptitudes verbales, la créativité, les compétences administratives, la dextérité et la vue ;

– les **tests de connaissances** ou de **performance**, qui mesurent le niveau de compétence ou de connaissances d'une personne, lesquelles ont peut-être été acquises dans le cadre d'emplois antérieurs ou à la faveur de formation officielle ;

– les **tests professionnels** ou **d'intérêts**, qui mesurent jusqu'à quel point la personne aime effectuer certains types d'activités ;

– les **tests de personnalité**, qui mesurent la maturité affective, la confiance en soi, la subjectivité et l'objectivité.

Les examens médicaux Les examens médicaux constituent la dernière étape de la sélection. Ils servent à établir l'état de santé d'une personne, ce qui permettra de déterminer si elle peut accomplir les tâches reliées à l'emploi.

L'offre d'emploi Après que le postulant a franchi toutes les étapes précédentes, on lui présente une offre d'emploi. L'offre écrite comprend généralement de l'information comme le titre du poste, le traitement et la date d'entrée en fonction.

Les facteurs externes

Il importe que les organisations soient au fait des lois qui régissent les pratiques de recrutement du personnel et ne contreviennent pas aux mesures législatives relatives à l'antidiscrimination. Les éléments les plus importants à cet égard sont la Loi canadienne sur les droits de la personne et les programmes d'action positive.

La Loi canadienne sur les droits de la personne a été adoptée en 1977 (les provinces disposent également de lois à ce chapitre). Elle veille à ce que les personnes profitent de possibilités égales d'emploi, en plus de protéger les Canadiennes et les Canadiens contre la discrimination fondée notamment sur l'âge, le sexe, la race, l'état civil, la religion, l'état de santé, l'origine ethnique et la couleur. La loi accorde à la Commission canadienne des droits de la personne le droit d'exécution.

Cette loi encourage aussi les organisations à adopter des **programmes d'action positive** conçus en vue d'éliminer les barrières en matière d'emploi et d'améliorer les occasions d'emploi pour les femmes et les minorités.

Un nombre croissant d'entreprises examinent leurs pratiques d'emploi afin de s'assurer que les agents de dotation choisissent des candidats en s'appuyant sur des critères reliés à l'emploi et que le processus n'est pas discriminatoire. Même dans les grandes entreprises, on encourage les employés à exprimer leur insatisfaction et à faire part de leurs préoccupations relatives aux pratiques discriminatoires. Les lois sur les possibilités égales d'emploi et les programmes d'action positive touchent l'ensemble

des activités des ressources humaines, notamment le contenu des descriptions de poste, les évaluations de rendement des employés, le recrutement et la sélection, la rémunération et la formation.

La période de familiarisation

La période d'adaptation ou de familiarisation constitue un moyen de présenter de nouveaux employés aux collègues de travail et au poste. Cela est très important parce que les gens font une impression rapide (bonne ou mauvaise). Un bon programme peut augmenter l'enthousiasme des nouveaux employés à l'égard de l'entreprise et de l'emploi, alors qu'un programme mal conçu peut devenir une expérience troublante et frustrante, en plus d'étouffer l'enthousiasme. Le programme d'adaptation permet aux personnes touchées de se sentir à l'aise dans un nouveau milieu de travail et d'avoir un sentiment d'appartenance, ce qui importe beaucoup aux grandes entreprises.

La période d'adaptation donne aux nouveaux employés l'occasion d'obtenir des renseignements plus complets sur l'entreprise et l'emploi, en plus de rencontrer les cadres et le personnel avec lesquels ils travailleront. Elle peut s'étendre sur un ou plusieurs jours, selon la nature du poste et l'importance de l'information et des contacts pour le nouvel employé. L'information transmise relève de trois catégories.

- Le directeur fournit des renseignements généraux sur la nature du travail. Il peut parcourir la description de poste et expliquer le travail plus en détail.

- Un agent des ressources humaines brosse un tableau de l'historique de l'entreprise en soulignant la culture, les valeurs et les convictions, la structure organisationnelle, les produits et les services, la nature de l'industrie et la concurrence de même que l'importance du poste du nouvel employé. Ce dernier peut également recevoir des brochures, des publications ainsi que des recueils des politiques organisationnelles et des règlements de travail de l'entreprise, notamment en ce qui concerne les avantages sociaux.

– L'agent des ressources humaines organise plusieurs rencontres avec différents employés et chefs de service, afin de donner au nouvel employé l'occasion de rencontrer des gens avec qui il travaillera, de comprendre les rôles et les responsabilités des services de chacun ainsi que l'importance de relations de travail harmonieuses.

UN ENJEU COMMERCIAL ACTUEL

L'embauche de nouveaux employés

La mobilité grandissante de la main-d'œuvre a accru l'importance des références, et les entreprises désirent savoir à qui elles ont affaire. Les références fournies par les personnes qui connaissent bien un employé éventuel peuvent établir et confirmer que ce dernier est en mesure d'occuper le poste offert.

La vérification des références est un moyen rapide et efficace à l'usage des entreprises qui désirent s'entraider. Nombreuses cependant sont celles qui disposent de politiques qui interdisent la divulgation de tels renseignements, craignant des poursuites si elles fournissent des références négatives. «La loi reconnaît les besoins légitimes des employeurs de vérifier les aptitudes des employés éventuels», affirme Eric Roher, spécialiste des lois sur l'emploi chez Borden & Elliot. «La notion d'"immunité relative" permet aux employeurs d'être très francs à l'égard des personnes, sans craindre d'être poursuivis en justice.» On parle d'immunité relative, lorsque celui ou celle qui fournit les renseignements agit de bonne foi et n'a aucune intention de nuire, et que les renseignements sont confidentiels et dans l'intérêt public, comme une demande d'emploi. Roher estime que l'immunité relative encourage les employeurs à ne plus se contenter de fournir les nom, rang et numéro de série, et à fournir plutôt des références honnêtes et justes, sans crainte de représailles.

De nos jours, les références se communiquent par téléphone. On ne s'intéresse plus tellement aux références écrites — des documents photocopiés toujours bien rédigés qui ne possèdent pas l'authenticité des paroles prononcées par un interlocuteur qui, en répondant directement à des questions, confirme ou infirme les capacités du postulant.

Parce que les gens hésitent souvent à décrire les faiblesses d'autrui, Barbara Morton, directrice du personnel de LAC Minerals, parle de défauts; celle-ci pose ainsi la question d'une manière plus subtile : «Si vous deviez préciser un défaut, quel serait-il ?», ou encore «Dans quel domaine John pourrait-il s'améliorer ?»

Pour éviter les pertes de temps et d'énergie, le contrôle des références doit commencer au tout début du processus des entrevues et se faire au su du candidat. Les références ne peuvent se substituer à l'évaluation raisonnée de l'interrogateur. L'entrevue en profondeur doit minimiser la possibilité de surprises déplaisantes en cours d'entrevue, et l'on prendra soin de régler de telles questions préalablement avec le candidat.

La vérification des références au début du processus de recherche sert à confirmer que le candidat convient au poste, et les contrôles ultérieurs permettront à l'interrogateur de confirmer sa compréhension des forces et des faiblesses de celui-ci.

Source: Traduit de Katherine Gay, « References Are Vital to Hiring Process », *The Financial Post*, 6 janvier 1992, p. 26.

LA FORMATION ET LE PERFECTIONNEMENT

Les employés nouvellement embauchés possèdent généralement les aptitudes fondamentales pour exécuter efficacement leurs tâches, et il revient à la direction de voir à ce qu'ils continuent d'améliorer leurs compétences en vue d'accroître leur rendement. Le perfectionnement des aptitudes, des compétences et des attitudes est une activité continue. Dans les sports, on ne se demande pas si les joueurs doivent cesser de s'entraîner seulement parce qu'ils font partie d'une équipe nationale; on s'attend plutôt à ce qu'ils intensifient leur entraînement, afin d'améliorer leur adresse et la compétence de l'équipe.

Les organisations doivent poursuivre des programmes de formation et de perfectionnement notamment pour:

- améliorer la productivité;
- sensibiliser les effectifs aux toutes dernières innovations techniques;
- accroître la qualité des services et des produits;
- réduire le gaspillage;
- diminuer le niveau des accidents, le roulement du personnel et l'absentéisme;
- améliorer le niveau de satisfaction personnelle des employés.

L'amélioration des compétences peut s'effectuer à la faveur de programmes de formation et de perfectionnement. La **formation** met l'accent sur le maintien ou l'amélioration des aptitudes liées à l'emploi, afin que les employés affichent un meilleur rendement. Le **perfectionnement** permet aux employés d'améliorer leur connaissance de l'entreprise, de parfaire des compétences susceptibles d'être utiles à l'avenir et d'améliorer leurs habitudes de travail ainsi que leur comportement. La formation est souvent associée à l'amélioration des compétences techniques du personnel d'exécution, et le perfectionnement, à l'amélioration des compétences gestionnaires, notamment les aptitudes à l'idéation et aux relations humaines. Nous reviendrons sur les différents types de programmes de formation et de perfectionnement.

Les étapes de la formation et du perfectionnement

Comme le montre la figure 9.6, on peut établir un programme de formation et de perfectionnement à l'intention des employés en cinq étapes.

Étape 1: La définition des besoins de formation   La formation commence par l'évaluation

FIGURE 9.6

Les étapes du processus de formation d'un employé

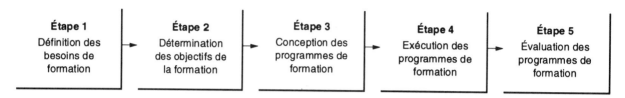

des types de compétences, d'aptitudes et de connaissances dont les employés ont besoin afin d'exécuter leurs tâches plus efficacement. On peut effectuer ce genre d'analyse à l'échelle de l'entreprise, où les cadres participent au processus afin de déterminer la façon dont chaque unité organisationnelle atteint ses objectifs ; ou à la faveur d'une étude des ressources humaines, où l'on demande aux cadres de préciser les difficultés qu'ils ont éprouvées et de suggérer des programmes de formation destinés à aplanir celles-ci. On peut également établir les besoins de formation sur une base individuelle, à l'aide de l'évaluation du rendement des employés, où l'on mesure la performance de chaque employé d'après les normes contenues dans la description de poste. Les besoins de formation d'un employé seront alors communiqués au superviseur, sur la formule d'évaluation du rendement.

Étape 2: La détermination des objectifs de la formation   Après avoir précisé les besoins, on formule les objectifs de la formation qui permettent de déterminer le type et le contenu des programmes. Les objectifs de la formation contribuent aussi à la conception de normes précises, à la lumière desquelles on peut mesurer le rendement au travail, ce qui permet aux cadres de voir si les programmes ont atteint leurs objectifs. Par exemple, si l'objectif consiste à accroître la qualité des services, les indicateurs de mesure (comme la rétroaction de la clientèle) devraient montrer si les services ont réellement été améliorés.

Étape 3: La conception des programmes de formation   Les objectifs de la formation énoncent ce qui doit être accompli, tandis que la conception des programmes de formation détermine la façon dont on peut améliorer les compétences et les connaissances des effectifs. Un grand nombre de méthodes de formation et de perfectionnement comme les cours magistraux, la formation en cours d'emploi, l'assistance professionnelle, la rotation d'emplois et les conférences servent à transmettre les compétences et l'information (nous reviendrons sur cet aspect).

Étape 4: L'exécution des programmes de formation   Il s'agit de l'exécution et de l'administration des programmes de formation incluant les horaires précis, le choix des instructeurs, le choix des lieux ainsi que des techniques d'enseignement (bandes magnétoscopiques, études de cas, discussions et contenu des cours magistraux).

Étape 5: L'évaluation des programmes de formation   Il faut toujours comparer les résultats des programmes de formation aux objectifs fixés. L'évaluation détermine jusqu'à quel point les programmes ont réussi à améliorer les compétences et les connaissances reliées à l'emploi. On a recours à plusieurs moyens à cette fin: on demande aux participants d'évaluer la pertinence des compétences apprises ainsi que la qualité de l'enseignement, puis on observe les employés pour voir si les compétences et les comportements ont effectivement changé.

Nous allons maintenant examiner différentes techniques et méthodes utilisées par les organisations pour transmettre des renseignements et des connaissances, et pour perfectionner les compétences et les aptitudes reliées à l'emploi. Nous aborderons les programmes de formation et le perfectionnement des cadres.

Les programmes de formation

Comme on le sait, la formation concerne le perfectionnement des compétences liées à l'emploi en vue d'améliorer le rendement au travail, et les programmes suivants comptent parmi les plus couramment utilisés.

La formation en cours d'emploi

La formation en cours d'emploi se déroule au poste de travail, et les méthodes les plus utilisées sont la rotation d'emplois, l'assistance professionnelle, l'apprentissage et l'établissement de modèles. La rotation d'emplois désigne l'affectation des employés à des postes différents afin de connaître les autres activités de l'organisation. Ceux-ci ont alors une vue d'ensemble de l'importance et des liens entre les activités interfonctionnelles. L'assistance professionnelle (ou encadrement) concerne les contacts directs — officiels et officieux — entre superviseurs et employés. L'apprentissage se rapporte à la formation du personnel par des employés hautement qualifiés. Enfin, l'établissement de modèles désigne l'apprentissage par l'observation. Par exemple, un employé peut apprendre des compétences et des comportements en observant comment d'autres (travailleurs et superviseurs qualifiés) travaillent et se comportent. Si les superviseurs et les travailleurs expérimentés ont à cœur la qualité du service et du produit, leurs habitudes de travail influeront certainement sur celles d'employés moins exécutants.

La formation extérieure

La formation extérieure correspond, comme son nom l'indique, à un enseignement dispensé hors du travail. La formation en atelier-école et en classe constituent les deux formes les plus courantes. La formation en atelier-école signifie que les employés travaillent sur du matériel identique à celui de leur poste de travail. L'objectif principal consiste à éviter la pression au travail pendant que l'employé acquiert les nouvelles compétences et techniques. La formation en classe est dispensée de deux façons. Les stagiaires jouent d'abord un rôle passif dans le processus d'apprentissage (conférence, séminaire, débat, vidéo). Ils sont ensuite invités à participer plus activement (étude de cas, jeu de rôle et simulation). Certaines formations combinent les deux méthodes et, dans ce cas, les conférences aident à mettre l'accent sur la nature du travail, pendant que le jeu de rôle est axé sur l'application des compétences.

Le perfectionnement des cadres

Les programmes de perfectionnement servent à cultiver l'efficacité et l'efficience des cadres, en permettant à ceux-ci de perfectionner des compétences destinées à améliorer leur rendement au poste actuel et à les préparer à des responsabilités ultérieures. La plupart des techniques utilisées en formation servent également au perfectionnement des cadres, et nous les avons regroupées sous deux en-têtes: la formation en cours d'emploi et la formation extérieure.

La formation en cours d'emploi

La formation en cours d'emploi enseigne aux superviseurs comment former les employés sur place. Les techniques les plus en vogue sont l'établissement de modèles, la rotation d'emplois, les postes de stagiaire, les affectations anticipées ainsi que les révisions officielles de l'évaluation du rendement. L'établissement de modèles est un moyen efficace qu'utilisent les cadres pour présenter au personnel subalterne des notions d'éthique et de conduite ainsi que des méthodes professionnelles. Cet apprentissage par imitation ressemble à l'encadrement et permet aux supérieurs de discuter de méthodes de travail, de problèmes pratiques, de la nature du travail ainsi que de la façon de composer avec l'attribution des tâches. La **rotation d'emplois** est une méthode de formation à la faveur de laquelle on affecte les employés à divers postes afin d'élargir leur expérience et de leur permettre de se familiariser avec les activités de l'entreprise. Les **postes de stagiaire** sont occupés par des cadres subalternes que l'on affecte temporairement auprès de cadres supérieurs (postes d'analyste ou d'adjoint). Ces affectations permettent aux subalternes de travailler avec des cadres supérieurs et de mieux comprendre les politiques, les stratégies et les activités de l'entreprise. Les **affectations anticipées** désignent l'affectation temporaire de cadres subalternes à des postes supérieurs (lorsque, par exemple, un directeur part en vacances). Les cadres supérieurs procèdent à des **révisions officielles de l'évaluation du rendement**, en vue de déterminer les besoins de formation. Après avoir révisé l'emploi, les activités et les objectifs que le cadre subalterne a prévus pour une période donnée (six mois ou un an), le superviseur établit les domaines qui présentent encore des difficultés au cadre subalterne. Il évalue ce dernier à la lumière de critères de rendement (planification, organisation, qualité et volume de travail, initiative et ingéniosité, collaboration, comportement, souplesse et loyauté) et d'une grille préétablis (exceptionnel, satisfaisant, insatisfaisant). L'évaluation fournit une information précieuse qui permet de préciser le type de formation requis (assistance professionnelle, cours magistraux, séminaires ou rotation).

La formation extérieure

Le perfectionnement extérieur porte sur les techniques destinées à l'amélioration des compétences gestionnaires (relations humaines, aptitudes à l'idéation et techniques). La formation peut s'effectuer en classe (cours universitaires) ou à la faveur de programmes de perfectionnement des cadres parrainés par une université (maîtrise en administration pour gens d'affaires, programme de deux ou trois mois). Les méthodes les plus utilisées sont le cours magistral, le séminaire, le jeu de rôle, la méthode des cas et la simulation de gestion. Le **cours magistral** est la présentation d'information ou de techniques déterminées par un formateur ; on a souvent recours à la projection de films ou de vidéocassettes, et le cours est généralement suivi d'une séance de questions. Le **jeu de rôle** place les participants dans des situations réelles et présente une façon de régler les situations difficiles. On demande à ceux-ci de jouer un rôle déterminé (supérieur et subalterne). Par exemple, un participant peut jouer le rôle d'un supérieur qui incite un employé à améliorer son rendement. La **méthode des cas** est une description écrite d'une situation problématique. On demande aux participants d'analyser le cas avant de se présenter au cours et de fournir une solution. Les cas peuvent porter sur une foule de sujets, notamment le marketing, les finances, l'exploitation, les ressources humaines, la distribution, la publicité et l'analyse de marché. Les **simulations de gestion** ou jeux d'entreprise sont des exercices qui reproduisent des activités économiques dans divers domaines fonctionnels ou organisationnels comme les finances, les ventes, le marketing, la production ainsi que la recherche et le développement. Les participants forment des groupes et entrent en concurrence les uns avec les autres. Les membres de chaque groupe prennent des décisions dans tous les domaines, lesquelles sont saisies dans un programme informatique qui en analyse la pertinence. On compare ensuite les résultats.

Garantir l'efficacité des programmes de formation et de perfectionnement

Quelle est l'efficacité des programmes de formation et de développement ? Les employés sont-ils davantage motivés ? En savent-ils plus, et leur rendement s'est-il accru ? Se préoccupent-ils de leurs collègues ainsi que de la qualité du service et des produits ? Le cadre a-t-il modifié son style de gestion ? Si l'on répond à ces questions par l'affirmative, on peut considérer le programme comme une bonne affaire.

Afin d'assurer la pertinence et l'efficacité des programmes de formation et de perfectionnement, Jack Taylor affirme que les entreprises doivent éviter les erreurs suivantes[3] :

Faire retomber la responsabilité principale de la formation sur le personnel de l'état-major
Bien que les services de l'état-major jouent un rôle important dans la conception et l'administration des programmes de formation, ils ne peuvent être tenus entièrement responsables des résultats, cette obligation incombant aux cadres hiérarchiques. Par conséquent, ces derniers doivent participer activement à la conception des programmes de formation.

Omettre de doter les cadres des moyens qui leur permettent d'exercer leur rôle de formateur
Pour devenir des formateurs efficaces, les cadres doivent recevoir une formation adéquate en vue d'exercer leur fonction d'aide. S'ils doivent consacrer beaucoup de temps à la formation, à l'encadrement et à l'habilitation de leurs employés, ils doivent posséder les compétences requises.

Procéder à une analyse rapide des besoins
La formation commence par une analyse adéquate des besoins à l'échelle de l'entreprise ou sur une base individuelle. Il est en effet futile, coûteux et frustrant de présenter un programme de formation qui ne répond pas aux besoins organisationnels ou individuels !

Substituer la formation à la sélection La première étape en vue d'assurer un rendement supérieur consiste à choisir les candidats les plus qualifiés pour accomplir un travail particulier. La formation peut ensuite améliorer les compétences liées au travail d'un employé ; on peut difficilement former un employé qui ne dispose pas de ces aptitudes fondamentales. Le rôle premier du gestionnaire est donc de s'assurer que l'on embauche les meilleurs candidats qui soient pour un poste donné, puis de veiller à perfectionner les compétences de ceux-ci à la faveur de cours appropriés.

Confiner la formation à la salle de classe
L'apprentissage magistral ne constitue qu'un aspect de la formation. Pour que celle-ci devienne une expérience enrichissante, il est préférable de recourir à la formation sur place, de loin le moyen le plus efficace de découvrir de nouvelles habitudes et techniques de travail.

Tenter de modifier la personnalité du stagiaire
La formation ne peut modifier que de mauvais comportements, et il ne faut pas tenter de changer la personnalité des individus, une démarche tout aussi irrespectueuse qu'inutile.

L'ÉVALUATION DU RENDEMENT

Un élément important de la gestion des ressources humaines est l'évaluation du rendement, laquelle concerne les questions suivantes : « Quel est mon rendement, à titre d'employé ? Que puis-je faire pour améliorer mes compétences et mon rendement au travail ? » Les gens se posent souvent ces questions, auxquelles les superviseurs ne peuvent malheureusement répondre s'ils ne procèdent pas à l'évaluation périodique de leur personnel subalterne.

Les objectifs de l'évaluation du rendement

L'évaluation du rendement sert principalement à :

3. Jack W. Taylor, « Ten Serious Mistakes in Management Training/Development », *Personnel Journal*, vol. 53, n° 5, mai 1974, p. 357-362.

✴ fournir une **rétroaction** à la personne évaluée sur son rendement au travail ainsi que sur le niveau d'atteinte de ses objectifs et de ceux de l'organisation ;

✴ à déterminer la **formation** et le **perfectionnement** destinés à améliorer le rendement.

L'évaluation du rendement sert à d'autres fins. Reliée aux rétributions (hausses de salaire et bonis), elle peut d'abord constituer un instrument de gestion important. Le système aide l'entreprise à déterminer les augmentations salariales que doit recevoir un employé relativement au rendement antérieur. Si le processus est suivi correctement, cela peut augmenter la motivation et la productivité de l'employé. Deuxièmement, il s'agit d'un instrument essentiel aux fins de la **planification de l'emploi**, qui peut aider l'entreprise à relever les compétences dont elle dispose ainsi que celles dont elle aura besoin dans l'avenir. Troisièmement, l'évaluation peut servir d'instrument destiné à déterminer des promotions, des mutations voire des rétrogradations et des cessations d'emploi. En dernier lieu, elle permet aux gestionnaires d'encadrer et de conseiller leur personnel subalterne.

Les techniques d'évaluation du rendement

Peu importe la technique utilisée — et il en existe un grand nombre —, il faut s'assurer qu'elle permet d'évaluer les employés à la lumière de normes absolues, de mesures fiables et valides ainsi que des caractéristiques et des objectifs du poste, et non de critères subjectifs reliés à l'apparence, à la sincérité et à la loyauté.

✴ En général, on demande aux superviseurs d'évaluer leur personnel subalterne au moins une fois l'an, à l'aide d'une formule d'évaluation uniformisée. Les techniques d'évaluation du rendement les plus utilisées sont l'échelle d'évaluation graphique, la distribution forcée, la comparaison par paires et l'incident critique.

L'échelle d'évaluation graphique est la technique la plus courante aux fins de l'évaluation du rendement des employés. Elle détermine les caractéristiques importantes reliées à l'emploi comme les connaissances, la planification, l'organisation, l'initiative, la fiabilité et l'aptitude à commander. Chaque élément est évalué selon une échelle allant d'insatisfaisant à exceptionnel, et l'évaluateur encercle ou coche la case qui correspond le mieux au niveau de rendement de l'employé.

La distribution forcée, ou comparaison par paires, oblige l'évaluateur à regrouper un pourcentage préétabli de personnes en quatre ou cinq catégories. Par exemple, l'échelle peut indiquer que 10 p. 100 des employés doivent appartenir à la catégorie des piètres exécutants, 20 p. 100, des exécutants inférieurs à la moyenne, 40 p. 100, des exécutants moyens, 20 p. 100, des exécutants supérieurs à la moyenne, et 10 p. 100, des exécutants exceptionnels. L'avantage principal de la distribution forcée est qu'elle réduit la possibilité qu'un évaluateur place tous les employés dans les catégories supérieure ou exceptionnelle, et un autre, dans les catégories inférieures.

La comparaison par paires force l'évaluateur à comparer les personnes les unes aux autres. Celui-ci couplera les trois employés d'une unité organisationnelle donnée (Robert et Marie, Robert et Jean, Jean et Marie), puis déterminera l'employé le plus performant de chaque couple à la lumière de chaque caractéristique (qualité du travail, planification, entregent). Après avoir totalisé les caractéristiques, on peut classer les employés de l'unité.

La méthode de l'incident critique fournit au superviseur l'occasion de maintenir un dossier continu sur le comportement des employés. Ce journal de bord quotidien ou hebdomadaire est divisé en catégories comme l'entregent, la planification, le contrôle et la prise de décision, et le superviseur y inscrit les entrées au besoin. Celui-ci peut entrer le commentaire suivant : « Aujourd'hui, j'ai reçu une lettre du président d'un client important relativement à la qualité du travail de Marie et des efforts soutenus qu'elle a déployés afin de résoudre deux problèmes. » Le superviseur peut discuter des réalisations ou des difficultés avec l'employé subalterne tous les deux ou trois mois. L'avantage du système par rapport à l'échelle d'évaluation graphique et à la distribution forcée est qu'il permet au superviseur de mettre l'accent sur le comportement au travail et sur des événements réels, qui peuvent ensuite servir à présenter une rétroaction instantanée et pertinente relativement à la réaction d'un employé à des situations particulières.

L'évaluation du rendement comme instrument efficace de gestion

Un système efficace d'évaluation du rendement doit être valide et fiable. Par validité, on entend que l'instrument d'évaluation mesure ce qu'il est censé mesurer. Dans le cas d'un analyste financier, un tel instrument mesurerait des aspects reliés au rendement comme les capacités de recherche et analytiques, la capacité d'interpréter les données ainsi que l'aptitude à la communication orale et écrite. Par ailleurs, la fiabilité veut dire que l'instrument fournit des résultats constants. Si l'instrument est fiable et que ni le travail ni le rendement n'ont changé, l'évaluation devrait produire le même résultat.

On peut assurer l'efficacité de l'instrument d'évaluation du rendement si:

- on intègre le système d'évaluation à la stratégie globale de la gestion des ressources humaines;

- les normes de rendement sont significatives, pertinentes et définies clairement;

- les évaluateurs observent les subalternes au jour le jour durant toute la période d'évaluation et s'appuient sur leurs observations, lorsqu'ils remplissent le formulaire d'évaluation;

- on forme les évaluateurs et on leur procure des directives claires, afin qu'ils comprennent les principes qui sous-tendent le processus;

- on pèse le pour et le contre de chaque mode d'évaluation afin de retenir le moins intimidant;

- on procède à des évaluations régulières, afin de suggérer aux employés des façons constructives de modifier leur comportement.

LA RÉMUNÉRATION ET LES AVANTAGES SOCIAUX

Afin d'attirer et de maintenir une main-d'œuvre hautement qualifiée et motivée, l'entreprise doit s'assurer que les employés se sentent appréciés et reçoivent une rémunération adéquate — directe ou indirecte —, en échange de leurs efforts. La rémunération directe comprend les salaires, les bonis et les options d'achat d'actions, et la rémunération indirecte, tous les « avantages sociaux » en sus du traitement de base et qui peuvent atteindre entre 10 p. 100 et 30 p. 100 de ce dernier (sous forme de congés, de vacances et de périodes de repos, de régimes d'invalidité, d'assurance-maladie, d'assurance-chômage, d'indemnisation des accidents du travail, de pension, d'assurance-vie ainsi que de rémunération sur mesure).

La rémunération est établie par la direction, selon ce qu'elle est disposée à payer (à journée de travail honnête, rémunération honnête). Si le rendement de l'employé demeure inchangé, il se peut que la direction ne soit pas encline à augmenter le salaire et les avantages sociaux. Dans certains cas, elle peut relier le rendement et la productivité aux hausses salariales.

Il faut également tenir compte de ce que l'entreprise a les moyens d'offrir. En examinant les résultats, on se rend compte que les charges se composent de deux éléments importants: les salaires et l'achat des matières premières. Si la direction s'aperçoit que les bénéfices n'augmenteront pas en raison d'une productivité moindre et de la hausse du coût des matières premières, il se peut qu'elle n'ait pas les moyens de consentir des hausses de salaire et d'avantages sociaux. Si elle paie davantage ses employés, la part des actionnaires ainsi que les sommes destinées aux investissements (expansion et modernisation) diminueront.

La direction doit également tenir compte de circonstances externes comme les lois gouvernementales, les négociations collectives ainsi que les salaires et avantages sociaux versés par d'autres entreprises de l'industrie. Les lois gouvernementales en vertu du Code canadien du travail et des codes provinciaux régissent des politiques relatives aux heures de travail, aux vacances annuelles, aux jours fériés, aux congés de maternité, à la cessation d'emploi, aux indemnités de départ, à la rémunération, aux saisies de salaire, aux congés de maladie et de deuil, aux congédiements injustes et au harcèlement sexuel. Lorsqu'un syndicat est accepté par une majorité d'employés et par le Conseil canadien des relations du travail, ou son équivalent provincial, il doit être reconnu par la direction de l'entreprise à titre d'agent négociateur officiel des employés. Les conventions collectives renferment généralement des dispositions relatives à la rémunération, aux heures de travail, aux assurances, aux droits des travailleurs et à l'ancienneté, à la santé et à la sécurité au travail ainsi qu'au redressement des griefs et à l'arbitrage (dont il sera question au chapitre 10, *Les relations ouvrières-patronales*). Les régimes de rémunération qu'offrent l'industrie, les concurrents et la collectivité constituent le dernier élément extérieur dont doit tenir compte la direction dans l'établissement des grilles salariales et des avantages sociaux.

PROMOTIONS, MUTATIONS, RÉTROGRADATIONS ET CESSATIONS D'EMPLOI

Le déplacement des personnes au sein d'une entreprise est souvent le fruit des promotions, des mutations, des rétrogradations et des cessations d'emploi, lesquels incombent à la fois à la direction et au service des ressources humaines.

La promotion désigne l'avancement d'un employé à un poste supérieur. Elle peut survenir lorsqu'un employé a montré qu'il avait la capacité d'assumer des responsabilités et des pouvoirs accrus, et est généralement assortie d'une majoration de salaire.

La mutation résulte généralement d'une occasion de croissance. Elle sert principalement à fournir à un employé l'occasion de relever de nouveaux défis, d'apprendre de nouvelles techniques, d'élargir ses connaissances et de se familiariser avec d'autres activités de l'entreprise.

La rétrogradation survient lorsqu'un employé n'est plus apte à effectuer son travail. En pareil cas, le travailleur est généralement affecté à un emploi qui comporte moins de responsabilités. La plupart des entreprises ne retiennent pas ce genre de mesure, étant donné que l'employé peut éprouver des difficultés à accepter le changement; dans ces circonstances, il est peut-être souhaitable de cesser l'emploi.

La cessation d'emploi désigne les démissions, les retraites, les licenciements et les congédiements. On parle de démission lorsqu'un employé décide de quitter son emploi pour occuper d'autres fonctions dans une autre organisation. La retraite désigne le départ définitif d'un employé, qui quitte souvent même les rangs de la population active. Dans le passé, un grand nombre d'entreprises forçaient les employés à prendre leur retraite à l'âge de 65 ans. À l'heure actuelle, il n'y a aucun âge maximum, et les travailleurs prennent leur retraite à tout âge, certains dès qu'ils atteignent la cinquantaine.

Le licenciement est considéré comme une mesure temporaire, et l'entreprise y a recours lors du ralentissement des activités économiques. Le licenciement s'effectue souvent selon l'ancienneté des employés, c'est-à-dire que l'on licencie d'abord les employés les plus nouveaux.

Nombre d'entreprises sont très sensibles à ce genre de mesure et feront tout en leur possible pour conseiller les employés licenciés et leur trouver un emploi temporaire.

Le **congédiement** désigne le départ involontaire mais permanent d'un employé. La mesure est prise lorsqu'un employé ne peut faire son travail adéquatement, qu'il a enfreint les règles de travail à maintes reprises ou qu'il s'est absenté trop souvent, ou encore que l'entreprise élimine des postes.

UN POINT DE VUE

Paula Ancona, Scripps Howard News Service

La façon de garder ses meilleurs employés

Étant donné que maintes entreprises sont à l'heure des licenciements, il peut sembler étrange de songer à garder vos meilleurs employés. Mais si l'on pense à l'après-récession, la chose n'est pas singulière. En effet, si vous ne disposez pas des meilleurs effectifs lorsque l'économie reprendra son souffle, votre entreprise en souffrira.

Les gestionnaires doivent trouver des moyens de garder leurs employés hautement qualifiés et d'éviter les coûts associés à la recherche de remplaçants compétents. Songez à appliquer certaines des stratégies suivantes, avant que votre entreprise ne souffre d'un exode des cerveaux.

– Assurez-vous que vos employés connaissent bien votre entreprise. Demandez-leur de rédiger un énoncé de mission qui présente les principaux objectifs. Assurez-vous qu'ils sont au courant des grandes priorités, et qu'ils savent ce qui est acceptable. Cela contribuera à leur sentiment d'appartenance.

– Demandez aux employés quels sont les obstacles, les règles et les autres difficultés qui les empêchent de faire leur travail. Retirez ces obstacles.

– Assurez-vous que vos gestes envoient le message qui suit : vous constituez une ressource précieuse, et je désire faire tout mon possible pour vous aider à accomplir votre travail.

– Assurez-vous que les employés sont maîtres de leur emploi. Laissez-les prendre des décisions importantes. Aidez-les à se regrouper afin de résoudre des problèmes.

– Offrez des avantages qui vous distinguent de vos concurrents. Rappelez-vous que ces derniers ont l'œil non seulement sur vos clients, mais également sur vos employés hautement qualifiés.

– Rappelez régulièrement à vos employés à quel point vous avez confiance en eux. Écoutez-les.

– Faites preuve de souplesse. Permettez à vos effectifs d'établir leur propre heure d'arrivée, d'une manière raisonnable, de travailler à la maison à l'occasion et de régler leur horaire afin de répondre à leurs responsabilités familiales.

- Parlez à vos employés ou demandez-leur, dans l'anonymat, pourquoi ils aiment leur travail. Qu'est-ce qui est important, à leurs yeux ? Le titre, le prestige, les récompenses concrètes ou les avantages à long terme ? Dans la mesure du possible, répondez à leurs attentes.

- N'oubliez pas les questions pécuniaires. Assurez-vous que les salaires sont concurrentiels, songez à l'emplacement de votre entreprise et tenez compte des compétences de vos employés et de la rémunération à l'échelle de l'industrie.

- Donnez à vos employés du travail qui leur plaît. S'ils éprouvent un sens de réalisation, de satisfaction et de fierté, ils valoriseront le travail.

Source: Traduit de Paula Ancona, «How to Help Your Firm Keep Best Employees», *The Montreal Gazette: This Week in Business*, 24 février 1992, p. 15.

RÉSUMÉ

Sommaire

1. Le processus de gestion des ressources humaines comprend les activités suivantes : l'établissement des objectifs et des ressources en matière de ressources humaines, la présélection (analyse des postes, description de poste, définition des tâches), le recrutement, la sélection, l'orientation, l'évaluation des employés, la rémunération et certaines interventions (promotions, mutations, cessations d'emploi).

2. L'analyse des postes est l'étude des exigences de l'emploi. La description de poste est un énoncé écrit qui précise les tâches et les responsabilités de toute personne qui occupe un emploi. La définition des tâches est une énumération des compétences requises pour occuper un poste particulier.

3. Le recrutement comprend un ensemble d'activités destinées à attirer des candidats qualifiés. On peut recruter des candidats à l'intérieur ou à l'extérieur de l'organisation.

4. Les étapes les plus importantes de la sélection sont le contact initial avec les postulants, la demande d'emploi, les entrevues d'emploi, le contrôle des références et des lettres de recommandation, les tests d'aptitude professionnelle, les examens médicaux et l'offre d'emploi.

5. La direction est responsable de la formation et du perfectionnement de ses employés. La formation porte sur le maintien et l'amélioration des aptitudes reliées à l'emploi, tandis que le perfectionnement permet aux employés de mieux connaître l'entreprise, en plus d'acquérir des compétences susceptibles d'être utiles ultérieurement. Les cinq étapes de l'exécution d'un programme de formation sont la définition des besoins, la détermination des objectifs ainsi que la conception,

l'exécution et l'évaluation de l'efficacité du programme. La formation peut avoir lieu sur place ou à l'extérieur.

6. L'évaluation du rendement consiste à mesurer le niveau de performance d'un employé et à offrir une rétroaction relativement à l'amélioration de celui-ci. Les techniques d'évaluation du rendement les plus fréquemment utilisées sont l'échelle d'évaluation graphique, la distribution forcée, la comparaison par paires et l'incident critique.

7. Afin d'attirer et de garder les employés hautement qualifiés et motivés, l'entreprise doit offrir une rémunération et des avantages sociaux intéressants. **La rémunération directe** comprend les salaires, les bonis et les options d'achat d'actions, et la **rémunération indirecte**, des avantages comme les congés fériés, les vacances, les périodes de repos ainsi que les régimes d'invalidité, d'assurance-maladie, d'assurance-chômage, d'indemnisation des accidents du travail, de pension et d'assurance-vie.

8. La promotion concerne l'avancement des employés, les mutations horizontales, les rétrogradations (la mutation à un poste inférieur) et les licenciements (qui représentent une cessation d'emploi temporaire ou permanente).

Notions clés

L'analyse des postes

L'évaluation du rendement d'un employé

La définition des tâches

La demande d'emploi

La description de poste

La formation

La formation en cours d'emploi

La formation extérieure

La période de familiarisation

La présélection

La rémunération

La sélection

Le perfectionnement

Le recrutement

Le test d'aptitude professionnelle

Exercices de révision

1. Quelles sont les étapes du processus de gestion des ressources humaines ?
2. Qui, dans une organisation, est responsable de la gestion et de l'administration des ressources humaines ?
3. Quelle différence y a-t-il entre l'analyse des postes, la définition des tâches et la description de poste ?
4. Distinguez le recrutement de la sélection.
5. Comment une organisation doit-elle s'y prendre pour choisir ses candidats ?
6. Distinguez la formation du développement.
7. Comment une entreprise peut-elle assurer la formation et le perfectionnement de ses employés ?
8. Quels objectifs l'évaluation du rendement poursuit-elle ?
9. Décrivez brièvement les techniques d'évaluation les plus courantes.
10. Décrivez brièvement les principales composantes de la rémunération et des avantages sociaux.

Matière à discussion

1. La gestion des ressources humaines est-elle plus importante que l'administration des ressources humaines ? Pourquoi ?
2. Croyez-vous que la gestion des ressources humaines importera davantage à l'avenir que dans le passé ? Justifiez votre réponse.

Exercices d'apprentissage

1. La sélection des employés

Jeanne Langlois est agente commerciale à l'emploi du service des commandes d'une importante société industrielle depuis deux mois. Les responsabilités reliées à son poste consistent à prendre les commandes des clients par téléphone ou par télécopieur. L'emploi en soi n'est pas compliqué ; toutefois, les agents commerciaux se plaignent souvent qu'ils sont soumis à d'énormes « pressions » et qu'ils doivent régulièrement faire des heures supplémentaires, afin d'achever certaines commandes ainsi que leurs relevés quotidiens.

Un jour, Jean-Paul Yelle, directeur du service des commandes, a reçu plusieurs appels de clients qui se plaignaient que leurs commandes n'avaient pas été prises correctement par les agents commerciaux et, dans certains cas, qu'ils n'avaient pas reçu le type et la quantité de produits commandés. Un représentant a également communiqué avec M. Yelle relativement à des erreurs du même ordre et lui a rappelé qu'il risquait de perdre des clients fidèles, si ce genre d'erreur se reproduisait.

Après une enquête rapide, M. Yelle s'aperçut que la plupart des erreurs avaient été commises par Jeanne. Il examina plusieurs lettres de commande que celle-ci avait remplies récemment et se rendit compte que l'information était incomplète, mal codée ou inscrite dans la mauvaise colonne. Cela l'irrita grandement, et il convoqua Jeanne pour lui demander des explications. Il ne savait trop si Jeanne possédait les aptitudes fondamentales pour faire son travail, s'intéressait à son travail ou manquait de motivation.

Dès que Jeanne entra dans le bureau de M. Yelle, ce dernier lui dit: «Jeanne, j'ai reçu plusieurs plaintes de clients importants ainsi que d'un représentant au sujet d'erreurs graves que vous avez faites en remplissant ces feuilles de commande (en montrant du doigt plusieurs feuilles remplies par l'agente). Je n'ai pas à vous dire comment cela m'a irrité. Il me semble que prendre des commandes n'est pas si compliqué, et j'ignore pourquoi vous faites ce genre d'erreur. Vous pouvez m'expliquer comment cela s'est produit?»

Jeanne fut prise au dépourvu, et les remarques du directeur la troublèrent. Elle n'était à l'emploi de l'entreprise que depuis deux mois à peine, et croyait qu'elle faisait bien son travail. Elle offrit l'explication suivante: «M. Yelle, c'est la première fois qu'on porte ces problèmes à mon attention. J'occupe mon poste depuis quelques mois et j'essaie de livrer les commandes le plus rapidement possible. Si vous vous souvenez de notre première rencontre, vous avez particulièrement insisté sur cet aspect. J'essaie de respecter les délais et je dois souvent faire plusieurs heures supplémentaires trois jours par semaine pour abattre tout le travail. Je suis d'accord avec vous pour dire que le travail n'est pas compliqué, mais il y a tellement de lignes et de codes de produits que si le client ne me fournit pas le bon numéro de produit, les erreurs deviennent inévitables. Quand j'ai commencé, j'ai passé seulement quelques heures avec Luc (un autre agent commercial), qui m'a dit qu'il suffisait de remplir les formulaires. Mais je dois vous avouer, M. Yelle, que le travail n'est pas seulement une question de formulaires à remplir. Il faut comprendre les diverses lignes de produits, les besoins des clients, les politiques au sujet des ristournes et des escomptes, et bien d'autres choses. Je fais de mon mieux pour apprendre sur le tas. Je vais faire attention à l'avenir.»

Immédiatement après la conversation, Jean-Paul a téléphoné à Anne Bissonette, la directrice du service des ressources humaines, pour savoir comment régler la question. Anne lui a répondu: «Jean-Paul, ce n'est pas la première fois que nous avons des problèmes au service des commandes.

Le roulement de la main-d'œuvre de ton service est le plus élevé de l'entreprise, et il semble que le moral de tes troupes n'est pas très bon. Je ne sais pas vraiment comment recruter et former ton personnel, mais je m'explique mal pourquoi ton service éprouve autant de difficultés. Ces gens accomplissent un travail important. Ils parlent à nos clients régulièrement, et on peut facilement en perdre un si on ne prend pas les commandes correctement. Il faudrait que tu engages ton monde avec plus de discernement. L'embauche de nouveaux employés représente un investissement de taille et peut être très coûteux, si on n'engage pas les bonnes personnes et si on ne les forme pas adéquatement. »

Questions

1. Commentez la discussion entre M. Yelle et Jeanne.

2. D'après vous, quelles sont les causes principales du problème ?

3. Que feriez vous, à la place de Anne Bissonette ?

2. La formation

Gaétan Poitras, président d'une entreprise manufacturière de taille moyenne qui emploie plus de 3 000 personnes, vient d'assister à un colloque de deux jours sur la gestion des ressources humaines. Il possède maintenant un point de vue différent sur l'importance de bonnes relations entre la direction et les employés. Il a entendu comment d'excellentes entreprises étaient parvenues à améliorer la productivité des employés, la satisfaction de la clientèle et, en dernière analyse, le rendement des investissements.

Dans le passé, M. Poitras a toujours placé le profit et la part de marché en tête des priorités, et relégué la formation et le perfectionnement des ressources humaines aux derniers rangs. Il a cependant appris des conférenciers que si les employés sont formés adéquatement et motivés, la satisfaction de la clientèle, la part de marché et le rendement des investissements s'ensuivront. « Comment peut-on maintenir de bons rapports avec les clients, si les effectifs sont insatisfaits ? Les personnes constituent la grande priorité. Il faut s'assurer que le style de gestion est axé sur les employés et que ceux-ci travaillent en équipe, en plus de partager des valeurs fondamentales comme la confiance, la qualité du service, la satisfaction de la clientèle et l'intégrité. »

Bien que M. Poitras se soit rendu compte de l'importance de la formation et du développement, il ne sait trop comment s'y prendre. Il sait que la mise sur pied de programmes à l'intention des cadres et des employés subalternes sera coûteux et prendra du temps. Pour la première fois cependant, il est arrivé à la conclusion que les coûts de formation ne doivent pas être considérés comme des **frais**, mais comme un **investissement**.

Après avoir discuté avec Anita Romano, vice-présidente des ressources humaines, les deux ont conclu que la tâche était trop importante et trop compliquée pour la confier à l'interne. Ils ont décidé de s'adresser à une firme de consultants en formation, afin d'obtenir de l'aide pour la mise sur pied et la réalisation de leur projet. Les objectifs des programmes de formation et de perfectionnement seront :

- d'assurer que les préoccupations des cadres seront axées sur les personnes et les tâches ;

- d'instaurer un ensemble de valeurs fondamentales à l'échelle de l'entreprise ;

- d'assurer que les groupes de travailleurs forment de véritables équipes ;

- d'assurer que les employés mettent l'accent sur le **service de qualité totale.**

Questions

1. Quel type de programme de formation et de perfectionnement convient à l'entreprise ?

2. Si vous étiez le consultant en formation, comment vous y prendriez-vous pour concevoir un programme qui soit couronné de succès ?

CHAPITRE

10

PLAN

Le mouvement ouvrier au Canada
    Pourquoi les travailleurs se syndiquent-ils ?
    L'histoire du syndicalisme au Canada
    Le droit du travail
    Le cadre des systèmes des relations industrielles

L'organisation d'un syndicat
    La classification des syndicats
    Les objectifs des syndicats
    L'accréditation syndicale

Un enjeu commercial actuel : les syndicats canadiens à présent

La négociation collective
    Le travail préliminaire
    La négociation d'une convention collective
    La gestion d'une convention collective

Le règlement des différends ouvriers-patronaux
    La conciliation
    La médiation
    L'arbitrage
    Les procédures de règlement des griefs

Un point de vue : les relations ouvrières-patronales

Lorsque les parties ne s'entendent pas
    Les stratégies syndicales
    Les stratégies patronales

Un enjeu commercial actuel : les effets d'une grève

Résumé

LES RELATIONS OUVRIÈRES-PATRONALES

Les objectifs du chapitre

Après avoir lu le présent chapitre, vous pourrez :

1. expliquer le contexte du mouvement syndical au Canada ;

2. décrire les principaux objectifs des syndicats et le mode d'organisation de ceux-ci ;

3. décrire le processus de négociation collective ;

4. résumer les principaux enjeux ouvriers-patronaux et les modes de règlement des différends ;

5. définir les principales tactiques des parties syndicales et patronales.

Hier soir, la Société canadienne des postes est retournée à la table de négociation en vue de mettre un terme aux onze grèves paralysantes de ses 45 000 travailleurs syndiqués. La Société et le Syndicat des postiers du Canada (SPC) espèrent briser l'impasse relativement aux demandes ouvrières de créer 2 600 emplois à temps plein et d'étendre le service à domicile.

Les deux parties ont repris leurs pourparlers au Château Laurier, à Ottawa, après le long congé relativement paisible qui a suivi une première semaine pénible de grèves tournantes. La SPC étudie une seconde offre de Postes Canada, affirmant que celle-ci est « alléchante » et qu'elle devrait permettre de mettre un terme à la grève.

Afin de « calmer un peu les esprits », le président du SPC, Jean-Claude Parrot, a ordonné à ses membres de se présenter au travail aujourd'hui, bien qu'il ait affirmé que certaines grèves rotatives isolées se poursuivraient. Le syndicat tente également de convaincre ses membres de bien se conduire sur les piquets de grève, afin d'éviter toute confrontation avec le public.

Le gouvernement fédéral menace toujours d'adopter une loi qui forcerait le retour au travail des postiers. Le ministre du Travail, Marcel Denis, s'est dit mécontent de la situation et a exprimé le désir de voir des progrès. De son côté, M. Parrot, avant de s'entretenir en privé avec le négociateur de Postes Canada, Gilles Courville, souhaite que le gouvernement n'intervienne pas. En 1987, les postiers ont été contraints de reprendre le travail.

Bien que Postes Canada ait refusé d'apporter des précisions sur sa dernière offre, on croit que la Société a assoupli sa position dans de nombreux domaines clés, notamment en réduisant l'écart entre son offre d'un salaire horaire moyen de 16,06 $ et la demande du syndicat que celui-ci soit porté à 17,31 $ d'ici à 1993. Les hausses salariales n'incluent pas les augmentations d'indemnité de vie chère, qui sont offertes séparément.

Postes Canada affirme également qu'elle est disposée à créer 1 500 postes en accordant aux 20 000 postiers actuels une période de repas du midi rémunérée d'une demi-heure. La mesure réduirait la période de travail des postiers de 480 à 450 minutes par jour. « Il faudra embaucher un plus grand nombre de postiers pour compenser le repas rémunéré », a déclaré Deborah Saucier, porte-parole de Postes Canada, qui a ajouté que la Société n'avait pas précisé s'il s'agit de postes à temps plein ou à temps partiel.

L'enjeu du travail à temps partiel et de la main-d'œuvre occasionnelle est un des principaux obstacles, et Mme Saucier a affirmé hier que la position de Postes Canada à ce sujet n'avait pas changé. « Cela ne fait pas partie des négociations, et le plan de la Société demeure le même. » Elle a ajouté que Postes Canada avait

l'intention de continuer à exploiter ses points de cueillette dans les villes frappées par les grèves tournantes[1].

LE MOUVEMENT OUVRIER AU CANADA

Les différends entre employés et patrons font partie de la vie de tous les jours des entreprises, grandes ou petites, publiques ou privées, de fabrication, de détail ou de services. Les deux parties possèdent leurs propres objectifs et pouvoirs, et lorsqu'elles négocient les salaires, les conditions de travail, la productivité ou la sécurité d'emploi, elles exercent ce pouvoir. Le présent chapitre porte sur la relation de travail entre les employés et leurs employeurs, un lien que l'on peut qualifier de **rapport de pouvoir**.

Lorsqu'un employeur traite directement avec ses employés, on parle de **relations avec le personnel** ; mais si ces derniers sont représentés par un syndicat avec qui la direction doit négocier, on parlera de **relations du travail**.

La relation de travail entre la main-d'œuvre et la direction est devenue si complexe que les gouvernements fédéral et provinciaux ont adopté des lois destinées à établir un cadre à l'intérieur duquel les parties patronales et syndicales peuvent régler leurs désaccords. Avant d'examiner le mode d'organisation syndicale au Canada ainsi que la façon dont les parties patronales et syndicales règlent des questions importantes et à l'aide de quelles tactiques afin d'exercer leur pouvoir, nous aborderons les circonstances qui ont amené la naissance des syndicats au Canada, puis les principales lois fédérales et provinciales.

---

1. Traduit de Peter Morton, « "Sweet" offer gets mail talks going », *The Financial Post*, 3 septembre 1991, p. 1.

Pourquoi les travailleurs se syndiquent-ils ?

Essentiellement, le syndicat est un groupe de travailleurs qui, parce qu'ils ont des intérêts communs, décident de se regrouper afin d'atteindre des objectifs collectifs généralement reliés aux salaires, aux conditions et aux heures de travail, aux droits et à la sécurité d'emploi ainsi qu'à la santé et à la sécurité au travail.

Dans le domaine commercial, on retrouve d'une part les propriétaires ou actionnaires, représentés par la direction dont le principal objectif est de maximiser les bénéfices. On peut atteindre cet objectif en accroissant les produits ou en réduisant les charges d'exploitation. Étant donné que les frais de personnel constituent une composante importante de celles-ci, ils sont particulièrement sensibles aux diminutions. D'autre part, les employés désireux d'améliorer leur niveau de vie et leurs conditions de travail savent qu'individuellement, leur pouvoir de négociation est limité et que seuls, ils éprouveraient de la difficulté à protéger leurs intérêts. Ils décident de se syndiquer, ce qui leur donne un pouvoir de négociation accru face à la direction.

L'évolution du syndicalisme au Canada reflète grandement la façon dont les travailleurs ont été traités par les employeurs dans le passé. Au début du siècle, par exemple, la direction exigeait souvent de ses travailleurs qu'ils augmentent leur productivité, qu'ils se spécialisent et qu'ils travaillent de longues heures dans des lieux souvent peu sûrs. La sécurité d'emploi était généralement inexistante. Les directeurs d'usine embauchaient même des enfants, parfois âgés de seulement dix ans, qui travaillaient douze heures par jour, six jours par semaine, dans des conditions souvent abominables et moyennant quelques sous par jour. La plupart de ces enfants travaillaient pour ajouter au revenu familial. À l'époque, la semaine normale de travail s'établissait à 60 heures. Les entreprises étaient bien organisées, alors que les travailleurs ne l'étaient point. Ceux-ci se rendirent rapidement compte que le travail organisé constituait le seul moyen d'améliorer leur niveau de vie. Le syndicalisme modifia grandement la rémunération, les conditions et les heures de travail ainsi que la sécurité d'emploi des travailleurs.

Grâce à la représentation collective, les travailleurs sont relativement bien protégés des décisions unilatérales de la direction. Par exemple, il est devenu de plus en plus difficile pour la direction de licencier spontanément un travailleur sans motif valable. Si la décision du superviseur est justifiée, elle sera confirmée ; cependant, si elle est jugée injuste, l'employé sera réintégré ou recevra une indemnité pour la perte de travail.

Dans le passé, si les travailleurs n'étaient pas satisfaits de leurs salaires, de leurs avantages sociaux ou de leurs conditions de travail, ils hésitaient à en faire part individuellement à un supérieur. À l'heure actuelle, les procédures de règlement des griefs permettent aux employés d'exprimer leur mécontentement sans crainte de représailles.

Dans d'autres cas, la direction distribuait les emplois à qui bon lui semblait. De nos jours, elle doit afficher les postes vacants et inviter tous les employés qui disposent des compétences pertinentes à postuler. On pourvoit souvent aux emplois en s'appuyant sur l'ancienneté, les aptitudes et l'expérience.

On peut conclure en disant que les employés se syndiquent afin de participer à la définition de leurs conditions de travail, d'améliorer leur bien-être économique et de protéger leur avenir.

L'histoire du syndicalisme au Canada

Comme le montre la figure 10.1, le syndicalisme canadien remonte au milieu du XIXe siècle. Le tableau présente les différents syndicats qui ont été mis sur pied au cours des 100 dernières années. La naissance des syndicats aux États-Unis

FIGURE 10.1
Histoire et évolution du mouvement ouvrier canadien

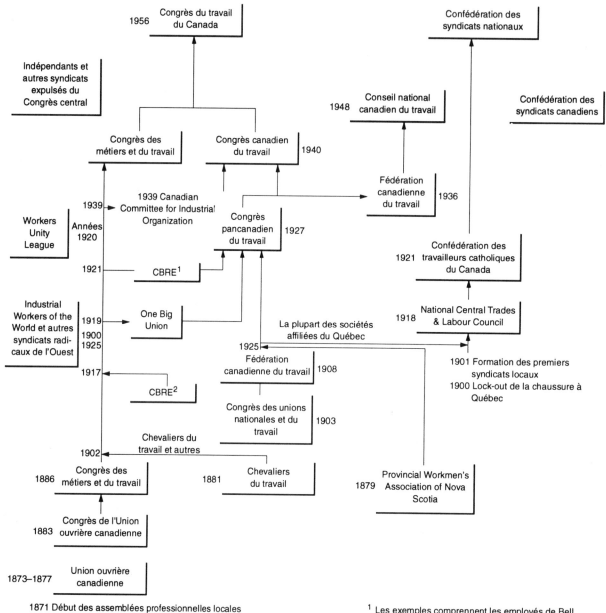

1871 Début des assemblées professionnelles locales
1867 Chevaliers de saint Crépin
1825-1860 Nombreux syndicats faibles et isolés
1800-1825 Groupes de travail et amicales disséminés

[1] Les exemples comprennent les employés de Bell Canada et le Syndicat des camionneurs
[2] Canadian Brotherhood of Railroad Employees (Fraternité canadienne des employés de chemin de fer)

Source: Traduit de John Crispo, *The Canadian Industrial Relations System*, McGraw-Hill Ryerson, Toronto, 1978, p. 158.

et en Grande-Bretagne a éveillé l'intérêt des Canadiens, et la mobilité de la main-d'œuvre a mené les travailleurs à fonder des syndicats internationaux.

Au début, les dirigeants d'entreprise se méfièrent des syndicats, et nombreux sont ceux qui interdirent toute activité syndicale au travail. Ils estimaient que l'entreprise était un lieu de travail, et non un endroit où mener des activités syndicales. Même les tribunaux jugèrent ces activités illégales, et certains travailleurs furent emprisonnés pour leurs initiatives. Certains furent mis à l'index, voire congédiés, pour s'être joints à un syndicat.

Malgré cela, les activités syndicales prirent de l'ampleur vers la fin du XIXe siècle, au moment où l'opinion publique commença à sympathiser avec le travailleur moyen et exigea de mettre un terme aux abus au lieu de travail. En 1873, quelque 35 syndicats ontariens formèrent l'Union ouvrière canadienne, qui cessa d'exister quatre ans plus tard, durant la dépression de 1878-1882. On assista ensuite à la création de sections locales et régionales appelées les Chevaliers du travail, en 1881. La philosophie des Chevaliers, fondée sur «l'égalité des travailleurs et la dignité du travail» connut une plus grande popularité. En 1883, de nombreux délégués des syndicats ontariens et des Chevaliers du travail fondèrent le Congrès de l'Union ouvrière canadienne, qui changea de nom à maintes reprises pour finalement s'appeler le Congrès des métiers et du travail du Canada (CMTC), considéré comme la première fédération nationale permanente du travail.

Le début du XXe siècle fut témoin de nombreuses divisions au sein du mouvement syndical et de la formation de nombreux groupes. En 1908, on mit sur pied la Fédération canadienne du travail (FCT), et les travailleurs de l'Ouest joignirent la One Big Union (OBU), en 1919, en raison de leur mécontentement à l'endroit des syndicats nationaux et internationaux. De nombreux syndicats furent créés au Québec en 1921,

sous la bannière de la Confédération des travailleurs catholiques du Canada (CTCC). Vint ensuite le Congrès pancanadien du travail (CPCT), composé de syndicats de la FCT et d'autres syndicats nationaux et internationaux. En 1940, le CPCT devint le Congrès canadien du travail (CCT), l'équivalent de la Fédération américaine du travail — Congrès de l'organisation industrielle (FAT-COI). En 1956, la CTCC décida de se joindre au CCT. À l'heure actuelle, le CCT, formé de syndicats nationaux et internationaux ainsi que de conseils du travail, est le syndicat le plus important au pays.

La figure 10.2 présente la structure et les diverses composantes du CCT.

Le droit du travail

Considérée comme la première loi du travail, la Trade Union Act fut adoptée en 1872. Elle accordait aux travailleurs le droit de former des syndicats et d'organiser des activités en vue d'améliorer leurs salaires et leurs conditions de travail, sans être exposés à des poursuites criminelles.

En 1900, on adopta la Coalition Act, qui accordait au ministre du Travail le droit de nommer une commission de conciliation à la demande de l'une des parties, afin de régler un conflit de travail. Sept ans plus tard, on adopta la Loi des enquêtes en matière de différends industriels, qui s'appliquait à un éventail de secteurs, notamment les mines, les communications, le transport et les services publics. Elle empêchait les arrêts de travail jusqu'à ce que la conciliation soit achevée. Elle accordait à un conseil formé de trois personnes le pouvoir d'enquêter et de demander à des personnes de témoigner et de présenter des preuves, et interdisait la grève jusqu'à la publication des rapports et des recommandations. Cette loi demeura en vigueur jusqu'en 1948, au moment où elle fut remplacée par la Loi sur les relations industrielles et sur les enquêtes visant les différends du travail. Les deux lois sur les mesures de guerre de

FIGURE 10.2
Structure du CCT, segment affilié du mouvement ouvrier canadien

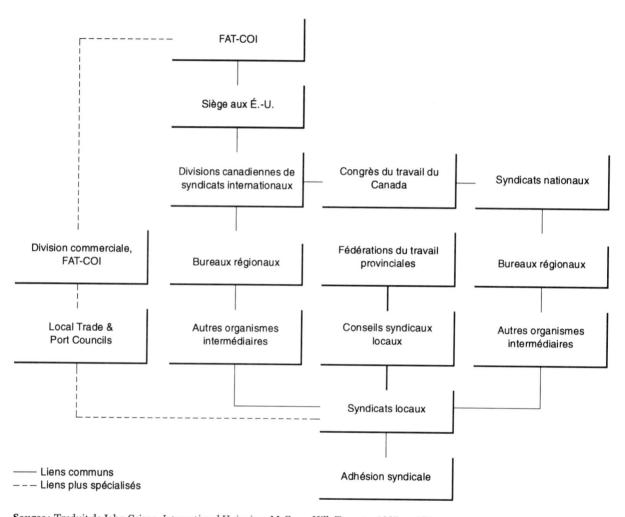

Source : Traduit de John Crispo, *International Unionism*, McGraw-Hill, Toronto, 1967, p. 167.

1914 et de 1939 empêchèrent les interruptions de production durant les deux conflits mondiaux.

Le *Code canadien du travail* fut adopté en 1972 et remplaça la loi de 1948. Il accordait au ministre du Travail une grande souplesse pour régler les différends. Le code compte quatre parties : les pratiques loyales en matière d'emploi ; les heures, les salaires, les vacances et les congés normaux ; la sécurité des travailleurs ; et, enfin,

les relations industrielles, qui régissent la négociation collective. Ces dernières sont divisées en sept sous-articles portant sur :

1. le droit des travailleurs de joindre les rangs d'un syndicat et celui des employeurs de former des associations ;
2. le droit du Conseil canadien des relations du travail (CCRT) de prendre des décisions importantes, comme l'accréditation d'un syndicat ;

3. des directives relativement à l'acquisition et à l'extinction de droits à la négociation ;

4. les règles et les règlements à suivre au cours de la négociation et une disposition relative à la présentation d'un cadre destiné à l'interprétation des conventions collectives ;

5. la démarche à suivre durant la conciliation ou l'arbitrage, si les deux parties sont incapables de parvenir à une entente ;

6. la formulation de conditions en vertu desquelles les lock-outs et les débrayages sont permis ;

7. des moyens en vue d'améliorer les relations de travail.

Les gouvernements fédéral et provinciaux disposent de lois relatives au salaire minimum, aux heures de travail, aux jours de congé hebdomadaires, aux vacances payées, à l'âge minimum, aux pratiques loyales en matière d'emploi, à l'apprentissage, aux congés fériés, à la cessation d'emploi, à l'indemnisation des accidents du travail ainsi qu'à la parité salariale pour les hommes et les femmes. Ces lois interdisent également la discrimination fondée notamment sur la couleur, les croyances religieuses et l'origine ethnique. Les lois provinciales sur les relations industrielles ont été adoptées afin de promouvoir des relations de travail harmonieuses entre employés et employeurs, en plus d'établir un cadre général relativement aux trois processus clés de négociation, soit la conciliation, la médiation et l'arbitrage (des notions sur lesquelles nous reviendrons).

Le cadre des systèmes des relations industrielles

Comme nous l'avons dit, le syndicat sert principalement à protéger les droits des travailleurs relativement aux conditions et aux heures de travail, aux salaires, aux droits et à la sécurité d'emploi. Pour atteindre ces objectifs, le syndicat fonctionne à l'intérieur d'un cadre, tel que présenté à la figure 10.3.

Comme on le constate, les systèmes des relations industrielles (SRI) comptent quatre grandes composantes[2]. La première comprend les intrants internes exprimés sous forme d'objectifs, de valeurs et de pouvoirs des participants engagés dans le système, et qui proviennent des intrants externes de chaque sous-système (écologique, économique, politique, juridique et social). La seconde comprend les processus mêmes qui transforment les intrants en extrants, lesquels incluent les intervenants (syndicat, gouvernement, agences privées et direction) qui participent aux activités comme les rapports quotidiens, les négociations, la médiation, les débrayages et les lock-outs. Le troisième élément concerne les extrants qui se composent des récompenses matérielles, sociales et psychologiques que reçoivent les travailleurs en échange de leurs services. En dernier lieu, on retrouve la boucle de rétroaction, par laquelle les extrants ou les effets retournent aux systèmes.

L'ORGANISATION D'UN SYNDICAT

Comme toute organisation, la mise sur pied d'un syndicat doit suivre certaines procédures. Cependant, celles-ci sont régies par les lois fédérales et provinciales, qui énoncent :

- le processus que doit suivre un syndicat pour devenir l'unité de négociation d'un groupe de travailleurs ;

- la façon dont le syndicat et la direction doivent se conduire durant le processus de négociation ;

- ce que les deux parties doivent faire avant d'aller en grève ou en lock-out.

Avant d'examiner les objectifs et le mode de création d'un syndicat, nous aborderons les différentes classifications.

---

2. Alton W.J. Craig, *The System of Industrial Relations in Canada*, Scarborough, Prentice-Hall Canada Inc., 1990, p. 2.

FIGURE 10.3

Cadre d'analyse des systèmes de relations industrielles

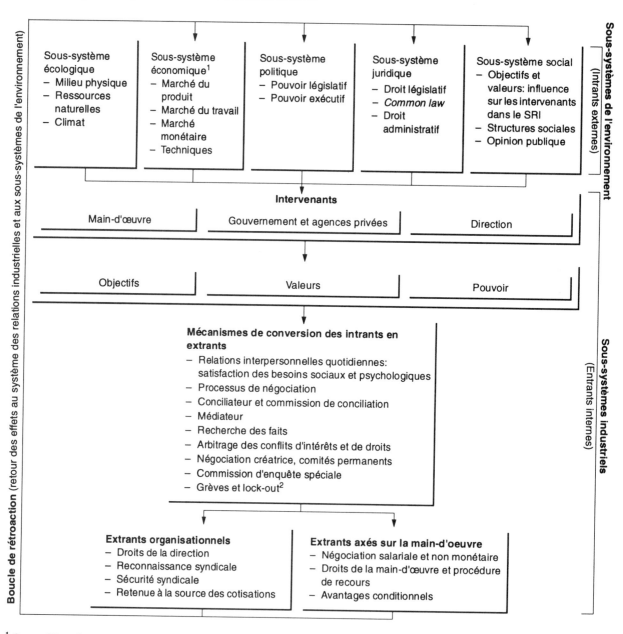

¹ Ce modèle présuppose, sans toutefois le montrer, une corrélation entre les divers sous-systèmes sociétaux.
² Un arrêt de travail peut aussi être assimilé à un résultat ou à un extrant du système des relations industrielles.

Source : Traduit de Alton W. J. Craig, *The System of Industrial Relations in Canada*, Prentice-Hall, Toronto, 1990, p. 3.

La classification des syndicats

Les syndicats sont classés selon l'adhésion et la géographie.

La classification selon l'adhésion

On compte trois types de syndicats selon l'adhésion : le syndicat d'entreprise, le syndicat professionnel et le syndicat industriel.

Le **syndicat d'entreprise** désigne un groupe de travailleurs employés par une seule entreprise. Ce type de syndicat permet aux employés d'être représentés officiellement par des négociateurs professionnels.

Le **syndicat professionnel** compte exclusivement des membres d'un métier particulier (plombiers, pilotes de lignes aériennes, menuisiers, peintres et électriciens). Les membres des syndicats professionnels travaillent pour le compte de différents employeurs. Une entente conclue entre un syndicat professionnel et un certain nombre d'entreprises définit, par exemple, les procédures d'embauchage. Ces syndicats possèdent énormément de pouvoir sur l'offre de travailleurs qualifiés d'un métier particulier.

Le **syndicat industriel** désigne un groupe de travailleurs organisés selon le secteur auquel ils appartiennent comme l'automobile [Syndicat international des travailleurs unis de l'automobile, de l'aérospatiale et de l'outillage agricole d'Amérique (TUA)], l'acier [Métallurgistes unis d'Amérique (MUA)], l'alimentation [Syndicat international des travailleurs unis de l'alimentation et du commerce (SITUAC)], le camionnage (Fraternité internationale des teamsters, chauffeurs, hommes d'entrepôt et aides d'Amérique) et la fonction publique [Alliance de la Fonction publique du Canada (AFPC)]. Ces syndicats voient le jour lorsque des groupes de travailleurs qualifiés et non qualifiés ne peuvent se joindre à un syndicat professionnel et décident de former leur propre association.

La classification selon la géographie

Les syndicats sont également formés sur une base géographique — et sont locaux, régionaux, nationaux ou internationaux.

Le **syndical local** représente la structure organisationnelle fondamentale du mouvement syndical. Les travailleurs mettent sur pied un syndicat dans une usine ou une collectivité. Par exemple, un syndicat professionnel local peut regrouper les électriciens de l'endroit, et un syndicat industriel, les travailleurs de certaines usines de montage.

Les membres de ces syndicats élisent leurs propres dirigeants, admettent de nouveaux adhérents et forment une structure cohérente. Les activités des syndicats locaux se déroulent à l'enseigne de la démocratie, et chaque membre dispose d'un vote lors de l'élection des dirigeants. On compte généralement un président, un secrétaire-trésorier ainsi qu'un conseil de direction et un certain nombre de comités (comme le comité de négociation et le comité de réclamations). Le **délégué syndical** est un personnage important, qui agit à titre de représentant immédiat des membres. Il est l'équivalent du gestionnaire d'une entreprise. Tout employé désireux d'intervenir auprès de la direction doit d'abord en faire part au délégué syndical, qui représente le travailleur.

Lorsqu'un syndicat local indépendant est reconnu par un employeur, la première question que se posent les responsables est de savoir s'il doit demeurer indépendant ou joindre les rangs d'une association nationale ou internationale. Dans le premier cas, les dirigeants sont libres de définir leurs propres politiques et d'établir leurs propres règlements, sans devoir obtenir l'autorisation de tiers. Cependant, le syndicat local possède un pouvoir limité. Par exemple, il se peut qu'il ne soit pas assez puissant pour négocier avec un employeur et, en cas de grève, ses réserves s'épuiseront rapidement. En outre, il peut manquer du prestige, de l'influence et de la compétence nécessaires pour négocier avec de grandes entreprises.

Le **financement** est une fonction importante des activités d'un syndicat, sous forme de collecte des droits d'adhésion et des cotisations des membres. Celles-ci sont généralement versées régulièrement (chaque semaine ou chaque mois) à la faveur d'une retenue à la source (salariale). Le syndicat local non affilié à une association nationale ou internationale garde la totalité des recettes, alors que le syndicat affilié doit en verser une partie à l'organisme cadre. Les fonds servent à de nombreuses fins, notamment l'administration, les publications, le loyer, les salaires et avantages sociaux, le fonds de grève, l'aide durant les négociations et le règlement des griefs.

Le **syndicat régional** est un regroupement de syndicats locaux dans une région donnée. On compte un certain nombre de ces syndicats au Québec comme la Confédération des syndicats nationaux (CSN) et la Centrale de l'enseignement du Québec (CEQ).

Le **syndicat national** se compose de plusieurs syndicats locaux ou de membres situés dans différentes régions du pays. On en compte un grand nombre au Canada comme le Syndicat canadien de la Fonction publique (SCFP), la National Railway Union et l'Association canadienne des pilotes de lignes. Le principal avantage du syndicat national est le pouvoir, la compétence et le soutien financier qu'il apporte aux syndicats locaux affiliés, qui peuvent ainsi obtenir une meilleure convention collective.

Le **syndicat international** se compose de membres de plusieurs pays. On retrouve par exemple l'International Brotherhood of Carpenters, les Travailleurs canadiens de l'automobile (TCA) et les Métallurgistes unis d'Amérique. Ces associations tirent leurs revenus des membres de syndicats locaux et effectuent notamment de la recherche, en plus d'aider au processus de négociation et à la mise sur pied de programmes de formation.

Les objectifs des syndicats

Les syndicats visent principalement à améliorer le niveau de vie de leurs membres et à s'assurer que les gouvernements fédéral et provinciaux adoptent des lois favorables. En général, les objectifs des syndicats sont d'ordre économique, politique et social.

Les objectifs économiques

Les syndicats tentent de garantir les meilleures conditions économiques à leurs membres en négociant des hausses salariales ainsi que d'autres avantages comme des pensions plus élevées, des vacances payées, des heures de travail réduites, la garantie des droits d'ancienneté et la sécurité syndicale. Plus le syndicat est puissant, plus il réussit à négocier des ententes favorables — et un syndicat devient puissant sur le plan économique lorsqu'il est reconnu par la direction à titre de représentant **officiel** des travailleurs.

La sécurité syndicale s'acquiert à différents niveaux à la faveur de l'atelier fermé, de l'atelier syndical, de la formule Rand ou de l'atelier ouvert.

L'**atelier fermé** offre la sécurité maximale au syndicat. En vertu de ce système, l'entreprise accepte de n'engager que des travailleurs syndiqués, lesquels doivent appartenir à un syndicat **avant** leur embauche. Ainsi, la totalité de la main-d'œuvre est syndiquée, et tous les travailleurs sont protégés par l'entente syndicale. Un entrepreneur en plomberie, par exemple, ne pourra engager de plombiers que par l'entremise du bureau d'embauchage du syndicat. Un grand nombre d'employeurs affirme que l'atelier fermé favorise les abus, étant donné que le syndicat peut désirer protéger ses membres aux dépens des changements techniques, et protéger tous les emplois, même si cela n'est pas requis. On désigne cette protection excessive de la main-d'œuvre de *featherbedding* (ou sinécure).

L'**atelier syndical** permet aux employeurs d'embaucher des travailleurs non syndiqués.

Les employés doivent cependant joindre le syndicat à l'intérieur d'une période déterminée (30 jours en général), et demeurer des membres en règle. Un employé n'ayant pas adhéré au syndicat dans le temps prescrit peut être renvoyé. Selon la **formule Rand**, l'employeur peut engager des travailleurs non syndiqués, et ceux-ci ne sont pas tenus de joindre le syndicat. Les employés syndiqués estiment toutefois qu'étant donné que les travailleurs non syndiqués profitent des ententes patronales-ouvrières (comme des salaires et des avantages sociaux accrus), ceux-ci devraient être tenus de payer les cotisations syndicales à la source. Il importe ici de mentionner que cette pratique de déduction à la source (ou prélèvement obligatoire) a débuté en 1946, par suite d'une décision du juge Ivan Rand, qui arbitrait un différend. Il ordonna que tous les travailleurs paient la déduction à la source.

Enfin, on trouve l'**atelier ouvert**, où les travailleurs peuvent adhérer ou non à un syndicat. En vertu de ce système, l'employeur peut engager des travailleurs syndiqués et non syndiqués, lesquels ne sont pas tenus de payer les cotisations syndicales — à l'opposé de l'atelier constitué selon la formule Rand.

Les objectifs politiques

Ces objectifs concernent le pouvoir du syndicat sur la scène politique. Ils revêtirent une grande importance au début du mouvement syndical, lorsque celui-ci dut se battre pour faire reconnaître ses droits. À l'heure actuelle, les syndicats tentent d'accroître leur pouvoir en faisant élire des députés qui sont plus ouverts aux questions ouvrières. Le Royaume-Uni compte le parti travailliste, et le Canada, le Nouveau Parti Démocratique (NPD), le parti politique le plus ouvert à la cause des travailleurs. Les syndiqués exercent des pressions auprès des députés afin d'obtenir de meilleures conditions de travail (salaire minimum et accréditation, par exemple).

Les objectifs sociaux

Les objectifs sociaux comprennent l'inclusion de programmes de qualité de vie dans les conventions collectives ainsi qu'un processus destiné à favoriser davantage la participation des travailleurs aux décisions relatives au milieu et aux conditions de travail de même qu'à leur avenir. Cela importe de plus en plus dans le présent contexte de compétitivité, où les gestionnaires accordent un pouvoir décisionnel accru aux travailleurs au sein de l'unité organisationnelle, et la pratique ne constitue pas seulement un objectif syndical, mais aussi un objectif gestionnaire. En effet, plus la participation des travailleurs est grande au niveau du processus décisionnel, plus ceux-ci sont motivés et productifs. Cela est apparu manifeste au début des années 1980, à la faveur de la méthode des **cercles de qualité**, où de petits groupes d'employés se rencontrent régulièrement afin de discuter de problèmes reliés au travail et aux conditions de travail, aux frais de l'entreprise. De nos jours, les organisations parlent de plus en plus de **synergie des groupes** et d'**habilitation des travailleurs**, des notions validées par des groupes de diagnostic, de sensibilisation et de rencontre. Dans de telles situations, les employés :

- examinent la méthode de groupe en détail, afin de déterminer la façon d'améliorer la production et le service ;

- effectuent collectivement des exercices de résolution de problèmes ;

- acceptent de partager l'information ouvertement ;

- s'engagent à établir un climat de cohérence et à définir des normes relatives à la collaboration.

L'accréditation syndicale

Les employés désireux de créer un syndicat doivent d'abord obtenir l'appui de la majorité des travailleurs, puis être reconnus à titre d'agent négociateur légal des employés par la direction de l'entreprise. Cela s'effectue de deux façons. Premièrement, la direction peut accepter de plein gré le syndicat à titre d'agent de négociation ; deuxièmement, si la direction s'interroge sur le désir des travailleurs d'avoir un syndicat, elle peut tenir un scrutin (que l'on appel **vote d'accréditation**). Si la majorité des travailleurs votent oui, la commission des relations de travail appropriée (fédérale ou provinciale) accrédite le syndicat à titre d'agent négociateur officiel des employés de l'unité en question. Une fois que le syndicat est accrédité, il devient le représentant officiel de l'ensemble des employés, et la direction doit négocier avec celui-ci « de bonne foi ».

Le processus d'accréditation se déroule généralement de la manière suivante :

– un groupe d'employés entreprend des démarches relativement à la création d'un syndicat ;

– un représentant syndical inscrit les membres de la nouvelle section ;

– le syndicat présente une demande d'accréditation auprès de la commission des relations de travail ;

– la commission examine la demande ;

– si tout se déroule bien, la commission accrédite le nouveau syndicat ou la nouvelle section.

La première tâche du nouveau syndicat consiste à négocier une convention collective, un accord écrit entre le syndicat et l'employeur. La convention renferme des dispositions relatives à des enjeux importants comme les salaires, les conditions de travail, les avantages sociaux et les heures de travail. La prochaine section examine plus en profondeur certaines questions ouvrières-patronales importantes ainsi que le processus de négociation collective.

UN ENJEU COMMERCIAL ACTUEL

Les syndicats canadiens à présent

Les syndicats se plaignent de plus en plus de ce que « le Canada est en train de devenir une nation de rôtisseurs de hamburgers ». À l'heure actuelle, les syndicats sont en train de regrouper ces rôtisseurs, travailleurs hôteliers, gardes de sécurité et autres employés du secteur des services qui gagnent le salaire minimum, afin de compenser la perte de cols bleus.

Selon Tom Steers, organisateur de l'Union internationale des ouvriers du vêtement pour dames (UIOVD) — laquelle mène une campagne nationale afin de syndiquer les employés de la chaîne hôtelière Journey's End —, « le secteur des services est le véritable atelier de misère des années 1990. Nous tentons de réaliser des progrès et de nous éloigner des salaires de crève-faim. » Le secteur des services est particulièrement difficile à organiser en raison de la prépondérance des travailleurs à temps partiel et des petites unités de négociation. Le monde syndical ne considère pas moins celui-ci comme un secteur de croissance, pour des raisons à la fois pragmatiques et altruistes.

Par suite de campagnes de recrutement dynamiques, le taux d'adhésion est demeuré stable à 36,5 p. 100 de la population active canadienne, et ce malgré les pertes d'emploi importantes dans le secteur manufacturier hautement syndiqué au cours des trois dernières années. Pendant que les employés du vêtement passent au secteur de l'hôtellerie, les Métallurgistes unis s'apprêtent à organiser les gardes de sécurité en Ontario, et le SITUAC vient de négocier une première convention avec un restaurant de la chaîne Wendy's à Windsor (Ontario) — une première en Amérique du Nord.

Selon un porte-parole du SITUAC à Windsor, par suite des répercussions de l'accord de libre-échange et de la récession, les chaînes de restauration rapide comme Wendy's emploient maintenant un nombre grandissant de travailleurs plus âgés qui soutiennent une famille. La nouvelle convention prévoit des salaires maximums de 6,50 $ l'heure, en plus d'offrir des avantages sociaux accrus et de meilleurs congés. « C'est un début », a affirmé le porte-parole.

Selon un document qui a reçu l'appui du CCT — lequel regroupe plus de 2,2 millions de travailleuses et de travailleurs canadiens —, lors de son congrès national annuel, une plus grande syndicalisation dans l'ensemble des secteurs de l'économie est cruciale. « La croissance rapide du secteur des services combinée avec le taux de syndicalisation peu élevé qu'on y retrouve suggèrent que si les syndicats ne parviennent pas à organiser celui-ci, le mouvement syndical perdra de sa vigueur au cours des prochaines années. Il est clair qu'un grand nombre de travailleurs de ce secteur en pleine expansion doivent se syndiquer, afin de profiter d'un niveau de vie décent. »

Roger Falconer, organisateur des Métallurgistes unis, a déclaré lors d'une entrevue que « le secteur des services est assurément celui où les syndicats doivent étendre leurs activités ». De son côté, Harry Hynd, directeur ontarien des Métallurgistes unis, estime que le secteur des services de l'Ontario — qui emploie quelque 30 000 travailleurs —, « se caractérise par des salaires peu élevés, des avantages sociaux minimums, de longues heures de travail ainsi que des conditions de travail pénibles ». L'Ontario a proposé l'adoption d'une loi qui permettrait aux gardes de sécurité de se joindre au syndicat de leur choix, et les Métallurgistes unis s'apprêtent à entrer en scène, dès l'adoption de la loi.

Tom Kukovica, directeur canadien du SITUAC, a déclaré que la récession n'était pas « nécessairement un mauvais temps pour recruter », étant donné que les travailleurs se sentent particulièrement vulnérables et qu'ils ont besoin d'être protégés.

Le SITUAC a perdu 5 000 membres dans les secteurs du camionnage, des brasseries et de la fabrication au cours des dernières années, mais gagné 8 000 nouveaux adhérents, notamment dans l'alimentation de détail. Selon M. Kukovica, les campagnes de recrutement ont également donné une nouvelle diversité intéressante au syndicat de 170 000 membres. « Nous représentons maintenant des gens du berceau à la tombe. »

M. Steers a affirmé que de nombreux chômeurs de l'industrie du vêtement occupent maintenant des emplois dans les domaines de l'entretien ménager et de la réception du secteur de l'hôtellerie, où ils gagnent des salaires «de crève-faim» et ne possèdent aucun avantage social. Selon lui, quelque 20 employés en grève pour l'obtention d'une première convention collective à un hôtel de la chaîne Journey's End à Cornwall (Ontario) gagnent le salaire minimum de l'Ontario, soit 6 $ l'heure, ou «à peine quelques sous au-dessus du salaire minimum», et ne profitent d'aucun congé de maladie ou de régime de retraite — et la situation est similaire dans d'autres établissements de la chaîne au pays. Glen Nicholson, directeur des services financiers de Journey's End Corp., a affirmé que la société avait décidé «de s'abstenir de tout commentaire durant les conflits de travail».

Source: Traduit de Virginia Galt, «Unions court the service industry», *The Globe and Mail*, 18 juillet 1992, p. A1.

LA NÉGOCIATION COLLECTIVE

Comme on l'a mentionné, le but premier du syndicat consiste à négocier avec l'employeur afin d'améliorer les salaires et les conditions de travail des employés. Celui-ci atteint cet objectif à la faveur de la **négociation collective.** Le syndicat enclenche le processus en présentant un ensemble de demandes à l'employeur, auxquelles ce dernier répond en soumettant une contre-proposition. À ce stade, les négociations se poursuivent jusqu'à ce que les parties parviennent à une «entente finale» relativement aux dizaines, voire aux centaines de points comme les primes de surtemps, les heures de travail, les vacances payées, les congés, les périodes de repos ainsi que les questions d'assurance-maladie et d'assurance-vie. On s'attend dès le départ que les deux parties négocient «de bonne foi», ce qui signifie qu'elle font des efforts réels pour arriver à une convention collective acceptable.

Le travail préliminaire

Le syndicat forme généralement l'équipe de négociation avant la date d'échéance de la convention. Les membres de l'équipe conçoivent une stratégie qui met l'accent sur le processus de négociation dans son ensemble, notamment en:

- analysant les conditions économiques;
- examinant les conventions actuelles et antérieures d'autres entreprises au sein de la même industrie;
- examinant soigneusement la situation financière de l'entreprise;
- évaluant le contenu des demandes initiales présentées à la direction;
- estimant le type de contre-proposition éventuelle;
- déterminant ce que l'on considérera comme une «convention collective acceptable».

Le syndicat local peut également demander au syndicat national ou international de lui fournir des personnes-ressources pour des conseils d'ordre technique, voire des négociateurs expérimentés. Le comité préparera une liste de demandes notamment sur:

- les droits syndicaux;
- la structure salariale;
- les heures normales de travail;
- les primes de surtemps;
- les vacances et les congés;
- les conditions de travail;
- les absences autorisées et les congés de maladie;
- l'ancienneté et l'évaluation du rendement;

– les licenciements et le réembauchage ;
– la discipline et les congédiements ;
– les promotions et les mutations ;
– la santé et la sécurité ;
– la règlement des griefs et l'arbitrage.

De son côté, l'équipe de direction effectue sa propre recherche et établit sa propre stratégie de négociation. Elle examinera les éléments énumérés ci-dessus, prévoira les demandes du syndicat et préparera une contre-proposition accompagnée d'une explication raisonnable.

La négociation d'une convention collective

La négociation d'une convention collective prend souvent énormément de temps. Lorsqu'une des parties présente une offre, les deux en discutent longuement à la table de négociation, et l'autre partie fait une contre-proposition. Avant de présenter une contre-proposition toutefois, les représentants syndicaux font souvent part de l'offre aux membres, et les négociateurs qui parlent au nom de la direction font de même auprès de leurs supérieurs.

Le processus de négociation exige beaucoup de concessions mutuelles. Au début, on règle généralement les enjeux secondaires, alors qu'on garde les questions plus litigieuses pour plus tard, étant donné que leur résolution prend plus de temps. Tout au long du processus, les négociateurs des deux parties savent ce qu'ils peuvent considérer comme des offres raisonnables sur les questions importantes. Si le syndicat juge que l'offre de la direction est inacceptable, il peut lancer un ordre de grève ; par ailleurs, si c'est la direction qui est insatisfaite des demandes du syndicat, elle peut mettre les travailleurs en lock-out.

Les deux parties ont une **idée** de l'étendue éventuelle de l'entente, et les négociations s'inscrivent dans un cadre que l'on peut désigner de **zone de négociation**. D'une part, le syndicat tente de tirer le meilleur parti de ses demandes, et la direction, de maintenir le statu quo ; les négociateurs les plus efficaces et les plus puissants obtiendront les meilleures conditions.

Il est clair qu'en période économique difficile, ou lorsqu'une entreprise affiche de piètres résultats, le syndicat se trouve dans une situation délicate. Mais en période de croissance économique, et lorsque l'entreprise affiche des bénéfices importants, le syndicat se trouve dans une situation plus avantageuse.

La gestion d'une convention collective

Une fois que les parties ont conclu une entente, les dirigeants syndicaux doivent faire **ratifier** celle-ci par les membres. Si ces derniers acceptent, les deux parties sont alors liées pour la toute la durée du contrat. En cas de rejet et de piétinement des négociations, les lois fédérales et provinciales prévoient l'intervention de tiers à la faveur de processus comme la **conciliation** et l'**arbitrage**, afin de trouver une solution qui mènera à une entente. Chaque partie peut faire appel à un tiers afin de dénouer l'impasse.

LE RÈGLEMENT DES DIFFÉRENDS OUVRIERS-PATRONAUX

En cas d'impasse, on fait appel à un tiers. Il arrive souvent que le gouvernement nomme un médiateur chargé d'éviter la grève ou le lock-out. Les méthodes de règlement des différends sans arrêt de travail les plus usuels sont la conciliation, la médiation et l'arbitrage.

La conciliation

On utilise ce moyen, lorsque les deux parties s'entendent sur la présence d'un tiers neutre qui les aidera à parvenir à un compromis acceptable. Le rôle premier du conciliateur est d'aider les deux parties à reprendre place à la table des négociations et à réviser leurs positions, afin d'arriver à une solution raisonnable. Bien que le conciliateur n'exerce aucun pouvoir sur l'une ou l'autre des parties, il joue un rôle catalyseur important sur le plan de la résolution des enjeux non réglés.

La médiation

Ici, le tiers joue un rôle plus actif en donnant des conseils et en présentant des suggestions. Le médiateur possède généralement une vaste expérience en la matière. Il importe que les deux parties fassent entièrement confiance au médiateur tout au long du processus, et que ce dernier demeure impartial au cours des pourparlers. Aucune partie n'est tenue d'accepter les recommandations du médiateur.

L'arbitrage

Lorsque la médiation a échoué, on peut faire appel à un tribunal d'arbitrage, dans les secteurs où la grève est interdite. Il peut s'agir d'un seul arbitre ou d'un **conseil d'arbitrage**, composé de représentants des deux parties. Une fois que l'arbitre a entendu les points de vue des deux parties, il prend une décision, laquelle lie ces dernières. Si les deux parties ne s'entendent pas sur l'arbitre ou le président du conseil, il revient au ministre du Travail de nommer quelqu'un.

On compte deux types de procédures : l'arbitrage volontaire et l'arbitrage obligatoire. Dans les deux cas, les deux parties sont liées par la décision de l'arbitre. Le syndicat peut lancer un ordre de grève et l'employeur, déclarer un lock-out par suite de la conciliation ou de la médiation, mais cela est impossible par suite de l'arbitrage.

Les procédures de règlement des griefs

Une fois qu'une convention est signée, les deux parties doivent en respecter le contenu. Dans

bien des cas cependant, on ne s'entend pas toujours sur l'interprétation de certaines dispositions. Par exemple, le syndicat peut déposer un grief, lorsqu'un employé estime qu'on aurait dû lui accorder un congé ou une hausse de salaire. Si un employé estime avoir été traité injustement, on peut régler le grief rapidement afin d'aplanir les difficultés et d'éviter les frictions dans les relations ouvrières-patronales.

Le **grief** est essentiellement une plainte déposée par un employé ou un groupe d'employés, qui estiment que la direction n'a pas respecté l'accord. Le processus de règlement des griefs fait aussi l'objet de négociations et est intégré à la convention. Il s'agit d'un processus important aux fins du règlement de différends ouvriers-patronaux et du maintien de relations de travail harmonieuses.

Les étapes du processus sont les suivantes.

Étape 1 : Après qu'un employé a déposé un grief, le délégué syndical en fait part au superviseur immédiat du travailleur. Si la question est réglée, l'affaire s'arrête là. Mais si l'on ne parvient à aucune entente, le grief est porté à l'attention d'un dirigeant syndical supérieur.

Étape 2 : Le délégué syndical fait part du grief à l'agent du syndicat local ou au délégué principal, lequel communique ensuite avec l'agent des relations industrielles de l'entreprise ou avec un superviseur en chef.

Étape 3 : Si le grief n'est pas réglé entre le syndicat local et la direction, il est porté à l'attention du comité de règlement des griefs du syndicat, qui communique avec des cadres supérieurs. Encore une fois, si le problème est réglé, l'affaire s'arrête là ; si non, on fait appel à des instances supérieures.

Étape 4 : À ce stade, le grief est entendu par un dirigeant syndical national, qui tentera de régler le problème avec le directeur des relations industrielles ou un cadre supérieur équivalent. Si le différend ne se règle pas à ce niveau, il est porté à l'attention d'un tiers impartial, l'arbitre.

Étape 5: La dernière étape est l'arbitrage, à la faveur de laquelle l'arbitre examine la plainte, entend les représentations des deux parties et prend une décision. Lorsque la plainte de l'employé atteint ce stade, la décision de l'arbitre est finale et exécutoire.

UN POINT DE VUE

Victor Harris, consultant en relations du travail

Les relations ouvrières-patronales

Patrons et travailleurs ont tout intérêt à ce que les entreprises manufacturières canadiennes demeurent concurrentielles, et il faudra manifester beaucoup de bonne volonté et de savoir-faire pour parvenir à cette fin. J'estime qu'ils doivent en outre travailler de concert à l'atteinte de cet objectif, sinon les résultats seront limités.

Il est temps que les parties patronales et ouvrières arrêtent de s'accuser mutuellement d'écarts de conduite et commencent à analyser objectivement et rationnellement les raisons pour lesquelles nous sommes plongés dans la crise de compétitivité actuelle. On ne peut plus soustraire au réexamen des questions autrefois intouchables comme les coûts et la sécurité d'emploi ainsi que l'indexation. Il importe peut-être davantage de trouver des solutions et des plans d'action mutuellement acceptables, si nous désirons continuer à profiter du niveau de prospérité dont nous jouissons présentement.

J'estime qu'il ne faut pas hésiter à tout analyser et à procéder aux changements nécessaires. Les coûts de l'emploi, notamment les salaires et les avantages sociaux, ne sont peut-être pas les seuls éléments qui empêchent une entreprise d'être concurrentielle. Les notions de souplesse des calendriers de production et d'efficience des activités ainsi que d'affectation de travailleurs polyvalents peuvent permettre à une entreprise de compenser les inconvénients sur le plan des coûts par des avantages au niveau de la productivité.

En acceptant de mener ce débat analytique, aucune partie ne peut exiger de garanties ou d'exceptions. Cela ne signifie pas que les syndicats et les employeurs devront faire des sacrifices en vase clos. Bien au contraire, il faut s'attendre à un partage des sacrifices et des changements, étant donné que les coûts à la fois humains et financiers feront partie de la solution présentée.

Les dirigeants syndicaux sont élus pour des périodes relativement courtes; ils doivent défendre des points de vue et prendre des décisions de nature politique, s'ils désirent être réélus. Les syndicats doivent accorder une plus grande latitude et une vie politique plus longue à leurs dirigeants, afin de réaliser ces objectifs. À cette fin, il faut substituer aux conventions collectives à court terme et à la hausse constante des salaires et des avantages sociaux, la notion de sécurité d'emploi à long terme à la faveur d'une productivité commerciale accrue. De même, les dirigeants d'entreprise rendent compte à des conseils d'administration, et leur comportement est dicté par les résultats nets à court terme des entreprises. Les solutions durables à un grand nombre de nos problèmes de compétitivité ne se trouvent pas dans les effets à court terme des coûts ou des bénéfices, mais dans une perspective à plus long terme qui consiste à renverser la vapeur et à se mettre à l'heure de la concurrence.

Tout compte fait, ce sont les femmes et les hommes que représente le mouvement syndical et qui sont à l'emploi des entreprises, qui profiteront de ces réalisations, si les efforts des deux parties sont couronnés de succès. Mais le temps est venu d'analyser la situation et de trouver des solutions, avant qu'il ne soit trop tard. Le temps des accusations et de la rhétorique est révolu, vive l'ère de la confiance et du respect mutuels.

Source: Traduit de Victor Harris, « Letting Go of Sacred Cows », *Inside Guide*, décembre 1991, p. 5.

LORSQUE LES PARTIES NE S'ENTENDENT PAS

La plupart des différends se résolvent à la faveur de la négociation collective ou des procédures normales de règlement de griefs. Il arrive cependant que la direction et le syndicat ne peuvent s'entendre, et chaque partie a alors recours à des stratégies ou à des tactiques destinées à forcer l'autre à conclure une entente.

Les stratégies syndicales

Les stratégies les plus utilisées par les syndicats sont la grève, le piquetage et le boycottage.

La grève

La **grève** est l'arme la plus efficace du syndicat et se produit lorsque les employés décident d'arrêter de travailler jusqu'à ce que le différend soit réglé. Durant une grève, l'entreprise est incapable de produire les biens ou de fournir les services à sa clientèle. La grève est coûteuse aux deux parties : à l'entreprise, qui est littéralement paralysée — à moins que les cadres puissent poursuivre les activités —, et qui perd des revenus importants ; au syndicat, étant donné que les employés en grève ne paient pas de cotisations. En outre, le syndicat verse une rémunération minimum aux travailleurs puisée à

même un fonds de grève et destinée à permettre à ceux-ci de poursuivre leurs activités de débrayage.

Il arrive souvent que la seule menace de grève suffit pour régler les différends ouvriers-patronaux.

Il existe diverses catégories de grève. Les plus courantes figurent au tableau 10.1.

Le piquetage

Les travailleurs vont et viennent à l'entrée des installations et des bureaux, munis d'affiches et de pancartes afin d'informer le public du différend qui les oppose à la direction de l'entreprise. En plus d'être un instrument de communication, ce moyen sert à empêcher des gens de l'extérieur de franchir la ligne de piquetage et de pénétrer à l'intérieur des lieux.

En général, les grèves sont accompagnées de lignes de piquetage, bien qu'on puisse trouver ces dernières sans qu'il y ait de grève. En vertu du Code criminel, le piquetage est illégal, à moins que l'unique intention des travailleurs soit de communiquer de l'information.

Le boycottage

Les travailleurs syndiqués ont recours au boycottage pour convaincre le public de ne pas acheter certains produits ou services. On en retrouve deux types :

TABLEAU 10.1
Sortes de grèves

La grève primaire	où les employés cessent tout simplement de travailler;
La grève secondaire	lorsque les travailleurs d'une entreprise débraient pour exercer des pressions sur une autre entreprise;
La grève de sympathie	où les travailleurs d'un syndicat quittent leur poste afin d'appuyer les travailleurs d'un autre syndicat;
La grève générale	où les travailleurs d'une entreprise nationale débraient à l'échelle du pays;
La grève d'occupation	à la faveur de laquelle les employés cessent de travailler, mais ne quittent pas les lieux;
Le ralentissement de travail	où les travailleurs n'interrompent pas leurs activités, mais ralentissent leur rythme de production;
La grève partielle	où des employés particuliers affectés à des postes stratégiques cessent de travailler;
La grève spontanée	où les travailleurs décident de débrayer sans l'autorisation du syndicat;
La grève rotative	où les employés arrêtent de travailler successivement à des postes stratégiques (tous les effectifs ne débraient pas simultanément).

– le **boycottage primaire**, où les travailleurs tentent de persuader le public de ne pas acheter les produits ou les services de leur employeur ;

– le **boycottage secondaire**, où les syndiqués d'une autre entreprise tentent de convaincre leur employeur de rompre ses relations commerciales avec l'entreprise engagée dans le différend.

Les stratégies patronales

La direction dispose également de tactiques afin de régler un différend, notamment le lock-out et l'injonction.

Le lock-out   Le lock-out supprime l'accès aux installations de l'employeur et le droit de travailler. On a eu fréquemment recours à la tactique dans le passé, mais de nos jours, les employeurs l'utilisent principalement lorsqu'ils estiment que les employés ne travailleront pas ou bien qu'ils endommageront les installations, le matériel ou l'outillage.

L'injonction   L'injonction est une ordonnance du tribunal qui interdit aux employés de participer à certaines activités comme la grève ou le piquetage. Le syndicat qui refuse d'obéir à une injonction peut être accusé d'outrage au tribunal, et les représentants syndicaux sont sujets à des amendes ou à l'emprisonnement.

UN ENJEU COMMERCIAL ACTUEL

Les effets d'une grève

Hier, la première grève générale déclenchée par les fonctionnaires fédéraux a occasionné, durant ses premières 24 heures, des embouteillages dans de nombreuses villes, cloué les avions au sol, fermé les installations du transport des grains et freiné la collecte de la taxe fédérale.

Les vols depuis l'aéroport international Pearson, le plus achalandé du pays, ont été annulés ou retardés, lorsque les employés des ministères du Transport et de l'Environnement ont bloqué les routes, ce qui a occasionné des embouteillages, et empêché les contrôleurs aériens de faire leur travail. Air Canada et Canadien International ont déclaré hier qu'elles perdraient quelque 20 millions de dollars par jour, en raison de la diminution du nombre de vols à l'aéroport Pearson attribuable à la grève des fonctionnaires.

La Canadian Imports' Association a déclaré que les emplois de l'industrie automobile canadienne seraient en péril, si la grève des fonctionnaires fédéraux empêchait les fabricants de s'approvisionner en pièces essentielles. Le président de l'Association, Don McArthur, a déclaré que la grève de l'AFPC pourrait porter un dur coup à l'industrie automobile, au moment où celle-ci manifeste des signes de redressement. M. McArthur a dit que les fabricants seraient forcés de licencier des travailleurs, si la production souffrait d'une pénurie de pièces.

L'AFPC compte environ 155 000 membres, regroupés en dix-sept syndicats. Les emplois de quelque 45 000 fonctionnaires sont considérés comme des services essentiels, notamment les employés de la Chambre des communes, les inspecteurs de la sécurité et de la santé, les agents de l'assurance-chômage, les pompiers des aéroports ainsi que les gardiens de prison et de phare.

À l'échelle du gouvernement, la plupart des employés exercent des fonctions administratives, mais l'AFPC compte également des gens de métiers spécialisés et des professionnels comme les avocats et les ingénieurs. Voici un aperçu des services touchés.

Travaux publics	La construction.
Environnement	Les permis, les programmes continus et les services d'information.
Santé et Bien-être	Les services administratifs et d'information, bien que les services essentiels comme les inspections et le paiement des pensions et des prestations soient maintenus.
Revenu	Les services administratifs, de perception de l'impôt et d'information. Les entreprises doivent déclarer les impôts, les déductions à la source et les revenus à temps. Les paiements peuvent être effectués à toute institution financière ou au bureau de l'impôt. Il se peut que les remboursements aient du retard.
Transport	Les transports par voie de terre, maritimes ou aériens comme les canaux, aéroports et la voie maritime du Saint-Laurent. Les délais et les annulations à l'aéroport international Pearson diminueront, étant donné que les contrôleurs aériens pourront franchir les lignes de piquetage. La voie maritime est ouverte, et les services de garde côtière ne sont pas affectés.
Défense nationale	Les services administratifs et civils des bases militaires.
Solliciteur général	Les services administratifs relatifs aux tribunaux et au système judiciaire.

Source: Traduit de Cecil Foster, Adrian Bradley et Alan Toulin, « Strike chaos hits airlines, imports », *The Financial Post*, 10 septembre 1991, p. 1.

Résumé du chapitre

1. Le mouvement syndical canadien remonte à la fin du XIXe siècle. Les travailleurs se joignent à un syndicat afin de protéger leurs intérêts et d'améliorer leur niveau de vie. Adopté en 1972, le *Code canadien du travail* touche quatre domaines importants : les pratiques loyales en matière d'emploi, les heures de travail et les vacances, la sécurité des travailleurs et le processus de négociation collective.

2. On peut classer les syndicats selon l'adhésion (syndicat d'entreprise, professionnel ou industriel) ou la géographie (syndicat local, régional, national ou international). Les syndicats poursuivent des objectifs d'ordre économique, politique et social.

3. Le processus de négociation collective comprend le travail préliminaire du syndicat et de la direction, les négociations et la signature de la convention collective.

4. Si le syndicat et la direction ne peuvent régler leur différend, on fait appel à un tiers. Les procédures utilisées incluent la conciliation, la médiation et l'arbitrage.

5. Lorsque les parties n'arrivent toujours pas à s'entendre, elles peuvent avoir recours à diverses stratégies en vue de trouver une solution. Les syndicats ont recours à la grève, au piquetage et au boycottage, et les employeurs, au lock-out et à l'injonction.

Notions clés

L'arbitrage

L'association d'employeurs

L'atelier fermé

L'atelier ouvert

L'atelier syndical

L'injonction

La convention collective

La formule Rand

La grève

La médiation

Le boycottage

Le Congrès du travail du Canada

Le grief

Le lock-out

Le piquetage

Le syndicat

Le syndicat d'entreprise

Le syndicat industriel

Le syndicat professionnel

Exercices de révision

1. Retracez l'historique du mouvement syndical et des lois du travail au Canada.
2. Décrivez le mode d'organisation des syndicats.
3. Quels sont les différents types de syndicats au Canada ?
4. Quels objectifs principaux poursuit un syndicat ?
5. Quelle différence y a-t-il entre l'atelier syndical et l'atelier fermé ?
6. Décrivez les étapes du processus de négociation collective.
7. Quelle différence établit-on entre la conciliation et la médiation ?
8. Qu'entend-on par grief, et comment le règle-t-on ?
9. Parlez des tactiques les plus fréquemment utilisées par les syndicats en vue de régler les différends ouvriers-patronaux ?
10. Qu'entend-on par lock-out ? Par injonction ?

Matière à discussion

1. Quelle différence y a-t-il entre le rôle des syndicats actuels et celui des syndicats au début du XXe siècle ?
2. Les syndicats sont-ils encore utiles ? Justifiez votre réponse.

Exercices d'apprentissage

1. La naissance d'un syndicat

Dominique Turmel a mis sur pied Zombex Inc., un distributeur de machines-outils et de pièces d'entretien, il y a une vingtaine d'années. Au début, Zombex ne comptait qu'une dizaine d'employés, et Dominique n'éprouvait pas de difficulté à gérer l'entreprise. Tout le monde se connaissait. Il y avait des réceptions de temps en temps, auxquelles tous les employés assistaient, depuis la réceptionniste jusqu'à la directrice générale. L'entreprise était gérée comme une «famille», et tous participaient aux problèmes, aux occasions, aux frustrations et aux réalisations.

Dominique s'est rendu compte que la gestion d'une petite entreprise l'intéressait à cause de l'attention personnelle qu'elle pouvait accorder à chacun. Elle entretenait des rapports fréquents avec les employés, les fournisseurs, les clients et les représentants des comités locaux. Sa capacité de communiquer et de diriger lui permirent de servir de modèle et de motiver ses effectifs au point où les produits et les services atteignirent une qualité presque inégalée dans l'industrie.

En raison de cette excellente réputation, de la poussée économique expansionniste des années 1970 et 1980 ainsi que de la compétence et de l'expérience de Dominique, l'entreprise connut une croissance phénoménale. À l'heure actuelle, celle-ci emploie plus de 250 personnes dans six points de distribution. La direction de chaque centre rend compte directement au directeur général, Jean Plamondon, dont le bureau se trouve au siège social. Jean et cinq autres directeurs responsables de l'approvisionnement, de la comptabilité et du crédit, du marketing et des ventes de même que de la distribution sont comptables directement à Dominique.

Dominique éprouve plus de difficultés à gérer l'entreprise parce qu'elle ne peut entretenir autant de rapports avec le personnel qu'elle le souhaiterait. Elle entend souvent des histoires épouvantables en provenance des centres de distribution relativement à des « intrigues sournoises », à de piètres communications, au manque de motivation, à l'inefficacité et à l'absentéisme.

Un jour, quelque 25 employés d'un centre de distribution se présentèrent spontanément au bureau de Dominique. Deux d'entre eux, à l'emploi de l'entreprise depuis une quinzaine d'années, commencèrent à parler de certains problèmes au centre. Un employé s'exprima en ces termes :

« Dominique, la plupart d'entre nous, on aime notre travail et on est dévoués à l'entreprise. Mais on ne peut plus supporter certains directeurs qui nous disent sans arrêt ce qu'il faut faire et comment le faire. Ça fait une douzaine d'années que je travaille ici, et on n'a pas besoin d'autocrates. Ils n'écoutent même pas nos suggestions. Ces nouvelles "têtes enflées" qui sortent de l'université et qui ont seulement quelques années d'expérience pensent qu'ils ont réponse à tout. On ne peut plus tolérer ce genre d'absurdités. Il y a quelques jours, on a rencontré un représentant syndical qui nous a expliqué les avantages de joindre un syndicat et qui a souligné le fait que la vie des travailleurs est plus facile dans une entreprise où il y a un syndicat. Il nous a dit que tout le monde, employeur comme employés, en sortirait gagnant. On a parlé de tout ça avec des employés d'autres centres de distribution, et on pense que ce serait une bonne chose pour Zombex, si on se syndiquait. »

Dominique fut très étonnée de la visite, et encore plus des commentaires. Elle répondit ce qui suit :

«Je comprends que la gestion de Zombex est une affaire complexe et concurrentielle. Je savais qu'il y avait des problèmes dans certains centres de distribution, mais j'ignorais que les employés étaient aussi mécontents. Au cours des dernières années, j'ai consacré beaucoup d'énergie à l'expansion afin qu'on travaille tous dans un endroit agréable et qu'on soit tous satisfaits. Je me souviens du bon vieux temps où tout le monde était traité comme un "roi" et où on consacrait nos énergies et où on faisait même des heures supplémentaires sans être payés. Je vois mal pourquoi on a besoin d'un syndicat pour retrouver cette atmosphère de travail. Je pense qu'il y a essentiellement un problème de communication entre les employés et la direction et croyez-moi, je vais y accorder toute mon attention. Pourquoi ne pas oublier cette histoire de syndicat pour l'instant, d'ici à ce que je rencontre les directeurs des centres de distribution. »

Un travailleur rétorqua :

« Tu peux parler avec tes directeurs, mais notre idée est faite. Je ne pense pas que tes directeurs savent ce qu'est la communication, et la seule façon de se faire entendre est par l'entremise d'un représentant syndical. On n'a rien contre l'entreprise et on aime notre travail. Mais on pense qu'il est temps de fonctionner autrement. »

Questions

1. Qu'aurait-on pu faire pour éviter cette confrontation entre Dominique et ses employés ?

2. Est-ce que Dominique aurait pu dire autre chose aux travailleurs pour qu'ils aient de nouveau confiance dans l'entreprise ?

3. Que devrait faire Dominique maintenant ?

2. Un grief

Daniel Wing travaille pour le compte de Ashbey inc. depuis douze ans. Son premier emploi fut au service de livraison et au cours des années, il a acquis le respect du service de production.

L'entreprise, qui emploie plus de 2 000 travailleurs, est syndiquée. En général, les relations entre la direction et les travailleurs sont bonnes. Bien que certains enjeux mineurs aient émergé dans le passé, ils ont toujours été réglés à l'amiable.

Il y a six mois, on a créé un nouveau service de production qui emploie une vingtaine d'employés. Étant donné que le service a besoin des services de travailleurs qualifiés, Daniel y a été muté. Ross Hull, un ingénieur et un superviseur qui fut à l'emploi de plusieurs autres entreprises avant de se joindre à Ashbey, il y a deux ans, a été placé à la tête du nouveau service de production. Ross possède la compétence technique nécessaire, est axé sur la réalisation d'objectifs et a la réputation d'être obsédé par le besoin de ne produire que du travail de qualité. Sa devise : aucun défaut en tout temps. Il a suivi plusieurs cours en gestion de la qualité totale et est l'un de ses ardents défenseurs.

Un jour, Ross a reçu un rapport de qualité selon lequel les normes de qualité avaient baissé de 1,5 p. 100 au cours de la dernière semaine. Il fit immédiatement enquête et se rendit compte que Daniel était en grande partie responsable du problème. Il se présenta au poste de travail de Daniel, lui montra le rapport, lui demanda de trouver une solution, puis s'éloigna. La réprimande intimida Daniel grandement, qui poursuivit tout de même son travail.

La semaine suivante, Ross examina un autre rapport de qualité selon lequel la qualité avait à peine augmenté. Il fit venir Daniel dans son bureau et lui dit que la qualité de son travail ne s'était pas améliorée et ne répondait pas aux normes. Ross lui dit avoir recommandé au service des ressources humaines qu'il soit muté à son ancien poste. Daniel tenta de s'expliquer, mais Ross l'interrompit.

« Daniel, je sais que tu es un bon travailleur, mais je crois que le travail est trop spécialisé pour toi et qu'il faut le confier à une personne qui possède d'autres compétences techniques. Je pense que l'entreprise a besoin de toi, mais pas dans mon service. Victor Germain te remplacera à compter de la semaine prochaine, et j'ai déjà averti le service des ressources humaines que je voulais que tu sois muté à ton ancien service. »

La décision de Ross contraria Daniel, qui estimait qu'on ne lui avait pas suffisamment donné l'occasion de se faire valoir. Il se rendit aussitôt au bureau de Jean Landry, le représentant syndical, et rapporta l'incident. Jean déclara :

« La réputation de Ross est bien connue ailleurs, et rien ne l'empêchera d'obtenir du travail de qualité. Il a aussi le soutien entier de la direction. Il a travaillé pour le compte de plusieurs entreprises et crois-moi, il respecte peu les syndicats. Il pense que les syndicats empêchent les directeurs de faire leur travail et d'être concurrentiels. Je ne pense pas que ta mutation soit au cœur du problème ; il s'agit plutôt de son attitude. Je vais m'en occuper immédiatement et porter la question à l'attention du service des ressources humaines. Il n'avait pas le droit de te parler sur ce ton, et tu devrais pouvoir demeurer à ton poste. »

Questions

1. Que pensez-vous de la façon dont Ross a traité Daniel ?

2. Qu'est-ce que Ross aurait dû faire ?

3. Qu'est-ce que l'entreprise devrait faire ?

4. Qu'est-ce que Daniel devrait faire ?

PARTIE IV

LA GESTION DE LA FONCTION MARKETING

Toutes les entreprises remplissent les deux fonctions cruciales de fabriquer et de vendre des produits. Des entreprises de tous genres, des petites ou des grandes, de services ou de fabrication, à but lucratif ou non, participent aux deux activités de base. La fabrication et le marketing contribuent considérablement aux chances de succès de toutes les entreprises.

La présente partie traite de la fonction marketing, c'est-à-dire des activités qui visent à découvrir les besoins et les aspirations des consommateurs qui occupent un segment déterminé d'un marché, à vendre les produits et les services que les consommateurs veulent, au moment et dans les endroits propices, au prix que ces personnes sont prêtes à payer. L'étude du marketing porte sur la façon dont il est intégré dans les entreprises et dont les quatre variables de marketing, soit le produit, la promotion, l'endroit et le prix, servent à formuler une stratégie de marketing.

La première section du chapitre 11, *La notion de marketing*, donne la définition et les huit fonctions du marketing. La deuxième section traite de l'étude de marketing et de la segmentation des marchés. Elle montre comment les responsables de marketing déterminent le profil de leurs consommateurs (besoins et aspirations) et le lieu où trouver ces clients dans le marché. La troisième section étudie les facteurs qui poussent les consommateurs à acheter un certain produit ou service plutôt qu'un autre. La dernière section aborde les diverses catégories de biens achetés par les consommateurs, soit les biens de consommation et les biens industriels.

Le chapitre 12, *La gestion des variables de marketing*, examine les quatre éléments clés dont les entreprises tiennent compte dans la formulation d'une stratégie de marketing. La première variable, le produit, comprend la vie du produit, le marquage, l'emballage et l'étiquetage. La deuxième variable porte sur l'établissement des prix. Les compétences nécessaires à la stratégie de fixation d'un prix acceptable sont étudiées, et les diverses méthodes d'établissement des prix telles que la méthode du coût, les escomptes, l'établissement de prix variables, les produits d'appel et l'alignement des prix sont précisés. La troisième variable, la promotion, inclut de nombreuses activités, notamment la publicité, la vente personnelle et la promotion des ventes. La dernière variable, la distribution, porte sur les moyens que les entreprises utilisent afin de distribuer leurs produits ou leurs services à la faveur des circuits de distribution, depuis le fabricant jusqu'à l'endroit où le consommateur achète. Les grossistes et les détaillants, intermédiaires les plus courants du réseau de distribution sont aussi étudiés.

CHAPITRE
11

PLAN

La définition du marketing
    L'organisation du marketing
    La raison d'être du marketing

Un point de vue : le marketing international

Les fonctions du marketing

L'étude de marketing
    La définition d'un marché
    La segmentation des marchés

Un enjeu commercial actuel : la segmentation des marchés

Le comportement des consommateurs
    Les influences personnelles
    Les influences externes

Les biens de consommation et les biens industriels
    Les biens de consommation
    Les biens industriels

La stratégie de marketing

Un enjeu commercial actuel : la stratégie de produit

Résumé

LE MARKETING

Les objectifs du chapitre

Après avoir lu le présent chapitre, vous pourrez :

1. expliquer le marketing et son importance ;

2. résumer les fonctions du marketing ;

3. commenter le rôle du travail de recherche en marketing ;

4. discuter de l'importance de la recherche du comportement des consommateurs.

5. établir la différence entre le marché des consommateurs et le marché industriel ;

6. expliquer les principales variables de la stratégie de marketing.

Après des années de croissance marginale, Procter & Gamble Inc. (P & G) affichait, dans son rapport annuel de 1989, des résultats financiers impressionnants : des ventes de 21,4 milliards de dollars (une augmentation de 10,7 p. 100), des profits de 1,2 milliards de dollars (un bond de 18,2 p. 100) et 52,7 p. 100 de profits pour les actionnaires. Ce rendement hors pair est attribuable en grande partie aux stratégies de commercialisation globales de la société, jumelées à une nouvelle structure de la direction et à une culture d'organisation solide. Certains conseillers en marketing sont même d'avis que P & G est en train de réinventer l'industrie des produits emballés pour le XXIe siècle.

Il y a seulement dix ans, plusieurs comparaient P & G au Kremlin : l'autorité y était centralisée, le processus décisionnel était lent et, selon certains, la société n'était pas très près de ses clients. Par conséquent, en ce tournant de siècle, la direction de P & G se devait de procéder à des changements en profondeur au sein de cette entreprise qui compte quelque 44 000 employés dans le monde entier.

Comme tout le monde le sait, P & G est un géant du marketing dans le secteur des biens de consommation. Elle y occupe en fait la première place aux États-Unis, grâce aux produits suivants : le détergent Tide, le désodorisant Secret, le café Folgers, la poudre à récurer Comet, le médicament pour l'estomac Pepto-Bismol, le détergent pour lave-vaisselle Cascade, le beurre d'arachides JIF, la graisse Crisco et l'assouplisseur de tissu Downy. Or, pour demeurer en tête de file de ses concurrents, dont Colgate-Palmolive, Unilever, les Papiers Scott et Kimberly-Clark, P & G savait qu'il était nécessaire qu'elle opte pour une nouvelle structure et de nouvelles méthodes.

Le cerveau derrière ces changements de taille, c'est Edwin Artzt, nouveau président-directeur général de la société depuis 1989. «Nous ne sommes pas du genre à vénérer nos ancêtres, affirme-t-il, mais nous croyons que la culture de cette entreprise est étroitement reliée à son passé.» Pour poursuivre dans cette voie prospère, il est nécessaire que la société maintienne sa politique de sécurité d'emploi et ses traditions de promotion à l'interne et qu'elle se consacre à des projets à long terme. Cela exige en outre un nouveau style de gestion qui permettra une répartition du processus décisionnel, dans le but de l'accélérer et de se rapprocher des clients. Voici une partie du secret de ce succès[1] :

– La société ne considère plus ses détaillants comme des adversaires difficiles et avares, mais comme des partenaires. Elle affecte d'ailleurs des équipes d'employés à de gros clients, comme Wal-Mart et Kroger, pour les aider à améliorer leurs stocks, la distribution et la promotion des ventes.

– De plus, au sein de son célèbre système de gestion des marques, P & G a inséré un nouvel échelon, celui des directeurs de catégories. Ces derniers ont le pouvoir d'achat et l'autorité décisionnelle nécessaires à l'adaptation à des marchés en plein changement.

– Quant au directeur des produits, autre nouveau poste, il travaille avec des représentants des services de la fabrication, de l'ingénierie, de la distribution et de l'achat pour réduire le temps consacré à la conception des produits. À présent, les cadres intermédiaires sont de plus autorisés à prendre des décisions sur le champ.

✴ Pour pénétrer les marchés internationaux, P & G s'intéresse au mode de vie de chaque nation visée, dépensant de grosses sommes d'argent pour connaître les goûts des habitants des quatre coins du monde.

«Gagner est la seule chose qui compte. On doit se fixer des repères puis les dépasser», affirme M. Artzt, à qui l'on doit l'ensemble de ces changements à grande échelle.

LA DÉFINITION DU MARKETING

Le marketing comprend deux activités de base. La première consiste, au moyen d'études, à déterminer le genre de produits ou de services dont les consommateurs ont besoin. La deuxième correspond à la formulation d'une stratégie visant à satisfaire les clients en leur offrant les bons produits ou services, au bon moment et au bon endroit, dans la bonne quantité. Comme tout le monde le sait, l'économie libérale nord-américaine repose sur une société axée sur les consommateurs. Globalement, cela signifie que ceux-ci décident de ce qui devrait être produit et que, pour réussir, une entreprise devrait simplement répondre à leurs besoins.

L'American Marketing Association a donné l'une des premières définitions du marketing, selon laquelle il correspond au «rendement des activités économiques qui dirigent l'acheminement

---

1. Traduit de Brian Dumaine, «P & G Rewrites the Marketing Rules», *Fortune*, 6 novembre 1989, p. 35.

des biens et des services du producteur au consommateur ou à l'utilisateur[2] ». Depuis les années 1930, le marketing a considérablement évolué, passant par quatre principaux stades. Le premier stade était l'ère de production, caractérisée par les entreprises axées sur la production. À cette époque, la philosophie des entreprises consistait à produire des biens simples, à peu de frais.

Vint ensuite l'**ère des ventes**, au cours des années 1940, quand les entreprises consacrèrent leurs efforts à la vente de produits. Les clients ne se donnaient plus de mal pour acheter des produits : c'était maintenant les entreprises qui faisaient des pieds et des mains pour les vendre.

Au cours des années 1950, on assista à l'avènement de l'**ère du concept du marketing**, qui avait pour but l'intégration des fonctions du marketing. Les entreprises vendaient désormais leurs produits à profit. Cette période donna également naissance à une approche de gestion intégrée du marketing, qui entraîna ensuite la création des services de marketing.

L'**ère du concept du marketing** vit le jour au cours des années 1960. Les entreprises se concentraient alors sur trois choses. Premièrement, les fonctions du marketing avaient pour seul objet le consommateur ; deuxièmement, les décisions de la direction étaient prises en gardant à l'esprit la satisfaction du consommateur ; troisièmement, on mettait l'accent sur le volume des profits à long terme. En somme, chaque membre de l'organisation, du président du conseil d'administration à la réceptionniste, se concentrait sur la satisfaction du consommateur. Dès lors, le marketing devint beaucoup plus qu'une simple série d'activités distincte, il s'agissait maintenant d'une philosophie commerciale et d'une attitude de gestion. De nos jours, le marketing est toujours au centre des décisions

d'affaires et avec l'avènement des réseaux de groupes de consommateurs, on a assisté à la création du **consumérisme**. Résultat : les entreprises d'aujourd'hui doivent être davantage à l'écoute de demandes pour la production de produits sécuritaires de qualité.

L'organisation du marketing

Avec l'avènement de cette nouvelle approche de marketing, les dirigeants se sont vus dans l'obligation de modifier la structure organisationnelle de leur entreprise. À l'ère de la production, le groupe responsable de la vente des biens ou des services portait le nom de **service des ventes**. Ce service était supervisé par le directeur des ventes ou le vice-président des ventes. Au cours de cette période, on ajoutait à l'organigramme de l'entreprise les activités de marketing comme la publicité, la formation des représentants, le service après-vente, la planification des ventes et les études de marché. Avec le temps, toutes ces activités devinrent la responsabilité d'une seule personne, le **responsable du marketing**. C'est au cours de l'ère du marketing que les entreprises ont commencé à adopter la notion de gestion intégrée du marketing, qui visait à orienter leurs activités vers la satisfaction des clients et la maximisation des profits. Le marketing devint alors beaucoup plus qu'une simple fonction de vente et on vit l'apparition de nouveaux postes dans l'organigramme des entreprises, comme celui du directeur du marketing et du vice-président du marketing (voir figure 11.1). Grâce à l'organisation du marketing, l'importance du marketing prit de la valeur dans l'ensemble de l'entreprise. En conséquence, à partir de ce moment, les entreprises adoptèrent des politiques qui tiennent compte des clients et des profits à long terme.

Les organisations du marketing furent structurées de diverses façons selon : 1) la nature des activités de l'entreprise (le nombre de produits, le réseau de distribution, l'accent mis sur les

---

2. Traduit de R.S. Alexander et le « Committee on Definitions of the American Management Association », *Marketing Definitions*, Chicago, American Marketing Association, 1960, p. 15.

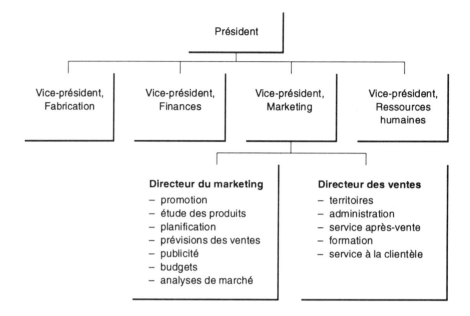

FIGURE 11.1
L'organisation du marketing

études de marché et la promotion); 2) le nombre et l'importance des marchés; 3) la provenance de la clientèle; 4) les exigences et les attentes des clients (structure centralisée ou décentralisée). Les forces internes comme la philosophie des cadres supérieurs, l'objectif général de l'entreprise, les politiques relatives aux produits et le profil des employés constituèrent en outre des éléments permettant de déterminer la meilleure structure qui soit pour un service de marketing.

Les organisations du marketing furent structurées en fonction des points suivants:

- leur fonction (la publicité, les ventes, les études de marché);
- les produits (les divisions et le personnel de vente);
- le marché (pour répondre aux besoins de marchés ou de secteurs particuliers pour lesquels les stratégies de marketing, les services techniques ou les circuits de distribution sont différents);
- la géographie (pour les marchés très dispersés, comme certaines régions ou certains territoires);

- une combinaison de plusieurs de ces points.

La raison d'être du marketing

Le marketing joue un rôle important sur le marché. Les entreprises doivent en effet créer des valeurs pour satisfaire les besoins et les désirs de la société. Prenons l'exemple d'une montre ou d'un litre de lait. Ces deux articles n'ont pas une grande valeur lorsqu'ils sont stockés dans l'entrepôt d'une entreprise. Les produits ou les services prennent en effet de la valeur aux yeux des consommateurs lorsqu'ils sont accessibles et qu'ils répondent à un besoin. Les économistes appellent **utilitaire** cette caractéristique de valeur ajoutée à un produit pour promouvoir son utilité. Comme on le constate à la figure 11.2, on définit quatre catégories d'utilité: l'utilité de forme, de propriété, de temps et d'endroit.

L'utilité de forme est créée par le secteur de production d'une entreprise, lorsque celle-ci transforme des matières premières en produits finis. Par exemple, un ordinateur est le résultat

FIGURE 11.2
Les quatre catégories d'utilité

d'un assemblage de plastique, de métal, de caoutchouc et d'autres composantes.

Les trois autres catégories d'utilité sont créées par l'organisation du marketing. L'**utilité de propriété** est créée grâce au transfert de la possession de biens du vendeur à l'acheteur. Par exemple, lorsqu'un consommateur achète une montre dans un magasin, il y a transfert légal de propriété. Quant à l'**utilité de temps**, elle est obtenue en rendant accessibles des produits et des services aux consommateurs, au moment où ils en ont besoin. Par exemple, les produits saisonniers, comme les souffleuses, les tondeuses, les pelles et les maillots de bain, sont utiles aux consommateurs au cours de certains mois seulement. Enfin, on obtient l'**utilité d'endroit** quand des produits ou des services sont offerts aux clients à des endroits appropriés. Par exemple, quelle serait la valeur du lait ou des œufs pour un consommateur de Toronto s'ils n'étaient vendus qu'à Winnipeg ou à Vancouver ?

UN POINT DE VUE

Roger Enrico, directeur général de PepsiCo Worldwide Beverages

Le marketing international

Au cours des années 1980, le secteur des boissons gazeuses s'acharnait à obtenir sa part du marché. Or, occuper une place sur le marché sans faire de profit pourrait se comparer à respirer de l'air dépourvu d'oxygène : on se sent bien au début, mais cela tue peu à peu. Pendant la prochaine décennie, nous mettrons donc davantage l'accent sur l'excellence de notre exploitation et sur le contrôle des coûts. Nous disons à nos employés qu'il est effectivement important d'avoir sa part du marché, mais seulement à titre de mesure de notre maintien des profits. Par conséquent, en 1992, nous serons peut-être encore derrière Coke aux États-Unis, mais nous comptons être les premiers sur le plan des profits à l'échelle nationale.

Le plus grand défi de Pepsi au cours des années 1990 sera ses activités à l'échelle internationale. Je suis d'avis qu'elles connaîtront une croissance deux fois plus grande qu'au cours des années 1980. Tout d'abord, il est important d'occuper sa place dans un marché. À cet égard, nous nous trouvons derrière Coke depuis des décennies en Allemagne et au Japon. Par contre, nous constatons une demande pour nos produits en Europe du Sud et en Asie du Sud, demande qui croît assez rapidement pour nous permettre d'établir une entreprise florissante dans ces régions.

Pour ce qui est des pays en développement, le secret est de reconnaître leurs besoins, de s'y adapter et d'innover. Nous y pratiquons un certain commerce, c'est-à-dire que nous fournissons des marchés d'exportation à ces pays pour que leur monnaie devienne plus forte et qu'ils puissent ensuite nous acheter des produits Pepsi. Ainsi, nous exportons des tomates en boîte de Beijing et des jouets de Guangzhou, en Chine.

Pepsi fut le premier produit américain à pénétrer les marchés de la Roumanie et de la Bulgarie. Nous exportons d'ailleurs leurs vins aux États-Unis. Actuellement, lorsqu'on se rend dans ses pays, on peut constater que leur monnaie n'y est pas forte, mais il y a fort à parier qu'elle le deviendra un jour. Souvenez-vous que le yen japonais était loin d'être fort au cours des années 1940 et 1950.

Source: Traduit de Patricia Sellers, « Today's Leaders Look to Tomorrow », *Fortune*, 26 mars 1990, p. 124.

LES FONCTIONS DU MARKETING

Si l'on observe l'organisation du marketing de la figure 11.1, on peut rapidement constater que la fonction du marketing n'est pas seulement de vendre ou de faire de la publicité. Une gamme complète d'activités est en effet nécessaire au marketing pour acheminer un produit ou un service du créateur au consommateur. Le tableau 11.1 illustre huit fonctions conventionnelles du marketing : l'achat, la vente, le transport, l'entreposage, la normalisation et la classification, le financement, la cueillette d'information et la prise de risques.

L'achat   Cette activité est critique puisqu'elle détermine la raison pour laquelle les clients achèteront certains biens ou services et le moment auquel ils le feront. Ainsi, un détaillant doit estimer à quel moment et en quelle quantité les consommateurs achèteront, par exemple, un certain modèle de chaussures ou de chemises au cours de l'année. Sa décision est alors fondée sur certains éléments comme le style, la couleur, la taille et la marque des produits. Si le détaillant achète trop de produits au mauvais moment, son entreprise pourrait connaître des pertes

considérables puisqu'il pourrait se retrouver avec des surplus sur les tablettes pour longtemps, qu'il pourrait même devoir revendre à perte.

La vente   Il va sans dire que les biens qu'un vendeur aura achetés dans le réseau de distribution devront être revendus. Or, les consommateurs doivent être mis au courant de leur accessibilité. Ainsi, des produits ou des services peuvent être vendus de diverses façons : par la **publicité** (en avisant les consommateurs de l'endroit où se trouvent les produits à vendre) ; par des **promotions spéciales** (comme des remises ou des soldes visant à attirer les consommateurs) ; par les **vendeurs** (qui aideront les consommateurs à faire le bon choix). D'autres techniques de vente font aussi partie de cette fonction, comme les offres de crédit, de livraison, de service et de garanties.

Le transport   Pour obtenir l'utilité d'endroit, les produits doivent être transportés d'un endroit à un autre (par exemple, de la manufacture ou de l'entrepôt au magasin). Parfois, de nombreux intermédiaires jouent un rôle important dans le réseau de distribution. De plus, des fabricants et divers grossistes et détaillants participent au transport des biens de la manufacture au point de vente approprié.

TABLEAU 11
Les fonctions du marketing

Fonctions	Questions types relativement aux fonctions du marketing
L'achat	– Combien d'unités devrons-nous acheter? Dans quelles couleurs et dans quels styles? Quand devrions-nous les acheter?
La vente	– Ferons-nous la publicité de ce produit pour attirer les clients? Devrions-nous élaborer un programme de promotion comprenant des remises ou des présentoirs? Quel genre de formation devrions-nous donner à nos représentants?
Le transport	– De quelle façon devrions-nous transporter nos produits de l'usine aux grossistes ou aux détaillants? Devrions-nous utiliser nos propres véhicules? Si nous concluons une entente à cet effet avec une entreprise indépendante, par quel moyen de transport (camion, train, bateau, avion) nos biens seront-ils acheminés?
L'entreposage	– De quel genre d'entrepôt devrions-nous nous doter? Devrions-nous louer ou acheter les installations? Où l'entrepôt devrait-il être situé? Combien d'entrepôts devrions-nous avoir?
La normalisation et la classification	– Quels renseignements devraient figurer sur nos étiquettes? Quels renseignements faciliteraient le choix des consommateurs? Quels renseignements sont exigés par la loi?
Le financement	– Quel genre de financement devrions-nous offrir à nos clients? Devrions-nous nous charger nous-mêmes du financement ou devrions-nous faire affaire avec une autre entreprise, comme un établissement financier?
Cueillette d'information	– De quel genre d'information avons-nous besoin en vue d'élaborer une stratégie efficace portant sur nos produits, sur notre réseau de distribution, sur nos prix et notre promotion? Où devrions-nous puiser cette information? De quelle façon?
La prise de risques	– Quelles mesures devraient être en place pour réduire le nombre de risques inhérents à la vente de nos produits? Comment pourrions-nous réduire le nombre de risques de dommages pour nos biens en cours de transport? Pour quel genre d'assurance devrait-on opter?

④ **L'entreposage** Cette fonction fait partie du réseau de distribution et est liée à la fonction de vente. Les grossistes comme les détaillants doivent avoir un nombre suffisant de produits dans des formats, des styles, des couleurs variés. Pour tirer profit de l'utilité d'endroit, les biens et les services doivent toujours être à la disposition des clients. Une mauvaise planification de l'accessibilité des produits pourrait en effet avoir des conséquences négatives sur les ventes et entraîner une accumulation de stocks invendus.

⑤ **La normalisation et la classification** On attribue habituellement un prix aux produits et aux services en fonction de leur qualité, de leur style, de leur format et de leur couleur. Cette façon de procéder est importante pour plusieurs raisons. Tout d'abord, quand des grossistes et des détaillants achètent des produits, un numéro de code peut en préciser la catégorie. Ensuite, les clients consultent l'étiquette d'un produit pour en connaître toutes les caractéristiques. Par exemple, les produits agricoles, comme la volaille, les œufs et la viandes, sont classifiés selon des normes de l'industrie et du gouvernement.

⑥ *Le financement*   Les consommateurs veulent profiter d'une certaine forme de financement, c'est-à-dire être en mesure de payer à une date ultérieure. Pour leur part, les fabricants, les grossistes et les détaillants offrent du crédit à leurs acheteurs afin d'augmenter leurs ventes. Par exemple, les fabricants offrent du crédit aux grossistes et aux détaillants, alors que certains détaillants, comme Sears ou Canadian Tire, offrent du crédit à leurs clients.

⑦ *La cueillette d'information*   Comme les responsables du marketing désirent répondre efficacement aux besoins des consommateurs, ils doivent en comprendre les habitudes d'achat, c'est-à-dire ce que les consommateurs désirent et à quelles fins, la façon dont ils font leurs achats et à quel endroit, et le genre d'acheteurs qu'ils sont. La cueillette de ces renseignements se fait au moyen d'études de marché, notamment par des entrevues avec les clients et les représentants qui fournissent l'information pertinente aux responsables du marketing qui les utiliseront dans le cadre de leurs stratégies de marketing.

⑧ *La prise de risques*   Vendre des biens comporte toujours certains risques. En l'occurrence, lorsque des biens sont fabriqués ou achetés par des grossistes ou des détaillants, on ne peut être sûr à 100 pour 100 qu'ils seront tous vendus. En outre, certains pourraient être endommagés ou détruits au cours du transport ou de l'entreposage.

Le reste du présent chapitre traite de trois composantes clés du marketing : l'étude de marketing, le comportement des consommateurs et la stratégie de marketing (voir figure 11.3). L'étude de marketing est l'activité qui permet de recueillir des renseignements sur le marché et le profil du marché cible. Le comportement des consommateurs est une composante liée à l'étude de marketing et se penche sur la façon dont les consommateurs prennent des décisions

au moment d'acheter des biens ou des services. Quant à la **stratégie de marketing**, elle porte sur la formulation des variables du marketing les plus efficaces (produits, promotion, endroit et prix) pour mettre des produits ou des services sur le marché. Cette composante fera d'ailleurs l'objet d'un chapitre détaillé, le chapitre 12, *La gestion des variables du marketing.*

L'ÉTUDE DE MARKETING

Si une entreprise désire orienter ses efforts de marketing vers les clients appropriés, les commerçants, eux, doivent trouver les réponses aux questions suivantes : Qui sont les clients (s'agit-il, par exemple, d'hommes ou de femmes) ? Où achètent-ils les biens ou les services (dans les centres commerciaux, dans les dépanneurs, à ces deux endroits) ? Comment les achètent-ils (à la suite de mûres réflexions, par une décision individuelle ou de groupe, de façon impulsive) ? Quand achètent-ils les biens (par exemple, en saison, le week-end ou en semaine) ? Pour quelles raisons (par exemple, pour le prix, le style, la durabilité) ?

L'étude de marketing se définit comme « la cueillette, le classement et l'analyse systématiques de données portant sur des problèmes relatifs à la commercialisation de biens et de services[3] ». L'étude de marketing comprend quatre étapes principales. La première consiste à définir le problème. Certains problèmes de marketing type amènent les questions suivantes : Vendons-nous notre produit au bon prix ? Le public connaît-il nos produits ou nos services ? Que pensent les consommateurs de l'image de notre entreprise et de la qualité de nos produits et de nos services ? Offrons-nous les conditions

---

3. Traduit de R.S. Alexander et le « Committee on Definitions of the American Management Association », *Marketing Definitions*, Chicago, American Marketing Association, 1960, p. 15.

FIGURE 11.3
Les principaux segments du marketing

L'étude de marketing	Le comportement des consommateurs	La stratégie de marketing
Avant de prendre d'importantes décisions, nous devons recueillir des renseignements sur les marchés et les consommateurs.	Maintenant que nous disposons de l'information nécessaire, il est important que nous sachions de quelle façon les consommateurs prennent leurs décisions d'achat.	Maintenant que nous savons de quelle façon les consommateurs achètent leurs biens, nous devons établir comment nous allons commercialiser nos produits ou nos services.

de financement appropriées à nos grossistes et à nos détaillants ? Devrions-nous faire plus de publicité pour attirer davantage de clients ? Quel genre de formation devrions-nous fournir à nos agents et à nos représentants ?

Une fois les problèmes clairement définis, la deuxième étape logique consiste à obtenir l'information qui peut être classée en deux catégories : les données secondaires et les données brutes. Les **données secondaires** proviennent de publications gouvernementales, de revues professionnelles, de bibliothèques ou des dossiers d'entreprises. Pour leur part, les **données brutes** sont recueillies à la suite d'expériences, dans le cadre de sondages auprès de la clientèle, par téléphone, par la poste ou au moyen d'entrevues en personne. La troisième étape correspond à la compilation des données et à la comparaison des relations entre certaines variables, comme le revenu par rapport au genre de produits achetés ou le nombre et la catégorie de consommateurs par rapport aux produits ou aux services achetés. Enfin, la dernière étape consiste à interpréter l'information pour permettre aux preneurs de décisions de formuler leurs stratégies relativement aux produits, aux prix, à la distribution et à la promotion. Afin d'obtenir la meilleure approche de marketing possible, les commerçants doivent entièrement comprendre le fonctionnement de leur marché, la façon dont il est segmenté et les influences que subissent les consommateurs.

La définition d'un marché

Un marché est un endroit où des vendeurs offrent leurs biens et leurs services à des acheteurs. On y assiste donc à la cession de biens entre des parties (des détaillants aux clients). Il existe divers genres de marchés, comme le marché agricole, le marché de l'automobile, le marché du pétrole et le marché de l'habitation. Au sein de chacun de ces marchés, la loi de l'offre et de la demande règne, ce qui entraîne la hausse ou la baisse des prix.

Dans le cadre du marketing, on peut définir le marché comme un groupe de consommateurs qui ont de l'argent à dépenser, qui peuvent le dépenser à leur guise et qui désirent satisfaire leurs besoins particuliers. Les trois composantes fondamentales de cette définition sont : 1) les consommateurs ont des besoins (qu'il s'agisse de personnes, d'entreprises ou d'organismes gouvernementaux) ; 2) ils ont un pouvoir d'achat (les personnes ont de l'argent à dépenser et les entreprises ou les organismes gouvernementaux allouent des fonds à dépenser) ; 3) le comportement des acheteurs peut être influencé par les vendeurs (par le style, la couleur ou le prix des produits offerts).

On peut en outre établir un marché en fonction de la nature des produits offerts. Le cas échéant, les deux principales catégories de marchés sont celui des biens de consommation et celui des biens industriels (voir figure 11.4). Les **biens de consommation** correspondent à des biens tels les aliments, les vêtements, les automobiles et les livres qui sont vendus dans les magasins de vente au détail, qui sont consommés ou utilisés par les consommateurs finaux. Les **biens industriels** sont quant à eux achetés dans le but d'être traités pour créer des produits finis. Par exemple, les fabricants d'automobiles achètent de l'acier, du cuir et du plastique pour fabriquer leurs produits.

Par ailleurs, certains produits sont destinés aux consommateurs comme aux industries. Par exemple, General Motors achète des pneus pour les installer sur ses voitures et Canadian Tire les achète pour les revendre aux consommateurs finaux. De même, les hôpitaux et les hôtels (marché industriel) achètent de la nourriture pour leurs patients ou leurs clients, comme les magasins d'alimentation (tels IGA ou Loblaw), qui les revendront aux consommateurs finaux. La section **Les biens de consommation et les biens industriels** traite de ce sujet en profondeur.

La segmentation des marchés

Comme les produits sont vendus à divers consommateurs, il est important pour les commerçants de classer ces derniers en différentes catégories. En effet, le profil du consommateur qui achète une montre Rolex diffère largement de celui qui achète une montre Timex ; leur revenu est loin d'être le même. Par conséquent, la segmentation des marchés exige des entreprises qu'elles étudient le profil des personnes qui sont attirées par divers produits. Soulignons l'importance de l'analyse des marchés et des consommateurs, puisque chaque groupe est influencé par le prix, l'emballage d'un produit, la publicité qui en est faite et le magasin qui le vend.

La segmentation des marchés permet donc de constituer le profil d'un groupe de consommateurs particulier au sein d'un marché. Ce travail permet aux commerçants de vendre leurs produits ou leurs services plus efficacement, chaque groupe de consommateurs ayant ses besoins particuliers et étant influencé par différents éléments. Une fois le **marché cible** déterminé, les commerçants peuvent mettre au point une stratégie de marketing destinée à un groupe d'acheteurs particuliers. Le produit lui-même variera alors, tout comme le prix et les messages publicitaires. Par exemple, les fabricants d'automobiles créent un éventail de voitures destinées à satisfaire les besoins de divers consommateurs : un consommateur n'achète pas une BMW ou une Mercedes-Benz pour les mêmes raisons qu'un autre qui achète une Pinto ou une Ford Escort.

FIGURE 11.4
Les biens de consommation et les biens industriels

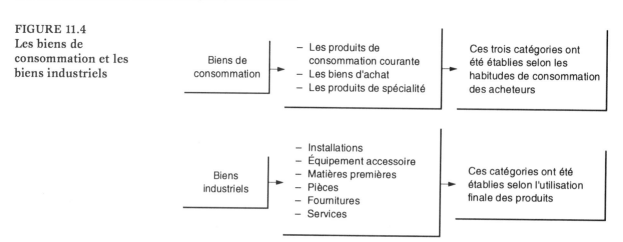

Deux éléments jouent un rôle clé dans la segmentation des marchés : les attributs physiques et les caractéristiques de comportement.

Les attributs physiques du marché

On peut segmenter un marché en fonction de son importance, de son emplacement géographique et de sa population. Sur le plan de son **importance**, les commerçants établissent le nombre d'unités achetées par un certain groupe de consommateurs dans un marché particulier et, surtout, la portion du marché qu'une entreprise désire s'approprier. En ce qui a trait à l'**emplacement géographique**, les secteurs sont segmentés en régions. Par exemple, une entreprise internationale peut diviser le marché mondial en grandes régions géographiques comme l'Amérique, l'Amérique du Sud, l'Europe, l'Asie. La grande région de l'Amérique du Nord pourrait être divisée en petites régions dont chacune serait subdivisée en petits segments. Au Canada, les provinces pourraient constituer des régions et, à l'intérieur, les villes et les collectivités pourraient constituer des segments.

Quant à la **description démographique des consommateurs**, elle établit le profil des consommateurs selon leur genre, leurs revenus, leur âge, leur état civil, la formation de leur famille, leur appartenance religieuse, leur formation scolaire et leur origine ethnique.

Les caractéristiques de comportement des consommateurs

Cet aspect de la segmentation des marchés se penche davantage sur les habitudes de consommation des clients. Les commerçants étudient les facteurs qui influencent les consommateurs lorsqu'ils font des achats. Ils veulent savoir à quelle fréquence ils achètent certains biens (quotidiennement, hebdomadairement ou mensuellement) et à quel jour de la semaine. En outre, une classification socio-psychologique pourrait donner des indications sur leurs valeurs et leurs convictions. Les commerçants veulent en outre savoir quel membre de la famille fait les achats, qui utilise les produits et quels sont les facteurs qui influencent les acheteurs dans leurs décisions (s'agit-il d'amis, de parents, de la réputation du fabricant, de la marque). Enfin, ils veulent découvrir de quelle façon les consommateurs achètent certains biens (de façon spontanée ou à la suite d'une décision mûrie).

L'analyse des habitudes d'achat des consommateurs permet à une entreprise d'élaborer une stratégie de marketing dans le but de lancer un message à un groupe de consommateurs cible. Le lecteur trouvera plus loin une brève explication des quatre variables (le produit, la promotion, l'endroit et le prix) de la stratégie de marketing. Celles-ci font en outre l'objet d'une étude plus approfondie au chapitre 12, *La gestion des variables du marketing.*

UN ENJEU COMMERCIAL ACTUEL

La segmentation des marchés

Les baby boomers Les définitions précises varient au sujet du début et de la fin du baby-boom, mais on s'entend pour situer son commencement vers la fin de la Deuxième Guerre mondiale et pour dire qu'il est aujourd'hui terminé. La revue **Rolling Stone** a consacré un numéro à la génération du baby-boom, dont les membres étaient, selon elle, nés entre les années 1944 et 1970. Les baby-boomers seraient donc âgés entre 18 et 44 ans.

Les yuppies Ils s'agit de baby-boomers avec de l'argent. L'acronyme YUP du mot yuppie signifie Young Urban Professionals (jeunes professionnels des villes). Les yuppies habitent la ville, ont d'importants revenus et achètent des biens de qualité supérieure, qu'il s'agisse de voitures, d'aliments ou de vêtements. Tous les yuppies sont des baby-boomers, mais tous les baby-boomers ne sont pas des yuppies.

Les afterboomers Il s'agit de la génération présente des élèves du niveau secondaire, qui sont nés après le baby-boom. Sur le plan démographique, ils représentent un pourcentage moins élevé de la population que les générations précédentes d'élèves du secondaire.

Les baby-busters Autre mot pour nommer les afterboomers. On appelle parfois les années 1970 l'ère du baby-bust. Notons toutefois qu'on ne fut pas témoin d'une recrudescence des naissances au cours de cette décennie.

Les late bloomers (étudiants en épanouissement tardif) Comme leur nom l'indique, il s'agit d'étudiants qui ont éprouvé des difficultés à l'école secondaire, mais qui excellent à l'université.

Les yuppy-puppies Ce sont les enfants des yuppies, que certains affublent de ce nom parce qu'ils n'aiment pas la façon dont ils s'habillent.

Les flyers Acronyme de Fun Loving Youth En Route to Success (jeunes jouisseurs en quête de succès) ; nom attribué par des publicitaires à certains jeunes dans le but de leur vendre des produits ou des services.

Les skippies L'acronyme SKIP de ce mot signifie School Kids with Income and Purchasing Power (écoliers avec revenus et pouvoir d'achat) ; ce sont les descendants des yuppies.

Les tippies L'acronyme TIP de ce mot signifie Toddlers with Income and Purchasing Power (bambins avec revenus et pouvoir d'achat). Étant donné que le consumérisme frappe des personnes de plus en plus jeunes, ce groupe représente les consommateurs de l'an 2000.

Source : Traduit de Charles Gordon, « A Glossary of Boomer Terms », *The Ottawa Citizen*, 16 juillet 1988, p. B-1.

LE COMPORTEMENT DES CONSOMMATEURS

Pourquoi certains consommateurs achètent des produits Coke et d'autres Pepsi ? Pourquoi certains vont chez McDonald alors que d'autres préfèrent Burger King ? Nombre de facteurs poussent les gens à acheter un produit plutôt qu'un autre ou à encourager un certain magasin plutôt qu'un autre. Par conséquent, les commerçants ont pour tâche d'analyser ce qui « accroche » les consommateurs. Pour élaborer une stratégie de marketing qui influencera les décisions d'achat des consommateurs, ils doivent être au courant des facteurs qui influencent chacun d'entre eux. En comprenant le comportement des consommateurs, les commerçants peuvent décider du genre de publicité pour lequel ils devront opter et de sa destination, de l'emballage et de la marque du produit à utiliser, et des techniques de promotion aux points d'achat. On peut affirmer qu'une entreprise qui n'a pas recours aux techniques appropriées ne pourra sans doute pas réaliser la vente de ses produits.

Or, déterminer ce qui pousse les consommateurs à acheter un produit plutôt qu'un autre n'est pas une tâche facile. Les commerçants cherchent à découvrir le comportement des consommateurs, que l'on peut définir comme « la configuration des pensées, des sentiments et des activités qui entrent en jeu dans l'acquisition et la consommation d'un bien de consommation[4] ». Comme l'indique la figure 11.5, les consommateurs sont influencés par des forces internes (personnelles) et externes.

Les influences personnelles

Les quatre éléments fondamentaux du comportement des consommateurs sont : les besoins, les motifs, les perceptions et les attitudes. Le point de départ de tout processus d'achat est la satisfaction d'un **besoin**. Essentiellement, cela correspond à l'achat d'un bien ou d'un service qui vise à combler une lacune. Les consommateurs sont constamment confrontés à des besoins qu'ils perçoivent comme insatisfaits, et qu'ils tentent de combler en achetant des biens qui leur procurent l'état physique et mental recherché. Un besoin suffisamment exacerbé pousse une personne à le satisfaire. Pour ce faire, elle prendra les mesures nécessaires dans le but de réduire l'état de tension dans lequel elle se trouve et pour arriver à un certain équilibre. Ainsi, une personne assoiffée cherchera à étancher sa soif. Essentiellement, un **motif** ou une pulsion est ce qui pousse quelqu'un à satisfaire un besoin.

Dès qu'une personne est motivée, son comportement s'oriente vers un but et est influencé par des **perceptions**, c'est-à-dire ce que nous

4. Traduit de Gurprit S. Kindra, Michel Laroche, et Thomas E. Muller, *Consumer Behaviour in Canada*, Scarborough, Nelson Canada, 1989, p. 4.

FIGURE 11.5
Les influences sur le comportement des consommateurs

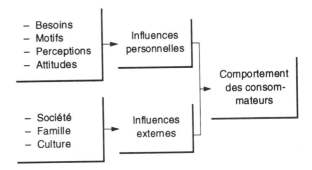

voyons, entendons, touchons, goûtons et sentons. Nous sommes fortement influencés par nos sens. C'est de cette façon que les commerçants captent l'attention des consommateurs, l'objectif premier de la publicité. Toutefois, les stimulations que l'on ressent sont considérablement influencées par certaines attitudes. Une **attitude** est essentiellement une impression favorable ou défavorable que nous donne quelque chose. Nous adoptons des attitudes au fil du temps, par nos expériences personnelles.

Les influences externes

Les facteurs externes qui influencent le comportement des consommateurs comprennent trois déterminants : la société, la famille et la culture. Des groupes à caractère officiel ou non influencent les modèles de comportement de chaque personne. L'influence sociale est particulièrement forte, les personnes s'identifiant à des groupes particuliers qui représentent une norme, un critère ou un point de référence (comme la classe supérieure, moyenne ou inférieure). Ainsi, le genre de produits que l'on achète est fortement influencé par les groupes de référence. Pour sa part, l'**influence familiale** représente la source d'influence de groupe la plus importante auprès des consommateurs. Les parents influencent certainement, par exemple, la façon dont leurs enfants achèteront des produits ou des services dans l'avenir. Enfin, la culture englobe les valeurs, les idées, les attitudes et les symboles qui sont transmis d'une génération à l'autre. La culture influence nombre de choses, dont l'attitude que l'on a envers ses parents, la préparation des aliments, l'apparence extérieure et les loisirs.

LES BIENS DE CONSOMMATION ET LES BIENS INDUSTRIELS

Tout comme il est important de différencier les marchés dans le cadre de stratégies de marketing, il est important de regrouper les produits en catégories homogènes. On distingue donc deux genres de biens : les biens de consommation et les biens industriels (voir figure 11.4). Chacun se divise en sous-catégories. Certains biens sont destinés aux marchés des consommateurs alors que d'autres s'adressent aux marchés industriels. Néanmoins, de nombreux biens sont achetés par ces deux secteurs ; par exemple, un étudiant peut faire l'achat d'un ordinateur MacIntosh à des fins personnelles, tout comme une entreprise peut l'acheter pour ses employés.

Les biens de consommation

Ces biens sont destinés aux consommateurs finaux ou aux chefs de ménage. En termes simples, ces personnes achètent des biens pour leur consommation personnelle et ne sont pas intéressées à en faire un usage plus poussé. Par convention, on divise les biens de consommation en trois catégories (voir figure 11.4) : les produits de consommation courante, les biens d'achat et les produits de spécialité. Cette classification a été établie selon la façon dont les consommateurs achètent des biens. Examinons maintenant la façon dont les consommateurs achètent les produits de chacun de ces groupes.

Les produits de consommation courante Les consommateurs veulent acheter fréquemment ces biens, de façon spontanée et en déployant le moins d'efforts possible. Ils connaissent bien ces produits et n'en compareront certainement pas les prix avant d'en faire l'acquisition. On compte parmi ces biens le lait, le pain, divers médicaments, les journaux, les revues, la gomme à mâcher, les cartes d'anniversaires, les cigarettes et le shampooing. La principale caractéristique de ces produits est qu'ils sont bon marché et peu encombrants, qu'ils ne sont pas soumis aux modes et portent généralement une marque. Les consommateurs doivent souvent en faire provision. Le tableau 11.2 montre une liste des plus importantes considérations de marché pour ce genre de biens :

TABLEAU 11.2
Considérations de marché
pour produits de consommation courante

Produit	De marque connue, facilement identifiable par les consommateurs
Promotion	Publicité à l'échelle nationale et promotion aux points d'achat
Prix	Peu élevé (low)
Distribution	Produit vendu dans les dépanneurs (doit être facilement accessible)

Les biens d'achat Les consommateurs désirent comparer la qualité et le prix de ces biens avant de faire leur choix. Ils n'ont aucune connaissance préalable des caractéristiques de ces produits et cherchent à obtenir de l'information à leur sujet de magasin en magasin avant d'en faire l'achat. Les meubles, les bijoux, les vêtements, les chaussures, les automobiles, les téléviseurs, les caméras vidéo et les appareils ménagers sont des produits d'achat types. La marque de ces produits n'est pas aussi importante que leurs attributs physiques, soit le prix, le style, le service après-vente, les garanties ou même la façon dont ils sont manipulés par les employés du magasin. Le tableau 11.3 montre une liste des plus importantes considérations de marché pour ce genre de biens.

TABLEAU 11.3
Considérations de marché pour biens d'achat

Produit	Caractéristiques du produit (par exemple, la qualité)
Promotion	Étroite collaboration entre le fabricant et le détaillant (campagnes de promotion conjointe comprenant des annonces et des présentoirs)
Prix	De moyen à élevé
Distribution	Le nom du détaillant est aussi important que celui du fabricant

Les produits de spécialité Les acheteurs de ces biens savent exactement ce qu'ils recherchent, même avant de se rendre au magasin. Un produit de spécialité possède des caractéristiques uniques qui attirent le client. Celui-ci l'a probablement vu annoncé à la télévision ou dans une revue, ou a entendu parler de ses qualités distinctes par un ami ou un parent. Le consommateur n'est pas prêt à substituer ce genre de produit pour un autre. Ces biens peuvent comprendre les produits d'épicerie fine, les aliments naturels, l'équipement vidéo ou les automobiles. Une caméra Handycam de Sony, une voiture BMW et une montre Rolex sont des exemples de produits de spécialité. De plus, étant donné que le consommateur n'est pas disposé à acheter un produit d'une autre marque que celle qu'il recherche, il pourra consacrer plus de temps à trouver un magasin qui vend cette marque de produits. Le tableau 11.4 montre les plus importantes considérations de marché pour ce genre de biens.

TABLEAU 11.4
Considérations de marché pour produits de spécialité

Produit	De qualité supérieure
Promotion	Le produit peut être annoncé par le détaillant et par le fabricant
Prix	Très élevé
Distribution	Produit vendu dans des boutiques spécialisées (éventail limité)

Les biens industriels

En raison des méthodes d'achat plus uniformes de ces biens, on ne les classe pas de la même façon que les biens de consommation, qui sont divisés en catégories correspondant aux habitudes des consommateurs. Les méthodes d'achat industrielles s'appuient davantage sur des considérations d'ordre économique plutôt que d'impulsion ou de commodité. Par conséquent, on procède à une classification des biens industriels selon leur utilisation. Une différence d'importance entre les biens de consommation et les biens industriels est que ces derniers sont destinés à la revente (comme les matières premières, l'outillage, les outils et les fournitures de bureau). Tout comme les biens de consommation, les biens industriels peuvent aussi être divisés en sous-catégories. Les six subdivisions des biens industriels sont: les installations, l'équipement accessoire, les matières premières, les pièces, les fournitures et les services (voir figure 11.4).

Les installations Il s'agit principalement de biens coûteux comme le matériel lourd, les avions, les camions, les remorques et les turbogénérateurs. La qualité et le service sont des éléments importants pour l'achat et la vente de ces produits.

L'équipement accessoire Ces biens sont moins coûteux que les installations. Bien qu'il considère que la qualité et le service sont importants, l'acheteur de ces produits accorde une attention toute particulière à leur prix. Des exemples types de ces produits sont les ordinateurs, les petits tours, les machines à additionner, l'équipement de bureau, les caisses enregistreuses et les chariots élévateurs à fourche. Comme ces produits ne sont généralement pas fabriqués selon certaines spécifications, ils sont habituellement créés de façon standard.

Les matières premières   Ces produits font partie d'un bien qui a été traité ou fabriqué. Contrairement aux installations et à l'équipement accessoire, les matières premières sont transformées par l'entreprise et vendues à ses clients. Les matières premières sont habituellement classifiées, ce qui facilite la décision des acheteurs. Des exemples en sont le blé destiné à faire le pain, le coton pour faire les vêtements, le bois pour fabriquer les meubles et l'acier utilisé dans l'équipement de bureau.

Les pièces   Ces biens sont similaires aux matières premières en ce sens qu'ils constituent des composantes des produits finis. Par contre, les pièces ne sont ni traitées ni manufacturées, mais deviennent une partie intégrante des produits finis. Des bougies pour les voitures, des piles pour les jouets et des poignées de métal pour l'ameublement en sont quelques exemples.

Les fournitures   Les fournitures de consommation et d'entretien industrielles sont aux entreprises ce que les produits de consommation courante sont aux particuliers. On les considère comme des articles à prix régulièrement bas qui sont nécessaires au bon fonctionnement quotidien de l'entreprise et que l'on peut facilement se procurer. Ces biens ne font pas partie des produits d'une entreprise au même titre que les matières premières ou les pièces. En outre, on peut les diviser en trois catégories : les biens d'entretien, comme les balais, les ampoules électriques et la cire à plancher ; les biens de réparation, comme les écrous et les boulons ou le matériel nécessaire pour réparer divers équipements ; les fournitures d'opération et d'entretien comme les crayons, les rubans, les trombones, le papier et le combustible.

Les services   Une entreprise industrielle doit souvent avoir recours à de l'aide de l'extérieur pour accomplir certaines tâches spécialisées, comme la comptabilité, les tâches juridiques ou du travail d'ingénierie. Une entreprise pourrait également décider de conclure des contrats de services avec des travailleurs ou des spécialistes indépendants pour la réalisation de certaines tâches, comme le nettoyage des lieux ou l'installation d'un nouveau logiciel dans son service de la comptabilité.

Le tableau 11.5 illustre la relation entre les quatre variables du marketing et les trois catégories de biens de consommation. Comme on peut le constater, la stratégie de promotion utilisée pour les produits de consommation courante est entièrement différente de celle qui est utilisée pour les produits de spécialité.

LA STRATÉGIE DE MARKETING

L'étape finale de l'élaboration d'une stratégie de marketing consiste à déterminer la composition des éléments de marketing qui faciliteront l'acheminement des produits ou des services vers le segment de marché choisi. D'importantes décisions devront être prises quant au genre de produits ou de services qui devraient être commercialisés, au réseau le plus efficace à adopter, à la façon dont on devrait faire la promotion du produit ou du service et au prix auquel il devrait être offert. Ces quatre variables forment ce qu'on appelle le « marketing mix » (voir figure 11.6). Le chapitre 12, *La gestion des variables du marketing*, traite plus en détail de ces variables.

Le produit   La stratégie de produit n'a pas seulement pour objet les caractéristiques physiques du produit, mais aussi le nom qu'on devrait lui attribuer, son étiquette, ses couleurs, sa marque de commerce, ses dimensions et ses garanties.

TABLEAU 11.5
Les catégories de biens de consommation

	Produits de consommation courante (revues, aliments...)	Biens d'achat (meubles, appareils...)	Produits de spécialité (produits haut de gamme...)
Produit			
Planification de l'achat	Peu importante	Élevée	Élevée
Importance de la marque	Élevée	Peu élevée (low)	Très élevée (very high)
Importance de l'emballage	Élevée	Moyenne	Moyenne
Satisfaction procurée	Immédiate	À long terme	À long terme
Fréquence des achats	Souvent	Peu souvent	Peu souvent
Promotion			
Médias utilisés	Télévision, revues journaux	Télévision, revues, journaux	Revues spécialisées
Présentoirs aux points d'achat	Très importants	Pas importants	Moins importants
Formation des représentants	Brève	Moyenne	Détaillée
Responsable de la publicité	Fabricant	Détaillant	Responsabilité conjointe
Endroit			
Choix du magasin	Pas important	Important	Très important
Distance (du magasin à l'acheteur)	Courte	Raisonnable	Longue
Établissements	Nombreux	Peu nombreux (few)	Très peu nombreux (very few)
Circuit de distribution	Long	Court	Très court
Prix			
Coût du produit	Peu élevé	De moyen à élevé	Élevé
Rapport qualité-prix	Aucun	Oui	Non

Cette notion globale réunit donc les aspects physiques du produit et la satisfaction qu'il procure au consommateur.

La promotion Cette variable de marketing traite de la façon dont le produit sera annoncé et dont on en fera la publicité et la vente. Une fois le marché cible déterminé et le nombre d'acheteurs éventuels connu, les commerçants se pencheront sur les trois composantes de cette variable: les techniques de publicité, les campagnes publicitaires de masse et les ventes personnelles.

L'endroit Il s'agit de l'endroit où sera vendu le produit ou le service, élément qui détermine dans une grande mesure la façon dont le produit sera distribué sur le marché. Par exemple, un fabricant peut décider de vendre son produit par l'entremise de grossistes et de détaillants ou directement aux consommateurs. L'endroit a trait au déplacement d'un bien d'un point à un autre, soit aux circuits de distribution.

Le prix Plusieurs facteurs déterminent la façon dont le prix d'un produit sera établi, notamment: sa qualité, la façon dont il a été acheté, les règlements du gouvernement, l'opinion publique, la concurrence et, surtout, l'atteinte d'un objectif de profit raisonnable.

FIGURE 11.6
Les variables du
marketing

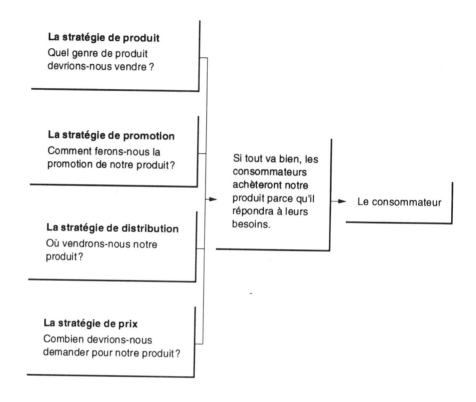

La stratégie de produit

Le choix d'un paquet de biscuits aux pépites de chocolat peut constituer une décision ardue... Opterons-nous pour les biscuits aux pépites de chocolat ordinaires, les biscuits rayés aux pépites de chocolat, ceux aux morceaux de chocolat ou aux pépites arc-en-ciel? Choix rendu en effet particulièrement difficile depuis que l'entreprise torontoise Nabisco Brands Ltée a récemment modifié sa gamme de célèbres biscuits aux pépites de chocolat. «Nous avons doublé la variété de cette sorte de biscuits au cours des trois dernières années, affirme Doug Miller, vice-président, marketing, de la division Christie Brown de Nabisco. Or, tous ces changements se sont avérés des succès parce qu'ils respectaient l'essence, la qualité de nos biscuits aux pépites de chocolat originaux. En fait, tout ce que nous avons fait a été d'en offrir un plus grand éventail.»

Puisque la conception de nouveaux produits signifie maintenant un investissement équivalent à des millions de dollars, les fabricants de produits de consommation ont trouvé une méthode plus économique d'arriver à leurs fins. En effet, ils misent désormais sur la popularité d'un produit existant en en offrant des dérivés.

Selon M. Miller, « au cours des années 1960, on ne touchait pas aux produits populaires et on essayait plutôt d'en lancer de nouveaux. Or, pour des raisons économiques, nous procédons maintenant d'une autre façon : quand un produit se vend bien, on en crée d'autres dans la même gamme. » Un exemple de cette façon de procéder est l'ajout de caractéristiques à un produit existant dans le but d'augmenter une gamme de produits, comme l'addition de pépites de couleur aux biscuits aux pépites de Nabisco.

Nabisco maîtrise d'ailleurs cet art depuis qu'elle a augmenté ses gammes de produits, comme les biscuits Ritz, Oreo et Triscuits, et depuis qu'elle a augmenté sa part du marché. Parmi ces dérivés qui ont connu du succès, notons les mini Ritz, les sandwichs à la crème-glacée Oreo et les mini Triscuits. Cet été, Christie Brown a même lancé une campagne de promotion à court terme de ses biscuits Oreo, desquels on avait remplacé la crème blanche par une garniture de couleur fluorescente, soit jaune, rose, verte ou oranger. M. Miller souligne qu'il est essentiel de procéder à une planification minutieuse avant de choisir de se lancer dans une telle entreprise : « La gestion efficace de tels changements entraînera des profits à long terme pour l'entreprise comme pour les consommateurs. Parce que nos produits de base ont une valeur unique, on doit faire particulièrement attention à ne modifier en rien leur statut. »

Jacqui d'Eon, directrice des services à la clientèle de la société Procter & Gamble Inc., de Toronto, affirme que le maintien des qualités du produit de base constitue une priorité dans le processus de l'ajout de produits à une gamme. « Une gamme de produits a sa propre personnalité et il est possible qu'un dérivé ne corresponde pas à cette dernière. On doit donc évaluer cette éventualité par rapport aux profits que l'on pourrait réaliser par ce changement », affirme-t-elle. Elle ajoute que les consommateurs doivent aussi être convaincus qu'il y a un besoin pour la diversification d'une gamme. Par exemple, lorsque la société P & G a lancé son nouveau détergent Tide avec Javel, elle a mis l'accent sur la différence de celui-ci par rapport au savon Tide original. Tony Long, président de The Long Group, une agence de marketing de Toronto, affirme que l'un des risques inhérents à l'ajout de produits à une gamme est le « cannibalisme », soit le fait qu'un dérivé affecte l'image et la rentabilité du produit de base en la ternissant ou en détournant notre attention du produit. Ainsi, « un consommateur qui a choisi un certain produit peut en essayer un dérivé et ne pas l'aimer. Sa perception de ces produits s'en trouvera alors modifiée et il remettra en question ses habitudes d'achat », explique-t-il. Un exemple classique de cette conséquence est le lancement de la bière Lite de Miller par la Miller Brewing Co., en 1975. Cette nouvelle bière a en effet éclipsé les ventes de la bière High Lite de Miller.

La bière Lite de Miller se classe en effet maintenant deuxième sur le plan des ventes de bières aux États-Unis, alors que la High Lite est sixième. « À mon avis, il s'agit ici de l'amélioration d'un produit, affirme M. Miller, de Nabisco. Les consommateurs ont donné leur opinion avec leur argent : en achetant davantage cette nouvelle sorte de bière, ils signifiaient leur préférence pour celle-ci. Quand nous procédons à la diversification d'une gamme, nous essayons d'offrir aux consommateurs quelque chose de différent qui est conforme à l'image de nos produits. »

Ce ne sont pas tous les commerçants qui sont d'avis que l'ajout de nouveaux produits à une gamme existante constitue une méthode efficace pour augmenter les ventes, à moins que l'on ait pour cible une région où il y a un besoin particulier à combler. « Si vous créez un dérivé parce que le nom de votre entreprise est synonyme de prospérité, vous jouez grandement avec le feu », affirme Robin Woods, président de Market Segmentation Ltd, une entreprise de Markham (en Ontario). M. Woods donne l'exemple de la société Xerox, qui a éprouvé ce problème le jour où elle a décidé de se lancer dans la production d'ordinateurs, en s'appuyant sur sa solide réputation à titre de fabricant de photocopieurs : « Les dirigeants ont décidé d'utiliser le nom de l'entreprise pour l'accoler à une gamme de produits qui ne lui convenait pas vraiment, et ils se sont heurtés à l'incompréhension de leur clientèle. »

Source : Traduit de Mark Evans, « A Chocolate Chip by Any Other Name Sells as Sweet », *The Financial Post*, 28 août 1990, p. 12.

RÉSUMÉ

Sommaire

1. Le marketing est l'activité commerciale qui détermine le genre de produits ou de services dont les consommateurs ont besoin. Les organisations de marketing d'aujourd'hui ont adopté la notion de gestion intégrée du marketing, qui dirige les efforts de l'entreprise vers la satisfaction du client et la maximisation des profits. Le marketing créé quatre catégories d'utilité : la forme, la propriété, le temps et l'endroit.

2. L'organisation du marketing se charge de huit fonctions distinctes : l'achat, la vente, le transport, l'entreposage, la normalisation et la classification, le financement, la cueillette d'information et la prise de risques.

3. L'étude de marketing vise à établir un profil de consommateurs cibles, vers lesquels une entreprise veut diriger ses efforts de marketing. Un marché est un endroit où des vendeurs offrent leur biens et leurs services à des groupes particuliers de consommateurs. Les

facteurs clés de la segmentation d'un marché sont les attributs physiques, comme l'importance, la géographie et la démographie, et les caractéristiques du comportement des consommateurs, comme les facteurs qui influencent un consommateur pour l'achat d'un produit plutôt qu'un autre.

4. L'étude du comportement des consommateurs correspond à l'activité de marketing qui établit les facteurs qui influencent les consommateurs pour l'achat de certains biens ou services. Lorsqu'il fait l'acquisition d'un bien, le consommateur est influencé par des forces internes (personnelles), comme des besoins, des motifs, des perceptions et des attitudes, et par des forces externes, comme des groupes, des membres de sa famille et sa culture.

5. On divise les biens en deux catégories. La première correspond aux biens de consommation, qui sont achetés par des utilisateurs finaux ou des chefs de ménage. Ces biens comprennent les produits de consommation courante, les biens d'achat et les produits de spécialité. La deuxième catégorie est celle des biens industriels, qui sont achetés par des entreprises ou des gouvernements. Ces biens comprennent les installations, l'équipement accessoire, les matières premières, les pièces, les fournitures et les services.

6. Les quatre variables importantes pour déterminer une stratégie de marketing sont : la stratégie de produit, la stratégie de promotion, la stratégie d'endroit ou de distribution et la stratégie de prix.

Notions clés

L'achat

L'entreposage

L'étude de marketing

La cueillette d'information

La normalisation

La prise de risques

La segmentation des marchés

La stratégie de distribution

La stratégie d'endroit

La stratégie de produit

La stratégie de promotion

La stratégie de prix

La vente

Le comportement des consommateurs

Le financement

Le transport

Les biens d'achat

Les biens de consommation

Les biens industriels

Les produits de consommation courante

Les produits de spécialité

Exercices de révision

1. Qu'entend-on par **marketing** ou **commercialisation** ?

2. Quel est le rôle de la fonction de marketing ?

3. Expliquez les fonctions du marketing suivantes :

    a) l'achat

    b) le transport

    c) le financement

    d) la prise de risques

4. Qu'entend-on par **segmentation de marchés** ?

5. Expliquez les attributs physiques du marché.

6. Donnez votre opinion sur les forces personnelles et extérieures qui influencent les consommateurs pour l'achat d'un produit plutôt qu'un autre.

7. Pourquoi est-il important d'établir une différence entre les biens de consommation ?

8. Quelle est la différence entre un produit de consommation courante et un bien d'achat ?

9. Nommez les différentes catégories de biens industriels.

10. Expliquez les quatre variables du marketing.

Matière à discussion

1. Le marketing est-il une fonction commerciale nécessaire ? Pourquoi ?

2. Le consommateur est-il réellement le roi dans un contexte d'économie libérale ? Pourquoi ?

Exercices d'apprentissage

1. L'analyse du consommateur

Un important fabricant d'automobiles envisage de lancer une nouvelle voiture pour attirer un groupe de consommateurs particuliers. À l'heure actuelle, l'entreprise vend des douzaines de modèles différents, de toutes gammes, adaptés à une clientèle variée. L'entreprise évalue donc la possibilité de créer un nouveau modèle destiné à un consommateur sportif, qui recherche avant tout une voiture pratique, et dont le style de vie pourrait comprendre une propriété à la campagne, un chalet d'hiver et le goût des sports équestres.

Les cadres supérieurs de l'entreprise sont d'avis qu'il y a actuellement une lacune dans ce créneau qui connaît une croissance rapide. Ils proposent de créer une voiture qui allierait quatre roues motrices au rendement, au confort et à la commodité d'une luxueuse berline européenne. En outre, ils croient que leur véhicule pourrait devancer les produits de Jeep, de Nissan et de Toyota, ou de tout autre fabricant de véhicules à quatre roues motrices. Comme le soulignait l'un de ces cadres au cours d'une réunion :

« Nous ne pouvons lancer une nouvelle voiture à quatre roues motrices qui soit une simple copie des produits déjà sur le marché. Notre création devra être différente et devra plaire à une clientèle unique et distincte. Ce luxueux modèle de voiture de campagne devrait donc être doté de caractéristiques particulières comme des pare-chocs chromés, un système de lecteur de disques au laser de première qualité comportant sept haut-parleurs, un moteur V8 en aluminium à injection avec une transmission automatique à quatre vitesses, des freins à disques aux quatre roues motrices munis d'un système anti-verrouillage, une suspension formidable offrant une conduite confortable en ville comme sur l'autoroute, une bonne accélération, un intérieur luxueux paré d'un cuir spécial, un espace suffisant pour loger la tête et les jambes de cinq adultes et, enfin, une bonne visibilité. »

Un autre responsable du marketing ajoutait alors :

« La voiture sera évaluée et comparée à d'autres voitures par rapport : 1) au rendement, qui comprend, entre autres, l'accélération, la conduite, la maniabilité, le freinage et l'économie d'essence ; 2) aux caractéristiques pratiques de l'intérieur, comme le tableau de bord, les sièges, la visibilité, l'air climatisé et l'accès ; 3) au confort de l'habitacle, dont l'espace pour les passagers, la réduction du bruit, l'équipement, l'espace pour les bagages ; 4) à la fabrication, dont la carrosserie, la peinture extérieure, la ligne, le fini intérieur et la qualité générale des matériaux utilisés. »

Questions

1. Quel genre d'étude de marketing permettrait aux responsables du marketing de prendre la meilleure décision qui soit avant de procéder à la fabrication de la nouvelle voiture ?

2. À votre avis, existe-t-il un créneau pour ce genre de produit ? Pourquoi ?

2. Les variables du marketing

Un groupe de cinq personnes d'affaires envisage d'ouvrir un magasin dans un centre commercial. Ce dernier, situé dans l'est d'une ville de plus de 500 000 habitants, comprend déjà 100 magasins, dont un magasin à rayons à chacune de ses extrémités. Le magasin proposé offrirait une vaste gamme de produits et de services au moyen d'un nouveau concept de marchandises. Le magasin offrirait les gammes de services et de produits suivants, de marques nationales bien connues :

1. appareils-photos et accessoires de photographie ;

2. caméras et matériel vidéo ;

3. films et traitement de ceux-ci ;

4. location de matériel (appareils-photos et matériel vidéo) ;

5. location de films ;

6. téléviseurs ;

7. magnétoscopes ;

8. cuisinières et réfrigérateurs.

Les membres du groupe sont fort de nombreuses années d'expérience dans divers magasins de la région. Financièrement, ils ont les reins solides et seraient en mesure de lancer le magasin sans éprouver de nombreux problèmes. Or, comme leur nouvel établissement offrirait un grand éventail de produits et de services, ils se demandent s'ils devraient faire la promotion de toutes leurs gammes de produits. Ils savent que les stratégies de produit, de prix et de promotion sont critiques pour ce genre d'entreprises et que s'ils désirent être prospères, ils devront opter pour une stratégie de marketing qui les fera connaître d'un bout à l'autre de la ville.

Questions

1. Quel genre d'étude de marketing mèneriez-vous afin d'assurer la survie à long terme du magasin ?

2. Quelle stratégie de marketing recommanderiez-vous aux propriétaires pour faire la publicité de leur magasin, de leurs produits et de leurs services ?

3. Quel genre de stratégie (le cas échéant) adopteriez-vous à long terme pour faire la publicité des différents biens et services qu'offre le magasin ?

CHAPITRE
12

PLAN

Les variables de marketing

La stratégie de produit
Le développement de nouveaux produits
Le cycle de vie d'un produit
Un enjeu commercial actuel : le développement de produit
Le marquage
L'emballage
L'étiquetage

Un point de vue : la stratégie de produit

La stratégie des prix
Les méthodes d'établissement des prix

La stratégie de promotion
La publicité
La vente personnelle
La promotion des ventes

Un point de vue : la publicité

La stratégie de distribution
Les grossistes
Les détaillants
Les types de circuits de distribution
La distribution matérielle

Résumé

LA GESTION
DES VARIABLES
DE MARKETING

Les objectifs du chapitre

Après avoir lu le présent chapitre, vous pourrez :

1. expliquer le cycle de vie d'un produit et le rôle de l'emballage, de l'étiquetage et du marquage ;

2. décrire les processus d'établissement des prix les plus utilisés ;

3. discuter du rôle de la promotion dans le marketing des biens, et des principaux types de techniques publicitaires et promotionnelles ;

4. définir ce qu'on entend par circuits de distribution et intermédiaires les plus importants.

Dans les années 1990, que doit faire le fabricant informatique autrefois révolutionnaire, Apple Computer Inc., afin de redresser sa part de marché à la baisse ? Les analystes de ce secteur d'activité proposent trois mesures : 1) étendre la gamme de produits Macintosh, et y ajouter des ordinateurs légers et des postes de travail puissants, 2) restaurer l'image d'innovateur de l'entreprise, et 3) améliorer les relations avec les importants réalisateurs de logiciels. Bien que l'entreprise ait connu des situations difficiles par le passé, le milieu concurrentiel actuel est différent. Aujourd'hui, l'entreprise fait face à la concurrence de dizaines d'ordinateurs dont « l'aspect et l'impression » ressemblent au jadis unique Macintosh. La part d'Apple du marché américain des ordinateurs personnels a, estime-t-on, chuté de 15 p. 100 en 1987 à 9 p. 100 en 1990.

Le président-directeur général de l'entreprise, Michael Spindler, a déclaré récemment que bien qu'Apple ait tenté d'acquérir une plus grande part de marché grâce aux changements apportés en 1984, l'entreprise a sacrifié deux facteurs fondamentaux :

- elle a établi le prix des Mac hors de la portée de la plupart des premiers clients d'Apple — utilisateurs domestiques et scolaires ;

- elle a trop misé sur l'aspect technique de ses produits de suivi, convaincue de la supériorité de ses appareils et oubliant les progrès techniques que réalisaient ses concurrents. Le cas le plus radical est sans doute le Macintosh portatif d'Apple, lancé en 1989. Cet ordinateur est arrivé sur le marché une année trop tard, pesait 10 kg et se vendait près de 10 000 $. Entre-temps, des entreprises comme NEC Corp. du Japon et Compaq Computer Corp. de Houston s'étaient déjà emparées du marché grâce à des copies des ordinateurs IBM moins chères, de la taille d'un cahier et de moins de 5 kg.

Bill Kirwin, directeur de programme pour les conseillers américains en technologie, Gartner Group Inc., affirme qu'Apple enregistre des gains lents dans le marché des entreprises. Les nouveaux prix, associés à une amélioration des logiciels du système d'exploitation d'Apple prévue pour le printemps prochain, permettront à Macintosh de regagner son statut, malgré la récession des ventes d'ordinateurs prévue l'an prochain.

Certains analystes prétendent qu'Apple a ignoré deux nouveautés technologiques qui ont radicalement modifié le marché des ordinateurs personnels depuis 1984, soit des puces informatiques plus puissantes et de meilleurs logiciels du système d'exploitation. Les nouvelles puces, appelées microprocesseurs de type RISC, étaient utilisées par des entreprises comme Sun Microsystems Corp., afin de produire une nouvelle génération de postes de travail informatiques beaucoup plus puissants que

les copies d'IBM ou de Macintosh, à peu près au même prix. En outre, un logiciel de 179 $, le Windows 3.0 de Microsoft Corporation, accorde aux utilisateurs d'ordinateurs compatibles IBM nombre des caractéristiques autrefois disponibles exclusivement sur les Mac pour le double du prix. « Il est certain qu'Apple se trouve en présence d'un problème de concurrence avec Windows », de dire Paul Philip, directeur de produit chez Alias Research Inc., un réalisateur de logiciels de Toronto qui a récemment lancé son premier produit fabriqué pour Macintosh. « J'ai le sentiment que les réalisateurs quittent la plate-forme Macintosh plus qu'ils ne l'approchent. La baisse des prix d'Apple constitue un pas dans la bonne direction, et nous allons surveiller de près si le système d'exploitation amélioré, lancé le printemps prochain et nommé System 7, qui est déjà un an en retard, va contrer comme il est censé le faire le Windows de Microsoft grâce à plusieurs nouvelles caractéristiques, dont un meilleur réseautage et de meilleures fonctions de partage des données, ce qui pourrait stimuler les Mac[1]. »

LES VARIABLES DE MARKETING

Le présent chapitre examine les quatre variables nécessaires à l'énoncé d'une stratégie de marketing. Le service de marketing détermine la combinaison la plus appropriée des stratégies qui traitent de produit, de promotion, d'emplacement et de tarification, et qui sont nécessaires pour vendre des biens à un marché particulier. La stratégie de marketing ne s'élabore pas dans le vide ; elle doit tenir compte de la mission, des politiques, des objectifs et des stratégies de l'entreprise.

Le tableau 12.1 indique les questions les plus importantes que se posent les responsables du marketing lorsqu'ils énoncent les stratégies de

---

1. Traduit de Mike Urlocker, « Apple has to move quickly on a rough comeback trail », *The Financial Post*, 26 novembre 1990, p.4.

TABLEAU 12.1
Éléments des variables
de marketing

Les variables	Éléments importants à considérer pour chaque stratégie
Stratégie de produit	– Quels types de produits faut-il mettre en marché? – Que doit être notre politique de recherche et développement? – Quel est le cycle de vie de chacun de nos produits? – Comment marquer nos nouveaux produits? – Comment emballer nos produits? – Quel type d'étiquettes nos produits devraient-ils porter? – Doit-on changer l'emballage de nos gammes de produits actuelles?
Stratégie des prix	– Quel prix doit-on vendre notre nouveau produit? nos produits actuels? – Doit-on offrir des escomptes spéciaux à nos grossistes? à nos détaillants? – Quel rendement doit donner notre nouveau produit? notre gamme de produits actuelle? – Quelle est la situation de l'offre et de la demande?
Stratégie de promotion	– Comment faire connaître nos produits? – Doit-on recourir à la publicité de masse? – Quels médias doit-on utiliser? – Doit-on embaucher une agence de publicité afin d'établir notre stratégie de promotion? – Quel type d'équipe de vente doit-on avoir? – Doit-on offrir des promotions des ventes?
Stratégie de distribution	– Comment acheminer nos produits vers le marché? – Qui doivent être nos intermédiaires? – Doit-on avoir notre propre équipe de vente ou recourir à des agents? Avec quels détaillants doit-on négocier? – Quels types de contrats de travail doit-on conclure avec les intermédiaires relativement aux escomptes, à la promotion, à la formation?

chaque variable de marketing. L'entreprise doit se plier à ces étapes :

– déterminer le type de produit qu'elle désire produire, c'est-à-dire, le produit le plus susceptible d'attirer le consommateur cible ;

– établir un prix qui sera concurrentiel tout en assurant un rendement convenable à l'entreprise ;

– élaborer une stratégie qui fera connaître le produit aux consommateurs, la nature de celui-ci ainsi que l'endroit et le moment des achats ;

– décider du réseau de distribution qui fera que le produit atteigne le consommateur.

Si toutes les décisions sont adéquates, les consommateurs seront satisfaits, et l'entreprise enregistrera des bénéfices appréciables.

LA STRATÉGIE DE PRODUIT

La première étape du processus décisionnel du marketing consiste à déterminer le type de produit que l'on doit vendre. Lorsque nous faisons mention de produit, la première chose qui se présente à notre esprit est l'aspect matériel qu'il empruntera — une voiture, une bicyclette, un appareil-photo, un ordinateur ou un magnétoscope. Les gestionnaires du marketing considèrent les produits dans un contexte beaucoup plus vaste. Ils ont en tête des facteurs qui incitent le consommateur à effectivement acheter un produit, c'est-à-dire les avantages qu'il s'attend à tirer de son achat. Par exemple, lorsque les consommateurs achètent des caméras vidéo, ils achètent bien davantage qu'une pièce de matériel faite de plastique, de métal, d'un moteur à batterie, de lentilles et d'autres pièces. En fait, les consommateurs achètent les avantages ou la satisfaction qu'ils escomptent tirer du produit, comme le fait d'enregistrer sur bande de nombreuses occasions de réjouissance dont ils voudront se souvenir au cours des années à venir. Les responsables de marketing savent également que les consommateurs veulent acheter une caméra qui est notamment facile à manier, qui produit des images de qualité et qui est garantie. Les consommateurs veulent avoir affaire à un représentant qualifié qui est en mesure de répondre à leurs questions. L'expérience d'achat doit être perçue comme un épisode agréable.

Le développement de nouveaux produits

La clé de la stratégie de produit consiste à développer de nouveaux produits et à améliorer les produits existants. Ceux-ci ne sont pas éternels, ce qui explique probablement pourquoi les entreprises mettent en marché des gammes de produits dont beaucoup visent un marché semblable. Par exemple, un fabricant de meubles produit une gamme complète de tables, de chaises, de bureaux et de divans. Les responsables du marketing doivent décider de la gamme de produits la plus efficace et efficiente à fabriquer et à vendre. Ils doivent décider du type de produit et du nombre de styles que doit compter chaque gamme de produits.

L'efficacité du développement de nouveaux produits constitue le moteur de toute entreprise, car celle-ci ne saurait durer sans une stratégie efficace de développement de produit. Par conséquent, il importe que les entreprises créent constamment de nouveaux produits ou améliorent les anciens. Le tableau 12.2 indique le processus en sept étapes du développement de nouveaux produits. Ce processus comprend la conception d'idées, l'évaluation, l'analyse de valeur et de rentabilité, la mise au point d'un prototype, un test de produit, le marketing expérimental et la commercialisation.

Le cycle de vie d'un produit

À l'instar des humains, les produits traversent différentes phases au cours de leur vie. Les produits entrent dans le marché, croissent un certain temps, atteignent une certaine maturité, puis se mettent à décliner. Ces quatre phases représentent le cycle de vie du produit. Certains produits ont une vie très brève, comme le cube de Rubik tandis que d'autres, comme l'automobile ou la bicyclette, semblent durer toujours. Toutefois, ces derniers biens ne sont pas à l'abri du déclin. Les entreprises doivent sans cesse améliorer leurs produits afin de répondre aux changements des préférences des consommateurs, et tirer profit des progrès techniques en vue d'être à la hauteur des produits concurrents. Par exemple, si les grands fabricants de voitures nord-américaines n'avaient pas changé leurs modèles pour en faire de plus petits et économiques en essence, les fabricants d'automobiles japonais ou européens les auraient chassés du marché. De même, les fabricants du traitement de texte original vendaient leur appareil plus de 10 000 $, il y a dix ans. De nos jours, les traitements de texte sont beaucoup plus puissants et se vendent à une fraction du coût original.

Le cycle de vie du produit représenté à la figure 12.1 compte quatre phases: la précommercialisation, la croissance du marché, la plénitude du marché et la diminution des ventes.

TABLEAU 12.2
Le processus
du développement
de produit

Étapes	Questions relatives au processus du développement de produit
1. Nombre de nouvelles idées	– Qui doit être responsable du développement de nouvelles idées de produit? – Quel processus doit encourager le développement de nouvelles idées? – Doit-on acheter de nouvelles idées?
2. Évaluation	– Quel processus utiliser afin d'évaluer les nouvelles idées? – Qui doit évaluer les nouvelles idées? – Doit-on demander l'opinion de conseillers de l'extérieur ou d'un groupe témoin de consommateurs?
3. Analyse de valeur et de rentabilité	– L'idée est-elle rentable? – Quels sont les frais de développement, de fabrication et de vente? – Quel est le seuil de rentabilité?
4. Développement du prototype	– Quel aspect doit présenter le produit? – Comment le produit fonctionne-t-il? – Le prototype nous apprend-il quoi que ce soit qui puisse nous aider à le fabriquer de la manière la plus efficace et la plus efficiente?
5. Test de produit	– Quelle est la réaction des acheteurs éventuels? – À quel point le produit est-il bon? Comment le mettre à l'essai, et combien de temps? – Peut-on améliorer notamment la qualité, la durabilité et l'aspect du produit?
6. Commercialisation expérimentale	– Obtenons la réaction des grossistes, des détaillants, des acheteurs. – Obtenons leur réaction à l'égard de la qualité, du prix, de l'aspect, de l'emballage et de l'étiquetage du produit.
7. Commercialisation	– Maintenant que nous possédons toutes les réponses aux questions ci-dessus, comment pouvons-nous lancer le produit dans le marché à la faveur de stratégies de promotion, des prix et de distribution?

La phase de la pré-commercialisation   Le premier objectif de toute entreprise qui lance un nouveau produit est de le faire connaître aux consommateurs éventuels et aux intermédiaires comme les grossistes et les détaillants, qui font partie du réseau de distribution. Au cours de cette première phase, on se concentre surtout sur l'énoncé d'une campagne de publicité de masse, ainsi que sur l'opération de promotion et la création de techniques de vente personnelles précises qui vont ①suciter assez d'intérêt dans le marché pour sensibiliser les consommateurs à l'existence du produit et, à plus forte raison, ②les encourager à l'acheter. Comme l'indique

FIGURE 12.1
Les phases du cycle de vie d'un produit

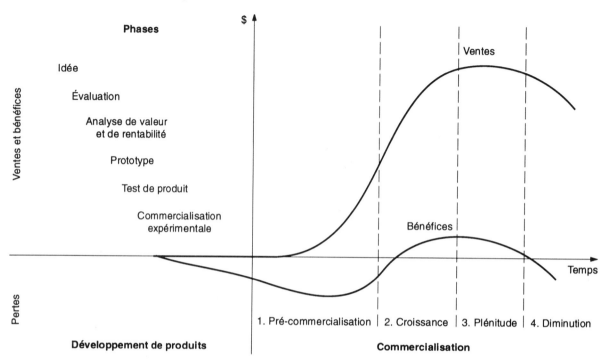

la figure 12.1, la première phase est onéreuse pour les entreprises; les ventes sont faibles et l'entreprise perd de l'argent. Les produits actuellement en première phase sont les ordinateurs domestiques, les disques compacts, les lecteurs de disques numériques et les caméras vidéo.

La phase de la croissance du marché   Au cours de la première phase, le produit survit ou meurt. S'il meurt, l'entreprise perd des sommes considérables. Mais s'il survit, les ventes grimpent d'habitude rapidement au cours de la phase de croissance du marché, ce qui signifie que les consommateurs ont accepté le produit, et qu'une croissance rapide de la demande en témoigne. Grâce à une campagne de masse continue, à la promotion des ventes, aux achats répétés et aux recommandations de personne à personne, au cours de la deuxième partie de

cette phase, l'entreprise devrait enregistrer un profit. Toutefois, si le produit connaît trop de succès, les concurrents peuvent y voir une invitation à lancer des produits semblables. Si on lance une variété de produits semblables, le volume de ventes sera à la hausse tout au long de cette phase, mais le niveau de bénéfice du produit original aura alors sensiblement atteint son maximum. Les produits actuellement en phase de croissance sont les fours à micro-ondes, les calculatrices de poche et les lave-vaisselle.

La phase de la plénitude du marché   Les ventes continuent de croître au début de la phase de plénitude, et atteignent leur sommet au milieu. La concurrence empêche l'entreprise de continuer à accroître ses ventes. Tous les intervenants du secteur d'activité désirent accaparer une part de marché à la faveur de publicité accrue, de promotions de ventes et de réductions de prix. À la fin de cette phase, les bénéfices du produit original auront fondu, et la plupart des entreprises se pencheront sur le remplacement des vieux produits. Les produits actuellement en phase de plénitude sont les téléviseurs-couleurs, les congélateurs et les réfrigérateurs.

La phase de la diminution des ventes
Lorsqu'on lance de nouveaux produits dans le marché, ceux-ci réduisent radicalement les ventes des produits établis. Néanmoins, une entreprise dont le produit est établi peut souhaiter riposter en baissant son prix pendant un certain nombre d'années, suffisamment pour créer un niveau de bénéfice raisonnable avant de se retirer finalement du marché. Parfois, la fidélité du consommateur joue un rôle important au cours de cette dernière phase, ce qui contribue à des ventes continues. Le cycle de vie de produits actuels peut être soutenu par 1) l'amélioration de l'aspect physique du produit (par exemple, nouveau et amélioré), 2) le changement de conception de l'emballage, 3) la découverte de nouveaux marchés et 4) la découverte de nouveaux usages. Les produits actuellement en phase de diminution sont les téléviseurs noir et blanc et les machines à écrire.

UN ENJEU COMMERCIAL ACTUEL

Le développement de produit

Francesco Bellini, président-directeur général de IAF BioChem International Inc., compte sur un médicament contre le sida d'une nouvelle génération, afin de propulser son entreprise au rang des grandes sociétés multinationales pharmaceutiques. «Un seul produit suffit à vous rendre multinational», déclare Bellini. IAF BioChem met actuellement au point BCH-189, un anti-rétrovirus qui empêche le virus du sida de se reproduire. La trousse de diagnostic du sida peut détecter le virus VIH, que l'on croit être la cause du sida, un mois plus tôt que les produits de diagnostic concurrents. Elle devrait être dans le marché en 1994, bien que Bellini espère que des essais cliniques prometteurs puissent devancer la date de lancement de deux ans.

Selon Bellini, IAF BioChem a envisagé une entente de marketing du BCH-189 avec Burroughs Wellcome Corp., mais a plutôt opté pour l'entreprise britannique, Gaxo Holdings PLC. «Nous ne savions pas comment acheminer le produit depuis le laboratoire jusqu'au marché», précise-t-il. Glaxo a obtenu l'autorisation d'IAF BioChem de produire et de vendre le BCH-189 dans le monde entier, sauf aux États-Unis et au Canada. Les deux établissements se sont engagés dans une entreprise conjointe afin de distribuer le médicament en Amérique du Nord.

Samuel Islay, de Mehta & Islay, maison de recherche en investissement de New York, spécialisée en pharmaceutique, a décrit l'entreprise comme étant une perle rare au Canada, et a déclaré que le BCH-189 est aussi prometteur, sinon plus, que l'autre demi-douzaine de produits contre le sida présentement mis au point. Les médicaments en phase de mise au point ont une chance sur dix d'arriver dans le marché, mais les analystes pharmaceutiques accordent au BCH-189 une chance de réussite de 25 à 50 p. 100.

Quand même, IAF BioChem ne met pas tous ses espoirs seulement dans les nouveaux produits. Elle tire des revenus du commerce de ses produits chimiques, que Bellini décrit comme étant les revenus essentiels de l'entreprise. La vente de trousses de diagnostic et de vaccins rapporte également des bénéfices croissants.

Source: Traduit de Kevin Dougherty, «IAF heading for big league», *The Financial Post*, 26 novembre 1990, p. 13.

Le marquage

Essentiellement, une marque est «un nom, un terme, un symbole, un dessin ou une combinaison de tout cela qui vise à reconnaître, et à distinguer des produits concurrents, les biens ou les services d'un vendeur ou d'un groupe de vendeurs[2]». Le but d'un marquage réussi est d'assurer que les noms ou les symboles des produits d'une entreprise sont aisément reconnus par les consommateurs éventuels. La plupart des gens reconnaissent des noms comme Aspirine, Ford, Sony, Tide, Spic and Span, IBM, Sears et Maytag, ou des symboles comme les arches dorées de McDonald ou la pomme multicolore de Macintosh. Avec le temps, les gens acquièrent des attitudes et des impressions à propos de ces noms et symboles. C'est pourquoi les entreprises s'efforcent de protéger le nom en l'enregistrant auprès d'un organisme d'État. Ces entreprises veulent s'assurer les droits uniques et exclusifs, car à la faveur de la publicité et d'autres techniques de marketing, elles investissent des sommes considérables dans la promotion du nom et du symbole.

Manifestement, les noms de marque qui réussissent peuvent assurer la prospérité à long terme à une entreprise, puisque cette dernière peut effectivement commercialiser des gammes de produits actuelles et en lancer de nouvelles plus rapidement. Par exemple, des entreprises dont les marques sont Sony ou JVC n'auront pas trop de difficultés à promouvoir de nouveaux produits, car une image positive associée à ces noms est déjà enracinée dans l'esprit des consommateurs. Disposer d'excellents noms de marque accorde deux avantages clés: les entreprises peuvent vendre leurs produits à des prix considérablement plus élevés, et les grossistes et détaillants sont attirés par les marques réputées, car cela leur évite d'investir temps et argent pour la promotion des produits.

Les types de marque Il existe différents types de marque. Les **marques communes** sont utilisées par les fabricants, comme Westinghouse et Générale Électrique, pour vendre leurs biens. Les **marques de distributeur** sont utilisées par les détaillants pour distinguer leurs produits de ceux des concurrents, par exemple, Viking (Eaton), Beaumark (La Baie), Kenmore (Sears). De même, les détaillants alimentaires comme IGA, Provigo et Loblaws vendent des produits qui portent leurs marques de distributeur. L'une des raisons pour lesquelles les fabricants ou les détaillants font la promotion de leur propre marque est d'assurer la fidélité des consommateurs. Il ne fait aucun doute que la fidélité à une marque varie de produit en produit.

Créer la fidélité à la marque comporte trois phases. Premièrement, les entreprises doivent

---

2. Traduit de R. S. Alexander et le « Committee on Definitions of the American Management Association », *Marketing Definitions*, Chicago, American Marketing Association, 1960, p. 8.

familiariser le consommateur avec un produit ou un service précis; il s'agit de la **reconnaissance d'une marque**. La deuxième phase est la **préférence de marque**, dans laquelle les consommateurs affichent un certain degré de fidélité à une marque tant que celle-ci est facilement disponible. La dernière phase est l'**insistance sur la marque**, preuve ultime de la fidélité à la marque, car ici, les consommateurs n'acceptent tout simplement pas les substituts.

L'emballage

La conception d'un emballage qui contient un produit apporte d'importantes caractéristiques au produit même et répond à plusieurs buts. D'abord, l'emballage protège le produit de la détérioration, des dommages et du vol, ce qui importe, car dans bien des cas, beaucoup de manipulation survient entre le moment où le produit quitte l'usine et celui où il parvient aux mains du consommateur. Deuxièmement, l'emballage répond à un important but du marketing en contribuant à faire reconnaître un produit et à le distinguer des produits concurrents, et par

conséquent, en dissuadant les consommateurs de sélectionner d'autres produits. Lorsque les consommateurs cherchent une certaine boîte de savon sur les tablettes du supermarché, la couleur et le dessin doivent attirer leur attention.

L'étiquetage

L'étiquetage constitue une autre importante caractéristique de produit, puisqu'il transmet l'information sur le contenu ou les caractéristiques du produit même. Il existe un lien étroit entre le marquage, l'emballage et l'étiquetage. Ce dernier vise à aider les consommateurs à prendre une décision d'achat. Les étiquettes contiennent l'information sur les ingrédients, les garanties, la nutrition, la durabilité, la quantité, le classement, et la façon d'utiliser le produit. Il existe trois types d'étiquettes: 1) les **étiquettes de marque** qui identifient le nom du produit, 2) les **étiquettes de classement** qui précisent la qualité du produit et 3) les **étiquettes d'information** qui fournissent des renseignements descriptifs sur les attributs d'un produit.

UN POINT DE VUE

Edgar Bronfman Jr.,
directeur général de
Seagram Co.

La stratégie de produit

La règle généralement admise par les commerçants d'Amérique du Nord est que personne n'a plus besoin de rien. Nous ne sommes plus dans les années 1950 ou 1960, période de progrès technique. Aujourd'hui, même lorsqu'il y a innovation, un autre fabricant rattrape le retard en un mois ou deux. La réussite devient de plus en plus une question de marketing — offrir une proposition plus pertinente, ciblée plus directement que le concurrent.

Absolut Vodka est un exemple parfait. Ce n'est pas notre produit, mais j'aimerais bien qu'il le soit, car c'est une marque incroyable qui progresse à toute vitesse dans un marché en diminution. Absolut a comblé un vide — le Chivas Regal de la vodka — où il ne semblait pas exister de besoin.

Nous mettons l'accent sur les marques de qualité, car les gens boivent moins mais mieux. Mount Royal Light: voilà un whisky qui contient un tiers d'alcool en moins et un tiers de calories en moins. Il n'y a pas d'eau ajoutée, vous goûtez donc pleinement le whisky. Personne n'est enthousiaste au sujet de ses possibilités, mais nous sommes prudemment optimistes.

En Amérique du Nord, en ce qui a trait aux boissons alcooliques dans les années 1990, la tendance se maintiendra à la baisse, soit environ 2 p. 100 par année. Les bonnes nouvelles se situent au niveau international. Nos ventes en Asie sont présentement de quelque 1,2 milliard de dollars, et la croissance se poursuivra à environ 10 p. 100 par année.

Nous croyons qu'il existe un besoin réel de solutions de rechange de boissons à teneur faible ou nulle en alcool. Vers la fin de la décennie, nos jus de fruits et boissons gazeuses pourront représenter 30 p. 100 de nos profits, comparativement à 22 p. 100 aujourd'hui.

Source: Traduit de Patricia Sellers, «Marketing Will Make the Difference», *Fortune*, 26 mars 1990, p. 127.

LA STRATÉGIE DES PRIX

L'établissement des prix constitue une importante activité de marketing: il détermine dans une large mesure le niveau des ventes et des bénéfices que réalisera une société. La tâche est difficile, car si une entreprise établit un prix trop élevé pour son produit, elle peut ne pas en vendre en quantité suffisante en vue d'en tirer un bénéfice adéquat. En revanche, si le prix est trop bas, l'entreprise peut ne pas être en mesure de récupérer tous ses frais. L'établissement des prix exige une combinaison de compétences en économie politique, en comptabilité, en psychologie, en analyse du marché et en droit.

L'économie   Dans le domaine de l'économie, rien n'est plus fondamental que la relation entre l'établissement des prix et la demande. Lorsqu'une société désire établir un prix pour un produit donné, elle doit prendre en considération l'élasticité de ce dernier, c'est-à-dire savoir à quel moment la quantité vendue varie à la suite d'un changement de prix. Il faut également tenir compte de l'offre, qui est la quantité de biens disponibles dans un marché donné. Lorsqu'ils établissent un prix, les responsables de marketing examinent la nature des structures du marché et prévoient les réactions des concurrents. Quatre types de marché influencent les décisions en matière d'établissement des prix: la concurrence pure, la concurrence impure, l'oligopole et le monopole.

Dans une **conjoncture de concurrence pure**, une société ne constitue qu'une des nombreuses entreprises agissant dans le secteur d'activité. Les produits ou services vendus par les fournisseurs sont identiques, et toute société qui hausserait ses prix encouragerait les consommateurs à acheter ailleurs. Dans ce type de marché, le prix joue un rôle important dans la détermination du niveau de l'offre et de la demande d'un produit donné. Les producteurs sont intéressés à offrir leurs produits à des prix plus élevés afin d'accroître leur bénéfice, tandis que les consommateurs sont prêts à acheter plus de produits si les prix sont faibles.

Dans une conjoncture de **concurrence impure**, nombre de petites entreprises indépendantes vendent des produits que l'on peut différencier. Les monopoleurs fonctionnent dans un marché plus adapté au consommateur, puisque certains acheteurs sont plus fidèles à un produit donné, même si celui-ci se vend à un prix plus élevé. Une entreprise peut hausser ses prix si la direction croit que les consommateurs n'achète-ront pas ailleurs. Une entreprise, dans cette situation de marché, monopolisera un certain groupe de consommateurs si elle maintient ses prix à un niveau raisonnable. Toutefois, si le prix devient trop élevé, elle perdra des consommateurs au profit de ses concurrents.

Dans une conjoncture **oligopolistique**, seules quelques entreprises se font concurrence au sein d'un marché. Ici, un changement de prix par l'un des vendeurs incite habituellement les sociétés concurrentes à riposter par une adaptation des prix. Si une société hausse ses prix, tout le monde en fera autant afin d'accroître la rentabilité; si une société diminue ses prix, chacun l'imite et le secteur d'activité en entier peut fonctionner près du seuil de rentabilité. Dans de telles conditions de marché, il semble y avoir peu de concurrence en ce qui a trait aux prix. Les stratégies de prix ne préoccupent pas les petites et moyennes entreprises. Si une grande entreprise d'un secteur d'activité est considérée comme le chef de file de l'établissement des prix, cet établissement fixe le prix et les autres suivent simplement.

Le **marché monopolistique** n'existe que lorsqu'un secteur d'activité ou une région compte un seul fournisseur. Le monopoleur exerce habituellement une certaine souplesse dans l'établissement des prix. Toutefois, les organismes d'État peuvent intervenir dans une situation donnée si l'on découvre qu'un monopoleur a fixé ses prix trop haut.

La comptabilité L'information comptable joue également un rôle important dans l'énoncé des stratégies de prix. Grâce à des techniques de comptabilité analytique, le comptable peut suggérer un prix fondé sur la structure de coût du produit et le niveau de bénéfice qu'entend réaliser l'entreprise. Plus précisément, on tiendra compte des frais fixes et variables afin d'établir une majoration de prix appropriée qui engendrera un rendement des investissements de l'entreprise suffisant en vue de satisfaire

l'entreprise et les investisseurs. Certaines des techniques d'établissement des prix les plus souvent utilisées seront présentées dans la section suivante, **Les méthodes d'établissement des prix.**

La psychologie et la sociologie Parfois, les responsables du marketing utilisent d'autres facteurs en vue d'établir le prix de leurs produits et tiennent compte d'éléments tels que la relation entre la qualité et le prix, l'image de l'entreprise, le prestige dont jouit la gamme de produits dans le marché et la fidélité à la marque. Par exemple, certains consommateurs sont prêts à payer plus cher les produits vendus chez Birks que chez les concurrents. D'autres consommateurs n'hésiteront pas à payer un prix plus élevé pour un produit réputé, tel un appareil Sony, plutôt que d'essayer un produit inconnu, même si ce dernier est supérieur. En d'autres circonstances, les responsables du marketing peuvent établir un prix uniquement sur la foi de leur instinct, c'est-à-dire selon ce qu'ils croient que le marché va supporter, et capitaliser sur des marges bénéficiaires plus élevées jusqu'à ce que des entreprises concurrentes présentent des produits semblables. En d'autres cas, les stratèges des prix savent que les consommateurs sont parfois influencés par des prix non arrondis comme 1,98 $, 9,99 $ ou 5,09 $; ici, les acheteurs ont l'impression de faire une bonne affaire.

L'analyse du marché Dans certains cas, les directeurs de l'entreprise désireront procéder à une analyse complète des conditions du marché et évaluer le comportement ou l'attitude des consommateurs à l'égard d'un produit donné avant de décider du prix. Avant d'en arriver à un prix exact, ils obtiendront les réactions des consommateurs au sujet des caractéristiques d'un produit et le prix que ces personnes sont prêtes à payer.

Les lois Il importe de souligner que les entreprises font face à certaines limites d'établissement des prix. La fixation des prix entre entreprises concurrentielles est illégale.

Les méthodes d'établissement des prix

Les responsables du marketing disposent de différentes méthodes d'établissement des prix. Voici celles qui sont les plus utilisées.

La méthode du coût Une façon courante d'établir les prix des produits fait appel aux méthodes fondées sur les coûts. Cette méthode est relativement simple, lorsque les frais fixes et variables sont facilement déterminés. Les commerçants repèrent d'abord tous les frais associés à la fabrication d'un produit, comme la production, le marketing, la distribution, le transport, la recherche et le développement. Puis, ils décident du bénéfice à tirer appelé majoration de prix, qui est habituellement exprimée en pourcentage. Par exemple, si un détaillant achète des jeux informatiques au prix unitaire de 60 $ à majorer de 50 p. 100, le prix de vente unitaire sera de 90 $.

Les escomptes Un escompte se traduit par une réduction du prix courant. Il existe plusieurs types d'escomptes.

Les **remises quantitatives** sont des déductions du prix courant offertes afin d'encourager les clients à acheter de plus grandes quantités. Plus les clients achètent, plus la remise est élevée. Le tableau 12.3 illustre des remises quantitatives fondées sur le nombre d'unités achetées.

Les **remises sur marchandises** sont calculées sur le prix de vente et offertes à des intermédiaires comme les grossistes et les détaillants en retour des tâches qu'ils exécutent. Ainsi, un fabricant peut offrir une remise professionnelle de 50 p. 100 à un grossiste sur un article de 100 $ qui coûtera donc 50 $ à ce grossiste.

Les **escomptes de caisse** sont offerts aux clients qui paient leurs factures dans un délai prédéterminé. Il n'est pas rare de voir, sur une

TABLEAU 12.3
Remises quantitatives

Unités commandées	Remise
1 à 199	10 %
200 à 599	20 %
plus de 600	30 %

facture, la mention « 2/10, net 30 ». Cela signifie que si les clients paient leur facture en moins de 10 jours, ils profiteront d'un escompte de 2 p. 100. Par exemple, une facture de 50 $ peut être acquittée pour 49 $ si elle est payée en moins de 10 jours, sinon, le montant intégral devra être payé dans les 30 jours.

Les **remises saisonnières** sont offertes aux acheteurs afin que ceux-ci passent leur commande avant la pleine saison. Par exemple, un fabricant de décorations de Noël peut offrir des remises de 5, 10, voire 20 p. 100 aux clients qui passent leur commande en août et en septembre plutôt qu'en novembre.

L'établissement de prix variables On utilise cette méthode dans les situations où les fabricants vendent des biens à des prix différents à divers acheteurs. Puisque les grossistes et les détaillants vendent des biens dont la majoration de prix va de 50 à 100 p. 100, ils disposent de la souplesse d'adapter les prix.

Les produits d'appel Les produits dont le prix est établi au prix coûtant ou moins sont désignés comme étant des produits d'appel. Le but principal est d'attirer les clients dans un magasin dans l'espoir que ces derniers, une fois entrés, achètent des biens à des prix plus élevés.

L'alignement des prix Cette méthode est utilisée par les détaillants qui vendent des dizaines d'articles différents à un nombre limité de prix. Le but de cette stratégie des prix consiste à réduire autant que possible le degré de confusion dans l'esprit des consommateurs. Il est beaucoup plus facile de comparer trois ou quatre groupes de produits qui ont le même prix que deux cents articles dont le prix diffère. Ainsi, un magasin qui offre une vaste gamme de vêtements pour enfants peut établir trois prix, soit 20 $, 30 $ et 40 $.

L'établissement des prix des nouveaux produits   Deux méthodes courantes servent à établir les prix des nouveaux produits : le prix de pénétration d'un marché et l'écrémage du marché.

Le prix de pénétration d'un marché fait appel à l'établissement de prix de produits inférieurs à ceux de biens semblables vendus par les concurrents, en vue d'assurer une plus vaste acceptation des consommateurs. Si des produits identiques ne sont pas disponibles, cette méthode peut dissuader les concurrents de pénétrer le marché.

L'écrémage du marché signifie que l'on établit au départ des prix relativement élevés pour la marchandise, comparativement à des biens identiques, dans l'intention de réduire ces prix ultérieurement. Dans cette situation, le commerçant tente d'« écrémer » un certain groupe de consommateurs qui sont prêts à payer un prix plus élevé pour de nouveaux biens. Une des raisons du prix d'introduction élevé est de permettre à l'entreprise de recouvrer ses frais de recherche et de développement le plus tôt possible. Cette méthode d'établissement des prix s'est révélée très efficace pour des produits comme les cassettes vidéo et les calculatrices de poche.

LA STRATÉGIE DE PROMOTION

La plupart des entreprises ont recours à une certaine forme de stratégie de promotion pour faire connaître leurs produits. Le but de cette promotion est d'informer et de persuader les consommateurs d'acheter. Il serait absurde pour des entreprises comme Proctor & Gamble, qui vient de mettre au point un nouveau savon, ou General Motors qui a modifié sa Buick de

ne pas annoncer leurs produits nouveaux ou modifiés !

Les entreprises utilisent une combinaison de trois méthodes dans leur stratégie de promotion : la publicité, la vente personnelle et la promotion des ventes. L'amalgame utilisé repose en grande partie sur la nature du marché cible et du produit même. Par exemple, pour les produits industriels, la vente personnelle joue un rôle plus important que la publicité de masse ; pour les biens de consommation comme le shampoing ou les boissons gazeuses, la publicité est plus efficace, puisque les entreprises veulent joindre le plus grand nombre de consommateurs. Dans bien des cas toutefois, on utilise un amalgame des trois méthodes afin d'effectuer une promotion efficace des biens ou des services.

Une entreprise peut recourir à deux stratégies pour commercialiser ses produits ou services. D'abord, la **stratégie pull** cherche à ce que des groupes variés du circuit de marketing (grossistes, détaillants et consommateurs) s'interrogent sur un produit ou un service en particulier. Ainsi, une entreprise peut utiliser la publicité de masse afin d'annoncer un nouveau produit qui provoque les questions des consommateurs auprès des détaillants à son sujet, ce qui influence ensuite les intermédiaires qui s'interrogent sur les biens, voire les achètent. Deuxièmement, on trouve la **stratégie push**, méthode axée sur les ventes. Dans ce cas, un fabricant, par l'intermédiaire de l'organisation ou des agents des ventes, réussit à ce que les intermédiaires achètent les produits et les acheminent vers les canaux de distribution en offrant des remises sur les ventes ou du matériel de promotion. La stratégie adoptée repose en grande partie sur la nature du marché cible et les caractéristiques des produits.

La publicité

La publicité est une méthode de vente non personnelle utilisée par les entreprises afin d'atteindre le plus grand nombre de consommateurs possible. Les entreprises vendent leurs produits ou services à la faveur des médias comme la télévision, les journaux, les magazines et la radio. L'intention consiste à obtenir que les consommateurs achètent les biens immédiatement **ou** ultérieurement. Il s'agit d'un effort de communication destiné à modifier les attitudes ou le comportement des consommateurs. La publicité sert à : 1) joindre les consommateurs qui sont inaccessibles à une équipe de vente, 2) appuyer l'effort de vente personnelle, 3) améliorer les relations avec les intermédiaires (grossistes et détaillants), 4) pénétrer un nouveau territoire, 5) annoncer un nouveau produit, 6) accroître la demande pour un produit, ou 7) simplement améliorer l'image d'une entreprise.

Les types de publicité

On trouve deux types de publicité : la publicité de produit et la publicité institutionnelle ou de prestige. La **publicité de produit** est axée sur l'action, puisque l'intention est d'informer les consommateurs et de stimuler la demande d'un produit ou service en particulier. Parmi les exemples de cette publicité, on trouve la voiture Taurus de Ford, le Macintosh SE/30 ou le Palmcorder de Panasonic. La **publicité institutionnelle** est destinée à la promotion de la bonne volonté ou à accroître la réputation d'une entreprise en général, plutôt qu'à vendre un produit ou service en particulier. Par exemple, il se peut qu'une entreprise désire annoncer une nouvelle politique de livraison dans les revues spécialisées afin d'informer les intermédiaires, d'annoncer des mesures anti-pollution ou de laisser savoir au public ce qu'elle fait afin de favoriser le bien-être général de la population.

On peut également classer la publicité selon qu'elle est nationale ou locale. La **publicité nationale** est utilisée par les entreprises qui veulent annoncer leurs produits ou services sur une grande échelle. Par ailleurs, la **publicité locale** sert aux détaillants d'une région donnée

afin d'attirer les clients dans leur magasin. Dans le premier cas, l'accent porte sur le produit tandis que dans le deuxième, l'emplacement prime.

Les médias publicitaires

Afin de transmettre des messages, les entreprises peuvent recourir à plusieurs médias comme les journaux, les magazines, la radio, la télévision, le publipostage et la publicité extérieure. Les éléments qui déterminent le choix des médias sont l'ampleur du budget publicitaire, l'objectif du message, le modèle de distribution du produit, le type de message, et le temps et l'emplacement de la décision d'achat. Voici les caractéristiques des médias les plus importants :

Les **journaux** constituent un médium souple et ponctuel. On peut les utiliser à un jour d'avis afin de promouvoir un produit au sein d'un marché très précis. Le coût pour joindre chaque client éventuel est faible, mais la durée des journaux est brève.

Les **magazines** peuvent servir à joindre les marchés nationaux. La qualité d'impression y est bonne, et le coût pour joindre chaque client, faible. Les magazines offrent l'avantage important aux entreprises de pouvoir joindre un groupe de consommateurs particulier. Par exemple, le profil des gens qui lisent *Canadian Business* est différent de celui des gens qui lisent *Canadian Living*. La durée des magazines est relativement longue, puisqu'on les conserve habituellement assez longtemps.

La **radio** est efficace si une entreprise désire joindre un marché précis, un jour en particulier. Le message est immédiat et le coût, faible.

Le **publipostage** constitue une façon très personnelle de transmettre des messages. En utilisant des brochures, le télémarketing ou des catalogues, les entreprises peuvent se montrer très sélectives en joignant rapidement un groupe donné de consommateurs éventuels. Toutefois, il est plus onéreux de joindre chaque client éventuel.

La **télévision** offre aux entreprises l'occasion de démontrer leur produit et d'en parler. Que l'entreprise utilise une **publicité de réseau**, destinée à un auditoire important, ou une **réclame-éclair**, qui vise un auditoire précis dans une collectivité donnée (par l'intermédiaire d'un poste ou plus), l'usage de ce médium est considéré onéreux.

La **publicité extérieure** consiste en des panneaux-réclames imprimés, des visualisations électriques ou des panneaux peints. La force de ce médium consiste à offrir aux entreprises un moyen de transmettre un simple message assez rapidement. La répétition le rend également efficace. On s'en sert pour promouvoir un produit ou service d'une société locale.

La gestion de la publicité

Lorsqu'ils veulent annoncer un produit, les responsables de marketing doivent décider du message destiné à leur marché cible. La décision est importante, car elle détermine dans une large mesure le choix des médias et la manière de transmettre le message. La création d'une campagne de publicité peut être organisée par le service de publicité de l'entreprise même, ou par une agence de publicité. S'il s'agit d'une petite entreprise, elle s'en chargera probablement elle-même. Toutefois, les grandes entreprises comme IBM, Ford ou Bell Canada peuvent recourir aux services d'une **agence de publicité**. Ces organismes indépendants fournissent des services de marketing très spécialisés comme la conception, la rédaction et l'envoi de publicité. Ces services coûtent environ 15 p. 100 du coût du temps acheté aux médias. À l'agence de publicité, la personne chargée de l'entreprise cliente en vue de l'élaboration d'une campagne de publicité porte le titre de **chef de publicité**.

Un autre service offert par les agences de publicité est la mesure de l'efficacité publicitaire. Les responsables de marketing veulent savoir dans quelle mesure les consommateurs réagissent bien à une annonce, ou à quel point les ventes sont accrues à la suite d'un message publicitaire. Plusieurs techniques servent à mesurer l'efficacité publicitaire. D'abord, le **test de préférence des consommateurs** constitue une tentative de déterminer, par l'intermédiaire de groupes témoins de consommateurs, l'efficacité prévue d'une publicité avant de la lancer.

Deuxièmement, les **rapports d'audience** consistent à demander aux lecteurs leur opinion au sujet de l'attrait d'une réclame.

Enfin, les **techniques post-test** servent à appeler un nombre aléatoire de personnes chez elles et à leur poser des questions au sujet d'une annonce diffusée à la télévision ou à la radio durant la soirée précédente.

La vente personnelle

La vente personnelle constitue le contact direct d'un vendeur avec le client. Le principal avantage de la vente personnelle est son caractère amical et extrêmement souple. Par exemple, le vendeur peut adapter sa présentation pour correspondre aux besoins, aux réactions ou aux motifs particuliers du client. De nos jours, le vendeur est considéré comme un professionnel qui n'est pas seulement chargé de prendre les commandes, mais aussi d'agir à titre de conseiller des clients.

Les activités de la vente personnelle

La vente personnelle comprend quatre activités distinctes. Premièrement, les vendeurs sont responsables de la **prospection d'acheteurs éventuels**. Le vendeur, une fois bien au fait des caractéristiques d'un produit donné et de ceux des concurrents, doit rechercher de nouveaux clients, ce qui fait appel à la définition d'un profil de client et à la recherche d'une liste de prospects à joindre. Dans la vente de détail, un vendeur n'a pas à effectuer cette étape, puisque les prospects sont habituellement attirés au magasin par une annonce ou entrent simplement dans celui-ci afin d'examiner un produit en particulier. Deuxièmement, on trouve l'activité qui traite de la **vente même,** par laquelle un vendeur fait une présentation de vente, démontre les avantages du produit et réfute même les objections. Souvent, les vendeurs affirment que la «vente commence lorsque le client dit non». C'est à ce moment que les clients disent ce qu'ils aiment ou n'aiment pas et que le commis doit s'adapter rapidement aux besoins et aux désirs du client.

③ La **prise de commande** a lieu lorsque la vente est conclue, et devrait constituer la partie la plus facile de la vente, surtout si le vendeur a réussi à susciter l'intérêt du client. Cette étape constitue la «clôture». Lorsque le client manifeste des signes qu'il est prêt à acheter, le vendeur expérimenté utilise des techniques de clôture telles que demander à quel moment livrer le produit ou présenter un stylo en vue de la signature du contrat.

④ L'activité finale est le **suivi,** qui signifie les activités après vente, lesquelles importent surtout si l'on veut que le client achète de nouveau.

La promotion des ventes

La promotion des ventes est une activité qui contribue à encourager les consommateurs à acheter un produit à la faveur d'un effort de vente

unique. L'American Marketing Association définit la promotion des ventes comme étant parmi «ces activités de marketing, autres que la vente personnelle et la publicité, qui stimulent les achats des consommateurs et l'efficacité du négociant, comme les présentoirs, les foires et les expositions, les démonstrations et divers efforts de vente exceptionnels qui ne font pas partie de la routine[3]. La différence essentielle entre la publicité et la promotion des ventes est que la première traite avec des médias que d'autres possèdent et contrôlent, tandis que dans l'autre cas, l'entreprise utilise et contrôle les instruments et méthodes destinés à informer et à persuader les groupes de consommateurs.

La promotion des ventes est probablement l'outil le plus important utilisé afin de présenter un produit. Les instruments de promotion les plus souvent utilisés sont les présentoirs, les démonstrations, les échantillons, les bons et primes et les concours publicitaires. Ces types de technique sont employés fréquemment, étant donné l'usage croissant du libre-service et d'autres méthodes de vente où les vendeurs ne se trouvent pas sur les lieux de l'achat.

---

3. Traduit de R. S. Alexander et le « Committee on Definitions of the American Management Association », *Marketing Definitions,* Chicago, American Marketing Association, 1960, p. 20.

UN POINT DE VUE

Jay Chiat, fondateur de Chiat/Day Agency

La publicité

Les gouvernements fourniront certaines des meilleures possibilités d'affaires. Le Japon lancera une campagne publicitaire d'envergure aux États-Unis afin de contrer la montée du dénigrement du Japon. Les Japonais comprennent bien qu'ils doivent réagir de façon positive. Les drogues et les sans-abri seront encore les problèmes nationaux les plus urgents, et le gouvernement devra de nouveau y réagir.

Dans les entreprises de produits de consommation, la gestion de marque sera réévaluée et restructurée. Les marques ressembleront davantage à des unités organisationnelles. Le chef de marque la fera fonctionner comme sa propre entreprise. La tendance actuelle à consacrer plus de fonds à la promotion disparaîtra, et on reviendra à la publicité.

🌱 Nous disposons aujourd'hui d'un groupe homogène de produits de consommation qui se vendent tous à l'aide de bons. Lorsque les consommateurs ne paient jamais le plein prix pour une marque, ils perdent le respect qu'ils ont à son égard. Les entreprises vont évaluer la perte de valeur de cette marque et augmenter les budgets de publicité. Les consommateurs réclament une publicité plus intéressante. Ils ne l'acceptent plus sans y penser, et peuvent cesser d'acheter un produit si la publicité en est toujours morne.

Source : Traduit de Faye Rice, « The Return of the Creative », *Fortune*, 26 mars 1990, p. 124.

LA STRATÉGIE DE DISTRIBUTION

Les stratégies de distribution traitent de décisions relatives aux déplacements d'un produit à compter du moment où il quitte le seuil du fabricant jusqu'à ce qu'il parvienne à l'endroit de l'achat. On désigne souvent ces itinéraires de **circuits de distribution**. Le choix du circuit varie selon le type de produit, le genre de demande, le rôle joué par les intermédiaires, le coût des déplacements du produit, l'importance pour le vendeur de contrôler le mouvement et la nature de la concurrence. Croyez-vous que le circuit de distribution des voitures Buick vendues par General Motors devrait être différent de celui des ouvre-boîtes électriques fabriqués par Générale Électrique ? Avant d'étudier les différents types de circuits de distribution, examinons les personnes ou les entreprises qui relient les manufacturiers aux consommateurs ; elles sont les **intermédiaires**, et on en compte deux grandes catégories : les grossistes et les détaillants.

Les grossistes

Les grossistes vendent des biens principalement aux détaillants, aux usagers industriels ou à d'autres marchands de gros dont le but est de revendre les biens en échange d'un bénéfice. Ils exécutent une fonction très particulière dans le circuit de distribution en améliorant le processus de circulation pour les biens de consommation et industriels.

Les grossistes dispensent une vaste gamme de services aux manufacturiers dans le domaine des ventes, du transport et de l'entreposage des produits. Ils font également la publicité, la promotion et le service des produits, ils recueillent et transmettent des renseignements de marketing et favorisent les ventes en accordant du crédit aux acheteurs.

✴ On peut regrouper les grossistes en trois catégories : les marchands, les grossistes des succursales de vente ou d'agences commerciales et les agents ou courtiers.

Les **marchands grossistes** dont le titre provient des biens dont ils disposent assument le risque de la propriété. Ils possèdent les produits et dispensent des services aux détaillants et aux fabricants. Par exemple, ils paient ces derniers pour les produits qu'ils achètent, et vendent ceux-ci à crédit à des détaillants. Pour ces services, ils ajoutent leur commission au prix de vente. Les marchands grossistes font partie des secteurs d'activité comme le bois de sciage et les matériaux de construction, le papier, l'automobile, le traitement des produits alimentaires et les biens institutionnels achetés par les hôpitaux et les restaurants. On trouve deux catégories de marchands grossistes :

1. Les **grossistes en service,** qui dispensent la vaste gamme de services suivants :

   - les **grossistes de fournitures de tout genre** servent les magasins de détail tels que les dépanneurs, les pharmacies et les petits magasins à rayons ;

   - les **grossistes à catégories restreintes de fournitures** s'occupent de magasins à gamme unique ou limitée qui se spécialisent dans des gammes de marchandises spéciales ;

   - les **grossistes spécialisés** détiennent une gamme de produits encore plus réduite que les grossistes à catégories restreintes de fournitures, mais dispensent davantage de services sur mesure, comme le stockage des étagères des détaillants.

2. Les **grossistes à fonction limitée** dispensent les services plus spécialisés suivants :

   - les **grossistes-livreurs** livrent des biens dans leurs camions ;

   - les **grossistes-étalagistes** dispensent des services spéciaux aux commerces de détail, notamment la disposition des présentoirs, le maniement des stocks et l'établissement des prix de la marchandise ;

   - les **grossistes au comptant** vendent des biens strictement au comptant à de petites épiceries ;

   - les **intermédiaires en gros** fonctionnent principalement dans les industries du bois et du charbon et envoient des commandes à des fabricants qui expédient les biens directement aux clients ; ils ne manipulent pas la marchandise ;

   - les **grossistes par correspondance** vendent leurs biens par catalogue (par exemple, la bijouterie, la quincaillerie et la marchandise en général).

La deuxième catégorie de grossistes comprend les **succursales de vente** et les **agences commerciales.** Nombre de manufacturiers établissent des agences commerciales, des succursales et des entrepôts dans différentes régions afin de réduire leurs frais de distribution et d'améliorer l'efficacité de la promotion de leurs produits. Puisqu'ils se situent près des marchés importants, ils peuvent offrir un meilleur service à leur clientèle. Ces types d'établissements sont séparés des usines de fabrication. La différence entre une succursale de vente et une agence commerciale est que la première détient la marchandise en entrepôt, mais pas la deuxième.

Troisièmement, les **agents** et les **courtiers** sont des sociétés indépendantes qui prennent rarement possession des biens qu'elles distribuent et n'en réclament pas les droits légaux. Ces types de grossistes dispensent un service de marketing essentiel aux manufacturiers en agissant à titre d'agents de vente. Par exemple, ils négocient activement l'achat ou la vente de produits au nom de leurs clients. Puisque leurs services sont plus limités que ceux des marchands grossistes, ils reçoivent une commission moins élevée. Les agents grossistes suivants se rencontrent plus souvent dans les réseaux de distribution.

1. Les **courtiers** rassemblent les acheteurs et les vendeurs, et fournissent de l'information sur les biens (par exemple, les courtiers en immeubles).

2. Les **compagnies de vente aux enchères** réunissent aussi les acheteurs et les vendeurs à un endroit commun afin de déplacer de grandes quantités de biens comme le tabac, le bétail et les fruits.

3. Les **négociants-commissionnaires** vendent des biens et services pour les fabricants des grandes villes (par exemple, les industries agricoles).

4. Les **agents commerciaux** sont essentiellement des vendeurs qui travaillent dans un territoire particulier pour des entreprises non concurrentielles qui ne peuvent se permettre leur propre organisation de ventes. Les agents vendent surtout aux grossistes et aux clients industriels.

5. Les **commissionnaires à la vente** exécutent des fonctions identiques à celles des agents commerciaux, sauf qu'ils peuvent avoir en main les produits des manufacturiers concurrents. Ils ne font pas que vendre les biens, ils peuvent aussi accomplir d'autres activités de marketing comme la publicité, l'établissement des prix et la distribution.

Les détaillants

Les détaillants sont également des intermédiaires qui vendent des biens et services directement à l'usage personnel des consommateurs. Ces intermédiaires sont des marchands indépendants qui lient les fabricants et les grossistes aux consommateurs, et agissent en fait à titre d'agents et de conseillers d'achat des consommateurs. Le rôle principal du détaillant consiste à fournir aux consommateurs la marchandise voulue au bon moment, au bon endroit et au bon prix. D'autres activités de détail importantes comprennent l'achat, le fractionnement, l'entreposage, le financement et les risques supportés. La réussite du détaillant repose largement sur la synchronisation efficace de ces importantes fonctions. Le détaillant tente de créer le milieu qui est le plus propice à offrir aux consommateurs une expérience agréable, reposante et plaisante.

La manière de servir les consommateurs détermine le mode de fonctionnement d'un commerce de détail. Manifestement, un type de détaillant ne peut servir tous les consommateurs; par conséquent, il existe une segmentation logique du marché de détail. Comme il est mentionné au chapitre 11 sous le titre **Les biens de consommation et les biens industriels**, la façon dont un détaillant fonctionne dépend en grande partie de l'approche du consommateur à l'égard du magasinage pour divers types de biens. On peut classer les détaillants en deux catégories : les magasins de détail traditionnels et les détaillants de grandes surfaces.

Les magasins de détail traditionnels

Ces exploitations de détail existent depuis longtemps. Elles vont des magasins qui vendent une grande variété de marchandises, aux magasins à catégorie d'articles unique et de spécialités qui ne gardent qu'une variété limitée de produits.

1. Les **magasins généraux** constituent un ancien type de magasin qui offre une grande variété de marchandise générale. On en voit encore dans les petites villes.

2. Les **détaillants à domicile** comme Avon, Electrolux et Tupperware ne vendent pas leurs biens en magasin. Ils vendent plutôt directement chez les consommateurs, par l'intermédiaire d'une organisation de ventes à commission.

3. Les **magasins à catégories restreintes de fournitures** se spécialisent dans une gamme de produits en particulier, comme les vêtements pour hommes, pour dames ou pour enfants.

4. Les **dépanneurs** comme Winks, Mac's Milk, Perrette et Pinto offrent une sélection limitée de produits alimentaires et autres.

5. Les **boutiques spécialisées** comme Birks ou Black's camera offrent une sélection complète de catégories de biens précises.

6. Les **grands magasins** comme Eaton, La Baie et Sears offrent une grande variété de produits vendus dans plusieurs rayons.

7. On trouve des **distributeurs automatiques** dans des endroits comme l'université, les écoles, les aéroports et tout emplacement où circulent de nombreux piétons. Les articles à bas prix comme les boissons gazeuses, le café, les tablettes de chocolat, les sandwichs et les cigarettes se vendent habituellement dans des distributeurs automatiques.

8. Les **maisons de vente par correspondance** comme Sears offrent aux consommateurs le choix d'acheter une grande variété de produits par l'intermédiaire de catalogues. Les

biens sont vendus par téléphone ou commandés par la poste, et expédiés directement aux consommateurs.

9. Les **salles de vente par catalogue**, comme Distribution aux Consommateurs, invitent les gens à acheter sur catalogue dans leur salle de vente.

Les détaillants de grandes surfaces

Au cours des vingt ou trente dernières années, on a assisté à des changements radicaux du profil des commerces de détail. De nombreux exploitants ont choisi d'offrir un volume important de biens à prix réduit et de limiter le service. Les détaillants de grandes surfaces les plus populaires sont :

1. Les **supermarchés** comme Loblaws et IGA, qui vendent des produits d'épicerie et autres.

2. Les **magasins de rabais** comme Honest Ed et K-Mart qui offrent également des articles à prix modéré.

3. Les **hypermarchés** sont d'énormes magasins de rabais qui offrent de la marchandise alimentaire et générale ; ils sont plus populaires en Europe.

Les types de circuits de distribution

Les fabricants peuvent choisir différents réseaux de distribution pour joindre les consommateurs. Ils peuvent vendre leurs produits directement aux consommateurs, comme cela se fait pour les encyclopédies et les aspirateurs, ou les distribuer par l'entremise des grossistes et des détaillants.

La figure 12.2 montre quatre réseaux de distribution réservés aux biens de consommation.

Circuit 1   Il s'agit du trajet le plus direct pour les entreprises qui désirent vendre leurs produits aux consommateurs sans passer par des intermédiaires. Les exploitants, du producteur

au consommateur, les plus connus sont Fuller Brush, Avon, Electrolux et Amway.

Circuit 2   Plutôt que de vendre directement aux consommateurs, certains fabricants vendent leurs biens aux détaillants qui, à leur tour, assument la responsabilité de les vendre aux utilisateurs finaux. Ce réseau producteur-détaillant-consommateur prend forme lorsque le fabricant dispose d'une équipe de vente qui négocie directement avec les commerces de détail intéressés à obtenir des concessions en échange d'importantes commandes. Certains producteurs, comme Petro-Canada et Singer, vont même jusqu'à exploiter leurs propres magasins de détail afin d'exercer un meilleur contrôle sur la fonction de distribution.

Circuit 3   Le circuit de distribution producteur-grossiste-détaillant-consommateur est la forme la plus populaire de réseau de distribution, surtout pour les articles à prix modéré. En vertu de ce système, le fabricant a une équipe de vente qui vend aux grossistes. Ces derniers achètent généralement en vrac et ont également une équipe de vente qui négocie directement avec les petits exploitants de détail dans une région donnée.

Circuit 4   Le réseau producteur-agent-grossiste-détaillant-consommateur revêt un attrait particulier pour les petits fabricants qui ne peuvent se permettre leur propre organisation de vente. Ils embauchent plutôt un agent indépendant qui vend les biens aux grossistes, qui à leur tour vendent à de nombreux détaillants d'une région donnée. Les agents des fabricants peuvent représenter des entreprises non concurrentielles et sont rémunérés à la commission.

La figure 12.2 affiche deux types principaux de réseaux de distribution des biens industriels.

Circuit 1   Les fabricants peuvent vendre leurs produits directement aux clients industriels. Il s'agit probablement du réseau le plus courant. L'entreprise utilise sa propre équipe de vente et,

FIGURE 12.2
Circuits de distribution typiques

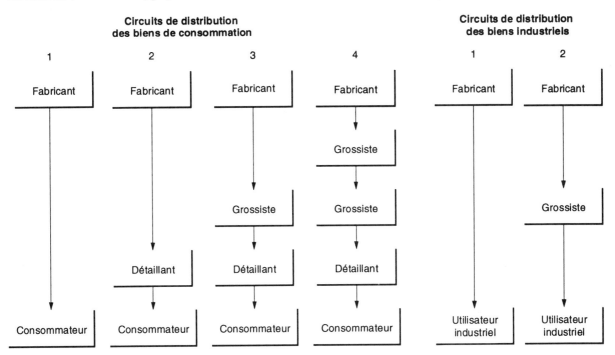

puisque les fonctions comme le classement, l'entreposage et la normalisation sont inutiles, les intermédiaires le sont également. On trouve ces réseaux dans les secteurs d'activité où les fabricants produisent des biens industriels comme des ordinateurs et du matériel lourd.

Circuit 2   La deuxième méthode fait appel aux grossistes. Ce réseau est présent dans les secteurs d'activité où les fabricants produisent de grandes quantités de biens comme du matériel de bureau, des matériaux et des fournitures de construction.

La distribution matérielle

La gestion de la distribution matérielle est le terme « utilisé afin de décrire l'intégration de deux activités ou plus qui visent la planification,

l'application et le contrôle du flux des nouvelles fournitures, de la gestion des produits en cours de fabrication et des produits finis, depuis le point d'origine au point de consommation. Ces activités peuvent comprendre, sans s'y limiter, le service à la clientèle, la prévision de la demande, les réseaux de distribution, le contrôle des stocks, la manutention des fournitures, le traitement des commandes, le soutien en matière de pièces et de service, la sélection de l'emplacement de l'usine et de l'entrepôt, l'approvisionnement, l'emballage, la manutention des marchandises de retour, la récupération et l'élimination des déchets, la circulation et le transport, et l'entreposage[4] ». Les facteurs qui influent

4. N.C.P.D.M., « What It's All About », *The National Council of Physical Distribution Management*, Chicago, Illinois, 1977, p. 2.

sur le choix d'un mode de transport sont la vitesse, la disponibilité, la souplesse de livraison, la capacité de transport de masse, la fréquence, la fiabilité et le coût. Les modes de transport les plus utilisés sont le chemin de fer, l'autoroute, l'eau, les pipelines, et l'air.

Le transport ferroviaire   Ce système est adéquat pour le transport, sur une longue distance, de produits lourds et en vrac comme les automobiles, les produits forestiers et agricoles et le charbon. Il s'agit d'un mode de transport fiable, car il est presque à l'épreuve du climat. Afin de contrebalancer la concurrence intense des dernières années, les entreprises ferroviaires ont dû offrir de nouveaux services comme le railroute, l'expédition express, les wagons de groupage, le privilège de traitement en route et le détournement en cours de transport.

Le transport routier   Les camions peuvent transporter des biens de presque toutes les dimensions vers la plupart des lieux en moins de temps que le chemin de fer. Le service de porte en porte confère à ce mode de transport beaucoup d'attrait. En raison des coûts élevés du carburant, le camionnage se révèle plus onéreux que le chemin de fer pour les lourds chargements transportés sur de longues distances.

L'expédition par eau   Les transporteurs par eau offrent un transport à moindre coût, pour des produits en vrac non périssables et de peu de valeur, entre les ports mondiaux importants. L'inconvénient principal de ce mode de transport est sa lenteur. Afin de concurrencer les autres entreprises de transport, les transporteurs par eau ont dû aussi lancer le service « mer-route » afin de transférer les conteneurs de format normal des navires aux camions.

Le transport en pipeline   Ce mode de transport sert avant tout à faire circuler le pétrole, les produits chimiques et le gaz naturel des producteurs et traiteurs aux villes importantes.

Le transport aérien   Ce mode de transport est rapide mais considéré comme étant le plus cher.

Parmi les modes de transport mentionnés ci-dessus, une entreprise peut choisir entre quatre types de compagnies de transport. Les **entrepreneurs de transports publics** comme Canadien, CP Rail, Federal Express et Purolator offrent des services de transport public général. Ils publient et diffusent, à l'intention du grand public, tous leurs tarifs et services.

❀ Les **transporteurs contractuels** ou assistés n'offrent pas de services de transport au grand public. Ils signent habituellement des contrats avec les entreprises intéressées à expédier de grandes quantités de marchandises. Ils peuvent exiger différents tarifs à divers clients pour le même type de service.

Les **transporteurs privés** comme Canadian Tire et Shell dirigent leur propre parc de transport.

Les **commissaires de transport** sont différents des autres types d'entreprises de transport en ce qu'ils ne possèdent pas leur propre matériel de transport. Leur fonction principale consiste à louer de l'espace de vrac à bord des autres transporteurs comme les lignes ferroviaires ou aériennes, et de revendre l'espace disponible à leurs clients. Ces transporteurs peuvent prendre livraison des biens du client à son établissement, et organiser la livraison au transporteur approprié. En général, ils s'occupent surtout d'accroître la taille des chargements.

RÉSUMÉ

Sommaire

1. Un produit représente plus que son aspect matériel. Les commerçants considèrent un produit selon ce que les consommateurs espèrent en tirer. Le cycle de vie du produit comprend quatre phases : la pré-commercialisation, la croissance du marché, la plénitude du marché et la diminution des ventes. Les facteurs importants pour un produit sont le **marquage**, soit son nom ou symbole, l'**emballage** qui prévient les dommages et contribue à reconnaître le produit et l'**étiquetage**, qui livre aux consommateurs les renseignements sur le contenu du produit.

2. La stratégie des prix détermine en grande partie le niveau de ventes et de bénéfices que réalisera une entreprise grâce à un produit. Afin de prendre de bonnes décisions d'établissement des prix, les responsables de marketing doivent être compétents en économie politique, en comptabilité, en psychologie, en sociologie, en analyse du marché et en droit. Les méthodes les plus importantes d'établissement des prix comprennent la méthode du coût, le recours aux escomptes, la souplesse des prix, les produits d'appel et l'alignement des prix. Les méthodes les plus utilisées d'établissement des prix des nouveaux produits sont les prix de pénétration d'un marché et les prix d'écrémage du marché.

3. Les entreprises recourent à trois méthodes dans leur stratégie de promotion : la publicité, la vente personnelle et les techniques de promotion.

4. Les stratégies de distribution ont trait aux décisions relatives à la façon dont un produit circule du seuil du fabricant à l'endroit où le consommateur l'achète. Les deux principaux intermédiaires utilisés dans les réseaux de distribution sont les **grossistes** et les **détaillants**. On trouve trois catégories de grossistes : les **marchands grossistes** qui acquièrent les titres des biens qu'ils transportent et assument habituellement le risque de propriété, les **succursales de ventes** et les **agences commerciales** qui agissent à titre de centres de distribution, et les **agents** et les **courtiers** qui sont des entreprises indépendantes qui, rarement, prennent possession des biens qu'elles distribuent ou acquièrent, sur ces derniers, des droits légaux.

   Les différents types de détaillants comprennent les détaillants à domicile, les magasins à catégories restreintes de fournitures, les dépanneurs, les boutiques spécialisées, les grands magasins, les distributeurs automatiques, les maisons de vente par correspondance, les salles de vente par catalogue, les supermarchés, les magasins de rabais et les hypermarchés.

   Les modes de distribution matérielle les plus souvent utilisés sont le chemin de fer, l'autoroute, l'eau, le pipeline et l'air.

Notions clés

L'emballage

L'établissement des prix

L'étiquetage

La distribution matérielle

La promotion des ventes

La publicité

La vente personnelle

Le circuits de distribution

Le cycle de vie du produit

Le marquage

Les détaillants

Les grossistes

Les médias

Exercices de révision

1. Qu'entend-on par stratégie de produit ?

2. Expliquez la notion de cycle de vie du produit.

3. Précisez la différence entre le marquage, l'emballage et l'étiquetage.

4. Présentez les types de marché desquels les responsables doivent tenir compte lorsqu'ils élaborent des stratégies de prix pour leurs produits.

5. Qu'entend-on par alignement des prix et produits d'appel ?

6. Indiquez les principales techniques qui servent à établir les prix des nouveaux produits.

7. Quels sont les principaux types de publicité ?

8. Nommez les techniques de promotion des ventes les plus importantes.

9. Établissez la différence entre les marchands grossistes et les succursales de vente.

10. Précisez le rôle du détaillant dans le réseau de distribution du marketing.

Matière à discussion

1. Le marketing est-il plus important aujourd'hui qu'il y a dix ans ? Précisez.
2. Présentez l'importance relative des quatre variables de marketing.

Exercices d'apprentissage

1. La stratégie de produit

Lenox Technologies Inc. se consacre à la fabrication, à la vente et à la location de tous les types d'équipement biomédical destinés aux hôpitaux et aux entreprises de services de soins à domicile. L'entreprise a démarré il y a sept ans, afin de répondre aux besoins accrus des malades chroniques qui vivent et reçoivent des soins à la maison. Le directeur général de l'entreprise, Jean Laprise, déclare avoir fondé l'entreprise avec plusieurs partenaires afin « d'aider les gens dont les traitements et la thérapie reposent sur une variété d'entreprises de services de soins à domicile professionnels et bénévoles, lesquelles ne disposent pas du matériel hospitalier approprié ».

À l'heure actuelle, le service de recherche et de développement de l'entreprise met au point un générateur d'oxygène électrolytique, utilisable, à domicile et dans les maisons de santé réservées aux malades chroniques, par les patients dont le sang est faiblement oxygéné et par les cardiaques. Les principaux clients de cet appareil seraient des experts en inhalothérapie qui vendraient ou loueraient les générateurs aux patients qui restent à domicile ou dans des maisons de repos.

Afin de réussir, l'entreprise doit veiller à ce que le produit comporte les caractéristiques suivantes :

– facile à utiliser ;
– efficace et sûr ;
– silencieux et fiable ;
– différent de ceux qui sont déjà en vente.

M. Laprise a ajouté qu'avant de mettre au point le produit, « il faudra obtenir les réactions des utilisateurs (patients), de la profession médicale, de nombreux médecins et d'une demi-douzaine de négociants. C'est indispensable si nous voulons réussir le lancement de ce nouveau produit dans le marché. »

Questions

1. Quelles mesures prendriez-vous avant de mettre au point le produit ?
2. De quels facteurs tiendriez-vous compte dans la mise au point du produit ?

2. La stratégie de distribution

Hélène et Sylvain Benjamin sont les propriétaires de La Boulangerie Éclair inc., située sur la route principale d'une petite ville du Nord du Québec. Ils se spécialisent dans la confection d'une variété de produits de boulangerie, comme des gâteaux, des tartes et du pain. Leur entreprise a acquis une solide réputation dans la ville et dans un rayon d'une centaine de kilomètres. Elle a bâti une clientèle très régulière qui s'arrête prendre un repas ou achète des pâtisseries au comptoir. Mais les propriétaires n'ont jamais envisagé l'expansion de leurs activités commerciales au-delà des quatre opérations existantes, notamment :

1. l'exploitation du restaurant ;

2. les commandes directes ;

3. la vente de pâtisseries à d'autres restaurants et petites épiceries de la localité ;

4. la vente de pâtisseries à plusieurs entreprises locales et aux établissements publics (pour des soirées ou des réceptions).

À plusieurs reprises, différents clients ont suggéré à Hélène et Sylvain de commencer à vendre leurs pâtisseries à des épiceries d'autres secteurs du Québec. Ils étaient satisfaits de leur exploitation actuelle et ne savaient absolument pas comment s'y prendre pour vendre leurs pâtisseries à grande échelle. Ils ne savaient même pas la quantité maximale de produits de boulangerie qu'ils étaient en mesure de produire au moyen de leur équipement actuel. Néanmoins, il est évident que le potentiel était beaucoup plus élevé.

La clientèle était très impressionnée par la qualité des pâtisseries et certaines personnes allaient même jusqu'à rouler 50 à 60 kilomètres simplement pour se procurer des tartes. Comme l'a expliqué une cliente : « Nous avons vécu dans cinq villes du Canada, et je dois dire que ma famille n'a jamais goûté des pâtisseries comme celles d'Hélène et de Sylvain. Aucune expression ne rend justice à la saveur de leurs tartes. Je n'ai pas d'objection à payer 50 p. 100 de plus pour une tarte, lorsque le goût est trois fois meilleur et que la tarte est deux fois plus grosse. Je crois que les gens s'intéressent désormais plus à la qualité qu'à la quantité. Je suis convaincue qu'Hélène et Sylvain réussiraient s'ils se mettaient à vendre leurs pâtisseries dans d'autres villes. »

Cette opinion rejoignait celle de nombreux clients. Finalement, Hélène et Sylvain ont embauché des étudiants qui conseillent de petites entreprises en étude et en analyse de marché, afin d'obtenir une interprétation plus précise des réactions des clients à leurs produits et services. Dans les dernières parties du rapport, les conseillers ont établi les faits suivants :

« Les clients de La Boulangerie Éclair inc. sont entièrement satisfaits de la qualité des produits de boulangerie. Bien qu'ils paient beaucoup plus cher qu'ailleurs, ils prétendent tous en avoir pour leur argent. Les personnes interrogées utilisaient les mots qualité, savoureux, excellent, perfection, propre, raffiné, artistique, délicieux, appétissant, succulent, gourmet, sucré et irrésistible. »

Bien qu'Hélène et Sylvain n'aient pas été surpris mais plutôt contents du rapport, ils ne connaissaient pas les mesures à adopter pour distribuer leurs pâtisseries sur une grande échelle. Ils croyaient que seules les entreprises plus spécialisées de différentes parties du Québec seraient intéressées à acheter leurs produits. En fait, ils avaient déjà reçu des demandes de détaillants situés à plus de 300 kilomètres. Toutefois, ils ne savent absolument pas si les supermarchés seraient intéressés par leurs pâtisseries, mais se rendent compte que s'ils commencent à vendre sur une grande échelle, il leur faudra une organisation différente en ce qui a trait aux ventes, à la distribution et à la fabrication.

Questions

1. Quelles mesures adopteriez-vous avant l'expansion de l'exploitation de La Boulangerie Éclair inc. ?

2. Que proposeriez-vous à Hélène et à Sylvain s'ils décidaient d'agrandir leur commerce ?

3. Quel type de réseau de distribution leur conseilleriez-vous ?

PARTIE V

LA GESTION
DE LA FONCTION
DE PRODUCTION

L es dirigeants canadiens doivent soutenir la concurrence des entreprises internationales vendeuses de produits qui peuvent être substitués à leurs équivalents canadiens. Une grande efficacité représente donc un élément crucial de succès et de survie à long terme.

Les chapitres 13 et 14 donnent l'information essentielle sur le processus décisionnel de gestion dans la fonction de production, domaine de plus en plus nécessaire au succès des entreprises canadiennes. Les principes fondamentaux de la gestion de la production sont applicables à une vaste échelle, même dans les entreprises de services.

Le chapitre 13, *La planification de la production*, couvre brièvement l'évolution de la production et donne des précisions sur la planification de la production, y compris les notions de production juste-à-temps et de mise en œuvre, ainsi que le cycle de vie du produit jusqu'à inclure la production.

Le chapitre 14, *Le contrôle de la production*, donne un aperçu de quelques notions de base du processus de contrôle de la production. Il couvre la gestion des matières ainsi que les fonctions d'achat, de réception, d'expédition et d'entreposage, de même que la gestion des stocks. Le chapitre se termine sur une description de l'utilisation des ordinateurs dans la production.

CHAPITRE
13

PLAN

La production de masse et la technologie
La mécanisation
La standardisation
L'automatisation

La planification de la production
Le cycle de vie du produit
L'emplacement de l'usine
L'aménagement de l'usine
L'acheminement
L'ordonnancement
La méthode de production au moment adéquat
(juste-à-temps)
La mise en marché

Résumé

LA PLANIFICATION DE LA PRODUCTION

Les objectifs du chapitre

Après avoir lu le présent chapitre, vous pourrez :

1. décrire les caractéristiques de la production de masse ;
2. décrire les diverses catégories de processus de production ;
3. évaluer le rôle que jouent l'automatisation et la technologie dans la production ;
4. décrire les étapes du cycle de vie du produit ;
5. décrire la planification de l'emplacement de l'usine ;
6. décrire la planification de l'aménagement de l'usine ;
7. décrire la planification de l'acheminement et de l'ordonnancement (l'établissement du calendrier) du produit ;
8. décrire la méthode de production au moment adéquat ;
9. décrire la notion de mise en marché.

Pour occuper une position concurrentielle dans le marché actuel, les entreprises doivent appliquer le concept de l'économie globale. Les défis de la concurrence globale et de la technologie en rapide évolution encouragent en effet les gestionnaires à acquérir une meilleure compréhension du processus de fabrication dans son intégralité. La notion de fabrication synchrone est à la base d'un système de contrôle de fabrication à la fine pointe de la technologie qui porte principalement sur les contraintes et les points de contrôle clés de l'usine.

La notion de fabrication synchrone part de la prémisse selon laquelle une entreprise existe pour faire de l'argent. Son objectif consiste à augmenter simultanément la vitesse de traitement tout en réduisant les stocks et les coûts de production. Elle permet aux gestionnaires d'étudier les liens qui existent entre les décisions, les activités et la rentabilité. La fabrication synchrone permet d'adhérer au calendrier de production tout en réduisant les stocks, en augmentant la capacité de production, en améliorant la qualité du service, en réduisant le temps nécessaire au traitement et en augmentant le nombre de produits. Les gestionnaires devraient considérer l'ensemble de l'usine comme un système unique et synchronisé.

La fabrication synchrone définit comme contrainte tout élément qui empêche le système d'atteindre son objectif qui consiste à faire plus d'argent. Les contraintes peuvent être reliées au marché, au matériel, à la capacité, à la logistique, à la gestion ou au comportement, à la culture et à des considérations d'ordre politique. Étant donné que tout système ou toute entreprise doit faire face à une série de contraintes, ses gestionnaires devraient se concentrer principalement sur celles qui limitent le rendement du système.

Trois contraintes majeures fréquentes au processus de production sont le marché, le matériel et la capacité. La contrainte qui exerce le plus son action dans un milieu consacré à la fabrication est le marché. Les contraintes du marché (les demandes relatives aux produits d'une entreprise) déterminent la vitesse de traitement d'une entreprise. Les facteurs de production inadéquats peuvent créer une contrainte en perturbant le flux de la production. En outre, les ressources de capacité insuffisante peuvent être ou non des ressources correspondant à un goulot d'étranglement et limiter ainsi de façon importante le rendement de l'entreprise.

Les goulots d'étranglement correspondent aux secteurs dont la capacité n'est pas excédentaire.

Tout le temps dont on dispose pour un goulot d'étranglement devrait être consacré à la production et au temps de mise en route, puisque tout temps mort ou gaspillé provoquera des pertes sur le plan de la vitesse de traitement. La valeur du temps perdu à un goulot d'étranglement équivaut au coût d'option de ne pas créer plus de produits pour satisfaire la demande du marché.

Le goulot d'étranglement est la machine ou le secteur le plus lent qui soit dans la chaîne des ressources servant à la fabrication d'un produit. Par conséquent, l'ensemble de la production peut être ralenti par ce seul élément. Or, en augmentant son taux de production, il est possible d'augmenter celui du produit. On devrait donc toujours faire produire ou mettre en route les secteurs correspondant à des goulots d'étranglement. Il faudrait d'ailleurs avoir recours aux techniques de génie industriel pour réduire les temps de mise en route des goulots d'étranglement puisque, dans ce cas, une heure de mise en route ajoute une heure de production supplémentaire à l'ensemble du système, mais une heure de mise en route accordée à un secteur autre qu'un goulot d'étranglement est sans conséquence.

Tandis que les goulots d'étranglement servent à régulariser la vitesse de traitement, les autres secteurs permettent de réduire les stocks. Leur importance est donc aussi grande que les goulots d'étranglement en ce qui a trait à l'atteinte de l'objectif de faire de l'argent. Dans la fabrication synchrone, les secteurs autres que les goulots d'étranglement ne doivent produire que les pièces nécessaires aux goulots et ce, juste avant qu'ils en aient besoin. Par conséquent, en équilibrant la demande du marché envers l'usine, les gestionnaires devraient s'efforcer, par les goulots d'étranglement, de rendre le flux de la production égal à la demande du marché[1].

---

1. Traduit de Zabihollah Rezaee, « Synchronous Manufacturing: The Measure of Excellence », *CMA magazine*, septembre 1992, p. 21-23. Reproduit avec l'autorisation de la Société des comptables en management du Canada.

LA PRODUCTION DE MASSE ET LA TECHNOLOGIE

La production de masse correspond au processus qui consiste à transformer des ressources en biens et en services. Ces ressources comprennent notamment les matières premières, les machines, le personnel et le temps. Les produits finis peuvent être des biens (voitures, ordinateurs) ou des services (opérations financières, soins de santé). La production de masse moderne a pour principales caractéristiques la spécialisation de l'effort productif par les travailleurs, la standardisation des produits et le caractère interchangeable des pièces. Ces caractéristiques permettent la mécanisation et l'automatisation des processus de production, qui peuvent être d'extraction, d'analyse, de synthèse, de fabrication ou simplement d'assemblage.

Les **processus d'extraction** retirent les matières premières de leur état naturel, comme l'extraction minière de métaux. Il s'agit souvent de la première étape d'une chaîne d'activités. Les **processus d'analyse** séparent les matières premières en différents produits, comme le raffinage du pétrole pour produire l'essence, le mazout ou le kérosène, ou encore l'abattage d'animaux pour produire la viande, le cuir et d'autres produits. Les **processus de synthèse** combinent les matières premières pour créer de nouveaux produits finis, comme par exemple les changements physiques ou chimiques qui produisent les alliages de métal, le nylon ou le ciment. Les **processus de fabrication** transforment encore les produits issus des processus d'extraction, d'analyse ou de synthèse ; par exemple, la transformation de l'acier en structures diverses. Enfin, les **processus d'assemblage** combinent les composantes, sans les transformer, pour réaliser les produits finis, comme un téléviseur ou un ordinateur.

Les processus de production sont habituellement soit **continus** ou **intermittents**. La production dans une séquence continue d'opérations ne s'interrompt pratiquement jamais. Dans le secteur pétrochimique par exemple, l'usine reçoit, à un bout, le pétrole brut, et à l'autre il en ressort des produits finis. Tous les processus de production peuvent fonctionner plus ou moins continuellement. Les processus de fabrication et d'assemblage sont également continus ou intermittents. Un processus continu implique une production à un rythme stable, sans ordres particuliers et qui entraîne une accumulation périodique des stocks. Quant au processus intermittent, il ne débute qu'à la suite d'ordres précis, de sorte qu'il y a peu de stocks accumulés et que les travailleurs sont fréquemment mis à pied puis réembauchés.

La production intermittente convient parfaitement à la production d'articles de grandes dimensions, dont la valeur est élevée et dont la production nécessite un temps considérable. La séquence continue convient pour sa part davantage à la production d'articles faisant l'objet de normes et dont le temps de production est moins long. Par conséquent, la production d'automobiles standards est continue dans les grandes usines, chaque voiture ne prenant que quelques heures. En revanche, les petits ateliers de carrosserie spécialisés produisent de grandes limousines en coupant en deux une voiture neuve, pour y placer une rallonge centrale et en ajoutant tous les accessoires demandés par le client ; ce travail dure des semaines, voire des mois.

Il y a plus de deux siècles, on constata que l'on pouvait augmenter la production si chaque travailleur se spécialisait dans une seule opération, au lieu de participer à toutes les étapes de la création d'un produit. Par la suite, on découvrit que la production totale pouvait être encore augmentée par la standardisation des pièces, qui devenaient ainsi interchangeables. Enfin, plus récemment, les robots ont remplacé l'individu pour certaines tâches répétitives, ce qui a entraîné une augmentation supplémentaire de la production. Grâce à une organisation et à une gestion efficaces du processus de production, il est donc possible d'augmenter cette dernière. Le présent chapitre et le chapitre suivant traitent des aspects du processus de production qui sont si importants pour la plupart des entreprises.

La mécanisation

Avant la révolution industrielle, la plupart des biens étaient produits par les consommateurs ou par des spécialistes du coin, aidés d'apprentis. On se servait alors d'outils simples ou de matériel mécanique rudimentaire. Au cours de la révolution industrielle, de nombreuses inventions permirent de fabriquer et d'accélérer la fabrication des biens. Nombre de ces inventions étaient du matériel mécanique pour le domaine agricole et d'autres secteurs connexes, comme par exemple le textile. Enfin, la création de la locomotive à vapeur accorda aux nouvelles usines la puissance dont elles avaient besoin et créèrent des secteurs de transport sur terre comme sur mer.

En 1776, Adam Smith établit le principe de la division du travail pour l'augmentation de la productivité. Il n'était sans doute pas le premier à le faire, mais devint le plus célèbre. Il donna l'exemple de la fabrication d'épingles qui étaient habituellement produites par des petits groupes de personnes œuvrant au même endroit. Chaque personne effectuait les neuf étapes du processus de production. Smith estima qu'en se spécialisant dans une seule étape, chaque personne deviendrait plus compétente et que la production totale d'épingles augmenterait. Il conclut que chaque spécialiste serait amené à créer des outils et des machines spéciales pour travailler encore plus efficacement. Il mit peu l'accent sur la question d'économie du temps, qui nous préoccupe aujourd'hui. Le temps a de nos jours une importance capitale et c'est l'entreprise la plus rapide qui l'emporte sur tous les terrains.

Avec l'avènement des machines et des outils spécialisés, de moins en moins d'ouvriers qualifiés participaient au processus de production. L'intégration des machines à l'agriculture força de nombreux ouvriers agricoles à émigrer dans les villes et dans d'autres pays, dont le Canada, pour y constituer la main-d'œuvre des nouvelles industries. On embauchait alors des personnes aux compétences différentes à un salaire différent.

La standardisation

La standardisation consiste à établir les caractéristiques d'un produit qui s'appliquent à l'ensemble d'une industrie. Elles comprennent entre autres la composition, les dimensions, les mesures, le rendement et la qualité du produit et l'utilisation du système métrique ou impérial. Ainsi, une ampoule standard destinée au marché nord-américain peut être insérée dans n'importe quelle douille, mais ne pourra être utilisée dans la plupart des autres pays. De même, les câbles électriques destinés au marché nord-américain peuvent être branchés partout sur le continent. Les prises de courant fabriquées en Grande-Bretagne ne sont pas les mêmes que celles que l'on utilise dans la plupart des pays d'Europe et toutes se distinguent de celles que nous utilisons ici. Les films 35 mm conviennent à tous les appareils photo de ce type et toutes les disquettes sont compatibles avec tous les ordinateurs personnels.

Certaines normes sont établies par une industrie alors que d'autres le sont par des organismes nationaux ou internationaux. Le secteur des ordinateurs personnels a ses propres normes, qui sont celles de l'ISA (Industry Standard Architecture) et de l'EISA (Enhanced Industry Standard Architecture) ainsi que des normes de l'American National Standards Institute (ANSI). Au Canada, les normes nationales sont promulguées par l'Association canadienne des normes (ACNOR), mais de nombreux produits vendus au Canada sont conformes aux normes de l'ANSI.

Les consommateurs comme les producteurs tirent profit de la standardisation des produits, car elle facilite la comparaison des produits de différentes marques et l'usage des pièces de remplacement. Le prix des pièces standards, offertes par divers fournisseurs, est moins élevé pour les consommateurs comme pour les producteurs. (Une plus grande concurrence entraîne normalement une baisse des prix.)

Quand certains secteurs ne sont soumis à aucune norme nationale ou internationale, des producteurs concurrents offrent aux consommateurs une technologie différente véhiculée par divers produits et dont la survie dépend du marché. Prenons l'exemple de Sony, qui lançait les cassettes vidéo et les magnétoscopes de format beta. Ses concurrents mirent au point les cassettes VHS, de dimensions différentes, qui permettaient des enregistrements plus longs, mais de qualité inférieure. Les consommateurs décidèrent du sort de ces deux produits, optant pour les cassettes VHS et les enregistrements de six heures au lieu de quatre heures. Résultat : les consommateurs qui avaient acheté des magnétoscopes beta se retrouvent avec des machines vétustes, qu'il sera de plus en plus difficile de faire fonctionner. Par ailleurs, les nouveaux téléviseurs à haute définition (résolution) seront commercialisés dès qu'un des trois systèmes sera choisi.

La standardisation présente en outre de nombreux avantages dans le secteur des services. Ainsi, les dimensions et le codage magnétique des chèques sont maintenant standards, permettant aux machines de traiter beaucoup plus de chèques qu'une personne responsable de cette opération ; la compensation des chèques et les virements de fonds sont donc plus efficaces. Il en va de même des codes qu'utilisent les aéroports pour les communications et la manutention des bagages, et des codes qu'ont adoptés les divers bureaux de postes nationaux du monde entier.

L'automatisation

L'automatisation englobe les dispositifs qui reproduisent les actions d'un être vivant (humain ou animal) et les processus qui sont contrôlés sans l'intervention de l'homme. Les machines automatisées, comme les robots, accomplissent des activités qui étaient auparavant réservées aux humains ou aux animaux. Les robots peuvent par exemple effectuer un travail que les humains ne désirent pas accomplir, particulièrement les tâches dangereuses ou onéreuses, comme la soudure ou la manipulation d'objets lourds. Au cours des années, la relation entre l'humain et la machine s'est transformée. Avant la révolution industrielle, les personnes assuraient toute la production et contrôlaient le processus de production. Par la suite, les machines ont de plus en plus pris en charge la production, laissant le contrôle du processus aux humains. Aujourd'hui, des machines et des robots qui font l'objet d'un contrôle numérique produisent des biens qui ne sont «touchés» par aucun humain. L'automatisation s'applique aussi au secteur des services, dont l'industrie bancaire, où les guichets automatiques remplacent les caissiers.

La standardisation a rendu possible l'automatisation, mais comme elle laisse l'homme exercer sa créativité et s'adapter à des situations imprévues beaucoup mieux que les machines, et réserve à celles-ci les tâches répétitives et astreignantes qu'elles font mieux que lui, il est important dans la conception des tâches de tenir compte de l'interface et du rapport entre l'humain et la machine.

Les robots, qui firent leur apparition au cours des années 1950, sont des machines programmables qui envahissent de plus en plus le marché du travail. Les robots industriels sont des modèles réduits du **bras canadien** utilisé par l'industrie aérospatiale. Il est formé de deux principales composantes : un manipulateur et un système de contrôle. Le manipulateur comprend un bras et un poignet mécaniques qui font six mouvements de base. Le bras peut décrire un arc horizontal ou vertical, l'avant-bras peut effectuer des mouvements vers l'intérieur ou vers l'extérieur, le poignet peut bouger vers le haut, le bas, la gauche ou la droite, et effectuer des rotations. La **main** n'a que deux doigts pour saisir les objets. On peut même programmer certains robots spécialisés pour des séquences de mouvements ou pour la prise de décisions logiques simples. Le système de contrôle est évidemment informatisé, de sorte que l'efficacité du robot dépend de son programme : si le programmeur a fait une erreur, le robot en fera une.

L'usage des robots est très répandu dans la production à la chaîne, comme l'industrie automobile. Ils sont utilisés couramment dans la soudure et la peinture. Certaines usines se servent aussi de robots motorisés pour transporter des matériaux. Les robots sont particulièrement adaptés aux tâches qui nécessitent la manipulation de matières dangereuses ou d'objets très lourds ou très massifs.

Certains robots **voient** à l'aide de caméras vidéo jumelées à des ordinateurs qui peuvent interpréter l'image ; ils lisent des symboles (comme les codes à barres), identifient des objets (en les comparant à des images emmagasinées dans l'ordinateur) et mesurent ou inspectent les pièces. Ils remplissent des conteneurs d'expédition et vérifient s'ils sont bien remplis.

LA PLANIFICATION DE LA PRODUCTION

L'investissement dans la capacité de production nécessite temps et argent. En fait, l'investissement dans des immobilisations (budgétisation des investissements) constitue l'une des plus importantes décisions que puisse prendre un gestionnaire. Une fois l'argent dépensé, l'usine construite et la machinerie installée, le système de production est prêt à fonctionner et il est

trop tard pour revenir en arrière. L'entreprise est maintenant engagée dans un projet. De plus, les biens particuliers créés à l'intention d'une entreprise pourraient ne pas convenir à une autre ou n'être vendus qu'à perte.

Le cycle de vie du produit

Le cycle de vie d'un produit est à la base de la prise de décisions et de la planification de la production. À cet égard, le cycle de vie d'un produit chevauche le cycle de vie d'un produit sur le plan du marketing, dont nous avons parlé au chapitre précédent. Le cycle de vie d'un produit porte sur les aspects liés plus particulièrement à la production du produit qu'à sa vente. Il couvre le processus de production, du début à la fin. Il correspond en fait aux sept étapes qui figurent au tableau 13.1, soit l'élaboration du système de production, la conception du produit, le choix du processus de production (technologie), la conception du système de production, le lancement du système, le maintien de la production et la fin du système de production.

Le **cycle de vie d'un produit** débute avec la conception du produit ou du service que l'entreprise désire commercialiser. Il commence donc par une idée. Cette idée doit être analysée pour que l'on puisse déterminer sa faisabilité et sa rentabilité sans nuire aux consommateurs ou à l'environnement. Notons que de nombreuses idées sont rejetées à ce stade.

Une fois l'idée acceptée, on doit se pencher sur la conception du produit et se poser entre autres les questions suivantes : Quelles devraient être ses dimensions, ses fonctions, son apparence ? Qui l'utilisera et à quelles fins ? À quel prix devrait-il être vendu ? À quel endroit et de quelle façon devrait-il être vendu ? Toutes les étapes de sa fabrication seront-elles effectuées sur place ? Confiera-t-on une partie ou la totalité de sa réalisation à des sous-traitants (décision de fabriquer ou d'acheter) ? Les prototypes

TABLEAU 13.1
Le cycle de vie du produit

Étape du cycle de vie	Questions relatives aux principales décisions
Conception	– Quels objectifs seront atteints? – Quel produit devrait-on créer? – Quelle est la demande à cet égard?
Conception du produit	– Comment le produit devrait-il se présenter? – À quels usages devrait être destiné le produit?
Choix du processus	– À quelle technologie devrait-on avoir recours?
Conception du système	– Quelle devrait être la capacité de l'usine? – Où l'usine devrait-elle être située? – Quel aménagement conviendrait le mieux à l'usine? – Quels seront les coûts de construction? – Comment le travail devrait-il être accompli? – Comment les travailleurs devraient-ils être payés et motivés? – Quels seront les frais d'exploitation?
Lancement du système	– De quelle façon le système devra-t-il démarrer? – Combien en coûtera-t-il pour démarrer le système? – Combien de temps prendra le démarrage?
Maintien	– Comment le système devrait-il être maintenu? – Comment le système devrait-il être amélioré? – Comment le système devrait-il être révisé?
Fin	– Comment devrait-on mettre fin au système? – Comment pourrait-on récupérer des ressources? – Quand le système devrait-il prendre fin?

et les recherches de marché pourraient permettre de répondre à ces questions.

Une autre activité clé à ce stade est l'ingénierie de la valeur. L'ingénierie de la valeur consiste à produire un meilleur article, au moindre coût, sans sacrifier sa qualité et sa fiabilité. Elle met l'accent sur la valeur d'utilisation. La valeur d'un élément peut ne correspondre qu'à la valeur de la fonction qu'il exerce pour le consommateur-utilisateur. On observe des coûts superflus chaque fois que l'on établit qu'il existe une méthode de production moins coûteuse qui donne le même résultat sans affecter la qualité du produit. On établit la valeur en comparant diverses solutions de rechange. Nombre de produits sont conçus en équipe. Or, les groupes responsables de la conception ne peuvent pas toujours procéder à une évaluation détaillée de tous les sous-assemblages. Par conséquent, on assiste souvent à une sous-optimisation, qui pourrait amoindrir la valeur économique du produit. Parmi les raisons qui font augmenter les coûts figurent les lacunes sur le plan du regroupement des renseignements pertinents ou sur le plan de l'évaluation de toutes les façons possibles de réaliser les fonctions requises, et les convictions, les habitudes ou les attitudes erronées.

La plus importante décision stratégique sur le plan de la production est probablement le choix de la technologie à utiliser pour fabriquer le produit. On se trouve souvent obligé de choisir entre plusieurs processus de production, chacun nécessitant une quantité de capitaux et de main-d'œuvre différente et chacun présentant des caractéristiques distinctes quant aux coûts. Une fois la technologie choisie, on peut procéder à l'achat de l'équipement, ou à sa construction selon des normes particulières. Construire de l'équipement spécialisé peut prendre des années de travail ; il pourra donc s'avérer judicieux de choisir une technologie pour laquelle il existe déjà l'équipement fonctionnel. C'est le choix de la technologie qui déterminera l'équipement nécessaire.

Le système de production, le choix de la taille et de l'emplacement de l'usine doivent être bien pensés. La décision sur la taille de l'usine est d'une importance stratégique. Quant à la capacité de l'usine, elle est évidemment reliée au volume des ventes prévues. En outre, la décision influera sur les matières premières, la fabrication en cours, le stockage des produits finis, et l'infrastructure du site. Une fois la taille de l'usine décidée, son aménagement optimal doit être défini, avec les tâches spécifiques de la main-d'œuvre.

Ensuite, le système devra bien sûr démarrer et les problèmes devront être résolus. Cette étape du cycle de vie d'un produit correspond à la phase initiale du cycle de vie du marketing traitée dans le chapitre précédent.

Pendant une certaine période, préférablement longue, le produit sera fabriqué dans un cadre d'équilibre. La production augmentera à mesure que les travailleurs auront plus d'expérience, et les coûts de la production unitaire baisseront. Ce stade du cycle de vie d'un produit correspond aux phases de croissance et de maturité du cycle de vie du marketing.

Puis vient le temps de mettre un terme à la production d'un produit et au système connexe. Les mesures que l'on prendra à ce moment-là devront avoir été établies pendant la planification initiale. On pourrait soit démanteler l'usine et l'équipement pour les exporter, et laisser ainsi le cycle de vie du marketing recommencer, soit utiliser l'équipement et les installations pour fabriquer autre chose.

Le meilleur exemple de cette façon de procéder est peut-être celui de la société Ford. Elle lança un nouveau modèle de voiture, l'Edsel, fabriquée dans des usines créées spécialement à cet effet qui connut malheureusement un échec retentissant. Or, presque en même temps, Ford sortait la Mustang qui remporta elle un succès fulgurant. Ford eut la bonne idée de fabriquer la Mustang dans les locaux destinés à l'origine à la fabrication de l'Edsel. Ford, qui ne pouvait pas prévoir que les goûts des consommateurs allaient changer, avait procédé dans les règles pour le lancement de l'Edsel, mais s'y était pris trop tard. Même si elle était en quelque sorte un coup de dés, la Mustang avait séduit le public et connut un succès foudroyant.

L'emplacement de l'usine

Le choix de l'emplacement de l'usine est déterminant dans la position concurrentielle d'une entreprise. Ce choix devrait bien sûr reposer sur les objectifs globaux de celle-ci. On doit garder en tête que de nouvelles installations nécessitent des investissements de taille en immobilisations. Comme on ne peut facilement revenir en arrière ni déménager une usine, l'entreprise doit prendre cette décision en considérant son impact à long terme. Lorsqu'on décide de l'emplacement d'une usine, on doit toujours s'efforcer de minimiser les coûts du produit ou du service livré au client, c'est-à-dire les coûts de fabrication, de transport et tous les autres coûts occasionnés par l'acheminement du produit vers sa destination finale. On ne peut décider de l'emplacement d'une usine sans tenir compte de tous ces facteurs, car l'usine n'est qu'une composante du système de production et de distribution.

On entend par logistique industrielle la gestion de toutes les composantes du système de production et de distribution. Ce système englobe le transport, la gestion des stocks et le traitement des commandes. Dans un système type, on commande les matières premières à plusieurs fournisseurs, on les achemine ensuite à l'usine où elles restent jusqu'à ce que la production s'amorce. La gestion des stocks est assurée à chaque étape de la fabrication pendant la durée des travaux. Les produits finis sont alors entreposés dans l'usine avant d'être expédiés. On les expédie ensuite aux entrepôts des distributeurs régionaux ou des grossistes, où ils sont entreposés de nouveau. Enfin, on les envoie aux détaillants qui les stockent avant de les vendre aux consommateurs.

La logistique industrielle doit assurer la coordination de la production avec le marketing. Les directeurs du marketing cherchent à offrir aux clients un produit ou un service de qualité au bon endroit, au bon moment. Ils désirent avoir des stocks importants pour pouvoir livrer chaque produit qu'on leur commande, mais les directeurs de production veulent produire au moindre coût et sans stocker trop d'articles. Pour établir l'équilibre, on doit tenir compte du service à la clientèle, de l'utilisation de la capacité de production, des frais et du temps de transport (calendrier). Pour choisir l'emplacement idéal, il faut donc examiner chaque composante du système de production et de distribution.

On doit considérer deux genres de critères au moment de choisir l'emplacement de l'usine : les critères économiques et les critères non économiques. Les premiers comprennent les coûts des installations comme telles, leur exploitation et les frais de transport. Les coûts des installations comprennent l'amortissement, les assurances, l'entretien, les taxes et les services publics. Les frais d'exploitation comprennent le carburant, la main-d'œuvre et les frais généraux, comme l'administration. Quant aux frais de transport, ils englobent les frais d'acheminement des fournitures et, parfois, des ouvriers, les frais de transport sur les lieux (s'ils sont vastes),

et les frais de transport des produits finis. Par coûts non économiques, on entend les frais relatifs à la disponibilité et à la qualité de la main-d'œuvre, au climat, aux études des personnes à charge, aux installations de loisirs communautaires, aux soins de santé et aux autres éléments ayant trait à la qualité de vie.

Les décisions portant sur l'emplacement de l'usine se prennent généralement par étape et s'inspirent de la stratégie de l'entreprise. Pour les projets axés sur les ressources, on donne la priorité aux sources de matières premières. Pour les projets axés sur le marché, on se préoccupe d'abord de la proximité des marchés. Enfin, les projets sans préoccupation première peuvent être réalisés dans des installations situées à peu près n'importe où. La première étape du processus décisionnel portant sur le choix de l'emplacement commence par un regard sur le monde, qui nous amène à nous poser la question suivante : à quel endroit devrions-nous installer l'usine ? On choisit de préférence une partie du monde, comme l'Amérique du Nord, l'Europe, le Japon, l'Amérique latine, l'Afrique. Après avoir choisi la région, on choisit le pays. Si le pays est vaste, on peut considérer plusieurs de ses régions qui ne correspondent pas nécessairement à des frontières politiques (provinces ou États). À l'intérieur de chacune des régions, plusieurs collectivités s'avéreront des emplacements appropriés pour l'usine. Enfin, au sein de chacune des collectivités, il existera probablement des emplacements déjà réservés au développement industriel ou qui conviendront à l'entreprise. Une fois l'emplacement de l'usine choisi et les dimensions de cette dernière établies, on doit maintenant se pencher sur l'aménagement des installations.

L'aménagement de l'usine

L'aménagement d'une usine a trait à la disposition particulière de toutes ses installations. Un aménagement optimal permet au matériel, aux travailleurs et aux communications de fonctionner de façon efficace et efficiente. Parmi les objectifs de l'aménagement de l'usine, on compte la minimisation des retards et de la manutention du matériel et la maximisation de la souplesse et du moral des travailleurs. Les principales catégories de l'aménagement de l'usine sont l'implantation par le produit, par le processus, en groupe ou fixe.

L'implantation par le produit régit la disposition de l'équipement en fonction de la séquence des opérations qui devront être accomplies dans le processus de production, afin de permettre aux produits de se déplacer d'une façon plus ou moins continue d'un service à l'autre. Il va sans dire que ce genre d'aménagement convient parfaitement aux processus de production continus.

Voici quelques-uns des avantages de l'implantation par le produit :

– l'utilisation d'un équipement de manutention est possible en raison d'un flux de production unidirectionnel régulier et logique ;

– les stocks de travaux en cours sont habituellement peu importants ;

– le temps de production est habituellement court ;

– la manutention du matériel et des produits est relativement minime ;

– on a normalement besoin de peu de main-d'œuvre spécialisée ;

– le contrôle est relativement facile.

Voici quelques-uns des inconvénients de l'implantation par le produit :

– des pannes le long des lignes de montage peuvent interrompre la production ;

– un changement apporté aux lignes de montage nécessite un changement à l'implantation de la production ;

– la capacité souffre de toute faiblesse de la chaîne et la production dépend du traitement des goulots d'étranglement si tout l'équipement ne peut fonctionner au même rythme ;

– les ouvriers qui travaillent aux lignes de montage pour la fabrication en série par le produit tirent habituellement très peu de satisfaction de leur travail.

L'implantation par le processus suppose une division de l'équipement ou des activités en unités. Par exemple, toutes les perceuses d'une usine pourraient être dans un même service et tous les tours dans un autre. Selon les exigences du traitement, les pièces peuvent être acheminées par séquence aux divers services pour la fabrication des produits. L'implantation par le processus convient surtout aux processus de production intermittents.

Voici quelques-uns des avantages de l'implantation par le processus :

– le coût est habituellement inférieur aux implantations par le produit comparables ;

– la diversité des opérations fait que les travailleurs sont plus satisfaits de leur travail.

Voici quelques-uns des inconvénients de l'implantation par le processus :

– les coûts de manutention et de stockage sont plus élevés en raison des déplacements fréquents des produits ;

– le temps de production est plus élevé qu'avec l'implantation par le produit à cause de retards entre les fonctions ;

– les ouvriers doivent avoir plus de compétences parce qu'ils doivent être en mesure de travailler avec divers produits ;

– le contrôle est plus difficile parce que toutes les activités ne vont pas dans la même direction ;

L'implantation en groupe, également appelée **aménagement cellulaire**, constitue un compromis entre les mises en route accrues et les frais de manutention plus élevés de l'implantation par le processus et les frais de mise en route et de manutention moins élevés de l'implantation par le produit. L'implantation en groupe est fondée sur le groupement en cellules de machines connexes. Au sein de chaque cellule, on a recours à l'implantation par le produit. On utilise cependant l'implantation par le processus pour les cellules, et la production ne connaît pas nécessairement un flux linéaire au sein de l'ensemble des installations. L'implantation en groupe permet de réduire les retards et les frais de mise en route et de résoudre rapidement les problèmes. De plus, les travailleurs, qui ont un plus grand nombre de responsabilités, auront tendance à avoir un meilleur moral.

L'implantation fixe est utilisée pour la construction d'éléments de grandes dimensions, comme les navires ou les avions. Plutôt que d'acheminer les pièces à diverses machines, on les réunit à l'endroit où elles seront assemblées. Ce genre d'implantation peut être également considéré comme un processus de production de projet.

Les organismes de service doivent également considérer des questions similaires. Ils doivent tenir compte du volume de la demande, de la gamme de services offerts, de la compétence des travailleurs et des coûts. Les organismes qui doivent offrir divers services ont habituellement recours à l'implantation par le processus. Par exemple, les bibliothèques placent normalement les volumes, les ouvrages de référence, les périodiques et les micro-films dans des endroits séparés, où se trouve un personnel spécialisé pour offrir un meilleur service. Pour leur part, les organismes de service qui offrent des services normalisés tendent à utiliser l'implantation par le produit. Les services des douanes et de l'immigration dans les aéroports en sont un exemple.

Dans un organisme de service, la perception de l'attente est une question essentielle quand vient le temps de prendre des décisions d'aménagement. Ainsi, selon certaines études, les clients préfèrent une seule file d'attente en forme de serpentin que plusieurs files parallèles où ils ont l'impression que les gens de la file d'à côté avancent plus vite qu'eux, ce qui les irrite beaucoup. On peut en outre réduire le temps d'attente apparent en donnant aux clients quelque

chose à faire, par exemple, en installant des miroirs près des ascenseurs, pour qu'ils s'y regardent. Les lignes aériennes peuvent installer délibérément leurs carrousels à bagages aussi loin que possible des portes d'arrivée. De cette façon, même si le délai de livraison des bagages demeure le même, il semblera moins long aux passagers, qui auront passé une partie du temps à marcher.

L'acheminement

L'acheminement se rapporte à la séquence d'activités qui constitue la production d'un article ou d'un service. Il détermine la voie suivie par toutes les pièces qui composent un produit. L'acheminement précise où le travail sera accompli, par qui et avec quoi. Il précise donc **comment** le produit sera fabriqué. L'endroit où un travailleur effectue une tâche se nomme « aire de travail ». L'acheminement porte donc sur le flux des matériaux et des pièces par les aires de travail nécessaires pour réaliser le produit fini.

L'acheminement comprend :

- les spécifications du produit ;
- la nature, la quantité et la source des matériaux nécessaires ;
- la séquence des opérations nécessaires à la production de l'article ;
- les machines et l'équipement nécessaires à la production de l'article ;
- l'affectation des tâches des travailleurs ;
- le temps nécessaire à chaque étape du processus de production.

L'acheminement correspond à un plan qui couvre l'ensemble de la production, sauf si des tâches particulières doivent être accomplies.

L'ordonnancement

L'ordonnancement, ou l'établissement du calendrier, est l'organisation méthodique du processus de production (le moment de produire). Lorsqu'on établit un calendrier, on indique le moment auquel une tâche doit débuter et prendre fin pour satisfaire la demande des clients ou le niveau de production pour les stocks prévus. Étant donné que le traitement des commandes selon le principe du «premier arrivé, premier servi» n'est peut-être pas la meilleure façon de procéder, l'établissement du calendrier devrait permettre de regrouper des commandes similaires en lots économiques, de façon à minimiser les frais de mise en route.

La méthode de production au moment adéquat (juste-à-temps)

C'est la société Toyota qui a mis au point la méthode de production au moment adéquat, qui a été adoptée par d'autres entreprises japonaises, puis exportée au reste du monde. Le principe de base de cette méthode consiste à produire les bonnes unités dans les bonnes quantités au bon moment, ou juste à temps pour être utilisées. L'idée est de créer un flux régulier et rapide de tous les produits, de la réception des matières premières et des pièces achetées, à la livraison du produit fini au consommateur. Idéalement, le nombre de pièces et de composantes produites au sein d'une usine ou par des fournisseurs devraient suffire en tout temps à produire la prochaine unité ou le produit fini. Les stocks sont ainsi gardés au minimum. La méthode de production au moment adéquat se compose de quatre éléments : l'aménagement de l'usine et les méthodes de production, les **kanbans** (mot japonais pour désigner les cartes), la gestion de la qualité totale et les fournisseurs.

Les usines japonaises qui utilisent cette méthode ont habituellement recours à l'implantation en groupe (ou aménagement cellulaire), dont nous avons parlé plus tôt. Elles arrivent à produire des lots plus petits d'une façon très souple. Les entreprises japonaises établissent normalement des plans directeurs de production pour une durée de trois mois. Elles s'efforcent en outre de régulariser chaque jour le calendrier de production afin que la quantité des biens produits à la fin de chaque journée de travail soit la même.

L'élément clé de la méthode de production au moment adéquat est le système d'information par kanbans. On écrit sur les kanbans des détails comme la catégorie et le nombre d'unités nécessités par un processus particulier. On utilise ensuite les kanbans pour retirer des éléments des stocks de matières premières et pour débuter la production. Les kanbans sont acheminés en même temps que les pièces, à chaque opération. Ce système d'information permet de réduire les stocks de fabrication en cours. Le genre et le nombre d'opérations de production nécessaires à la création d'un article constituent des éléments clés des stocks de fabrication en cours. Plus le processus de production est rapide, moins on a de stocks de fabrication en cours.

La **gestion de la qualité totale** est nécessaire à la réussite de la production au moment adéquat. Le nombre d'éléments défectueux doit être minimisé ; en fait, on doit avoir pour but l'absence de toute défectuosité. Comme les lots sont petits, on ne dispose d'aucun stock de sécurité pour subvenir à une pénurie du processus de production, et tout rejet interrompra le flux du travail. Les articles achetés ne font pas l'objet d'une inspection lors de leur réception puisqu'ils sont censés être sans défaut. Les entreprises japonaises travaillent en collaboration avec leurs fournisseurs pour résoudre le plus tôt possible les problèmes relatifs à la qualité. De plus, dans le cadre de la méthode de production au moment adéquat, chaque travailleur est un vérificateur du contrôle de la qualité et doit repérer immédiatement tout défaut et le corriger aussitôt que possible. Les industries japonaises utilisent des méthodes automatiques et des méthodes manuelles pour le contrôle des lignes de montage. Ainsi, certaines machines sont munies de dispositifs d'arrêt automatique qui s'activent dès que la qualité se détériore. En revanche, lorsqu'il s'agit d'un système manuel, dès qu'un ouvrier découvre un problème, il le signale en activant un voyant lumineux jaune, afin d'attirer l'attention de ses compagnons de travail à proximité, qui viendront l'aider. Si le problème n'est pas résolu après 60 secondes, une lumière rouge s'allumera, une sirène se fera entendre et toute la ligne de montage s'arrêtera. Le directeur et tous les travailleurs accourront sur les lieux du problème pour tenter de corriger la situation.

Étant donné que le flux du matériel commence avec les fournisseurs, ces derniers doivent procéder à des livraisons au moment adéquat. Les fournisseurs livrent fréquemment du matériel dans des conteneurs standards, au contenu standard, que l'on stocke ensuite temporairement. Désormais, il n'est donc plus nécessaire de déballer, de compter, d'inspecter et d'entreposer chaque article, comme c'était le cas auparavant dans la plupart des entreprises. En raison des livraisons fréquentes, les fournisseurs sont maintenant situés à proximité. Avec la méthode de production au moment adéquat, les fabricants travaillent en collaboration avec les fournisseurs, qu'ils considèrent comme partenaires plutôt que comme adversaires. Les contrats de livraison couvrent souvent des périodes aussi longues que trois ans, pouvant être renégociées. Ces contrats à long terme encouragent la loyauté des fournisseurs.

✗ En 10 ans, Toyota a réduit son temps de production de 15 jours à une journée grâce à la méthode de production au moment adéquat. Elle a aussi réduit ses stocks de moitié, relativement au volume de production, et a doublé la productivité de sa main-d'œuvre. Toyota a dû consacrer de nombreuses années à l'élaboration de ce système qui fait appel à la collaboration de l'employeur et de l'employé. Il s'agit d'une façon de procéder contraire à la méthode de confrontation traditionnelle nord-américaine qui consiste à diviser les travailleurs de façon excessive et à établir des règles de syndicat strictes qui empêchent toute souplesse. Dans le cadre de la

méthode au moment adéquat, les travailleurs doivent être en mesure de procéder eux-mêmes à l'entretien et à la mise en route de leur machine. Comme ils doivent aussi pouvoir passer d'une machine et d'une tâche à l'autre, ils ont besoin d'une formation plus importante et plus fréquente.

La mise en marché

Le temps constitue de plus en plus un avantage concurrentiel pour les sociétés agiles. L'une d'elles, l'entreprise suisse ABB-Brown Boveri a réduit de moitié le temps nécessaire à la production et à l'installation d'énormes transformateurs électriques. Selon son contrat type, le temps d'exécution total, de la commande initiale à l'installation finale, devait correspondre à deux années. L'entreprise découvrit qu'elle devait consacrer plus de temps aux négociations portant sur l'approvisionnement et le financement qu'à la conception technique et à la production. En outre, il était souvent nécessaire d'interrompre la conception et la production selon les résultats des négociations. Or, en appliquant une méthode de **mise en marché** sur tous les systèmes en jeu, l'entreprise fut en mesure de réorganiser ses activités afin de mener ses négociations en parallèle avec la conception technique et la production. Cette nouvelle façon de travailler est toutefois plus risquée, puisqu'il est possible que les négociations financières soient infructueuses et que l'on perde ainsi tout le temps et l'argent investis dans la conception technique. En revanche, une livraison plus rapide confère à l'entreprise un avantage concurrentiel de taille.

Dans le secteur tertiaire, on peut aussi tirer profit de l'aménagement du temps de travail. En 1985, Citicorp, une importante banque américaine, a annoncé une nouvelle politique selon laquelle elle s'engageait à ne pas consacrer plus de 15 jours pour accorder une autorisation de prêt hypothécaire. Cette année-là, la moyenne de l'industrie était d'environ 45 jours. Aussi, nombreux étaient ceux qui croyaient que Citicorp était tombée sur la tête. Néanmoins, les avantages que cette mesure présentait pour les acheteurs et les vendeurs éventuels sont évidents, et il n'en fallait pas plus pour faire monter en flèche les affaires de Citicorp en matière de prêts hypothécaires. Les demandes de prêts hypothécaires auprès de cette banque doublèrent donc chaque année pendant trois années consécutives, alors que l'augmentation moyenne de l'industrie correspondait à un peu moins de 3 p. 100. En 1989, Citicorp annonça qu'elle réduisait son temps d'approbation de prêts hypothécaires à 15 minutes. Résultat: Citicorp est aujourd'hui le plus grand prêteur hypothécaire des États-Unis.

Elle dispose d'une banque de données informatisée sur les hypothèques, centralisée à Saint-Louis, qui fonctionne 12 heures par jour, 6 jours par semaine. Elle utilise également un système d'audio-messagerie, accessible au moyen d'un téléphone à ligne touch-tone, sans frais d'interurbain, qui offre aux clients la possibilité de s'enquérir de leurs paiements mensuels, leurs impôts ou leurs assurances. (Normalement, le détenteur d'un prêt hypothécaire perçoit un montant mensuel, qui comprend le capital et les intérêts de l'hypothèque plus les impôts fonciers et les assurances sur la maison, qu'il doit payer pour protéger ses intérêts dans sa propriété.)

RÉSUMÉ

Sommaire

1. Les caractéristiques essentielles de la production de masse moderne sont la spécialisation de l'effort productif par les travailleurs, la standardisation des produits et le caractère interchangeable des pièces. Ces caractéristiques permettent la mécanisation et l'automatisation des processus de production.

2. Les processus de production peuvent être d'extraction, d'analyse, de synthèse, de fabrication ou simplement d'assemblage.

3. L'automatisation se rapporte à l'interface entre l'humain et la machine dans le processus de production. Les animaux et les machines ont remplacé le travail des humains dans les processus de production. Quant aux robots, ils peuvent remplacer les humains pour l'accomplissement de certaines tâches dangereuses et onéreuses. Les humains peuvent toujours user de leur créativité et s'adapter à des situations imprévues mieux que des machines, alors que ces dernières peuvent effectuer des tâches répétitives et astreignantes mieux que les humains. La conception des tâches doit tenir compte de l'interface approprié entre l'humain et la machine.

4. Le cycle de vie d'un produit est à la base de la prise de décisions quand à la planification de la production. Il comprend sept étapes: l'élaboration du système de production, la conception du produit, le choix du processus de production, la conception du système de production, le lancement du système, l'équilibre de la production et la fin du système de production.

※ 5. La planification de l'emplacement de l'usine dépend de la stratégie de l'entreprise et vise à minimiser les coûts de livraison du produit à sa destination ultime. On doit d'abord se poser la question suivante:

à quel endroit devrions-nous construire notre nouvelle usine ? On devra alors se conformer à un processus par étape pour fixer son choix, qui devra être fait en considérant des régions internationales, puis des pays, des régions nationales, des collectivités et, enfin, des emplacements industriels.

6. Une fois l'emplacement de l'usine choisi et les dimensions de celle-ci déterminées, on peut choisir la disposition des installations dans le but de minimiser les retards et la manutention du matériel, et de maximiser la souplesse et le moral des travailleurs. Les principales catégories de l'aménagement de l'usine sont l'implantation par le produit, par le processus, en groupe ou fixe.

7. La planification de l'acheminement de la production et de l'ordonnancement porte sur la façon dont la production devra se dérouler et le moment opportun. L'acheminement précise où le travail devra être accompli, par qui et avec quel équipement et quel matériel. L'établissement du calendrier vise à établir à quel moment chaque activité de production devrait se dérouler.

8. Le concept de mise en marché considère le temps comme un outil concurrentiel. Les entreprises qui peuvent devancer leurs concurrents en ce qui a trait à la commercialisation de leurs produits ont une longueur d'avance. L'adage selon lequel le temps c'est de l'argent semble avoir son fond de vérité. Nombre d'entreprises réorganisent en effet leurs activités dans le but de réduire le temps d'attente entre la commande et la livraison d'un produit ou d'un service.

Notions clés

L'acheminement

L'aménagement de l'usine

L'automatisation

L'emplacement de l'usine

L'établissement du calendrier

L'ordonnancement

La décision de fabriquer ou d'acheter

La fabrication synchrone

La gestion de la qualité totale

La logistique industrielle

La mécanisation

La mise en marché

La production au moment adéquat (juste-à-temps)

La production de masse

La standardisation

Le cycle de vie du produit

Le processus continu
Le processus d'analyse
Le processus d'extraction
Le processus de fabrication
Le processus de synthèse
Le processus intermittent

Exercices de révision

1. Quelles sont les principales caractéristiques de la production de masse ?
2. Quelles sont les principales étapes du cycle de vie d'un produit ?
3. Quelles sont les principales considérations dans le cadre de l'emplacement d'une usine ?
4. Quelles sont les principales considérations dans le cadre de l'aménagement d'une usine ?
5. Quels sont les principaux aspects de l'acheminement et de l'ordonnancement ?

Matière à discussion

1. Pourquoi la technologie et l'automatisation sont-elles importantes dans le cadre de la planification de la production ?
2. Expliquez de quelle façon le cycle de vie d'un produit peut aider des gestionnaires à planifier la production.
3. Expliquez le processus de planification de l'emplacement et de l'aménagement d'une usine.
4. Expliquez en quoi la gestion de la qualité totale et la méthode de production au moment adéquat sont reliées entre elles.
5. Pourquoi la mise en marché est-elle devenue un outil de concurrence privilégié ?

Exercices d'apprentissage

1. L'emplacement de l'usine

Récemment, le fabricant allemand d'automobiles BMW décidait de construire une usine en Amérique du Nord. Il a donc envoyé une équipe de gestionnaires et d'ingénieurs pour étudier divers emplacements au Canada, aux États-Unis et au Mexique. Après des mois d'analyses intensives, l'entreprise décidait de construire sa nouvelle usine en Caroline du Sud. Depuis de nombreuses années, cet état américain s'efforce énergiquement de favoriser l'implantation de nouvelles industries. Il a d'ailleurs des bureaux de promotion du commerce dans divers pays, dont l'Allemagne. Son gouvernement prête de l'argent aux entreprises pour qu'elles y établissent leurs usines, se charge de trouver la main-d'œuvre et a une attitude généralement favorable aux affaires. Dans certaines écoles secondaires, on y enseigne même l'allemand. En outre, les universités de la région offrent régulièrement des programmes de formation particuliers aux travailleurs d'entreprises industrielles, pendant la construction d'usines. La University of South Carolina offre également une maîtrise en affaires internationales dans le cadre duquel les étudiants doivent apprendre l'allemand ou le japonais. Résultat : plus de 300 usines allemandes se sont installées en Caroline du Sud, ce qui constitue la plus grande concentration d'entreprises allemandes à l'extérieur de l'Allemagne. Nombre de ces entreprises sont situées en bordure de la mer, près de la ville portuaire de Charleston et le long de fleuves qui se jettent dans la mer à Charleston. Ainsi, au cours d'une période de près de 40 ans, l'un des états les plus pauvres des États-Unis a adopté avec succès une stratégie d'industrialisation coordonnée. Cette stratégie a amélioré le niveau de vie de la population, a porté le chômage à un taux inférieur à la moyenne nationale et a augmenté l'assiette fiscale de l'état sans majorer le taux d'imposition. BMW n'a pas expliqué les raisons qui ont entraîné le rejet des autres emplacements. Pourtant, le taux des salaires du Mexique est évidemment beaucoup moins élevé que partout ailleurs en Amérique du Nord, mais on n'a pas retenu ce choix, ni celui du Canada...

Question

Pourquoi, selon vous, BMW a-t-elle opté pour la Caroline du Sud ?

2. L'aménagement de l'usine

Les représentants d'une nouvelle co-entreprise, située dans un parc industriel de la région de Toronto, près de l'aéroport Pearson et des principales autoroutes, viennent vous demander conseil. Ils entendent importer les unités de base de leur produit (un convertisseur de télévision par câble), y ajouter les principales pièces, fabriquées dans la région, effectuer un travail de conception technique et vendre le produit fini au Canada. Ils prévoient en outre exporter une partie de leur production. L'associé américain de l'entreprise a choisi Toronto en raison des salaires moins élevés des ingénieurs canadiens, des coûts de main-d'œuvre équivalents pour l'assemblage, et de l'excellence des moyens de transport et de l'infrastructure de la région. Les convertisseurs de télévision par câble sont des boîtes de métal relativement petites qui renferment des composantes électroniques (plaquettes, transformateurs, syntonisateurs, etc.). La production se déroulera dans un entrepôt actuellement inoccupé et que l'on peut facilement adapter à l'usage que l'on veut en faire.

Question

Quel genre d'aménagement d'usine leur conseilleriez-vous d'adopter ? Pourquoi ?

CHAPITRE
14

PLAN

Le processus de contrôle
    La répartition
    Le suivi
    Le contrôle de la qualité

Les autres fonctions de production
    La gestion des matières
    L'achat
    La réception et l'expédition
    L'entreposage
    La gestion et le contrôle des stocks

Les ordinateurs et la production

Résumé

LE CONTRÔLE DE LA PRODUCTION

Les objectifs du chapitre

Après avoir lu le présent chapitre, vous pourrez :

1. décrire le processus de contrôle de la production ;

2. décrire le contrôle de la qualité ;

3. décrire la gestion des matières ;

4. décrire la fonction d'achat ;

5. décrire les fonctions de réception et d'expédition ;

6. décrire l'utilisation de l'ordinateur dans la production.

Avec l'ouverture, en 1988, de son usine de 1 million de pieds carrés et de 400 millions de dollars, la société Toyota Motor Manufacturing Canada Inc. a non seulement transformé le paysage de Cambridge (en Ontario), mais a transformé près d'un millier de jeunes hommes et de jeunes femmes inexpérimentés en travailleurs loyaux, non syndiqués et soucieux de la qualité.

Divisés en deux équipes de travail, à l'œuvre 5 jours par semaine, ces travailleurs produisent 65 000 voitures Corolla par année. Depuis 1988, leur taux de production est passé de 1 voiture aux 4 minutes à 1 voiture aux 3,1 minutes. Or, cette hausse est presque entièrement attribuable à des améliorations proposées par les travailleurs eux-mêmes.

Les employés des chaînes de production travaillent au sein d'équipes de six ou huit personnes qui doivent non seulement apprendre leur propre travail, mais aussi celui de leurs coéquipiers.

Et contrairement aux employés de nombreuses usines nord-américaines, on attend aussi d'eux qu'ils réfléchissent. La rotation des postes fait partie de la philosophie de l'entreprise. Au cours des trois dernières années, les tests, la formation et l'évaluation des employés a coûté quelque 30 millions de dollars à l'entreprise, mais a rapporté bien davantage… En effet, pour ces trois années, l'Association des journalistes de l'automobile du Canada a choisi les Corolla produites par ces travailleurs autrefois inexpérimentés comme les meilleurs véhicules construits au Canada. En outre, tandis que d'autres usines automobiles mettaient à pied des employés, Toyota maintenait sa production prévue de 65 000 véhicules, comparativement à 50 000 en 1989. En fait, depuis son ouverture, l'usine de Cambridge n'a jamais licencié un seul travailleur.

Une partie du succès de Toyota est attribuable à son usine. Exploitée depuis à peine quatre ans et dotée d'un équipement à la fine pointe de la technologie, cette usine bien éclairée et éclatante de propreté donne une allure de dépotoir est-allemand à ses cousines plus âgées.

Mais le facteur déterminant dans le succès de Toyota demeure la philosophie de l'entreprise, qui y tient une place plus que prépondérante. Qu'il s'agisse des ouvriers des chaînes de montage ou des cadres de la société, tous assaisonnent leurs conversations sur Toyota d'allusions aux valeurs, aux principes et à la confiance. Des affiches aux murs de la société proclament par exemple : « La satisfaction de la clientèle : au cœur de nos affaires. » Pour les membres de l'équipe, le client, c'est le prochain collègue sur la ligne de montage. Ainsi, si un membre découvre un défaut ou une erreur dans le produit qui arrive à son poste de travail, il doit appuyer sur un bouton ou tirer sur une corde pour interrompre le déroulement des opérations, jusqu'à ce qu'il résolve le problème, en collaboration avec les autres membres de l'équipe. Quand la ligne de montage s'arrête, une cloche se fait entendre dans toute l'usine. Une lumière jaune suspendue

au plafond, tel un tableau d'affichage au hockey, se met alors à clignoter et indique l'endroit où se trouve le problème. Si personne n'appuie sur le bouton ou ne tire la corde de nouveau après 3,1 minutes, la ligne de montage reste stoppée et une lumière rouge clignote alors.

Toyota tire davantage profit de la résolution de problèmes que de l'élimination des défauts sur un véhicule. Cette façon de procéder encourage en outre les employés à chercher des façons d'améliorer leur travail. Toyota appelle ce processus **kaizen**, qui signifie « amélioration constante » en japonais. En fait, l'entreprise ne compte pas un seul ingénieur industriel parmi ses employés, attendant plutôt de ces derniers qu'ils trouvent eux-mêmes des moyens d'accroître leur efficacité et, par le fait même, leur productivité.

Cette philosophie du kaizen s'étend à la grandeur de la société, jusque dans les bureaux de l'administration. Quelque 200 employés font partie du personnel administratif de Toyota et la plupart travaillent dans une seule pièce à aires ouvertes ayant les dimensions d'un gymnase. Tous portent un pantalon marine et une chemise beige à manches courtes arborant leur nom brodé. Les employés de bureau répondent à leur propre téléphone avant la troisième sonnerie.

En plus de mettre l'accent sur le travail d'équipe, l'imagination, la souplesse et la communication, Toyota n'ignore pas les réalités du travail. Les employés affectés à la production gagnent entre 19,50 $ et 22 $ l'heure et leurs avantages sociaux sont supérieurs à ceux des autres travailleurs de ce secteur.

D'un point de vue nord-américain, affirmer que des employés peuvent avoir confiance en leurs directeurs peut sembler aussi farfelu que de parler de la possibilité de faire des voyages astraux. Or, selon Toyota, toute entreprise est en mesure d'obtenir ce résultat, mais bien peu y parviennent.[1]

---

1. Traduit de Bruce McDougall, « The Thinking Man's Assembly Line », *Canadian Business*, novembre 1991, p. 40-44.

LE PROCESSUS DE CONTRÔLE

Le contrôle du processus de production est une composante essentielle du processus de gestion (comme il est indiqué au chapitre 6). Le contrôle de la production est lié à la planification de la production, celle-ci déterminant les objectifs du processus de production. Le contrôle du processus de production supervise les activités à mesure qu'elles s'accomplissent, les compare aux normes de rendement et fait en sorte que toutes les mesures correctives soient prises en temps opportun. Les éléments clés du contrôle de la production sont la répartition, le suivi et le contrôle de la qualité.

La répartition

La répartition est la principale activité du processus de contrôle de la production. Elle comprend l'établissement d'un ordre de priorité et la sélection des tâches devant être traitées aux postes de travail. La répartition s'effectue en fonction de l'acheminement et de l'établissement du calendrier du plan de production. Les ordres de fabrication sont répartis entre les activités de fabrication de l'usine, selon les plans d'acheminement et les calendriers.

Le répartiteur donne aux ouvriers des ordres précis par écrit sur le moment où chaque activité de production doit débuter, sa durée, les machines à utiliser et les matières nécessaires. Habituellement, un tableau présente une liste des matières entrant dans la fabrication de chaque composante du produit, dont une liste des pièces de chaque composante, ainsi que le numéro des pièces, leur nom, les spécifications, et des renseignements sur l'assemblage des composantes dans le but de réaliser divers produits. Le répartiteur autorise les travailleurs à aller chercher les matières nécessaires dans les stocks ainsi que les outils stockés. Pour ce faire, on se sert de demandes, et les fiches de travail accompagnent chaque tâche tout au long du processus de production. Les opérateurs inscrivent sur ces fiches le début et la fin d'une activité, la personne qui en est responsable et tout autre renseignement pertinent.

La fonction de répartition est plus complexe dans les activités d'ateliers qui mettent en jeu diverses machines. En général, le problème consiste à définir la succession optimale de n tâches sur m machines. Chaque tâche peut avoir un acheminement particulier tout au long du processus de production. Dans ce cas, il existera $(n!)^m$ horaires possibles. Par exemple, si $n = 5$ et que $m = 4$, on se retrouve avec plus de 200 millions d'horaires possibles. Par conséquent, comme il est presque impossible de résoudre ce problème avec des moyens mathématiques (ou avec un ordinateur), on doit faire appel à la méthode heuristique. Et comme dans la réalité, on doit acheminer des tâches qui sont déterminées au hasard et de façon intermittente, on prend les décisions au fur et à mesure qu'elles s'imposent.

Les règles de priorité concernant la répartition sont élaborées en fonction des attributs des tâches, comme le nombre et la complexité des activités de production, le temps nécessaire à l'accomplissement d'activités particulières ou la disponibilité des machines. Il est parfois possible de procéder à certaines opérations sur plus d'une machine, quoi que les coûts soient différents d'une machine à l'autre, certaines machines étant plus rapides et d'autres nécessitant un plus petit nombre d'employés qualifiés. On peut calculer les règles de répartition statiques avant l'activité. Quant aux règles dynamiques, elles ne peuvent être calculées qu'au moment où l'on prend une décision particulière ayant trait au chargement d'une machine puisque l'ordre de priorité des tâches peut être appelé à changer en cours de route, en fonction de l'état d'une tâche par rapport aux autres. Dans ces cas, on prend les décisions en ne considérant que les tâches qui sont en attente au moment où une machine termine une tâche et peut en accomplir une autre.

On dispose des résultats de nombreuses recherches sur le rendement des règles de répartition. Les études de simulation indiquent que la répartition en fonction d'une règle simple, soit le **temps de production le plus court** (le temps de traitement le plus court pour l'opération à effectuer) donne presque toujours les meilleurs résultats. Cette règle réduit normalement la quantité des tâches en attente de traitement. Par contre, si les dates d'échéance sont très importantes, la meilleure méthode reste le **rapport critique** (le temps restant jusqu'à la date d'échéance, divisé par le temps nécessaire à l'accomplissement de la tâche). Par exemple, si une tâche qui doit être accomplie en 12 jours prend 4 jours de travail, son rapport critique correspond à $12 / 4 = 3$. Lorsque ce rapport est inférieur à 1, on a accompli la tâche en retard; s'il est égal à 1, on a accompli la tâche à temps. Le rapport critique permet au répartiteur d'établir un ordre de priorité selon l'état de toutes les tâches. Les règles de répartition constituent des lignes directrices utiles, mais seuls des gestionnaires expérimentés peuvent venir à bout de problèmes tels que les ruptures de stock, les ouvriers absents ou les machines en panne.

Le suivi

Le contrôle des progrès compare le rendement actuel du processus de production aux normes précédemment établies quant au temps et aux coûts. Cette fonction dépend d'un système d'information qui fournit les données nécessaires au directeur approprié de façon qu'il puisse prendre sans tarder les mesures correctives nécessaires.

À la fin de chaque tâche, le temps consacré à cette dernière sera établi et pourra être comparé au temps standard. On pourra alors analyser tout écart et en établir les causes. Les facteurs qui entraînent souvent des problèmes sont la pénurie de matières (particulièrement avec la méthode de production au moment adéquat),

les outils manquants, les pannes de machines et le sous-rendement de la main-d'œuvre dû à l'absentéisme, aux blessures ou tout simplement aux mauvaises dispositions.

Il va sans dire qu'il faut pouvoir repérer les écarts aussitôt que possible au cours du processus de production plutôt qu'à la fin. Par conséquent, nombre d'entreprises ont tenté d'informatiser une grande partie de l'information dont elles disposaient en reliant entre eux le secteur des stocks, les armoires à outils et les postes de travail avec les machines appropriées. Les ouvriers sont munis d'une carte semblable à une carte de crédit sur laquelle figurent leur nom et leur numéro d'employé, et qui peut être lue par les machines situées dans l'usine. Un ordinateur central garde ainsi en mémoire un suivi du travail effectué, permettant la comparaison de ces données au plan en temps réel.

Les agents d'ordonnancement peuvent donc repérer les tâches en retard ou celles dont l'ordre de priorité a été modifié, accélérant ainsi le processus de production en attribuant les matières ou les outils manquants au bon endroit ou en remplaçant des travailleurs trop lents par des ouvriers plus expérimentés.

Le contrôle de la qualité

On peut décrire la qualité de quelque chose en parlant de ses attributs. Le processus de planification de la production a pour but d'établir des spécifications relativement à la production; on repère les écarts en comparant les attributs spécifiés à la situation réelle. Normalement, on inspectera les produits finis pour vérifier s'ils sont conformes aux spécifications. Même un organisme dont l'objectif est l'absence de toute erreur aura probablement des articles pour lesquels on aura détecté des défectuosités lors de l'inspection. Si l'on considère que le nombre de ces dernières est trop élevé, on devra prendre des mesures correctives. Par conséquent, on inspecte la production à jour dans le but de déterminer la nécessité de procéder à certains changements afin que la production future soit conforme aux spécifications. L'inspection de la qualité peut également s'étendre aux travaux en cours de façon à prendre plus rapidement les mesures correctives.

La méthode utilisée pour mener l'inspection doit convenir à la tâche en question. Parfois, on peut vérifier la qualité d'un produit simplement en comptant des articles. Dans d'autres cas, on pourra inspecter le produit à l'œil, ou se servir d'appareils de mesure particuliers. Enfin, on devra parfois effectuer des tests destructeurs, comme par exemple les tests d'accidents automobiles.

Même sans aller jusqu'aux tests destructeurs, il est impossible d'inspecter la totalité des articles. On doit donc avoir recours à des techniques d'échantillonnage statistique. Celles-ci consistent à choisir au hasard un échantillon (chaque article a toutes les chances d'être choisi) qui doit être inspecté puis classé comme défectueux ou acceptable. Si, dans un même lot, le nombre d'unités défectueuses n'est pas élevé, on considère que tout le lot est acceptable. En revanche, si le nombre d'unités défectueuses dépasse le nombre d'unités acceptables, on procédera à une inspection de tous les articles du lot, ou on le rejettera entièrement. Cette façon de procéder suppose que les échantillons constituent une représentation fidèle de tous les articles d'un même lot. Évidemment, il existe une certaine marge d'erreur chaque fois que l'on conclut qu'un lot est parfait après en avoir inspecté un échantillon. Les techniques statistiques nous permettent cependant de choisir la taille appropriée de l'échantillon pour que le risque soit le moins grand possible.

Les mesures correctives qui devront être prises une fois que l'on aura détecté une erreur dépendront de l'importance de cette dernière. Ainsi, on pourra refabriquer entièrement certains articles, en les réacheminant dans la ligne de montage à un moment ultérieur. D'autres devront être détruits et certaines pièces pourraient être recyclées dans le processus de production. Les articles, dont les défauts ne sont pas trop graves, pourront être vendus à un prix réduit à titre de produits imparfaits. Enfin, certains articles échapperont bien sûr à l'inspection et seront acheminés tels quels aux consommateurs. Il pourra être alors possible de rappeler et de refabriquer certains d'entre eux, tandis que d'autres devront carrément être remplacés. Il est souvent moins onéreux de remplacer d'abord l'article défectueux, puis de le réparer et de le revendre si la réparation a réussi.

LES AUTRES FONCTIONS DE PRODUCTION

Les autres fonctions de production comprennent la gestion des matières, l'achat, la réception et l'expédition, et l'entreposage. Pour les articles entreposés, il est nécessaire d'avoir recours à un système de contrôle.

La gestion des matières

La gestion des matières englobe toutes les activités ayant trait à la planification, à la coordination et au contrôle de l'acquisition, au stockage, à la manutention et au mouvement des matières premières, aux articles achetés, aux composantes, aux travaux en cours et aux produits finis, aux outils, aux fournitures et à tout ce qui entre dans le processus de production. On appelle « stocks » l'ensemble des articles inutilisés que l'on conserve pour un usage ultérieur. Pour la plupart des entreprises manufacturières, les stocks constituent l'un des investissements les plus importants du bilan. En effet, non seulement leur acquisition est chère, mais il en coûte beaucoup pour les entreposer. On devra par exemple prendre des mesures pour protéger certains stocks des éléments, de la chaleur ou du froid, et certains devront être déplacés. De plus, leur manutention nécessite de nombreuses précautions. Pour ces raisons, la plupart des entreprises s'efforcent de minimiser leur investissement dans les stocks.

Il existe quatre catégories de stocks : les stocks tampons, les stocks en transit, les stocks de sécurité et les stocks de prévision. Pour la plupart des entreprises, la production est prévue en **lots** qui minimisent le coût moyen par unité en permettant notamment de réaliser des économies d'échelle et de profiter de remises quantitatives. La production de ces quantités crée les stocks. Dans la plupart des processus de production à étapes multiples, on compte des **stocks tampons** de produits en cours de fabrication qui « attendent » l'opération suivante. Dans les entreprises de grande envergure, diversifiées et aux multiples divisions, des quantités importantes de **stocks en transit** de composantes se trouvent dans l'usine ou sont en cours d'acheminement entre les installations. Il est rarement possible de prévoir les ventes de façon exacte et il se peut que les livraisons ne soient pas toujours faites à temps. Il est donc prudent de garder un petit **stock de sécurité** pour parer aux fluctuations de la demande ou des livraisons. Enfin, certains secteurs qui, comme celui des jouets, font face à une demande accrue à un moment de l'année particulier, se dotent de **stocks de prévision**, constitués de produits finis, fabriqués à l'avance.

Pour la plupart des entreprises, la fonction de gestion des matières vise les objectifs suivants :

- les coûts les moins élevés pour l'achat d'articles et de services ;

- les coûts les moins élevés pour la réception, l'inspection, la manutention et le stockage ;

- une rotation des stocks élevée pour éviter d'en conserver de trop grandes quantités ;

- le maintien d'une qualité constante, de livraisons fiables et de bonnes relations avec les fournisseurs.

L'achat

La plupart des entreprises mettent sur pied des services spécialisés chargés d'effectuer les achats nécessaires à l'exploitation de l'entreprise. En fait, une entreprise doit acheter tout ce qu'elle ne peut produire. Le service des achats choisit les fournisseurs sérieux, négocie avec eux les meilleurs prix et obtient les quantités optimales au moment opportun. S'il s'agit d'une entreprise de fabrication, ces éléments serviront à la réalisation de produits finis, mais s'il s'agit d'un grossiste ou d'un détaillant, les éléments seront revendus sans avoir subi de transformation, la fonction d'achat étant un facteur déterminant du succès ou de l'échec d'une entreprise.

La fonction d'achat fournit des services au reste de l'entreprise. Dans l'entreprise manufacturière, elle fournit au service de la production les articles nécessaires au bon moment, et chez le détaillant, elle fournit les articles immédiatement avant qu'ils soient vendus aux consommateurs. L'achat contribue à l'efficience de l'entreprise par l'obtention d'articles de la qualité recherchée au prix le moins élevé. L'achat assure aussi la centralisation des commandes de toutes les parties de l'entreprise pour éviter toute reproduction inutile, toute obsolescence ou détérioration.

La haute direction d'une entreprise approuve généralement les politiques d'achat. La première décision à prendre est la décision de fabriquer ou d'acheter. On se demande alors s'il est plus avantageux de fabriquer ou d'acheter ce dont on a besoin. Si on choisit d'acheter, on doit établir une méthode standard applicable à tous les services de l'entreprise. On décide le montant maximal de l'achat (par exemple 5 000 $) qui peut être fait par les services. Les autres achats doivent être effectués par le service des achats. Pour les commandes très importantes, on lance un appel d'offres, et le fournisseur qui propose le prix le moins élevé obtient le contrat.

L'entreprise a habituellement adopté une politique qui énonce les étapes à suivre pour les achats.

Tout débute par un service qui présente une demande pour l'élément dont il a besoin. Il s'agit normalement d'une formule qui doit être signée par la personne faisant la demande et par un supérieur. La deuxième étape consiste à préciser les caractéristiques essentielles de l'article demandé, comme la marque et le numéro de modèle. Par exemple, l'entreprise pourra avoir besoin de 50 micro-ordinateurs, munis d'une UC 486DX33, d'une mémoire vive de 8 Mo, d'un disque dur de 100 Mo, de deux unités de disquettes, d'un moniteur couleur SVGA et d'une souris.

Les ordinateurs font l'objet du chapitre 20. Précisons tout de même ici qu'une UC 486DX33 signifie que l'unité de traitement centrale de l'ordinateur correspond à une puce Intel 80486DX dont la vitesse est évaluée à 33 mégahertz (méga signifie « million »). Une mémoire vive de 8 Mo signifie que l'ordinateur contient 8 méga-octets de mémoire vive. Une telle mémoire permet à l'ordinateur d'effectuer certaines opérations simultanément. Un disque dur de 100 Mo correspond à la capacité nécessaire aux applications de base de données. Les deux unités de disquettes peuvent accepter les disquettes de 5,25 po et de 3,5 po. Quant au moniteur couleur SVGA, il est nécessaire à l'utilisation de certains logiciels, tout comme la souris.

Dans cet exemple, si les ordinateurs sont de marque IBM, leur prix sera évidemment plus élevé que s'il s'agissait de clones compatibles, sans marque. Notons que tous les micro-ordinateurs sont composés de pièces qui sont, pour la plupart, fabriquées en Extrême-Orient et on dispose de peu de preuves (si preuves il y a), quant au rendement supérieur des ordinateurs IBM. Par conséquent, la marque ne devrait pas être un élément déterminant d'un tel achat. Une fois les caractéristiques établies, on peut procéder à la troisième étape, l'appel d'offres. Les fournisseurs devront disposer d'un certain temps avant de répondre à l'entreprise, mais celle-ci devrait recevoir plusieurs propositions, à la suite desquelles elle pourra choisir le fournisseur en fonction du prix, de la qualité et du service. L'achat se conclut par la confirmation de la commande et la signature d'un contrat liant les deux parties. Enfin, le fournisseur expédie les articles et reçoit un paiement par la suite.

La réception et l'expédition

La plupart des entreprises jumellent leurs services de réception et d'expédition puisque ces deux fonctions constituent l'interface entre l'entreprise et l'extérieur. La fonction de réception se charge de recevoir les marchandises, de les inspecter et de les stocker. La fonction d'expédition se charge de prendre les produits finis stockés, de les préparer pour l'expédition, de les emballer et de les charger dans des véhicules destinés à leur transport, comme des camions ou des trains. Ces deux fonctions sont normalement planifiées de façon à équilibrer la charge de travail tout au long de la journée. Ainsi, les livraisons arrivent généralement au cours de la journée alors que l'expédition est faite plus tard.

On doit nécessairement inspecter la quantité et la qualité des articles reçus et expédiés pour s'assurer qu'elles sont conformes aux documents d'expédition. Pour ce faire, on compare la lettre de voiture, la note de chargement ou tout autre document au bon de commande. Toute erreur ou tout dommage doit être alors noté afin que les mesures correctives soient prises. Habituellement, on teste un échantillon des articles reçus pour vérifier leur conformité aux caractéristiques. S'il y a trop d'erreurs, la marchandise est refusée. Cette façon de procéder permet de s'assurer que tout article ajouté aux stocks pourra être utilisé ultérieurement dans le processus de production.

Quant à la marchandise à expédier, il faudra l'emballer avec les matériaux et selon les méthodes appropriés pour qu'elle arrive à destination en bon état. On choisira les conteneurs en fonction de leur coût, de leurs dimensions, de leur poids, de leur solidité et d'après la valeur des articles qui y seront placés. La marchandise est inspectée et toute erreur repérée est corrigée, ou des changements sont apportés aux documents d'expédition.

Certaines entreprises ont un service spécialement chargé de gérer la distribution et la circulation des produits, alors que d'autres combinent ce service avec la réception et l'expédition. La fonction de circulation comprend le choix du moyen de transport (par chemin de fer, par camion, par voie aérienne ou maritime), qui peut modifier le choix de l'emballage. La circulation a aussi trait à la négociation des contrats de transport. De plus, les responsables de ce service retracent les marchandises en transit en communiquant avec les transporteurs, présentent des demandes de règlement pour tout article perdu ou endommagé et vérifient les frais de transport. Les critères qui entrent en jeu dans le choix d'un moyen de transport sont les coûts, le temps, les restrictions relatives au poids et à la taille, les modalités de chargement et de déchargement et la fiabilité.

L'entreposage

Tous les stocks doivent être conservés dans des entrepôts. Ces derniers peuvent se trouver sur les lieux ou à l'extérieur de l'usine, ils peuvent être publics ou privés. Ils servent de lieu de stockage temporaire de la marchandise reçue qui sera utilisée ultérieurement dans le processus de production, et pour la marchandise à expédier plus tard. Ici encore, on doit prendre la décision de fabriquer ou d'acheter, c'est-à-dire de construire un entrepôt sur place ou d'en louer un à l'extérieur. Dans tous les cas, l'espace destiné à l'entreposage constitue une dépense nécessaire et importante. Les entrepôts peuvent être centralisés ou décentralisés ; ils doivent être

situés de façon à minimiser les coûts globaux. On doit en outre disposer de l'équipement approprié sur place de manière à réduire au minimum les frais de manutention. L'équipement utilisé compte notamment les diables, les chariots à fourche, les convoyeurs, les systèmes monorail et les conteneurs pouvant être empilés. Enfin, on doit évidemment conserver un relevé de tous les articles stockés.

La gestion et le contrôle des stocks

La gestion des stocks repose sur les trois questions suivantes :

- Combien d'unités devraient être commandées ou produites à un moment donné ?
- À quel moment les stocks devraient-ils être commandés ou produits ?
- Quels stocks demandent une attention particulière ?

Le but de la gestion des stocks est de fournir les stocks nécessaires à l'exploitation de l'entreprise aux coûts les moins élevés qui soient. La première étape de cette fonction consiste à déterminer tous les frais relatifs à l'achat et au maintien des stocks. Ces frais englobent les coûts qui ont trait à la possession, à la commande, à la réception et à la rupture des stocks. On procède à des analyses de stocks en considérant chaque article. Ainsi, le détaillant qui stocke 1 000 articles devra procéder à 1 000 analyses et le fabricant qui produit 500 pièces différentes (écrous, boulons, pièces coulées, etc.) devra en faire 500.

Les frais de possession comprennent le coût du capital investi dans les stocks, les frais de stockage et de manutention, les assurances, les taxes, l'amortissement et l'obsolescence. Les frais de possession augmentent proportionnellement selon la moyenne totale (en unités ou en dollars) des stocks possédés. Ces derniers dépendent de la fréquence à laquelle les commandes sont faites. Le total des frais de possession équivaut au pourcentage des frais de possession (correspondant souvent à quelque 30 p. 100 de la valeur des stocks) multiplié par le prix unitaire multiplié par le nombre moyen d'unités. On peut raisonnablement supposer que les frais de possession sont variables et augmentent en proportion directe avec l'importance moyenne des stocks, alors que les frais de commande sont fixes.

Les frais de commande sont en effet fixes, peu importe l'importance de la commande, et comprennent tous les frais inhérents à la formulation et à la réception d'une commande (notes de service, frais d'interurbain, préparation d'un lot de fabrication et réception des livraisons). Ils correspondent donc simplement au coût fixe relatif à la formulation et à la réception de commandes multiplié par le nombre de commandes effectuées par année.

Le total des frais de possession combiné au total des frais de commande donne le total des frais de stocks. La moyenne des stocks existants correspond à la moitié de la quantité de chaque commande. On peut utiliser ces renseignements pour calculer la quantité économique de commande (QEC) qui détermine le niveau de stocks optimal. La formule de QEC correspond à :

$$QEC = \sqrt{\frac{2FA}{VP}}$$

où F = frais de commande fixes, A = ventes annuelles d'unités, V = frais de possession variables et P = prix unitaire.

Le modèle de QEC est fondé sur deux hypothèses :

- Les ventes sont étalées également sur l'année (elles sont les mêmes chaque jour) et peuvent être parfaitement prévues.

- Les commandes arrivent à point (aucun retard dans la livraison).

S'il y a un décalage de deux semaines entre le moment où l'entreprise passe une commande et celui où elle reçoit la marchandise, elle devra alors toujours remplir son bon de commande lorsque ses stocks seront suffisants pour deux semaines. Il s'agit du **point de commande**. Au cours de la période de deux semaines correspondant à celle de la production et de l'expédition, le reste des stocks continuera de décliner jusqu'à ce qu'il ne reste plus aucune marchandise au moment où la livraison sera faite. Si l'entreprise savait sans l'ombre d'un doute que le taux de ses ventes et le délai d'approvisionnement ne devaient jamais varier, elle pourrait appliquer fidèlement le modèle de QEC. Mais hélas, le volume des ventes varie et les retards de production et d'expédition sont choses courantes. Par conséquent, pour se protéger, l'entreprise doit avoir des stocks supplémentaires, ou **stocks de sécurité**. Bien qu'ils servent de protection contre les situations imprévisibles, ces stocks augmentent les coûts de possession de stocks annuels. D'un point de vue quantitatif, l'importance des stocks de sécurité optimaux varie d'une situation à une autre, mais elle augmente généralement en même temps que l'incertitude de la demande, des pertes de ventes causées par les ruptures de stocks et des retards probables dans la réception des marchandises. L'importance des stocks de sécurité optimaux diminue à mesure que les frais de possession de stocks supplémentaires augmentent.

Pour la plupart des entreprises canadiennes, on ne peut pas supposer que la demande d'un article en stock sera constante toute l'année. Quant on fait face à une demande saisonnière, le modèle de QEC n'est évidemment pas approprié. Il constitue néanmoins un point de départ. On recommande alors de diviser l'année en saisons au cours desquelles les ventes sont relativement constantes. Le modèle de QEC pourra ensuite être appliqué séparément à chaque période.

Comme les petits écarts à ce modèle affectent peu le total des frais de stocks, la quantité de commande optimale devrait être considérée comme une série plutôt que comme une valeur unique. Le modèle de QEC, avec l'analyse des stocks de sécurité, permet d'établir le niveau de stocks approprié. La gestion des stocks nécessite aussi un système de contrôle. Ce dernier peut permettre de superviser une vaste gamme d'opérations, des plus simples aux plus complexes, d'après l'entreprise et la nature de ses stocks. Selon la « **méthode de la ligne rouge** », une méthode de contrôle simple, les articles en stocks sont placés dans un conteneur, à l'intérieur duquel on aura tracé une ligne rouge, le long de ses parois et au niveau du point de commande. Quand une partie des stocks est épuisée, et que la ligne rouge apparaît, le responsable des stocks commande alors des articles. La « **méthode des deux conteneurs** » utilise quant à elle, comme son nom l'indique, deux contenants. Quand un conteneur est vide, on fait une commande et les stocks du deuxième conteneur en sont retirés. Ces façons de procéder conviennent parfaitement aux pièces, comme les boulons, pour les entreprises de fabrication, et pour de nombreux articles du secteur des détaillants.

LES ORDINATEURS ET LA PRODUCTION

Nombre d'entreprises (particulièrement celles de plus grande envergure) ont recours à des systèmes de gestion automatisée de la production. Les ordinateurs peuvent en effet effectuer toutes les tâches de tenue d'archives liées à la gestion des matières et à la planification et au contrôle de la production.

Le système de **calcul des besoins nets** (**CBN**) est un système informatique qui permet la planification de la production et le contrôle des matières. Il décompose le produit fini en composantes (matières), qu'il regroupe ensuite et auxquelles il attribue une date d'échéance. Les composantes sont définies, puis sont réunies et leur production établie par période, de façon à obtenir le résultat escompté à la date prévue. Ce système est idéal pour les processus de montage ou de fabrication où les produits finis

sont le résultat de nombreux sous-assemblages et de l'alliage de nombreuses matières s'effectuant dans un ordre connu. Le CBN réduit les stocks, les délais de production et d'approvisionnement, augmente l'efficience et permet de s'engager de façon plus réaliste envers les clients.

Le système de **technologie de la production optimisée** est un logiciel qui permet la planification des ressources et l'établissement optimal du calendrier, et qui offre une philosophie de la production fondée sur la considération du système de production comme un réseau visant la réduction au minimum des goulots d'étranglement. Certaines entreprises qui ont recours à ce système ont pu apprécier ses nombreux avantages, comme celui de réduire les besoins en stocks et en main-d'œuvre. Par contre, la technologie de la production optimisée nécessite une réorganisation de l'exploitation, ce qui ne convient bien sûr pas à toutes les entreprises. Ce système équilibre le flux de travail à la grandeur du réseau. Il ne planifie pas les activités autres que des goulots d'étranglement selon leur capacité, mais en fonction d'autres contraintes au sein du système, établissant des calendriers en considérant toutes les contraintes de façon simultanée. Par conséquent, le temps perdu à un goulot d'étranglement est un temps perdu à l'échelle de toute la production, alors que le temps économisé à des activités autres que des goulots d'étranglement n'est qu'un « mirage », puisqu'il n'a aucune conséquence sur la vitesse de traitement.

Ce logiciel nécessite un niveau élevé d'information détaillée sur le système de production. Il doit savoir exactement la façon dont un produit est fabriqué. On peut habituellement trouver ces renseignements dans la nomenclature du produit et dans les dossiers relatifs à la planification de l'acheminement et à l'établissement du calendrier de l'entreprise. On doit préciser au système les ressources utilisées, les délais de mise en route, la durée des opérations, les niveaux de stocks maximal, minimal et souhaité, l'importance des lots, les retards prévus et les dates d'échéance. En outre, l'efficience relative des ressources offertes ainsi que les données concernant le temps supplémentaire doivent aussi être connues.

Les ordinateurs sont des machines très rapides... mais peu intelligentes : on doit leur dire pratiquement tout et leur préciser quand et comment faire ce que l'on attend d'eux. Et ils ne peuvent rien accomplir sans un logiciel, un programme. Si l'entreprise peut utiliser un logiciel standard ou s'y adapter facilement, l'installation d'un système informatisé y est économique. En revanche, si l'entreprise nécessite un programme personnalisé, son coût est toujours beaucoup plus élevé que prévu et sa création prend plus de temps. On ne doit pas perdre de vue que l'utilisation de l'ordinateur présente un avantage puisqu'il permet de considérer simultanément un nombre très élevé de variables dans la prise de décisions, ce qui est très difficile à accomplir pour un être humain.

On peut également se servir d'un système informatique pour garder à jour les données sur les stocks. L'ordinateur commence alors par garder en mémoire la quantité d'articles en stock. On y introduit ensuite chaque retrait, et l'ordinateur met à jour la quantité restante. Si l'appareil a été correctement programmé, au moment du point de commande, il pourra commander automatiquement des articles supplémentaires. Et à la livraison des articles, la quantité de stocks pourra être mise à jour. Chaque fois que l'on désirera obtenir des renseignements sur l'état des stocks, il suffira d'interroger l'ordinateur. De nombreux détaillants attribuent à leurs produits un code à barres magnétique. Au moment de l'achat d'un produit, le code est lu à la caisse, un signal est envoyé à l'ordinateur et les stocks restants sont ajustés au moment même où le prix est transmis au ruban de la caisse. Lorsque l'on atteint le point de commande d'un produit, la commande est automatiquement passée.

Un bon système de contrôle des stocks est dynamique, non statique. Une entreprise d'envergure, comme Sears ou General Motors, stocke des centaines de milliers d'articles différents. La vente (ou l'utilisation) de ces articles peut augmenter ou diminuer indépendamment de l'augmentation ou de la diminution des ventes globales. À mesure que le taux d'utilisation de tout article commence à augmenter ou à décliner, le directeur des stocks doit ajuster le reste de façon à éviter la rupture des stocks ou l'obsolescence des articles. À cet égard, les ordinateurs peuvent offrir une aide précieuse.

RÉSUMÉ

Sommaire

1. Les éléments fondamentaux du processus de contrôle de la production sont la répartition, le suivi et le contrôle de la qualité. La répartition correspond à l'établissement d'un ordre de priorité et au choix de diverses tâches pour le traitement aux postes de travail. Pour ce faire, on a recours aux ordres de fabrication. Le suivi compare le rendement actuel du processus de fabrication aux normes précédemment établies. Les agents d'ordonnancement déterminent les tâches en retard et prennent les mesures correctives appropriées.

2. Le contrôle de la qualité correspond habituellement à l'inspection d'échantillons de produits pour vérifier s'ils sont conformes aux

spécifications ; quand trop d'erreurs sont repérées, les causes sont déterminées et les mesures correctives sont prises le plus tôt possible.

3. La gestion des matières englobe toutes les activités ayant trait à la planification, à la coordination et au contrôle de l'acquisition, au stockage, à la manutention et au mouvement des matières premières, aux articles achetés, aux composantes, aux en-cours et aux produits finis, aux outils, aux fournitures et à tout ce qui entre dans le processus de production.

4. La fonction d'achat tente de maximiser l'efficience des services en offrant au reste de l'entreprise des articles achetés au meilleur prix aux meilleurs fournisseurs et livrés au meilleur moment.

5. La réception et l'expédition sont jumelées dans la plupart des entreprises, ces deux fonctions constituant l'interface entre l'entreprise et l'extérieur. La fonction de réception reçoit les marchandises, les inspecte et les stocke. La fonction d'expédition prend les produits finis stockés, les prépare pour l'expédition, les emballe correctement et les charge dans des véhicules destinés à leur transport, comme des camions ou des trains.

6. Les stocks comprennent tout article stocké, temporairement inutilisé. La plupart des entreprises ont besoin de quatre catégories de stocks : les stocks tampons, les stocks en transit, les stocks de sécurité et les stocks de prévision.

7. Les ordinateurs sont des outils précieux pour la planification et le contrôle de la production. Ils permettent de prendre des décisions trop complexes pour les êtres humains.

Notions clés

L'achat

L'entreposage

L'expédition

L'ordonnancement

La circulation

La gestion des matières

La nomenclature

La QEC

La réception

La répartition

La taille des lots

La technologie de la production optimisée

Le CBN

Le contrôle de la qualité

Le rapport critique

Le suivi

Le temps de production le plus court

Les ordinateurs

Les stocks de prévision

Les stocks de sécurité

Les stocks en transit

Les stocks tampons

Exercices de révision

1. Quels sont les éléments clés du processus de contrôle de la production ?

2. Quels sont les principaux avantages et inconvénients de la fonction de contrôle de la qualité ?

3. Quels sont les objectifs clés de la gestion des matières ?

4. Quelles sont les activités clés de la fonction d'achat ?

5. Pourquoi les politiques d'achat sont-elles approuvées par la haute direction ?

6. Quelles sont les principales activités de la fonction de réception et d'expédition ?

7. Comment les ordinateurs peuvent-ils faciliter le processus de production ?

Matière à discussion

1. Dans certaines entreprises, on a séparé les responsabilités de contrôle de la qualité des responsabilités de production, alors que dans d'autres elles sont jumelées. À votre avis, pourquoi en est-il ainsi ?

2. Expliquez pourquoi les fonctions de réception et d'expédition sont habituellement jumelées.

3. Expliquez pourquoi un ordinateur est nécessaire pour le système de calcul des besoins nets et le système de technologie de la production optimisée.

Exercices d'apprentissage

1. Le contrôle des stocks

Un fabricant de bougies d'allumage vient de découvrir qu'un détaillant de la région vend ses bougies à un prix inférieur au prix de revient. Or, une vérification des dossiers de l'entreprise indique que le magasin en question ne fait pas partie de sa clientèle. Toutefois, les bougies qu'il vend sont bel et bien des produits véritables, de première qualité et portant la marque du fabricant. Aucun produit fini n'a été volé dans les stocks. Les bougies sont composées de pièces envoyées en vrac aux postes de montage dans des totalisateurs. Ces derniers sont pesés, mais il semble que les pièces ne sont pas comptées. Aux postes de travail, les ouvriers jettent les rebuts dans des conteneurs, qui sont pesés au hasard, afin de vérifier si leur poids correspond aux limites prévues. Il se pourrait donc que des ouvriers emportent chez eux des pièces afin d'assembler des bougies et de les vendre au magasin. Des représentants de l'entreprise sont venus vous demander de quelle façon ils pourraient résoudre ce problème.

2. La gestion des stocks

De vieux amis viennent vous demander conseil sur la quantité de stocks économique qu'ils devraient commander pour leur entreprise. Les ventes annuelles de leur produit ont été raisonnablement bonnes et stables au cours des dernières années, pour un total de 120 000 unités. Le prix d'achat unitaire s'est également maintenu à environ 500 $. Les frais de commande fixes sont de 600 $ et les coûts de possession s'élèvent à 20 p. 100 de la valeur des stocks. Quelle est votre analyse ?

PARTIE VI

LA GESTION
DES FONCTIONS
FINANCIÈRES

Le Canada a toujours souffert d'une pénurie de capitaux. Toutes les entreprises commerciales ont besoin de ces derniers afin d'obtenir les biens nécessaires à la production et à la vente des produits. Dans le monde moderne sans cesse plus concurrentiel, les gestionnaires canadiens ont « survécu » grâce à la constante innovation dont ils ont fait preuve dans le domaine financier.

La présente partie du livre, consacrée aux chapitres 15 à 19, donne des renseignements essentiels sur la prise de décision des gestionnaires relativement à la fonction financière. Dans le contexte économique actuel, celle-ci devient de plus en plus essentielle au succès de l'organisation.

Le chapitre 15, *La comptabilité et les états financiers*, aborde brièvement la tenue des livres, le processus comptable et les quatre principales catégories d'états financiers. Il décrit une évolution, car la tenue des livres indique la situation actuelle et la raison correspondante. Le contenu de ce chapitre est donc essentiel à tous les gestionnaires, car il leur permet de comprendre les règles du jeu et la façon de marquer des points.

Le chapitre 16, *La gestion financière*, donne un aperçu de certaines notions fondamentales de la fonction financière d'une entreprise commerciale. Après le chapitre précédent, l'analyse à l'aide de ratios explique la raison de la situation actuelle d'une entreprise; le chapitre 16 couvre les méthodes axées sur le futur utilisées par les gestionnaires financiers afin que l'entreprise se trouve dans la situation future voulue. Les décisions d'investissement et de financement cruciales sont expliquées. Le chapitre se termine par une description des techniques du budget.

Le chapitre 17, *Les sources de capital*, explique brièvement pourquoi les entreprises commerciales ont besoin de fonds et indique les sources de ces derniers. Il se termine par une description de certains programmes d'aide gouvernementale destinée aux entreprises.

Le chapitre 18, *La monnaie et les banques*, porte sur la monnaie, la masse monétaire, la Banque du Canada, le système bancaire canadien, les autres institutions financières et leurs services, ainsi que sur les marchés financiers. Il se termine par une description du marché financier international et de son importance à l'égard des entreprises canadiennes.

Le chapitre 19, *Le risque et l'assurance*, couvre divers aspects du risque et traite du secteur des assurances. Il se termine par une description des différentes formes d'assurances qui importent aux entreprises commerciales canadiennes.

CHAPITRE
15

PLAN

La tenue des livres et le processus comptable
    La tenue des livres
    La comptabilité
    Le rapport des vérificateurs

Un point de vue : le rapport annuel des vérificateurs

Le bilan
    L'actif à court terme
    Les immobilisations
    Le passif à court terme
    Le passif à long terme
    Les capitaux propres

Un enjeu commercial actuel : les rapports annuels

L'état des résultats
    La section des activités d'exploitation
    La section des activités autres que d'exploitation
    La section des propriétaires

L'état des bénéfices non répartis

L'état de l'évolution de la situation financière
    Le relevé des sources et des utilisations des fonds
    La variation nette des comptes de fonds de roulement
      hors caisse
    L'état de l'évolution de la situation financière

Un enjeu commercial actuel : le financement par emprunt

Résumé

LA COMPTABILITÉ ET LES ÉTATS FINANCIERS

Les objectifs du chapitre

Après avoir lu le présent chapitre, vous pourrez :

1. résumer les étapes de la tenue des livres et du processus comptable ;

2. décrire la structure du bilan et en nommer les principaux éléments ;

3. expliquer la fonction de l'état des résultats et en nommer les principaux éléments ;

4. préciser le but de l'état des bénéfices non répartis ;

5. donner la signification des mouvements de fonds et présenter les trois composantes de l'état de l'évolution de la situation financière.

La Société canadienne des postes recueille, traite et distribue quelque 10 milliards de lettres et de colis par an. Ce courrier est livré à plus de 11 millions d'adresses dans les localités rurales, les petites villes et les grands centres urbains. Le courrier provient également du reste du monde, en plus d'y être acheminé. La gestion et le traitement de ce volume sont assurés au moyen d'un réseau de 25 établissements postaux automatisés. La Société compte 57 000 employés à temps plein ou partiel, un parc de 5 300 véhicules et des milliers de contrats de service avec les entreprises de transport aérien et de surface.

Le bénéfice net consolidé s'est élevé à 14 millions de dollars en 1990-1991, comparativement à la cible de 48 millions de dollars, et le bénéfice net de 1989-1990 était de 149 millions de dollars.

Le bénéfice de l'exploitation postale s'élevait à 75 millions de dollars, mais la cible en était de 84 millions de dollars. L'année précédente, il atteignait 107 millions de dollars.

La Société a atteint ces résultats en pleine récession, et elle prévoit que cette année l'exercice se soldera par une diminution du bénéfice établi lors des prévisions budgétaires de 60 millions de dollars. Des programmes de compressions ainsi qu'un plan de consolidation ont été entrepris, et ces mesures ont limité la diminution du bénéfice de l'exploitation postale à 9 millions de dollars. Des gains de 50 millions de dollars prévus dans l'immobilier ne se sont pas concrétisés. Toutefois, la diminution du bénéfice net a été partiellement atténuée par la gestion des intérêts créditeurs et du rééchelonnement des frais.

À cause du ralentissement économique, la Société a eu plus de difficulté à maintenir la progression vers deux cibles : un bénéfice d'exploitation de 6 p. 100 des revenus et un rendement des capitaux propres de 13,5 p. 100, le tout en moins de 5 ans. La marge d'exploitation de 2 p. 100 de 1990-1991 se compare à celle de 3 p. 100 de l'année précédente. Un rendement des capitaux propres de 1 p. 100 est inférieur de plus de deux points à la prévision de 1990-1991. Toutefois, la direction est confiante de pouvoir atteindre les objectifs quinquennaux.

Les mouvements de trésorerie de l'exploitation, de même que la gestion du fonds de roulement et un programme de placement réduit ont aidé la Société à maintenir sa trésorerie pendant l'exercice. Le ratio de liquidité actuel de 0,7 s'inscrit dans l'écart cible de la Société, soit entre 0,5 et 0,7. Le programme de placement de 278 millions de dollars a été financé en grande partie par l'encaisse obtenue des activités d'exploitation. La seule exception est la construction d'une usine à Hamilton, financée par une émission d'obligations de 55 millions de dollars.

Le conseil d'administration a déclaré un dividende de 40 p. 100 du bénéfice net, égal à 59,5 millions de dollars et payable à l'actionnaire, soit le gouvernement du Canada, le 28 juin 1991.[1]

LA TENUE DES LIVRES ET LE PROCESSUS COMPTABLE

On désigne souvent la comptabilité comme étant « la langue universelle des affaires », ce qui s'explique aisément vu que la plupart des décisions de gestion importantes influent directement sur la structure et le rendement financiers des entreprises. Lorsqu'un directeur du marketing entend présenter une promotion, ou qu'un directeur d'usine désire acheter un robot en vue d'accroître la productivité, ou qu'un chef de bureau veut acheter un ordinateur afin de traiter des données, chacune de ces décisions aura des répercussions sur le profil financier de l'entreprise concernée.

La tenue des livres et la comptabilité constituent certainement les pierres angulaires de l'information des entreprises. Les gestionnaires ont besoin d'information afin de planifier et de contrôler leurs opérations. Une fois qu'ils ont énoncé leurs objectifs d'exploitation et financiers, et qu'ils ont préparé leurs plans stratégiques et d'exploitation, l'étape logique suivante du processus de gestion consiste à mettre en œuvre ces résultats et à comparer le rendement aux prévisions. Les données financières et d'exploitation qui sont présentées clairement et logiquement facilitent aux gestionnaires l'examen et l'analyse du rendement, ainsi que la résolution de problèmes ou l'exploitation des possibilités. Les fonctions de planification et de contrôle ne peuvent être exécutées efficacement si les gestionnaires sont privés d'information financière et d'exploitation aussi fondamentale. Le but de la tenue des livres et de la comptabilité consiste à fournir aux gestionnaires les bons renseignements au moment opportun.

---

1. Société canadienne des postes, *Rapport annuel 1990-1991*, Ottawa, 24 mai 1991.

La gestion financière comprend quatre activités : la tenue des livres, la comptabilité, l'analyse et la prise de décisions. Le présent chapitre examine la tenue des livres et la comptabilité, tandis que le chapitre 16, *La gestion financière*, aborde l'analyse financière et la prise de décisions.

Examinons d'abord les activités de la tenue des livres et de la comptabilité. Comme l'indique la figure 15.1, la **tenue des livres** est un travail de bureau qui consiste à enregistrer systématiquement et quotidiennement les opérations comptables dans différents livres comme les journaux et les grands livres. Par ailleurs, la **comptabilité** comporte la préparation d'états financiers, dont le bilan, l'état des résultats, l'état des bénéfices non répartis et l'état de l'évolution de la situation. La comptabilité est plus spécialisée, créatrice et exhaustive, car les comptables doivent donner de l'information dans les états financiers afin de renseigner les gestionnaires, créanciers, actionnaires et organismes gouvernementaux sur le rendement financier de l'entreprise concernée.

La tenue des livres

La tenue des livres s'occupe de recueillir, de classer et de reporter des centaines, voire des milliers d'opérations qui ont lieu chaque jour

dans différents services d'une entreprise. Par exemple, certaines opérations se déroulent au service des ventes, d'autres au service des comptes clients et d'autres encore, à l'usine de fabrication. Toutes les opérations comptables sont enregistrées dans cinq grands regroupements des comptes, soit :

1. l'**actif**, ou ce que possède une entreprise ;
2. le **passif**, ou ce qu'elle doit à ses créanciers ;
3. les **capitaux propres**, ou ce qu'elle doit aux propriétaires ;
4. le **produit d'exploitation**, c'est-à-dire les gains tirés de la vente des biens et services ;
5. les **charges d'exploitation**, c'est-à-dire le coût de la production et de la vente des biens et services.

L'équation comptable

Afin de comprendre le fonctionnement du système comptable, il importe de noter le jeu réciproque entre ces cinq comptes. Chaque fois qu'a lieu une opération comptable, au moins deux comptes sont touchés. Lorsqu'une entreprise se procure un actif, paie une facture, effectue une vente ou paie une dette, sa situation financière change. Dans sa plus simple expression, le tableau financier d'une entreprise peut se résumer à l'équation suivante :

$$\text{Actif} = \text{Passif} + \text{Capitaux propres}$$

FIGURE 15.1
La tenue des livres et la comptabilité

Opérations	Documents	Système d'enregistrement	États financiers
Une opération telle que l'achat de matériel d'un fournisseur ou la vente de biens à un client entraîne…	… la préparation d'un document tel qu'un bon de commande ou une facture qui mène…	… à l'enregistrement du document dans un journal, ultérieurement reporté dans un grand livre, et à la préparation d'une balance de vérification, qui conduit enfin à …	… l'établissement – du bilan ; – de l'état des résultats ; – de l'état des bénéfices non répartis ; – de l'état de l'évolution de la situation financière.

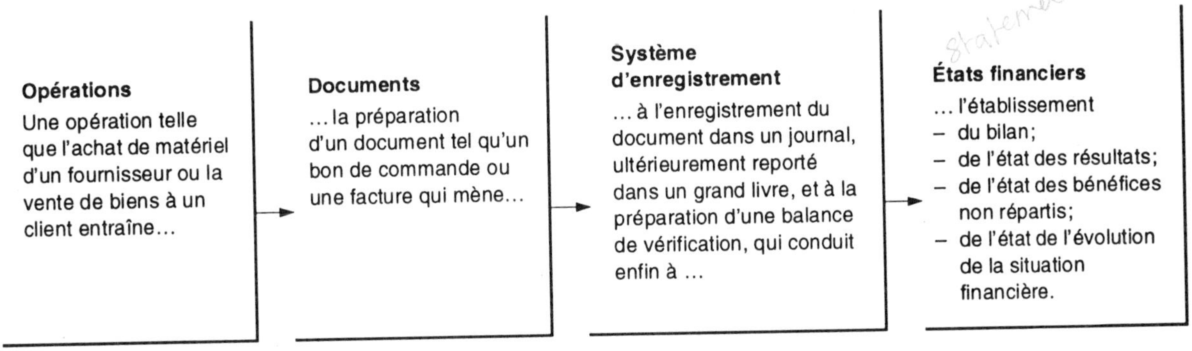

Pour l'instant, supposons que les deux comptes de produits d'exploitation et de charges d'exploitation fassent partie des capitaux propres. Examinons certaines opérations pour voir comment fonctionne cette équation. Si une personne investit 100 000 $ pour démarrer une exploitation, cet argent sera d'abord déposé dans un compte de banque et l'entreprise devra cette somme au propriétaire. Après cette première opération, notre équation aurait la forme suivante :

$$100\ 000\ \$ = 0\ \$ + 100\ 000\ \$$$

Supposons que le lendemain, l'entreprise achète un camion de 30 000 $, dont elle paie 10 000 $ au comptant et emprunte le reste à la banque. Cela signifie que l'entreprise accroîtra la valeur comptable de ses comptes d'actif de 20 000 $ à 120 000 $ (le compte du camion affichera un montant de 30 000 $ et le compte de banque sera réduit de 10 000 $, soit à 90 000 $). Elle devra également 20 000 $ à un créancier (la banque). Après cette deuxième opération, l'équation comptable se lirait comme suit :

$$120\ 000\ \$ = 20\ 000\ \$ + 100\ 000\ \$$$

Tout changement dans les comptes de produit d'exploitation et de charge d'exploitation touche également la situation financière d'une entreprise. Par exemple, si une entreprise vend au comptant 1 000 $ de biens à un client, la valeur financière, soit le compte des capitaux propres (par l'intermédiaire du compte de produits), augmentera de 1 000 $. Si l'argent est déposé dans le compte bancaire, l'actif augmentera. Toutefois, afin de produire des biens, il faut acheter les matières premières des fournisseurs, et alors payer des charges, comme les salaires des employés. Si les matières premières coûtent 700 $ et les salaires 100 $, cela signifie que l'entreprise a utilisé 800 $ de son compte bancaire (actif) et a réduit proportionnellement sa valeur financière ou ses capitaux propres (par le compte de charges). L'effet de ces opérations sur la situation financière de l'entreprise se lirait maintenant de la façon suivante :

$$120\ 200\ \$ = 20\ 000\ \$ + 100\ 200\ \$$$

Le cycle comptable

La tenue des livres et le cycle comptable comptent cinq étapes.

① La première étape commence par une opération commerciale (c'est-à-dire l'investissement d'une somme d'argent dans une entreprise, l'achat d'un camion, la vente de biens, la rémunération).

② Deuxièmement, chaque opération est accompagnée d'un document (soit un bordereau de dépôt, une facture, un bon de commande, un talon de chèque).

③ Troisièmement, à la faveur de la tenue des livres à partie double, chaque opération est enregistrée dans deux types des livres : les journaux et les grands livres. Comme nous l'avons déjà mentionné, chaque opération comptable touche au moins deux comptes (soit encaisse, camion, prêt). Toutes les opérations sont enregistrées deux fois : le **débit** représente les écritures de la colonne de gauche, et le **crédit**, celles de la colonne de droite. Les comptables appellent ce système d'enregistrement la **comptabilité en partie double**, dont le principal mérite est d'imposer que tous les comptes soient toujours **en équilibre**. Toute erreur d'arithmétique sera révélée si les comptes ne s'équilibrent pas.

Un débit reflète :

1. une augmentation du compte d'actif (par exemple, un dépôt de 100 000 $ dans le compte de banque ou l'acquisition d'un camion de 30 000 $) ;

2. une diminution d'un compte de passif, ou d'un compte de capitaux propres ;

③ une diminution d'un compte du produit de l'exploitation ;

④ une augmentation d'un compte de charges (par exemple, l'achat d'une valeur de 700 $ de matériel et le paiement d'un salaire de 100 $).

Un crédit reflète :

1. une diminution d'un compte d'actif (par exemple, le retrait de 10 000 $ de la banque) ;

2. une augmentation d'un compte de passif ou de capitaux propres (par exemple, prêt de 20 000 $ de la banque);

3. une augmentation d'un compte du produit d'exploitation (vente de 1 000 $ de biens);

4. une diminution d'un compte de charges.

Comme nous l'avons déjà vu, les livres qui servent à enregistrer des opérations sont les journaux et les grands livres.

Les **journaux**, qu'on appelle parfois les «livres-journaux», servent à enregistrer les opérations en ordre chronologique, c'est-à-dire lorsqu'elles surviennent. Par exemple, le tableau 15.1 montre comment les quatre opérations mentionnées ci-dessus seraient débitées et créditées dans leurs comptes respectifs.

Le processus d'enregistrement des opérations dans le journal s'appelle la **journalisation**. Le solde de tous les comptes de débit atteint 131 800 $, soit la somme de tous les comptes de crédit.

La quatrième étape du processus comporte le transfert des montants enregistrés dans les journaux aux **grands livres**. Les journaux n'indiquent pas le solde impayé de chaque compte après l'enregistrement de chaque opération. C'est pourquoi on a créé une deuxième série de livres, les grands livres. Un grand livre ressemble beaucoup à un chéquier. Il indique tous les montants débités et crédités à chaque compte, en plus du total cumulé. Les grands livres d'une résidence comporteraient les comptes Électricité, Cartes de crédit, Hypothèque, Salaires et Alimentation. Si une personne désire savoir combien elle doit ou possède, le solde impayé de chacun de ces comptes le lui indique. Si elle veut connaître son revenu, ou ses dépenses de téléphone, d'épicerie ou de sorties durant une année donnée, chaque compte lui fournit la réponse.

Une entreprise fonctionne avec des comptes semblables contenus dans les grands livres. Toutes les opérations enregistrées dans les journaux sont ultérieurement transférées aux comptes des grands livres appropriés, et ce processus porte le

TABLEAU 15.1
Le débit et le crédit

Opération 1	débit	crédit
Encaisse	100 000 $	
Capitaux propres		100 000 $
Opération 2		
Camion	30 000 $	
Encaisse		10 000 $
Emprunt bancaire		20 000 $
Opération 3		
Encaisse	1 000 $	
Produits d'exploitation		1 000 $
Opération 4		
Achats	700 $	
Salaires	100 $	
Encaisse		800 $
	131 800 $	131 800 $

nom de **report**. Les grands livres indiquent le solde de chaque compte (tableau 15.2). En ce qui a trait aux quatre opérations de journal mentionnées ci-dessus, chacune serait reportée dans le grand livre approprié (qu'on appelle parfois les «comptes en T»). On numérote habituellement les comptes du grand livre afin de faciliter le processus d'enregistrement manuel ou électronique des opérations.

La cinquième et dernière étape de la tenue des livres et du cycle comptable s'appelle la **clôture des livres**, et elle se pratique à la fin d'un exercice comptable (par exemple, la fin du mois ou de l'exercice financier). Afin de s'assurer de l'exactitude de l'enregistrement de toutes les opérations au cours de l'exercice, c'est-à-dire que la somme des débits égale celle des crédits, les soldes des comptes figurent dans la colonne appropriée de la **balance de vérification**. Comme nous le voyons au tableau 15.3, tous les comptes sont en équilibre.

TABLEAU 15.2
Le solde des comptes des grands livres

Opération 1			
Encaisse (101)		Capitaux Propres (201)	
100 000 $*			100 000 $*

Opération 2					
Camion (104)		Encaisse (101)		Emprunt bancaire (302)	
30 000 $*		100 000 $	10 000 $*		20 000 $*

Opération 3			
Encaisse (101)		Produits d'exploitation (403)	
100 000 $	10 000 $		1 000 $*
1 000*			

Opération 4					
Encaisse (101)		Achats (502)		Salaires (214)	
100 000 $	10 000 $	700 $*		100 $*	
1 000	800*				

* Dénote la plus récente opération comptable.

TABLEAU 15.3
La balance de vérification

Balance de vérification		
	Débit	Crédit
Encaisse	90 200 $	
Camion	30 000	
Emprunt bancaire		20 000 $
Capitaux propres		100 000
Produits d'exploitation		1 000
Achats	700	
Salaires	100	
Total	121 000 $	121 000 $

Maintenant que la partie gauche (débit) égale la partie droite (crédit), chaque compte sera enregistré dans l'état financier approprié.

Les comptes d'actif, de passif et de capitaux propres figureront au bilan, et les comptes de produits et de charges se retrouveront à l'état des résultats. Nous passerons maintenant à la deuxième fonction de la gestion financière, la comptabilité, qui traite de la production de quatre états financiers.

La comptabilité

La comptabilité régit la façon d'établir les quatre états financiers affichés à la figure 15.2. L'Institut canadien des comptables agréés fournit certaines directives comptables généralement acceptées relativement à la manière de présenter les comptes dans le bilan, l'état des résultats, l'état des bénéfices non répartis et l'état de l'évolution de la situation financière.

Le **bilan** offre un instantané de la situation financière de l'entreprise. Comme l'indique la

FIGURE 15.2
Les états financiers

① Le bilan

1. Actif à court terme	3. Passif à court terme
	4. Dettes à long terme
2. Immobilisations	
	5. Capitaux propres

② L'état des résultats

1. Produit d'exploitation
   – Coût des marchandises vendues
   = Bénéfice brut

2. – Frais de vente et généraux
   = Bénéfice d'exploitation

3. – Intérêts débiteurs
   + Autres produits
   = Bénéfice avant impôts

4. – Impôts sur le revenu
   = Bénéfice après impôts

③ L'état des bénéfices non répartis

1. Bénéfices non répartis (solde initial)

2. Bénéfices de l'exercice en cours

3. Dividendes

4. Bénéfices non répartis (solde final)

L'état de l'évolution de la situation financière

1. Activités d'exploitation

2. Activités de financement

3. Activités d'investissement

4. Encaisse restante

figure, cet état se divise en cinq sections. La partie gauche présente ce que possède l'entreprise, c'est-à-dire l'actif. Les comptes d'actif se regroupent sous deux titres : l'**actif à court terme** — les comptes plus liquides ou que l'on peut convertir en espèces assez rapidement (par exemple les comptes clients, les stocks, les titres négociables et les frais payés d'avance). Les **immobilisations** comprennent les comptes tels que le terrain, les bâtiments, le matériel et l'outillage, c'est-à-dire les éléments d'actif non liquides utilisés par l'entreprise pendant une période prolongée.

La partie droite indique ce que l'entreprise doit à ses créanciers (prêteurs) et actionnaires (propriétaires). Une entreprise a des dettes envers des prêteurs, à court et à long terme. Les dettes se regroupent également en deux catégories : le **passif à court terme** représente les prêts dont l'échéance se situe à moins de douze mois, et comprend les comptes tels que les comptes fournisseurs, les prêts à terme et les charges constatées par régularisation. Les **dettes à long terme**, telles que les obligations et les hypothèques, sont des prêts dont l'échéance dépasse l'exercice comptable courant. La partie droite du bilan montre également les comptes de **capitaux propres**, qui sont des fonds avancés par les actionnaires à l'entreprise.

L'état des résultats ressemble davantage à un long métrage qu'à un instantané. Il présente le

flux des produits et charges que connaît une entreprise durant une période donnée, par exemple un ou douze mois. Comme l'indique la figure 15.2, l'état des résultats affiche les bénéfices à quatre niveaux distincts. Le premier niveau est le bénéfice brut, calculé en déduisant le coût de production des biens vendus. Le deuxième niveau est le bénéfice d'exploitation, obtenu en déduisant les frais généraux et de vente du bénéfice brut. Le troisième niveau s'obtient en additionnant les intérêts créditeurs des investissements au bénéfice d'exploitation, puis en déduisant les frais d'intérêt. Ce calcul donne le bénéfice avant impôts, duquel on déduit les impôts. Le quatrième niveau est le bénéfice après impôts appelé souvent le **bénéfice net** ou la **section des propriétaires**, puisque le bénéfice après impôts appartient en fait aux actionnaires. Ce dernier est remis sous forme de dividendes, ou reste dans l'entreprise aux fins de réinvestissement.

Le troisième état, l'**état des bénéfices non répartis**, indique le montant des bénéfices retenu par une entreprise depuis les débuts de celle-ci. Il précise également les bénéfices réalisés et les dividendes payés en cours d'année d'exploitation, ainsi que les bénéfices gardés dans l'entreprise à la fin de cette période.

Le quatrième état, l'**état de l'évolution de la situation financière**, indique la provenance des fonds et leur utilisation entre le début et la fin d'un exercice comptable donné. Comme l'indique la figure 15.2, cet état se divise en quatre sections. Le premier groupe d'activités, qu'on appelle **activités d'exploitation**, indique les sources et l'utilisation des fonds engendrés par l'entreprise, soit le bénéfice après impôts. Un deuxième groupe figure sous le titre **activités de financement**, et comprend des éléments comme les prêts à long terme et la participation des actionnaires. Le troisième groupe porte le titre d'**activités d'investissement** et comprend des opérations comme l'achat ou la vente d'éléments d'actif. La dernière section révèle les répercussions de tous les changements au sein de ces trois activités sur le compte d'encaisse.

Ces quatre états financiers feront l'objet d'un examen approfondi ultérieurement, au présent chapitre.

Le rapport des vérificateurs

Le droit des sociétés du Canada exige que chaque société commerciale désigne un vérificateur qui représente les actionnaires et rend annuellement compte à ceux-ci des états financiers de l'entreprise. Le rapport des vérificateurs comprend deux paragraphes.

Le premier décrit la portée de l'examen. Il indique d'habitude les procédures comptables et tous les examens effectués à l'appui des pièces comptables, ainsi que l'information probante qui assure que la vérification a été menée conformément aux normes de vérification généralement acceptées.

Le second paragraphe traite de l'opinion des vérificateurs sur les états financiers, et déclare si les états ont été préparés conformément à des principes comptables généralement acceptés et semblables à ceux qui ont servi à l'exercice précédent.

Voici l'état des vérificateurs Coopers & Lybrand qui a paru dans le rapport annuel de 1990 des Vins Andrés ltée :

« Nous avons examiné les bilans consolidés des Vins Andrés ltée en date du 31 mars 1990 et du 31 mars 1989, et les états consolidés des résultats, des bénéfices non répartis et de l'évolution de la situation financière des exercices alors révolus. Notre examen s'est déroulé conformément aux normes de vérification généralement reconnues, et comprenait donc des examens et d'autres procédés que nous considérions nécessaires dans les circonstances.

« À notre avis, ces états financiers consolidés reflètent fidèlement la situation financière de l'entreprise en date du 31 mars 1990 et du 31 mars 1989, et les résultats de l'exploitation et de l'évolution de la situation financière pour les exercices alors révolus, conformément aux principes comptables généralement reconnus constamment appliqués. »

UN POINT DE VUE

Arthur Andersen & Co., comptables agréés

Le rapport annuel des vérificateurs

Aux actionnaires de l'Alberta Natural Gas Company Ltd.

Nous avons vérifié le bilan consolidé de l'Alberta Natural Gas Company Ltd. en date du 31 décembre 1990 et 1989, et les états consolidés des résultats, des bénéfices non répartis et des changements du flux de l'encaisse pour les exercices alors révolus. Ces états financiers sont la responsabilité de la direction de la compagnie. Notre responsabilité consiste à exprimer une opinion sur les états financiers d'après nos vérifications.

Nous avons mené nos vérifications conformément aux normes de vérification généralement reconnues. Ces normes nous obligent à planifier et à exécuter une vérification afin d'obtenir une assurance raisonnable que les états financiers sont exempts de fausses déclarations. Une vérification comprend l'étude, par des examens, de l'information probante qui soutient les montants et les indications des états financiers. Elle inclut également l'évaluation des principes comptables utilisés et des estimations importantes faites par la direction, de même que l'évaluation de la présentation générale des états financiers.

À notre avis, ces états financiers consolidés reflètent fidèlement, à tous égards importants, la situation financière de l'entreprise en date des 31 décembre 1990 et 1989, ainsi que les résultats de l'exploitation et les changements du flux de l'encaisse pour les exercices alors révolus, conformément aux principes comptables généralement reconnus.

Source: Traduit de « Auditors' Report to the Shareholders », *Alberta Natural Gas Annual Report*, Calgary, Alberta, 31 décembre 1990, p. 29.

Examinons maintenant la structure et les éléments principaux des quatre états financiers.

LE BILAN

Le tableau 15.4 présente le bilan de Béland Technologie inc. pour les exercices de 1992 et 1991. Il s'agit essentiellement d'un instantané de la situation financière de l'entreprise à la fin de ces exercices. Le tableau présente deux situations financières. En supposant que Béland Technologie inc. existe depuis 20 ans, cela signifie qu'on aurait pu prendre 20 clichés de la situation financière de l'entreprise (un à la fin de chaque exercice comptable), dont chacun présenterait une situation financière différente sur ce que possède l'entreprise (actif), les dettes qu'a accumulées

TABLEAU 15.4
Le bilan

	Bilan Béland Technologie inc.		
		1992	1991
Actif à court terme			
Encaisse		22 000 $	18 000 $
Comptes clients		300 000	280 000
Stock		218 000	185 000
Charges payées d'avance		60 000	55 000
Total de l'actif à court terme		**600 000**	**538 000**
Immobilisations (au prix coûtant)		1 340 000	1 050 000
Amortissement cumulé		140 000	100 000
Immobilisations (nettes)		**1 200 000**	**950 000**
Total de l'actif		1 800 000	1 488 000
Passif à court terme			
Comptes fournisseurs		195 000 $	175 000 $
Effets à payer		150 000	135 000
Charges constatées par régularisation		20 000	18 000
Impôts à payer		80 000	70 000
Total du passif à court terme		**445 000**	**398 000**
Dettes à long terme		**800 000**	**600 000**
Actions ordinaires		300 000	285 000
Bénéfices non répartis		255 000	205 000
Capitaux propres		**555 000**	**490 000**
Total du passif et des capitaux propres		1 800 000 $	1 488 000 $

celle-ci (passif) et les fonds avancés à celle-ci par les actionnaires (capitaux propres).

Le bilan de 1992 indique que l'entreprise a acquis ou possède 1 800 000 $ d'actif, comparativement à 1 488 000 $ en 1991, soit une augmentation de 312 000 $ ou de 21 p. 100. En raison de l'équation comptable, on trouve une augmentation correspondante dans l'autre partie du bilan, c'est-à-dire dans la partie du solde total des comptes de passif et de capitaux propres. La partie des actionnaires du bilan indique que l'entreprise a emprunté 247 000 $ de plus de ses créanciers ou prêteurs (passif à court terme et dettes à long terme), soit une augmentation de 24,7 p. 100, tandis qu'elle

a obtenu 65 000 $ de ses actionnaires (capitaux propres), ce qui représente une augmentation de 13,3 p. 100. Manifestement, un changement a eu lieu dans le tableau financier de l'entreprise entre les deux exercices comptables. L'entreprise possède plus d'éléments d'actif mais, de ce fait, les dettes excèdent les capitaux propres. Est-ce bon ou mauvais? Nous examinerons la question au prochain chapitre, *La gestion financière*, dans la section de l'analyse à l'aide de ratios.

Examinons maintenant la signification des éléments les plus importants des comptes d'actif, de passif et de capitaux propres que l'on trouve au bilan.

L'actif à court terme

L'actif à court terme constitue les liquidités de l'actif et comprend les comptes tels que l'encaisse, les comptes clients, le stock et les frais payés d'avance. On parle de liquidités puisqu'on peut le convertir en argent liquide durant le cycle d'exploitation ou l'exercice comptable (12 mois).

L'encaisse désigne les fonds détenus ou les titres négociables que l'on peut utiliser au besoin.

Les **comptes clients** représentent les montants dus à une entreprise par ses clients en contrepartie de biens ou de services vendus à crédit et non acquittés lors de l'établissement du bilan. Habituellement, ces clients paient un mois après la vente des biens ou des services. Parce que l'entreprise reconnaît que certains clients failliront à leurs paiements, le montant qui figure au bilan est rajusté en prévision des créances irrécouvrables, à la suite d'une évaluation des soldes de comptes clients qui ne seront jamais acquittés.

Le **stock** représente la marchandise détenue qui n'a pas encore été vendue. Dans une entreprise manufacturière, le stock comprend trois éléments : les matières premières, soit les biens et approvisionnements qui servent à fabriquer les produits finis ; les produits en cours de fabrication, la marchandise fabriquée mais pas encore terminée ; et les produits finis, prêts à la vente.

Les **frais payés d'avance** sont des services qui ont déjà été payés, sans être encore utilisés ni dispensés, notamment l'assurance, le loyer et les services publics.

Les immobilisations (fixed assets)

Les **immobilisations** représentent les éléments **d'actif matériels** tels que le terrain, les bâtiments, le matériel, l'outillage, le mobilier et les agencements, qui ne sont pas détenus à titre de stock destiné à la revente. La vie utile prévue de ces éléments d'actif excède un an, et on utilise ces derniers à l'exploitation de l'entreprise. Ces éléments d'actif indiquent l'achat initial ou le coût d'origine et on les appelle les « immobilisations au prix coûtant ». Lorsqu'on déduit l'amortissement cumulé des immobilisations au prix coûtant en date du bilan, la différence s'appelle « immobilisations nettes ».

Il importe de souligner que les immobilisations nettes représentent la « valeur comptable » des actifs et **non** la valeur marchande ou le montant que pourrait obtenir l'entreprise si elles étaient vendues. À mesure que les biens sont utilisés, ils se déprécient. Par exemple, si une entreprise achète un camion 25 000 $ et qu'elle prévoit s'en servir 5 ans, elle doit déprécier ou amortir le bien du montant de 5 000 $ pendant chaque exercice. L'amortissement représente une charge comptable destinée à répartir le coût du bien le long de sa vie utile. À la fin de chaque exercice, les charges d'amortissement sont déduites du coût d'origine du bien. Dans ce cas particulier, à la fin du premier exercice, le bilan indiquerait un montant de 20 000 $ dans le compte d'immobilisations nettes du camion (25 000 $ moins 5 000 $) et à la fin du troisième exercice, la valeur comptable du camion serait de 10 000 $ (25 000 $ moins 15 000 $ d'amortissement cumulé). L'entreprise ouvre un compte pour chaque immobilisation, qui indique le prix d'origine et l'amortissement cumulé. Le total du solde de tous les comptes d'immobilisations figure au bilan de l'entreprise.

La partie du passif et des capitaux propres du bilan indique les fonds avancés à l'entreprise par ses créanciers et ses propriétaires. Ces fonds se regroupent en trois sections : le passif à court terme, les dettes à long terme et les capitaux propres.

Le passif à court terme

Le **passif à court terme** désigne les dettes qui échoient au cours de l'exercice comptable suivant (de 12 mois). Ce sont les comptes fournisseurs, les effets à payer, les charges constatées par régularisation et l'impôt exigible.

Les **comptes fournisseurs** se rapportent aux matières ou aux services qu'une entreprise a achetés à crédit, et qui ne sont pas encore payés au moment de l'établissement du bilan. Ils sont en général acquittés en moins de 30 jours. Naturellement, les comptes fournisseurs qui apparaissent au bilan d'une entreprise constituent les comptes clients d'une autre.

Les **effets à payer** peuvent représenter une marge de crédit obtenue de la banque afin de financer les comptes clients et les comptes de stock. Il peut s'agir d'un prêt destiné au fonds de roulement, d'un prêt saisonnier ou d'un prêt par crédit renouvelable. Comme ce compte figure à la section du passif à court terme, il est également remboursable pendant l'exercice.

Les **charges constatées par régularisation** représentent les services qui ont été reçus au moment de l'établissement du bilan, mais non encore acquittés, notamment des comptes tels que les salaires dus aux employés, les intérêts des prêts, les charges constatées par régularisation reliées aux services publics et les primes. Les éléments les plus importants parmi les charges constatées par régularisation sont habituellement les salaires, puisque le personnel gagne ces derniers chaque jour de l'exercice mais n'est payé qu'à des intervalles hebdomadaires ou mensuels, et seulement après avoir dispensé les services.

L'impôt exigible constitue une catégorie semblable aux charges constatées par régularisation, et représente les sommes que l'entreprise doit au gouvernement aux fins d'impôt sans les avoir encore payées. Cet impôt est habituellement acquitté après le début de l'exercice comptable suivant.

Le passif à long terme

La deuxième section du passif comprend le passif à long terme, qui couvre les prêts utilisés à l'achat d'immobilisations et remboursables à la banque ou à d'autres créanciers. Comme le terme l'indique, le passif à long terme représente des prêts consentis pour des hypothèques ou des obligations, et leur remboursement est échelonné sur de nombreuses années.

Les capitaux propres

La section qu'on appelle les « capitaux propres des actionnaires », ou la « valeur nette », représente les sommes investies dans une entreprise par ses propriétaires. Cette section comprend les investissements personnels, par exemple les actions ordinaires et privilégiées, et les bénéfices qui sont réinvestis dans l'entreprise (après la répartition des dividendes).

Les **actions ordinaires** ou privilégiées représentent le total des fonds investis dans une entreprise par ses propriétaires à sa fondation, ou les fonds avancés plus tard quand l'expansion l'exigeait, par exemple pour l'achat d'immobilisations.

Les **bénéfices non répartis** constituent les bénéfices réinvestis dans l'entreprise depuis sa fondation. Au tableau 15.4, le bilan de 1992 affiche une somme de 255 000 $, qui constitue le bénéfice après impôts réinvesti dans l'entreprise après la distribution des dividendes aux actionnaires. Toutefois, ces bénéfices **appartiennent** aux actionnaires et représentent leurs parts cumulées.

**UN ENJEU
COMMERCIAL
ACTUEL**

Les rapports annuels

Les rapports annuels de 1990 étaient plus longs et révélaient plus de renseignements qu'à l'exercice précédent, selon une enquête effectuée sur 100 rapports d'entreprises inscrites à la Bourse de Toronto. Mais la différence la plus marquante entre les rapports de 1989 et ceux de 1990 portait sur la présentation.

Comme l'environnement est devenu un sujet délicat, plus d'entreprises se sont empressées de changer le type de papier sur lequel sont imprimés les rapports. En 1989, 19 p. 100 des rapports étaient imprimés, en tout ou en partie, sur du papier recyclé. Ce chiffre a grimpé à 63 p. 100 en 1990.

Pour la deuxième année, RT Investor Relations Associates, un groupe de conseillers au sein du Trust Royal, enquête sur le contenu des rapports annuels. Parmi les découvertes, on trouve :

- le rapport annuel moyen est passé de 45 à 49 pages en 1990 ;
- la moitié des 100 rapports examinés sont bilingues en 1990, comparativement à 44 en 1989 ;
- des entreprises plus nombreuses consacrent plus de place à la discussion et à l'analyse de la gestion ;
- des entreprises plus nombreuses, bien qu'il s'agisse encore de la minorité, quantifient les risques qui menacent les bénéfices, notamment les taux d'intérêt, le cours des denrées et les variations du taux de change des devises ;
- bien que le nombre des entreprises qui utilisent du papier recyclé ait plus que triplé pour atteindre 63 p. 100, on ne compte qu'une faible augmentation de celles qui sont prêtes à discuter des enjeux environnementaux ou des incidences financières des mesures relatives à l'environnement.

On a étudié 100 rapports d'entreprises de l'indice TSE 300, dont les 50 premières entreprises et d'autres choisies au hasard. On a ajouté un échantillon représentatif des divers sous-indices. L'échantillon était presque identique les deux années, trois entreprises ayant été rejetées et trois autres, ajoutées.

Les tableaux suivants se rapportent aux 100 rapports annuels étudiés et comparés dans diverses catégories.

Environnement	1989	1990
Papier recyclé en totalité ou en partie	19 %	63 %
Explication ou précision des enjeux	29 %	33 %
Section ou traitement distincts	22 %	32 %
Utilisation de photographies thématiques	21 %	24 %
Exposé de principes inclus	17 %	24 %
Présentation des objectifs de l'entreprise	7 %	5 %
Répercussions financières :		
Expliquées	10 %	12 %
Quantifiées	5 %	9 %

Discussion et analyse de la gestion		
Explication des risques :		
Taux d'intérêt	19 %	19 %
Devise	25 %	31 %
Cours des denrées	32 %	34 %
Quantification des risques :		
Taux d'intérêt	7 %	9 %
Devise	12 %	17 %
Cours des denrées	11 %	16 %

Source : Traduit de Ron Blunn, « Reports reflect trend to more information », *The Financial Post*, 21 octobre 1991, p. 15.

L'ÉTAT DES RÉSULTATS

Le tableau 15.5 indique l'état des résultats de Béland Technologie inc. et présente le produit d'exploitation et les charges d'exploitation engagés par l'entreprise au cours d'un cycle d'exploitation. La différence entre le produit et les charges d'exploitation représente le bénéfice qu'a réalisé l'entreprise durant l'exercice. Contrairement à l'**instantané** du bilan, l'état des résultats tient davantage du **long métrage**. Afin de produire cet état, les produits et les charges de chaque jour de l'exercice doivent être additionnés.

L'état des résultats indique trois niveaux de rentabilité : le bénéfice brut, le bénéfice d'exploitation et le bénéfice après impôts. Les comptes qui figurent dans l'état des résultats peuvent aussi être regroupés en trois sections : la section des activités d'exploitation, indiquant le bénéfice brut et le bénéfice d'exploitation ; la section des activités autres que d'exploitation, qui révèle le bénéfice avant impôts ; et la section des propriétaires, qui indique le bénéfice après impôts, ou le montant qui revient aux propriétaires.

La section des activités d'exploitation

Elle comprend le bénéfice brut et le bénéfice d'exploitation.

Le bénéfice brut

On obtient le bénéfice brut en soustrayant le coût des marchandises vendues du produit d'exploitation net.

Produit d'exploitation net	2 500 000 $
Moins : Coût des marchandises vendues	1 900 000
Bénéfice brut	600 000 $

Le **produit d'exploitation net** ou le produit des ventes constitue ce que rapporte à l'entreprise la vente de ses produits ou services. Il représente les articles effectivement livrés ou expédiés aux clients au cours de l'exercice. On utilise l'expression « chiffre d'affaires net » ou « recettes nettes », car les abattements des escomptes accordés et des rendus sur vente ont été déduits du chiffre d'affaires brut. Le chiffre d'affaires net est le montant qu'a reçu ou qu'espère recevoir l'entreprise après avoir consenti les abattements.

Le **coût des marchandises vendues** est le coût associé à la fabrication ou à la production des marchandises vendues. Il s'agit, et de loin, des charges les plus importantes pour une entreprise manufacturière (dans bien des cas, ce coût peut représenter jusqu'à 80 p. 100 des charges totales de l'entreprise). Il comprend

TABLEAU 15.5
L'état des résultats

Béland Technologie inc. pour l'exercice terminé en 1991		
1. Section des activités d'exploitation		
Produit d'exploitation net		2 500 000 $
Coût des marchandises vendues		1 900 000
Bénéfice brut		**600 000**
Charges d'exploitation		
Frais de vente	150 000 $	
Loyer	100 000	
Frais d'administration	100 000	
Amortissement	40 000	
Total des charges d'exploitation		390 000
Bénéfice d'exploitation		**210 000 $**
2. Section des activités autres que d'exploitation		
Autres produits	20 000 $	
Autres charges (intérêts)	35 000	15 000
Bénéfice avant impôts		**195 000 $**
3. Section des propriétaires		
Impôts sur le revenu		97 500
Bénéfice après impôts		**97 500 $**

trois éléments clés : les matières achetées aux fournisseurs, le transport des marchandises expédiées par les fournisseurs à l'usine de l'entreprise et toutes les charges associées au processus de fabrication des produits. Ces dernières comprennent les salaires et charges sociales, de même que l'amortissement du matériel et de l'outillage de l'usine.

Le **bénéfice brut** est la différence entre le coût des marchandises vendues et le produit d'exploitation net. Fondamentalement, il s'agit du bénéfice qu'obtient l'entreprise après avoir réglé le coût de fabrication des marchandises. On l'appelle «bénéfice brut», car on n'en a déduit aucun autre type de charges et il représente le reliquat qui sert à payer les autres frais généraux tels que ceux de la vente et de l'administration. Le bénéfice brut est le point de départ d'un bénéfice acceptable après impôt.

Le bénéfice d'exploitation

On obtient le bénéfice d'exploitation en déduisant du bénéfice brut des charges telles que celles qui sont reliées à la vente et à l'administration.

Outre le coût de production des marchandises, une entreprise supporte également d'autres charges d'exploitation regroupées en deux catégories : les frais de vente et les frais d'administration.

Les **frais de vente** sont engagés par l'organisation de marketing afin de promouvoir, de vendre et de distribuer des marchandises. Ces frais comprennent la publicité, les salaires et les commissions de vente, les foires commerciales, les promotions des ventes, les fournitures de vente et les frais de livraison.

Les **frais d'administration** englobent toutes les autres charges qui ne sont pas directement reliées à la production et à la vente de marchandises.

Ils comprennent certains frais engagés par les services administratifs tels que ceux qui concernent le personnel, la comptabilité, les services juridiques, financiers et informatiques, les consultations, les assurances et l'amortissement du matériel de bureau.

Après avoir soustrait les charges d'exploitation du bénéfice brut, on obtient le deuxième niveau de bénéfice, appelé **bénéfice d'exploitation**. Ce niveau de rentabilité est directement attribuable aux décisions prises par les gestionnaires.

Bénéfice brut	600 000 $
Moins : Charges d'exploitation	390 000
Bénéfice d'exploitation	210 000 $

La section des activités autres que d'exploitation

Cette section traite des produits et charges qui ne sont pas directement reliés à l'exploitation courante d'une entreprise. Elle comprend d'autres produits, comme les intérêts créditeurs des investissements (par exemple les dépôts à court terme) et d'autres charges, comme l'intérêt payé sur les fonds empruntés.

Bénéfice d'exploitation		210 000 $
Plus : Autres produits	20 000 $	
Moins : Autres charges	35 000	15 000
Bénéfice avant impôts		195 000 $

Comme on peut le voir ci-dessus, les intérêts débiteurs de l'entreprise excèdent les intérêts créditeurs de 15 000 $, et par conséquent, réduisent le bénéfice d'exploitation à 195 000 $. Cette somme, appelée **bénéfice avant impôts**, sert à payer l'impôt sur le revenu, à verser les dividendes et à réinvestir des montants dans l'entreprise.

La section des propriétaires

Cette section traite du montant qui revient aux actionnaires et qu'on appelle aussi le «bénéfice net».

L'**impôt sur le revenu** représente le montant total dû aux gouvernements fédéral et provincial, calculé sur le revenu imposable réalisé par l'entreprise au cours de l'exercice. On calcule le montant en multipliant le revenu imposable de la période par le taux d'imposition approprié (dans cet exemple, 50 p. 100). L'impôt sur le revenu ne comprend pas les autres types d'impôt tels que l'impôt foncier ou les charges sociales, qui font partie des charges d'exploitation.

Bénéfice avant impôts	195 000 $
Moins : Impôts sur le revenu	97 500
Bénéfice après impôts	97 500 $

Le **bénéfice après impôts** représente le bénéfice qui appartient aux actionnaires. Dans le cas présent, Béland Technologie inc. a réalisé un bénéfice de 97 500 $. Le conseil d'administration décide quelle part du bénéfice sera distribuée aux actionnaires sous forme de dividendes, et quelle part restera dans l'entreprise sous forme de bénéfices non répartis. La portion du bénéfice après impôts versée aux actionnaires et celle qui est réinvestie dans l'entreprise figurent dans l'état suivant appelé l'«état des bénéfices non répartis».

L'ÉTAT DES BÉNÉFICES NON RÉPARTIS

L'état des bénéfices non répartis est lié de si près à l'état des résultats qu'on le présente habituellement à la même page du rapport annuel d'une entreprise. Comme l'indique le tableau 15.6, l'entreprise avait accumulé 205 000 $ de bénéfice, ou de bénéfice après impôts, jusqu'à la fin de l'exercice précédent (1991) ou au début de l'exercice 1992.

TABLEAU 15.6
L'état des bénéfices non répartis

Béland Technologie inc. pour l'exercice terminé en 1992		
Bénéfices non répartis (solde initial)		205 000 $
Bénéfices	97 500	
Dividendes	47 500	50 000
Bénéfices non répartis (solde final)		255 000 $

Le solde initial des bénéfices non répartis indiqué au début de cet état est toujours identique aux bénéfices non répartis affichés au bilan de l'exercice précédent, dans la section appelée « capitaux propres ». Remarquez que le montant des bénéfices non répartis qui figure au bilan de 1991 de Béland Technologie inc. le confirme. Comme nous le constatons au tableau 15.6, des bénéfices de 97 500 $ sont ajoutés au solde des bénéfices non répartis du début de l'exercice. On déduit ensuite de cette somme 47 500 $ de dividendes, ce qui laisse un solde de 255 000 $ de bénéfices non répartis à la fin de l'exercice, et ce montant est reporté au bilan de 1992 de Béland Technologie inc. (tableau 15.4).

L'ÉTAT DE L'ÉVOLUTION DE LA SITUATION FINANCIÈRE

Le bilan, l'état des résultats et l'état des bénéfices non répartis laissent quelques lacunes relativement aux données sur les activités de l'entreprise, puisqu'ils ne fournissent que peu de renseignements au sujet des changements de la situation financière de l'entreprise d'un exercice à un autre, et en particulier, au sujet de la provenance et de l'utilisation des fonds. En comparant deux bilans consécutifs, les actionnaires peuvent obtenir une information valable à propos du financement d'une entreprise et de l'utilisation des fonds, comme suit.

Les bilans du tableau 15.4 présentent deux situations financières consécutives qui indiquent ce que possède l'entreprise et ce qu'elle doit.

L'état des résultats du tableau 15.5 indique le montant des bénéfices réalisés en 1992, et l'état des bénéfices non répartis du tableau 15.6, les dividendes versés aux actionnaires. Ces trois états financiers offrent une information essentielle à la préparation de l'état de l'évolution de la situation financière, tâche relativement complexe.

Toutefois, il est assez facile d'interpréter l'état en question qui importe grandement aux actionnaires. Afin de préparer l'état de l'évolution de la situation financière, il faut extraire des données du bilan, de l'état des résultats et de l'état des bénéfices non répartis. Ce processus comprend trois étapes : 1) déterminer les sources et les utilisations des fonds, 2) établir les comptes qui modifient la variation nette des comptes de fonds de roulement hors caisse et 3) dresser l'état de l'évolution de la situation financière.

Le relevé des sources et des utilisations des fonds

La première étape consiste à relever les sources et les utilisations des fonds d'après tous les comptes du bilan. La différence entre les soldes du même compte dans deux bilans consécutifs indique s'il s'agit d'une source ou d'une utilisation de fonds. Ainsi, par les bilans de 1991 et de 1992 de Béland Technologie inc., nous savons que l'entreprise a augmenté ses comptes clients de 280 000 $ à 300 000 $, ce qui signifie qu'en 1992, l'entreprise a recouru à l'**utilisation** de 20 000 $ afin de financer ses clients. En outre, les dettes à long terme affichent une augmentation de 200 000 $ entre les deux exercices comptables, ce qui signifie que l'entreprise a emprunté cette somme de ses créanciers (**source**).

On détermine les sources et les utilisations des fonds au sein d'une entreprise, comme l'indique le tableau 15.7.

En appliquant ces principes, on peut établir le relevé des sources et des utilisations des fonds de Béland Technologie inc. indiqué au tableau 15.8. Le seul montant qui peut nous induire en erreur est celui des bénéfices non répartis, 50 000 $, puisqu'il représente la différence entre un bénéfice après impôts de 97 500 $, soit une **source** tirée de l'état des résultats, et 47 500 $ versés en dividendes, soit une **utilisation** tirée de l'état des bénéfices non répartis. Comme on peut le constater, l'entreprise a obtenu 352 000 $ de huit sources ou comptes, et a utilisé les fonds dans cinq comptes.

TABLEAU 15.7
Les sources et les utilisations des fonds

Sources des fonds	Utilisations des fonds
1. diminution d'un compte d'actif	1. augmentation d'un compte d'actif
2. augmentation d'un compte de passif	2. diminution d'un compte de passif
3. augmentation d'un compte de capitaux propres	3. diminution d'un compte de capitaux propres

La variation nette des comptes de fonds de roulement hors caisse

La deuxième étape en vue de produire l'état de l'évolution de la situation financière concerne les changements des comptes de fonds de roulement,

TABLEAU 15.8
Le relevé des sources et des utilisations des fonds

Béland Technologie inc. pour l'exercice terminé en 1992	
Sources des fonds	
Fonds d'exploitation	
Augmentation des bénéfices non répartis	50 000 $
Augmentation de l'amortissement	40 000
Augmentation des comptes fournisseurs	20 000
Augmentation des effets à payer	15 000
Augmentation des charges constatées par régularisation	2 000
Augmentation des impôts différés	10 000
Augmentation des dettes à long terme	200 000
Augmentation des actions ordinaires	15 000
Total des sources des fonds	352 000 $
Utilisations des fonds	
Augmentation de l'encaisse	4 000 $
Augmentation des comptes clients	20 000
Augmentation du stock	33 000
Augmentation des charges payées d'avance	5 000
Augmentation des immobilisations	290 000
Total des utilisations des fonds	352 000 $

c'est-à-dire toutes les sources et utilisations des fonds enregistrées dans les comptes de l'actif à court terme (à l'exception du compte d'encaisse) et du passif à court terme. Le tableau 15.9 indique que Béland Technologie inc. a obtenu 47 000 $ de divers comptes de fonds de roulement, et utilisé 58 000 $, ce qui représente une utilisation nette de fonds de 11 000 $. Ces montants proviennent de la liste des sources et des utilisations des fonds indiquée au tableau 15.8.

L'état de l'évolution de la situation financière

Nous disposons maintenant de tous les renseignements nécessaires à l'établissement d'un état de l'évolution de la situation financière. Comme l'indique le tableau 15.10, cet état présente les sources et les utilisations des fonds enregistrées par une entreprise entre deux exercices comptables. Les sources et utilisations relèvent de trois activités : l'exploitation, le financement et l'investissement.

Observons maintenant de quoi se compose exactement l'état de l'évolution de la situation financière, d'après les données des tableaux 15.8 et 15.9.

Les activités d'exploitation

Les activités d'exploitation ont trait au flux de fonds engendrés par l'entreprise. On trouve trois éléments importants dans cette section : le bénéfice après impôts, l'amortissement et la variation nette des fonds de roulement hors caisse. Béland Technologie inc. a réalisé un bénéfice après impôts de 97 500 $ en 1992. Si l'on ajoute l'amortissement, l'entreprise a produit 137 500 $ en espèces. On rajoute l'amortissement, car ce compte n'est rien d'autre qu'une écriture comptable et ne représente aucune sortie de fonds. Comme on le voit à l'état de l'évolution de la situation financière, les deux sommes apparaissent à titre de sources.

Les comptes de fonds de roulement hors caisse comprennent tout l'actif à court terme (sauf l'encaisse) et tous les comptes de passif à court terme tirés du bilan. Les sept comptes de fonds de roulement (consulter le tableau 15.9), tirés du bilan, affichent une utilisation de 11 000 $, ce qui signifie que l'entreprise a utilisé 11 000 $ au cours

TABLEAU 15.9
Variation nette des comptes de fonds de roulement hors caisse

Béland Technologie inc. pour l'exercice terminé en 1992			
Sources			
Augmentation des comptes fournisseurs	20 000 $		
Augmentation des effets à payer	15 000		
Augmentation des charges constatées par régularisation	2 000		Tiré des comptes de fonds de roulement, c.-à-d. de l'actif à court terme et du passif à court terme
Augmentation des impôts différés	10 000	47 000 $	
Utilisations			
Augmentation des comptes clients	20 000 $		
Augmentation du stock	33 000		
Augmentation des charges payées d'avance	5 000	58 000	
Augmentation (Diminution) nette des comptes de fonds de roulement hors caisse		11 000 $	

des 12 derniers mois afin de mener ses activités quotidiennes. Dans cet exemple, l'état des résultats indique 137 500 $ d'encaisse, et les comptes de fonds de roulement qui figurent au bilan ont occasionné une sortie de fonds de 11 000 $. En tout, les fonds engendrés par l'exploitation de l'entreprise totalisent 126 500 $.

Les activités de financement

Les activités de financement traitent du flux de fonds enregistré lors de la vente d'actions, du remboursement de dettes à long terme, de l'engagement dans des dettes à long terme et du versement de dividendes ou d'intérêts minoritaires. Ces renseignements proviennent de l'état des bénéfices non répartis (versement des dividendes) et des « comptes à solde élevé » qui apparaissent à la section inférieure du bilan, dans les comptes de dettes à long terme et de capitaux propres. Comme l'indique le tableau 15.10

sous le titre « activités de financement », Béland Technologie inc. a obtenu un total de 167 500 $. L'entreprise a versé des dividendes de 47 500 $; elle a emprunté à long terme 200 000 $ de ses créanciers, et ses actionnaires y ont investi 15 000 $.

Tous les comptes qui figurent dans les activités d'exploitation et de financement ont produit 294 000 $ en espèces. À quelles fins l'entreprise a-t-elle utilisé ces fonds ? La section suivante sur les activités d'investissement répond à cette question.

Les activités d'investissement

Les activités d'investissement affichent les autres « comptes à solde élevé » indiqués au bilan (immobilisations). Elles peuvent représenter la source ou l'utilisation des fonds destinés à acheter ou à vendre des immobilisations. Le tableau 15.10 montre que Béland a investi 290 000 $ dans les immobilisations.

TABLEAU 15.10
L'état de l'évolution de la situation financière

Béland Technologie inc.		
pour l'exercice terminé en 1992		
Activités d'exploitation		**Tiré de**
Bénéfice après impôts	97 500 $	État des résultats
Plus: Amortissement	40 000	État des résultats
Variation nette des comptes de fonds de roulement hors caisse	(11 000)	Bilan
Total	126 500 $	
Activités de financement		
Versement des dividendes	(47 500 $)	État des bénéfices non répartis
Dettes à long terme	200 000	Bilan
Actions ordinaires	15 000	Bilan
Total	167 500 $	
Activités d'investissement		
Achat d'immobilisations	290 000 $	Bilan
Encaisse restante		
Augmentation (Diminution) de l'encaisse	(4 000 $)	Bilan
Encaisse en début d'exercice	18 000 $	
Encaisse en fin d'exercice	22 000 $	

Tel que nous l'avons déjà indiqué, les activités d'exploitation et de financement ont engendré 294 000 $, et utilisé 290 000 $ à l'achat d'immobilisations affichées à la section des activités d'investissement. En tout, la somme nette de ces trois activités représente un surplus de 4 000 $ qui a augmenté le compte en banque de l'entreprise. Comme l'indiquent les bilans de l'entreprise en 1991 et en 1992, le compte de l'encaisse est passé de 18 000 $ à 22 000 $.

UN ENJEU COMMERCIAL ACTUEL

Le financement par emprunt

Chef de file de l'industrie, Air Canada recharge son bilan de dettes en tentant de surmonter la récession actuelle. La ligne aérienne a annoncé hier qu'une banque allemande lui a accordé une marge de crédit de 15 ans pour la somme de 300 millions de dollars américains (346,4 millions de dollars canadiens). Cette somme servira à payer, au cours des deux prochains exercices, des Airbus et des avions, évalués à 2 milliards de dollars US.

La marge de crédit, accordée par Kreditanstalt fur Wiederaufbau, reportera la dette à long terme de l'entreprise au-delà du seuil symbolique du milliard de dollars. Air Canada a tenté de réduire ses dettes et ses intérêts débiteurs. À la fin du deuxième trimestre du présent exercice, la dette à long terme d'Air Canada avait augmenté à 974 millions de dollars, depuis 937 millions de dollars à la fin de 1989, sans compter trois importants engagements non garantis qui totalisent 1,1 milliard de dollars US, que l'entreprise gardait en réserve pour les périodes difficiles.

En plus de la dette croissante, Air Canada annoncera peut-être une autre vague de mises à pied, selon les représentants patronaux et syndicaux. Egon Keist, président de la section des lignes aériennes du Syndicat canadien de la fonction publique (SCFP), a déclaré que 700 agents de bord supplémentaires pourraient perdre leur emploi si le syndicat accepte les demandes de concessions de l'employeur. Air Canada a déjà annoncé qu'elle sabrera 440 postes d'agents de bord dans le cadre de son plan de remerciement de quelque 2 900 employés d'ici la fin de l'année. Les négociations entre le SCFP et la ligne aérienne en sont au stade de la conciliation. «Si nous accordons des concessions, les mises à pied seront plus nombreuses», a déclaré Keist, lors du congrès de l'Association internationale des machinistes et des travailleurs de l'aéroastronautique, à Toronto.

Le SCFP considère que les concessions — dont une journée de travail plus longue, une modification des dispositions sur l'ancienneté et la permission à des équipages de lignes extérieures de travailler à bord d'Air Canada — permettraient des économies de 20 p. 100 plutôt que de 3,1 p. 100, comme le prévoyait l'employeur. Mais le président et directeur général d'Air Canada, Claude Taylor, n'a pas exclu une autre vague de mises à pied si la situation financière de la ligne aérienne ne se rétablit pas bientôt.

On prévoit que Taylor va indiquer les prochaines mesures que pourrait adopter Air Canada lors d'un discours prononcé devant des analystes financiers, aujourd'hui à Montréal. Les représentants syndicaux prédisent des difficultés encore plus grandes pour l'industrie canadienne lors de la création proposée d'une seule industrie aérienne nord-américaine.

Source: Traduit de Cecil Foster, « Air Canada pushes debt back over $1B », *The Financial Post*, 17 octobre 1990, p. 3.

RÉSUMÉ

Sommaire

1. La tenue des livres s'occupe de recueillir, de classer et de reporter des opérations comptables dans les journaux et grands livres. Ces renseignements servent à préparer quatre états financiers : le bilan, l'état des résultats, l'état des bénéfices non répartis et l'état de l'évolution de la situation financière.

2. Le bilan offre un instantané de la situation financière d'une entreprise à un moment donné. Cet état est divisé en cinq sections. La partie gauche présente les comptes de l'actif à court terme et des immobilisations, soit ce que possède l'entreprise. La partie droite indique ce que doit l'entreprise à ses créanciers et est divisée en deux sections : le passif à court terme et les dettes à long terme. Les capitaux propres constituent l'autre section, c'est-à-dire les fonds que les actionnaires ont investis dans l'entreprise.

3. L'état des résultats indique le flux des produits et des charges d'exploitation qui a lieu au sein de l'entreprise au cours d'une période donnée, et affiche quatre niveaux de rentabilité : le bénéfice brut, le bénéfice d'exploitation, le bénéfice avant impôts et le bénéfice après impôts.

4. L'état des bénéfices non répartis indique le montant du bénéfice réinvesti dans l'entreprise depuis les débuts de celle-ci, de même que les dividendes versés aux actionnaires au cours du présent exercice financier.

5. L'état de l'évolution de la situation financière indique la provenance des fonds et à quelles fins ils ont été utilisés lors d'un exercice comptable. Cet état se divise en quatre sections : les activités d'exploitation, de financement et d'investissement, et le compte de l'encaisse restante.

Notions clés

L'actif

L'actif à court terme

L'état de l'évolution de la situation financière

L'état des bénéfices non répartis

L'état des résultats

La comptabilité

La tenue des livres

Le bilan

Le passif à court terme

Le relevé des sources et des utilisations des fonds

Les capitaux propres

Les dettes à long terme

Les grands livres

Les immobilisations

Les journaux

Exercices de révision

1. Qu'entend-on par **tenue des livres** et par **comptabilité** ?

2. Décrivez les étapes principales de la tenue des livres et de la comptabilité.

3. Décrivez la relation entre les journaux et les grands livres.

4. Dans vos mots, expliquez les cinq sections du bilan et donnez un exemple de la structure de cet état.

5. Quel est le but de l'état des résultats ?

6. Expliquez la structure et les éléments principaux de l'état des résultats.

7. Quelle est la différence entre le bénéfice brut et le bénéfice d'exploitation ?

8. À quoi sert l'état des bénéfices non répartis ?

9. Expliquez la structure de l'état de l'évolution de la situation financière.

10. Quelle est la relation entre d'une part le bilan, l'état des résultats et l'état des bénéfices non répartis, et d'autre part, l'état de l'évolution de la situation financière ?

Matière à discussion

1. Croyez-vous que les états financiers reflètent fidèlement la situation financière d'une entreprise ? Justifiez votre réponse.

2. Quel est le but de l'**amortissement** des immobilisations ?

Exercices d'apprentissage

1. Les états financiers

Les comptes des tableaux 15.11 et 15.12 proviennent du grand livre d'une entreprise.

Question

1. En vous servant du tableau 15.11, préparez les états financiers suivants :

   a) l'état des résultats ;

   b) l'état des bénéfices non répartis ;

   c) le bilan.

2. Le flux des fonds

1. À l'aide des comptes de bilan du tableau 15.12, préparez le relevé des sources et des utilisations des fonds de l'exercice 1992.

TABLEAU 15.11
Comptes d'un grand livre

Encaisse	25 000 $
Produit d'exploitation	500 000
Charges payées d'avance	20 000
Intérêt de la dette à long terme	10 000
Coût des marchandises vendues	300 000
Prêt bancaire	50 000
Bénéfices non répartis (en début d'exercice)	135 000
Comptes clients	100 000
Charges constatées par régularisation	15 000
Frais de vente	50 000
Impôts sur le revenu	25 000
Impôts à payer	5 000
Hypothèque	200 000
Stock	200 000
Comptes fournisseurs	100 000
Portion exigible de la dette à long terme	20 000
Frais d'administration	50 000
Amortissement cumulé	100 000
Immobilisations (au prix coûtant)	500 000
Amortissement	25 000
Dividendes	20 000
Capital social	200 000

TABLEAU 15.12
Bilans pour 1992 — 1991

	1992	1991
Actif à court terme		
Encaisse	7 $	15 $
Dépôts à terme	—	11
Comptes clients	30	22
Stock	75	53
Total de l'actif à court terme	112	101
Immobilisations		
Immobilisations (au prix coûtant)	150	75
Moins: Amortissement cumulé	(41)	(26)
Total net des immobilisations	109	49
Total de l'actif	221 $	150 $
Passif à court terme		
Comptes fournisseurs	18	15
Effets à payer	3	15
Autre passif à court terme	15	7
Total du passif à court terme	36	37
Dette à long terme		
Hypothèque	26	8
Capitaux propres		
Actions ordinaires	64	38
Bénéfices non répartis	95	67
Total des capitaux propres	159	105
Total du passif et des capitaux propres	221 $	150 $

2. En 1992, l'entreprise a réalisé un bénéfice après impôts de 38 000 $, et a payé 10 000 $ en dividendes à ses actionnaires. D'après ces données, préparez les états financiers suivants :

   a) l'état des comptes qui modifient la variation nette des comptes de fonds de roulement hors caisse pour l'exercice 1992 ;

   b) l'état de l'évolution de la situation financière pour 1992.

CHAPITRE

16

PLAN

La définition de la gestion financière
    L'attribution de la responsabilité de la fonction de finances

L'analyse des états financiers à l'aide de ratios
    Les ratios de liquidité
    Les ratios d'endettement
    Les ratios d'exploitation
    Les ratios de rentabilité

Les décisions d'investissement
    L'actif à court terme
    Les immobilisations

Un enjeu commercial actuel : les décisions d'investissement

Les décisions de financement
    La règle de l'équilibre financier
    Les sources et formes de financement
    Le coût du capital
    La composition du financement

Un enjeu commercial actuel : les décisions de financement

Les décisions d'exploitation
    Les techniques du budget
    Les unités organisationnelles

Un point de vue : la restructuration financière

Résumé

LA GESTION FINANCIÈRE

Après avoir lu le présent chapitre, vous pourrez :

1. analyser les états financiers au moyen de ratios financiers ;
2. expliquer les techniques clés nécessaires afin de prendre des décisions d'investissement ;
3. débattre des différents types de décisions de financement ;
4. définir les outils clés utilisés afin de prendre des décisions d'exploitation.

Un certain nombre d'importants participants canadiens à la technologie ont découvert le fossé qui séparait le rêve d'un entrepreneur et la réalité d'un comptable. Certaines entreprises ont vu leurs rêves se changer en cauchemars en très peu de temps, telles que Leigh Instruments Ltd., fournisseur de la défense à Kanata en Ontario, et Myrias Research Corp., constructeur d'ordinateurs géants et société mère criblée de dettes d'une succursale prospère, SHL Systemhouse Inc.

La société Cognos Incorporée, d'Ottawa, se détache des autres dans ce carnage : elle s'est récemment remise de problèmes sérieux et se trouve devant de brillantes perspectives. Cette entreprise, devenue aujourd'hui la plus grande société indépendante de services informatiques au Canada grâce à ses 15 000 établissements clients dans le monde, fournit un langage évolué de programmation appelé *Powerhouse*. Parmi son impressionnante liste de clients, on retrouve l'agence spatiale américaine de la NASA, et le géant canadien des télécommunications, Northern Telecom Limitée. Au cours de l'exercice de 1991, les 1 000 employés de Cognos ont produit un chiffre d'affaires de 141 millions de dollars, soit d'intéressants bénéfices nets de 6,7 millions de dollars, qui ont permis à l'entreprise d'annoncer une nouvelle émission d'actions aux États-Unis.

Le succès n'est pas arrivé facilement. En décembre 1990, Cognos affichait des pertes record de 17,1 millions de dollars, et l'entreprise était instable. Les ventes déclinaient et les dépenses excédaient les bénéfices. En raison des mauvaises nouvelles, 200 employés furent licenciés (16 p. 100 du personnel), et le président de même que les cadres responsables des activités américaines quittèrent l'entreprise. Le cours des actions de Cognos, qui atteignait 24 $ à la bourse de Toronto au printemps de 1987, chuta au moment du krach d'octobre 1987 et fléchit sous les 7 $ à la fin de 1989, lorsque l'entreprise annonça les licenciements.

Même si les problèmes de l'entreprise ne rejaillirent soudain sur l'état des résultats qu'à l'été de 1989, ils couvaient depuis plusieurs années. À la fin des années 1980, la recherche chez Cognos diminua, la date limite des projets ne fut plus respectée et, camouflage possible des problèmes, l'entreprise se retrouva embourbée dans une bureaucratie étouffante. Selon un ancien membre du personnel, « l'ameublement des cadres intermédiaires encombrait. Les choses allaient si mal qu'il y avait un vice-président responsable de la paperasserie ».

Cette entreprise, peu en vue, a réalisé ce que de nombreuses autres n'ont pas réussi : elle s'est remise de problèmes sérieux et se trouve devant de brillantes perspectives après s'être prudemment tenue à une seule gamme de produits. L'élément catalyseur de Cognos est Michael Potter, 47 ans, président du conseil et directeur général de l'entreprise (depuis 1975), et principal actionnaire. Il a centré les activités de Cognos dans un petit créneau du marché de l'informatique en créant des outils de programmation de haute gamme destinés aux micro-ordinateurs d'entreprises. Lorsqu'il évoque les succès de Cognos, il fait comme si les récents problèmes financiers ne s'étaient jamais produits, comme si la voie vers le succès avait toujours été facile : « C'est si facile de regarder en arrière et de nous féliciter de notre intelligence. Mais je crois que nous étions guidés par une culture et une stratégie d'ensemble axées sur la concentration. Lorsque je repense au milieu des années 1980, nous étions très tentés de nous diversifier. Mais nous avions toujours adopté une approche prudente de non-diversification plutôt qu'une vision grandiose du monde de l'informatique. »

Depuis le récent redressement, l'entreprise a dû composer avec une série de nouveaux facteurs : un changement de haute direction, une sévère compression des coûts et un revirement spectaculaire sur le marché. Maintenant que Cognos s'est remise relativement vite de ses pertes, Potter réévalue son approche commerciale. Il précise qu'il n'est plus autant attiré par des ambitions de croissance démesurée qui vont si souvent de pair avec l'épuisement technologique. « Je croyais que l'envergure importait, déclare Potter. Je me souviens de mes discours au personnel sur l'aspect crucial des parts de marché, sur le besoin de la masse critique, sur l'étroite relation entre endurance et envergure. Je comprends maintenant que, dans toute l'acceptation du terme, la rentabilité nette mesure plus les qualités de direction que la part de marché, la croissance et la taille d'une entreprise. Nous avons beaucoup appris de cette expérience[1]. »

LA DÉFINITION DE LA GESTION FINANCIÈRE

La gestion financière vise à assurer l'utilisation la plus efficiente et efficace possible des ressources d'une entreprise. On obtient ce résultat en

---

1. Traduit de Mike Urlocker, « Programming for Profit », *The Financial Post*, été 1991, p. 36.

maximisant les bénéfices réalisés qui, avec le temps, font augmenter la valeur de l'entreprise, c'est-à-dire la valeur nette ou les capitaux propres. La gestion financière, appelée autrefois finance, reflète l'importance actuelle donnée à la participation de **tous** les gestionnaires aux décisions clés qui touchent l'avenir financier de leurs unités opérationnelles respectives et de l'entreprise dans son ensemble.

La gestion financière comporte un double volet : la collecte de fonds de même que l'achat et l'utilisation des éléments d'actif afin d'obtenir le rendement maximum. Elle vise principalement à s'assurer que les éléments d'actif utilisés dans une entreprise produisent un rendement supérieur au coût des emprunts. Pourquoi emprunter à 10 p. 100 en vue d'investir dans des immobilisations qui ne rapportent que 7 p. 100 ? Comme l'indique le tableau 16.1, la gestion financière vise à s'assurer que le rendement de l'actif excède les frais des emprunts effectués auprès des investisseurs, c'est-à-dire des prêteurs et des actionnaires.

TABLEAU 16.1
Comparaison de bilan

Bilan	
Actif	Investisseurs
Rendement de l'actif	Frais d'emprunt
15 %	11 %

L'attribution de la responsabilité de la fonction de finances

Les activités financières relèvent de personnes qui occupent trois postes distincts : le trésorier, le contrôleur et les gestionnaires d'exploitation (voir figure 16.1). Le **trésorier** doit recueillir des fonds, trouver des investisseurs, planifier des stratégies d'investissement, analyser les répercussions fiscales et mesurer l'incidence des événements internes et externes sur la structure

du capital d'une entreprise, soit le rapport entre les dettes à long terme et les capitaux propres. Il règle aussi les mouvements de fonds, détermine les paiements de dividendes, recommande des stratégies de financement à court et à long terme, entretient les liens avec les investisseurs. Bref, il a la charge des comptes de dettes et de capitaux propres, indiqués dans la partie droite du bilan.

FIGURE 16.1
Responsabilité de la fonction de finances

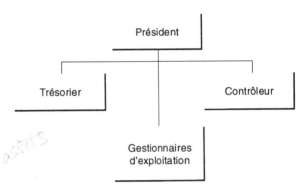

Le **contrôleur** établit des règles à l'égard des rapports comptables et financiers, met à jour les mécanismes de contrôle de la comptabilité, de la vérification et de la gestion, et analyse les résultats financiers. Avec l'aide des gestionnaires d'exploitation, il établit les planifications financières à court et à long terme et fixe les normes et objectifs financiers.

Les **gestionnaires d'exploitation** ou gestionnaires hiérarchiques s'occupent, à leur tour, de la gestion financière, dans diverses unités telles que le marketing, la fabrication, la recherche et le développement, et dans l'administration générale. Ils doivent analyser les données d'exploitation et financières, en plus de prendre des décisions cruciales sur l'acquisition d'éléments d'actif. On s'attend à ce qu'ils améliorent, sur le plan de l'exploitation, la performance de leur unité administrative et de l'entreprise dans son ensemble.

Dans le chapitre précédent, *La comptabilité et les états financiers*, deux fonctions de finances ont été abordées, soit la tenue de livres et la comptabilité. Dans le présent chapitre, nous aborderons les fonctions d'analyse et de prise de décisions. La première partie concerne l'**analyse** et indique comment les ratios financiers peuvent servir à évaluer le rendement d'une entreprise. La deuxième partie s'attarde à différents types de techniques de **prise de décisions**, utilisées par les gestionnaires dans leurs décisions, au sujet de l'entreprise, qui relèvent de trois grandes catégories :

1. investissement ;
2. exploitation ;
3. financement.

L'ANALYSE DES ÉTATS FINANCIERS À L'AIDE DE RATIOS

Comme il a été mentionné au chapitre précédent, les premières étapes de la gestion financière visent à dresser les états financiers. Les deux étapes suivantes concernent l'analyse du rendement de l'entreprise afin, d'une part, d'évaluer les forces et faiblesses de l'exploitation et de la situation financière, et, d'autre part, de prendre des décisions d'investissement, de financement et d'exploitation. L'examen d'un bilan ou d'un état des résultats permet assez facilement de mesurer les bénéfices de l'entreprise, les dettes de celle-ci ou les capitaux investis par les propriétaires. Toutefois, afin d'évaluer le rendement d'une entreprise plus précisément et en profondeur, les directeurs et ceux qui investissent dans les entreprises utilisent des **ratios financiers** en vue de mesurer la liquidité, l'endettement, l'efficience et la rentabilité.

Les ratios s'apparentent à des appareils de diagnostic. Comme un médecin mesure les éléments du sang, une personne qui évalue une entreprise mesure les rapports entre les données contenues dans les états financiers. Évidemment,

un niveau élevé ou bas de l'un des éléments du sang constitue rarement une maladie en soi ; il s'agit plutôt du symptôme d'une maladie. De même, l'étude des données contenues dans des états financiers fait ressortir les symptômes des problèmes qui doivent être corrigés.

Un ratio est simplement le rapport entre deux données. Parmi les ratios les plus souvent utilisés, on retrouve les **ratios tirés du bilan**, qui établissent un rapport entre deux comptes du bilan, les **ratios tirés de l'état des résultats**, qui établissent le rapport entre deux postes de l'état des résultats, et les **ratios mixtes**, qui établissent le rapport entre des données du bilan et de l'état des résultats.

On peut regrouper les ratios tirés du bilan, ceux tirés de l'état des résultats et les ratios mixtes sous quatre catégories.

– Les **ratios de liquidité** mesurent la capacité d'une entreprise à respecter ses futurs engagements monétaires, c'est-à-dire ses engagements à court terme.

– On utilise les **ratios d'endettement** afin d'évaluer la structure du capital, c'est-à-dire la proportion de capitaux empruntés par une entreprise auprès des créanciers et des propriétaires en vue de financer l'achat d'éléments d'actif.

– Les **ratios d'exploitation** permettent d'évaluer le degré d'efficience avec lequel les gestionnaires utilisent les éléments d'actif d'une entreprise.

– Les **ratios de rentabilité** mesurent l'efficacité de l'exploitation d'une entreprise dans son ensemble, par comparaison des bénéfices avec le chiffre d'affaires, les éléments d'actif et les capitaux propres.

La section suivante porte sur les ratios financiers les plus importants. Nous utiliserons le bilan et l'état des résultats de 1992 de Béland Technologie inc., présentés aux tableaux 15.4 et 15.5 du chapitre 15, afin d'évaluer la liquidité, l'endettement, les activités et la rentabilité de l'entreprise.

Les ratios de liquidité

Les ratios de liquidité étudient le rapport entre l'actif à court terme et le passif à court terme, soit les comptes de la partie supérieure du bilan. On appelle souvent ces deux groupements de comptes le fonds de roulement. Le tableau 15.4 montre le calcul du fonds de roulement net de Béland de 155 000 $:

Actif à court terme	600 000 $
Passif à court terme	445 000 $
Fonds de roulement	155 000 $

Les 155 000 $ de fonds de roulement représentent ce dont Béland a besoin quotidiennement pour fonctionner, soit pour payer à temps ses fournisseurs, ses emprunts bancaires à court terme et ses charges d'exploitation hebdomadaires telles que les salaires et charges sociales. Les plus importants ratios de liquidité sont le ratio de liquidité générale et le ratio de liquidité immédiate.

Le ratio de liquidité générale

Le ratio de liquidité générale, ou ratio du fonds de roulement, constitue le ratio de liquidité le plus courant. Il représente une excellente façon de déterminer la liquidité d'une entreprise, car il indique dans quelle mesure l'actif à court terme excède le passif à court terme. En gros, un ratio de liquidité générale de 2 à 1 est acceptable, car chaque dollar de passif à court terme est couvert par au moins deux dollars d'actif à court terme. Le ratio de liquidité générale de Béland est calculé de la façon suivante :

$$\frac{\text{Actif à court terme}}{\text{Passif à court terme}}$$

$$\frac{600\ 000\ \$}{445\ 000\ \$} = 1,35$$

Cela signifie que l'entreprise dispose d'un actif à court terme de 1,35 $ pour chaque dollar de passif à court terme, ce qui est légèrement inférieur au ratio acceptable de 2 à 1. Néanmoins, il est toujours sage, avant de juger de la liquidité d'une entreprise, d'examiner d'autres facteurs tels que le ratio de liquidité de l'ensemble du secteur d'activité dont relève l'entreprise, la composition de l'actif à court terme de l'entreprise et la saison de l'année. Par exemple, si la plus grande partie de l'actif à court terme d'une entreprise est composée de l'encaisse et des comptes clients, cette entreprise se trouve peut-être dans une meilleure situation, du point de vue de la liquidité, qu'une autre entreprise dont une grande partie de l'actif à court terme est composée de stocks.

Le ratio de liquidité immédiate

Le ratio de liquidité immédiate, ou indice de liquidité, mesure le rapport entre les comptes d'actif à court terme les plus liquides et les comptes de passif à court terme. Les comptes d'actif à court terme les plus liquides comprennent notamment l'encaisse, les titres négociables et les comptes clients. Le compte le moins liquide de l'actif à court terme, soit les stocks, est exclu parce que la conversion en espèces est plus longue. Le ratio de liquidité immédiate de Béland, qui comprend l'encaisse (22 000 $), les comptes clients (300 000 $) et les charges payées d'avance (60 000 $), est calculé comme suit :

$$\frac{\text{Actif disponible}}{\text{Passif à court terme}}$$

$$\frac{382\ 000\ \$}{445\ 000\ \$} = 0,86$$

Un ratio de liquidité immédiate acceptable est de l'ordre de 1 à 1 ; pour la deuxième fois, la liquidité de Béland ne semble pas acceptable. Toutefois, avant d'en arriver au jugement final, il convient d'évaluer les antécédents de l'entreprise en ce qui concerne le rendement du fonds de roulement et de le comparer aux normes du secteur d'activité.

Les ratios d'endettement

Ces ratios se rapportent aux capitaux empruntés par une entreprise afin de financer l'achat d'éléments d'actif. La situation rappelle l'achat d'une maison, où les capitaux proviennent de deux sources, les détenteurs de l'hypothèque et le propriétaire. On se pose généralement deux questions lorsque l'on mesure l'endettement. D'abord, quelle serait la meilleure répartition des capitaux entre prêteurs et propriétaires? Ensuite, l'entreprise sera-t-elle en mesure d'honorer son contrat d'emprunt, c'est-à-dire de rembourser les intérêts et le capital chaque mois? Les ratios d'endettement les plus courants sont: le ratio dettes/total de l'actif, le ratio d'autonomie financière et le ratio de couverture de frais financiers.

Le ratio dettes/total de l'actif

Ce ratio mesure la proportion de toutes les dettes (à court et à long terme) contractées afin d'acheter tous les éléments d'actif indiqués dans la partie gauche du bilan. Ce ratio importe aux prêteurs, car ils veulent s'assurer que les actionnaires investissent suffisamment de capitaux personnels dans l'entreprise, ce qui répartit le risque de façon plus équitable. Le ratio de Béland est le suivant:

$$\frac{\text{Total de la dette}}{\text{Total de l'actif}}$$

$$\frac{1\ 245\ 000\ \$}{1\ 800\ 000\ \$} = 69\ \%$$

Ce ratio signifie que 69 p. 100 de l'actif de l'entreprise est financé par des dettes, et que les prêteurs supportent donc le plus de risques. Les créanciers pourraient avoir de la difficulté à se faire rembourser leurs prêts en cas de faillite ou de liquidation de l'entreprise. En général, lorsque ce ratio excède 50 p. 100, les créanciers

peuvent hésiter à prêter davantage. Toutefois, comme pour tous les autres ratios, il importe d'évaluer le type d'éléments d'actif dont l'entreprise est propriétaire, car l'étendue de la participation des prêteurs au financement des opérations peut en être grandement influencée. Ainsi, des prêteurs accorderont peut-être davantage de capitaux destinés à la construction d'une usine située dans un parc industriel d'une grande région métropolitaine plutôt que dans une région économiquement faible.

Le ratio d'autonomie financière

Ce ratio mesure le rapport entre les capitaux investis par les propriétaires et par les prêteurs. Il devient redondant si le ratio dettes/total de l'actif a été calculé, vu que les deux ratios donnent les mêmes renseignements. Il tient aussi compte de tout le financement (à court et à long terme) fourni par les prêteurs, par rapport à la contribution des actionnaires. Voici le ratio de Béland:

$$\frac{\text{Total des dettes}}{\text{Total des capitaux propres}}$$

$$\frac{1\ 245\ 000\ \$}{555\ 000\ \$} = 2,24$$

Ce ratio confirme que Béland est fortement endettée. Pour chaque dollar investi par les propriétaires, les prêteurs ont fourni 2,24 $. L'entreprise semble être dans une situation d'autonomie financière très difficile. La plupart des entreprises maintiennent un ratio de l'ordre de 1 à 1 afin de ne pas trop s'endetter à cause du fardeau que représente le remboursement à intérêt fixe, ou parce qu'elles ont de la difficulté à convaincre les créanciers de leur prêter plus que la moitié de leur actif.

Le ratio de couverture de frais financiers

Ce ratio détermine dans quelle mesure une entreprise peut honorer le service de la dette, c'est-à-dire, rembourser l'emprunt tel que convenu. Il indique les bénéfices avant intérêts débiteurs et impôts (BAIDI) qui sont disponibles en vue de payer chaque dollar d'intérêts débiteurs. Il représente la somme du bénéfice d'exploitation (210 000 $) et des frais d'intérêt (35 000 $) divisée par les frais d'intérêt. On utilise toujours les montants avant impôts, car les intérêts débiteurs constituent une dépense déductible. Le ratio de Béland est calculé comme suit :

$$\frac{\text{Bénéfices avant intérêts débiteurs et impôts} + \text{Intérêts débiteurs}}{\text{Intérêts débiteurs}}$$

$$\frac{210\,000\ \$ + 35\,000\ \$}{35\,000\ \$} = 7,0$$

Ainsi, l'entreprise dispose de 7,00 $ afin de payer les intérêts et les impôts, et le reste représente le bénéfice. Voici une autre présentation de ce ratio.

BAIDI	7,00 $
Intérêts débiteurs	1,00
BAI	6,00
Impôt sur le revenu	3,00
BAIR	3,00 $

Pour chaque montant de 7,00 $ de bénéfices avant intérêts débiteurs et impôts, Béland verse 1,00 $ en intérêts et garde 6,00 $ de bénéfices avant impôts. Comme l'entreprise se trouve dans la tranche d'imposition de 50 p. 100, Béland verse 3,00 $ en impôt sur le revenu et garde 3,00 $ à verser en dividendes et à réinvestir, dans l'entreprise, en bénéfices non répartis.

La plupart des entreprises fonctionnent avec un ratio de couverture de frais financiers de l'ordre de 4 à 5. Un ratio acceptable tourne autour de 3 à 4. Le ratio de couverture de frais financiers complète le ratio dettes/total de l'actif, car il fournit des renseignements supplémentaires sur la capacité d'une entreprise à rembourser ses dettes.

Les ratios d'exploitation

Les ratios d'exploitation, ou encore ratios d'activité ou ratios de gestion, mesurent l'efficacité avec laquelle une entreprise utilise des éléments d'actif comme les stocks, les comptes clients et les immobilisations. Les ratios d'exploitation les plus courants sont la période de recouvrement des créances, la rotation des stocks, la rotation des immobilisations et la rotation de l'actif.

La période de recouvrement

Ce ratio mesure la période pendant laquelle un dollar de vente d'une entreprise demeure entre les mains des clients. Une période de recouvrement plus longue crée automatiquement un plus grand investissement dans les éléments d'actif.

On calcule la période de recouvrement en deux étapes. La première étape porte sur le calcul du produit d'exploitation quotidien moyen obtenu par la division du total du produit d'exploitation net annuel par 365 jours. Le produit d'exploitation quotidien moyen de Béland s'élève à 6 849 $ (2 500 000 $/365). À la seconde étape, on divise les comptes clients par le produit d'exploitation quotidien moyen. Voici la période moyenne de recouvrement de Béland :

$$\frac{\text{Comptes clients}}{\text{Produit d'exploitation quotidien moyen}}$$

$$\frac{300\,000\ \$}{6\,849\ \$} = 44 \text{ jours}$$

Si Béland était en mesure de recouvrer ses comptes clients dans les 30 jours, l'entreprise pourrait alors réduire le solde de ces comptes de 95 886 $ (6 849 $ × 14 jours) et inclure ce montant dans la trésorerie de l'entreprise afin d'investir celui-ci dans des éléments d'actif plus productifs.

La rotation des stocks

Ce ratio mesure le nombre de fois que l'investissement d'une entreprise dans les stocks effectue une rotation au cours d'un exercice donné. Plus le ratio de rotation des stocks est élevé, plus il est avantageux, car une entreprise n'a pas alors besoin d'investir autant dans les stocks qu'à niveau de ventes identique avec un taux de rotation moindre.

Ce ratio indique l'efficacité de la rotation des stocks, et il peut être comparé à celui d'autres entreprises du même secteur d'activité. Il indique également si les stocks d'une entreprise sont adéquats par rapport au volume des opérations. Un taux de rotation des stocks, qui excède la moyenne du secteur d'activité, dénote un meilleur équilibre entre les stocks et le coût des marchandises vendues. L'entreprise risque donc moins d'avoir des stocks mal équilibrés si le prix des matières premières ou des produits finis baisse. Voici le ratio de Béland :

$$\frac{\text{Coût marchandises vendues}}{\text{Stocks}}$$

$$\frac{1\,900\,00\,\$}{218\,000\,\$} = 8,7$$

Béland effectue la rotation d'un article moyen en stocks 8,7 fois pendant l'exercice. La rotation de tous les articles en stocks de l'entreprise ne s'effectue évidemment pas à la même cadence. Toutefois, la moyenne de l'ensemble de ceux-ci fournit un point de départ logique à une gestion positive des stocks. Si Béland pouvait effectuer une rotation de ses stocks plus rapide, par exemple, de dix fois par exercice, ses stocks passeraient de 218 000 $ à 190 000 $ (1 900 000 $/10), et les 28 000 $ supplémentaires s'ajouteraient à la trésorerie de l'entreprise.

Certaines entreprises calculent la rotation des stocks par l'utilisation, au numérateur, du chiffre d'affaires au lieu du coût des marchandises vendues. Toutefois, cette méthode peut se révéler inadéquate, vu que les ventes, contrairement aux stocks, comprennent une marge bénéficiaire brute.

La rotation des immobilisations

Ce ratio permet de déterminer dans quelle mesure les immobilisations d'une entreprise telles que le terrain, les bâtiments et le matériel servent à générer des produits d'exploitation. Une faible rotation des immobilisations signifie qu'une entreprise a trop investi dans celles-ci par rapport au produit d'exploitation. Il s'agit essentiellement d'une mesure de la productivité. Voici la rotation des immobilisations de Béland :

$$\frac{\text{Produits d'exploitation}}{\text{Immobilisations}}$$

$$\frac{2\,500\,000\,\$}{1\,200\,000\,\$} = 2,1$$

Cela signifie que l'entreprise produit 2,10 $ de ventes pour chaque dollar investi dans des immobilisations. Une entreprise concurrente qui a un ratio de 3 est plus productive, car chaque dollar investi dans les éléments d'actif de l'installation produit 0,90 $ de plus en ventes. Si une entreprise a un faible ratio de rotation des immobilisations, ses installations fonctionnent peut-être à capacité réduite et il faudrait envisager de vendre les éléments d'actif moins productifs.

La rotation de l'actif

Ce ratio utilise les immobilisations nettes et l'actif à court terme. Il indique l'efficacité avec laquelle les éléments d'actif sont utilisés. Un faible ratio signifie qu'on utilise trop d'éléments d'actif afin de produire des ventes et (ou) qu'on devrait liquider ou réduire certains de ces derniers (immobilisations ou fonds de roulement). Voici la rotation de l'actif de Béland :

$$\frac{\text{Produit d'exploitation}}{\text{Total de l'actif}}$$

$$\frac{2\,500\,000\,\$}{1\,800\,000\,\$} = 1,4$$

Dans le cas présent, l'entreprise produit 1,40 $ de ventes pour chaque dollar investi dans le total de l'actif. Si Béland pouvait réduire son investissement en comptes clients et en stocks et (ou) vendre une division ou des immobilisations qui pèsent sur les résultats d'exploitation de l'entreprise, la rotation de l'actif augmenterait, ce qui serait plus productif.

Les ratios de rentabilité

Ces ratios concernent les résultats nets et mesurent à quel degré une entreprise réalise des bénéfices relatifs aux ventes, à l'investissement dans l'actif et aux capitaux propres. Ils indiquent le niveau d'efficience et d'efficacité d'une entreprise. Les plus courants sont : la marge bénéficiaire, la rentabilité d'exploitation, le rendement du total de l'actif et le rendement des capitaux propres.

La marge bénéficiaire

Ce ratio indique les bénéfices réalisés sur les ventes nettes après paiement du coût des marchandises vendues. Il indique le bénéfice qui reste afin de couvrir les charges d'exploitation telles que celles de la vente et de l'administration. Une marge bénéficiaire brute inadéquate laisse supposer un coût des marchandises vendues trop élevé ou des prix trop bas. Ce ratio mesure le premier niveau de rentabilité. Dans une fabrique, le coût des marchandises vendues représente souvent 75 à 80 p. 100 du total des charges de l'entreprise. C'est pourquoi la direction mesure avec beaucoup de soin l'efficacité d'exploitation de ses installations de fabrication. Le ratio est ainsi calculé :

$$\frac{\text{Marge brute}}{\text{Produit d'exploitation}}$$

$$\frac{600\ 000\ \$}{2\ 500\ 000\ \$} = 24\ \%$$

Il reste 24 cents à Béland sur chaque dollar de ventes après paiement du coût de fabrication des marchandises. La marge brute sur le ratio des ventes indique dans quelle mesure le coût des marchandises vendues peut s'écarter des normes après une hausse du coût d'achat, des frais de transport ou du coût de production.

La rentabilité d'exploitation

Ce ratio mesure l'ensemble de la rentabilité d'une entreprise et est calculé au moyen de la division des bénéfices après impôts par le chiffre d'affaires net. Il indique essentiellement quel montant de bénéfices est obtenu pour chaque dollar de vente. Les entreprises à but lucratif souhaitent vivement maximiser leur rentabilité d'exploitation, car ce résultat financier représente les capitaux distribués aux actionnaires sous forme de dividendes, ou réinvestis dans l'entreprise. Voici la rentabilité d'exploitation de Béland :

$$\frac{\text{Bénéfices après impôts}}{\text{Produit d'exploitation}}$$

$$\frac{97\ 500\ \$}{2\ 500\ 000\ \$} = 3,9\ \%$$

Pour chaque dollar de vente, Béland réalise 3,9 p. 100 de bénéfices après impôts. Plus ce ratio est élevé, plus il est avantageux pour l'entreprise et les actionnaires. Dans une analyse efficace, on devrait comparer ce ratio au rendement de l'entreprise depuis un certain nombre d'exercices, aux normes du secteur d'activité et au rendement des entreprises concurrentes. On devrait également l'utiliser à la planification.

Le rendement du total de l'actif

Ce ratio, ou rendement du capital investi, mesure l'importance des bénéfices par rapport à l'actif engagé. On le calcule en divisant les bénéfices nets après impôts par le total de l'actif. Ce ratio significatif mesure la productivité de l'actif et la compare aux frais d'emprunt après impôts. Il ne serait guère rentable qu'une entreprise affiche un rendement du total de l'actif inférieur aux frais d'emprunt après impôts. Le rendement du total de l'actif de Béland est ainsi calculé :

$$\frac{\text{Bénéfices après impôts}}{\text{Total de l'actif}}$$

$$\frac{97\ 500\ \$}{1\ 800\ 000\ \$} = 5,4\ \%$$

Il est absolument nécessaire de comparer ce ratio à la moyenne du secteur d'activité ou aux entreprises concurrentes.

Le rendement des capitaux propres

Ce ratio établit un rapport entre les bénéfices après impôts et les capitaux propres. Il est crucial pour les actionnaires, car il indique le rendement de leurs investissements. Il permet également aux actionnaires de juger si le rendement du capital investi vaut le risque couru. Voici le ratio du rendement des capitaux propres de Béland :

$$\frac{\text{Bénéfices après impôts}}{\text{Capitaux propres}}$$

$$\frac{97\ 500\ \$}{555\ 000\ \$} = 17,6\ \%$$

Cela signifie que pour chaque dollar que les actionnaires investissent dans l'entreprise, ces derniers retirent 17,6 cents. Selon la plupart des normes, ce rendement des bénéfices serait jugé relativement bon.

Abordons maintenant la quatrième fonction de la gestion financière, soit la prise de décisions. En conformité avec la figure 16.2, les gestionnaires prennent trois types de décisions : les décisions d'investissement, de financement et d'exploitation. Chaque décision a une incidence sur la structure financière et sur le rendement de l'entreprise concernée.

LES DÉCISIONS D'INVESTISSEMENT

Les décisions d'investissement concernent les comptes indiqués dans la partie gauche du bilan et portent sur la gestion des comptes de fonds de roulement (c'est-à-dire l'encaisse, les comptes clients et les stocks) et l'acquisition d'immobilisations. En conformité avec la figure 16.2, les décisions d'investissement ont une incidence sur la provenance et l'utilisation des fonds. Les investissements dans le fonds de roulement ou dans des immobilisations drainent la liquidité d'une entreprise. Toutefois, la réduction de ces éléments d'actif par diminution des stocks ou des comptes clients et par la vente d'immobilisations non productives, produit une source de fonds.

L'actif à court terme

Gérer le fonds de roulement signifie faire accélérer les mouvements de l'encaisse dans l'entreprise. On parle alors du **cycle de transformation de l'encaisse**. Plus le recouvrement des créances ou la conversion des stocks en espèces est rapide, plus cela devient rentable pour une entreprise.

L'actif à court terme n'est certainement pas un actif productif, mais il est nécessaire à l'exploitation d'une entreprise. Les décisions le touchant concernent le montant adéquat de fonds de roulement que l'entreprise devrait garder. Plus l'actif du fonds de roulement peut être rapidement transformé en espèces, plus les fonds peuvent être vite investis dans des éléments d'actif plus productifs tels que l'agrandissement ou la modernisation d'une usine, ce qui accroît les bénéfices de l'entreprise.

Les **décisions de gestion de la trésorerie** concernent l'établissement du niveau minimum d'encaisse qui répondra aux besoins de l'entreprise dans des conditions normales d'exploitation. Les réserves en espèces (y compris les titres négociables) devraient suffire à régler les dépenses quotidiennes au comptant et elles sont

FIGURE 16.2
Les trois types de décisions de gestion

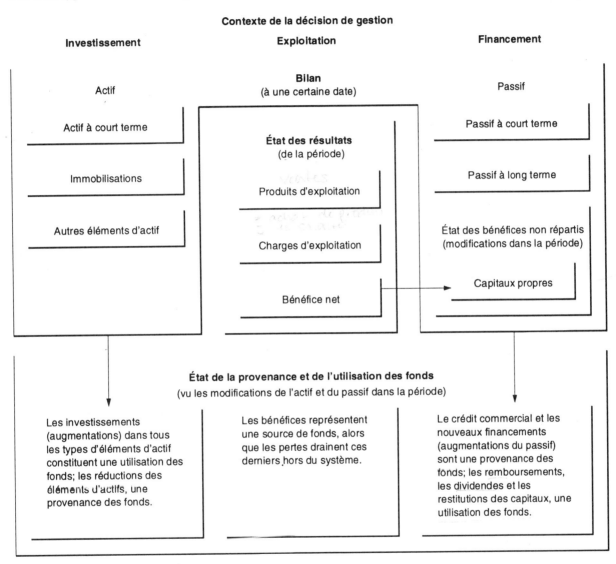

Source : Traduit de Erich A. Helfer, *Techniques of Financial Analysis*, 6ᵉ édition, Dow Jones Irwin, 1987, p. 18.

habituellement fondées sur les hypothèses de planification suivantes :

– un solde minimum en espèces, pratique, nécessaire aux dépenses courantes ;

– un montant destiné à faire face aux dépenses imprévues ;

– des capitaux suffisants afin de pouvoir saisir les occasions d'affaires avantageuses (par exemple, une réduction spéciale sur les achats ou la prévision d'une hausse du prix des matières premières).

D'autres importantes décisions de gestion de la trésorerie concernent la **notion du flottant négatif.** La gestion du flottant signifie déposer aussi vite que possible les paiements des clients dans le compte bancaire de l'entreprise (du vendeur). Afin de réduire le flottant, une entreprise peut détenir des comptes de recouvrement dans différentes banques commerciales stratégiquement situées dans le pays et encourager les clients à payer leur facture dans leur région, plutôt que d'envoyer leurs paiements à un endroit centralisé. Ce système permet de s'assurer que les paiements sont déposés dans le compte bancaire d'une entreprise plus rapidement que s'ils étaient envoyés par la poste sur de longues distances. Voici certains des moyens les plus répandus d'accélérer les mouvements de fonds :

– des comptes bancaires régionaux (les clients paient leur facture dans leur région plutôt qu'à un endroit centralisé) ;

– un système de boîte postale (une entreprise loue, dans des villes stratégiques, une boîte postale confiée à une banque locale) ;

– les communications électroniques (par exemple, l'utilisation d'un modem ou d'un télécopieur).

On a recours aux **décisions de gestion reliées aux comptes clients** afin de recouvrer ces comptes le plus rapidement possible. Ainsi, lorsque les clients d'une entreprise sont lents à payer (supposons dans les 90 jours), la direction peut décider d'offrir des escomptes de caisse sur le prix de vente d'origine afin d'accélérer les mouvements de l'encaisse et de raccourcir la période de recouvrement (par exemple, un escompte de 2 p. 100 si le client paie dans les 10 jours, sinon net 30 jours). Les gestionnaires voudront, avant d'offrir de tels escomptes, comparer, par analyse, le coût de ces derniers avec les avantages des intérêts. Ils voudront également répondre à ces questions :

– Quelle est la situation de nos comptes clients ?

– Quelles sont les politiques de crédit de nos concurrents ?

– Combien perdrions-nous en espèces si nous offrions, par exemple, un escompte de 2 p. 100, net 30 jours ?

– Combien la banque nous verserait-elle d'intérêts sur l'encaisse supplémentaire ?

Prenons l'exemple d'une entreprise dans laquelle les comptes clients s'élèvent à 300 000 $ sur des ventes de 1 825 000 $ et la période de recouvrement est de 60 jours. Si la direction peut réduire cette période à 30 jours, l'entreprise bénéficiera de 150 000 $ supplémentaires en espèces, qui pourraient être investis dans des dépôts à terme, à 10 p. 100 par exemple, et gagnera ainsi 15 000 $ de plus par exercice, comme l'indique le tableau 16.2.

TABLEAU 16.2
Réduction de la période de recouvrement

	Situation actuelle	Prévisions
Produit d'exploitation	1 825 000 $	1 825 000 $
Produit d'exploitation quotidien moyen	5 000 $	5 000 $
Période de recouvrement moyenne	60 jours	30 jours
Investissement dans les comptes clients	300 000 $	150 000 $
Réduction des comptes clients	150 000 $	
Bénéfice supplémentaire	15 000 $	

Les **décisions de gestion reliées aux stocks** concernent la réduction quantitative des matières premières, des produits finis et non finis gardés en stock. La rotation rapide des stocks permet à l'entreprise d'améliorer les rentrées de fonds et finalement, la rentabilité et le rendement du capital investi. On utilise plusieurs techniques afin de prendre ces décisions. Les plus répandues sont la gestion du système de stockage au moment adéquat et la quantité économique de réapprovisionnement.

Le processus de gestion de stockage **au moment adéquat**, appelé également **kanban**, est un système d'approvisionnement japonais qui tente de réduire les stocks de roulement. Ce système a été étudié en détail au chapitre 13, *La planification de la production*, et favorise la livraison fréquente (voire même quotidienne) de pièces et de fournitures. Le fournisseur a la responsabilité de vendre des marchandises «sans défauts» et de livrer la quantité demandée, dans les délais et «sans excuses». On peut ainsi éliminer le stock de sécurité et le flottement de la chaîne de production. Cette quasi parfaite coordination entre acheteur et vendeur n'est possible que si les fournisseurs se trouvent près des installations de production de l'acheteur. Cette coordination de même que d'autres systèmes de coordination de la planification et de la production peuvent grandement :

- réduire les stocks de produits en cours de fabrication ;
- améliorer la qualité des produits ;
- réduire le besoin d'une inspection ;
- augmenter la production marchande quotidienne.

La **quantité économique de commandes** représente un autre outil utilisé afin de déterminer le nombre optimal d'articles à commander. Deux types de coûts influencent la quantité et la fréquence des articles commandés : 1) le coût de la commande, lequel comprend le travail administratif, le transport et la manutention, et

2) le coût de stockage des articles, lequel comprend le coût de l'aire d'entreposage, les frais d'intérêt et l'achat lui-même. Comme nous l'avons expliqué au chapitre 14, la quantité économique de commande (QEC) est une méthode mathématique fondée sur une formule financière standard qui tient compte de quatre éléments :

1. le nombre d'articles que l'on prévoit vendre pendant un exercice donné ;
2. les frais fixes par commande (transport et manutention) ;
3. les coûts annuels de détention des stocks (aire d'entreposage, intérêts débiteurs) ;
4. le prix d'achat unitaire du produit.

La formule de la QEC aide à déterminer le nombre d'articles à commander et le moment de la commande. Elle tient également compte du délai nécessaire pour que les marchandises arrivent à l'entrepôt et du résultat des ventes quotidien.

Comme dans la gestion des comptes clients, le but est d'investir le moins de capitaux possible dans les stocks, éléments d'actif également non productifs. Prenons l'exemple d'une entreprise qui achète 1 million de dollars de matériel et de fournitures par exercice et qui détient 250 000 $ en stocks. Cela signifie que la rotation se produit environ 4 fois par exercice. Si la direction désire réduire les stocks à 200 000 $ par le système de stockage au moment adéquat ou par la technique de la quantité économique de commande, l'entreprise bénéficiera de 50 000 $ supplémentaires en espèces. Si ce montant est investi à 10 p. 100 dans des titres de placement, l'entreprise réalisera 5 000 $ de bénéfices supplémentaires, comme l'indique le tableau 16.3.

Les immobilisations

Les décisions concernant les immobilisations comprennent l'achat de matériel ou d'outillage.

TABLEAU 16.3
Augmentation de la
rotation des stocks

	Situation actuelle	Prévisions
Coût des marchandises vendues	1 000 000 $	1 000 000 $
Rotation des stocks	4 fois	5 fois
Stocks	250 000 $	200 000 $
Réduction des stocks	50 000 $	
Bénéfice supplémentaire	5 000 $	

Les décisions plus compliquées portent sur des sujets tels que l'agrandissement et la modernisation des installations, de même que l'investissement dans de nouvelles installations. On prend de telles décisions au moment du choix des investissements et l'on étudie le rapport entre l'investissement dans ces éléments d'actif et les bénéfices anticipés qui en résultent. Si, par exemple, vous investissez 100 000 $ dans des obligations d'épargne du Canada et retirez 10 000 $ d'intérêts, vous aurez gagné 10 p. 100 de votre investissement. La règle est identique, lorsque l'on investit des capitaux dans des immobilisations. Les gestionnaires désirent mesurer deux indices : le rendement prévu de l'actif et les risques inhérents aux frais d'emprunt.

Voici un exemple des calculs sur lesquels se fondent des décisions d'investissement. Supposons qu'une entreprise investit 1 million de dollars dans une nouvelle installation qui comprend les éléments d'actif suivants :

Terrain	100 000 $
Bâtiments	400 000
Matériel et outillage	400 000
Fonds de roulement	100 000
Total des investissements	1 000 000 $

Cet investissement produit des bénéfices après impôts de 120 000 $ par exercice, d'après le calcul suivant :

Produit des ventes	1 000 000 $
Coût des marchandises vendues	700 000
Bénéfice brut	300 000
Charges d'exploitation	60 000
Bénéfices avant impôts	240 000
Impôt sur le revenu	120 000
Bénéfices après impôts	120 000 $

On utilise un certain nombre de techniques du budget des investissements afin d'évaluer la rentabilité d'un tel investissement. Ainsi, le rendement de l'actif indique le rapport entre les bénéfices après impôts et l'investissement :

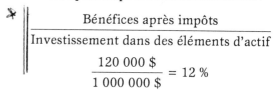

$$\frac{\text{Bénéfices après impôts}}{\text{Investissement dans des éléments d'actif}}$$

$$\frac{120\ 000\ \$}{1\ 000\ 000\ \$} = 12\ \%$$

Cela signifie qu'un investissement de 1 million de dollars dans des éléments d'actif donne un rendement après impôts égal à 12 p. 100. La direction doit maintenant décider si l'investissement vaut le risque. Elle devra au préalable faire la comparaison du rendement de l'investissement en question avec les frais d'emprunt et les risques inhérents au projet.

La comparaison du rendement avec les frais d'emprunt

Si l'entreprise emprunte le montant intégral auprès de prêteurs à 10 p. 100 avant impôts, ce taux correspond à 5 p. 100 après impôts (si l'entreprise se trouve dans une tranche d'imposition de 50 p. 100). Dans notre exemple, l'entreprise obtiendrait un rendement net de 7 p. 100 en plus des frais d'emprunt. Au tableau 16.1, le rendement de l'actif, présenté dans la partie gauche du bilan excède les frais d'emprunt indiqués dans la partie droite. S'il s'agissait là du seul critère à justifier l'investissement, la décision serait positive.

La comparaison du rendement avec le risque inhérent au projet

Un autre élément important dans les décisions d'investissement concerne le risque couru. La direction devrait donc évaluer si le rendement de 12 p. 100 sur cet investissement vaut le risque couru. S'il s'agissait d'une opération spéculative à risques élevés, telle qu'un investissement dans un produit qui n'a pas été essayé et qui nécessite un rendement de 35 à 40 p. 100, l'investissement de notre exemple ne serait sûrement pas justifié. Toutefois, si le projet est peu risqué, comme l'agrandissement d'une usine, l'investissement peut alors être tout à fait justifié.

La méthode du délai de recouvrement

Un autre moyen de mesurer le risque est la méthode de la période de recouvrement. Cette technique du budget des investissements sert à déterminer le nombres d'années qu'il faudra pour couvrir l'investissement initial d'un projet. Dans notre exemple, la période de recouvrement du projet est de 8,3 années calculées comme suit :

$$\frac{\text{Investissement dans l'actif}}{\text{Capitaux générés}}$$

$$\frac{1\ 000\ 000\ \$}{120\ 000\ \$} = 8,3 \text{ années}$$

Cette technique sert surtout à mesurer le risque relié à la durée. L'investissement dans des projets de haute technologie, par exemple, nécessite une courte période de recouvrement étalée sur 1 an ou 2 au maximum. Les produits de haute technologie ont un cycle de vie très court et c'est pourquoi les entreprises veulent récupérer leur investissement aussi vite que possible.

**UN ENJEU
COMMERCIAL
ACTUEL**

Les décisions d'investissement

Sears, Roebuck & Co., l'une des plus grandes entreprises de vente au détail aux États-Unis a annoncé hier l'élimination prochaine d'approximativement 7 000 emplois à la suite d'un programme d'investissement de 60 millions de dollars US (68,4 millions de dollars canadiens) dans du matériel automatisé de « service à la clientèle ». Les représentants de l'entreprise dont le siège social se trouve à Chicago, dont les dirigeants ont récemment essuyé la critique des actionnaires et dont les bénéfices de vente au détail ont chuté au cours du troisième trimestre, ont déclaré espérer réaliser une économie annuelle de l'ordre de 50 millions de dollars US au cours de l'exercice en raison de ces changements. L'investissement sera consacré à 28 000 nouveaux terminaux de point de vente et à 6 000 « mini-kiosques » automatisés de service à la clientèle.

Les représentants de Sears Canada Inc. ont déclaré hier que les activités de l'entreprise ne seraient pas touchées par ces changements. Sears possède déjà des kiosques de services — où les clients peuvent obtenir du service et du crédit —, mais ces appareils ne se trouvent généralement pas aux étages réservés à la vente.

Les représentants ont annoncé l'élimination d'un millier d'emplois à plein temps non reliés à la vente et de près de 5 900 emplois de bureau à temps partiel. Ils ont aussi déclaré qu'une superficie d'approximativement 679 000 pieds carrés actuellement occupée par les services administratifs serait réservée à la vente.

Les représentants ont ajouté que les employés touchés par les changements se verraient offrir d'autres emplois dans le magasin. Comme la plupart des groupes qui œuvrent dans la vente au détail, Sears a un niveau de rotation de personnel assez élevé. Les porte-parole de l'entreprise ont aussi déclaré vouloir essayer différents moyens de livraison pour les articles vendus par catalogue. Le but est d'augmenter les livraisons directes à domicile, et de réduire la quantité d'articles offerts en catalogue gardée dans les points de cueillette de marchandises. Sears donne en sous-traitance la majorité de ses livraisons.

Sears a été touchée par l'expansion de Wal-Mart Stores Inc. — la prospère entreprise de vente au détail au rabais, dont le siège social est situé en Arkansas — et par le plus grand dynamisme de K Mart Corp. Ses deux grands concurrents ont des prix de base considérablement inférieurs.

Source : Traduit de Nikki Tait, « Sears, Roebuck cutting 7,000 jobs », *The Financial Post*, 8 janvier 1992, p. 7.

LES DÉCISIONS DE FINANCEMENT

Ainsi qu'il est indiqué à la figure 16.2, les décisions de financement concernent les comptes qui figurent dans la partie droite du bilan, c'est-à-dire les capitaux obtenus des prêteurs — à court et à long terme — et des actionnaires. Les décisions de financement permettent de déterminer le meilleur moyen de se procurer des capitaux auprès de différents investisseurs. Ce sujet sera couvert en quatre points : la règle de l'équilibre financier, les sources et formes de financement, les frais d'emprunt et la composition du financement.

La règle de l'équilibre financier

L'équilibre financier recouvre essentiellement le choix de la source de financement la plus appropriée au moment d'acheter un élément d'actif.

Cela signifie, en général, que l'on devrait respectivement utiliser le financement à court ou à long terme selon qu'il s'agit d'actif à court terme ou de biens plus immobilisés. Ainsi, vous n'achetez pas une maison avec votre carte de crédit. La règle de l'équilibre financier exige l'équilibre entre l'échéance des sources et celle des capitaux.

Les sources et formes de financement

Une entreprise peut obtenir des capitaux de nombreuses façons différentes et auprès de divers prêteurs. Par **sources**, on entend les bailleurs de fonds, tels que les banques commerciales, les preneurs fermes, les vendeurs de matériel, les organismes gouvernementaux, les sociétés fermées de capital de risque, les fournisseurs, les sociétés de fiducie, les compagnies d'assurance vie, les sociétés de prêts hypothécaires, les particuliers et les actionnaires. Il existe aussi différentes **formes** de financement telles que les prêts à court terme (garantis ou non), à terme, remboursables par versements, renouvelables, hypothécaires, le financement de contrats de location, les obligations et les actions privilégiées ou ordinaires. Un certain nombre de ces sources et formes de financement seront abordées plus en détail au chapitre 17, *Les sources du capital des entreprises*.

Le coût du capital

Déterminer le coût de l'obtention de fonds reçus de différentes sources constitue un autre élément important dans les décisions de financement. Il s'agit d'un point crucial, vu que les capitaux empruntés servent à acheter des éléments d'actif et que les gestionnaires veulent s'assurer que le rendement de ces éléments excède les frais d'emprunt. Déterminer les frais d'emprunt précède généralement le choix des investissements.

Les frais d'emprunt concernent la partie inférieure du bilan, c'est-à-dire les formes plus permanentes de financement telles que les prêts hypothécaires, les obligations et les actions privilégiées ou ordinaires. Comme ces formes de financement sont nommées «fonds de capital et d'emprunt», le calcul du coût de ces frais est appelé le **coût du capital**. Si l'on garde l'exemple précédent sur l'investissement de 1 million de dollars dans des immobilisations, on se rend compte que la direction devrait déterminer le coût de chaque prêt et le coût composé pondéré du capital. Si l'entreprise emprunte 400 000 $ à 12 p. 100 avant impôts auprès d'une société de prêts hypothécaires, 300 000 $ à 13 p. 100 auprès d'obligataires et 300 000 $ à, par exemple, 15 p. 100 auprès des actionnaires, le coût composé du capital serait de 8,8 p. 100 d'après le calcul indiqué dans le tableau 16.4.

Comme les intérêts débiteurs sur les prêts hypothécaires et sur le financement par obligations sont sujets à dégrèvements d'impôts et que l'entreprise se trouve dans une tranche d'imposition de 50 p. 100, ce type de financement est plus intéressant que le financement par actions (les dividendes étant versés à même les bénéfices après impôts).

La composition du financement

Déterminer la proportion de fonds qui doivent provenir de prêteurs et de propriétaires constitue un autre élément important dans les décisions de financement. Dans l'exemple, il serait avantageux de s'adresser autant que possible à des prêteurs, vu le moindre coût de cette option. Néanmoins, comme ceux-ci ne veulent pas assumer tous les risques, ils insisteront pour que les propriétaires fournissent un montant adéquat de capitaux.

TABLEAU 16.4
Calcul du coût du capital

Sources	Montant ($)	Coût avant impôts (%)	Coût après impôts (%)	Proportion (%)	Coût pondéré du capital (%)
Prêt hypothécaire	400 000	12,0	6,0	0,4	2,4
Obligations	300 000	13,0	6,5	0,3	1,9
Actions	300 000	15,0	15,0	0,3	4,5
Coût pondéré du capital	1 000 000 $			1,0	8,8

La capacité d'une entreprise à rembourser ses dettes représente un autre aspect important des décisions de financement. Si l'économie et le secteur d'activité concerné sont en plein essor, l'entreprise réalisera des bénéfices substantiels et pourra facilement rembourser son prêt et ainsi emprunter davantage auprès de prêteurs et d'actionnaires. Toutefois, si les indices économiques et le marché semblent indiquer un ralentissement de la croissance, un faible endettement serait plus avantageux et certainement moins risqué.

UN ENJEU COMMERCIAL ACTUEL

Les décisions de financement

Le porte-parole de Telesat Mobile Inc. a annoncé hier que cette nouvelle entreprise avait emprunté près de 270 millions de dollars auprès de banques canadiennes et étrangères en vue de financer la construction et le lancement d'un premier satellite. Celui-ci est construit par Spar Aérospatiale Limitée de Montréal et Hughes Aircraft Co. de Segunda, en Californie, et fait partie des satellites jumeaux commandés par TMI et une entreprise en participation américaine, American Mobile Satellite Corp.

La Banque canadienne impériale de commerce (BCIC), principal prêteur, et un groupe de banques étrangères dirigé par la BCIC octroient 180 millions de dollars. Le Crédit Lyonnais de Paris est à la tête d'un groupe qui avance 73 millions de dollars sous forme de financement des exportations de France, tandis que la Banque Brussels Lambert de France accorde près de 15 millions de dollars sous cette même forme. La société TMI d'Ottawa prévoit lancer son satellite au milieu de 1994 à partir de la fusée Ariane de l'Agence spatiale européenne. En plus des prêts bancaires, TMI a obtenu 100 millions de dollars en capitaux propres, en prêt convertible et en financement gouvernemental. Le total des avances atteint ainsi plus de 500 millions de dollars. Le président de TMI, Michael Zuliani, a déclaré que l'entreprise utilisera 430 millions de dollars d'ici le lancement. « Nous sommes sur la bonne voie », a-t-il ajouté.

TMI offre un service de communications mobiles de données à un petit nombre d'entreprises de camionnage. Une fois le satellite lancé, elle offrira en plus un service de communications mobiles semblable aux téléphones cellulaires, dans des régions éloignées. TMI est une entreprise en participation de Télésat Canada, d'Unitel Communications Holdings, de C. Itoh Group of Japan et de BCE Mobile Communications Inc.

Source: Traduit de Mike Urlocker, « Telesat borrows $270M », *The Financial Post*, 15 janvier 1992, p. 5.

LES DÉCISIONS D'EXPLOITATION

En conformité avec la figure 16.2, les décisions d'exploitation concernent les comptes de l'état des résultats, tels que les produits, le coût de production, de même que les charges telles que celles de la vente et de l'administration. La figure montre que les décisions d'exploitation efficaces ne peuvent qu'augmenter le bénéfice net, qui à son tour améliore les capitaux propres de l'entreprise.

Les bénéfices peuvent augmenter de nombreuses façons. D'abord, comme nous l'avons mentionné, les décisions d'investissement et de financement influent sur les bénéfices d'une entreprise. Il existe une interaction manifeste entre les décisions d'investissement, de financement et d'exploitation. Voici quelques exemples. Si la direction d'une entreprise décide d'acheter un chariot élévateur de 50 000 $ (décision d'investissement) qui durera cinq ans, le trésorier devra déterminer comment ce chariot sera financé (décision de financement). Un prêt de 30 000 $ à 15 p. 100 plus le reliquat fourni par des capitaux propres permettront de réduire les bénéfices avant impôts de 9 500 $ (amortissement annuel de 5 000 $ majoré de 4 500 $ d'intérêts).

✳ Par ailleurs, une entreprise qui investit dans une installation à créer, à agrandir ou à moderniser (décisions d'investissement) devra emprunter auprès de différentes sources à un certain coût (décisions de financement), ce qui favoriserait sûrement les activités et, finalement, le bénéfice net de cette entreprise.

Les techniques du budget

Les décisions d'exploitation peuvent aussi diversement permettre l'augmentation des bénéfices après impôts. Certaines recoupent toutes les fonctions et activités couvertes dans l'état des résultats telles que l'accroissement de la productivité des employés, la réduction des déchets et l'élimination des activités inutiles. Voici des techniques du budget.

La **réduction du nombre de cadres** est une technique reliée à la récession, largement utilisée au début des années 1980 lors du brusque ralentissement économique, et qui vise à réduire l'effectif de la direction. Plus du tiers des postes de cadres moyens aux États-Unis ont été, paraît-il, ainsi éliminés entre 1981 et 1982.

La **planification de la compression des effectifs** ressemble à la technique précédente, sauf qu'il s'agit d'une méthode plus systématique pour réduire les frais généraux. Les lignes directrices essentielles de la planification de la compression des effectifs sont : faire correspondre la structure organisationnelle aux stratégies ; localiser le personnel excédentaire des unités de contrôle et de soutien ; évaluer l'efficacité du rendement du personnel ; effectuer une évaluation à base zéro par une totale remise en question ; introduire des normes et des ratios, par exemple un directeur par 100 employés ou le maintien des dépenses informatiques à moins de 1 p. 100 ; gérer et déterminer l'effectif au moyen de notions stratégiques telles que les cycles de vie et la valeur ajoutée ; mettre à exécution les lois de temporisation par l'adoption de trois mesures avant le lancement de nouvelles activités, soit l'arrêt, la décentralisation ou la résiliation de contrat en ce qui concerne les activités anciennes ou désuètes ; aplanir la pyramide organisationnelle grâce à des questions pertinentes telles que : Combien de niveaux de gestion sont réellement nécessaires ? Combien de personnes un directeur peut-il superviser ? Comment étendre le contrôle exercé par un gestionnaire ?

Les **indicateurs de productivité** sont essentiels afin de mesurer le rendement organisationnel des unités administratives. Ils doivent d'abord être définis dans chaque unité administrative avant de pouvoir être plus productifs. Si la productivité est mesurée dans l'ensemble des organisations et qu'elle constitue un objectif important, elle peut améliorer la productivité et, en fin de compte, le bénéfice net, car : il est plus probable que la productivité s'améliore lorsque les résultats sont mesurés ; la productivité augmente rapidement lorsque les avantages prévus sont partagés avec ceux qui produisent ; plus les attentes des employés s'harmonisent aux objectifs organisationnels, plus la motivation correspondante est forte ; plus on insiste sur l'échéance des objectifs de productivité, plus il est probable qu'ils soient atteints.

L'encouragement des simplifications plutôt que des complications inutiles peut également donner des résultats financiers positifs. Par exemple, sir Simon Marks, président du conseil de Marks and Spencer, en Grande-Bretagne, commença à remettre sans cesse en question le travail de chaque employé de ses magasins. Il découvrit que de nombreuses tâches de bureau apparemment inutiles étaient courantes ; il mena donc une campagne afin de simplifier les méthodes de travail et de réduire le nombre de formules. Son importante réorganisation permit, estime-t-on, d'éliminer plus de 22 millions de formules dont le poids excédait 100 tonnes.

La **coupure des activités inutiles** et leur remplacement par des travaux productifs ajoute de la valeur aux états financiers. Par exemple, on estime qu'Oryx, le producteur de pétrole et de gaz de Dallas, a épargné 70 millions de dollars en coût d'exploitation en 1990 après avoir éliminé les règles, méthodes, examens, rapports et autorisations qui avaient peu de rapport avec la découverte de nouveaux gisements d'hydrocarbures.

L'encouragement du travail de qualité plutôt que du travail rapide peut également accroître les marges d'exploitation et le bénéfice net. Le travail rapide et moins cher exigé devient souvent, par mégarde, onéreux en raison des problèmes de qualité. L'amélioration de la qualité comporte de nombreux avantages, notamment des coûts moins élevés, une productivité accrue, la fierté des travailleurs et la loyauté des clients. Ainsi, l'entreprise H.J. Heinz est devenue une adepte de l'ouvrage de Philip Crosby, *Quality is Free*, selon qui une tâche bien faite au départ permet d'économiser sur l'inspection, le gaspillage et le recommencement du travail. Dans l'une des usines Heinz, à Puerto Rico, on a ralenti les chaînes de fabrication, engagé 400 ouvriers horaires et 15 superviseurs, puis formé à nouveau toute la main-d'œuvre. On a installé quatre chaînes de plus afin d'alléger la charge de chaque travailleur et d'augmenter le volume. En fin de compte, les coûts de main-d'œuvre de l'usine ont augmenté de 5 millions de dollars, mais le gaspillage a baissé de 15 millions de dollars, soit une économie annuelle de 10 millions de dollars par année pour l'entreprise.

L'habilitation des travailleurs grâce à la formation d'équipes et à la communication peut également donner des effets synergiques sur la performance d'exploitation d'une entreprise. Habiliter les travailleurs, ce qui signifie leur accorder du pouvoir, est l'une des dernières expressions à la mode, qui a donné des résultats financiers positifs. Le travail en équipe crée un important sentiment d'interdépendance. Dans certaines usines, la productivité a augmenté substantiellement simplement du fait que les travailleurs pouvaient décider **comment** exécuter leur travail. Ils apprirent à vérifier leur propre travail, et la direction accorda également plus d'attention à leurs suggestions, ce qui accrût grandement leur dignité.

Les unités organisationnelles

Certains coûts contenus dans l'état des résultats concernent des unités organisationnelles précises telles que le marketing, la production, l'ingénierie, les ressources humaines et l'administration. On appelle parfois ces unités administratives des centres de recettes, des centres de coûts, des centres de bénéfices ou des centres d'investissement. Les décisions d'exploitation particulières à ces types d'unités améliorent aussi la rentabilité de la marge bénéficiaire brute, du bénéfice d'exploitation et du bénéfice après impôts.

La marge bénéficiaire brute

Les décisions à propos de la marge bénéficiaire brute comprennent les produits et le coût des marchandises vendues. Les **produits** sont surtout déterminés par les décisions sur la production (nombre d'unités) et le prix de vente. En ce qui concerne la production, les décisions sur les variables du marketing permettent de déterminer, dans une large mesure, le résultat des ventes et le rendement de la part de marché. Comme il a déjà été mentionné au chapitre 11, *La notion de marketing*, les quatre variables qui influencent les stratégies de décisions au sujet du marketing sont le produit, l'emplacement (distribution), la publicité et le prix. Les décisions de marketing judicieuses améliorent certainement les ventes d'une entreprise et, en définitive, le bénéfice.

La direction peut fixer le prix de vente à l'aide de diverses méthodes telles que les pourcentages de marge brute, la fixation d'un prix coûtant majoré, le prix de vente conseillé, la technique du prix psychologique, les ristournes, l'alignement des prix et la fixation des prix sur une base géographique. Certaines de ces techniques ont aussi été vues au chapitre 11.

Comme nous l'avons déjà mentionné, le coût des marchandises vendues des fabricants représente un pourcentage substantiel (pouvant aller jusqu'à 80 p. 100) des charges totales d'une entreprise. C'est pourquoi on consacre beaucoup d'efforts à rendre les activités de fabrication d'une entreprise plus efficaces par la modernisation des usines (mécanisation ou automatisation), la réduction des déchets, l'amélioration du moral des employés, et l'habilitation des travailleurs.

Le bénéfice d'exploitation

Les décisions qui touchent le bénéfice d'exploitation relèvent de deux catégories de charges : celles de la vente et de l'administration. Dans ces deux catégories, la réduction des coûts résulte d'une grande partie des techniques du budget expliquées plus haut, telles que la réduction du nombre de cadres, la planification de la compression des effectifs, la simplification, la cessation des activités inutiles et l'habilitation des employés.

On utilisait antérieurement la planification budgétaire supplémentaire ou traditionnelle afin d'établir le budget des unités de frais généraux. Les budgets étaient souvent légitimés par l'utilisation de techniques axées sur les intrants (accent mis sur les activités et fonctions, ou sur l'objet des dépenses telles que les salaires, le téléphone, les déplacements et la formation). De nos jours, plus d'entreprises utilisent des techniques axées sur les résultats, dans lesquelles la mesure et les normes de la productivité font partie du processus de planification budgétaire utilisé pour aider à justifier et à approuver les propositions budgétaires.

Quand on prépare les budgets de la plupart des unités de frais généraux, on tient souvent compte de deux importants volets des décisions d'exploitation : l'économie et les niveaux de services.

L'économie Ces types de décisions sousentendent une analyse de rentabilité, axée sur la recherche des moyens qui permettent d'accomplir une tâche de la façon la plus économique. Citons parmi les questions fréquentes à l'égard de ces décisions : Cette activité ou cette tâche doit-elle être confiée au personnel ou donnée en sous-traitance ? Devons-nous louer ou acheter ce matériel ? Devons-nous automatiser notre bureau ? Devons-nous réorganiser le déroulement du travail ?

Les niveaux de services La technique du budget à base zéro est une méthode d'établissement du budget vulgarisée au début des années 1970 et qui oblige les gestionnaires à justifier leurs budgets. Le processus exige d'abord la définition de différents niveaux de services que peuvent offrir des unités de frais généraux telles que les finances, les ressources humaines, l'ingénierie, la comptabilité et l'administration, puis le calcul d'un coût par service.

Pour illustrer ce qu'on entend par niveaux de services, voici cinq niveaux de services qui pourraient convenir à une unité organisationnelle de sécurité :

1. Effectuer une révision avec chaque directeur d'usine afin de vérifier la conformité aux exigences gouvernementales et de parvenir à des ententes.

2. Fournir les outils, chaussures et gants essentiels de sécurité à tous les travailleurs de production.

3. Offrir des programmes de sensibilisation à la sécurité grâce au recrutement d'un ingénieur de sécurité en usine.

4. Attribuer du personnel de sécurité à chaque ingénieur d'usine et donner une formation en sécurité à tous les travailleurs de production.

5. Établir une politique de sécurité dans l'entreprise et offrir une formation en sécurité à tout le personnel de bureau.

Après avoir défini tout niveau de services, le gestionnaire évalue le coût de chacun d'eux afin que la direction lie aisément les propositions budgétaires aux objectifs de l'entreprise.

Le bénéfice après impôts

Les seuls comptes qui influent sur le bénéfice après impôts sont les intérêts créditeurs et débiteurs. À ce stade, le trésorier doit décider des sources et des formes de financement les plus appropriées, et investir les capitaux dans des titres qui procurent le rendement maximum.

UN POINT DE VUE

Robert DeJong, premier vice-président de Sharwood & Co.

La restructuration financière

« La restructuration fait partie des difficultés de croissance d'une entreprise », déclare Robert DeJong, premier vice-président de Sharwood & Co., preneur ferme, dont le siège social est à Toronto. « Il ne s'agit pas d'en avoir honte. Nombre de grandes entreprises d'aujourd'hui ont effectué plusieurs restructurations au début de leurs activités. » Un propriétaire ou un gestionnaire astucieux cherchera de l'aide aux premiers signes de difficultés. Mais beaucoup de leurs homologues patientent en espérant que les difficultés se corrigeront d'elles-mêmes.

DeJong donne comme exemple la situation critique d'un fabricant de produits de consommation dans le sud-ouest de l'Ontario. L'entreprise qui existe depuis 10 ans affichait un revenu annuel de 100 millions de dollars. Toutefois, les mouvements de l'encaisse devinrent minimes, les dettes s'accumulèrent plus rapidement que les capitaux propres, et les créanciers se mirent à talonner l'entreprise pour qu'elle réagisse. Le marché approprié à la gamme de produits de l'entreprise s'amenuisait, mais le propriétaire ne s'en aperçut pas assez tôt. Selon DeJong, on aurait pu éviter une telle situation au moyen d'un plan d'entreprise régulièrement mis à jour afin d'évaluer les perspectives de l'entreprise et du secteur d'activité correspondant. Les plans de rechange contribuent largement à maintenir la confiance des créanciers dans la gestion du propriétaire ou du dirigeant. « Si vous disposez d'un plan bien préparé, vous avez plus de chances de voir la banque se ranger à vos côtés », ajoute DeJong.

Une entreprise peut se servir d'un tel plan afin d'attirer les investisseurs et financiers éventuels. Mais la plupart des propriétaires ou des gestionnaires sont tellement pris dans les activités quotidiennes, qu'ils n'ont plus de vue d'ensemble. Le client de DeJong ne disposait que du bilan pour savoir que la situation laissait à désirer. Lorsqu'il rencontra

DeJong, les capitaux propres avaient fondu à moins de 20 p. 100 du passif, et le fonds de roulement ne pouvait couvrir trois semaines d'activités. DeJong supervisa l'établissement d'un nouveau plan de l'entreprise. Ce dernier définissait les activités fondamentales de l'entreprise et les façons de réduire les coûts.

Le client de DeJong liquida environ 60 p. 100 des activités de l'entreprise. On renégocia les calendriers de remboursement de la dette. La banque accepta de reporter de deux ans le remboursement des emprunts de l'entreprise. Les versements augmenteraient à mesure que l'entreprise deviendrait plus solide. Les fournisseurs, dont la majorité étaient des créanciers non garantis, reçurent 55 cents sur chaque dollar qui leur était dû et des billets à ordre pour le reliquat. On obtint 6 millions de dollars supplémentaires par la vente de 35 p. 100 de l'entreprise à des investisseurs institutionnels.

Le client de Dejong garda la direction des affaires dans l'entreprise, mais ses actions étaient limitées par une entente qui accordait à ses associés le droit de prendre la relève s'il ne respectait pas le contrat. Après cinq mois de restructuration, le fabricant réalisa de nouveau des bénéfices, et les revenus excédaient 30 millions de dollars au dernier exercice. Les capitaux propres atteignent approximativement 40 p. 100 du passif, et le fonds de roulement couvre maintenant 2 mois et demi d'activités.

Source: Traduit de Miriam Cu-Uy-Gam, «How restructuring turned firm around», *The Financial Post*, 18 juin 1991, p. 15.

RÉSUMÉ

Sommaire

1. Un ratio est le rapport entre deux données indiquées au bilan ou dans l'état des résultats. Il sert à mesurer le rendement financier d'une entreprise. Les ratios financiers entrent dans quatre catégories : les ratios de liquidité, qui mesurent la capacité d'une entreprise à respecter ses obligations financières en cours ; les ratios d'endettement, qui évaluent la proportion de capitaux empruntés auprès des créanciers et des propriétaires ; les ratios d'exploitation, qui évaluent le degré d'efficience avec lequel les gestionnaires utilisent les éléments d'actif d'une entreprise ; les ratios de rentabilité, qui mesurent l'efficacité de l'exploitation d'une entreprise dans son ensemble, par comparaison des bénéfices avec les ventes, les éléments d'actif et les capitaux propres.

2. Les décisions d'investissement concernent les comptes indiqués dans la partie gauche du bilan et portent sur le fonds de roulement (l'encaisse, les comptes clients et les stocks) et l'acquisition d'immobilisations.

3. Les décisions de financement concernent les comptes qui figurent dans la partie droite du bilan, tels que les capitaux obtenus des prêteurs, à

court et à long terme. Les aspects les plus importants des décisions de financement concernent la coordination des capitaux empruntés aux éléments d'actif adéquats, de même que la détermination du coût des capitaux empruntés et de la composition du financement la plus appropriée (emprunts par rapport aux capitaux propres) qui répondront le mieux aux besoins d'une entreprise.

4. Les décisions d'exploitation concernent les comptes de l'état des résultats, tels que le produit d'exploitation, le coût des marchandises vendues, de même que les charges telles que celles de la vente et de l'administration. De nombreuses techniques servent à rationaliser les coûts d'exploitation dont la réduction du nombre de cadres, la planification de la compression des effectifs, les indicateurs de productivité, l'encouragement des simplifications, la coupure des activités inutiles, l'encouragement du travail de qualité et l'habilitation des travailleurs. Les décisions sur les différentes unités de frais généraux améliorent la rentabilité de la marge bénéficiaire brute, du bénéfice d'exploitation et du bénéfice après impôts.

Notions clés

La planification de la compression des effectifs

La réduction du nombre de cadres

Le contrôleur

Le trésorier

Les décisions d'exploitation

Les décisions d'investissement

Les décisions de financement

Les frais d'emprunt

Les ratios d'endettement

Les ratios de liquidité

Les ratios de rentabilité

Exercices de révision

1. Expliquez ce qu'on entend par **gestion financière**.
2. Qui a la responsabilité de la fonction de finances ?
3. À quoi servent les ratios de liquidité ?
4. Quelle est la différence entre le ratio dettes/total de l'actif et le ratio de couverture de frais financiers ?
5. Que mesure le ratio de la rotation des stocks ?

6. Que mesure le ratio de la rentabilité d'exploitation ?

7. Précisez les techniques les plus importantes utilisées dans les décisions d'investissement.

8. Qu'est-ce qu'on entend par **règle de l'équilibre financier** ?

9. Qu'est-ce qu'on entend par les approches de gestion que sont la **planification de la compression des effectifs** et l'**habilitation des employés** ?

10. Quels sont les comptes importants qui influent sur la marge bénéficiaire brute ? Sur le bénéfice d'exploitation ? Sur les bénéfices après impôts ?

Matière à discussion

1. Dressez la liste de tous les ratios présentés dans le présent chapitre et expliquez-en l'importance du point de vue des différents preneurs de décisions.

2. Au moyen d'un exemple, expliquez l'interaction entre les décisions d'investissement, d'exploitation et de financement.

Exercices d'apprentissage

1. Les ratios financiers

Calculez les ratios financiers de Com Tech Inc. (indiqués sur la page suivante) d'après le bilan (tableau 16.5) et l'état des résultats (tableau 16.6) :

- a) ratio de liquidité générale ;
- b) ratio de liquidité immédiate ;
- c) dettes/total de l'actif ;
- d) ratio d'autonomie financière ;
- e) ratio de couverture de frais financiers ;
- f) période de recouvrement ;
- g) rotation des stocks ;
- h) rotation des immobilisations ;
- i) rotation de l'actif ;
- j) marge bénéficiaire ;
- k) rentabilité d'exploitation ;
- l) rendement du total de l'actif ;
- m) rendement des capitaux propres.

TABLEAU 16.5
Bilan de Com Tech Inc.

Com Tech Inc.
Bilan de la période se terminant en 1992

Actif à court terme		Passif à court terme	
Encaisse	90 000 $	Comptes fournisseurs	710 000 $
Dépôts à terme	120 000	Effets à payer	250 000
Comptes clients	900 000	Comptes de régularisation	260 000
Stock	1 100 000	Impôts différés	90 000
Total de l'actif à court terme	2 210 000	Total du passif à court terme	1 310 000
		Dettes à long terme	1 640 000
Immobilisations		**Capitaux propres**	
Immobilisations (au prix coûtant)	2 600 000	Actions privilégiées	100 000
Moins: Amortissement	700 000	Actions ordinaires	500 000
		Bénéfices non répartis	560 000
Total des immobilisations (net)	1 900 000	Total de la valeur nette	1 160 000
Total de l'actif	4 110 000 $	Total du passif et des capitaux propres	4 110 000 $

TABLEAU 16.6
État des résultats de Com Tech Inc.

Com Tech Inc.
État des résultats pour la période se terminant en 1992

Produit d'exploitation		4 500 000 $
Coût des marchandises vendues		3 300 000
Marge bénéficiaire brute		1 200 000
Charges d'exploitation:		
Frais de vente	350 000 $	
Loyer	100 000	
Frais d'administration	345 000	795 000
Bénéfice d'exploitation (sans amortissement)		405 000
Amortissement		50 000
Bénéfice d'exploitation		355 000
Autres bénéfices	20 000	
Autres frais (intérêts)	100 000	100 000
Bénéfice net avant impôts		255 000
Impôts		127 500
Bénéfice net après impôts		127 500 $

2. Les décisions de financement

À l'aide des tableaux 16.7, 16.8 et 16.9, calculez les capitaux qu'une entreprise pourrait générer en 1992, si les ratios de comptes clients et des stocks étaient aussi efficaces que ceux de l'ensemble du secteur d'activité correspondant.

TABLEAU 16.7
Bilan

Bilan (en $)			
Encaisse	25 000 $	Comptes fournisseurs	150 000 $
Comptes clients	100 000	Effets à payer	50 000
Stock	200 000	Impôts différés	50 000
Total	325 000 $	Total	250 000 $

TABLEAU 16.8
État des résultats

État des résultats (en $)	
Produit d'exploitation	500 000 $
Coût des marchandises vendues	300 000
Marge bénéficiaire brute	200 000
Autres charges	135 000
Amortissement	15 000
	150 000
Bénéfice avant impôts	50 000
Impôts	25 000
Bénéfice après impôts	25 000 $

TABLEAU 16.9
Moyenne du secteur d'activité

Moyenne du secteur d'activité	
Période de recouvrement	40 jours
Rotation des stocks	3 fois

CHAPITRE
17

PLAN

Pourquoi les entreprises ont besoin de fonds
    Le cycle des mouvements de trésorerie

Les sources de fonds
    Les sources internes
    Les sources externes

Où obtenir les fonds externes
    Les fournisseurs (crédit commercial, comptes fournisseurs)
    Les banques
    Les établissements parabancaires
    Les courtiers en valeurs mobilières
    Les sociétés d'investissement en capital-risque

L'aide gouvernementale
    Les établissements financiers gouvernementaux

Résumé

Annexe A : le plan d'entreprise — la demande de crédit

LES SOURCES
DE CAPITAL

Les objectifs du chapitre

Après avoir lu le présent chapitre, vous pourrez :

1. expliquer pourquoi les entreprises ont besoin de fonds ;
2. décrire les principales sources de fonds internes ;
3. décrire les principales sources de fonds externes ;
4. décrire les principales sources de fonds à court terme ;
5. décrire les principales sources de fonds à long terme ;
6. décrire les principales sources de fonds gouvernementales.

Il existe un message publicitaire télévisé que Gord Rielly ne peut souffrir. C'est celui qui met en scène deux femmes d'affaires qui, aux prises avec des difficultés financières, réussissent à conserver leurs précieuses voitures de fonction en réduisant leurs frais de téléphone... « Ça me tue, lance Rielly. L'auteur de cette publicité devrait savoir que bien peu de petites entreprises ont des voitures de luxe. Vous n'avez qu'à jeter un coup d'œil sur notre stationnement. »

Gord Rielly et son associé, Dan Stashick, sont copropriétaires de la société ASI Corporation, une petite entreprise de logiciels d'Ottawa, et sont bien placés pour savoir ce qu'est le manque d'argent. En effet, le 20 décembre 1988, dernier jour ouvrable de leur premier exercice avant Noël, il ne restait que quelques milliers de dollars dans la caisse de l'entreprise quand soudainement, « nous avons reçu le coup de téléphone d'un client qui nous disait : "Ne quittez pas le bureau — le contrat est sur le point d'être signé !" C'était notre premier contrat. Il s'élevait à 20 000 $ et devait nous permettre de continuer nos affaires sans souci pendant quelques mois », raconte Dan Stashick, président d'ASI.

Mais la crise n'était pas pour autant finie. En février, nos nouveaux entrepreneurs étaient encore à court d'argent. Cette fois, ils eurent un sursis quand Stashick, au volant de sa voiture, par une froide journée d'hiver, réussit à vendre 5 000 $ d'actions à un nouvel investisseur. Il se rendit alors immédiatement à la banque pour s'occuper de la paie des employés. Finalement, en 1990, les deux propriétaires ont contracté un prêt personnel pour une plus grande marge de crédit. « Quand c'est sa propre maison qui est donnée en garantie, on réfléchit longuement sur les chances de succès de l'entreprise », précise le vice-président, Gord Rielly.

Aujourd'hui, deux ans plus tard, Rielly est plus optimiste. L'entreprise a réalisé des profits modestes de 1,2 million de dollars en 1991. Le produit vedette d'ASI, un programme informatique d'achat innovateur appelé TAPS (Transaction-based Automated Procurement System), est maintenant utilisé par 32 services gouvernementaux de gestion du matériel. On prévoit en outre des produits d'exploitation de l'ordre de 3 millions de dollars pour cette année, et les affaires iraient vraiment très bien si les 150 services du gouvernement optaient tous pour TAPS.

Les propriétaires d'ASI estiment que la crise est passée, mais ils ne veulent pas piétiner, car ils savent que l'établissement d'une entreprise est un travail laborieux et constant. Maintenant sur le point de connaître une expansion rapide, ASI est passée à la deuxième phase de la vie d'une jeune entreprise et doit faire face à de nombreux défis[1].

---

1. Traduit de Michael Salter, « Anatomy of a Start-up », *Report on Business Magazine*, juin 1992, p. 53-54.

POURQUOI LES ENTREPRISES ONT BESOIN DE FONDS

Les entreprises ont besoin de fonds pour combler le déséquilibre habituel entre les rentrées et les sorties de caisse. La plupart des entreprises fabriquent et vendent, ou achètent et revendent, des produits. Celles qui fabriquent des produits doivent acheter les matières premières, payer les employés affectés aux lignes de production et maintenir un stock de produits finis. Pour leur part, les entreprises qui achètent puis revendent des produits sans y modifier quoi que ce soit ont besoin de les garder en stock, jusqu'à ce que les clients les achètent. Quant aux entreprises qui offrent des services, elles n'ont pas besoin de stocks mais doivent tout de même payer leurs employés. En outre, toutes ces entreprises ont besoin, pour fonctionner, de matériel et d'espace, qu'elles devront acheter ou louer. Habituellement, on peut donc faire une distinction entre les besoins de fonds à long terme et à court terme.

Le cycle des mouvements de trésorerie

Toute entreprise type a un cycle des mouvements de trésorerie régulier. S'il s'agit d'un fabricant, les fonds sont d'abord investis dans les matières premières. À mesure que la production avance, cet investissement se change en stocks de travaux en cours qui comprennent les salaires des travailleurs. Une fois la production terminée, l'investissement se traduit en stocks de produits finis. Par la suite, les produits sont vendus, habituellement à crédit, transformant alors l'investissement en comptes clients. Et quand les factures sont réglées par les clients, l'entreprise encaisse des fonds et elle est en mesure de payer ses propres factures, et le cycle des mouvements de trésorerie peut recommencer. À chaque cycle, l'entreprise espère faire des profits afin de continuer ses affaires et de prendre de l'expansion. Elle aura en outre besoin de fonds supplémentaires puisqu'elle devra faire ses paiements avant de jouir des produits de ses ventes (particulièrement des ventes à crédit). Les travailleurs doivent aussi recevoir un salaire régulier, même si aucun produit n'est fini. L'entreprise se verra aussi peut-être dans l'obligation de payer ses fournisseurs avant la vente de ses produits. Enfin, les impôts doivent être versés à intervalles réguliers, et si l'entreprise a contracté un emprunt, elle devra payer ses intérêts à des dates précises. La figure 17.1 illustre ce cycle.

LES SOURCES DE FONDS

Les fonds nécessaires à l'entreprise peuvent soit provenir de ses propriétaires, sous forme de capitaux propres ou d'**avoir des propriétaires**, ou de créditeurs, sous forme de **dette**. Habituellement, les entreprises s'efforcent de faire correspondre l'échéance du financement octroyé à la durée de vie prévue de l'élément d'actif en jeu. Par conséquent, les besoins à court terme (pour le financement des stocks, par exemple)

FIGURE 17.1
Schéma du cycle des mouvements de trésorerie

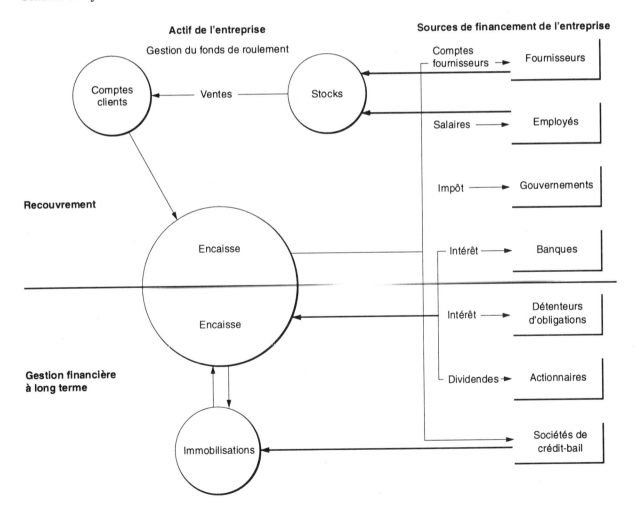

proviennent généralement de sources de fonds à court terme. De même, les besoins de financement permanent ou à long terme (pour le financement d'éléments d'actif comme les usines et l'équipement, par exemple) proviennent de sources de fonds à long terme. Toute entreprise a besoin de fonds d'exploitation et, si les ventes sont faites à crédit, de comptes clients. Les sources de fonds à long terme assurent le financement de ces montants, même si les comptables qualifient d'«à court terme» ces éléments d'actif (leur échéance ne dépasse généralement pas un an). On appelle aussi parfois «valeurs immobilisées» les montants minimaux destinés aux fonds d'exploitation et aux comptes clients puisque l'entreprise ne peut fonctionner sans eux.

Les sources internes

Les fonds internes proviennent de l'entreprise elle-même. Cette dernière a évidemment besoin de ces fonds pour se lancer en affaire et pour convaincre les créanciers éventuels de lui prêter de l'argent. La plupart des entreprises commencent avec de l'argent provenant des propriétaires. Les sources de fonds internes peuvent être considérées telles qu'elles figurent dans le bilan de l'entreprise (voir le chapitre 16). Les sources de fonds internes à court terme comprennent l'encaisse, les comptes clients, les stocks et les titres négociables. Parmi les sources de fonds internes à long terme, on compte la vente d'immobilisations dont l'entreprise n'a plus besoin, ou la vente et la cession-bail de ces immobilisations. En outre, les allocations du coût en capital à des fins fiscales permettent aux entreprises de déduire chaque année des dépenses pour contrebalancer la détérioration des immobilisations utilisées dans le processus de production. Si l'entreprise fait des profits, ces allocations permettront de réduire les impôts et constitueront, par conséquent, une source de fonds.

Les sources externes

Les fonds externes ne proviennent pas de l'entreprise, mais d'investisseurs, de travailleurs, de fournisseurs et de prêteurs. Ils peuvent prendre la forme de comptes et d'effets à payer à court terme, de salaires ou d'impôts à verser. Les sources externes à long terme comprennent les dettes appuyées par des obligations et des débentures, les actions privilégiées et ordinaires et les bénéfices non répartis provenant de profits antérieurs. Par conséquent, une source de fonds externes clé, sur le plan comptable, provient des profits de l'entreprise, qui dépendent bien sûr de la gestion de celle-ci. Comme on peut le constater, la classification des sources de capital à court ou à long terme et internes ou externes est plutôt arbitraire.

OÙ OBTENIR LES FONDS EXTERNES

Une entreprise peut obtenir des fonds externes auprès d'un large éventail de sources. Les principales sources sur lesquelles nous pencherons comprennent les fournisseurs, les travailleurs, les gouvernements, les banques, les établissements parabancaires, les sociétés de crédit-bail, les prêts à terme et les courtiers en valeurs mobilières. La plupart des entreprises doivent dresser un plan d'entreprise expliquant les raisons pour lesquelles elles sollicitent des fonds, la façon dont ils seront utilisés et les modalités de remboursement prévues. Voir l'annexe A, à la fin de ce chapitre, pour de plus amples renseignements sur le plan d'entreprise.

Les fournisseurs (crédit commercial, comptes fournisseurs)

La plupart des entreprises achètent de nombreux articles à d'autres entreprises. Ces dernières expédient la marchandise le plus tôt possible mais ne s'attendent pas à être payées avant plusieurs semaines, inscrivant le montant de l'opération dans leurs livres comptables, à titre de compte client. Ce crédit commercial constitue une source de financement spontanée et systématique puisque l'entreprise qui achète obtient le financement dont elle a besoin en même temps que ses achats. Par conséquent, l'entreprise qui achète a un certain contrôle sur cette source. Notons que ce genre de crédit est habituellement la source de financement à court terme la plus importante. Elle peut être **gratuite** ou très onéreuse, selon le moment auquel l'entreprise règle sa dette.

Lorsque les conditions de règlement sont « 2/10, net 30 », cela signifie que le fournisseur accorde un rabais de 2 p. 100 si le paiement est effectué en 10 jours ; autrement, il exigera le règlement intégral de la facture le 30e jour.

Prenons l'exemple d'une entreprise qui achète pour 100 000 $ de marchandises, à un taux de 2/10, net dans 30 jours. Combien cette opération lui coûtera-t-elle ? Si l'entreprise paie au bout de dix jours, elle n'a qu'à envoyer un chèque de 98 000 $, ce qui lui est bien sûr profitable. En revanche, si elle attend jusqu'à la fin de la période de 30 jours, elle devra verser 100 000 $. On constate donc qu'elle a en fait contracté un emprunt de 2 000 $ pour une période de 20 jours. Le coût approximatif de sa décision de ne pas profiter du rabais peut s'exprimer ainsi :

$$\frac{2}{98} \times \frac{365}{20} = 0,020\ 408\ 163\ 27\ (18,25)$$

$$= 37,244\ 897\ 97$$

$$= 37,25\ \%$$

De surcroît, le coût réel de cette décision, reporté sur un an, est encore plus élevé, puisque le taux annuel en vigueur, en supposant que le rabais (au taux de 0,02040816327) est payé 18,25 fois par année, est équivalent à

$$1,020\ 408\ 163\ 27^{18,25} - 1 = 1,444\ 391\ 25 - 1$$

$$= 44,44\ \%$$

Les comptes de régularisation

La plupart des entreprises paient leurs employés chaque semaine ou chaque mois. Leur bilan montre donc les salaires à payer. De même, l'entreprise retient, sur le salaire de ses employés, l'impôt et les contributions au régime de pensions du Canada (ou du Québec) et à l'assurance-chômage. L'entreprise doit en outre aux gouvernements l'impôt sur le revenu, les taxes de vente et les autres paiements qui ne sont pas faits chaque jour, mais à intervalles réguliers. Si l'une de ces sommes n'a pas été réglée, elle sera inscrite dans le bilan comme impôts à payer. Les comptes de régularisation augmentent systématiquement à mesure que les activités de l'entreprise prennent de l'ampleur, ce qui lui permet d'utiliser ces fonds pendant quelques jours. L'entreprise n'a malheureusement pas le contrôle de cette dette à court terme sans intérêt, puisqu'elle dépend de l'activité économique, des lois et des coutumes en vigueur. En outre, comme les gouvernements qui régissent l'entreprise ont toujours besoin d'argent, ils créeront périodiquement de nouvelles taxes (comme la taxe sur les produits et services) et obligeront les entreprises à les payer plus fréquemment. Par conséquent, le financement du gouvernement est continuellement réduit par ces modifications d'ordre administratif relatives aux échéanciers, ce qui pousse les entreprises à aller chercher des fonds ailleurs.

L'effet financier

L'effet financier, ou effet de commerce, est un billet sans garantie, émis par les entreprises prospères et de grande envergure et principalement acheté par les entreprises ou les établissements financiers. Pour les grandes entreprises, l'effet financier constitue une solution de rechange aux prêts bancaires. Néanmoins, le marché des effets financiers est un terrain impersonnel et nombre d'entreprises ne sauraient se passer des conseils de leur banquier. Les effets financiers ont généralement une échéance très courte, mais il arrive qu'elle atteigne une année. Et à la date d'échéance, l'emprunteur doit rembourser sa dette, toute prolongation étant hors de question. Le manquement à cette règle de la part d'une entreprise pourrait salir sa réputation, l'empêchant peut-être même de contracter de nouveaux emprunts.

Les banques

Les banques accordent des prêts à court terme qui figurent habituellement dans le bilan des entreprises à titre d'effets à payer. Les prêts bancaires constituent la deuxième source en importance de financement à court terme, après le crédit commercial. Ces prêts ne sont pas spontanés, mais doivent avoir été demandés expressément par les emprunteurs. Les prêts bancaires offrent une souplesse plus grande que le crédit commercial, puisqu'ils peuvent servir à n'importe quelle fin. Ils peuvent être garantis et, en cas de non-paiement, la banque peut saisir les biens donnés en garantie. Soulignons que les prêts non garantis ont habituellement un coût plus élevé.

Lorsque ses besoins de fonds augmentent, l'entreprise demande à son banquier d'augmenter sa marge de crédit; s'il refuse, elle peut se voir dans l'obligation de renoncer à ses projets d'expansion. La plupart des entreprises essaient donc de choisir une banque qui sera disposée à leur offrir un bon service et des conseils judicieux, à prendre certains risques, et qui fait preuve de loyauté envers ses clients. Les entreprises veulent nouer une relation à long terme avec leur banque.

Les emprunts bancaires sont beaucoup plus flexibles que toute autre source de financement commercial. La plupart des prêts bancaires sont à court terme et se remboursent d'eux-mêmes. Par exemple, une entreprise peut faire un emprunt pour acheter des stocks et elle remboursera celui-ci avec le produit de leur vente.

Comme les entreprises doivent évidemment acheter leurs stocks avant de les vendre, elles empruntent fréquemment pour faire face à des insuffisances saisonnières, tels les détaillants au cours de la période d'avant Noël qui, à la fin de la saison, rembourseront leurs dettes.

Le prêt bancaire type pourrait n'avoir qu'une durée de 90 jours. Lorsqu'on le rembourse, la banque peut prêter cet argent à une autre entreprise dont les mouvements de trésorerie sont différents. La plupart des prêts à échéance fixe (à 90 jours par exemple) sont accordés avec un intérêt « à rabais », ce qui signifie que l'intérêt est déduit à l'avance. Ainsi, une personne qui emprunterait 1 000 $ à un taux d'intérêt nominal de 10 p. 100 devrait verser 100 $ d'intérêt. Si cette somme était payée à la fin d'une période de 12 mois, elle correspondrait effectivement à un taux de 10 p. 100. Or, le rabais du prêt amène une déduction des 100 $ d'intérêt au moment où le prêt est accordé, ce qui constitue en fait un prêt de 900 $; le taux réel d'un tel prêt est donc

$$\frac{100\ \$}{900\ \$} = 11,11\ \%$$

Près de la moitié des prêts des banques sont des **prêts d'exploitation** accordés à des entreprises pour le financement de leurs stocks et de leurs comptes clients. Ces prêts sont souvent renouvelés chaque année et constituent des sources de financement du fonds de roulement quasi permanent. La plupart des prêts d'exploitation n'ont pas d'échéance fixe, mais sont des prêts à demande, ce qui signifie que la banque peut en exiger le remboursement en tout temps. Leur taux d'intérêt n'est habituellement pas fixe, mais variable, correspondant habituellement au taux préférentiel en vigueur majoré. Un prêt d'exploitation type aurait par exemple un taux préférentiel majoré de 2 p. 100; l'emprunteur contractant un prêt au taux de 6 p. 100 paierait donc 8 p. 100. Le taux du prêt varie en fonction des fluctuations du taux préférentiel, et l'intérêt est normalement calculé mensuellement et déduit du compte-chèques de l'entreprise.

Le coût d'un emprunt bancaire varie en raison de l'importance du risque que présente chaque emprunteur, de la conjoncture économique et de la fluctuation des taux. Le taux de base est le taux de la Banque du Canada, c'est-à-dire le taux que toutes les banques devraient payer si elles empruntaient à la Banque du Canada, ce qui explique pourquoi elles doivent exiger un taux plus élevé de leurs clients. Le taux de base de toute banque est le taux préférentiel, soit le taux que les banques demandent à leurs meilleurs clients (ceux qui présentent le moins grand risque). Quant aux autres emprunteurs, ils devront payer un taux plus élevé, variant selon le risque inhérent au prêt.

Les établissements parabancaires

Les sociétés de fiducie sont les plus importants établissements parabancaires. Certains des services qu'elles offrent sont les mêmes que ceux des banques, mais elles se spécialisent dans les prêts aux petites et aux moyennes entreprises et les prêts hypothécaires.

Une hypothèque est l'instrument juridique que l'on utilise pour le financement des biens immobiliers. Elle assure le transfert de la propriété au prêteur (le créancier hypothécaire), dans le cas où l'emprunteur (le débiteur hypothécaire) manquerait à ses obligations de rembourser son prêt dans les délais prévus. Il existe deux sortes d'hypothèques: ordinaires et assurées. Les hypothèques assurées peuvent l'être par un organisme gouvernemental, comme la Société canadienne d'hypothèques et de logement (SCHL) ou par un assureur privé. On accorde un prêt hypothécaire à un montant inférieur à la valeur marchande estimative de la propriété, de façon à protéger le créancier hypothécaire en cas de non-paiement. Le maximum accordé égale 75 p. 100 de la valeur de la propriété pour les hypothèques ordinaires, 87,5 p. 100 pour les hypothèques assurées par un assureur privé, et 95 p. 100 pour les hypothèques assurées en vertu de la Loi nationale sur l'habitation et gérées par la SCHL.

L'acheteur d'une propriété doit faire un versement initial équivalant à la différence entre la valeur de la propriété et le montant de l'hypothèque. S'il s'agit d'une hypothèque faite en vertu de la Loi nationale sur l'habitation, l'acheteur devra verser un acompte de 5 p. 100, ou 25 p. 100, si l'hypothèque est ordinaire. En plus de cette somme, l'acheteur devra payer, au moment de la transaction, des frais ou taxes, que l'on appelle «frais de clôture». Selon la valeur de la propriété, ces frais peuvent facilement représenter de 5 à 10 p. 100 du prix d'achat. Comme le créancier prend moins de risque en accordant un prêt hypothécaire assuré, le taux d'intérêt est habituellement une fraction de 1 p. 100 de moins que le taux des prêts hypothécaires ordinaires. Néanmoins, l'ajout des frais de l'assurance hypothécaire (pouvant s'élever jusqu'à 1 p. 100 de la totalité du prêt) tend à égaliser les frais de l'emprunteur.

Les prêts hypothécaires canadiens sont uniques. Ils nécessitent, comme dans de nombreux pays, des paiements mensuels égaux du capital et des intérêts. Tandis que dans la plupart des autres pays, l'intérêt est composé mensuellement, au Canada l'intérêt des prêts hypothécaires est composé semestriellement. Le taux d'intérêt de l'hypothèque, k_{nom}, est inscrit comme taux d'intérêt nominal annuel composé semestriellement. Le taux d'intérêt semestriel en vigueur est donc:

$$\frac{k_{nom}}{2}$$

et le taux annuel en vigueur

$$= \left(1 + \frac{k_{nom}}{2}\right)^2 - 1$$

Comme on doit effectuer des paiements mensuels, il est d'abord nécessaire de calculer le taux d'intérêt mensuel en vigueur (k) qui, composé pour une période de six mois, égale 1 plus le taux d'intérêt semestriel. Par conséquent :

$$(1 + k)^6 = 1 + \frac{k_{nom}}{2}$$

La valeur de k donne alors

$$k = \left[1 + \left(\frac{k_{nom}}{2} \right) \right]^{(1/6)} - 1$$

Une hypothèque est un investissement fait par le créancier, qui lui fournit une annuité ordinaire constituée de paiements mensuels effectués par l'emprunteur. Le nombre (n) de paiements mensuels hypothécaires égale 12 fois le nombre d'années de la période d'amortissement de l'hypothèque. À l'aide des valeurs k et n, la valeur actuelle du facteur d'intérêt de l'annuité PVIFA$_{k,n}$ peut être calculée. Cette valeur servira ensuite à établir la valeur des paiements mensuels.

Pour illustrer ces calculs, supposons que l'on vous offre une hypothèque de 100 000 $ à 12 p. 100, devant être amortie sur une période de 25 ans, mais d'une durée (terme) de 5 ans seulement. Les paiements mensuels pourront être établis de la façon suivante :

- Le taux d'intérêt mensuel en vigueur

$$k = \left[1 + \left(\frac{0,12}{2} \right) \right]^{(1/6)} - 1$$

$$= 0,009\ 758\ 79 \text{ ou } 0,975\ 879\ \%$$

- Le nombre de mois de la période d'amortissement

$$n = 12 \text{ mois} / \text{an} \times 25 \text{ ans} = 300$$

- Le PVIFA$_{0,975\ 879\ \%,300}$

$$= \frac{\left[1 - \left(\dfrac{1}{1,00975879} \right)^{300} \right]}{0,00975879} = 96,9087$$

- Le paiement mensuel

$$R = \frac{100\ 000\ \$}{96,908\ 7} = 1\ 031,90\ \$$$

Les tableaux d'amortissement, comme le tableau 17.1, illustrent la proportion des versements mensuels mixtes qui correspond au capital et la proportion qui correspond à l'intérêt. Normalement, ils ne couvrent pas la totalité de la période d'amortissement, mais la durée de l'hypothèque puisque cette dernière devra être renégociée à la fin de sa durée. La durée correspond à la période au cours de laquelle le créancier ne peut exiger le remboursement du capital. Toutefois, à la fin de cette période, l'emprunteur doit régler le solde de son prêt. Un prêt hypothécaire d'une durée de 5 ans, avec une période d'amortissement de 25 ans, devra être renouvelé au moins quatre fois avant d'être entièrement remboursé, ou acquitté.

La plupart des créanciers hypothécaires considèrent la réputation de l'emprunteur et sa stabilité d'emploi avant de lui accorder un prêt et d'en déterminer les conditions. Ils tiennent aussi compte de la valeur du versement initial, celui-ci ayant des conséquences sur les risques que pourrait présenter le prêt. Chaque fois que l'hypothèque est renégociée, le taux d'intérêt peut changer, en fonction des fluctuations des taux et de la situation de l'emprunteur. Celui-ci peut aussi payer le solde du prêt à la fin de chaque durée. Lorsqu'un prêt hypothécaire est entièrement remboursé, on dit qu'il est acquitté. Le bureau d'enregistrement, qui détient les documents appropriés, doit alors être avisé afin qu'il puisse mettre à jour ses dossiers. Des frais sont bien sûr imputés pour ce travail.

Les autres établissements parabancaires, les coopératives de crédit et les caisses populaires, sont des coopératives dont les membres sont les propriétaires. Certains des services qu'elles offrent sont les mêmes que ceux des banques, mais elles se spécialisent dans les prêts aux petites entreprises, les prêts personnels et les prêts hypothécaires.

TABLEAU 17.1
Amortissement
d'un prêt pendant
les deux premières années

Prêt: 100 000 $
Intérêt: 0,00975879 par mois
Périodes: 300
Paiement: 1 031,90 $

Mois	Paiement	Portion des intérêts	Portion du capital	Solde
0	0,00 $	0,00 $	0,00 $	100 000,00 $
1	1 031,90	975,88	56,02	99 943,98
2	1 031,90	975,33	56,57	99 887,41
3	1 031,90	974,78	57,12	99 830,29
4	1 031,90	974,22	57,68	99 772,62
5	1 031,90	973,66	58,24	99 714,38
6	1 031,90	973,09	58,81	99 655,57
7	1 031,90	972,52	59,38	99 596,19
8	1 031,90	971,94	59,96	99 536,23
9	1 031,90	971,35	60,55	99 475,68
10	1 031,90	970,76	61,14	99 414,55
11	1 031,90	970,17	61,73	99 352,81
12	1 031,90	969,56	62,34	99 290,48
13	1 031,90	968,95	62,94	99 227,53
14	1 031,90	968,34	63,56	99 163,97
15	1 031,90	967,72	64,18	99 099,79
16	1 031,90	967,09	64,81	99 034,99
17	1 031,90	966,46	65,44	98 969,55
18	1 031,90	965,82	66,08	98 903,48
19	1 031,90	965,18	66,72	98 836,76
20	1 031,90	964,53	67,37	98 769,38
21	1 031,90	963,87	68,03	98 701,35
22	1 031,90	963,21	68,69	98 632,66
23	1 031,90	962,54	69,36	98 563,30
24	1 031,90	961,86	70,04	98 493,26
Totaux	**24 765,58 $**	**22 296,98 $**	**1 436,70 $**	

Pour ces emprunts, elles procèdent de la même façon que les autres établissements financiers. Les clients des caisses populaires font moins d'emprunts que ceux des coopératives de crédit et une plus grande part de leurs prêts sont des prêts hypothécaires plutôt que des prêts personnels.

Les sociétés d'affacturage

Les sociétés d'affacturage achètent des comptes clients à des entreprises, à forfait ou avec recours (voir plus loin). Lorsque l'entreprise vend des biens, l'acheteur fait directement ses paiements à la société d'affacturage plutôt qu'au vendeur. La société d'affacturage rembourse ensuite le vendeur, avant ou à la date d'échéance du compte. Si le paiement est fait avant (par exemple, immédiatement, si les modalités de crédit sont de 30 jours), il fait habituellement l'objet d'un rabais, d'au moins 7 p. 100.

Quand des biens sont vendus à un client, le vendeur demande à la société d'affacturage l'autorisation de conclure la vente. Le vendeur n'a donc pas besoin d'un service de crédit, ce qui lui fait économiser de l'argent. Toute créance *forfait - all inclusive price.*

irrécouvrable est la responsabilité de la société d'affacturage, si celle-ci a acheté les comptes clients à forfait. En revanche, si l'affacturage a été conclu avec recours, l'entreprise doit remplacer les comptes clients par d'autres comptes en règle ou absorber la perte entraînée par la mauvaise créance. Les sociétés d'affacturage peuvent offrir le financement et des services de vérification de crédit. Étant donné qu'elles se spécialisent dans ce domaine, leurs services devraient être concurrentiels. Enfin, notons que l'affacturage est habituellement un service continu.

Les sociétés de financement

Les sociétés de financement accordent du crédit aux détaillants et grossistes, à court ou à moyen terme. Elles agissent donc à titre de sociétés de crédit à la consommation et de sociétés de financement de ventes à crédit. Comme elles font souvent affaire avec des clients à risque élevé, à qui les banques ne veulent pas prêter, les taux d'intérêt de leurs prêts sont généralement deux ou trois fois plus élevés que ceux des banques. Leurs frais sont plus élevés puisqu'elles consentent principalement des prêts de moins de 5 000 $, ce qui leur empêche de réaliser des économies d'échelle importantes. Au départ, les sociétés de financement de ventes à crédit accordaient surtout des prêts aux entreprises pour des biens et des services achetés à des grossistes ou des fabricants, principalement pour le financement des stocks.

Les sociétés de financement les mieux connues dans cette catégorie sont probablement General Motors Acceptance Corporation du Canada Ltée, Crédit Ford du Canada Ltée, Crédit Chrysler Canada Ltée. Habituellement, dans le secteur de l'automobile, la société de financement des ventes à crédit doit d'abord financer les stocks du concessionnaire. Les fabricants d'automobiles sont payés au comptant à la livraison depuis les années 1920, au moment où Henry Ford avait des problèmes financiers et expédiait des voitures à ses concessionnaires en exigeant d'être payé à la livraison sous peine de leur enlever leur franchise. Cette façon de procéder a obligé les concessionnaires d'automobiles à obtenir du financement bancaire. Après la Seconde Guerre mondiale, les détaillants et d'autres vendeurs de produits durables ont découvert qu'il était possible de faire davantage de profits sur le financement de ces produits que sur leur vente. De nombreux fabricants ont alors créé des filiales responsables du financement afin de s'accaparer cette part des affaires bancaires.

Aujourd'hui, lorsqu'un consommateur achète une voiture, le concessionnaire négocie avec lui le prix de vente au détail et la vente avec reprise, et lui offre habituellement de financer le véhicule. Le consommateur peut alors payer comptant, contracter un prêt bancaire, faire un emprunt à la banque avec laquelle le concessionnaire a une entente ou emprunter à une société de financement. Quand le concessionnaire prend les dispositions nécessaires au financement, il reçoit une commission d'environ 1 p. 100 de la valeur de la transaction. On appelle ce paiement la réserve du concessionnaire. Le client remplit alors les documents de crédit nécessaires, et le concessionnaire communique avec l'établissement financier, qui accepte ou rejette la proposition de crédit. Une fois le financement réglé, le concessionnaire est payé et la société de financement détient le contrat du client. Les méthodes du secteur de l'automobile ressemblent donc beaucoup à l'affacturage. Soulignons que les sociétés de financement de ventes à crédit peuvent fonctionner avec peu d'employés puisqu'elles ne font pas directement affaire avec le public comme les sociétés de crédit à la consommation.

Le crédit-bail *(lease)*

Le crédit-bail est une solution de rechange aux méthodes de financement plus conventionnelles de divers biens, mais particulièrement de l'équipement dont la durée de vie est de 3 à 10 ans.

Le preneur, ou locataire, peut utiliser à sa guise les biens sans les acheter, et souvent sans faire de versement initial. Il existe deux sortes de crédit-bail : le contrat de location-exploitation et le bail financier.

En plus de financer les biens en location, les contrats de location-exploitation en assurent l'entretien, ce qui les rend populaires pour la location de voitures, d'équipements de bureau ou d'appareils électroniques, comme les ordinateurs. Les contrats de location-exploitation ne sont pas toujours entièrement amortis pendant la période de contrat initial ; le bailleur s'attend à couvrir le reste de ses dépenses en louant de nouveau le bien ou en le vendant. Si le locataire initial estime que l'équipement est devenu désuet, il peut habituellement annuler le contrat avant la fin de la période de location, moyennant une faible pénalité (s'il y a lieu).

Pour leur part, les baux financiers ne prévoient pas l'entretien des biens, sont habituellement entièrement amortis et n'ont pas de clause de résiliation. On a souvent recours à des baux adossés pour financer des biens de grande envergure, comme les avions commerciaux, les bateaux-citernes et les plates-formes destinées aux recherches pétrolières en mer. Ces baux peuvent avoir une valeur de 10 millions de dollars ou même plus. Le bailleur emprunte généralement 80 p. 100 du coût des biens à une ou plusieurs tierces parties, selon une modalité de non-recours. Le prêt est uniquement garanti par les paiements locatifs et ne constitue pas une obligation générale pour le bailleur. Des périodes de location de 15 ou 20 ans sont chose courante. Le bailleur n'inscrit dans son bilan que l'investissement net (20 p. 100), mais peut déduire l'intérêt sur le financement par emprunt et l'amortissement du bien. Par conséquent, les revenus aux fins d'impôts sont habituellement négatifs pendant les premières années du bail. Le preneur peut alors avoir des paiements locatifs moins élevés et tous ses paiements sont habituellement déductibles d'impôt. Enfin, près de

la totalité des établissements financiers ont des activités de crédit-bail, directement ou par l'entremise de filiales.

La cession-bail

Un contrat de cession-bail ne peut être utilisé qu'une seule fois, puisqu'il engage une entreprise à vendre un bien, puis à le louer de nouveau. Celle-ci peut ainsi continuer d'utiliser le bien tout en augmentant ses fonds au cours d'une période particulière. On peut comparer les paiements locatifs d'un tel bail aux paiements hypothécaires ou à ceux d'un prêt à long terme. Un exemple de ce genre de contrat sera une entreprise qui déciderait de vendre une usine et un terrain à un établissement financier, pour ensuite les relouer. L'entreprise recevrait ainsi la totalité du prix d'achat de sa propriété, qu'elle peut en outre utiliser pleinement. Elle s'engage à faire des versements périodiques à l'établissement financier, comme si elle payait un loyer.

Les prêts à terme

Un prêt à terme est un contrat par lequel l'emprunteur s'engage à faire des paiements périodiques comprenant du capital et des intérêts. En principe, l'entreprise qui emprunte négocie les modalités de son prêt avec un établissement financier, comme une banque ou une compagnie d'assurance. Les prêts à terme constituent une solution de rechange au crédit-bail et présentent des avantages par rapport au financement à long terme avec des valeurs émises publiquement (voir plus loin). Ces avantages sont la rapidité, les coûts moindres et la souplesse. Comme ces genres de prêts peuvent être négociés directement par l'agent financier d'une entreprise et l'établissement financier, les décisions sont habituellement rapides. De plus, les négociateurs peuvent adapter l'emprunt de façon qu'il convienne aux deux parties, ce qui lui confère de la souplesse. Enfin, il constitue généralement une source de financement dont le coût est peu élevé en raison de la concurrence plutôt féroce dans ce domaine. Les prêts à terme sont normalement amortis comme des prêts hypothécaires et des contrats de crédit-bail. Leur taux d'intérêt peut être fixe ou variable. S'il s'agit d'un taux variable, celui-ci correspondra au taux privilégié majoré, et pourra être redressé mensuellement, trimestriellement ou annuellement, comme convenu par les deux parties.

Les courtiers en valeurs mobilières

Les courtiers en valeurs mobilières (ou preneurs fermes) facilitent le financement des entreprises en achetant (au prix de gros) des valeurs mobilières (obligations ou actions) et en les revendant (au détail) à leurs clients. Les courtiers empruntent l'argent dont ils ont besoin pour financer leurs stocks, habituellement à des banques, à très court terme, et repaient leurs créanciers au moment de la vente des titres. Ce processus peut prendre une ou deux semaines ou se dérouler en une seule journée. L'entreprise obtient l'argent dont elle a besoin et les investisseurs indépendants acquièrent les titres qu'ils désirent acheter.

Une obligation est un contrat à long terme, d'une durée type de vingt ou de trente ans, en vertu duquel l'entreprise émettrice s'engage à payer des intérêts, habituellement chaque semestre, au détenteur de l'obligation. L'investisseur qui détient l'obligation achète une annuité (versements périodiques) jusqu'à la date d'échéance, quand le capital est remboursé. Un contrat synallagmatique est un document juridique qui stipule les droits des détenteurs de l'obligation et de l'entreprise émettrice. Un fiduciaire, habituellement une société de fiducie, représente les détenteurs de l'obligation et s'assure que l'entreprise assume ses responsabilités. Cette dernière verse la totalité des intérêts au fiduciaire, au moment prévu ; celui-ci paie les détenteurs de l'obligation, qui doivent en détacher les coupons pour les encaisser comme des chèques. Les obligations peuvent être garanties ou non. On appelle « débenture » une obligation non garantie, qui dépend en fait de la rentabilité de l'entreprise. Les obligations peuvent également être converties en actions de la société émettrice, ou être remboursées avant la date d'échéance prévue, à la demande du détenteur ou de l'entreprise. En fait, de nombreuses options sont possibles, et l'entreprise ignore qui achète les obligations. L'émission d'obligations est donc une méthode de financement impersonnelle et peu souple, qui ne convient pas à toutes les entreprises.

Les courtiers en valeurs mobilières se chargent aussi de l'émission d'actions, qui sont de deux sortes : ordinaires et privilégiées. Les actions privilégiées permettent à leurs détenteurs d'en percevoir les dividendes avant les détenteurs d'actions ordinaires. Notons que les dividendes ne peuvent être versés qu'à partir de profits, actuels ou antérieurs (bénéfices non répartis). Les actions sont des parts du capital social des sociétés.

Le coût de l'émission publique d'obligations ou d'actions est élevé en raison des nombreux détails juridiques qui doivent être respectés. Le processus est laborieux et doit être approuvé par une commission des valeurs mobilières provinciale, parfois plusieurs, selon l'endroit où les obligations ou les actions sont émises. On ne peut donc avoir recours à cette source de financement que dans certains cas et pour d'importantes sommes d'argent. Les nouvelles entreprises font peu appel aux courtiers en valeurs mobilières, parce qu'elles sont trop petites ou que les services de ces derniers leur semblent trop onéreux (ils peuvent égaler de 15 à 25 p. 100 des fonds obtenus). Les petites et les moyennes entreprises préfèrent donc s'adresser aux sociétés d'investissement en capital-risque.

Les sociétés d'investissement en capital-risque

Les sociétés d'investissement en capital-risque fournissent des fonds aux petites entreprises à risque élevé. Elles offrent généralement le financement par capitaux propres ou le financement de la dette à long terme, ou les deux. Ces sociétés sont uniques pour diverses raisons. Premièrement, plusieurs années sont nécessaires avant que l'investisseur en capital-risque liquide son investissement. Deuxièmement, au cours des premières années, aucun marché secondaire n'est habituellement organisé. Troisièmement, la nouvelle entreprise risque fort la faillite. Quatrièmement, plusieurs investissements de capitaux sont souvent nécessaires avant que la nouvelle entreprise devienne pleinement active.

Le secteur des sociétés d'investissement en capital-risque connaît une croissance rapide au Canada depuis les années 1960. La plupart de ces sociétés sont relativement petites sur le plan de l'actif et du nombre d'employés. Comme elles tendent à se spécialiser dans certains secteurs, les clients éventuels doivent rechercher la société qui conviendra le mieux à leurs besoins. Soulignons que la plupart des sociétés d'investissement en capital ne prennent pas part à la gestion des entreprises qu'elles financent.

On peut diviser les investissements de capital-risque en six catégories : embryonnaire, d'établissement, de croissance, d'expansion, de relance et de rachat. Les investissements embryonnaires sont faits dans les entreprises qui se proposent de mettre au point un produit ou processus dans le but d'en faire un prototype. Les investissements d'établissement sont destinés à de nouvelles entreprises qui débutent en lançant un nouveau produit ou service dans un marché établi. Pour leur part, les investissements de croissance s'adressent aux petites entreprises déjà en exploitation et sur le point de réaliser des profits, mais dont les mouvements de trésorerie ne suffisent pas à la poursuite de leurs activités. Les investissements d'expansion sont faits dans des plus petites entreprises qui ont besoin d'une capacité d'exploitation supplémentaire et qui ne disposent pas des fonds

nécessaires. Les investissements de relance sont destinés aux entreprises qui éprouvent des difficultés financières, mais qui ont un très bon potentiel et auraient besoin de capitaux supplémentaires et d'une meilleure gestion. Enfin, les investissements de rachat servent aux entreprises, établies et rentables, que les propriétaires envisagent de vendre pour prendre leur retraite (il se peut qu'une partie ou l'ensemble des employés désirent acheter l'entreprise, mais n'en ont pas les moyens).

L'AIDE GOUVERNEMENTALE

L'aide gouvernementale comprend les subventions de la part des gouvernements fédéral et provinciaux, de certains établissements financiers et de **programmes de prêts**. Les établissements financiers gouvernementaux comprennent la Société pour l'expansion des exportations (SEE), la Société du crédit agricole (SCA), la Banque fédérale de développement (BFD) et les sociétés d'investissement de capital-risque provinciales. Les programmes de prêts gouvernementaux comprennent les hypothèques à risques partagés, les prêts sur les marchandises et d'autres programmes d'aide gouvernementale particuliers.

Les établissements financiers gouvernementaux

La Société pour l'expansion des exportations

La SEE est une société d'État qui offre aux exportateurs canadiens et aux acheteurs étrangers une vaste gamme de services financiers, dont l'assurance des exportations, les cautionnements et les marges de crédit. Les exportateurs canadiens peuvent assurer leurs exportations contre le non-paiement jusqu'à 90 p. 100 de la valeur de la marchandise. Cette assurance peut protéger l'exportateur contre tout risque d'insolvabilité de nature commerciale ou politique, tout manquement, toute répudiation de la part de l'acheteur, l'annulation des permis d'importation, le blocage des fonds et le déclenchement d'une guerre. La SEE, qui peut assurer pratiquement toutes les opérations d'exportation, offre le financement des exportations à un taux d'intérêt fixe ou variable aux acheteurs étrangers de produits canadiens. L'argent est versé directement à la société exportatrice canadienne, de sorte que la vente des exportations est pour elle une vente au comptant. La SEE peut travailler à son propre compte ou pour celui du gouvernement, dans le cas où le gouvernement canadien désirerait favoriser les exportations en utilisant des méthodes spéciales.

La Société du crédit agricole

La SCA est une société d'État qui a été créée en 1959 pour offrir des services financiers aux agriculteurs canadiens désirant procéder à l'établissement, à l'expansion ou au maintien d'une entreprise agricole. La société accorde aussi des prêts agricoles à des groupes ou à des syndicats d'agriculteurs qui se sont regroupés pour partager l'utilisation de leurs machines, de leurs bâtiments et de leurs équipements. Les prêts de la SCA sont habituellement accordés à un taux d'intérêt fondé sur le prix de revient global de la SCA, et leur durée peut être de 5 à 15 ans, avec une période d'amortissement maximale de 30 ans.

Nous devons à la SCA une innovation importante, soit l'hypothèque à risques partagés, qui a été lancée au printemps 1985. Le taux d'intérêt de ce genre de prêt est redressé chaque année. Les fluctuations du taux d'intérêt, à la hausse et à la baisse, jusqu'au maximum permis de 2,5 p. 100, sont partagées par la SCA et l'agriculteur. La durée normale de l'hypothèque à risques partagés est de six ans et la limite du prêt est de 350 000 $ pour les particuliers et de 600 000 $ pour les sociétés en nom collectif.

Une autre innovation est le programme de prêts basés sur les prix, lancé en 1986. Les versements de ces prêts sont calculés en reliant le capital du prêt à un indice de prix de un ou deux des principaux produits de base de la ferme. Une indexation intégrale **maximale de 6 p. 100** est offerte aux emprunteurs dont l'avoir des propriétaires est d'au plus 40 p. 100. Ainsi, dans le cas d'une augmentation des prix de 5 p. 100, on assisterait à une augmentation de 5 p. 100 du capital du prêt et des paiements périodiques. Une indexation partielle est offerte aux emprunteurs dont l'avoir des propriétaires est d'au plus 55 p. 100. Dans ce cas, les modifications apportées au capital et aux versements périodiques ne correspondent qu'à la moitié des modifications apportées aux prix des produits de base. Enfin, un service consultatif financier est offert aux emprunteurs sur demande.

La Banque fédérale de développement

La BFD est une société d'État établie en 1975 pour encourager et aider l'établissement et l'expansion des petites et moyennes entreprises canadiennes. La BFD offre trois sortes de services : financiers (prêts et garanties de prêts), de capital-risque et de gestion (consultation, formation, information et planification financière). La BFD se consacre à l'aide aux nouvelles et aux jeunes entreprises qui ne peuvent obtenir des fonds d'autres sources et qui œuvrent surtout dans le domaine de la fabrication, du commerce de gros et de détail, et du tourisme. Elle est donc pour ces entreprises un prêteur supplémentaire ou de dernier recours.

La BFD offre des prêts, des garanties de prêts et du financement par capitaux propres de la façon qui convient le mieux aux besoins de l'entreprise. Elle fournit des fonds pour le lancement, la modernisation, l'expansion, le changement de propriétaires ou pour tout autre projet commercial, aux entreprises qui ne peuvent les obtenir d'autres sources à des conditions raisonnables. Les prêts à terme de la BFD peuvent servir à financer des immobilisations comme des bâtiments, des terrains, du matériel ou de l'outillage, en prenant ces biens en garantie. Dans certains cas, les prêts à terme peuvent aussi servir à alimenter le fonds de roulement.

La Loi sur les prêts aux petites entreprises

La Loi sur les prêts aux petites entreprises est une loi fédérale qui vise à aider les petites entreprises, nouvelles et existantes, à obtenir les fonds dont elles ont besoin pour financer leurs immobilisations auprès des banques et de certains autres prêteurs (sociétés de fiducie, coopératives de crédit, caisses populaires) selon les procédures courantes. Le gouvernement fédéral garantit les prêts, dont le montant maximal est de 100 000 $ et la durée maximale, de 10 ans. Le taux d'intérêt est habituellement le taux préférentiel majoré et il fluctue selon le taux préférentiel. Les prêts assujettis à cette loi ne sont offerts qu'aux entreprises dont le revenu brut annuel ne dépasse pas deux millions de dollars.

Les compagnies pour l'expansion des petites entreprises

La plupart des provinces ont adopté des lois qui permettent aux investisseurs privés d'établir des compagnies destinées à l'expansion des petites entreprises qui agissent à titre de fournisseurs de capital-risque. Dans certaines provinces, comme le Manitoba, le gouvernement provincial donne 35 p. 100 des capitaux obtenus par des investisseurs privés. Le gouvernement de l'Ontario offre une subvention en espèces, exempte d'impôt, de 30 p. 100 de la contribution de l'investisseur, ce qui réduit ainsi le risque que représentent les investisseurs individuels. Certaines provinces ont mis au point des programmes de financement direct à l'intention des petites entreprises qui répondent à certains critères, programmes qui changent fréquemment.

Les diverses formes de financement

Pendant ses premières années d'existence, l'entreprise dépend souvent des épargnes personnelles de son propriétaire, de sa famille ou de ses amis, du crédit commercial et d'organismes gouvernementaux. La plupart des jeunes entreprises connaissent une période de croissance rapide, au cours de laquelle elles peuvent avoir pour sources de financement l'entreprise elle-même, le crédit commercial, l'affacturage, les prêts bancaires et à terme ou le capital-risque. Avec le temps et l'expérience, l'entreprise pourra vendre des actions et des obligations, puis, lorsqu'elle sera en mesure de tirer régulièrement profit des marchés financiers, des effets financiers et des émissions supplémentaires d'actions et d'obligations.

RÉSUMÉ

Sommaire

1. Les entreprises ont besoin de fonds pour parer le déséquilibre habituel entre les rentrées et les sorties de caisse. On observe généralement un cycle des mouvements de trésorerie comprenant l'achat des matières premières, les travaux en cours, les stocks de produits finis, les comptes clients, l'encaisse puis de nouveau l'achat. Les entreprises doivent payer leurs fournisseurs, leurs employés, les gouvernements, leurs créanciers et leurs propriétaires.

2. Les principales sources de fonds internes sont les contributions des propriétaires, les bénéfices non répartis, l'encaisse, les comptes

clients, les titres négociables, les stocks, la vente d'immobilisations devenues inutiles et les contrats de cession-bail.

3. Les principales sources de fonds externes sont celles qui proviennent de créanciers, tels que les investisseurs, les fournisseurs, les travailleurs, les gouvernements et les établissements financiers, particulièrement les banques. Les autres établissements financiers et programmes d'aide gouvernementaux ont aussi leur importance. Ces sources figurent dans le bilan à titre d'éléments de passif à court ou à long terme et de capitaux propres.

4. Les principales sources de fonds à court terme sont les comptes de régularisation, les comptes fournisseurs et les effets à payer, les prêts bancaires, les effets financiers, l'affacturage et les sociétés de financement.

5. Les principales sources de fonds à long terme sont les prêts hypothécaires, les obligations et les débentures, l'émission d'actions privilégiées et ordinaires et les sociétés d'investissement en capital-risque.

6. Les principales sources de financement gouvernementales sont les subventions, les prêts et le financement offert par des établissements financiers gouvernementaux comme la Société pour l'expansion des exportations, la Société du crédit agricole, la Banque fédérale de développement et les sociétés d'investissement en capital-risque provinciales.

Notions clés

L'affacturage

L'hypothèque

L'hypothèque à risques partagés

L'intérêt à rabais

La cession-bail

La société de financement

Le capital-risque

Le crédit-bail

Le crédit commercial

Le cycle des mouvements de trésorerie

Le prêt à terme

Le prêt basé sur les prix

Le prêt d'exploitation

Les comptes clients

Les comptes de régularisation

Les comptes fournisseurs

Les créanciers

Les débentures
Les effets financiers
Les obligations

Exercices de révision

1. Quelles sont les principales sources de fonds internes ?
2. Quelles sont les principales sources de fonds externes ?
3. Quels sont les principaux avantages et inconvénients du crédit commercial ?
4. Décrivez les principales catégories de prêts bancaires.
5. Décrivez les caractéristiques particulières des prêts hypothécaires canadiens.
6. Quelles sont les principales catégories d'investissement en capital-risque ?
7. Quelles sont les principales formes d'aide gouvernementale ?

Matière à discussion

1. Expliquez pourquoi il est important pour une entreprise de connaître les caractéristiques de son cycle des mouvements de trésorerie.
2. Expliquez les principales différences entre les diverses sources de fonds internes.
3. Expliquez les principales différences entre les diverses sources de fonds externes.
4. Quel est le rôle des banques dans le financement des entreprises ?

Exercices d'apprentissage

1. Des formes de financement

Jacqueline Dion vient vous demander conseil sur le financement de sa nouvelle entreprise. Elle a épargné 50 000 $ et désire ouvrir un magasin de détail spécialisé dans les vêtements et les chaussures de danse sociale. Elle a besoin d'un fonds de roulement pour acheter le mobilier et les stocks d'ouverture. Elle envisage de louer un magasin dans un centre commercial linéaire doté d'un stationnement gratuit.

Questions

1. Préparez un rapport comparatif sur les avantages et les inconvénients de chacune des formes de financement auxquelles elle pourrait

avoir recours pour acheter le mobilier et les stocks d'ouverture et pour les comptes clients.

2. Quelle forme de financement lui proposeriez-vous pour le mobilier et les stocks d'ouverture et les comptes clients? Pourquoi?

2. Les sources de financement

Vos bons amis Alain, Bertrand, Charles et Daniel vous demandent votre avis sur le financement d'une concession d'automobiles. Ils doivent déterminer la méthode de financement de leurs stocks de voitures. Ils prévoient qu'il leur faudra garder en moyenne 100 véhicules neufs sur les lieux. Le contrat qu'ils ont signé avec le fabricant ne les oblige pas à faire appel aux services de la société de financement du fabricant. Ils se demandent s'ils devraient demander un prêt à une banque ou à un autre établissement financier.

Questions

1. Devraient-ils s'adresser à la société de financement du fabricant? Quels critères devraient-ils considérer pour cette décision? Pourquoi?

2. À quel genre d'établissement financier devraient-ils avoir recours éventuellement? Pourquoi?

3. Ont-ils omis de considérer d'autres sources de financement?

ANNEXE A

Le plan d'entreprise — la demande de crédit

La plupart des demandes de crédit adressées aux prêteurs s'appuient sur un plan d'entreprise. Cette annexe présente un résumé des éléments essentiels de ce plan. Bien que toutes les entreprises aient recours au plan d'entreprise, ce plan est plus particulièrement important pour les petites et les moyennes entreprises et pour les nouvelles. Le plan d'entreprise fournit au prêteur l'occasion d'étudier le potentiel d'une nouvelle entreprise. Comme celle-ci a peu d'années d'expérience, les méthodes d'analyse financière devront être modifiées en partie et les montants devront servir de base aux prévisions. Le plan d'entreprise doit justifier ces prévisions.

Les principales sections du plan d'entreprise sont: le résumé, la description de l'entreprise, l'analyse du marché, l'énoncé stratégique, les ressources humaines, l'estimation des fonds nécessaires et les renseignements financiers. Pour l'entreprise qui a besoin de fonds, le plan d'entreprise est l'outil dont elle se servira pour convaincre les pourvoyeurs des fonds, prêteurs ou investisseurs de capitaux propres, qu'elle sera rentable. Les emprunteurs devraient donc voir dans le plan d'entreprise un document de marketing.

Le résumé Le résumé du plan a pour but d'indiquer en une page, les éléments clés de la demande de crédit. Il comprendra : la mission de l'entreprise ; le produit ou le service qu'elle entend offrir, et les caractéristiques propres de ces derniers (s'il y a lieu) ; le marché potentiel prévu, y compris les concurrents actuels et possibles ; la formation des dirigeants de l'entreprise, leurs expériences et leurs talents ; une explication de la façon dont sera créé le produit ou le service ; les résultats financiers escomptés ; les fonds nécessaires et leur utilisation prévue ; et, enfin, une indication des bénéfices que les investisseurs pourraient réaliser, accompagnée d'une date approximative.

La description de l'entreprise Cette section du plan décrit brièvement l'activité de l'entreprise et les raisons qui la rendent attrayante. On devrait également y mentionner le produit ou le service offert et les clients éventuels. Les origines de l'entreprise, la date de son lancement, sa charte, ses principaux actionnaires, le financement qu'elle reçoit ou qu'elle entend fournir sont des éléments à indiquer dans cette section.

L'analyse du marché Cette section du plan a pour but de convaincre les pourvoyeurs de fonds possibles qu'il existe un marché pour le produit ou le service de l'entreprise, que cette dernière comprend les besoins des consommateurs et ce qui a de la valeur pour eux. Il va sans dire que le produit ou le service devra être vendu à un prix qui permettra à l'entreprise de faire des profits satisfaisants dans un avenir rapproché. Dans cette section, on devrait mentionner les principaux clients éventuels ou catégories de clients ainsi que leur motivation, expliquer en détail le comportement des clients éventuels en répondant aux questions clés (commençant par qui, quoi, où, pourquoi et quand), préciser l'importance actuelle et éventuelle du marché cible, énoncer clairement et justifier les tendances du secteur, les développements technologiques, les besoins changeants des clients et toute autre hypothèse clé à cet égard.

On devrait en outre nommer et analyser les concurrents actuels et éventuels et discuter de leurs forces et de leurs faiblesses. Il faudrait analyser leur part du marché sur le plan du produit ou du service, du soutien après-vente, des garanties et de toute autre caractéristique pouvant influencer la demande. On devrait aussi discuter de l'avantage concurrentiel du produit ou du service de l'entreprise, en termes simples, facilement compris par le profane. Cette section devrait aussi énumérer, de façon franche, les principales caractéristiques du produit ou du service, les brevets ou secrets commerciaux (sans en divulguer les détails) et les barrières à la concurrence. Pour tout produit soumis à la réglementation d'un organisme gouvernemental, l'état des demandes d'approbation devrait être mentionné. Enfin, on devrait signaler la façon de diversifier la gamme des produits de l'entreprise.

La stratégie Cette section du plan devrait faire état des marchés cibles et de leur division possible en secteurs. On devrait discuter ici des ventes prévues par périodes (semestres, années, etc.) et les justifier pour une durée d'au moins cinq ans. On a souvent recours à la courbe en «S» pour indiquer les débuts modestes des ventes d'un produit, suivis d'une augmentation rapide jusqu'au point culminant. Il importe de discuter des mesures prévues à ce moment-là. Si, par exemple, un produit amélioré est en voie d'être créé, on pourrait expliquer ses conséquences et se demander s'il sera commercialisé avant la fin du cycle de vie du produit initial, et si l'un des produits pourra être exporté dans des pays industrialisés et l'autre dans des pays du Tiers monde. Il est important d'énoncer la stratégie élaborée à cet égard en raison de ses conséquences sur les finances. En outre, la stratégie sur le prix du produit est également très importante puisqu'il faut accaparer une part du marché et la garder et que l'entreprise doit faire des profits pour continuer de fonctionner, en plus de rembourser son prêt.

Dans cette section, on devrait aussi indiquer comment le produit ou le service sera distribué. Si l'on entend faire appel à des distributeurs, il convient de préciser comment ils seront choisis et rémunérés. Si un personnel de vente direct se charge de la distribution, on doit alors mentionner le nombre de représentants nécessaires, la façon de les recruter et de les rémunérer ainsi que leur impact sur la croissance future de l'entreprise. Comme un fournisseur pourrait demander ces renseignements, il est conseillé de les donner dans cette section du plan d'entreprise. De plus, si l'on a des preuves du succès des ventes du produit, il est bon de les mentionner ici. Si, par exemple, un concurrent vend un produit semblable, il faut préciser le nombre de visites qu'il fait en moyenne pour conclure une vente et la taille de chaque vente. Enfin, il importe de mentionner la stratégie de l'entreprise en matière de publicité et de marketing, et de donner un compte rendu de ses installations de production, de sa technologie et de ses ressources humaines.

Les ressources humaines   Comme tous les investisseurs tiennent à avoir des renseignements sur les dirigeants de l'entreprise qui désire emprunter, il est bon d'énoncer brièvement dans cette section les tâches et les responsabilités de chaque directeur principal et les plus importantes réalisations de sa carrière. On peut même joindre en annexe le curriculum vitæ de certains dirigeants.

Si l'on constate que des membres de l'équipe n'ont pas toutes les compétences requises, on doit inclure des explications sur la façon dont on entend combler ces lacunes. Certains membres de l'équipe de direction pourront faire partie du conseil d'administration alors que d'autres seront des conseillers. D'ailleurs, on devrait aussi nommer tous les membres du conseil d'administration et mentionner leur contribution à l'entreprise.

De surcroît, on devrait donner des renseignements sur les méthodes de rémunération que l'entreprise entend utiliser. Nombre des entreprises canadiennes les plus prospères ont recours à la participation aux bénéfices. La participation aux bénéfices pourrait être un des facteurs dont dépendront l'obtention du financement initial et le rendement de l'entreprise. Par conséquent, si l'entreprise entend recourir à cette méthode, mieux vaut le souligner ici.

Les fonds nécessaires et les renseignements financiers On devrait énoncer clairement la somme d'argent nécessaire immédiatement et pour les cinq années subséquentes. Cette information devrait être accompagnée des bilans, des états des résultats, des états des mouvements de trésorerie et des analyses de rentabilité prévus.

Les chiffriers sur micro-ordinateurs ont aujourd'hui remplacé le bon vieux crayon, les feuilles à colonnes et la calculatrice. Ils comportent des colonnes et des rangées et ressemblent aux feuilles de ventilation utilisées autrefois par les comptables; ils peuvent avoir des dimensions beaucoup plus grandes si la capacité mémoire de l'ordinateur est suffisante. La matrice du chiffrier est composée de nombreuses cases, que l'on identifie par leur position sur la colonne et la rangée. Ainsi, la case A1 se trouve dans le coin supérieur gauche. Si l'on descend, en diagonale, à l'intersection de la deuxième colonne et de la deuxième rangée, on trouve la case B2, puis, en diagonale, en descendant, la case C3. Toutes ces cases peuvent contenir des données, des titres ou des formules, et lorsque l'on modifie une donnée du chiffrier, toute la matrice est recalculée presque instantanément. On peut donc utiliser à l'infini le même chiffrier qui permet en outre d'analyser facilement une situation éventuelle en changeant un ou plusieurs éléments pour constater ce qui pourrait alors arriver. La création et l'utilisation du chiffrier est un jeu d'enfant — il suffit d'introduire les données et de lire les résultats!

Les renseignements supplémentaires Les renseignements supplémentaires qui pourraient aider l'investisseur à prendre sa décision devraient être annexés au plan d'entreprise, qu'il s'agisse des curriculum vitæ de certains directeurs occupant un poste clé, de photos ou de dessins du produit ou de l'usine, de précisions sur les brevets et les études de marketing, particulièrement si elles ont été effectuées par des conseillers réputés.

Les autres exigences Le pourvoyeur de fonds exigera normalement que l'on remplisse ses propres formules. Toutefois, la plupart du temps, le plan d'entreprise contient tous les renseignements nécessaires pour que l'on puisse les remplir très rapidement. À une petite entreprise, le pourvoyeur demandera peut-être de fournir des renseignements sur la solvabilité des personnes qui y occupent un poste clé. Toute cette information constituera ensuite le dossier sur le prêt ou l'investissement, dossier qui servira au comité responsable des prêts ou au vérificateur interne du pourvoyeur de fonds.

CHAPITRE

18

PLAN

La monnaie
    Les caractéristiques de la monnaie
    Les fonctions de la monnaie
    Les motifs de la demande de monnaie

La masse monétaire
    Les cartes de crédit (monnaie plastique)
    Les cartes de débit (autre monnaie plastique)
    Le système canadien des paiements

La Banque du Canada
    Les fonctions de la Banque du Canada
    Le taux d'escompte
    La politique monétaire

Un point de vue : la politique monétaire — le relâchement
    monétaire pourrait avoir empiré la situation

Le système bancaire canadien
    Les banques à charte
    Le rôle des banques à charte

Les autres institutions financières
    Les sociétés de fiducie
    Les coopératives de crédit et les caisses populaires
    Les compagnies d'assurance
    Les sociétés de placement
    Les caisses de retraite

Les marchés financiers
    Les Bourses
    L'achat et la vente de valeurs mobilières
    Les actions
    Les obligations
    Les autres instruments financiers

Le marché financier international
    Le marché des eurodollars

Un enjeu commercial actuel : la victoire de Crow sur l'inflation
    vaut-elle son pesant d'or ?

Résumé

LA MONNAIE ET LES BANQUES

Les objectifs du chapitre

Après avoir lu le présent chapitre, vous pourrez :

1. décrire les caractéristiques et les fonctions de la monnaie ;
2. définir la masse monétaire du Canada ;
3. spécifier les activités de la Banque du Canada ;
4. spécifier les activités des banques à charte ;
5. indiquer les autres principaux types d'institutions financières ;
6. préciser le fonctionnement des marchés financiers nationaux et internationaux.

Un net ralentissement de la croissance de la masse monétaire a incité la Banque du Canada à réduire les taux d'intérêt en 1991. Cette année-là, le taux semestriel de cette croissance est tombé de 6,1 à 3,1 p. 100. Selon la Banque, ce recul confirme d'autres indices d'une reprise économique très hésitante. La lente croissance de la masse monétaire a donc constitué un facteur déterminant de la détente des conditions monétaires pendant l'année 1991, notamment pendant le second semestre. Le taux officiel d'escompte est tombé de 8,91 p. 100 à la fin de juillet à 7,67 p. 100 à la fin de décembre 1991[1].

LA MONNAIE

Par définition, la **monnaie** désigne tout ce qui est généralement accepté en paiement de biens

---

1. Revue de la Banque du Canada, janvier 1992.

et de services. La confiance que les tiers accepteront cette monnaie dans le cours normal des événements a toujours représenté une condition nécessaire à tout ce qui pouvait servir à ce titre. Autrefois, l'objet utilisé comme monnaie tendait à avoir une valeur intrinsèque, comme ce fut le cas de biens tels que l'or ou l'argent. Avec le temps, néanmoins, la monnaie-marchandise a fait place à la monnaie fiduciaire, que les gouvernements ont déclarée monnaie légale pour le paiement de l'impôt et l'exécution légale de contrats.

Les caractéristiques de la monnaie

Les plus importantes caractéristiques de la monnaie sont la transférabilité, la durabilité, la stabilité, la divisibilité et la contrefaçon quasi impossible.

La monnaie facilite les opérations; elle doit donc être facilement transportée d'une place à une autre, afin que les gens la prennent avec eux jusqu'à l'endroit où l'opération sera conclue. Comme elle sert à de nombreuses opérations, il est nécessaire qu'elle soit assez durable pour pouvoir passer d'une main à une autre avec le temps. Il faut que sa valeur soit stable, afin que les gens l'acceptent dans les échanges commerciaux. Ainsi, ils seront confiants de pouvoir la dépenser ultérieurement pour des marchandises qu'ils pourraient alors désirer. La monnaie doit également être facilement divisible afin que les gens puissent acheter ce qu'ils veulent, quand ils le veulent. Les anciennes pièces d'or espagnoles étaient préalablement marquées, afin de pouvoir facilement être divisées en huit. Ces pièces étaient en circulation dans le vaste territoire des débuts de l'Amérique du Nord. L'habitude de donner le cours des actions en huitièmes de dollars prouve bien que ces pièces ont laissé un souvenir durable dans notre vie. Finalement, les gens doivent avoir confiance en leur monnaie, et c'est pourquoi sa contrefaçon doit être rendue pratiquement impossible.

Les anciens rois apposaient leur portrait sur les pièces afin de vérifier la validité et le montant nominal de celles-ci. Cette mesure donnait confiance aux gens à une époque où peu savaient lire, mais où tous pouvaient reconnaître un visage ou un autre symbole. Le papier-monnaie moderne est protégé de la contrefaçon par l'utilisation de papiers spéciaux qui contiennent des particules de différentes couleurs. Le papier-monnaie canadien comprend maintenant des hologrammes. Les gouvernements supervisent, en général, l'impression du papier-monnaie et la frappe des pièces; la contrefaçon est pour eux un délit extrêmement grave. Ainsi, la confiance dans la monnaie nationale est renforcée et le gouvernement est protégé des escroqueries.

Les fonctions de la monnaie

La principale fonction de la monnaie est de servir de **moyen d'échange** qui élimine le système de troc, antérieur à cette dernière. De cette façon, celui qui veut vendre une vache n'a pas besoin de trouver quelqu'un qui dispose de la valeur équivalente en blé. Les deux personnes peuvent échanger leur marchandise contre de l'argent et acheter plus tard ce qu'elles souhaitent. La monnaie sert aussi bien d'**unité de compte** ou de dénominateur commun pour les opérations que de mesure de la valeur des biens et des services. Cette fonction de dénominateur commun permet aux gens de faire une comparaison éclairée d'articles différents. La monnaie fonctionne aussi comme **réserve de valeur** pour ceux qui ne veulent pas utiliser immédiatement tous leurs revenus. Ces personnes peuvent attendre d'avoir accumulé un montant suffisant avant d'effectuer un achat important. Afin que la monnaie remplisse la fonction de réserve de valeur, l'inflation doit être minime ou nulle. Des instruments financiers, tels que les obligations et les actions, peuvent aussi servir à cette fonction de réserve de valeur et générer plus de revenus à l'investisseur.

Les motifs de la demande de monnaie

Le motif primordial de la demande de monnaie est de faciliter les opérations. La spéculation et la précaution suivent immédiatement.

LA MASSE MONÉTAIRE

La **masse monétaire** du Canada consiste en monnaie (papier-monnaie et pièces) et en substituts de monnaie (comptes de chèques et autres comptes bancaires) rapidement convertibles en monnaie en contrepartie de frais minimes éventuels. La notion de masse monétaire recouvre tout ce qu'une société utilise pour remplir la fonction de moyen d'échange de la monnaie. La définition restreinte de notre masse monétaire contemporaine, M1, couvre les devises hors des banques et les dépôts à vue (avec privilège de chèques) détenus en banque par des particuliers. Dans la définition moins restreinte de la masse monétaire, M1A, figurent aussi les dépôts avec privilège de chèques, à intérêt quotidien et les dépôts à préavis non personnels en banque. La définition plus étendue, M2, comprend en outre les dépôts à préavis et à terme personnels en banque. Finalement, la définition la plus globale de la masse monétaire, M3, inclut en plus les dépôts à terme non personnels et les dépôts en devises (généralement, en dollars US) des résidents canadiens. M1 ou M1A indiquent le montant de monnaie utilisé pour effectuer des opérations. M2 et M3 illustrent les motifs de spéculation et de précaution.

Les cartes de crédit (monnaie plastique)

Dans notre société moderne, de plus en plus de gens utilisent une **carte de crédit** au lieu d'espèces. De nombreux Canadiens détiennent plus d'une carte de crédit. Cette dernière est très commode à utiliser. Les commerçants lui sont favorables, car elle leur évite les difficultés causées par les chèques sans provision et leur permet d'obtenir un règlement rapide. Ils doivent, toutefois, payer des frais qui varient de 2 à 4 p. 100 par vente à crédit. Les consommateurs qui utilisent une carte de crédit obtiennent en réalité un prêt consenti par l'émetteur de cette carte, puisqu'ils ne paient tous les achats correspondants qu'une fois par mois. La carte de crédit semble encourager certains à dépenser plus. Près de la moitié des utilisateurs règlent entièrement le solde mensuel de leur compte, alors que les autres ne paient qu'une petite part du solde mensuel et doivent payer des frais d'intérêt.

Les cartes de débit (autre monnaie plastique)

La plus récente nouveauté en matière de monnaie plastique est la **carte de débit**. L'usage de celle-ci n'est pas encore répandu à l'échelle nationale. La carte de débit ressemble à la carte de crédit puisqu'elle facilite elle aussi les achats, mais elle est différente d'elle du fait que le transfert des fonds entre le compte bancaire de l'acheteur et du vendeur a lieu instantanément. Ainsi, c'est vraiment un chèque en plastique rendu possible par la technique moderne.

Le système canadien des paiements

Jusqu'en 1980, l'Association des banquiers canadiens gérait le système des paiements. Les chèques présentés à l'encaissement dans des succursales bancaires étaient envoyés à des centres de compensation régionaux, en vue d'être remis aux banques correspondantes qui réglaient le solde impayé constaté entre elles. Comme les banques géraient le système, elles étaient payées par les autres institutions financières qui devaient compenser les chèques. La Loi sur les banques de 1980 a créé le système canadien des paiements, afin que les quasi-banques accèdent au système de compensation et que des normes standard soient établies. Le système est maintenant automatisé et effectue la compensation de plus d'une centaine d'institutions de dépôt membres parmi lesquelles figurent banques, coopératives de crédit, caisses populaires et sociétés de fiducie.

LA BANQUE DU CANADA

La Banque du Canada a été créée par la Loi sur la Banque du Canada de 1934. Cette loi résultait des recommandations favorables d'une Commission royale nommée en 1933. La Banque a réellement commencé ses activités en 1935. Elle est chargée de réglementer le crédit et la monnaie dans l'intérêt de la vie économique de la nation, de contrôler et de protéger la valeur de la monnaie nationale sur les marchés internationaux, pour atténuer, autant que possible, par l'action monétaire, les fluctuations du niveau général de la production, du commerce, des prix et de l'emploi, et de façon générale, pour favoriser la prospérité économique et financière du Canada[2]. Elle exerce son mandat en prenant des mesures de politique monétaire axées sur la masse monétaire.

Les fonctions de la Banque du Canada

Les fonctions de la Banque du Canada comprennent la politique monétaire, les rôles d'agent financier et de conseiller du gouvernement du Canada de même que de dépositaire du Compte de Fonds des changes. La Banque surveille également le processus de la compensation des chèques effectué par l'intermédiaire du Système canadien des paiements.

À titre d'**agent financier** du gouvernement, la Banque du Canada gère les fonds du gouvernement et vire des dépôts aux banques à charte dans le but d'atténuer les fluctuations indésirables des dépôts des banques à charte. La Banque du Canada effectue également des opérations sur le marché libre afin de modifier les fonds de réserve. Ces deux activités peuvent être quotidiennes, au besoin. La Banque du Canada vend aussi des titres du gouvernement chaque fois que ce dernier a besoin de recueillir des fonds sur les marchés financiers.

À titre de **dépositaire du Compte de Fonds des changes**, pour le gouvernement, la Banque du Canada gère les réserves en devises du gouvernement, ce qui influe sur le cours du dollar canadien, afin d'atténuer les fluctuations indésirables de ce cours, notamment par rapport au dollar US.

Le taux d'escompte

Le **taux d'escompte** est le taux que la Banque du Canada exige des banques à charte quand elles lui empruntent des fonds en vertu de son rôle de prêteur en dernier ressort. Depuis novembre 1980, le taux d'escompte a varié de 25 points de base (comme un point de base égale 1/100 p. 100, 25 points de base équivalent à 1/4 p. 100) au-dessus du rendement moyen des bons du Trésor à trois mois vendus aux enchères chaque jeudi. Il s'agit d'une politique de la Banque. La plupart des autres banques centrales dans le monde modifient le taux d'escompte, afin de signaler aux banques que les prêts sont plus ou moins désirés.

La politique monétaire

Les banques à charte détiennent des réserves, conformément à la loi, et par précaution. Les **réserves primaires** sont exigées par la loi en vue de l'exploitation d'une banque. Ces réserves

---

2. Rapport annuel, Banque du Canada, 1984.

primaires en espèces, non productives d'intérêts, doivent être confiées à la Banque du Canada, sous forme de pièces, de billets ou de dépôts. Elles doivent être égales à une moyenne mensuelle de 10 p. 100 du passif sous forme de dépôts à vue en dollars canadiens de la banque, de 2 p. 100 du passif sous forme de dépôts à préavis en dollars canadiens de la banque et de 3 p. 100 du passif sous forme de dépôts en devises des résidents canadiens. La Banque du Canada peut aussi exiger des **réserves secondaires**. Leur pourcentage, au cours des récentes années, a varié de 5 à 9 p. 100 du même passif mentionné ci-dessus. Ces réserves secondaires peuvent être composées d'une plus grande partie des mêmes éléments que les réserves primaires, ou elles peuvent comprendre des bons du Trésor ou des prêts au jour le jour consentis à des courtiers en valeurs mobilières autorisés. Il est donc possible que les banques tirent des revenus de ces réserves secondaires. En modifiant ces réserves, la Banque du Canada peut influer sur le montant des prêts bancaires, puisque le montant maximum des prêts qu'une banque peut octroyer représente un certain pourcentage des réserves de cette dernière. Par exemple, si les réserves obligatoires s'élèvent à 10 p. 100, les banques peuvent collectivement décupler le montant des dépôts à vue supplémentaires qu'elles reçoivent.

La Banque du Canada peut influer sur les dépôts bancaires, directement en gérant les dépôts du gouvernement ou indirectement en procédant à des achats et des ventes de bons du Trésor ou d'obligations gouvernementales sur le marché libre. Si la Banque du Canada achète des bons ou des obligations, les vendeurs déposeront probablement les fonds dans un compte bancaire, ce qui augmentera les dépôts bancaires et permettra aux banques de prêter davantage. Inversement, si la Banque du Canada vend des bons ou des obligations, les acheteurs régleront vraisemblablement par chèque tiré sur leur compte bancaire, ce qui réduira les dépôts bancaires. Si ces derniers diminuent, les banques à charte doivent, soit liquider certains de leurs investissements et réduire leurs prêts, soit accroître leurs dépôts en offrant des taux d'intérêt plus élevés aux clients potentiels. Cependant, cette manœuvre peut n'entraîner qu'un virement d'une banque à une autre au lieu d'injecter de nouveaux fonds qui se trouvent en dehors du système bancaire. Les banques qui ont besoin de fonds peuvent aussi emprunter à la Banque du Canada, au taux d'escompte. Si la Banque du Canada veut décourager davantage les banques, elle peut majorer le taux d'escompte.

UN POINT DE VUE   La politique monétaire — le relâchement monétaire pourrait avoir empiré la situation

La chasse à l'inflation, pratiquée par la Banque du Canada, à l'aide de taux d'intérêt élevés produit plus de critiques que de partisans. Mais les critiques ignorent où en serait actuellement notre économie si la banque centrale n'avait pas appliqué les freins sur la monnaie.

La Banque a réagi énergiquement face à l'inflation: le taux d'escompte a été porté à 14,05 p. 100 en mai 1990, soit 9 points au-dessus du taux d'inflation; l'écart entre le taux des bons du Trésor canadien et américain a atteint 5,5 p. 100; la croissance de la masse monétaire M1 a été ramenée à zéro, et la demande de prêts a réagi en conséquence.

Ce remède de cheval appliqué à la monnaie sur une très longue période a été nécessaire afin de ramener l'inflation aux alentours de 3 p. 100. À défaut de ce remède, il va de soi que l'inflation aurait été pire.

Mais l'économie n'aurait-elle pas été plus forte si la politique monétaire n'avait pas été aussi rigoureuse ?

D'instinct, il me semble que l'économie n'aurait été que légèrement plus forte. Somme toute, ce ralentissement est imputable à bien plus que le resserrement monétaire, le niveau élevé des taux d'intérêt et la force du dollar canadien : après sept ans d'accroissement vigoureux comparable à celui des pays les mieux placés du monde industriel, le Canada devait en arriver à un ralentissement.

Nous exportons le quart de notre produit intérieur brut vers les États-Unis dont l'économie connaît des difficultés. Les problèmes constitutionnels ont ébranlé la confiance. La mondialisation et les changements technologiques nécessitent une restructuration pénible. Au moment de la récession, les Canadiens, en moyenne, très bien approvisionnés en biens de consommation durables qui procuraient de nombreux emplois, comme dans le cas des voitures, ont pu facilement réduire leurs dépenses, sans nuire à leur niveau de vie. Nombre de nos entreprises à forte main-d'œuvre ne sont pas compétitives dans le monde en ce qui concerne les coûts, les prix et (ou) les produits. Les augmentations fiscales, à tous les paliers de gouvernement, ont absorbé le revenu net.

La récession a été sévère. Mais de nombreux critiques de la banque centrale ignorent que les taux d'intérêt sont tombés au plus bas niveau enregistré depuis des années. Ils ont aussi oublié que les effets positifs du relâchement monétaire et du bas niveau des taux d'intérêt ne sont pas immédiats.

Si la Banque du Canada n'avait pas réagi, le niveau d'endettement serait plus élevé. La demande de crédit ou de nombreuses denrées est excessivement sensible aux prix.

Il ne fait aucun doute que le fardeau d'endettement record qui pèse à tous les niveaux de notre économie constitue un obstacle considérable à la reprise. Un endettement excessif n'a jamais inspiré le genre de dépenses indispensables au maintien d'une économie florissante. Si le marasme caractérise notre économie, imaginez la situation si le fardeau de l'endettement avait été plus lourd.

Personne ne sait avec certitude où en serait notre économie avec des lignes de conduite différentes. Dans le débat, les critiques de la Banque du Canada doivent préciser les améliorations et les détériorations qu'aurait entraînées le relâchement monétaire.

Source : Traduit de John S. McCallum, « Easy Money Could Have Made Matters Even Worse », *The Financial Post*, 11 février 1992, p. 14.

LE SYSTÈME BANCAIRE CANADIEN

Le système bancaire canadien comprend des banques canadiennes et étrangères, exploitées au Canada. La Loi sur les banques de 1980 crée deux catégories de banques à charte. Dans la première catégorie, appelée initialement annexe A, puis annexe I, figurent les banques canadiennes, dont aucun propriétaire ne peut être étranger ni détenir plus de 10 p. 100 des actions en circulation. Dans la seconde catégorie se trouvent les autres banques, de l'annexe B devenue II, dont un actionnaire peut être majoritaire ou dont la propriété peut appartenir à des banques étrangères. Toutes relèvent du Bureau du surintendant des institutions financières.

Les banques à charte

Les cinq grandes banques canadiennes possèdent des succursales dans tout le Canada, et même la plus petite des autres banques a des succursales dans plus d'une province. On peut penser qu'elles se résument à un siège social qui fixe une ligne de conduite et contrôle toutes les activités de l'institution et à un réseau de succursales dans lesquelles s'exercent effectivement les activités bancaires quotidiennes. Toute succursale bancaire peut proposer, aux clients des petites localités, tous les services mis à la disposition des habitants des grandes villes. Tout ce qu'une succursale locale a besoin de savoir pour exécuter ses fonctions peut être obtenu du siège social ou d'une autre succursale. Ainsi, le réseau de succursales bancaires canadien peut offrir des services bancaires efficaces à la population disséminée dans ce vaste pays. Le tableau 18.1 indique l'importance de l'actif et des dépôts des principales banques à charte du Canada.

Le rôle des banques à charte

Les banques à charte ont pour principales fonctions d'accepter des dépôts, de consentir des prêts et d'effectuer des investissements. Les dépôts, qui représentent un élément de passif des banques, entrent dans deux catégories de base : avec ou sans privilège de chèques. Les dépôts à vue avec privilège de chèques constituent la catégorie la plus importante de dépôts bancaires, permettent le tirage inconditionnel de chèques, forment la majeure partie de la masse monétaire d'une nation et servent normalement de moyens d'échange. Les dépôts à vue sans privilège de chèques exigent du déposant, soit qu'il accepte de confier l'argent à la banque pendant une durée déterminée, d'où leurs désignations de dépôts à échéance déterminée ou à terme, soit qu'il donne un préavis de retrait du dépôt à la banque, d'où l'appellation de dépôts à préavis ; en général, comme les banques renoncent au préavis, les retraits peuvent avoir lieu à n'importe quel moment ; finalement, ces dépôts servent d'habitude de réserve de valeur.

La principale activité des banques consiste à prêter des fonds surtout aux entreprises, mais lorsque la demande de prêts est insuffisante, les banques investissent dans des obligations à risque minime. Comme il leur est parfois nécessaire de vendre ces obligations afin de consentir des prêts, elles subissent souvent des pertes à cette occasion si les taux d'intérêt sur le marché ont augmenté depuis l'achat des titres.

LES AUTRES INSTITUTIONS FINANCIÈRES

En plus des banques à charte, les quasi-banques acceptent aussi les dépôts, de même que d'autres établissements consentent des prêts. Les quasi-banques comprennent les sociétés de fiducie, les coopératives de crédit et les caisses populaires. Les autres établissements incluent les compagnies d'assurance, les sociétés de placement et les caisses de retraite.

TABLEAU 18.1
Banques à charte

Données de 1991 (en milliers de $)	Annexe	Actif	Dépôts
La Banque Royale du Canada	A	132 352 007 $	105 022 395 $
Banque Canadienne Impériale de Commerce	A	121 025 145	95 471 180
Banque de Montréal	A	98 724 504	82 788 697
Banque Scotia	A	88 714 601	67 033 997
Banque Toronto Dominion	A	68 905 387	54 672 549
Banque Nationale du Canada	A	36 457 206	29 987 263
Banque de l'Ouest du Canada	A	485 554	428 165
Banque Laurentienne du Canada	B	6 989 723	6 330 666

Source : Traduit de Stock Guide (C.P. 160, Williamstown, [Ontario] K0C 2J0)

Les sociétés de fiducie

Le Canada et l'Australie sont les seuls pays à avoir séparé leurs sociétés de fiducie de leurs banques à charte. Cette séparation peut, du moins en partie, être attribuable à la reconduction périodique de la charte des banques au Canada, phénomène unique à ce pays. Le renouvellement de la charte des sociétés de fiducie serait peu souhaitable, étant donné que les opérations qui concernent les fiducies et les successions s'étendent sur une très longue période. Un autre avantage de la séparation réside dans l'élimination de tout éventuel conflit d'intérêt. Le tableau 18.2 indique l'importance de l'actif et des dépôts des principales sociétés de fiducie du Canada.

Le rôle des sociétés de fiducie

Les sociétés de fiducie ont pour principales fonctions d'accepter des dépôts, de remplir des fonctions fiduciaires, de consentir des prêts et d'effectuer des investissements. Elles sont caractérisées par leurs opérations de succession, de fiducie et de mandataire. En cette qualité, elles proposent des services de fidéicommis aux particuliers et aux entreprises.

Les opérations de succession sont déclenchées au décès d'une personne qui possédait des biens. Ces derniers représentent la succession du défunt. Nous avons évidemment besoin d'un certain système destiné à transférer ces biens aux survivants, de façon ordonnée. Le testament du défunt indique habituellement comment effectuer la répartition ; les personnes que l'on dit décédées intestat sont celles qui n'ont pas laissé de testament, et les lois provinciales précisent alors la répartition des biens entre les héritiers. Dans les deux cas, les biens de la succession doivent être regroupés, les impôts correspondants, payés, et si des héritiers sont mineurs ou incapables, leur part des biens doit être administrée pour eux. L'exécuteur testamentaire, qui est une personne physique ou une société de fiducie, gère l'administration de la succession. La société de fiducie nommée exécutrice testamentaire présente les avantages d'une solide expérience et d'une présence vraisemblablement continuelle, dans le domaine. Elle perçoit des honoraires en contrepartie de ses services en matière de succession.

La fiducie est un contrat entre un auteur (ou disposant) et un fiduciaire qui applique les conditions du contrat, au bénéfice de quelqu'un d'autre, le bénéficiaire. Les fiducies peuvent être établies par des personnes vivantes (fiducies entre vifs) ou par un testament (fiducies testamentaires). Les catégories sans doute les plus connues de fiducies sont les régimes de retraite

TABLEAU 18.2
Sociétés de fiducie

Données de 1991 (en milliers de $)	Actif	Dépôts
Royal Trustco	37 600 000 $	29 490 000 $
Canada Trust	35 827 606	33 501 421
Société Nationale de Fiducie	16 599 804	15 639 015
Trust Central Guaranty	12 726 092	11 710 215
Montréal Trust	12 549 455	11 793 305
Trust Général	5 608 971	5 163 821
Fiducie Desjardins	3 181 959	2 150 685

Source : Traduit de Stock Guide (C.P. 160, Williamstown, [Ontario] K0C 2J0)

en fiducie qui correspondent aussi bien aux régimes de retraite agréés (RRA) créés par les entreprises au bénéfice de leurs employés qu'aux régimes enregistrés d'épargne-retraite (REER) auxquels les particuliers peuvent souscrire. Toute société de fiducie reçoit des honoraires en contrepartie de ses services en matière de fiducie.

Les opérations de mandataire s'adressent aux personnes physiques ou morales telles que les sociétés ou les organismes gouvernementaux, qui recherchent des services de gestion de placements. Ces services peuvent aller des simples comptes de dépôt de titres, ouverts en raison du portefeuille de placements de riches clients, jusqu'aux services d'orientation en matière de placements plus élaborés qui peuvent comprendre des services de gestion de portefeuilles de placements, à discrétion.

Les sociétés de fiducie agissent à titre d'agents de transfert des sociétés ouvertes, c'est-à-dire qu'elles gardent trace des actionnaires d'une société et effectuent le transfert de propriété chaque fois que des actions sont vendues. Elles annulent les anciens certificats d'actions, en émettent de nouveaux, versent des dividendes, envoient les rapports annuels, notamment. Dans la plupart des territoires, les lois en matière de titres exigent que ce genre d'activités soit effectué par des tiers afin de prévenir une émission excédentaire d'actions ou tout écart de l'ordinaire.

Les sociétés de fiducie servent aussi de fiduciaires pour l'émission d'obligations et de débentures des sociétés et des gouvernements. Elles se chargent du versement des intérêts relié à toutes les catégories d'émissions d'obligations, reçoivent, de l'émetteur, le montant total à verser et envoient le montant correspondant à chaque détenteur d'obligations. Même si la plupart des obligations sont émises au porteur et qu'aucune trace n'est gardée de leurs détenteurs, les sociétés de fiducie servent d'agents comptables des registres, lorsque des obligations émises sont immatriculées. De plus, les sociétés de fiducie sont en quelque sorte les « protectrices » des investisseurs qui détiennent des obligations et elles s'assurent que l'émetteur respecte toutes les stipulations du contrat synallagmatique en ce qui concerne l'émission. En général, une société de fiducie ne peut pas agir à titre de fiduciaire relativement à l'émission d'obligations de rangs différents du même emprunteur, car les intérêts du détenteur d'une émission peuvent ne pas être compatibles avec les intérêts du détenteur d'une émission différente.

Les coopératives de crédit et les caisses populaires

Les coopératives de crédit et les caisses populaires sont des institutions financières qui appartiennent à leurs clients. Elles ont un caractère unique du fait que ce sont des coopératives d'achat qui exigent un certain lien commun comme préalable à l'adhésion. Ce dernier peut être relié à la profession (similarité d'emplois ou d'employeur) ou encore à la résidence (ville, comté ou province déterminés). Alphonse Desjardins, à Lévis, au Québec, a créé la première caisse populaire en 1900. De nos jours, les coopératives de crédit se retrouvent dans tout le Canada, alors que les caisses populaires sont principalement situées au Québec, dans l'est de l'Ontario et au Manitoba. Il s'agit d'institutions à charte provinciale. Selon les estimations, ces établissements desservent près du tiers de la population du Canada, même s'ils ne possèdent que près de 5 p. 100 des avoirs financiers du pays. Leur client moyen n'est donc pas riche.

Les coopératives de crédit et les caisses populaires reposent notamment sur ces principes importants : l'adhésion ouverte à tous ceux qui font partie du groupe d'adhésion potentiel caractérisé par un lien commun, un vote par membre, l'encouragement à être économe, et les membres reçoivent une formation sur les sujets financiers.

Les principales fonctions de ces quasi-banques comprennent l'acceptation des dépôts des membres, l'octroi de prêts aux membres et l'investissement des fonds non utilisés. Les coopératives de crédit et les caisses populaires appartiennent à des centrales provinciales qui appartiennent, à leur tour, à des organismes nationaux et internationaux, qui s'entraident donc.

Les coopératives de crédit et les caisses populaires sont essentiellement des institutions où les économies des membres sont déposées. Elles proposent également des comptes de chèques et d'épargne. Dans ces institutions, les dépôts sont assurés par un organisme provincial, et depuis plus de 80 ans que cette assurance existe, aucun membre n'y a jamais perdu un cent.

La plupart des actifs de ces coopératives sont constitués de prêts hypothécaires résidentiels et de prêts à la consommation, consentis aux membres. L'adhésion aux coopératives de crédit

et aux caisses populaires fondée sur un lien commun est censée réduire le coût de l'obtention de renseignements sur le crédit, et ainsi les pertes sur créances irrécouvrables sont réduites au minimum. Lorsque la demande de prêts est insuffisante, des placements temporaires sont effectués dans des obligations, surtout celles des gouvernements fédéral et provinciaux, de même que des municipalités.

Les coopératives de crédit et les caisses populaires ont souvent été les premières à proposer des services financiers novateurs. Elles ont inauguré les comptes d'épargne à intérêt quotidien et les cartes de débit, des années avant les banques à charte et les sociétés de fiducie. Bien avant les autres institutions financières, elles proposaient des versements hypothécaires hebdomadaires. Elles ont introduit les guichets automatiques. Leur plus récent service novateur est la planification financière personnelle. Le coût de ce service est maintenu à un niveau raisonnable grâce à l'utilisation d'un micrologiciel conçu exclusivement pour les besoins de ces institutions. L'un des principaux avantages d'un tel service consiste à organiser clairement, en un seul lieu, tous les renseignements d'ordre financier d'une personne. Bien entendu, des concurrents dans ce domaine se sont manifestés ; d'autres institutions financières et des cabinets d'experts-comptables ont commencé à offrir cette sorte de service.

Les compagnies d'assurance

Les compagnies d'assurance choisissent le risque à assurer, perçoivent le montant des primes pendant un certain temps et investissent ces fonds jusqu'à ce qu'un décaissement doive être effectué. Ce décalage peut correspondre à de nombreuses années dans le cas des compagnies d'assurance vie ou à une période bien plus courte en ce qui concerne les compagnies d'assurance incendie, accidents et risques divers. À l'instar d'autres institutions financières, les compagnies d'assurance doivent choisir leurs éléments d'actif afin de concilier ces montants avec les engagements de ces dernières. La durée de ceux-ci peut être très longue ou très courte (au maximum un an, de plus en plus, six mois), selon qu'il s'agit respectivement de compagnies d'assurance vie ou de compagnies d'assurance incendie, accidents, risques divers. Ces trois catégories de compagnies d'assurance s'opposent ainsi à leurs concurrents dans le marché des prêts à moyen et à long terme pour la première catégorie, et aux banques dans le marché des prêts à court terme pour les deux dernières catégories. Les compagnies d'assurance sont de très grandes entreprises. À la fin de 1990, les Canadiens possédaient 1,2 billion de dollars en assurance vie. En 10 ans, l'assurance individuelle moyenne a plus que doublé et a atteint 74 800 dollars[3].

Les sociétés de placement

Les sociétés de placement sont des sociétés comme les autres. Elles ne produisent pas d'extrants tangibles, mais affectent tous leurs fonds à l'achat de titres d'autres sociétés. Si elles veulent utiliser des fonds empruntés, elles doivent être enregistrées en vertu de la Loi sur les sociétés d'investissement. Elles sont alors supervisées par le surintendant des assurances. Elles peuvent être à capital fixe ou variable. Même si l'expression **sociétés de placement**, assez générale, inclut ces deux catégories, elle sert souvent à ne désigner que celles qui sont à capital fixe. Les autres sont habituellement appelées **sociétés de fonds mutuel** afin de faire la distinction entre les deux catégories. Sauf précision nécessaire, dans le présent chapitre l'expression « société de placement » couvrira les deux réalités.

Une société de placement **à capital fixe** est une société qui, à l'instar de toute autre société, a un nombre déterminé d'actions autorisées. Une fois les actions vendues, aucune autre ne peut être émise, et les actions en circulation sont négociées comme toutes les autres actions, soit hors cote, soit en bourse. Les courtiers en valeurs mobilières reçoivent les mêmes commissions sur ces opérations qu'avec toutes autres actions. Comme un grand nombre de ces sociétés de placement à capital fixe sont inscrites dans diverses Bourses, les investisseurs peuvent acheter et vendre les actions correspondantes, à leur gré, ce qui en fait un placement d'une très grande liquidité. Comme les sociétés de placement investissent la totalité ou la quasi-totalité de leurs fonds dans des valeurs de portefeuille, on pourrait penser que le cours de leurs propres actions égalerait celui de leurs valeurs de portefeuille mais, à la vente, il est souvent inférieur et pourrait être supérieur. Les investisseurs peuvent perdre si un cours supérieur devient inférieur ou si un cours inférieur baisse davantage après qu'ils ont effectué un investissement. Voilà peut-être la raison pour laquelle les sociétés de placement à capital fixe n'ont pas le même succès que les sociétés de placement à capital variable.

Une société de placement à capital variable, ou société de fonds mutuel, a un nombre considérable d'actions autorisées, de sorte qu'elle peut continuellement vendre de nouvelles actions. Depuis quelques années, de nombreux investisseurs se sont intéressés aux fonds mutuels. L'actif de ces derniers atteignait 52,8 milliards de dollars en janvier 1991, et depuis janvier 1990, les ventes nettes de fonds mutuels ont bondi de 377 p. 100[4].

Le cours vendeur de la plupart des actions de fonds mutuels est fixé deux fois par jour à la valeur liquidative des valeurs de portefeuille. Le

---

3. Rapport de l'Association canadienne des compagnies d'assurance de personnes. (Pour de plus amples renseignements sur l'assurance, consulter le chapitre 19.)

4. Institut des fonds d'investissement du Canada.

cours des actions d'autres fonds est déterminé une fois seulement par semaine. Certains fonds mutuels, dits **sans frais d'acquisition** du fait qu'aucune commission de vente n'est facturée, vendent les actions à la valeur liquidative. Toutefois, la plupart des fonds mutuels exigent des **frais d'acquisition** sur les premiers versements. Dans ce dernier cas, une commission de près de 9 p. 100 est généralement facturée à l'investisseur au moment de l'achat des actions. Toutefois, certains fonds assortis d'une commission de seulement 2 ou 3 p. 100 sont dits à frais peu élevés. Les gestionnaires de ces fonds estiment que leurs frais moindres constituent un avantage concurrentiel. Le fonds mutuel verse en fait, au vendeur, la majeure partie de la commission quelle qu'elle soit. Lorsque l'investisseur se départ ultérieurement de ses actions d'un fonds mutuel assorti ou non de frais d'acquisition, aucune commission n'est généralement facturée. Les fonds mutuels rachètent d'habitude les actions à la valeur liquidative à leurs actionnaires qui veulent liquider leur investissement. Certains fonds mutuels réclament un montant forfaitaire de un à cinq dollars, à titre de frais d'administration, à la clôture du compte.

Depuis peu, il existe des fonds de rachat pour lesquels des frais d'acquisition ne sont pas perçus sur les premiers versements au moment de l'achat, mais des frais de rachat sont imposés quand l'investisseur vend. Dans de nombreux cas, le cours vendeur sera supérieur au cours acheteur, et la commission, qui représente un pourcentage du prix de vente, sera donc plus élevée. Ces frais de rachat peuvent décourager les investisseurs à vendre. Certains fonds mutuels comportent des frais de rachat dégressifs d'année en année jusqu'à, en général, zéro la dixième année, ce qui représente un encouragement évident à l'intention des investisseurs à long terme.

Les avis sont partagés quant à savoir quel type de fonds mutuel est le meilleur pour les investisseurs: frais d'acquisition inexistants, peu

élevés ou ordinaires. Toutes choses égales par ailleurs, il est évident que le fonds sans frais d'acquisition sera le plus avantageux. Or, les vendeurs de fonds assortis de frais affirment bien sûr que leur rendement est meilleur que les autres, ce qui justifie ces frais supplémentaires. Néanmoins, certains fonds sans frais d'acquisition affichent un rendement très bon, tout comme il existe des fonds sans frais qui ne sont pas des plus rentables. Et, bien que les investisseurs se préoccupent uniquement de l'avenir, il reste que le passé nous permet d'établir un jugement objectif sur certains choix.

Quand on confie la gestion d'un portefeuille à une société de placement, on doit payer certains frais, qui correspondent habituellement à environ 1 p. 100 de la valeur de l'actif annuel. Par conséquent, ces frais augmentent en même temps que la valeur du portefeuille, en raison de nouveaux placements ou d'un bon rendement.

Les caisses de retraite

La plupart des employeurs, qu'ils soient du secteur privé ou public, offrent un régime de retraite à leurs employés. L'employeur doit décider de la nature générale du régime, des contributions annuelles et des politiques de gestion de l'actif du régime. Pour leur part, les employés peuvent, par l'entremise de leur syndicat, négocier une partie ou l'ensemble de ces points. Naturellement, les lois fédérales et provinciales définissent le genre de régimes qui peuvent être offerts et les limites dans lesquelles les gestionnaires peuvent œuvrer. Un régime de retraite type est un contrat qui promet aux employés une forme de revenu stable pendant leur retraite. Ces revenus, les rentes des employés, constituent le passif de la caisse de retraite, qui doit disposer d'un actif assez important pour accorder ces rentes. Les régimes de retraite financés par les employeurs, qui répondent aux exigences de Revenu Canada et qui sont enregistrés comme tels, reçoivent l'appellation de régimes enregistrés de retraite (RER), et les contributions annuelles sont déductibles d'impôt pour l'employeur et pour l'employé.

Le régime de retraite à **prestations déterminées** permet à chaque retraité de percevoir des prestations particulières, établies selon une formule comprise dans le régime de retraite. Cette formule est habituellement fondée sur le salaire de la dernière année de service de l'employé, bien que parfois on ait recours à une moyenne du salaire gagné au cours d'une période de trois ou cinq ans (le salaire le plus élevé de l'employé). Ce montant est alors multiplié par un facteur d'ordinaire établi selon les années de service, comme 2 p. 100 par année de service, pour déterminer le montant de la rente annuelle, qui est ensuite versée mensuellement, à titre de rente fixe ou indexée. Ces versements peuvent être faits par des compagnies d'assurance ou des société de fiducie.

Par exemple, le gouvernement du Canada offre un régime de retraite à prestations déterminées à ses employés, qui utilise la formule suivante : la rente annuelle correspond à 2 p. 100 de la moyenne du salaire annuel de l'employé établie pour les 6 meilleures années de service consécutives, multipliée par le nombre d'années de service, jusqu'à concurrence de 35. Ainsi, si le salaire annuel moyen d'un employé au cours de ses 6 meilleures années de travail était de 50 000 $ et que cette personne avait travaillé pendant le nombre d'années maximal de 35 ans, ses rentes annuelles seraient de 35 000 $. Ces prestations seraient versées mensuellement et ne seraient actuellement que partiellement indexées en fonction de l'inflation. On cite souvent ce régime en exemple aux employeurs du secteur privé. La plupart de ces derniers offrent des régimes similaires, mais ils ne prévoient encore aucune mesure d'indexation systématique des rentes de retraite en fonction de l'inflation.

Avec un régime de retraite à prestations déterminées, le montant des prestations est habituellement établi au moment de la retraite de l'employé, ce qui expose celui-ci à un risque d'inflation si les prestations ne sont pas indexées. Pour sa part, l'employeur prend des risques avant la retraite de ses employés, puisque les prestations sont précisées dans le contrat établi entre les employés et l'employeur. D'autre part, l'employeur peut aussi prendre un certain risque après la retraite des employés, si le contrat du régime de retraite prévoit des mesures d'indexation des prestations. On peut diviser les risques de l'employeur en deux catégories : une incertitude quant aux contributions annuelles à la caisse, et des conséquences négatives possibles sur les cours des actions ordinaires de l'entreprise si les investisseurs s'inquiètent de l'existence d'une dette non provisionnée.

La contribution annuelle de l'employeur peut aussi se diviser en trois : le montant nécessaire au financement des prestations de retraite futures accumulées au cours d'une période comptable particulière, les contributions qui doivent être faites pour compenser tout financement antérieur inadéquat et le montant nécessaire pour contrebalancer toute différence imprévue des hypothèses actuarielles utilisées pour le calcul de la valeur actuelle de l'actif de la caisse de retraite. Ces hypothèses, en plus du taux d'actualisation, correspondent, d'une part, aux hypothèses de décrément, selon lesquelles on prévoit le nombre d'employés actuels qui deviendront invalides, qui prendront leur retraite ou qui décéderont et, d'autre part, aux hypothèses des salaires ultérieurs, qui prévoient le nombre d'employés actuels qui recevront un salaire annuel jusqu'à ce qu'ils soient admissibles à recevoir des prestations de retraite. Il va sans dire que ces prévisions salariales ont une grande influence sur la solidité du régime de retraite sur le plan actuariel.

Le régime de retraite à **cotisations déterminées** établit les contributions que feront l'employeur et l'employé au régime, s'il s'agit d'un régime contributif. Les prestations de retraite versées sont déterminées selon l'actif du régime de retraite, qui dépend des contributions de l'employé. Il est donc impossible de connaître à l'avance la valeur de ces versements. Par exemple, un régime de retraite à cotisations déterminées peut prévoir que l'employé et l'employeur contribuent chacun l'équivalent de 7,5 p. 100 du salaire de l'employé, à chaque année. Cet argent est investi dans la caisse de retraite et au moment où la personne prend sa retraite, elle reçoit une rente variable. Avec ce genre de régime, les employés prennent donc tous les risques puisqu'ils ne peuvent connaître la valeur de leur rente avant de prendre leur retraite. Cependant, ils sont tout de même protégés contre l'inflation pendant leur retraite puisque la rente qu'ils recevront sera fondée sur la valeur du portefeuille du régime de retraite, et que la valeur de toutes les actions ordinaires aura tendance à augmenter en même temps que l'inflation. Les dividendes des actions devraient également augmenter au même rythme que l'inflation.

Le régime de **participation aux bénéfices** est un autre genre de régime de retraite à cotisations déterminées dans le cadre duquel les contributions dépendent des profits de l'employeur. Il peut être offert seul ou avec l'un des deux régimes de base. Par exemple, il serait possible de donner 10 p. 100 des profits avant impôt comme contribution à un régime de retraite, comme s'il s'agissait d'un régime à cotisations déterminées et de permettre aux retraités d'en tirer profit de la même façon.

Près de 60 p. 100 de tous les régimes de retraite enregistrés du Canada, offerts à quelque 94 p. 100 des membres de régimes de retraite financés par leur employeur du secteur privé, sont des régimes de retraite à prestations déterminées. Plus de 4 p. 100 des membres de régimes de retraite ont un régime à cotisations déterminées. Les autres sont des régimes de participation aux bénéfices. On observe actuellement une tendance des entreprises à opter davantage pour le régime de retraite à cotisations déterminées.

LES MARCHÉS FINANCIERS

Les marchés financiers réunissent les unités économiques qui enregistrent un déficit et celles qui ont un excédent de fonds. Dans une économie développée comme celle du Canada, on peut catégoriser les marchés financiers de nombreuses façons. Ces marchés traitent d'éléments d'actif financiers comme les obligations, les actions, les billets, les hypothèques et d'autres types d'effets financiers. Chaque marché a habituellement son propre type de titres, s'adresse à une catégorie de clients particulière ou est établi dans une région particulière du pays, du continent ou du monde. Nous aborderons certains des plus importants marchés financiers existants.

Les **marchés monétaires** sont des marchés destinés aux titres d'emprunt à court terme (dettes dont l'échéance ne dépasse pas un ou deux ans), habituellement à risque peu élevé. Le marché monétaire canadien est très dispersé sur le plan géographique, en raison, bien sûr, de l'étendue de notre pays, mais aussi parce que la grande partie de l'activité monétaire a lieu dans ses plus grandes villes, soit Toronto, Montréal et Vancouver. Sur le continent nord-américain, c'est à New York que se trouve le plus grand marché monétaire, qui est aussi le plus important du monde. Et toutes ces villes, ainsi que de nombreuses autres aux quatre coins du monde, sont reliées entre elles par des réseaux de télécommunications.

Les opérations des marchés monétaires mettent en jeu de grandes sommes d'argent (les opérations les moins importantes sont habituellement de l'ordre de un million de dollars), qui sont traitées pendant de courtes périodes, soit une nuit, une semaine ou quinze jours. Il est donc essentiel que les participants se fassent confiance, ce qui explique pourquoi ce sont les banques qui se chargent de ces opérations, en leur nom ou au nom de leurs clients.

Les **marchés des capitaux** sont quant à eux destinés aux titres d'emprunt et aux titres de participation à long terme (dont l'échéance est supérieure à un an), comme les actions ordinaires et les actions privilégiées. Il peut s'agir de marchés très bien organisés, telles les Bourses, ou de marchés moins officiels, qui permettent l'échange de titres hors cote, tel le marché monétaire. On peut également classer les marchés financiers par genre d'opérations, par type de client ou par emplacement géographique. Ainsi, les **marchés des options** ont trait aux options, les **marchés à terme** aux contrats à terme et les **Bourses de marchandises** traitent de contrats de marchandises. De même, les **marchés hypothécaires** ont pour objet les hypothèques pour tous les genres de biens immobiliers et les marchés du **crédit à la consommation** concernent les prêts sur les biens de consommation durables.

Il existe en outre des marchés mondiaux, continentaux, nationaux et régionaux qui sont, grâce aux progrès de la technologie, de plus en plus interreliés. Les **marchés au comptant** permettent l'échange d'éléments d'actif au comptant (immédiatement ou dans l'espace de quelques jours), alors que les **marchés à terme** permettent l'échange d'éléments d'actif à une date ultérieure convenue (comme le mois suivant ou l'année suivante). Les **marchés primaires** sont des marchés de détail dans lesquels les titres nouvellement émis sont vendus pour la première fois au profit des émetteurs. En revanche, les **marchés secondaires** traitent d'opérations relatives aux titres en circulation (qui appartenaient auparavant à des acheteurs qui se les étaient procurés dans un marché primaire). Les plus importants marchés secondaires sont les Bourses des valeurs mobilières.

Les Bourses

Au Canada, les principales Bourses des valeurs mobilières sont situées à Toronto, à Montréal, à Winnipeg, à Calgary et à Vancouver. Ces cinq Bourses constituent le sixième marché des valeurs mobilières en importance au monde par

valeur. Au cours des dix dernières années, les actions canadiennes sont celles qui ont affiché la plus faible hausse de toutes les grandes Bourses du monde.

La Bourse de Toronto (TSE) est de loin la plus importante, puisqu'elle est le théâtre de l'échange d'environ 80 p. 100 de toutes les actions du Canada. Le principal indice du cours de ses actions, l'indice composé TSE 300, a fait son entrée en 1977, avec une valeur de référence à 1000, qui a atteint 3512 à la fin de 1991. Il s'agit d'un indice arithmétique de pondération par capitalisation des 300 plus importantes actions (environ 70 p. 100 par valeur) échangées à la Bourse de Toronto.

La plus grande partie de l'échange des autres actions au Canada a lieu aux Bourses de Montréal et de Vancouver. Celles de Calgary et de Winnipeg agissent principalement comme Bourses des valeurs régionales pour les industries agricole et du secteur primaire qui sont situées dans les provinces de l'Ouest. Winnipeg est d'ailleurs la principale Bourse des marchandises du Canada. Quant aux options, elles sont négociées à Toronto et à Montréal, alors que les contrats à terme le sont à Toronto.

Malgré leur nom, les Bourses de valeurs mobilières ne permettent pas uniquement l'échange de ce genre de titres. Certaines Bourses utilisent même des nominations différentes pour préciser leur fonction, telle Toronto, dont le marché des valeurs mobilières est divisé entre la Bourse de Toronto (TSE) et le Toronto Futures Exchange (TFE, soit le marché à terme).

L'achat et la vente de valeurs mobilières

bonds originally

Les courtiers en valeurs mobilières facilitent l'achat et la vente de titres dans les marchés primaires et secondaires. À l'origine, ces courtiers correspondaient à des organismes indépendants, principalement des sociétés en nom collectif, mais la plupart constituent aujourd'hui des sociétés qui sont la propriété de banques. Ils continuent néanmoins de mener leurs activités dans des bureaux distincts. Les courtiers en valeurs mobilières effectuent la plus grande partie de leurs affaires par téléphone, après avoir rencontré une fois leurs clients pour l'ouverture de leurs comptes. Les investisseurs peuvent donc téléphoner à leurs courtiers pour leur donner l'ordre de vendre ou d'acheter des actions, au cours du marché ou à un cours particulier. Un ordre de Bourse au cours du marché sera exécuté par le courtier aussitôt que possible, au meilleur cours qui soit. En revanche, un ordre à un cours particulier sera mis de côté par le négociant, jusqu'à ce que les cours aient atteint la cote désirée, auquel moment l'ordre sera exécuté. Aussitôt la transaction accomplie, le négociant en avisera le courtier, qui lui, téléphonera à son client. Généralement, une confirmation écrite de la transaction sera envoyée immédiatement. Tout versement doit être effectué dans un délai de cinq jours ouvrables.

La vente à découvert est un processus selon lequel on vend un titre avant même de l'avoir acheté, en espérant une baisse du cours dans un délai rapproché, de façon à alors acheter le titre à un cours moindre, à profit. Cette transaction est le contraire de la transaction à couvert, plus courante, selon laquelle la valeur est d'abord achetée puis vendue à un cours que l'on espère plus élevé. Les ventes à découvert ont régulièrement lieu pendant les périodes de baisse des cours.

Les actions

Les investisseurs achètent des actions pour en percevoir des dividendes et dans l'espoir de réaliser un gain en capital futur, au moment de la vente des actions à un cours plus élevé que son cours acheteur. Malheureusement, ce ne sont pas tous les investisseurs qui atteignent leur but.

Toutes les actions représentent les titres de propriété d'une société. Elles peuvent être de deux catégories : les actions privilégiées et les actions ordinaires. Les actionnaires reçoivent des dividendes, à condition que les membres du conseil d'administration de la société aient voté en ce sens. Le non-paiement de dividendes n'entraîne pas la faillite d'une entreprise. Le conseil d'administration doit se rencontrer à l'occasion, habituellement chaque trimestre, pour voter le paiement des dividendes, qui, selon la loi, ne doivent être versés qu'à partir des bénéfices actuels et non répartis. Ces bénéfices correspondent à l'argent qui reste après le paiement de tous les frais, tels que l'intérêt et les impôts ; les dividendes sont donc versés à partir du revenu net.

Les dividendes des actions privilégiées doivent être versés avant ceux des actions ordinaires. Les dividendes privilégiés sont habituellement distribués d'une façon analogue aux obligations, en ce sens que les actions privilégiées ont généralement une valeur nominale et une valeur de dividende attribuée, ou, s'il n'y a aucune valeur nominale, un montant de dividende en dollars. (Les sociétés peuvent être constituées en vertu d'une charte selon les lois fédérales ou provinciales. Les lois fédérales empêchent maintenant l'utilisation de valeurs nominales, mais certaines provinces la permettent encore.) Les dividendes des actions ordinaires sont versés à partir des bénéfices obtenus après le paiement des intérêts, des impôts et des dividendes des actions privilégiées. Il s'agit donc d'un bénéfice résiduel pouvant être extrêmement variable.

Les obligations

Les investisseurs achètent des obligations pour recevoir régulièrement des intérêts créditeurs. Ils ne peuvent réaliser un gain en capital que s'ils vendent les obligations à un prix supérieur à leur prix d'achat, ce qui peut se produire quand les taux d'intérêt baissent après l'achat des obligations ou si ces dernières ont été achetées à rabais. Les obligations constituent une promesse de recevoir une somme précise (le capital) à une date ultérieure (la date d'échéance) et, d'ici là, de rapporter des intérêts par versements périodiques (habituellement semestriels) à un taux annuel précis ou déterminé en vertu d'un contrat. Pour la plupart des obligations, ce taux est établi définitivement au moment de l'émission de l'obligation. Chaque obligation a une valeur nominale, habituellement d'au moins 1 000 dollars. Cette valeur, le capital, représente le montant d'argent qui a été emprunté et qui devra être ultimement remboursé. Les intérêts sont habituellement versés sous forme de coupons qui sont détachés de l'obligation tous les six mois dans le but d'être encaissés comme des chèques. On appelle ce taux d'intérêt, taux d'intérêt nominal ou contractuel.

Les obligations sont habituellement vendues en très grand nombre, pour des sommes totalisant plusieurs millions de dollars, à divers acheteurs dont l'identité n'est pas connue de l'émetteur, les obligations étant normalement émises au porteur plutôt que de façon nominative. Un fiduciaire (une société de fiducie) se charge de la gestion de l'émission et agit à titre d'agent de transfert. Aux dates de versement des intérêts, l'émetteur verse la somme appropriée au fiduciaire, qui remet les fonds à l'investisseur, contre la remise des coupons appropriés.

Pour les sociétés qui émettent des obligations, les versements d'intérêt constituent des déductions au moment de calculer leurs impôts, et ces versements sont donc effectués à partir des revenus bruts de l'entreprise. Étant donné qu'une obligation constitue une promesse de paiement, les versements des intérêts doivent avoir lieu aux moments prévus, sinon, l'entreprise risque de faire faillite.

Les autres instruments financiers

Les bons de souscription à des actions (*warrants*), les options et les contrats à terme sont tous des instruments financiers similaires qui donnent à leur détenteur le droit d'effectuer une transaction précise au cours d'une période précise et à un prix précis. Pour obtenir ce droit, le détenteur doit évidemment payer un prix, mais la somme qu'il paie est ordinairement minime en comparaison de la valeur nominale de l'investissement qui fait l'objet du contrat.

Les **bons de souscription à des actions** sont habituellement émis par des sociétés en échange d'argent, le plus fréquemment en même temps que des actions. Ces bons donnent à leur détenteur le droit d'acheter un nombre d'actions ordinaires à un prix particulier en tout temps au cours d'une période correspondant à la durée du bon. Généralement, les bons de souscription à des actions ont une durée d'au moins quelques années et certains n'ont même aucune date d'échéance.

Les **options** sont des contrats qui donnent à leur détenteur le droit d'acheter un bien particulier à un prix préétabli au cours d'une période donnée, habituellement relativement courte, comme une année ou quelques mois. Il existe des options d'achat et des options de vente. Étant donné que les options sont créées par une tierce partie plutôt que par une entreprise, aucuns fonds ne sont réunis par cette dernière quand les options sont créées pour ses propres titres. Le prix auquel la transaction peut être conclue correspond au prix de levée d'option et on entend parfois par report le prix versé par l'investisseur ou le spéculateur pour l'option.

Les options sont principalement achetées et vendues à court terme par des spéculateurs individuels qui ne sont habituellement pas les propriétaires des titres négociés. Or, ces spéculateurs connaissent peu de succès puisqu'ils ont versé des frais pour les droits que confère chaque option et que la plupart d'entre eux n'exercent pas l'option de terminer la négociation du titre en question. Par conséquent, ils perdent le montant qu'ils ont versé pour l'option. Malgré tout, ce montant est souvent moins élevé que celui qu'ils auraient perdu s'ils s'étaient engagés dans une opération équivalente pour le titre en question.

Les **contrats à terme** sont des opérations similaires aux options, qui exigent la livraison d'une quantité particulière de marchandises, à un prix particulier et à une date précise dans un avenir relativement rapproché. Ils sont utilisés depuis de nombreuses années par les producteurs et les utilisateurs de certains types de marchandises normalisées, fongibles et à l'usage répandu, tels l'or et le café, et servent aussi, depuis peu, à l'échange de devises. On a fréquemment recours aux contrats à terme pour couvrir les risques, puisqu'ils constituent une sorte de contrat d'assurance. D'ailleurs, les frais des contrats à terme sont similaires aux primes des contrats d'assurance. Dans les deux cas, il est en effet possible de réduire un risque important, indéterminé, par de petites pertes déterminées (les primes). Ainsi, les producteurs agricoles, tels les producteurs de blé, peuvent réduire leurs risques en souscrivant un contrat à terme au moment des semis en vertu duquel, par exemple, ils s'engagent à livrer leur récolte à un prix préétabli. De cette façon, ils peuvent savoir le prix qu'ils obtiendront au moment de la récolte. Certes, ce prix peut alors s'avérer plus bas que le prix du marché, mais il peut aussi être plus élevé. Quoi qu'il en soit, le producteur connaît ce prix à l'avance et peut donc éliminer toute incertitude. De même, les entreprises qui dépendent des récoltes agricoles, comme les fabriques de conserve, peuvent établir le prix qu'elles paieront à l'avance et, de cette façon, exercer un contrôle plus serré sur leurs frais. Les titres financiers à terme peuvent également être utilisés d'une façon analogue par les personnes qui s'attendent à recevoir ou à payer des devises. De même, les options peuvent être utilisées d'une façon plutôt modérée par les investisseurs qui ont l'intention de vendre ou d'acheter des titres, ou qui n'ont pas encore pris une décision quant à la nature de leurs investissements.

Par ailleurs, les contrats à terme constituent un instrument de choix pour les spéculateurs qui sont d'avis que les prix des marchandises ou des articles faisant l'objet des contrats changeront d'une façon qu'ils croient pouvoir prédire.

Les spéculateurs prennent rarement livraison de la marchandise; ils vendent plutôt les contrats avant la date de livraison (d'échéance). Or, les transactions de ces contrats normalisés permettent au spéculateur ou à l'investisseur de bénéficier d'un effet de levier, puisqu'un investissement en espèces relativement minime lui permet de contrôler un investissement à la valeur nominale beaucoup plus élevée pour un temps limité. Si les prédictions de l'investisseur ou du spéculateur quant aux fluctuations du marché s'avèrent exactes, à la hausse ou à la baisse, il pourra réaliser des profits. Dans le cas contraire, l'investisseur ou le spéculateur subira une perte. Toutefois, comme il connaît le montant de cette perte à l'avance, le risque est limité. En outre, un investissement dans une action ordinaire pourrait entraîner une perte de 100 p. 100 si l'action n'avait plus aucune valeur, même si le gain éventuel était aussi illimité.

LE MARCHÉ FINANCIER INTERNATIONAL

Il existe des marchés financiers de tous genres dans le monde entier. Ils sont reliés entre eux par des investisseurs qui effectuent des transactions à toute heure du jour ou de la nuit. De nombreuses actions sont inscrites à différentes Bourses, par exemple celle de Tokyo, de Londres, de New York, de Toronto, ce qui rend possible une activité boursière 24 heures sur 24. Nombre d'investisseurs canadiens négocient leurs affaires à l'extérieur du Canada en raison du caractère plutôt restreint de nos marchés des capitaux (seule une partie des titres cotés sont négociés chaque jour ou même chaque semaine) et certains types d'entreprises n'y existent même pas dans une proportion suffisante pour permettre aux investisseurs de se constituer des portefeuilles variés. De nombreux étrangers investissent au Canada pour diversifier leurs propres portefeuilles. L'apport de capitaux étrangers est d'ailleurs une source de croissance économique très importante pour notre pays. De plus, les Canadiens peuvent aussi échanger des actions canadiennes dans d'autres marchés. Ce commerce à l'étranger est d'ailleurs passé de 73 milliards de dollars, en 1979, à 1,75 billion de dollars, en 1990. La Bourse de New York est la plus proche rivale de la Bourse de Toronto en ce qui a trait aux négociations d'actions canadiennes[5].

Le marché des eurodollars

Un eurodollar est un dollar américain déposé dans une banque à l'extérieur des États-Unis.

Cette devise échappe donc au contrôle de la banque centrale des États-Unis puisque les banques étrangères n'ont aucune réserve dans ce pays. Les banques à l'extérieur des États-Unis n'ont habituellement pas besoin de garder des réserves dans leur propre pays pour les dépôts en devises, dont l'eurodollar. Par conséquent, elles peuvent accorder des prêts avec des fonds en eurodollars à des taux moins élevés que la normale. Les taux d'intérêt des prêts en eurodollars sont fondés sur un taux standard que l'on appelle TIOL (taux interbancaire offert à Londres). Le marché des eurodollars a été créé à Londres.

---

5. D'après un communiqué de presse de la Bourse de Toronto.

UN ENJEU COMMERCIAL ACTUEL

La victoire de Crow sur l'inflation vaut-elle son pesant d'or?

Le gouverneur de la Banque du Canada, John Crow, a livré une bataille victorieuse contre l'inflation, mais on se questionne toujours sur la validité de sa victoire.

En effet, le prix à payer pour avoir vu le taux d'inflation baisser à 1,6 p. 100 (un record en 21 ans) comprend une année de récession et 10 mois de reprise économique hésitante au cours desquels le taux de chômage est demeuré au-dessus des 10 p. 100.

«Je ne crois pas que ça en valait la peine», affirme Peter Dungan, économiste à l'Institute for Policy Analysis de la University of Toronto.

Le taux d'inflation établi chaque année est dégringolé à 1,6 p. 100 en janvier, après avoir atteint 3,8 p. 100 en décembre dernier. Et le taux d'inflation «de base», qui comprend les prix des produits de l'énergie et de l'alimentation, est passé de 5 p. 100 à 2,9 p. 100, taux inférieur à l'objectif de fin d'année de 3 p. 100 de la Banque.

Selon M. Dungan, bien qu'elle soit attribuable en partie à un marasme global et à la politique monétaire stricte de la banque centrale, la récession a entraîné un résultat économique de 6,5 p.100 inférieur au taux qui aurait normalement dû être affiché et un taux de chômage de 3 p. 100 plus élevé que prévu.

« Même en connaissant une croissance spectaculaire au cours des années 1990, il nous sera impossible de combler cet écart avant la fin de la décennie », précise-t-il. Quant aux avantages incertains d'une baisse de 2 p. 100 du taux d'inflation, il affirme que ce n'était pas une bonne affaire.

En revanche, Peter Howitt, économiste à la University of Western Ontario, estime que les avantages d'une inflation nulle « ressemblent au fait d'avoir un carburateur fonctionnant à merveille dans sa voiture. On ne remercie pas le ciel à tout moment de ce cadeau, mais si nous en étions privés, notre vie nous semblerait bien difficile, peut-être pour des raisons qui ne nous seraient pas évidentes.

« Si nous maintenons un niveau général des prix stables, l'économie sera plus efficace et plus productive.

« Les prix ne changent pas pour se conformer à d'autres prix, mais pour répondre à des changements fondamentaux de l'offre et de la demande. On peut d'ailleurs prévoir que les marchés financiers seront plus efficaces : l'activité du marché hypothécaire à long terme est déjà beaucoup plus importante qu'il y a cinq ans. En outre, les emprunts à long terme et les ententes salariales deviendront de plus en plus courantes et on perdra de moins en moins de temps à négocier », dit M. Howitt.

Pour sa part, Peter Dungan affirme que la Banque du Canada n'a jamais eu l'autorité politique ni morale d'imposer une inflation à zéro aux Canadiens : « On n'a jamais eu la preuve qu'un consensus national avait eu lieu sur cette question. La Banque a agi dans notre dos. »

La Banque a également fait fi des politiques fiscales inflationnistes du gouvernement fédéral, comme l'augmentation des taxes de vente et d'accise. Elle n'a de plus apporté aucun changement, jusqu'à l'année dernière, au contrôle des salaires et des prix, même dans le secteur public. Une telle attitude n'a fait que hausser les taux d'intérêt et de chômage.

Source : Traduit de *The Financial Post*, 24 février 1992.

RÉSUMÉ

Sommaire

1. La monnaie désigne tout ce qui est généralement accepté en paiement de biens et de services. Les plus importantes caractéristiques de la monnaie sont : la transférabilité, la durabilité, la stabilité, la divisibilité et la contrefaçon quasi impossible. Les principales fonctions de la monnaie sont de servir de moyen d'échange, d'unité de compte et de réserve de valeur.

2. La masse monétaire du Canada consiste en du papier-monnaie, des pièces et des substituts, dont les plus importants sont les dépôts à vue (avec privilège de chèques) qui peuvent être rapidement convertis en

argent, sans frais. La monnaie de plastique comprend les cartes de crédit et les cartes de débit.

3. La Banque du Canada est la banque centrale de la nation. Elle agit à titre de banque pour le gouvernement et les banques, d'agent financier pour le gouvernement et d'agent indépendant responsable de la politique monétaire. La Banque du Canada a une influence directe sur les dépôts bancaires par sa gestion des dépôts du gouvernement, et indirecte par ses opérations sur le marché libre pour les titres du gouvernement. Par conséquent, elle peut avoir une influence sur les activités de crédit des banques à charte et, ainsi, sur l'économie.

4. Les banques à charte ont un réseau de succursales à la grandeur du pays dont les principales fonctions sont d'accepter des dépôts, de consentir des prêts (particulièrement aux entreprises) et d'effectuer des investissements.

5. Les autres principaux établissements financiers comprennent les coopératives de crédit, les caisses populaires et les sociétés de fiducie, qui acceptent les dépôts, et d'autres établissements comme les compagnies d'assurance, les sociétés de placement et les caisses de retraite.

6. Les entreprises et les particuliers qui disposent de fonds excédentaires et ceux qui ont besoin de fonds se trouvent en présence dans les marchés financiers, nationaux et internationaux, officiels ou hors cote. Les marchés financiers traitent des titres à court et à long terme, comme les actions, les obligations et les autres effets financiers.

Notions clés

L'unité de compte

La caisse de retraite

La carte de crédit

La carte de débit

La coopérative de crédit

La devise

La masse monétaire

La monnaie

La politique monétaire

La réserve de valeur

La société de fiducie

Le marché des capitaux

Le marché monétaire

Le moyen d'échange

Le taux d'escompte

Les dépôts à vue
Les eurodollars
Les fonds mutuels
Les options
Les prestations déterminées
Les réserves

Exercices de révision

1. Nommez les caractéristiques et les fonctions de la monnaie.
2. Décrivez la masse monétaire du Canada.
3. Décrivez les principales fonctions de la Banque du Canada.
4. Faites la distinction entre les cartes de crédit et les cartes de débit.
5. Décrivez les principales fonctions des banques à charte, des coopératives de crédit, des caisses populaires et des sociétés de fiducie. Présentent-elles des différences importantes ? Lesquelles ?
6. Faites la distinction entre le régime de retraite à prestations déterminées et le régime de retraite à cotisations déterminées. Lequel préférez-vous ? Pourquoi ?
7. Dites en quelles catégories on pourrait diviser les marchés financiers.

Matière à discussion

1. Expliquez les plus récentes politiques économiques adoptées par la Banque du Canada.
2. Expliquez le « comportement » récent des Bourses.

Exercices d'apprentissage

1. Un mandat de consultation

Des représentants de la Nippon Bank, la plus importante banque au monde, sont récemment venus vous demander conseil sur l'établissement en terre canadienne de leur entreprise.

Questions

1. Préparez un résumé du rapport que vous voudriez soumettre aux principaux dirigeants de la Nippon Bank pour justifier vos frais de consultation.
2. Quels renseignements supplémentaires voudriez-vous obtenir avant de rédiger votre rapport final ?

2. Les activités de marketing

Des représentants d'un important établissement financier canadien sont récemment venus vous demander conseil pour leurs activités de marketing.

Questions

1. Rédigez un rapport comparatif sur les avantages et les inconvénients des cartes de crédit et des cartes de débit.

2. Quels sont les autres services aux consommateurs que les établissements financiers canadiens pourraient offrir au public ? Et pourquoi ?

CHAPITRE
19

PLAN

Vue d'ensemble du risque et de l'assurance
    La définition du risque
    Les formes de risques
    La gestion des risques
    Qu'est-ce que l'assurance ?
    La répartition des risques

Le secteur de l'assurance
    Les compagnies d'assurance

Un enjeu commercial actuel : le SIDA

Les formes d'assurances
    L'assurance automobile
    Un enjeu commercial actuel : l'assurance automobile
    L'assurance contre le cambriolage, contre le vol qualifié
       et contre le vol
    L'assurance contre les pertes d'exploitation
    L'assurance crédit
    L'assurance incendie
    L'assurance détournement et l'assurance cautionnement
    L'assurance maladie
    L'assurance société
    L'assurance des frais de justice
    L'assurance maritime
    L'assurance responsabilité civile
    L'assurance titres
    L'assurance-chômage
    L'assurance des accidents du travail
    Un enjeu commercial actuel : l'Ontario doit repenser
       son régime des accidents du travail
    L'assurance vie
    L'assurance de groupe

Résumé

LE RISQUE
ET L'ASSURANCE

Les objectifs du chapitre

Après avoir lu le présent chapitre, vous pourrez :

1. donner la définition du risque ;

2. établir les différentes formes de risques ;

3. expliquer le fonctionnement des assurances ;

4. décrire les caractéristiques d'un risque assurable ;

5. décrire les différentes formes d'assurances autres que l'assurance vie ;

6. décrire les différentes formes d'assurance vie ;

7. décrire le secteur des assurances au Canada.

Au fil des ans, le rôle du gestionnaire du risque est devenu de plus en plus important dans le monde des affaires, et ce rôle lui confère une grande responsabilité envers la situation de son entreprise. En outre, alors qu'il y a 20 ans, le gestionnaire du risque avait une formation d'assureur, il est aujourd'hui issu, plus souvent qu'autrement, du domaine de la finance ou d'un secteur connexe.

De nos jours, il est essentiel que le gestionnaire du risque fasse preuve de souplesse, puisqu'il doit faire face à « de multiples défis, tels l'intégration d'entreprises à la suite de fusions, le respect de l'environnement, l'établissement de nouvelles collectivités, le crédit et la gestion du risque quotidien que représentent les nouvelles technologies », note la revue *Risk Management*, de New York.

Un bon gestionnaire du risque doit avoir de très grandes aptitudes à la communication, une vaste compréhension des finances et la capacité de reconnaître les situations de risques éventuels. Selon Tony Bridger, gestionnaire du risque à la Banque de Montréal, à Toronto, il doit en outre être très au courant des activités de son entreprise et garder l'œil ouvert pour repérer tout problème éventuel. « On n'accomplit pas ce travail derrière un bureau », précise-t-il.

Ces fonctions plus diversifiées n'ont néanmoins rien changé au mandat du gestionnaire du risque. Celui-ci a en effet pour objectif d'éviter tout ennui à son entreprise, et ce, aujourd'hui plus que jamais. En effet, depuis les 20 dernières années, il est de plus en plus difficile pour les sociétés de se faire assurer, les assureurs s'efforçant de réduire leurs risques pour ne pas avoir à verser d'importantes indemnités.

L'environnement est un bon exemple de l'attitude des assureurs. Il y a 20 ans, assurer une entreprise à cet égard ne comportait aucun problème, rares étant les sociétés reconnues coupables de polluer l'environnement. Aujourd'hui, en vertu d'une législation gouvernementale stricte, « un nombre croissant de sociétés sont tenues de réparer leurs dégâts », affirme Keith Shakespeare, conseiller de Tillinghast, la division responsable de la gestion du risque et des conseils actuariels de Towers, Perrin, Forster & Crosby, cabinet conseil en matière d'indemnités, de Toronto.

Autrefois, quand une entreprise achetait l'exploitation d'un concurrent, sa préoccupation première était les produits et les profits. De nos jours, la responsabilité envers l'environnement est tout aussi importante. En effet, selon M. Shakespeare, une entreprise qui achète les activités polluantes d'une autre entreprise (ou une banque qui finance ces activités) pourrait, en bout de ligne, se retrouver avec la responsabilité de corriger la situation.

Toujours selon M. Shakespeare, trouver des solutions de rechange au risque assuré est une question fondamentale pour les gestionnaires du risque, puisque les possibilités accrues de devoir verser des indemnités de plusieurs millions de dollars en raison de désastres reliés à la pollution ont amené de nombreuses compagnies d'assurance à ne plus offrir de garanties contre ces risques ou à les restreindre radicalement.

Les primes ont en outre augmenté en flèche de 2 000 p. 100 dans certains cas. Et il est courant qu'un fabricant important paie des primes de 250 000 à 500 000 dollars par année pour une assurance responsabilité civile de 50 à 100 millions de dollars. « Le risque assuré ne devrait être considéré qu'en dernier recours. On devrait plutôt contrôler les risques et minimiser les pertes », conclut Tony Bridger[1].

VUE D'ENSEMBLE DU RISQUE ET DE L'ASSURANCE

La définition du risque

Les entreprises et les particuliers sont quotidiennement exposés à de nombreux risques. Le **risque** est un danger éventuel ou prévisible pouvant causer la perte d'un objet ou tout autre dommage. Les deux principales catégories de risques sont le risque pur (couru par tout le monde) et le risque spéculatif (délibéré). Les gestionnaires, plus particulièrement, doivent comprendre les risques auxquels ils font face afin de mettre au point des façons de les traiter pour pouvoir travailler à l'atteinte des objectifs de leurs entreprises. Notons que l'on devrait éviter le risque spéculatif. Quant aux risques purs, la meilleure façon de les gérer est de les confier à une compagnie d'assurance. Les entreprises font habituellement affaire avec un courtier d'assurance indépendant afin d'obtenir la protection maximale, alors que la plupart des particuliers s'adressent à un agent d'assurance, au service d'une seule compagnie.

---

1. Traduit de Bruce Gates, « Risk Manager's Star Shines Brighter in Corporate Galaxy », *The Financial Post*, 6 mars 1992, p. 12.

Les formes de risques

Le risque pur

Le **risque pur** est un préjudice éventuel dû au hasard. Par exemple, quiconque conduit une voiture risque d'avoir un accident. Ce risque découle de la conduite d'une voiture. Si un accident se produit, le conducteur et le propriétaire de la voiture subiront des pertes physiques et financières. On devra alors, si cela est possible, réparer le véhicule, ce qui prendra du temps. En outre, s'il y a des blessés, ceux-ci auront besoin de soins médicaux. Il peut également s'agir du risque de se blesser au travail. Selon la Society of Actuaries, le risque d'être invalide pour une personne de moins de 65 ans est plus grand que le risque de mourir. On peut avoir recours à l'assurance pour atténuer, ou même éliminer, ces pertes financières.

Le risque spéculatif

Le **risque spéculatif** est un préjudice éventuel délibérément assumé. Une personne peut par exemple acheter des actions d'une nouvelle entreprise, vouée au succès ou à la faillite. Si les affaires de l'entreprise vont bien, l'investisseur pourra alors vendre ses actions à un prix plus élevé que celui qu'il aura payé au départ ; il réalise alors un gain en capital. En revanche, si l'entreprise fait faillite, l'investisseur subit une perte. Étant donné qu'il est habituellement impossible d'être protégé contre ce genre de perte, les gens prudents s'efforcent de diversifier les risques qu'ils prennent.

La gestion des risques

La **gestion des risques** consiste à déterminer les risques auxquels une personne ou une entreprise est exposée, en estimant la fréquence et l'importance des pertes éventuelles et en décidant de la meilleure façon qui soit de se protéger. Une fois que l'on établit un risque, il s'agit de s'en occuper : on peut l'éviter, on peut l'atténuer (sur le plan de la fréquence ou de l'importance), l'entreprise peut se charger elle-même de sa couverture ou on peut la confier à une compagnie d'assurance. Chacun doit trouver des façons de se prémunir contre les risques inévitables. Un risque d'affaires qui n'est pas assurable est le risque qu'une entreprise ne sera pas assez rentable pour survivre.

La possibilité d'éviter des risques

Certains risques peuvent être évités. Ainsi, une entreprise pourrait fabriquer les mêmes produits année après année, évitant ainsi les risques de mettre au point de nouveaux produits, mais courant le risque d'être devancée par ses concurrents. Des gestionnaires pourraient aussi choisir d'adopter des stratégies moins risquées, de confier la livraison des produits à une tierce partie, de façon à éviter tout risque inhérent au transport, mais en risquant par contre d'avoir un service moins fiable.

La diminution

On peut réduire certains risques en adoptant des mesures positives. Offrir aux employés une formation en techniques et en normes de sécurité pourrait, par exemple, diminuer les risques d'accidents. Les cours de premiers soins peuvent réduire les pertes puisque les employés qualifiés pourraient secourir leurs compagnons de travail, s'il y avait lieu. De même, les casques et les lunettes de protection, les gants et les bottes de travail peuvent atténuer les pertes résultant d'accidents du travail. Enfin, les extincteurs automatiques et les détecteurs de fumée peuvent diminuer les dommages dus aux incendies. Toutes ces mesures peuvent diminuer, mais non éliminer les risques.

L'auto-assurance

Certaines entreprises sont assez importantes pour s'assurer elles-mêmes contre des pertes éventuelles. Elles peuvent en effet mettre de côté des fonds chaque mois pour épargner assez d'argent et couvrir les petites pertes à mesure qu'elles se produisent.

Qu'est-ce que l'assurance ?

Il est préférable de confier certains risques à des compagnies d'assurance qui se spécialisent dans la protection contre des pertes indéterminées en échange de primes précises, mais relativement minimes. Les compagnies d'assurance offrent en effet aux titulaires de polices une protection contre certains risques de pertes indéterminées dont les conséquences financières éventuelles sont assez importantes. Pour ce faire, elles acceptent, en vertu d'un contrat, de verser, en cas de perte, une indemnité financière déterminée contre paiement d'une prime d'un montant abordable ou, tout au moins, plus raisonnable que la perte éventuelle. La police d'assurance est un contrat entre l'assuré et l'assureur qui mentionne la protection fournie et les conditions du contrat, comme les **primes** à payer et le **bénéficiaire** de la police. Le bénéficiaire est celui qui reçoit l'indemnité versée par l'assureur. Les polices sont habituellement conçues de façon que l'on puisse y ajouter des **clauses** pour des protections supplémentaires. On peut également y inclure des **avenants** pour modifier les conditions du contrat. Quand une demande d'indemnité est faite, un représentant de la compagnie d'assurance, qu'on appelle un **expert en sinistres**, évalue la demande et recommande le capital approprié qui doit être versé, s'il y a lieu. Une caractéristique importante de l'assurance est le **principe d'indemnité**, selon lequel une partie assurée ne peut recevoir davantage que la valeur de rachat réelle de la perte. Par conséquent, le titulaire d'une police d'assurance de 500 000 $ qui subirait une perte de 75 000 $ ne recevrait qu'une indemnité de 75 000 $ de la part de la compagnie. Il incombe à l'expert en sinistres d'établir la valeur de la perte et de prouver qu'elle est le résultat des risques courus par l'assuré.

L'intérêt assurable

La personne qui désire souscrire une assurance doit être en mesure de démontrer un **intérêt assurable** dans la vie ou le bien assuré. Pour l'assurance des biens, l'intérêt assurable nécessite que le titulaire de la police subisse des pertes financières en raison d'un accident, d'un incendie, d'un litige ou de toute autre catastrophe. Pour l'assurance vie, l'intérêt assurable exige habituellement que le titulaire d'une police soit parent avec la personne assurée, soit par les liens du sang ou du mariage.

Les particuliers et les entreprises peuvent souscrire un contrat d'assurance incendie pour les maisons et les immeubles qu'ils possèdent. Les particuliers peuvent s'assurer eux-mêmes ou assurer les membres de leur famille. Quant aux entreprises, particulièrement les petites, elles peuvent souscrire une assurance société. Dans ces cas, on peut affirmer qu'il y a intérêt assurable. Toutefois, les particuliers ne peuvent assurer la vie d'étrangers, et les entreprises ne peuvent assurer leurs concurrents, puisqu'il n'existe alors aucun intérêt assurable.

Les risques assurables

Un **risque assurable** doit avoir certaines caractéristiques avant qu'une compagnie d'assurance décide de le couvrir par un contrat d'assurance. Voici une liste de ces caractéristiques :

La probabilité de la perte doit être prévisible
Les compagnies d'assurance se servent de données antérieures pour estimer le nombre d'incendies qui se produiront au cours d'une année ou le nombre de personnes âgées de 50 ans qui vont décéder. Notons qu'elles se trompent souvent dans leurs estimations du nombre de décès, en raison des progrès de la médecine et des changements apportés au mode de vie des personnes assurées.

L'importance de la perte doit être prévisible
Les données antérieures permettent aux compagnies d'assurance d'évaluer les conséquences

financières des pertes. Or, comme il est difficile d'estimer la valeur de la vie humaine, les compagnies d'assurance vie offrent habituellement des contrats d'une valeur nominale précise, comme 100 000 $. Au décès de l'assuré, le bénéficiaire reçoit ce capital. L'assurance des biens fonctionne autrement, puisqu'il s'agit ici de rétablir la situation financière de l'assuré comme elle était avant la catastrophe. La valeur nominale du contrat correspond donc ici à une limite maximale et l'indemnité est négociable.

La perte elle-même doit être accidentelle   La perte doit être un effet du hasard. Ainsi, les compagnies d'assurance vie ne versent aucune indemnité pour une perte causée par un crime d'incendie ou un suicide.

La compagnie d'assurance doit être en mesure d'établir des normes   La compagnie doit disposer de normes pour garantir certains risques. Elle peut par exemple refuser de protéger des immeubles situés loin de points d'eau ou des personnes dont le travail comporte de nombreux dangers.

La loi des grands nombres

L'assurance est fondée sur la **loi des grands nombres** (ou loi des moyennes). À partir d'importantes bases de données, on établit des calculs de probabilité sur la fréquence et l'importance d'un risque donné. Les compagnies d'assurance peuvent ainsi calculer les primes appropriées qu'elles doivent demander à l'assuré, conformément aux caractéristiques des risques assurables mentionnés précédemment.

Par exemple, les **actuaires** ont établi des tables de mortalité indiquant le nombre de personnes d'un âge donné qui sont susceptibles de mourir au cours d'une année. Ces tables, dressées selon des données antérieures, sont mises à jour tous les 10 ou 15 ans. Les tables de mortalité indiquent ce qui est le plus susceptible d'arriver, mais toute année pourrait bien sûr présenter des résultats différents.

La loi de l'antisélection

La **loi de l'antisélection** prévoit que les personnes qui se sentent le plus exposées à un risque, comme celles présentant des facteurs de morbidité actuels ou éventuels (tels les fumeurs), sont le plus susceptibles de souscrire ou de renouveler des contrats d'assurance vie ou d'assurance maladie. Cet élément pourrait entraîner le versement d'indemnités élevées de la part des compagnies d'assurance et, conséquemment, l'augmentation des frais d'assurance pour chacun. Les assureurs s'efforcent donc d'éviter ce problème en exigeant des personnes qui font la demande d'un contrat d'assurance de remplir un questionnaire portant sur leur santé et leur mode de vie. Les compagnies se servent ensuite de cette information pour établir le montant des primes. Évidemment, la protection des personnes à risque élevé devrait coûter plus cher et les compagnies d'assurance doivent être en mesure de préciser l'importance de cette augmentation de primes. Par conséquent, tout titulaire d'une police d'assurance paie la part qui lui revient.

La répartition des risques

Les compagnies d'assurance doivent répartir les risques, de façon géographique ou en fonction de tout autre critère, comme l'âge ou le genre d'immeuble, de façon à appliquer la loi des grands nombres afin de réduire les risques des assureurs. Cette façon de procéder est particulièrement importante pour les plus petites provinces, puisque la concentration de clients dans une région géographique limitée signifie que nombre d'entre eux subiront les mêmes catastrophes naturelles (tremblements de terre, inondations, ouragans, etc.). Par conséquent, la compagnie d'assurance serait alors forcée de verser de nombreuses indemnités en même temps, à la suite de la catastrophe. Pour cette raison, les petites compagnies d'assurance vendent certains des risques qu'elles ont assurés à d'autres compagnies, que l'on appelle compagnies de réassurance.

LE SECTEUR DE L'ASSURANCE

Sur le plan de l'actif, l'industrie de l'assurance se classe deuxième après les banques, dans le secteur financier de l'économie. Bien que les compagnies d'assurance soient beaucoup plus nombreuses (des centaines) que les banques au Canada, ce secteur est dominé par quelques compagnies d'envergure, tout comme dans le secteur bancaire.

C'est en 1801 que naquirent les premières compagnies d'assurance incendie, puis vinrent, en 1846, les premières compagnies d'assurance vie. Depuis, ce secteur a connu une croissance rapide continue. À la fin de 1990, les Canadiens détenaient quelque 1,2 trillion de dollars en contrats d'assurance vie, soit une moyenne de 74 800 $ par personne, plus du double de la moyenne de 1980[2]. Aujourd'hui, pratiquement tous les propriétaires de voitures ont une assurance automobile et la plupart des maisons sont protégées par une assurance incendie.

Il existe deux formes d'assurances de base : l'**assurance vie** et l'**assurance incendie, accidents, risques divers**. Notons que comme les indemnités reçues au titre de l'assurance incendie, accidents, risques divers ne correspondent qu'à la valeur nominale du contrat, elles ne doivent servir qu'à remettre le bien endommagé dans l'état où il se trouvait avant l'accident. Par conséquent, une voiture accidentée vieille de dix ans ne serait pas remplacée par une voiture neuve si elle constituait une perte totale, mais par un véhicule usagé. Quant aux indemnités d'assurance vie, elles servent à fournir une compensation financière aux survivants, visant ainsi à remplacer la capacité de gain de la personne décédée.

---

2. Selon les chiffres de l'Association canadienne des compagnies d'assurance de personnes, publiés dans *The Financial Post,* 17 février 1992.

Les compagnies d'assurance

Les compagnies d'assurance peuvent être des compagnies à capital-actions ou des sociétés mutuelles ayant pour propriétaires les titulaires de leurs polices. La plupart des compagnies d'assurance canadiennes sont des sociétés mutuelles. Les compagnies d'assurance vie se spécialisent, comme leur nom l'indique, dans l'assurance vie, alors que les compagnies d'assurance incendie, accidents, risques divers se spécialisent entre autres dans l'assurance automobile et l'assurance habitation. Les activités de ces deux genres d'entreprises se chevauchent, étant donné qu'elles offrent, l'une et l'autre, des contrats d'assurance maladie.

Toutes ces compagnies d'assurance sont exploitées par l'entremise d'**agents** qui font personnellement affaire avec les clients actuels et éventuels. Néanmoins, certaines assurances sont vendues par des courtiers indépendants qui peuvent obtenir pour leurs clients la protection d'assurance appropriée de la part de nombreuses compagnies. Ces **courtiers** sont alors en mesure de choisir les contrats qui conviennent le mieux aux besoins de leurs clients.

Les fonctions

Sur le plan de la gestion, on peut affirmer que les compagnies d'assurance exercent trois fonctions : la souscription, l'investissement et l'indemnisation.

La souscription

Pour toutes les compagnies d'assurance, le processus consistant à choisir les risques à assurer est la **souscription**. Pour réduire leur risque total, les compagnies d'assurance adoptent généralement une politique de gestion de diversification par catégorie et emplacement. Cette politique consiste pour elles à essayer de vendre une partie de leurs contrats à une autre compagnie, dans le cas où elles croient assurer un trop grand nombre de risques de la même catégorie.

Les compagnies de réassurance achètent une partie ou la totalité de chaque contrat en échange d'une partie ou de la totalité des primes.

Étant donné que les compagnies d'assurance reçoivent des primes contre leur promesse de verser des indemnités dans l'avenir, les primes (les prix) pour ce service peuvent varier de façon inversement proportionnelle aux fluctuations des taux d'intérêt, puisque tout investissement fait par la compagnie au cours de la période comprise entre la réception des primes et le remboursement des indemnités entraînera des revenus.

Par conséquent, les fluctuations des taux d'intérêt influent grandement sur la rentabilité et la croissance de toutes les compagnies d'assurance. Ainsi, quand les taux d'intérêt chutent, les compagnies d'assurance tentent évidemment d'augmenter leurs prix, mais les forces de la concurrence peuvent les en empêcher. Des incertitudes quant à l'inflation future pouvant augmenter les frais de règlement risquent d'amplifier le cycle de l'établissement des primes. Quoi qu'il en soit, plus la période comprise entre la réception des primes et le remboursement des indemnités prévu est longue, plus les fluctuations des taux d'intérêt ont un effet important sur le prix concurrentiel des assurances.

L'investissement

Après avoir choisi les risques qu'elles devront assurer, les compagnies d'assurance perçoivent les primes et **investissent** cet argent jusqu'à ce qu'elles doivent le rembourser en indemnisation. Cet intervalle peut correspondre à de nombreuses années, dans le cas de l'assurance vie, ou à une période beaucoup plus courte, s'il s'agit d'une assurance incendie, accidents, risques divers. Les compagnies d'assurance vie peuvent donc prévoir avec une plus grande précision leurs sorties de fonds et sont donc en mesure de faire des investissements à plus long terme. Pour leur part, les compagnies d'assurance incendie, accidents, risques divers doivent investir à plus

court terme, puisque la fréquence de leurs remboursements est beaucoup plus variable.

Bien que la plupart des compagnies d'assurance préféreraient naturellement faire des profits avec leurs souscriptions et leurs investissements, si elles subissent des pertes dans l'une de ces activités, l'autre est censée lui fournir des profits compensatoires.

L'indemnisation

Chaque fois que les exigences d'une police ont été remplies, la compagnie d'assurance doit **indemniser** les bénéficiaires. Évidemment, avant de rembourser ces derniers, la compagnie d'assurance doit vérifier elle-même si l'événement contre lequel l'assuré était protégé s'est effectivement produit. Cette vérification nécessite parfois une enquête, mais la fourniture de preuves documentaires de la part, entre autres, des bénéficiaires, suffit normalement.

L'indemnisation peut être versée sous la forme d'une somme globale correspondant à la valeur nominale du contrat, ou d'un montant moins élevé, selon le genre de contrat et l'option de règlement choisie. Néanmoins, les bénéficiaires reçoivent souvent une série de versements répartis sur plusieurs années. Ce genre d'indemnisation est très similaire au travail d'un fiduciaire, mis à part, bien sûr, la nature du contrat juridique.

Les primes

Les **primes** correspondant aux contrats d'assurance sont calculées par des spécialistes que l'on appelle actuaires. Ceux-ci fondent leurs calculs pour l'assurance vie sur des tables de mortalité qui indiquent le nombre de décès, chaque année, pour d'importants groupes de personnes d'un certain âge. Quant aux primes pour l'assurance incendie, accidents, risques divers, elles partent de données statistiques qui portent par exemple sur les incendies de maisons et les accidents automobiles, selon le genre de protection demandée.

Les primes d'un contrat sont basées sur la probabilité de pertes, et dépendent de l'âge, du mode de vie et du travail de l'assuré. La compagnie d'assurance peut permettre le versement de primes annuelles, semestrielles, mensuelles, hebdomadaires ou à toute autre fréquence négociée avec l'assuré. Les personnes qui posent un risque plus élevé paient, conséquemment, des primes plus élevées. Ainsi, celles qui ne fument, ni ne boivent, peuvent habituellement bénéficier de primes moins élevées puisqu'il est maintenant établi que ces personnes sont moins susceptibles d'éprouver certains types de problèmes médicaux. De même, certains modes de vie sont associés à des maladies à risque élevé (morbidité) ou à des probabilités de décès élevées (mortalité). Enfin, des personnes exerçant un métier qui comporte des dangers certains, comme les pilotes d'essai et les plongeurs professionnels, doivent habituellement payer des primes beaucoup plus élevées.

En 1990, les Canadiens ont versé 23,2 milliards de dollars en primes d'assurance vie et 5 milliards de dollars en primes d'assurance maladie complémentaire[3].

Une partie des primes d'une assurance temporaire couvre la protection d'assurance comme telle, et une partie couvre tous les frais d'exploitation et la marge bénéficiaire de la compagnie d'assurance, s'il s'agit d'une compagnie à capital-actions. Étant donné que les compagnies mutuelles sont censées être sans but lucratif, elles versent habituellement les profits excédentaires aux titulaires de leurs polices. Par conséquent, les primes de ces derniers peuvent être moins élevées que celles des compagnies à capital-actions pour le même genre de protection.

Certaines entreprises à but lucratif concurrencent les compagnies mutuelles en offrant des contrats avec privilège de participation qui donnent à leur titulaire une part de leurs profits, sous forme de dividendes. Ces derniers peuvent servir à réduire le montant des primes ultérieures, si le capital de la protection d'assurance demeure le même, ou à obtenir une protection accrue sans frais supplémentaires. L'assuré peut également choisir d'encaisser l'argent.

L'assurance incendie, accidents, risques divers

Les compagnies d'assurance incendie, accidents, risques divers offrent une protection contre des sinistres découlant de l'utilisation de véhicules et de biens personnels. Ce genre de contrat d'assurance est temporaire : il ne prévoit le versement d'une indemnité que si des pertes surviennent pendant la durée du contrat.

La durée de la responsabilité des compagnies d'assurance incendie, accidents, risques divers étant beaucoup plus courte que celle des compagnies d'assurance vie, il est nécessaire que la durée de leur actif soit plus courte elle aussi. En effet, comme il est beaucoup plus difficile de prédire l'importance et la fréquence des demandes d'indemnités que dans le cas de l'assurance vie, ces compagnies ont besoin de beaucoup plus de liquidités que les compagnies d'assurance vie.

L'assurance incendie, accidents, risques divers est généralement assortie d'une **règle proportionnelle**, selon laquelle un pourcentage minimal (habituellement 80 p. 100) de la valeur de rachat du bien doit être assuré si la compagnie doit payer la totalité du capital que représente la perte. Cette règle empêche les gens d'assurer leurs biens pour une somme inférieure à leur valeur intégrale. Étant donné que les primes sont habituellement établies selon la valeur du bien, les frais d'assurance seraient donc moins élevés si la valeur de celui-ci était moindre. Toute déclaration d'une valeur moins élevée pourrait bien sûr être considérée comme une fraude et pourrait amener l'annulation du contrat.

---

3. Chiffres publiés dans *The Financial Post,* 6 mars 1992, page 11.

Chaque forme d'assurance incendie, accidents, risques divers a été créée pour protéger les assurés de certaines pertes particulières. D'année en année, de nouvelles formes de protections d'assurance sont créées. Ainsi, les assurances contre le SIDA ont récemment vu le jour et il est probable que nombre d'autres catégories feront leur apparition sur le marché.

UN ENJEU COMMERCIAL ACTUEL

Le SIDA

L'intérêt des membres de l'Association canadienne des compagnies d'assurance de personnes (ACCAP) a fait sa marque dans la bataille contre le syndrome immuno-déficitaire acquis (SIDA). En effet, depuis 1987, les assureurs ont donné plus de un million de dollars pour financer des projets visant à aider les victimes de cette maladie et favoriser la recherche.

«À la fin de 1987, les demandes d'indemnité relatives au SIDA ne correspondaient qu'à 1 p. 100 des demandes, affirme Charles Black, vice-président, opérations d'assurance, de l'ACCAP. Or, en très peu de temps, cette maladie est devenue une cause importante de décès. Toutefois, les analyses de sang se sont avérées raisonnablement efficaces.»

Pour se protéger financièrement, l'ACCAP s'est constitué un fonds de réserve pour ses demandes d'indemnisation relatives au SIDA. Désormais, on fait subir des analyses aux personnes avant de leur vendre un contrat d'assurance. Notons que l'on prévoit que le SIDA affectera un maximum de 2 p. 100 de la population.

Source: Traduit de Scott Haggett, «Insurers' AIDS Program Draws Praise from Victims' Groups», *The Financial Post*, 6 mars 1992, p. 17.

LES FORMES D'ASSURANCES

L'assurance automobile

Au Canada, un accident de la route survient toutes les deux minutes, et entraîne le décès d'une personne toutes les deux heures. L'**assurance automobile** fournit une protection contre la responsabilité civile ainsi que l'incendie, le vol, la collision et les dommages multiples. L'assurance responsabilité civile couvre les dégats matériels ainsi que les lésions corporelles. Chaque province a ses propres règlements concernant la protection minimale dont chaque conducteur doit se munir, et la plupart des conducteurs ont des limites plus élevées. L'assurance de responsabilité civile pour dommages matériels garantit les dommages faits à d'autres automobiles ou à d'autres biens par le véhicule assuré. La responsabilité civile couvre en outre ordinairement les frais médicaux qui ne sont pas pris en charge par l'assurance maladie pour les personnes blessées par le véhicule assuré. La plupart des contrats prévoient que les victimes innocentes seront indemnisées si elles sont blessées par un véhicule non assuré. Les contrats d'assurance automobile ont souvent une franchise pour la collision et la garantie risques multiples, selon laquelle l'assuré paie la première tranche de 200 $ pour les dommages causés par la collision ou 25 $ pour les dommages multiples, et la compagnie d'assurance paie le reste. Cette franchise réduit le nombre des petites demandes d'indemnisation et permet aux compagnies d'assurance de réaliser des économies sur leur budget d'administration et d'en faire profiter leurs clients sous forme de primes réduites.

Certaines provinces offrent une indemnisation sans égard à la responsabilité, soit la Colombie-Britannique, le Manitoba, le Québec et la Saskatchewan. L'Ontario considère actuellement la question. Ce genre d'assurance exige que l'on indemnise d'abord l'assuré, sans déterminer au préalable la personne responsable du sinistre. Les paiements peuvent donc être faits beaucoup plus rapidement, bien que, dans certaines compétences, le montant de l'indemnité soit limité. Dans les autres provinces, les principes de la *common law* continuent de prévaloir et on doit déterminer qui est responsable de l'accident avant que la compagnie d'assurance ne verse l'indemnité. Contrairement au système d'indemnisation sans égard à la responsabilité, dans le cadre duquel l'assuré reçoit des paiements de sa propre compagnie d'assurance, les principes de la *common law* exigent que ce soit l'assureur de la partie responsable qui paie. Naturellement, comme les compagnies n'entendent payer que si cela est absolument nécessaire, elles attendent normalement que la responsabilité ait été établie juridiquement avant de faire un versement.

Les primes d'assurance automobile sont habituellement établies selon certains critères comme le kilométrage annuel du véhicule, les fins (récréatives ou commerciales) auxquelles on l'utilise, le genre de véhicule, l'endroit où on le conduit, le fait qu'il soit normalement stationné dans un garage, l'expérience du ou des conducteurs, leur nombre d'infractions au code de la route et le nombre de demandes d'indemnité d'assurance qui ont été faites au cours des six dernières années. Soulignons que des primes réduites peuvent être accordées aux conducteurs qui ont plus de six ans d'expérience ou qui parcourent moins de 12 000 kilomètres par année pour le plaisir seulement.

UN ENJEU COMMERCIAL ACTUEL

L'assurance automobile

En 1989 et en 1990, l'Ontario, la plus grande province du Canada, a établi de nouvelles règles relativement à l'assurance automobile. Le nombre de titulaires de permis de conduire ontariens est passé de 4,7 millions en 1978 à plus de 6 millions en 1989. En 1987, 203 000 accidents et 121 000 blessés ont été signalés à l'échelle de la province. Les coûts sont renversants : les demandes d'indemnisation pour lésions corporelles pour l'Ontario s'élevaient, en 1988, à 1,8 milliard de dollars. Conséquemment, les taux d'assurance ont augmenté pour suivre cette escalade de risques.

Le régime de protection des automobilistes de l'Ontario constitue un ensemble de mesures de réforme qui vise à offrir aux conducteurs de la province un régime d'assurance à un prix abordable. Une nouvelle commission des assurances sera chargée de la réglementation des compagnies d'assurance et de la protection des intérêts des consommateurs.

Pour l'établissement des primes, on retiendra la responsabilité du conducteur, de sorte que les mauvaises habitudes de conduite entraîneront l'établissement de primes plus élevées et les bons dossiers, des primes moins importantes.

Ce régime de protection rendra obligatoires la responsabilité civile et les dommages matériels payés directement (200 000 $), la responsabilité des conducteurs non assurés (200 000 $) et l'indemnisation garantie en cas d'accident. Le paiement direct signifie que la propre compagnie d'assurance du conducteur l'indemnisera pour les dommages subis, à condition qu'il n'en soit pas responsable. Pour leur part, les conducteurs responsables seront indemnisés pour les dommages causés à leur propre voiture, à condition qu'ils aient souscrit une assurance facultative contre les collisions.

L'indemnisation garantie en cas d'accident sera offerte à toutes les victimes d'accidents de voiture selon un barème établi par le gouvernement provincial. Les indemnités seront versées rapidement (dans un délai de 10 à 30 jours), ce qui évitera les poursuites en justice et les frais et les pertes de temps qu'elles entraînent. Les automobilistes assurés recevront les indemnités garanties de leur propre compagnie d'assurance. Il sera en outre toujours possible d'intenter une action en justice pour être indemnisé dans les cas de décès, de défigurement grave et permanent, de détérioration grave et permanente de fonctions corporelles importantes, attribuable aux suites d'une blessure physique.

Source : Traduit de *Your Guide to the Ontario Motorist Protection Plan*, publié en 1990 par le ministère des Institutions financières.

L'ASSURANCE CONTRE LE CAMBRIOLAGE, CONTRE LE VOL QUALIFIÉ ET CONTRE LE VOL

L'assurance contre le cambriolage garantit les pertes subies lors d'un vol commis avec effraction. L'assurance contre le vol qualifié garantit les pertes subies lors d'un vol commis par la force ou par la menace de la force. L'assurance contre le vol garantit les pertes subies lors d'un vol commis sans force ni effraction, par exemple par l'introduction dans un immeuble aux entrées non verrouillées. Les taux de ces diverses assurances diffèrent selon le risque couru.

L'assurance contre les pertes d'exploitation

Quand une entreprise doit cesser ses activités à la suite d'un incendie ou de tout autre sinistre, l'assurance incendie ne garantit que les dommages causés à l'immeuble et à son contenu. Comme les réparations pourraient prendre plusieurs semaines, de nombreuses entreprises essaient de se protéger en contractant une **assurance contre les pertes d'exploitation**, qui peut payer les frais de location temporaire d'installations et de matériel, les salaires des travailleurs, les taxes et les frais fixes, en plus des profits que l'entreprise aurait réalisés si ce sinistre n'était survenu.

L'assurance crédit

L'assurance crédit protège les créanciers de toute perte causée par des créances irrécouvrables dépassant la norme. Toute entreprise doit s'attendre à subir des pertes à cause des créances irrécouvrables, et les primes pour s'assurer contre ces pertes seraient sans doute trop élevées pour que l'on puisse offrir une assurance à cet effet. Par conséquent, ce genre d'assurance vise uniquement à protéger l'assuré contre un nombre inhabituel de créances irrécouvrables.

L'assurance incendie

L'assurance incendie garantit les pertes causées par les incendies. Au Canada, un incendie grave se déclare toutes les cinq minutes, ce qui entraîne des pertes annuelles de plus de un milliard de dollars. Il va de soi que les primes de ce genre d'assurance varient en fonction des risques en jeu. Par exemple, les primes pour une construction de bois sont plus élevées que pour un immeuble de brique, et les assurés dont l'immeuble est situé près d'une caserne de pompiers ou d'une bouche d'incendie paient des primes moins élevées que les autres assurés. Les contrats standards offrent une protection contre les dommages causés par le feu ou la foudre seulement. La protection peut-être limitée au feu, à la fumée, à la foudre, et aux dommages causés à l'immeuble lui-même ou à son contenu. Les propriétaires comme les locataires peuvent contracter une assurance incendie. De plus, il est possible d'obtenir une protection supplémentaire contre les ouragans, la grêle et les inondations, moyennant des frais supplémentaires. On appelle protection complémentaire ce genre d'options.

L'assurance détournement et l'assurance cautionnement

L'assurance détournement garantit les employeurs contre les vols, abus de confiance, malversations commis par leurs employés. Cette assurance est contractée entre autres par les banques et les établissements financiers pour se protéger contre la malhonnêteté des employés qui manipulent l'argent dans le cadre de leur travail. En cas de perte, l'employeur reçoit une indemnisation correspondant à la valeur nominale du contrat. Pour sa part, l'assurance

cautionnement garantit l'assuré contre les pertes résultant de l'inexécution d'un contrat. Par exemple, on pourrait demander à un entrepreneur ayant accepté de construire une usine de déposer un cautionnement qui garantirait que la construction sera effectuée selon les spécifications établies et dans les délais prévus.

L'assurance maladie

Au Canada, le gouvernement de chaque province a prévu une assurance maladie pour chacun de ses ressortissants. Les assureurs privés, telle La Croix Bleue, offrent des régimes d'assurance maladie complémentaire pour couvrir des éléments qui ne sont pas compris dans les régimes d'assurance provinciaux, comme la location d'une chambre d'hôpital privée ou semi-privée, les soins de santé spécialisés (tel le traitement des maladies du pied) et les soins dentaires. Les régimes d'assurance complémentaire types couvrent aussi les médicaments obtenus par ordonnance, les services d'ambulance, les fournitures médicales et chirurgicales, les soins dentaires à la suite d'un accident, certains services paramédicaux et des dépenses médicales d'urgence effectuées à l'étranger.

Les assureurs privés offrent aussi une assurance complémentaire aux Canadiens qui voyagent à l'étranger, puisque la plupart des régimes d'assurance maladie provinciaux limitent le capital versé pour des traitements médicaux à l'extérieur du pays. Ainsi, les Canadiens qui passent leur hiver sous le soleil des États-Unis doivent se munir d'une assurance maladie complémentaire, car les frais médicaux y sont beaucoup plus élevés qu'au Canada.

L'assurance société

L'assurance société est un contrat d'assurance vie qui garantit l'entreprise contre la perte des services d'un cadre occupant un poste clé et prévoit le remboursement des frais engagés par elle pour lui trouver un successeur. Cette assurance pourrait éviter la dissolution de l'entreprise lors du décès du cadre. Juridiquement, les sociétés de personnes sont dissoutes lors du décès de l'un des associés. Par conséquent, chaque assuré contracte une assurance vie en nommant les autres comme bénéficiaires de façon à permettre l'achat de la participation de l'associé décédé par les survivants et de poursuivre les activités de l'entreprise. Pour les petites sociétés, l'assurance société peut diminuer la perte de la capacité de gain à la suite du décès du président ou d'un autre dirigeant.

L'assurance des frais de justice

L'assurance des frais de justice protège l'assuré qui doit payer des frais juridiques entièrement imprévus et catastrophiques. De telles dépenses peuvent en effet grever sérieusement le budget d'une entreprise ou d'une famille. La plupart de ces dépenses résultent de contentieux, mais certains litiges sont également couverts à condition que le client ne soit pas déclaré coupable. Ce genre d'assurance permet aux assurés de proposer l'avocat de leur choix à la compagnie d'assurance ou de choisir parmi une liste d'avocats autorisés fournie par la compagnie.

Des régimes de frais juridiques payés d'avance sont aussi offerts et peuvent faire partie d'un plan financier complet. Ces régimes ne sont pas régis par la Loi sur les assurances et ne devraient pas être confondus avec l'assurance des frais de justice. Les régimes de frais juridiques payés d'avance couvrent les affaires juridiques autres que des contentieux, comme la préparation de testaments ou la gestion de transactions immobilières et offrent une protection très limitée contre les litiges.

L'assurance maritime

L'assurance maritime est la plus ancienne forme d'assurance. Elle protège les expéditeurs de toute perte causée par les dommages à un navire ou à son contenu, en mer ou au port. L'assurance risques divers protège, de la même façon, d'autres moyens de transport comme les camions, les trains ou les avions. Ce genre d'assurance est habituellement contractée par des exportateurs et des importateurs. Elle est offerte sous plusieurs formes, dont la plus avantageuse est l'assurance **tous risques**.

L'assurance responsabilité civile

L'assurance responsabilité civile protège les entreprises et les particuliers contre des demandes d'indemnités pour la réparation de dommages causés aux biens d'autrui. L'assurance habitation couvre par exemple les blessures causées par des chutes ou par le comportement d'animaux de compagnie. Par ailleurs, les entreprises s'assurent contre les blessures éventuelles subies par leurs clients dans leurs magasins. Pour sa part, l'assurance responsabilité de produits garantit les entreprises contre toute demande d'indemnisation pour des dommages causés par l'utilisation de leurs produits. Quant à l'assurance contre la faute professionnelle, elle protège les personnes exerçant une profession libérale contre toute inculpation d'incompétence ou de négligence. Enfin, les administrateurs de sociétés peuvent obtenir une assurance pour couvrir leur responsabilité financière découlant de leurs décisions à titre de membres du conseil d'administration.

L'assurance titres

L'assurance titres protège les acheteurs de valeurs mobilières contre toute perte attribuable à des défauts dans le titre juridique d'une propriété. Par exemple, si une personne vend une propriété sans en être le propriétaire, le propriétaire légal a toujours ses droits et il pourrait forcer l'acheteur à quitter sa propriété. De même, une propriété peut être vendue alors qu'un créancier détient un privilège sur elle, comme des impôts fonciers impayés. Si ces derniers ne sont pas réglés, le gouvernement peut vendre la propriété pour obtenir l'argent destiné à payer ces taxes. Par conséquent, l'assurance titres est avantageuse pour l'acheteur qui ne dispose pas de suffisamment d'argent, puisqu'il pourrait perdre sa propriété.

L'assurance-chômage

La loi fédérale exige des employés et des employeurs qu'ils paient des primes d'**assurance-chômage** établies selon leur salaire ou leurs profits. Au cours des dernières années, les primes d'assurance-chômage ont augmenté en flèche.

En 1992, le maximum de revenus assurables s'élevait à 36 920 $. Les employés qui recevaient un tel salaire devaient verser 1 107,60 $ en primes, alors que la part de leur employeur correspondait à 1 550,64 $, pour un total de 2 658,24 $.

Toute personne qui travaille contribue au régime de l'assurance-chômage. Ainsi, quand un travailleur perd son emploi, il peut, à condition de satisfaire toutes les exigences en vigueur, recevoir des paiements hebdomadaires correspondant à un maximum de 60 p. 100 de ses revenus assurables au cours de sa période de travail admissible (habituellement 20 semaines). Notons que les règlements de l'assurance-chômage font l'objet de fréquentes modifications.

L'assurance des accidents du travail

Selon les lois de chaque province, les employeurs doivent offrir une **assurance des accidents du travail**, qui protège les travailleurs de toute blessure subie dans le cadre de leurs fonctions. Les primes sont établies selon les frais de personnel de chaque entreprise, à des taux fondés sur les dangers inhérents au travail et sur le dossier de l'employeur en matière de sécurité. Les indemnités correspondent habituellement à une fraction (comme les deux tiers) du salaire de l'employé, et peuvent comprendre un montant pour la réadaptation de ce dernier. La période d'attente est habituellement de une ou deux semaines et vise à décourager les petites demandes d'indemnité pour les accidents mineurs. Toutes les demandes d'indemnité sont traitées par la Commission des accidents du travail, dont la décision est habituellement irréversible. Certaines provinces permettent à l'employé d'interjeter appel aux tribunaux provinciaux.

UN ENJEU COMMERCIAL ACTUEL

L'Ontario doit repenser son régime des accidents du travail

La Commission des accidents du travail de l'Ontario est dans une bien mauvaise posture. Dans un récent document, celle-ci a en effet admis à regret que sa dette non provisionnée avait augmenté plus rapidement que prévu et qu'elle pourrait menacer la stratégie de financement à long terme de la Commission.

L'Employers' Advocacy Council, dont les 1 500 entreprises membres auront pour tâche de rendre solvable la Commission des accidents du travail, parle de «crise financière». Rien de surprenant: la dette non provisionnée (la cotisation et les revenus de placement des employeurs ne suffisent pas à verser les indemnités aux travailleurs) est montée en flèche, passant de 2 milliards de dollars, en 1983, à 10,3 milliards de dollars, en 1991.

Ni une augmentation des cotisations des employeurs de 1984 à 1990 (soit de 46 p. 100 à 3,18 $ par tranche de 100 $ des salaires admissibles) ni le portefeuille des placements bien garni de la Commission n'ont réussi à éviter ce gâchis fiscal. La Commission pointe du doigt le projet de loi 162, qui a porté l'aide à la réadaptation en milieu de travail à près d'un milliard de dollars, et la récession, qui a entraîné la disparition de nombreuses entreprises manufacturières, de sociétés de construction et de sociétés exploitantes de ressources qui versaient des contributions.

Or, pour parvenir au financement de sa dette avant l'échéance cible de 2014, la Commission devrait porter les cotisations des employeurs à 3,88 $ pour les trois prochaines années. Admettant qu'une telle augmentation imposerait un «lourd fardeau injuste» à ses membres, elle propose : a) d'accepter un financement partiel plutôt que total, ou b) de repousser la date d'amortissement, ou c) de choisir ces deux solutions.

Le problème avec ces options est qu'elles imposeraient aux futurs employeurs le fardeau d'accidents antérieurs. C'est ce qui arrive chaque fois que l'actif ne permet pas de couvrir les coûts actuels et futurs de toutes les demandes de remboursement. Pis encore, la Commission des accidents du travail pourrait bientôt être aux prises avec une prolifération des demandes d'indemnisation. En effet, ses administrateurs tiennent actuellement des séances sur le « stress chronique des travailleurs », une réalité nébuleuse qui, s'ajoutant à la liste existante des accidents du travail, pourrait encourager de nombreux travailleurs à se déclarer malades.

En ces temps de grandes difficultés économiques, l'indemnisation, par le gouvernement de l'Ontario, du stress chronique subi par les travailleurs, serait une décision tout à fait irresponsable. Pour résoudre les problèmes financiers de sa Commission des accidents du travail, pourquoi le gouvernement n'adopterait-il pas, comme le Manitoba, une mesure selon laquelle les indemnités d'un travailleur accidenté passeraient de 90 p. 100 à 80 p. 100 de ses revenus nets après une période d'indemnisation de deux ans ?

Source : Traduit de «Ontario Must Rethink its Workers' Comp Plan», *Financial Times*, éditorial, 26 mars 1992, p. 26.

L'assurance vie

L'assurance vie se charge d'un risque déterminé (la mort est inévitable), mais selon une échéance indéterminée. Cette forme d'assurance est fréquemment offerte dans le cadre des régimes d'avantages sociaux des employeurs.

Les compagnies d'assurance vie offrent aux titulaires de leurs polices (ou, plus exactement, à leurs bénéficiaires) une protection financière contre des pertes catastrophiques indéterminées et, peut-être, très importantes. Cette tranquillité d'esprit est fournie aux assurés moyennant des primes périodiques et relativement peu importantes. Les compagnies d'assurance transforment donc des pertes importantes indéterminées en petites pertes déterminées, pouvant convenir davantage au budget de toute personne. Plus de la moitié des Canadiens détiennent une assurance vie, et la moyenne par habitant du Canada classe notre pays deuxième dans le monde, après le Japon et avant les États-Unis.

L'assurance vie crée une succession immédiate dans l'éventualité de la mort prématurée de l'assuré. Il est habituellement recommandé de détenir une assurance suffisante pour rembourser les derniers frais médicaux de l'assuré, ses funérailles, l'administration de la succession, tout impôt ou autre dette, et pour disposer de capitaux suffisants de façon à utiliser les revenus de ce placement pour remplacer la capacité de gain de l'assuré. La plupart des experts s'entendent pour dire qu'une personne a besoin de cinq à dix fois l'équivalent de son salaire annuel en protection d'assurance. En règle générale, plus on a de personnes à sa charge, plus on a besoin d'une assurance vie. Par ailleurs, tout assuré devrait vérifier régulièrement son contrat d'assurance pour s'assurer qu'il répond toujours à ses besoins personnels. Le mariage et la naissance ou l'adoption d'un enfant sont de bonnes raisons pour augmenter sa protection.

On détermine le capital de l'assurance nécessaire en additionnant l'actif (la succession) de l'assuré et en le comparant aux dépenses prévues au moment de son décès. En moyenne, les frais de funérailles s'élèvent à 5 000 $ et les frais d'administration d'une succession peuvent aller jusqu'à 5 p. 100 de la valeur de la succession. Si l'assuré a de jeunes enfants, on suppose habituellement que sa veuve ne travaillera pas à l'extérieur jusqu'à ce que ceux-ci aient atteint l'âge adulte.

Les revenus de placement de la succession devraient suffire (en plus des autres avantages versés) à offrir aux survivants un revenu leur permettant de continuer d'avoir le même niveau de vie qu'avant le décès de l'assuré. La façon la plus simple de se constituer une succession suffisante est de souscrire un contrat d'assurance vie au capital assuré approprié. Les produits de ce contrat pourraient ensuite servir à payer les derniers frais médicaux, les funérailles et l'administration de la succession, et à acheter une rente. Il est évident que tout le monde ne peut se permettre une protection d'assurance aussi élevée. Par conséquent, il sera nécessaire de faire des compromis pour que l'assuré puisse payer ses primes sans grever le budget de sa famille.

Il existe diverses formes de contrats d'assurance vie. La forme d'assurance vie la plus simple et la moins chère est l'**assurance temporaire**, qui offre une protection pour une période limitée seulement. L'assuré paie ses primes et, s'il décède au cours de l'année, les bénéficiaires de l'assurance reçoivent les sommes dues. Les primes augmentent normalement chaque année puisque les probabilités de décès augmentent avec l'âge. Toutefois, les compagnies d'assurance offrent fréquemment des contrats temporaires dont les primes sont fixes pour une période donnée, de trois ou cinq ans par exemple, à la fin de laquelle elles augmentent. De plus, l'assurance temporaire est généralement de 20 p. 100 moins coûteuse que l'assurance vie entière. Le tableau 19.1 établit une comparaison des primes de divers contrats d'assurance offerts à un non-fumeur de 40 ans.

La forme d'assurance vie la mieux connue, l'**assurance vie entière**, est l'une des catégories d'assurance qui permettent d'accumuler des économies et qui offrent une protection contre des pertes. En effet, non seulement les primes de ces contrats comprennent le coût de la protection, les frais généraux et les profits (les mêmes que l'assurance temporaire), mais aussi un capital supplémentaire de façon que les primes annuelles soient les mêmes tout au long de la durée du contrat. Certains contrats de ce genre exigent des primes annuelles pour une période limitée.

TABLEAU 19.1
Comparaison de primes
d'assurance vie
en avril 1992

Primes de 100 000 $ offertes à un non-fumeur de 40 ans		
	Prime minimale	Prime maximale
Temporaire pour 5 ans, renouvelable et transformable	193 $	404 $
Temporaire pour 10 ans, renouvelable et transformable	220	571
Temporaire à capital constant échéant à 65 ans	348	511
Temporaire à capital constant échéant à 70 ans	482	1 057
Vie entière	466	1 801
Vie entière, à primes payables jusqu'à 65 ans	601	1 013
Vie entière, à primes payables pendant 20 ans	634	1 597

Source: Traduit de Compulife Software Inc.

Les primes constantes sont plus élevées que celles qui devraient normalement être exigées pour fournir la valeur nominale du contrat, particulièrement dans les premières années de celui-ci. Ce montant supplémentaire est investi de façon à accumuler des intérêts afin de payer la différence entre les primes constantes et les primes subséquentes, qui devraient normalement être plus élevées. On dit également de ce genre de contrat d'assurance qu'il a une **valeur de rachat**, qui correspond au montant excédentaire à la somme nécessaire pour payer la protection d'assurance véritable.

Le titulaire d'une police d'assurance vie peut emprunter en tout temps la valeur de rachat de sa police, au taux d'intérêt précisé dans cette dernière. Selon le moment de l'émission de la police, ce taux d'intérêt peut être très bas (de 4 à 9 p. 100), si on le compare aux taux du marché en vigueur en 1981, par exemple, quand le taux préférentiel canadien était d'environ 20 p. 100. Comme ces modalités d'emprunt font partie du contrat d'assurance, la compagnie doit prêter l'argent aux titulaires chaque fois qu'ils en ont besoin. Dans des périodes de récession, comme celle de 1981, on peut prévoir que de nombreux titulaires de police se prévaudront de ce privilège.

Par conséquent, les compagnies d'assurance vie pourraient alors éprouver des problèmes de liquidité et de placement, puisque les frais de cette forme de prêt peuvent être assez élevés. En fait, certaines compagnies se sont même vues dans l'obligation de vendre des titres de placement à rendement élevé pour être en mesure d'offrir de tels prêts.

La forme de contrat d'assurance avec valeur de rachat la plus populaire est l'assurance vie entière ou l'assurance vie entière à prime viagère, qui suppose le paiement de primes jusqu'à l'âge de 99 ans. Comme cette forme d'assurance ne comporte aucune échéance, on l'appelle assurance permanente ou ordinaire. Elle protège l'assuré pour le reste de ses jours. La prime est constante, c'est-à-dire qu'elle est fixée par le contrat d'assurance et qu'elle demeure la même pendant toute sa durée. Ce genre de contrat prend fin au décès de l'assuré (on remet alors la valeur nominale du contrat à son bénéficiaire) ou au centième anniversaire de l'assuré (qui reçoit alors la valeur nominale du contrat).

D'autres contrats, les **contrats d'assurance vie entière à primes temporaires**, sont similaires. Cependant, la période au cours de laquelle les primes doivent être versées est habituellement plus courte, correspondant le plus souvent à 20 ou à 30 ans. Ces contrats conviennent particulièrement aux personnes qui prévoient prendre une retraite anticipée et qui désirent régler leurs primes pendant leurs années de travail. Notons que ces primes sont, par conséquent, plus élevées en raison de la période limitée de leur versement.

L'assurance mixte offre quant à elle un montant d'argent à une date ultérieure préétablie, tout en offrant une protection d'assurance entre temps. Ce genre de contrat est donc particulièrement utile pour s'assurer de certaines épargnes, pour mettre, par exemple, de l'argent de côté en prévision des études universitaires d'un enfant, même si l'assuré devait mourir, ou pour économiser en vue de la retraite.

Les compagnies d'assurance offrent un autre produit pour l'âge de la retraite, qui s'avère utile à de nombreuses personnes, particulièrement celles qui ont mis de côté de l'argent dans un régime d'épargne-retraite pendant leurs années de travail. Ce produit est une **annuité**, un contrat selon lequel une rente établie est versée au cours d'une certaine période. Les annuités peuvent être immédiates ou différées. On se procure une **annuité immédiate** en versant une somme forfaitaire, comme pour un contrat d'assurance mixte, un REER ou un montant gagné à la loterie. Le revenu régulier est versé un mois ou un an plus tard, selon les modalités choisies par le titulaire de la rente. Cette forme d'annuité peut constituer une rente de retraite garantie complémentaire. Quant à l'**annuité différée**, on la souscrit au moyen d'une série de paiements réguliers, comme n'importe quel contrat d'assurance vie type. Elle s'accumule avec le temps, puis les paiements réguliers commencent à être versés, comme l'annuité immédiate. Au moment de choisir une annuité, on devrait tenir compte de l'espérance de vie de l'assuré et du conjoint, s'il y a lieu (voir tableau 19.2).

Les rentes peuvent être flexibles, au choix. Par exemple, elles peuvent être versées pendant

TABLEAU 19.2
Espérance de vie au Canada (1985-1987)

Âge	Femme	Homme
10	70,46 ans	63,88 ans
15	65,52	58,98
20	60,65	54,27
25	55,77	49,62
30	50,88	44,92
35	46,02	40,21
40	41,20	35,52
45	36,48	30,91
50	31,87	26,47
55	27,43	22,28
60	23,17	18,41
65	19,12	14,90
70	15,35	11,80
75	11,92	9,13
80	8,93	6,91
85	6,44	5,12
90	4,49	3,73
95	2,96	2,55

Source : Statistique Canada

toute la durée de vie du titulaire. Dans ce cas, les paiements sont indéterminés puisque la personne peut mourir l'année suivante ou vivre pendant de nombreuses années. Au décès de la personne, le contrat est exécuté et la compagnie d'assurance conserve le reste de l'argent. Les rentes peuvent être payées sous forme de versements déterminés, durant une période particulière, par exemple de 10 ou 20 ans. Dans ce cas, même si le titulaire de la rente décède pendant cette période, les autres versements continueront d'être faits au bénéficiaire. Les rentes peuvent également être réversibles, c'est-à-dire qu'elles peuvent être versées au titulaire de la rente et au bénéficiaire survivant. Enfin, les rentes peuvent aussi être variables si une partie ou la totalité des fonds sont investis dans des titres de participation.

Un autre genre de contrat d'assurance vie est le **contrat d'assurance variable**, qui consiste en un mélange d'assurance vie temporaire et de rente variable. Par contre, la portion correspondant à l'annuité est établie selon l'investissement de la valeur de rachat dans des titres de participation. Elle fonctionne donc comme un fonds commun de placement. Avec ce genre de contrat, la vie du titulaire est assurée pour un capital minimal garanti, mais l'indemnité réelle peut en fait valoir beaucoup plus que la valeur nominale du contrat, selon le rendement des fonds placés. Ce genre de contrat offre donc une protection contre l'inflation, si l'on considère que les titres du portefeuille des placements augmentent au même rythme que cette dernière.

L'assurance de groupe

En plus des contrats d'assurance individuels, il existe des contrats d'**assurance de groupe**, offerts à nombre d'employés dans le cadre de leurs avantages sociaux, ou à des membres d'organisations, comme des associations ou des syndicats. S'il s'agit d'employés, l'assurance est habituellement payée par l'employeur, ou par les employés et l'employeur. S'il s'agit de membres d'une association, chaque membre paie habituellement ses primes. Dans ces deux cas, les frais d'assurance sont moindres, étant donné que les assureurs doivent déployer moins d'efforts pour la vente de leurs produits. L'assurance de groupe comprend l'assurance maladie complémentaire, l'assurance soins dentaires, l'assurance vie, l'assurance invalidité et les régimes de retraite. Elle peut aussi comprendre l'assurance automobile et l'assurance habitation.

Les contrats d'**assurance vie de groupe** sont habituellement établis selon une valeur nominale ou un pourcentage du salaire, comme 100 ou 200 p. 100, jusqu'à un maximum prévu. Cette assurance couvre systématiquement tous les employés, même les nouveaux, mais les montants peuvent varier en fonction de la classification des postes. Ces contrats comprennent parfois une clause additionnelle d'assurance vie, mort accidentelle et mutilation qui augmente la garantie en cas de mort accidentelle ou de mutilation.

Les contrats d'**assurance invalidité de groupe** varient sur le plan de la durée et de la protection. Les indemnités sont habituellement établies selon un pourcentage (par exemple, les deux tiers) du salaire de l'employé. Si les primes sont entièrement payées par l'employeur, les indemnités pour invalidité sont imposables à l'employé, quand celui-ci les reçoit. Si elles sont entièrement payées par l'employé, les indemnités sont exemptes d'impôt.

Une forme de contrat d'assurance de groupe qui intéresse particulièrement tous les établissements financiers du Canada est l'**assurance créance en cas de décès**, qui rembourse un prêt en souffrance dans l'éventualité du décès de l'emprunteur. Dans ce cas, le groupe dont faisait partie l'assuré correspond au groupe de personnes qui ont recours aux instruments de crédit du prêteur. Il s'agit habituellement de contrats d'assurance temporaire à capital décroissant, le capital diminuant régulièrement, au même rythme que la dette. La durée de ces contrats est normalement la même que celle du prêt. Enfin, ce genre d'assurance est généralement offert aux titulaires de prêts hypothécaires ou automobiles.

RÉSUMÉ

Sommaire

1. Le **risque** est un danger éventuel ou prévisible pouvant causer la perte d'un objet ou tout autre dommage. On peut éviter des risques, diminuer leur fréquence ou leur importance, les confier à une compagnie

d'assurance ou s'assurer soi-même en mettant de côté régulièrement des fonds nécessaires pour couvrir la perte chaque fois qu'elle se produit.

2. Le **risque pur** est un préjudice éventuel dû au hasard et propre à la vie et au travail dans notre société. Le **risque spéculatif** est un préjudice éventuel délibérément assumé, comme celui lié aux investissements dans une nouvelle entreprise.

3. L'assurance est offerte par des compagnies qui assurent un grand nombre de personnes et d'entreprises exposées au même genre de risque. Ces assurés paient des primes déterminées et relativement minimes à la compagnie d'assurance, qui investit ensuite l'argent jusqu'à ce qu'un sinistre arrive, auquel moment elle indemnise les assurés.

4. Les caractéristiques d'un risque assurable sont :

   a) la probabilité de la perte doit être prévisible ;

   b) l'importance de la perte doit être prévisible ;

   c) la perte doit être accidentelle ;

   d) la compagnie d'assurance doit être en mesure d'établir des normes pour l'acceptation des risques qu'elle assure.

5. Les diverses formes d'assurances autres que l'assurance vie sont l'assurance automobile, l'assurance contre le cambriolage, l'assurance crédit, l'assurance incendie, l'assurance maladie, l'assurance des frais de justice, l'assurance maritime et l'assurance responsabilité civile.

6. Les diverses formes d'assurance vie comprennent les contrats d'assurance temporaire, vie entière et à primes temporaires.

7. L'industrie des assurances au Canada est la deuxième en importance dans le secteur financier, après les banques. Elle compte des centaines d'entreprises, mais est dominée par un faible nombre.

Notions clés

L'annuité

L'annuité différée

L'annuité immédiate

L'assurance chômage

L'assurance de groupe

L'assurance invalidité

L'assurance mixte

L'assurance temporaire

L'assurance vie

L'auto-assurance

L'intérêt assurable

La loi de l'antisélection

La loi des grands nombres

La souscription

La valeur de rachat

Le risque pur

Le risque spéculatif

Les accidents du travail

Les actuaires

Les primes

Les risques assurables

Exercices de révision

1. Quelles sont les principales formes de risques ?

2. Quelles sont les principales caractéristiques d'un intérêt assurable ?

3. Quelles sont les principales différences entre l'assurance personnelle et l'assurance de groupe ?

4. Quelles sont les principales catégories de compagnies d'assurance ?

5. Quels sont les principaux avantages et les principaux inconvénients de l'assurance contre les pertes d'exploitation ?

6. Quels sont les principaux avantages et les principaux inconvénients de l'assurance société ?

Matière à discussion

1. Expliquez l'utilité de l'assurance des frais de justice. Convient-elle davantage aux entreprises ou aux personnes ? Pourquoi ?

2. Si vous deviez souscrire une assurance aujourd'hui, avec quel genre de compagnie feriez-vous affaire ? Pourquoi ?

3. Expliquez pourquoi une entreprise pourrait vouloir une auto-assurance pour ses véhicules.

Exercices d'apprentissage

1. Assurance d'une entreprise personnelle

Jacqueline Dion est venue vous demander conseil sur le genre d'assurance qu'elle devrait souscrire pour son petit magasin spécialisé dans la vente de chaussures et de vêtements de danse sociale, situé dans un centre commercial linéaire.

Questions

1. Pour quel genre de contrat lui conseilleriez-vous d'opter pour son entreprise? Pourquoi?
2. Quel genre d'assurance lui conseilleriez-vous de souscrire pour elle-même, à titre de propriétaire? Pourquoi?

2. Assurance d'une société

Vos vieux amis Alain, Bertrand, Charles et David sont venus, une fois de plus, vous demander conseil. Ils se sont lancés en affaires en suivant vos recommandations et se demandent maintenant si vous pourriez les conseiller sur le genre d'assurance qu'ils devraient souscrire. Voici les questions qu'ils se posent tout particulièrement:

Questions

1. Devrions-nous opter pour une assurance contre les pertes d'exploitation? Pourquoi?
2. Devrions-nous souscrire une assurance société pour chacun d'entre nous? Pourquoi?
3. Devrions-nous nous munir d'une assurance de groupe, pour nous-mêmes et pour nos employés? Pourquoi?

PARTIE VII

LA GESTION DE LA FONCTION ADMINISTRATIVE

Tous les organismes ont besoin d'une fonction administrative efficace qui les informe de ce qui se passe à l'intérieur et à l'extérieur de l'entreprise. Les ordinateurs permettent d'accroître la masse de travail administratif effectuée, en plus de contribuer au processus décisionnel rapide, vital dans le monde moderne actuel sans cesse plus concurrentiel.

La présente partie du livre, qui couvre les chapitres 20 et 21, contient les renseignements de base sur le rôle des ordinateurs et des systèmes intégrés de gestion, de même que de la bureautique. Dans le milieu économique international actuel, celle-ci devient un élément de plus en plus important au succès de l'organisme et peut être cruciale à la survie de ce dernier.

Le chapitre 20, *Le rôle des ordinateurs et des SIG*, contient les notions de base que chaque gestionnaire a besoin de connaître sur les ordinateurs et les systèmes intégrés de gestion. Les opérations informatisées habituelles en comptabilité, en marketing et en production sont abordées. Le chapitre finit sur les aspects essentiels des micro-ordinateurs.

Le chapitre 21, *La bureautique*, continue de traiter d'informatique. Il aborde le traitement de texte et les chiffriers du logiciel, soit les formes clés du logiciel de gestion. Il se termine sur une description de la gestion des documents.

CHAPITRE

20

PLAN

Les systèmes intégrés de gestion informatisés

Le traitement des données
    La collecte des données
    L'analyse des données
    La présentation des données

Les ordinateurs
    Le système informatique et ses éléments
    Le matériel
    Les langages informatiques
    Les logiciels

L'utilisation des ordinateurs dans l'entreprise
    La comptabilité
    Le marketing
    La production

Les micro-ordinateurs

Un point de vue : la technologie de l'information —
    plus qu'un simple outil, un investissement

Résumé

LE RÔLE DES ORDINATEURS ET DES SIG

Les objectifs du chapitre

Après avoir lu le présent chapitre, vous pourrez :

1. décrire les systèmes intégrés de gestion ;

2. décrire le traitement des données ;

3. nommer les composantes d'un ordinateur ;

4. décrire le matériel informatique, particulièrement les micro-ordinateurs ;

5. décrire les logiciels ;

6. nommer les principales applications de l'ordinateur dans l'entreprise.

Le secteur bancaire a été, comme plusieurs, transformé par les ordinateurs. Naguère, quand les directeurs de banque connaissaient chacun de leurs clients, ils pouvaient par exemple communiquer avec ceux dont le compte-chèques était à découvert avant que leur dernier chèque ne s'avère sans provision. Or, au cours des années 1960 et 1970, les banques canadiennes ont automatisé leur système de comptabilité pour, notamment, le traitement de leurs comptes d'épargne, de leurs comptes-chèques, de leurs prêts et de leurs cartes de crédit. Elles ont procédé à ce changement les unes après les autres, de façon quelque peu désordonnée. Résultat : quand, par exemple, le compte-chèques d'un client était à découvert, le système ne tenait pas compte du fait que son compte d'épargne pouvait contenir suffisamment de fonds. En outre, au même moment, les services bancaires devenaient de moins en moins personnalisés, des guichets automatiques remplaçant les personnes et les directeurs de banque connaissant de moins en moins leurs clients.

Or, de 1977 à 1984, la Banque Royale du Canada a investi des millions de dollars pour l'intégration de ses systèmes. Son fichier central de renseignements (FCR), un système unique, lui permet d'avoir accès à toutes les données relatives aux opérations de ses clients, et lui procure une longueur d'avance sur ses concurrents. Théoriquement, le FCR permet à la Banque Royale d'offrir un meilleur service à sa clientèle et de concentrer ses efforts de marketing sur des groupes de clients cibles.

Au cours des années 1980, de nouvelles applications informatiques ont vu le jour au sein de l'industrie bancaire, tel le système d'échange de données informatisé. La technologie est en outre devenue une partie intégrante des services offerts par les banques. Le système d'échange de données informatisé permet l'échange électronique d'information, comme les ordres d'achat, les factures et les paiements, entre des sociétés et leurs banques. Ces dernières considéraient ce système comme une menace concurrentielle de la part des entreprises du secteur des télécommunications et de l'informatique qui pouvaient offrir le même genre de service. Les banques, particulièrement la Banque Royale, ont donc décidé de mettre la main à la pâte et d'y aller de leurs propres systèmes. Notons que certaines grandes entreprises, telle GM, exigent de leurs fournisseurs qu'ils utilisent le système d'échange de données informatisé.

En 1989, le vice-président directeur de la Banque Royale, Jim Grant, a remporté l'*Annual Award for Achievement in Managing Information Technology*, de la Carnegie Mellon University, pour avoir favorisé l'intégration de la technologie dans la conception et la planification des activités de son entreprise. Ses innovations ont entraîné un contrôle plus étroit des coûts de la Banque Royale, tout en lui conférant un avantage stratégique sur ses concurrents.

Les méthodes qu'a utilisées la Banque Royale au cours des années 1980 pour la planification des carrières et le perfectionnement professionnel illustrent bien l'importance, pour l'employé de banque d'aujourd'hui, de comprendre les affaires bancaires et la technologie[1].

LES SYSTÈMES INTÉGRÉS DE GESTION INFORMATISÉS

Les systèmes intégrés de gestion (SIG) facilitent la prise de décisions aux gestionnaires. On les appelle d'ailleurs parfois «systèmes d'aide à la décision» (SAD). Les décisions de gestion reposent sur l'information, qui consiste en des données qui ont été traitées dans un format pertinent pour la décision qui doit être prise. Un **système** (tel le SIG) est un ensemble d'éléments réunis pour l'atteinte d'un objectif, qui fournit de l'information aux gestionnaires, pour les aider à prendre certaines décisions. L'idée fondamentale de la notion de système est que la valeur d'un tout est supérieure à la valeur de chacun de ses éléments, puisqu'il existe une certaine **synergie** propre à la combinaison de ces derniers. On représente parfois la synergie par l'équation suivante : $2 + 2 = 5$, pour indiquer que l'utilisation d'éléments d'une façon intégrée augmente les résultats escomptés. Les SIG modernes exécutent des opérations sur ordinateur, ce qui leur offre une souplesse et une rapidité jusqu'alors inégalées. Un principe de base de la théorie des systèmes est que chacun d'entre eux fonctionne de façon intégrale grâce à l'échange de renseignements. Dans la plupart des entreprises, on respecte ce principe en reliant les ordinateurs en réseau, soit local (RL) ou à la grandeur de l'entreprise, ou même du monde entier.

---

1. Traduit de «Banking on Technology», *Canadian Business*, mars 1991, p. 79-84.

Les principales composantes des systèmes intégrés de gestion informatisés sont les données, le matériel, les logiciels, le personnel et les procédures. Les **données** sont les matières premières qui doivent être traitées comme information. Le **matériel** correspond aux éléments physiques du système, qui comprennent habituellement une unité, un écran vidéo, un clavier et une imprimante. Les **logiciels** constituent quant à eux les programmes qui permettent aux éléments physiques de fonctionner en leur donnant des directives sur la nature des opérations qu'ils doivent effectuer, le moment et la façon de le faire. Les logiciels comprennent les programmes du système, qui permettent à l'ordinateur de fonctionner, et les programmes d'application, qui exécutent des tâches particulières, comme le traitement de texte. Quant au **personnel** habilité à utiliser ces systèmes technologiques, il permet aux machines d'accomplir ce travail. Enfin, les **procédures** correspondent aux directives que le personnel doit observer.

LE TRAITEMENT DES DONNÉES

Les données constituent des ressources organisationnelles. Dans la plupart des entreprises, l'information dont les décideurs ont besoin leur est fournie par le traitement rapide des données provenant de l'environnement de l'entreprise.

La collecte des données

Nombre des renseignements nécessaires à l'entreprise pour le bon déroulement de ses activités doivent être puisés à l'extérieur. On doit bien sûr les recueillir avant de les utiliser. Or, il importe de connaître les bonnes sources de données, comme Statistique Canada, la Banque du Canada, certains groupes de commerce de l'industrie ou certains organismes internationaux. Après avoir repéré la source des données, on doit **saisir** ces dernières dans une forme assimilable par la machine, habituellement par une personne responsable de l'entrée de données au moyen d'un clavier, ou à l'aide d'un lecteur de documents imprimés. On peut en outre acheter d'autres données dans des formats assimilables par machine (soit sur disquette, sur disque CD-ROM ou sur bande magnétique).

D'autres données peuvent être puisées au sein de l'entreprise. De même, elles doivent être saisies dans un format assimilable par une machine, au moyen de l'entrée de données par clavier ou par balayage de documents. Certains appareils peuvent aussi lire des cartes d'identification personnelles, grâce auxquelles il est possible d'obtenir des renseignements sur les personnes qui travaillent à un projet en particulier. Ces données peuvent être parfois saisies au poste de travail concerné. Enfin, d'autres données proviennent d'appareils qu'utilisent les clients, par exemple les guichets automatiques ou les lecteurs de cartes de crédit des stations-service.

Si les données recueillies doivent servir à un usage ultérieur, elles doivent être aussi précises et aussi rigoureuses que possible. La plupart des systèmes informatisés exécutent les opérations de vérification d'erreurs les plus évidentes. Ainsi, la majorité des opérations de collecte de données se divisent en plusieurs zones, certaines contenant des données alphabétiques, d'autres des données numériques, et d'autres des données alphanumériques (alphabétiques et numériques). S'il s'agit d'une zone à données numériques, le système s'attend à y trouver des chiffres. Par conséquent, si des lettres y sont présentes, le système constate une erreur. Il est parfois possible d'organiser les données numériques de façon que les valeurs inhabituellement petites ou grandes ne puissent être introduites, ce qui réduit la marge d'erreurs. Quoi qu'il en soit, aucun système conçu par l'homme ne peut être exempt d'erreurs à 100 p. 100, car il est évident que la qualité des résultats est fonction de la qualité des données à l'entrée.

L'analyse des données

Pour obtenir l'information, on doit analyser les données. On prépare donc des relevés qui résument toutes les opérations qui se sont déroulées au cours d'une certaine période, soit une journée ou une semaine, par exemple. Selon le genre de données introduites et leur utilisation, on peut procéder au calcul de diverses mesures statistiques, ou à la comparaison de certaines valeurs cibles ou de renseignements historiques.

À cet égard, on a recours aux **statistiques** pour établir des conclusions au sujet d'une **population** à partir des données contenues dans un **échantillon**. La population est un ensemble complet d'éléments qui contiennent les mesures importantes pour le décideur. L'échantillon est un sous-ensemble de la population. On utilise souvent en statistique la **moyenne empirique** (ou moyenne), calculée par l'addition de toutes les observations divisée par le nombre d'observations de l'échantillon. Il s'agit là de l'une des mesures de la tendance centrale, les autres étant la médiane, qui est la valeur centrale dans la liste des observations, et le mode, qui est la valeur qui figure le plus fréquemment dans la distribution des valeurs. On appelle **paramètres** les résumés numériques et les mesures descriptives d'une population. Ainsi, la valeur moyenne d'une vente type peut être déterminée en même temps que les valeurs maximale et minimale (**fourchette**). On pourrait toutefois vouloir connaître la grandeur et la couleur des articles vendus. La mesure statistique utilisée devrait donc convenir à la situation décisionnelle dans laquelle se trouve le gestionnaire. Or, la plupart des détaillants disposent d'un équipement automatisé qui, en plus d'enregistrer les ventes et de calculer les taxes pour chaque article vendu, met à jour les fiches de stocks pour indiquer ce qui a été vendu, dans quelle couleur et dans quelle grandeur. Chaque matin, les gestionnaires peuvent donc consulter le relevé des opérations de la veille et le comparer aux données de la semaine ou de l'année précédente, par exemple.

On a souvent recours aux mesures statistiques de variation pour le contrôle de la qualité et l'établissement du budget. L'**écart** est la différence entre la valeur d'une observation et la moyenne. La **variance** d'un échantillon correspond à la somme des écarts au carré de la moyenne divisée par $(n-1)$. L'**écart type** est la racine carrée de la variance. Notons que bon nombre de populations ont une courbe « normale » en forme de cloche. Près des deux tiers des observations seront compris à l'intérieur d'un écart type de la moyenne, 95 p. 100 seront compris à l'intérieur de deux écarts types, et la quasi-totalité des observations se trouveront à l'intérieur de trois écarts types de la moyenne. L'écart type équivaut habituellement à approximativement un quart de la fourchette. Pour de nombreuses opérations du contrôle de la qualité, il peut être établi que 95 p. 100 des observations devraient être compris dans deux écarts types de la moyenne. Par conséquent, toute observation à l'extérieur de cette fourchette indique la présence d'une erreur relative au processus qui devrait être corrigée. On établit parfois les budgets variables à partir d'une valeur moyenne prévue, soumise à des variations comprises dans deux écarts types.

On se sert fréquemment des modèles de **régression** pour faire des prévisions. Le modèle le plus simple est linéaire et compte une variable indépendante, le temps, et une variable dépendante, la série chronologique. Cette dernière correspond fréquemment aux ventes pour une période de une ou plusieurs années. L'équation de régression est $Y = A_i X_i + C$, où $Y = $ la variante dépendante, $A_i = $ le coefficient de régression de la variable dépendante, $X = $ la variable indépendante, et $C = $ l'interception de Y, le point où se croisent la ligne de régression et l'axe des Y. Les logiciels peuvent effectuer tous les calculs nécessaires. Une fois établie, l'équation peut être utilisée pour prédire la valeur la plus près de la variable dépendante. On peut également accomplir des analyses de régression plus complexes, comme les analyses non linéaires et multiples, à l'aide de plusieurs variables dépendantes. Après les faits, on peut mesurer l'exactitude des prévisions à l'aide de l'écart moyen ou de l'erreur quadratique moyenne, et améliorer le modèle, s'il y a lieu.

La présentation des données

Puisque l'objectif du traitement des données est de fournir de l'information aux gestionnaires, il est évident que ces derniers désirent obtenir cette information dans un format qui maximise son utilité. Les données de comptabilité sont donc habituellement présentées sous forme de relevés comptables (bilans, résultats, etc.). Les données relatives aux ventes et aux stocks sont présentées sous forme de rapports qui indiquent ce qui a été vendu et ce qui reste dans les stocks. En plus de produire des relevés quotidiens ou hebdomadaires, certaines entreprises ont des salles d'ordinateurs à l'intérieur desquelles de grandes quantités d'information peuvent être affichées simultanément sur plusieurs écrans. Cette façon de procéder permet aux gestionnaires de relier entre elles toutes les données dont ils disposent, de façon libre et créative, ce qui accroît leurs chances d'atteindre les objectifs de l'entreprise.

La présentation graphique ou imagée de ces données peut fournir aux gestionnaires plus de renseignements dans un format compact ou leur faire découvrir des liens entre des éléments qui ne sont pas évidents. De nombreux logiciels permettent de produire des douzaines de graphiques différents, dont les plus communs sont les graphiques à barres, les courbes, les graphiques à barres subdivisées, les graphiques de surface, les graphiques à secteurs, les graphiques à colonnes, les graphiques XY et les graphiques en banderole. Les graphiques à barres permettent de comparer les valeurs de divers éléments de catégories particulières ou selon des moments précis dans le temps ; ils permettent par exemple de mettre en valeur les différences entre les commissions trimestrielles de chaque représentant des ventes. Les courbes illustrent certaines valeurs selon des périodes données, par exemple les tendances des ventes. Pour leur part, les graphiques à barres subdivisées et les diagrammes de surface montrent la relation de chaque valeur avec le total, par exemple les ventes par province pour une entreprise nationale. Les graphiques à secteurs et les graphiques à colonnes comparent les valeurs individuelles aux autres valeurs et à l'ensemble, par exemple la façon dont les dépenses annuelles se répartissent dans diverses catégories telles que l'amortissement ou l'intérêt. Quant aux graphiques XY, ils tracent, point par point, les valeurs d'une série par rapport à une autre série, par exemple les niveaux de salaires et l'ancienneté. Enfin, les graphiques en banderole illustrent les différences entre les valeurs correspondantes en deux ou plusieurs séries ; bien qu'on les utilise surtout pour le rapport quotidien ou hebdomadaire des cotes hebdomadaires des actions, ils peuvent servir à comparer toute paire de valeurs. Certains logiciels permettent la juxtaposition de deux ou plusieurs graphiques sur la même page, ce qui peut être utile pour discerner des relations qui ne seraient autrement pas évidentes aux yeux des décideurs. La figure 20.1 présente certains de ces graphiques.

LES ORDINATEURS

Les ordinateurs sont des outils de travail qui permettent d'accomplir des tâches qui ont toujours été effectuées dans une entreprise, mais d'une façon plus rapide ou plus économique. Ils peuvent donc se charger du traitement de certaines opérations qui étaient auparavant effectuées par des personnes, permettant à ces dernières de se consacrer à un travail réservé aux humains. L'ordinateur nous permet d'accomplir davantage en peu de temps. En se servant de ces appareils pour faire un travail qui leur était

FIGURE 20.1
Graphiques types

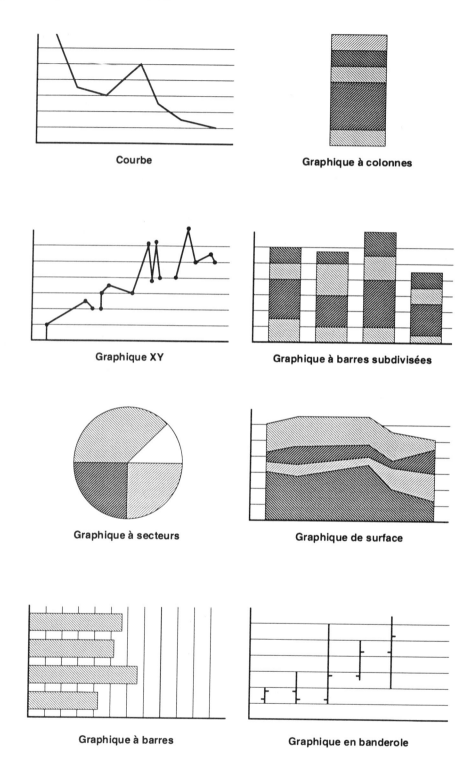

Courbe

Graphique à colonnes

Graphique XY

Graphique à barres subdivisées

Graphique à secteurs

Graphique de surface

Graphique à barres

Graphique en banderole

auparavant impossible, les gestionnaires sont donc susceptibles de découvrir des relations latentes entre plusieurs éléments.

Le système informatique et ses éléments

Les ordinateurs sont des systèmes modulaires, composés d'un matériel, de logiciels et de personnes. Comme nous l'avons mentionné précédemment, le matériel englobe les éléments physiques, et les logiciels sont des programmes qui commandent à l'ordinateur d'exécuter une opération à tel moment, de telle façon. Les personnes font fonctionner le système, y introduisent les données, changent les disquettes ou les bandes et réapprovisionnent en papier les imprimantes.

Le matériel

Les ordinateurs sont composés d'unités physiques qui permettent d'entrer et d'extraire les données, de les stocker dans la mémoire interne ou externe, de traiter et de transmettre les données.

Les données doivent être entrées dans l'ordinateur dans un format assimilable par la machine. Initialement, on se servait de bandes et de cartes perforées, maintenant remplacées par des supports magnétiques (bandes, disques, disquettes). On peut également introduire les données avec le clavier, mais cette façon de procéder ne convient pas aux grandes quantités de données. Les unités périphériques d'entrée lisent ou détectent les données et les convertissent en un format convenant à l'ordinateur, soit la forme binaire (des charges électriques s'activant pour le code « 1 » ou se désactivant pour le code « 0 »). Les données sont ensuite stockées dans une mémoire interne à vitesse élevée avant d'être traitées, après quoi l'information extraite peut être mise à la disposition des décideurs.

L'ordinateur dispose habituellement d'une **mémoire** interne et d'une mémoire externe. La mémoire interne est un ensemble de circuits intégrés composés d'interrupteurs pouvant être mis en fonction par des impulsions électroniques. Ces interrupteurs sont disposés en blocs de mémoire, munis d'une adresse, où les données peuvent être stockées. Grâce à la vitesse de ces interrupteurs électroniques, les données peuvent être traitées de façon extrêmement rapide. La mémoire externe consiste en des supports magnétiques de deux sortes : à accès sélectif et à accès séquentiel. Les bandes magnétiques présentent les données dans un ordre séquentiel et doivent être lues à partir du début, à chaque fois que l'on veut obtenir un renseignement particulier. Les mémoires à accès sélectif contiennent des données qui peuvent être localisées selon des adresses particulières comme les disques, les disquettes, les tambours et les cellules. La plupart du temps, ce processus permet d'avoir plus rapidement les données désirées.

Les données sortant d'un ordinateur peuvent être présentées au décideur sur bande ou sur disque, mais sont presque toujours imprimées sur papier, en plus d'être copiées sur disque pour un usage ultérieur. On peut utiliser divers types d'imprimantes, selon la qualité et la vitesse désirées. Les imprimantes ligne par ligne sont très rapides, mais la qualité de leur impression est médiocre. Les imprimantes à laser donnent des textes plus soignés, mais elles sont plus lentes.

L'unité centrale (UC) est le cœur de l'ordinateur. Elle comprend une unité de commande, une unité arithmétique et logique et des registres mémoires. L'unité de commande coordonne les activités du système. L'unité arithmétique et logique exécute des fonctions simples (elle additionne, soustrait, multiplie, divise, compare, décale, déplace et stocke) à une vitesse incroyable. C'est une calculatrice super rapide dont toutes les opérations mathématiques ne sont qu'une suite d'additions : elle soustrait en additionnant des chiffres négatifs, elle multiplie en répétant l'addition et elle divise en répétant la soustraction.

L'homme a trouvé des raccourcis pour exécuter ces opérations et effectuer des fonctions mathématiques plus poussées, comme le calcul, mais les ordinateurs sont si rapides qu'ils peuvent exécuter toutes ces opérations par une simple série d'additions en battant la plupart d'entre nous d'une bonne longueur. (Au Japon, on organise des concours de calcul entre des ordinateurs et des personnes munies d'un abaque... et bien souvent ce sont elles qui gagnent!) Les opérations de logique (comparaison, décalage, déplacement, stockage) sont plus difficiles à exécuter, et l'ordinateur a du chemin à faire pour rattraper le cerveau humain.

La **transmission de données** permet aux ordinateurs de communiquer avec des terminaux d'entrée ou de sortie à distance ainsi qu'avec d'autres ordinateurs. Les systèmes de réservation des billets d'avion sont probablement le meilleur exemple de cette fonction. Répartis dans le monde entier, ces systèmes relient des milliers d'aéroports situés dans des centaines de pays et donnent les horaires des vols de nombreuses lignes aériennes pour plusieurs mois. Il est possible de mettre à jour les réservations de vol n'importe quand en appelant l'ordinateur central.

Les langages informatiques

À l'intérieur d'un ordinateur, tout se fait par système binaire, des impulsions électroniques activant ou désactivant certains circuits. Les langages informatiques servent à écrire des programmes qui donneront des directives à l'ordinateur. À l'origine, chaque informaticien devait produire les programmes de chaque application. Puis, comme de plus en plus d'utilisateurs commençaient à se servir du même genre d'application, les programmeurs décidèrent de produire des programmes qui pouvaient être vendus à divers utilisateurs.

Un langage informatique de premier niveau est donc binaire (consistant en une série de 0 et de 1); on l'appelle **langage machine**. Seuls les ordinateurs et les programmeurs peuvent le comprendre. Un autre niveau de langage informatique est symbolique, c'est-à-dire que certains symboles remplacent des séquences de chiffres binaires; il s'agit du **langage d'assemblage**. Les directives de la machine sont habituellement remplacées par des codes mnémoniques, pour nous faciliter la compréhension des programmes, bien qu'il soit tout de même difficile d'en comprendre le processus. Les êtres humains déchiffrent effectivement mieux les langages d'un niveau plus élevé, que l'on utilise souvent avec des programmes d'interprétation ou des compilateurs. Les programmes d'interprétation traduisent, ligne par ligne, le code source écrit par le programmeur, exécutent la ligne, puis l'interprètent. Ce processus est relativement long. Pour leur part, les compilateurs traduisent la totalité du programme en codes sources avant de l'exécuter, ce qui leur permet de tenir compte de toute redondance pouvant exister parmi les opérations du programme.

Le langage informatique le plus répandu est **BASIC** (Beginner's All-purpose Symbolic Language Code). Largement utilisé pour la formation des programmeurs, il est souvent intégré dans les micro-ordinateurs. Le langage de gestion le plus utilisé est **COBOL** (Common Business Oriented Language). Il a été conçu à la fin des années 1950 par un comité formé d'utilisateurs et de fabricants d'ordinateurs qui voulaient créer un langage non lié à un type de machine particulier et autodocumentant. Notons que COBOL nécessite plusieurs lignes de codes pour la moindre opération à exécuter. Le langage scientifique le plus utilisé est **FORTRAN** (FORmula TRANslator), langage algébrique qui convient surtout à la résolution de problèmes mathématiques. Il existe en outre de nombreux autres langages informatiques que nous n'avons pas mentionnés dans cet ouvrage. Les langages informatiques servent à rédiger les logiciels.

Les logiciels

Il existe deux principales catégories de logiciels : les logiciels de base et les logiciels d'application. Les logiciels de base, qui comprennent les systèmes d'exploitation, servent à faire fonctionner le matériel. Le système d'exploitation le plus utilisé avec les micro-ordinateurs est le DOS (Disk Operating System), et avec les gros ordinateurs, l'OS (Operating System). Pour leur part, les logiciels d'application sont ceux qui facilitent concrètement le travail des gestionnaires. De nos jours, la plupart des applications de gestion sont exécutées à l'aide de progiciels conçus pour des applications courantes, comme la comptabilité, le marketing et la production[2]. Ces programmes d'applications peuvent être rédigés dans des langages de niveau élevé, modifiables par les utilisateurs finaux, ou bien en langage d'assemblage ou bien en langage machine, devant être utilisés tels quels. Si les procédures actuelles de l'utilisateur ne correspondent pas à celles du programme, celui-ci, s'il désire épargner de l'argent, devra les modifier pour qu'elles y soient conformes.

L'UTILISATION DES ORDINATEURS DANS L'ENTREPRISE

La quasi-totalité des entreprises utilisent les ordinateurs à des fins diverses. Si l'on désire informatiser une opération, on doit d'abord en comprendre le fonctionnement. Et le déroulement d'une opération ne correspond pas nécessairement à la façon dont procédera l'ordinateur pour l'exécuter. De plus, pour rendre profitable une opération informatisée, on doit devoir traiter de grandes quantités de données. Évidemment, les applications qui prennent beaucoup de temps conviennent parfaitement à

l'informatisation. Au moment où la plupart des entreprises se sont dotées d'ordinateurs, elles ont tout simplement informatisé la totalité de leurs opérations. Elles auraient mieux fait d'étudier d'abord systématiquement leurs activités, pour ensuite tenter de trouver une façon plus efficace de les organiser. Après coup, elles auraient pu procéder à leur informatisation, et en tirer des avantages multiples.

La comptabilité

De nos jours, la comptabilité constitue l'un des usages les plus répandus de l'ordinateur dans les entreprises. Il s'agit d'un type d'application classique parce que nous savons comment il fonctionne. La comptabilité comporte un grand nombre de calculs répétitifs qui doivent être exacts. De plus, les données comptables doivent être traitées aussi rapidement que possible, idéalement en temps réel (immédiatement). La comptabilité nécessite en outre la préparation régulière de nombreux relevés. Étant donné que les tâches répétitives, tels le report des opérations de comptes, l'addition de totaux et l'addition horizontale, sont des opérations fastidieuses et longues pour les humains, elles sont onéreuses. C'est ce qui explique pourquoi la comptabilité est l'une des premières activités qu'une entreprise informatise. Nombre de fournisseurs de logiciels offrent d'ailleurs quantité de progiciels qui permettent d'exécuter des opérations de comptabilité.

Le marketing

Sur le plan du marketing, notre objectif est souvent de connaître la quantité de produits que nous vendons, dans quel marché, s'il y a lieu, et à qui. On peut obtenir la réponse à ces questions aux points de vente ou en joignant des cartes-réponses préaffranchies aux produits.

Les cartes-réponses les plus répandues sont celles qui sont destinées à l'enregistrement des

---

2. Les progiciels d'application pour les chiffriers et le traitement de texte font l'objet du chapitre 21.

garanties. Elles permettent à l'entreprise de savoir qui a acheté l'article et à quelles fins il sera utilisé. Soulignons que certaines entreprises ont fait des découvertes intéressantes, comme ce fabricant de modèles réduits d'avions qui a constaté une demande de plus en plus importante pour des tubes de colle supplémentaires. Normalement, un seul tube était fourni avec chaque ensemble et il arrivait fréquemment que les consommateurs devaient se procurer un tube supplémentaire pour terminer leur projet. Or, quand les ventes de colle se mirent à dépasser largement celles des modèles réduits, les dirigeants de l'entreprise commencèrent à se poser des questions. On découvrit par la suite que certains clients avaient trouvé un autre usage à la colle : la respirer. L'entreprise était alors aux prises avec un dilemme d'ordre éthique : allait-on augmenter la production de colle, et ainsi augmenter les profits, ou décourager l'usage de ce produit, même au détriment des profits ?

La production

Nous avons déjà traité, aux chapitres 13 et 14, du rôle des ordinateurs dans la production. À l'origine, les ordinateurs servaient surtout au contrôle des stocks. Présumant que leurs produits continueraient d'être composés des mêmes pièces et d'être fabriqués de la même façon pendant un bon moment, de nombreuses entreprises décidèrent alors d'automatiser le plus possible le processus de production. Elles calculèrent donc leur point de commande et programmèrent leurs ordinateurs en fonction de celui-ci.

Les cadres supérieurs d'une importante entreprise voulurent réduire leur gamme de moteurs électriques en retirant progressivement du marché un type de moteur. Pour ce faire, ils décidèrent d'en couper le prix, ce qui eut l'effet escompté d'en augmenter la vente, mais ils oublièrent de reprogrammer leurs ordinateurs... Comme les ventes augmentaient, on assista

évidemment à une augmentation de la demande en pièces et quand on atteignit le point de commande, l'ordinateur commanda des pièces supplémentaires aux fournisseurs. Ce n'est qu'à la réception de ces pièces que les dirigeants se rendirent compte de leur erreur. Morale de cette histoire : la direction ne peut pas se fier aveuglément aux ordinateurs et aux programmeurs. Lorsque l'on procède à des changements de politiques, on doit vérifier toutes les étapes en jeu, sans quoi il pourrait y avoir des conséquences fâcheuses pour l'entreprise.

LES MICRO-ORDINATEURS

Quelque 85 p. 100 de toutes les entreprises du monde entier utilisent actuellement des micro-ordinateurs. Cette croissance phénoménale a principalement vu le jour en 1981, quand IBM a pénétré ce marché avec son ordinateur personnel (PC). À cette époque, le PC avait deux unités de disquettes, mais aucun disque dur. C'est en 1983 qu'IBM mettait sur le marché son premier ordinateur personnel doté d'un disque dur, le PC/XT. Un an plus tard, elle lançait un modèle amélioré, le PC/AT, muni d'un disque dur et d'un processeur plus puissant. Enfin, en 1987, IBM sortait les PS/2, ordinateurs personnels pouvant utiliser le même logiciel et offerts dans toute une gamme de modèles de coût et de rendement différents. Selon certaines études, de toutes les entreprises du monde qui utilisent des micro-ordinateurs, près de 85 p. 100 d'entre elles ont des PC d'IBM ou des appareils compatibles, ou clones. Ces derniers fonctionnent comme des ordinateurs personnels d'IBM, mais coûtent moins cher.

À la fin des années 1970, avant l'arrivée d'IBM dans le marché des ordinateurs personnels, nombre de fabricants de micro-ordinateurs, comme Commodore et Radio Shack, créaient des ordinateurs qui n'étaient même pas compatibles avec leurs propres appareils. Étant donné qu'elle arriva plus tard dans ce marché, IBM construisit son PC avec des composantes standards fabriquées par d'autres entreprises. Elle fit appel à une conception ouverte, qui permettait aux autres entreprises d'ajouter des éléments complémentaires aux ordinateurs, à leur gré. Le PC d'IBM devint donc rapidement la norme des micro-ordinateurs de gestion. Et aujourd'hui, la plupart des autres fabricants de micro-ordinateurs, dont Apple, créent des appareils qui peuvent utiliser le logiciel du PC d'IBM.

Pour l'utilisateur type d'un ordinateur de gestion, le temps, c'est de l'argent. Par conséquent, il n'a aucune envie de consacrer de longs moments à expliquer ce qu'il désire à un programmeur qui connaît peu les exigences de l'entreprise, outre le temps que prendra la rédaction du programme lui-même. De plus, tout ce travail ne donnera des résultats qui n'arriveront que trop tard et pourraient ne pas correspondre aux attentes de l'utilisateur. L'ordinateur personnel permet aux professionnels, particulièrement les gestionnaires, de se passer des informaticiens. Le micro-ordinateur est en effet un **ordinateur personnel** qui est à l'entière disposition de son utilisateur, à portée de la main, sur son propre bureau. L'utilisateur peut donc désormais avoir un accès presque instantané aux résultats de son travail. En outre, les micro-ordinateurs sont beaucoup plus faciles à utiliser que les gros ordinateurs, leurs logiciels étant plus souples.

L'ordinateur intransportable est en fait un système modulaire. Il est composé de cinq éléments : un moniteur, une unité, un clavier, une souris et une imprimante. Il peut également être doté de composantes supplémentaires, tel un lecteur. La figure 20.2 illustre un exemple d'un ordinateur personnel d'IBM type, mais sans imprimante.

Le **moniteur** (écran) affiche des renseignements à l'utilisateur de l'ordinateur. Quand l'ordinateur est en marche, chaque fois que l'on appuie sur une touche, un signal est envoyé à la mémoire et à l'écran de l'ordinateur. Le moniteur

FIGURE 20.2
Micro-ordinateur PC d'IBM

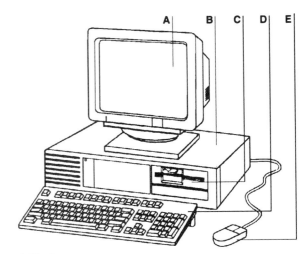

A Moniteur
B Unité du système
C Unité de disquette
D Clavier
E Souris

est en quelque sorte un écran de télévision particulier. Les moniteurs monochromes ne peuvent afficher qu'une couleur, habituellement ambre, verte ou blanche, sur fond noir. Quant aux moniteurs couleur, ils peuvent afficher une gamme complète de couleurs, selon le type de carte graphique que contient l'unité du système. Un moniteur affiche des caractères et des images au moyen de points. Plus un moniteur peut afficher de points, plus sa résolution est élevée et plus claire est l'image à l'écran. Chaque point, ou pixel, doit être allumé puis éteint, alternativement. Plusieurs attributs, comme les couleurs rouge, verte et bleue, desquelles toutes les autres couleurs sont issues, doivent aussi être contrôlés. Les cartes graphiques doivent donc contenir un nombre important de puces de mémoire pour leur permettre de faire leur travail. Actuellement, l'adaptateur graphique le plus courant est le VGA, aussi offert en deux couleurs. Par contre, l'adaptateur MDA demeure le moins cher. Le tableau 20.1 donne une liste des caractéristiques des cartes graphiques les plus utilisées.

Le **curseur** est un point qui indique à l'écran où sera introduite la prochaine donnée. Le curseur a un aspect différent, selon chaque logiciel. Avec de nombreux programmes, c'est un bout de ligne qui clignote. Dans les **chiffriers**, il s'agit habituellement d'une case mise en valeur en vidéo inverse (sur un écran monochrome, le fond est clair plutôt que noir, et sur un écran couleur, les chiffres et les lettres sont affichés dans des couleurs contrastantes).

La composante clé d'un PC est l'**unité du système**, un boîtier qui renferme l'unité centrale (UC), la mémoire et au moins une unité de mémoire. Dans la partie légèrement enfoncée de l'unité, à droite du boîtier, se trouve une unité de disquette, au-dessus du disque dur. Les lignes horizontales situées à gauche, sur le boîtier, sont les fentes de ventilation, qui permettent l'aération des circuits intérieurs. À l'arrière de l'unité du système se trouve aussi un ventilateur permettant d'expulser l'air chaud à l'extérieur. L'interrupteur de mise sous tension du système se trouve habituellement à l'arrière du boîtier, du côté droit ou, parfois, sur le côté de l'unité ou même devant.

Le processeur   L'UC (**unité centrale**) extrait de l'information de la mémoire, la transforme conformément aux directives du programme et envoie les résultats à l'écran et à un autre endroit situé dans la mémoire. Quand l'ordinateur n'est pas sous tension, tout ce qui se trouvait dans la **mémoire vive** est perdu. Il est donc nécessaire de stocker certaines données de façon permanente.

Dans la plupart des ordinateurs personnels, l'UC est une puce Intel 80286 ou, pour les appareils plus récents, une puce 80386. Les puces des UC diffèrent quant à la vitesse de traitement (mesurée en méga-hertz, MHz) et à la largeur du canal des données (mesurée en bits).

Les premiers PC d'IBM étaient dotés d'une puce 8088, qui fonctionnait à une vitesse de 4,77 MHz, ou à une vitesse deux fois plus élevée s'il s'agissait d'un appareil « turbo ». Elle avait un canal de données de 8 bits et fonctionnait à l'intérieur du système avec 16 bits. On pouvait également utiliser une puce de coprocesseur mathématique, la 8087, qui permettait d'effectuer des calculs avec virgule flottante. Notons que la puce 8088, moins chère, avait remplacé la puce 8086 (le PC avait été conçu pour la 8086), en raison d'une pénurie de celle-ci.

Avec les PC/AT, IBM créait les puces 80286, qui fonctionnent habituellement à des vitesses

TABLEAU 20.1
Les adaptateurs
graphiques
des PC d'IBM

Acronyme	Adaptateur	Résolution standard	Couleurs standards
MDA	Monochrome	720 × 348	S/O
CGA	Carte de couleur-graphique	640 × 200	4 sur 16
EGA	Enhanced Graphics (graphique amélioré)	640 × 350	16 sur 64
VGA	Video Graphics Array (écran VGA)	640 × 480	16 sur 256
SVGA	Super VGA	800 × 600	16 sur 256
XGA	Extended Graphics Array (écran multifonction)	1 024 × 768	256

de 8, 10 ou 12 MHz (on a aussi conçu des puces pouvant fonctionner à une vitesse de 20 MHz). Comme les puces 80286 ont un canal de données de 16 bits, elles peuvent exécuter beaucoup plus d'opérations en un temps donné que les puces 8088. Elles peuvent également être accompagnées de puces de coprocesseurs 80287.

Pour leur part, les puces 80386 fonctionnent à une vitesse pouvant aller jusqu'à 40 MHz et leur canal d'introduction de données est deux fois plus élevé que celui des puces 80286. Elles peuvent être utilisées avec des puces de coprocesseurs 80387. On appelle maintenant les puces ordinaires «puces DX». Il existe une puce modifiée, la 80386SX, qui a un canal de données de 16 bits mais dont le fonctionnement interne correspond à 32 bits. Non seulement cette puce est-elle moins onéreuse que la puce DX, mais elle est plus compatible avec les ordinateurs plus anciens et les cartes périphériques.

Les puces 80486DX fonctionnent quant à elles à une vitesse de 33 ou 50 MHz et utilisent un canal de données de 32 bits. Elles ont un ensemble de circuits de coprocesseur mathématique intégré et une antémémoire interne pour stocker temporairement les données le plus souvent utilisées par l'ordinateur. Leur vitesse est donc accrue. Il existe aussi une puce 80486SX, sans l'ensemble de circuits de coprocesseur mathématique, dont la vitesse est de 25 MHz. Cette puce coûte moins cher que la 80486DX et son rendement est meilleur que celui des 80386DX33. Elle tend donc à remplacer rapidement la puce 386 à titre de puce standard pour les PC de base. Notons que certains ordinateurs munis de la puce 486 sont dotés d'un plot supplémentaire destiné à recevoir une puce permettant de doubler la vitesse de traitement, qui doit être commercialisée à titre de composante additionnelle.

La mémoire interne Il existe deux mémoires de base : la **mémoire morte** (MeM) et la **mémoire vive** (MeV). La mémoire morte est contenue dans une seule puce et se charge de la gestion des intrants et des extrants de l'ordinateur. La mémoire vive est répartie dans de nombreuses puces. On l'utilise pour le stockage temporaire des programmes et des données. Les puces de la mémoire vive sont habituellement installées sur une carte mère, à l'intérieur de l'unité du système. Cette dernière dispose d'emplacements libres pour y installer des cartes supplémentaires, au besoin.

La plupart des ordinateurs personnels de gestion ont une mémoire vive d'au moins 640 Ko (K = 1024 octets). (Un **octet** est formé de huit **bits**, ou éléments binaires.) De nombreux ordinateurs personnels ont une mémoire interne de plusieurs méga-octets (millions). La tranche de 640 Ko constitue la **mémoire classique**. La tranche de 384 Ko du premier méga-octet forme la partie supérieure de la mémoire. Cet espace mémoire est surtout utilisé pour les intrants et les extrants des données, et le vidéo. On appelle la mémoire supplémentaire (supérieure à un méga-octet) **mémoire d'extension** ou **mémoire d'expansion**. Certains logiciels ne peuvent utiliser que l'une ou l'autre mémoire alors que d'autres, tel Windows, doivent utiliser la mémoire d'extension.

Les unités de mémoire Les unités de mémoire permettent le stockage permanent des programmes et des données. La plupart des ordinateurs personnels de gestion sont dotés d'une unité de disquette et d'un disque dur. Certains appareils ont aussi un lecteur de CD-ROM, une unité de sauvegarde et des unités de disquette supplémentaires. Un disque dur type contient de 80 à 200 Mo de données. En plus d'avoir une capacité de mémoire beaucoup plus grande, les disques durs offrent un accès beaucoup plus rapide que les disquettes.

La plupart des disquettes que l'on utilise aujourd'hui sont des disquettes de 3,5 po. Elles ont habituellement une capacité de 720 Ko ou 1,44 Mo. Les premiers ordinateurs personnels fonctionnaient avec des disquettes de 5,25 po. Elles étaient alors à simple face, simple densité, et avaient une capacité de seulement 160 Ko ou 180 Ko. Ensuite, on créa les disquettes à double face, double densité, d'une capacité de 320 Ko ou 360 Ko. Les plus récentes disquettes, à haute densité, ont une capacité de 1,2 Mo. La figure 20.3 illustre les disquettes de 5,25 po et de 3,5 po.

Les unités de disquette des premiers ordinateurs ne pouvaient accepter que les disquettes à simple ou à double face. De nos jours, les nouvelles unités acceptent habituellement toutes les disquettes de 5,25 po. Néanmoins, les champs magnétiques utilisés dans les unités à haute densité sont différents (plus faibles et plus rapprochés) de ceux utilisés dans les unités à double densité. Par conséquent, il est parfois impossible de transférer des disquettes d'un ordinateur à l'autre, même si elles sont de mêmes dimensions.

L'introduction   Une autre principale composante de l'ordinateur personnel est le **clavier**, qui est habituellement relié à l'unité du système par un long cordon spiralé. Grâce à ce dernier,

FIGURE 20.3
Disquettes types, vues de face et de derrière

on peut donc installer l'unité du système sous le pupitre ou plus loin, ce qui offre un espace de travail plus grand à l'utilisateur et lui permet de trouver une position confortable pour se servir du clavier. Les claviers de micro-ordinateurs ressemblent à ceux des machines à écrire, avec une série de touches supplémentaires.

Les claviers sont dotés d'un ensemble de touches (de [F1] à [F10]) que l'on appelle **clavier de fonction**. Sur certains claviers, ces touches de fonction sont situées à gauche, dans un bloc, alors que sur d'autres, elles sont alignées dans la partie supérieure du clavier. Ces touches sont programmées pour exécuter certaines opérations, qui obligeraient autrement l'utilisateur à appuyer sur de nombreuses touches pour exécuter une commande particulière. Dans la plupart des logiciels, la touche [F1] est la touche d'aide.

Le **bloc numérique** se trouve à la droite du clavier et contient les touches [0] à [9] avec lesquelles on introduit les chiffres quand la touche [Num] est enfoncée. Les touches [2], [4], [6] et [8] représentent aussi des flèches ([↓], [←], [→] et [↑]). Quand la touche [Num] n'est **pas** enfoncée, il est alors possible d'utiliser les touches fléchées ainsi que les touches [1], [3], [7] et [9] (sur lesquelles figurent respectivement les mots [Fin], [Pg.Suiv], [Origine] et [Pg.Préc]) pour déplacer le curseur à l'écran.

Les claviers plus longs ont des touches qui servent uniquement aux mouvements du curseur ([↓], [←], [→], [↑], [Origine], [Fin], [Pg.Préc] et [Pg.Suiv]), ce qui permet à l'utilisateur de laisser enfoncée en tout temps la touche [Num] et ce qui facilite l'utilisation des chiffriers, évitant d'appuyer sans cesse sur cette touche pour introduire à l'écran tantôt des chiffres, tantôt des lettres. En outre, entre le bloc numérique et le clavier principal, se trouvent les touches [Inser] et [Suppr], qui reproduisent les fonctions [Inser] et [Suppr] des touches [0] et [.] du bloc numérique.

Le clavier principal contient des touches supplémentaires qui ne figurent pas sur le clavier d'une machine à écrire. Les plus importantes d'entre elles sont les touches [Ctrl] et [Alt]. On les utilise souvent pour augmenter le nombre de fonctions possibles sans devoir ajouter d'autres touches de fonction sur le clavier. Les trois touches [Ctrl], [Alt] et [Suppr] ont aussi un rôle particulier à jouer. Lorsqu'on appuie simultanément sur ces trois touches, on provoque en effet une **mise à l'état opérationnel** de l'ordinateur, soit un redémarrage de l'appareil, sans avoir à procéder à l'autotest à la mise sous tension.

L'une des touches les plus importantes du clavier est la touche [Entrée] (ou [Retour] ou [↵]), qui se trouve à la droite du clavier central. Lorsqu'on appuie sur cette touche, un signal est envoyé à l'ordinateur lui signifiant d'exécuter la commande qui vient d'être tapée. Comme cette touche est des plus importantes, les claviers améliorés sont dotés d'une seconde touche [Entrée] située à l'extrême droite du bloc numérique. La touche [Échap], qui se trouve habituellement dans le coin supérieur gauche du clavier, est aussi importante : elle sert à annuler une commande que l'on vient de lancer. Les deux touches « majuscules » (sur lesquelles figure le mot [Maj] ou une flèche pointant vers le haut), situées à la droite et à la gauche du clavier central, servent à taper, alternativement, des lettres majuscules ou minuscules. La longue barre qui se trouve en bas, au centre du clavier, est la barre d'espacement. Aucun symbole ni lettre n'y sont représentés sur la plupart des claviers. Quant à la touche [Impr.Écran], elle commande à l'ordinateur l'impression de ce qui figure à l'écran, à condition qu'une imprimante y soit bien sûr reliée ; dans le cas contraire, le fonctionnement de l'appareil s'interrompra. Enfin, soulignons qu'en raison de leur espace limité, les claviers des ordinateurs transportables, portatifs et bloc-notes ne sont pas standard.

Parmi les autres unités périphériques d'entrée utilisées avec un ordinateur, on compte la tablette graphique, le lecteur et la souris. Comme ces unités sont, à l'exception de la souris, plutôt coûteuses, le clavier demeure l'unité périphérique la plus courante. **La souris** est une unité séparée qui tient dans la main, mais elle peut être une boule incorporée au clavier. On l'utilise pour pointer et tirer (cliquer) des symboles graphiques qui représentent la commande que l'on désire exécuter. Les **lecteurs** permettent de lire une page de données imprimée en quelque 60 secondes. Ils sont donc très utiles pour introduire de grandes quantités de données déjà imprimées, et peuvent aussi servir à balayer des images, telles les figures du présent chapitre.

L'extraction L'autre principale composante d'un ordinateur personnel est l'**imprimante**, pour consigner les extrants en permanence. La plupart des ordinateurs personnels utilisés en entreprise sont reliés à des imprimantes à laser, puisque ces dernières, qui fonctionnent comme des photocopieurs, peuvent servir à la publication assistée par ordinateur. Les ordinateurs domestiques sont pour leur part souvent reliés à des imprimantes à matrice de points, en raison de leur coût moins élevé. Enfin, certaines entreprises se servent d'imprimantes à matrice de points pour les brouillons et d'imprimantes à laser pour les documents définitifs.

Il existe deux catégories d'imprimantes à laser : les imprimantes PostScript et les autres. Les premières sont plus souples et plus coûteuses. Elles sont dotées d'un plus grand nombre de polices de caractères, ou fontes, et la capacité de leur mémoire est plus élevée. La **fonte** d'une imprimante est une famille de caractères qui peut habituellement être imprimée dans divers styles et diverses dimensions. Les fontes sont de deux sortes : à espacement non proportionnel et à espacement proportionnel. Avec l'espacement non proportionnel, chaque lettre occupe le même espace, et les lettres W et I seraient imprimées dans le même espacement horizontal. En revanche, dans l'espacement proportionnel, on attribue à chaque lettre un espace convenant à sa forme ; W prend donc plus d'espace que I. Les familles de caractères peuvent également être de deux types : avec empattement (sérifs) ou sans empattement (sansérifs). Les caractères sérifs sont enjolivés de petites décorations, ou « pattes », alors que les caractères sansérifs n'ont pas de fioritures. On utilise habituellement les caractères sansérifs pour les titres, et les caractères sérifs, étant plus faciles à lire, pour le corps du texte.

L'imprimante à laser LaserJet III, de Hewlett Packard (illustrée à la figure 20.4), est l'une des plus populaires. Cette imprimante, dont le coût est moins élevé que celui des imprimantes Post-Script, peut effectuer les mêmes fonctions. En fait, la plupart des imprimantes à laser autres que PostScript peuvent utiliser la gamme de produits LaserJet de Hewlett Packard, mis à part quelques fonctions.

La boîte rectangulaire placée à l'avant de l'imprimante est un bac à papier, qui est muni d'un rail-guide destiné à accueillir des feuilles individuelles (papier à en-tête) ou des enveloppes. Ce bac est offert en diverses dimensions (format lettre [8,5 × 11 po], juridique [8,5 × 14 po] ou métrique). Sous le bac à papier se trouvent deux fentes pour accueillir des cartouches de police, qui peuvent être changées à volonté. Notons qu'il existe même une cartouche PostScript.

Les imprimantes sont habituellement reliées aux ordinateurs au moyen d'un port parallèle, qui transmet simultanément les 8 bits de chaque octet. On peut également utiliser le port série, qui transmet un bit à la fois pour chaque octet, processus plus lent. La gamme de produits LaserJet comprend des interfaces de série et des interfaces parallèles.

FIGURE 20.4
Imprimante à laser
LaserJet III de Hewlett Packard

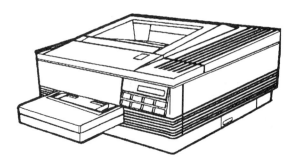

La résolution d'une imprimante à laser est une caractéristique importante. L'impression de l'imprimante LaserJet III a une résolution de 300 points. Elle est en outre munie d'une fonction d'enrichissement de résolution qui améliore davantage l'impression. Notons qu'en ajoutant à l'ordinateur une carte produite par un fabricant indépendant (au coût de quelque 900 $), il est possible d'améliorer la résolution de l'imprimante à 800. La dernière-née de la famille de produits de Hewlett Packard, l'imprimante LaserJet 4, a une résolution de 600 points, et son prix courant est un peu inférieur à celui de l'imprimante LaserJet III. Les résolutions plus élevées permettent de produire des documents qui se comparent avantageusement aux documents réalisés en imprimerie, qui sont à peu près à 1 200 points. Toutefois, les imprimantes qui donnent ces résultats sont vendues à un prix jugé trop élevé par la plupart des entreprises.

UN POINT DE VUE

La technologie de l'information — plus qu'un simple outil, un investissement

En plus de vivre une récession économique, nous procédons actuellement à une restructuration économique en profondeur. Nous passons en effet d'une économie industrielle à une économie axée sur la technologie de l'information. Et ceux qui attendent patiemment le retour aux méthodes anciennes devront, s'ils désirent survivre, adopter tôt ou tard cette technologie.

Selon Janice Moyer, présidente et chef de la direction de l'Association canadienne d'informatique (ACI), la technologie de l'information est désormais un outil essentiel pour les entreprises et les nations qui désirent demeurer concurrentielles dans l'économie de demain. Mme Moyer et ses collègues s'évertuent d'ailleurs à convaincre les entreprises et les gouvernements que **demain** est en fait aujourd'hui.

Même si la technologie de l'information existe depuis le lancement des ordinateurs personnels, au début des années 1980, la seule mention de son nom continue d'inquiéter bien des gens.

La technologie de l'information est en effet considérée comme un obstacle insurmontable, qui n'évoque que des choses négatives. Ainsi, certains y vont d'affirmations du genre : «Je suis certain que ce n'est pas une bonne idée, et pour bien des raisons. » ou «Ça coûte très cher et je peux difficilement dire comment cela pourra m'être profitable. » ou encore «Je n'y comprends rien et je sais que je vais détester cela. » ou «Je n'aime pas voir des personnes assises devant un ordinateur... On ne peut pas vraiment savoir si elles font leur travail. » et enfin «Je ne peux me permettre d'investir autant d'argent dans la formation de mes employés pour les voir ensuite quitter mon entreprise. »

Et si on aidait les gestionnaires à apprendre de quelle façon la technologie de l'information aide actuellement certaines entreprises canadiennes à être plus concurrentielles et plus efficaces ?

C'est ce que réalise en ce moment une nouvelle étude, commandée par le ministère de l'Industrie, du Commerce et de la Technologie de l'Ontario, l'ACI et Science et Technologie Canada. Et nul besoin de posséder un ordinateur pour tirer profit de cette étude, puisqu'elle montre les effets positifs de la technologie de l'information d'une manière très simple.

Prenez un moment pour examiner les avantages que la technologie de l'information semble présenter :

- réduction du matériel utilisé ;
- réduction de la main-d'œuvre ;
- réduction des frais de transport ;
- réduction des frais d'énergie ;
- réduction du temps de livraison ;
- élimination de l'écart entre le produit et les attentes du client ;
- élimination des produits défectueux ;
- création de nouveaux produits ;

- création de nouveaux services ;
- meilleures conditions de travail ;
- meilleures communications internes ;
- meilleures communications externes ;
- marketing plus efficace ;
- gestion globale plus efficace ;
- accroissement des responsabilités des gestionnaires ;
- amélioration de la qualité de vie ;
- création de nouvelles notions et de nouveaux paradigmes.

Dévoilé lors de la conférence annuelle de l'ACI, à la fin de septembre, le rapport *Things Change* constitue un résumé de toutes les études de cas menées par la firme Branham Consulting Group Inc., de janvier à avril, à partir des recherches auxquelles ont participé 13 entreprises privées et 2 organismes gouvernementaux canadiens.

Certains des résultats n'ont rien de surprenant — la Société canadienne des postes et Bell Canada se sont avérées être des leaders de la technologie de l'information. L'étude portait aussi sur des entreprises telles que le restaurant Hardee's et la Société de conservation de l'Outaouais (qui combat les incendies de forêts), qui, au premier abord, n'ont pas le profil type de l'entreprise qui devrait adopter la technologie de l'information.

« Cette étude de cas démystifie ce sujet, affirme Mme Moyer. Elle montre que l'utilisation de la technologie de l'information a sa propre dynamique, qu'une application en entraîne une autre et qu'on peut ainsi procéder à toute une série d'améliorations et d'avantages. »

Selon Lyle Bunn, conseiller informatique du ministère de l'Industrie, du Commerce et de la Technologie de l'Ontario, la conclusion la plus importante de ce rapport est que toute entreprise peut obtenir des résultats hors pair grâce à cet outil. « Les grandes comme les petites entreprises peuvent réaliser des profits. Par exemple, l'installation d'un système de base peut permettre de réduire les coûts de main-d'œuvre, de matériel, de maintien des stocks et de remboursement de comptes clients », souligne-t-il.

On doit toutefois prendre les mesures nécessaires pour réorganiser l'entreprise afin de tirer le meilleur profit possible de cet outil. « L'investissement dans la technologie de l'information donne à une entreprise l'occasion de repenser tout son processus de gestion. Souvent, les nouvelles fonctions technologiques nous donnent une liberté et des pouvoirs supplémentaires, mais la clé du succès réside dans l'habilitation des employés », poursuit M. Bunn.

Les autres conclusions de l'étude font ressortir une relation directe entre des communications internes efficaces et une gestion retardée, les avantages éventuels importants dans des disciplines dont on ne tenait pas compte, tel le marketing, et une augmentation des aptitudes de la main-d'œuvre. Cette étude a en outre révélé qu'en dépit de ses avantages, la technologie de l'information n'est pas une panacée.

Faire l'investissement approprié peut représenter un défi. C'est pourquoi l'ACI s'efforce d'aider des organismes à prendre les meilleures décisions qui soient en les invitant à étudier la technologie de l'information et à l'adapter à leur propre situation.

«La technologie de l'information est beaucoup plus qu'un simple outil. Elle dicte l'environnement de gestion, elle accélère l'évolution de nos marchés et de nos pratiques commerciales. Nous **devons** en disposer dès aujourd'hui, pour concurrencer les entreprises qui la comprennent et l'utilisent déjà… L'avenir du Canada en dépend », ajoute Janice Moyer.

Source: Traduit de Lou Clemens, « For Your Information — Not Just Another Tool, Infotech's an Investment », *Challenges*, Automne 1992, p. 22. Utilisation autorisée par le ministère du Développement économique et du commerce de l'Ontario.

RÉSUMÉ

Sommaire

1. Les systèmes intégrés de gestion facilitent la prise de décisions aux gestionnaires.

2. Les composantes essentielles d'un système informatique sont: les données, le matériel, les logiciels, le personnel et les procédures.

3. Les données sont les matières premières qui doivent être traitées en information qui sera fournie par la suite aux gestionnaires, afin qu'ils puissent prendre les décisions nécessaires.

4. Le matériel informatique englobe les unités physiques qui composent l'ordinateur. Ces unités ont pour rôle l'introduction, la mise en mémoire, le traitement, l'extraction et la transmission de données.

5. Les logiciels sont des programmes qui permettent à l'ordinateur de fonctionner. Ils comprennent le système d'exploitation et les applications, tels les programmes de comptabilité et de traitement de texte.

6. Les applications qui conviennent le mieux à l'informatisation sont celles dont nous connaissons très bien le fonctionnement. Ce sont les applications urgentes et importantes. Si elles comportent le traitement d'une grande quantité de données, elles seront probablement rentables.

7. La plupart des entreprises d'aujourd'hui se servent de micro-ordinateurs, qui sont des ordinateurs personnels que les employés peuvent utiliser directement. De plus, les ordinateurs personnels sont **faciles à utiliser**, ce qui permet aux gestionnaires d'obtenir rapidement l'information dont ils ont besoin.

Notions clés

L'écart

L'écart type

L'échantillon

L'information

L'ordinateur

L'UC

La fonte

La population

La régression

La souris

La synergie

La variance

Le logiciel

Le matériel

Le paramètre

Le RL

Le système

Le SAD

Le SIG

Le traitement des données

Les données

Les langages informatiques

Les micro-ordinateurs

Les statistiques

Exercices de révision

1. Quelles sont les principales composantes des systèmes intégrés de gestion informatisés ?

2. Quelle est la différence entre les données et l'information ?

3. Quels sont les principaux éléments d'un ordinateur ?

4. Quelles sont les principales sortes de langages informatiques ?

5. Décrivez les principales applications des ordinateurs dans l'entreprise.

6. Quels sont les principaux avantages et inconvénients des micro-ordinateurs ?

Matière à discussion

1. Pourquoi la plupart des entreprises du monde entier utilisent-elles les micro-ordinateurs ?

2. Expliquez de quelle façon les ordinateurs peuvent faciliter la prise de décisions aux gestionnaires.

3. Êtes-vous d'accord ou non avec le point de vue sur la technologie de l'information ? Pourquoi ?

Exercices d'apprentissage

1. Le matériel informatique

Jacqueline Dion vous demande de l'aider à choisir un micro-ordinateur et les logiciels pour son magasin spécialisé dans les vêtements et les chaussures de danse sociale. À votre avis, quels éléments devrait-elle principalement considérer ?

2. Un système d'aide à la décision

La Banque de Montréal a décidé de créer un système qui lui fournirait des renseignements en plus de traiter simplement des opérations. Son système est le système de renseignements sur la clientèle et les produits (SRCP). Avant de l'installer, l'information dont disposait la Banque sur ses clients et ses produits n'était jamais complète, ni pertinente. Trois ans après l'installation du SRCP, la Banque l'utilise couramment. Les données des 13 derniers mois sont accessibles en direct et font partie de l'immense base de données de la Banque, à laquelle ont accès toutes ses 1 200 succursales. Au moment de l'installation du système, on a dû surmonter des obstacles, dont l'attribution de codes uniformes à chacun des comptes des clients, la réticence de certains cadres supérieurs et le manque d'enthousiasme de la part des directeurs des succursales. Le SRCP a permis à la Banque de repérer les comptes non profitables, de les fermer ou de leur imposer des frais supplémentaires. La Banque de Montréal est l'une des banques les plus rentables du Canada. Selon vous, à quoi peut-on attribuer le succès du SRCP ?

CHAPITRE
21

PLAN

La bureautique

La planification, l'aménagement et les installations du bureau
La planification du bureau
La construction du bureau

L'organisation et le personnel du bureau
Le nouveau bureau
Le bureau existant
Le personnel

La gestion administrative du bureau
Les machines et l'équipement
Les logiciels
Les fournitures de bureau
Les opérations de bureau
La sécurité du bureau

La gestion des documents

Un point de vue : les entreprises à court
d'informaticiens compétents

Résumé

LA BUREAUTIQUE

Les objectifs du chapitre

Après avoir lu le présent chapitre, vous pourrez :

1. décrire la bureautique ;

2. nommer les principales considérations relatives à la planification d'un bureau ;

3. nommer les principales considérations relatives à l'organisation et au personnel du bureau ;

4. décrire les principales caractéristiques des logiciels de traitement de texte ;

5. décrire les principales caractéristiques des chiffriers ;

6. nommer les principales considérations relatives à la gestion des documents.

Nous sommes en 2001. Bill Brown, vice-président, marketing, de la Virtuous Chemical Company, se rend à son travail. L'entreprise vient tout juste de lancer une campagne de publicité pour doubler sa part du marché au Japon. Bill se remémore la dernière téléconférence vidéo à laquelle il a assisté... Un collègue avait alors fait une judicieuse suggestion pour favoriser une hausse des ventes de la compagnie à l'étranger. Se trouvant dans un embouteillage, Bill en profite pour inscrire une note dans son appareil d'information personnelle à stylo optique.

Arrivé au bureau, Bill s'assoit à son pupitre et insère son appareil dans le poste de base. Il appuie sur une touche, et l'ordinateur lit le message que Bill s'était écrit dans la voiture : « Afficher le procès-verbal de la réunion stratégique du mois dernier. » Un message apparaît alors : « Autre chose ? »

« Oui, répond Bill. Distribuer la note de service que j'ai rédigée au sujet du marché asiatique des produits chimiques à chaque employé du service. »

« O.K., répond l'ordinateur. Mais Monsieur Witherspoon n'a pas lu les six dernières notes. »

« Super, marmonne Bill… Je m'en souviendrai la prochaine fois qu'il me demandera une augmentation de salaire. »

Quelques secondes plus tard, le procès-verbal de la réunion apparaît à l'écran. Un ordinateur avait alors utilisé la technologie de reconnaissance vocale pour superviser et enregistrer la réunion, puis avait mis en mémoire le texte dans la base de données de l'entreprise. Balayant rapidement le texte, Bill découvre que c'était Kim Wertz, une diplômée en administration des affaires récemment recrutée, qui avait proposé une façon d'augmenter les ventes de l'entreprise. S'adressant maintenant à l'ordinateur verbalement, Bill demande : « Qu'est-ce que fait Kim Wertz ces temps-ci ? »

Le système répond alors de sa « voix » nasillarde et métallique : « Elle vous a envoyé huit notes de service portant sur l'Extrême-Orient au cours du dernier mois, mais vous n'en avez lu aucune. Et, soit dit en passant, votre portefeuille d'actions affichait hier une baisse de quatre points. » Bill a programmé son système pour que celui-ci lui fasse un compte rendu de ses placements chaque matin. Il pousse un long soupir en se demandant si sa machine est en train de devenir effrontée…

Bill dit à l'ordinateur de vérifier l'agenda de Kim Wertz pour savoir si elle est libre pour le lunch, ce qui s'avère être le cas. Bill envoie donc à Kim un message vocal lui demandant de le rencontrer afin d'exposer ses nombreuses opinions sur le marché asiatique.

Il s'agit bien sûr d'un scénario futuriste, mais la plupart des spécialistes du secteur de l'informatique s'entendent pour affirmer que les ébauches de tels systèmes existent déjà et que l'on devrait bientôt assister au lancement de versions

plus perfectionnées. Les entreprises d'ordinateurs et de télécommunications ont d'ailleurs des centaines de projets futuristes en marche. Les 10 prochaines années seront le théâtre de la mise en commun des résultats de ces projets, ce qui donnera un nouveau souffle aux ordinateurs du XXIe siècle.

Au lieu de jouer leur rôle passif de simples outils de productivité, les ordinateurs deviendront alors de véritables collaborateurs, effectuant des recherches, communiquant avec d'autres entreprises et d'autres personnes, faisant des propositions et diffusant même des nouvelles intéressantes.

Les frais de bureau constituent la catégorie de dépense la plus importante pour la plupart des entreprises. Ils correspondent à environ 50 p. 100 de leurs frais d'exploitation, mais cette proportion peut s'élever à 85 p. 100 s'il s'agit d'une firme du secteur des services. Au fil des ans, à mesure que les entreprises ont pris de l'ampleur, elles se sont également davantage dispersées géographiquement, ce qui a eu pour effet d'augmenter les besoins en matière de coordination et de transmission de l'information. Or, les conseillers en gestion qui ont étudié la bureautique estiment que les améliorations apportées aux systèmes de traitement de texte, de saisie et au transfert de l'information peuvent entraîner des économies de l'ordre de 15 p. 100 en coût et de 10 p. 100 en temps pour le travail de bureau[1].

LA BUREAUTIQUE

La bureautique modifie rapidement le milieu et les habitudes de travail des employés de bureau d'aujourd'hui et ce changement ne fait que commencer. Au fil des siècles, les méthodes de

---

1. Traduit de Jerry Zeidenberg, « The Office of 2001 Makes All the Right Connections », *A supplement to Computing Canada 2001 A Technological Odyssey*, 9 novembre, 1992, p.3.

travail ont sans cesse évolué passant du travail manuel aux opérations mécaniques. En 1806, l'avènement du papier carbone permit la création simultanée de copies multiples ; près de 70 ans plus tard les machines à écrire, les téléphones et les machines à ronéotyper firent leur apparition, et ainsi de suite, remplaçant alors le travail mécanique d'antan par des opérations automatisées.

Créés au milieu du XXe siècle, les ordinateurs ont changé radicalement notre façon de vivre. Les systèmes de bureautique sont des systèmes informatisés qui rassemblent, traitent, stockent et transmettent des documents et des messages électroniques à l'intérieur des entreprises et aux quatre coins du monde. Parmi les opérations de bureautique dont nous traiterons dans ce chapitre figurent le traitement de texte et le chiffrier électronique.

LA PLANIFICATION, L'AMÉNAGEMENT ET LES INSTALLATIONS DU BUREAU

Chaque bureau est certes unique, mais tous les bureaux ont des traits communs et sont des endroits où les gens se servent de divers outils pour créer, stocker, extraire, organiser, résumer et communiquer l'information nécessaire à l'exploitation de l'entreprise. De plus en plus de monde y travaille et cette tendance semble se maintenir. Les employés de bureau regroupent des commis, des secrétaires, des techniciens, des professionnels et des gestionnaires. Habituellement, chacun est placé devant son pupitre et se sert de nombreux outils à la fine pointe de la technologie conçus pour augmenter sa productivité. La bureautique relie les gens et l'information à l'équipement électronique, particulièrement les micro-ordinateurs.

La planification du bureau

Un élément clé de la planification d'un bureau est l'analyse du travail qui y sera accompli. Or, ce n'est point une tâche facile, la nature du travail et les lieux étant voués à changer très rapidement. On peut néanmoins, à partir de cette analyse, déterminer l'aménagement et les installations appropriés. Soulignons que les éléments mentionnés à ce sujet au chapitre 13 s'appliquent également aux bureaux.

Certains bureaux sont ouverts au public ; on doit donc y aménager des espaces pour recevoir les gens. Certains sont destinés aux cadres supérieurs ou aux administrateurs de l'entreprise et ont un ameublement plus élaboré. D'autres enfin sont principalement utilisés pour la production et aucun visiteur n'y met les pieds — ils peuvent donc être aménagés de façon plus simple.

Quoi qu'il en soit, la considération clé est la façon dont l'espace sera utilisé. Oublions le bon vieux minuscule bureau où ne trônait qu'une seule machine à écrire : les bureaux modernes doivent être dotés de nombreux appareils électroniques et d'un ameublement approprié et doivent disposer d'un espace suffisant pour chaque chose. La plupart des bureaux nécessitent aujourd'hui un câblage électrique beaucoup plus important et nombre de machines de bureau doivent avoir un système de ventilation particulier parce qu'elles dégagent des vapeurs de produits chimiques quand on s'en sert. On ne devrait négliger aucun de ces détails au moment de concevoir et de réaménager un bureau.

La construction du bureau

Les bureaux sont parfois installés dans des immeubles réservés à des usages administratifs mais, le plus souvent, ils sont situés dans des immeubles où se trouvent aussi des commerces et des appartements. Les promoteurs font habituellement appel à un cabinet d'architectes pour le design de l'immeuble, avant de le louer. Le locataire signe un contrat pour la location d'une certaine partie de l'immeuble, qu'il a le loisir d'aménager à sa guise, aux conditions précisées dans le contrat. Dans les immeubles à plusieurs étages, les locataires peuvent louer un étage ou plusieurs étages. Une fois l'extérieur de l'immeuble terminé, on peut en diviser l'intérieur. Ce travail est parfois supervisé par l'architecte responsable de l'immeuble. Toutes les étapes peuvent donc être coordonnées. Habituellement, les promoteurs s'efforcent de louer la plus grande partie de l'immeuble avant sa construction pour procéder le plus tôt possible aux divisions intérieures et à l'installation des locataires, de façon à percevoir rapidement les loyers. Certains immeubles sont reliés à un stationnement situé au sous-sol ou à côté. Notons que la location de bureaux procure à l'entreprise la souplesse qui lui permettra de s'adapter facilement à une technologie en constante évolution.

L'ORGANISATION ET LE PERSONNEL DU BUREAU

Lorsqu'elle a une bonne idée du travail qui sera réalisé sur les lieux, l'entreprise doit décider de la façon dont le travail sera accompli et du genre d'employés qui se serviront de l'équipement.

Le nouveau bureau

La conception d'un nouveau bureau peut tenir compte de la toute dernière technologie sur le marché. Néanmoins, une certaine souplesse serait de mise puisqu'on sera, sans l'ombre d'un doute, amené à y changer des choses.

Le bureau existant

À l'avenir, les bureaux déjà en place nécessiteront des améliorations plus constantes, à mesure que de nouvelles machines seront lancées sur le marché.

Prenons l'exemple de la société General Mills. Au début des années 1970, elle aménageait un nouveau bureau chargé de répondre aux lettres de la clientèle au sujet de ses produits. Dans ce bureau, chacun des nombreux employés, et surtout les femmes, occupaient un poste de travail composé de quatre machines à écrire automatisées disposées en cercle. Chaque poste était utilisé par une personne, qui insérait le papier dans la première machine, y tapait une adresse, appuyait sur quelques touches ordonnant à la machine de taper certains paragraphes, puis passait à la deuxième, où le processus se répétait. Une fois les directives données à la quatrième machine, la première machine avait terminé sa lettre et était prête à en taper une autre. L'employée passait donc toute sa journée à pivoter sur place. Et le coût total des quatre machines était considérablement plus élevé que le salaire annuel de l'employée.

Au milieu des années 1980, l'entreprise remplaça les quatre machines à écrire par un seul micro-ordinateur qui coûtait une fraction du salaire annuel de son utilisateur. Son logiciel de traitement de texte est programmé de façon à fusionner les adresses avec les paragraphes désirés pour créer les lettres personnalisées appropriées. Toutes les lettres sont ensuite imprimées en série par une imprimante à laser reliée à plusieurs ordinateurs en réseau. Avec ce nouveau système, l'entreprise a plus d'espace, réduit ses frais et accroît sa production, surtout depuis l'achat des plus récents ordinateurs et imprimantes qui sont beaucoup plus rapides. Comme la technologie évolue très vite, il est probable que l'on devra remplacer plus fréquemment les systèmes par des équipements plus rentables.

Certains bureaux qui passent de la mécanisation à l'automatisation devront avoir plus d'espace vu les dimensions des nouveaux équipements. Ainsi, quand on a remplacé les machines à écrire par des micro-ordinateurs, le nouvel équipement comptait deux éléments : l'ordinateur et l'imprimante. Les premières imprimantes ressemblaient beaucoup aux machines à écrire, avec leur rouleau à papier et leur rosace d'impression. Plus rapides que les machines à écrire, elles produisaient des copies parfaites parce que le texte pouvait être vérifié et corrigé à l'écran avant l'impression. Les imprimantes d'aujourd'hui sont encore plus rapides et encore plus petites et produisent des documents de meilleure qualité, de sorte que les machines à rosace sont reléguées aux musées.

Les combinés sont de plus en plus nombreux dans les bureaux et comprennent, par exemple, un téléphone, un répondeur et un télécopieur intégrés dans le même appareil, et ils sont pratiques parce qu'ils prennent moins de place et font probablement économiser de l'argent. Il est même possible d'installer des cartes de télécopie dans les ordinateurs ou les imprimantes à laser.

Le personnel

Il est évidemment inutile de se doter de la nouvelle technologie si l'on n'a pas le personnel capable de faire fonctionner l'équipement de pointe. Aujourd'hui, il est probable que les nouveaux employés savent utiliser l'ordinateur et les logiciels de traitement de texte et des chiffriers. Les employés en place dans l'entreprise devront suivre des sessions de formation pour améliorer leurs compétences en informatique, car les travailleurs qui ont l'équipement nécessaire et savent s'en servir sont en principe plus productifs et probablement plus heureux.

LA GESTION ADMINISTRATIVE DU BUREAU

Comme la plupart des activités de gestion administrative des bureaux créent des dossiers, habituellement sur papier, le traitement de texte est probablement la plus importante des composantes de la bureautique, car il permet de taper un document sur un ordinateur, de le corriger, de changer sa mise en pages et de l'imprimer à l'intention d'autres personnes. Comme il est très facile de corriger le document, les utilisateurs

n'ont plus peur de faire des erreurs, ils tapent le texte plus vite et leur productivité s'en trouve accrue. De plus en plus de gestionnaires et de professionnels dactylographient leurs propres notes de service. Certaines entreprises se passent même des services de secrétariat, à l'exception des cadres supérieurs et des bureaux qui traitent avec le public. Ainsi, pratiquement tous les employés de bureau travaillent maintenant avec des équipements électroniques modernes.

Les machines et l'équipement

La plupart des bureaux sont équipés de nombreuses machines et d'éléments de soutien, comme les ordinateurs, les imprimantes, les télécopieurs, les lecteurs, les classeurs, les pupitres, les chaises, les plus importants outils étant, bien sûr, les ordinateurs, comme nous l'avons indiqué au chapitre précédent. Les micro-ordinateurs utilisés dans les bureaux doivent être accompagnés des logiciels appropriés, dont les principaux sont celui de traitement de texte et celui des chiffriers.

Les logiciels

La popularité des ordinateurs personnels est principalement attribuable à la vaste gamme de logiciels **faciles à utiliser**. Les logiciels de traitement de texte sont les applications pour micro-ordinateurs les plus répandues. L'engouement qu'ils suscitent tient au fait qu'ils permettent de corriger les erreurs très facilement. Grâce à eux, on peut également recycler des documents, lettres ou notes de service après les avoir modifiés en partie. Les logiciels de traitement de texte d'aujourd'hui sont des outils de travail extrêmement perfectionnés qui permettent la publication de documents assistée par ordinateur, travail que l'on devait auparavant faire exécuter par une entreprise spécialisée. Résultat : des économies de temps et d'argent évidentes.

Le traitement de texte

Le plus utilisé des logiciels de traitement de texte est WordPerfect. Quand celui-ci est chargé dans l'ordinateur, un **écran vierge**, comme celui de la figure 21.1, apparaît. Dans le coin supérieur gauche de cette figure se trouve un **curseur** (caractère de soulignement) et, dans le coin inférieur droit, une **ligne d'état**. **Doc 1** signifie que le document 1 est actuellement affiché. Il est donc possible d'accéder à un autre document, le document 2, qui apparaît alors dans une autre fenêtre, pour établir des comparaisons ou déplacer des blocs de texte d'un document à un autre. **Pg 1** indique que le curseur se trouve à la première page du document, et **Ln 1"** qu'il se trouve sur une ligne située à un pouce de la marge supérieure de la page. **Pos 1"** indique que le curseur se trouve à un pouce de la marge de gauche de la page. Si les lettres **POS** sont en majuscules, cela signifie que la touche des majuscules est enfoncée. Les données de la ligne d'état changent à mesure que l'utilisateur

tape du texte, ce qui lui permet de toujours savoir à quelle position se trouve le curseur dans sa page. Avec WordPerfect, on commence à taper le texte dans un écran vierge, sans avoir créé de document au préalable, comme si l'on avait tout simplement inséré une feuille de papier dans une machine à écrire.

L'écran d'édition de base (vierge) de WordPerfect est destiné à la création rapide de documents. Il ne permet pas de voir la mise en forme finale d'un document qui sera imprimé. On contrôle l'impression en mettant en forme le document. Toutes les opérations de mise en forme de WordPerfect se font à l'aide de codes cachés dans le document.

L'utilisateur d'un logiciel de traitement de texte devrait s'efforcer de taper le plus rapidement possible, de laisser libre cours à ses idées, sans se soucier des fautes d'orthographe ou des coquilles. La première étape essentielle consiste à introduire le texte nécessaire dans le document. Chaque fois que l'on tape une ligne de

FIGURE 21.1
L'écran initial
d'un document
de WordPerfect

Doc 1 Pg 1 Ln 1" Pos 1"

texte avec un logiciel de traitement de texte et que le curseur arrive à la fin de la ligne, un code de retour à la ligne facultatif [SRt] est inséré par l'ordinateur dans le document et le texte passe automatiquement à la ligne suivante. Cette fonction de retour à la ligne automatique évite à l'utilisateur de marquer les fins de ligne. WordPerfect commence une nouvelle page chaque fois que le texte qui est introduit remplit la précédente. Quand cela se produit, un code de page facultative [SPg] est introduit. L'utilisateur peut par contre insérer un code de page imposée [HPg] chaque fois qu'il désire créer une nouvelle page, en appuyant sur les touches [Ctrl] et [Entrée].

Quand on dactylographie un texte, on laisse habituellement deux espaces après le point qui termine une phrase. Avec les logiciels de traitement de texte, on ne devrait n'en laisser qu'un seul puisque le programme mettra des espaces proportionnels. De plus, il n'est nécessaire d'introduire un code de retour à la ligne obligatoire [HRt] qu'à la fin d'un paragraphe, à l'aide de la touche [Entrée]. Pour taper un texte en colonnes, il est préférable d'utiliser la touche de **tabulation** plutôt que la barre d'espacement. La fonction **Math/Colonnes**, très perfectionnée, peut d'ailleurs servir à cette fin.

Après une poussée de créativité, l'utilisateur devrait appuyer sur la touche [F10] pour sauvegarder son document sans effacer l'écran (il serait bon de donner un nom au document). Il pourra ensuite retourner au début de la page ou du paragraphe pour corriger ce qu'il vient de rédiger. Des études psychologiques ont montré que cette méthode en deux étapes est, d'un point de vue cognitif, la meilleure façon de procéder qui soit.

La correction des documents est un jeu d'enfant avec les logiciels de traitement de texte. Pour ce faire, il est conseillé de parcourir le document du début à la fin. Pour l'exécution de commandes WordPerfect, on doit utiliser les touches de fonction, ainsi que les touches [Ctrl], [Alt] et [Maj]. Si l'ordinateur est équipé d'une souris à deux boutons, l'utilisateur active la barre de menus en appuyant sur le bouton de droite. Il peut ensuite utiliser la souris ou les touches fléchées pour choisir l'une des options. Certains utilisateurs préfèrent procéder de cette façon plutôt que de se servir des touches de fonction. Pour déplacer facilement des mots, des groupes de mots ou des phrases, on peut se servir de la commande **déplacer** en suivant les directives affichées à l'écran. La façon la plus simple de supprimer des mots est de se servir de la touche [Del]. Celle-ci permet en effet de supprimer le caractère sur lequel se trouve le curseur. WordPerfect continue d'effacer des caractères aussi longtemps que l'on maintient la touche enfoncée. Comme WordPerfect conserve la portion de texte qui vient d'être supprimée dans une mémoire temporaire que l'on appelle **mémoire tampon**, la commande **annul** [F1] restitue sur demande les caractères supprimés par erreur. L'insertion de texte est encore plus simple : il suffit de taper des caractères à l'endroit où se trouve le curseur. On peut utiliser la touche [Inser] pour passer au mode **Écraser**, avec lequel chaque caractère tapé remplace celui qui se trouve sous le curseur. La copie de blocs de texte est également une opération des plus faciles.

L'utilisateur devrait lire avec soin son document et corriger toute erreur évidente. Il est toutefois difficile de repérer chaque erreur à l'écran. Par conséquent, la plupart des logiciels de traitement de texte sont dotés d'un correcteur orthographique. Celui de WordPerfect vérifie l'orthographe d'un mot, d'une page ou d'un document et peut même en compter le nombre de mots. Si l'on rédige avec WordPerfect des textes en plus d'une langue, on peut utiliser de multiples dictionnaires et introduire des codes dans le document à vérifier pour indiquer à l'ordinateur lequel choisir. Le correcteur orthographique met en évidence les mots qu'il ne trouve pas dans son dictionnaire et en propose d'autres. L'utilisateur choisit alors le mot qui lui convient en appuyant sur la touche correspondante, indiquée dans le menu.

Il est conseillé aux utilisateurs de logiciels de traitement de texte d'utiliser des abréviations tout au long du texte, puis de les remplacer par les mots qu'elles représentent une fois le texte fini. De la même manière, on peut aussi remplacer facilement un mot chaque fois qu'il paraît dans un document, et notamment s'il est incorrectement épelé. Plutôt que de parcourir chaque ligne du document pour le corriger, on peut activer la fonction de **recherche et remplacement**, et cette fonction est particulièrement utile pour réviser un texte.

On peut en outre consulter le dictionnaire des synonymes intégré à l'ordinateur pour choisir le mot juste. Il existe aussi plusieurs progiciels de correction grammaticale sur le marché. En français, le plus populaire est Hugo, alors que les deux marques les plus vendues en anglais sont Right Writer et Grammatik.

Avec WordPerfect, on peut introduire les notes en bas de page et les notes en fin de document en appuyant sur [Ctrl] et [F7] et en suivant les directives à l'écran. Le logiciel gardera en mémoire ces notes et insérera celles qui doivent figurer en bas de page aux pages appropriées, et les notes en fin de document au bon endroit. Les codes de mise en forme peuvent être introduits dans le menu **Format**.

La **ligne creuse** (en haut de page) est la dernière ligne d'un paragraphe qui se retrouve toute seule au sommet d'une page, et la **ligne creuse** (en bas de page) est la première ligne d'un paragraphe qui se retrouve toute seule au bas d'une page. Les **en-têtes** et les **notes en bas de page** sont les caractères ou les graphiques qui figurent au haut et au bas d'une page. Les **numéros de page** peuvent d'ailleurs figurer dans l'en-tête ou le bas de page, l'ordinateur se chargeant d'insérer les numéros de page appropriés. WordPerfect permet aussi de faire des ajustements de crénage, d'espacement et d'interlignage. Le **crénage** consiste à ajuster l'espace entre les lettres qui sont proportionnellement espacées dans un mot. L'**espacement** est l'ensemble des

espaces laissés entre les mots pour faire la justification (l'alignement du texte selon la marge de gauche ou de droite). L'**interlignage** est l'espacement vertical entre les lignes. On peut donc utiliser toutes ces fonctions pour produire un document qui ressemblera à s'y méprendre à un ouvrage sortant d'une imprimerie. La fonction de **surimpression** permet de créer des caractères spéciaux ne faisant pas partie des jeux de caractères de WordPerfect (qui en comptent plus de 1600). Les caractères spéciaux les plus utilisés sont les caractères ASCII (American Standard Code for Information Interchange) et les jeux de caractères multinationaux. Il existe deux jeux de caractères mathématiques et scientifiques.

Les chiffriers

Les chiffriers électroniques ont remplacé les feuilles de ventilation à colonnes, le crayon, la gomme et la calculatrice pour l'exécution des calculs répétitifs. Les chiffriers ont l'apparence d'une feuille de programmation composée d'une matrice à colonnes et à rangées, qui sont identifiées par des lettres et des numéros, en commençant par A1, dans le coin supérieur gauche. Les feuilles de programmation conviennent parfaitement aux questions de simulation et aux analyses de sensibilité ainsi qu'aux calculs. La figure 21.2 montre l'écran d'une feuille de programmation vierge du populaire chiffrier Quattro Pro[2], en mode WYSIWYG (What You See Is What You Get — représentation fidèle sur l'écran de la présentation imprimée ultérieure). L'écran contient normalement 22 lignes composées de 80 caractères. Certaines des lignes situées au tout début de la feuille de programmation servent de tableau de commande, comme il est expliqué à la section suivante.

Les bordures mises en évidence à la quatrième ligne et le long de la marge de gauche de

---

2. Les autres chiffriers les plus utilisés sont Lotus 1-2-3, SuperCalc et Excel.

FIGURE 21.2
Écran de feuille de
programmation vierge en
mode WYSIWYG

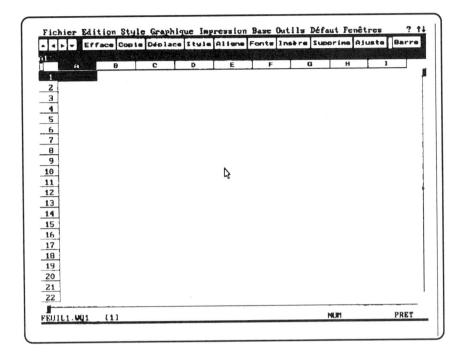

l'écran affichent les lettres de chaque colonne (de A à I) et les chiffres de chaque rangée (de 1 à 22) de la matrice. (Cet écran ne laisse apercevoir en fait que le coin supérieur gauche de la feuille de programmation, car c'est la seule partie qui tienne dans l'espace libre.) L'intersection de chaque colonne et de chaque rangée est une **case** (cellule). Chaque case est unique, et elle est identifiée par un code composé de la lettre de la colonne et du chiffre représentant la rangée. Ainsi, la première case du coin supérieur gauche est A1, la suivante, en diagonale, est B2, la suivante C3, et ainsi de suite. La petite flèche située au centre de l'écran correspond à la flèche de la souris. On peut se servir de cette flèche pour passer au mode Texte en la plaçant dans la case TXT de la barre de défilement et en cliquant la souris. Le chiffrier a une vitesse d'exécution accrue en mode Texte, qui présente de plus la palette de la souris à la droite de l'écran, ce qui en facilite l'utilisation (voir la figure 21.3).

Le **tableau de commande**, au sommet de l'écran de la feuille de programmation, contient des renseignements sur la case utilisée, le mode et les commandes en cours. (Sur certains chiffriers, ce tableau peut se trouver au bas de la feuille de programmation.) La figure 21.4 présente le tableau de commande de Quattro Pro. La première ligne du tableau indique les neuf options du **menu**, soit Fichier, Édition, Style, Graphique, Impression, Base, Outils, Défaut et Fenêtres. La deuxième ligne du tableau de contrôle en mode WYSIWYG est la **barre de défilement** qui présente, de gauche à droite, une série de flèches puis les commandes suivantes : Efface, Copie, Déplace, Style, Aligne, Fonte, Insère, Supprime, Ajuste. La commande Barre permet d'afficher un plus grand choix de commandes. Toutes ces commandes sont activées par la souris. La troisième ligne est la ligne d'**introduction** des directives au chiffrier. Elle affiche l'adresse de la case utilisée (A1) ainsi que toute donnée qui y est introduite ou corrigée. Le curseur qui se trouve sur une case, est l'**indicateur de case**. L'adresse de la case apparaît sur le tableau de commande. Dans les figures 21.2 et 21.4,

FIGURE 21.3
Écran de feuille
de programmation
en mode texte

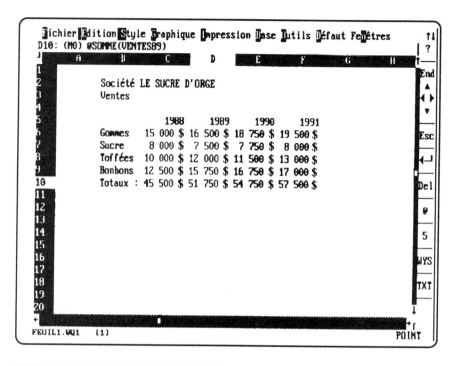

FIGURE 21.4
Le tableau de commande

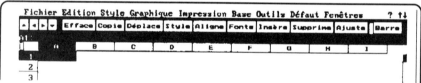

l'adresse de la case est A1; dans la figure 21.3, il s'agit de D10.

La dernière ligne de l'écran est utilisée par les **indicateurs d'état** et **de mode**. Dans la figure 21.2, le nom du chiffrier figure à gauche (FEUIL1.WQ1); le numéro de la fenêtre utilisée est 1, l'état du clavier est indiqué et le mode utilisé est PRET, indiqué à droite. Chaque fois que Quattro Pro est lancé, l'indicateur de mode affiche le message PRET, comme en font état les figures 21.2 et 21.3. Toutefois, quand une commande s'exécute, le message ATTENDRE apparaît alors. Le logiciel envoie plusieurs autres messages (comme AIDE et ERREUR), dont les plus communs sont traités dans les paragraphes qui suivent. Les autres sont explicites.

Les dimensions du chiffrier qui peut être chargé dans un ordinateur dépendent du matériel dont on dispose, plus précisément, de la capacité de la mémoire de l'ordinateur. Quant au logiciel, tout dépend de la marque et de la version du chiffrier utilisé. Dans la plupart des chiffriers, chacune des neuf colonnes de la feuille de programmation a une largeur de base de neuf caractères. L'écran affiche donc une matrice d'une largeur de 81 caractères et d'une hauteur d'environ 20 rangées. Les touches de défilement du curseur [→], ou [↓], peuvent être alors utilisées pour faire défiler l'écran chaque fois que cela est nécessaire.

Un **bloc** ou une **série** de cases est un espace rectangulaire défini par les adresses des deux cases diagonalement opposées l'une à l'autre et séparées par deux points. Dans la figure 21.5, **Alpha** est le nom du bloc B3..C3, **Beta** celui du bloc B7..B11 et **Gamma** celui du bloc D6..G11.

Le **curseur** (ou **indicateur de case**) indique l'endroit où les données seront introduites dans la feuille de programmation. On peut entrer les données chaque fois que l'indicateur de mode affiche le message PRET. Pour déplacer le curseur à l'écran, on peut utiliser les touches fléchées, ou, pour parcourir une distance plus grande, on peut appuyer sur la touche [Pg.Suiv], pour avancer d'une page (ou 20 lignes), ou [Pg.Préc], pour reculer d'une page.

La case peut contenir des mots, des chiffres ou des formules. En fait, on peut y introduire n'importe quelle donnée. Au moment où le premier caractère y est tapé, l'indicateur de mode affiche le message LIBELLÉ ou VALEUR, selon le genre de donnée introduite. Chaque caractère apparaît sur la ligne d'introduction du tableau de commande à mesure qu'il est tapé. On peut alors corriger les données avec la touche de retour arrière. Une fois toutes les données introduites, on doit appuyer sur la touche [Entrée]. On peut, une fois de plus, corriger les données tapées avec la touche d'édition [F2]. Précisons qu'une fois la feuille de programmation configurée, toute modification apportée à une case entraîne le calcul systématique de toute la feuille.

On peut introduire dans la case un maximum de 240 caractères (lettres, chiffres, symboles, espaces), mais seuls les caractères contenus dans la case sont affichés à l'écran, les autres sont gardés en mémoire et sont restitués par l'ordinateur s'ils doivent faire partie d'une formule ou d'un chiffre.

Un **libellé** peut comprendre un ou deux mots qui doivent toujours commencer par un préfixe ou un caractère ne formant pas le début d'un chiffre ou d'une formule (soit une lettre). Les préfixes sont: l'apostrophe ('), qui demande l'alignement du libellé contre la marge de gauche de la case, le guillemet ("), qui l'aligne contre

FIGURE 21.5
Bloc ou série de cases
de la feuille
de programmation

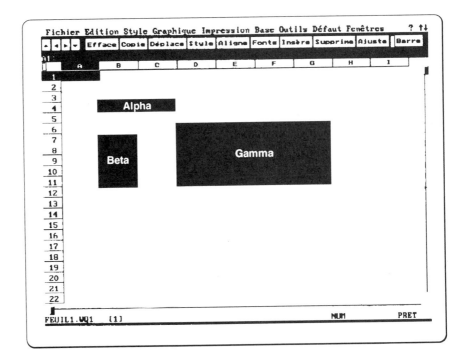

la marge de droite, l'accent circonflexe (^), qui centre le libellé dans la case, et la barre oblique inversée (\), qui remplit la case avec le caractère introduit après la barre.

Une **valeur** peut commencer par l'un des caractères suivants: 0 1 2 3 4 5 6 7 8 9 . + − $ et ne comprend généralement pas d'espace ou de virgule. (Certains chiffriers utilisent la virgule au lieu du point décimal, mais la plupart séparent avec la virgule les milliers, les millions, etc.) La valeur numérique ne doit pas contenir plus d'un point décimal et peut se terminer par le symbole %. Chaque fois que l'un des caractères permis est introduit au début d'une valeur, l'indicateur de mode remplace le message PRET par VALEUR à l'écran.

Contrairement aux libellés, qui peuvent remplir tout l'espace de la case, les valeurs numériques doivent avoir un caractère en moins par rapport à la largeur de la colonne. Par conséquent, une valeur numérique de huit caractères doit être introduite dans une colonne dont la largeur est d'au moins neuf caractères. Comme les totaux occupent souvent plus d'espace que les nombres, il pourra être nécessaire de prévoir un espace supplémentaire.

Une **formule** est une directive qui ordonne à l'ordinateur d'effectuer des calculs. Il s'agit donc d'une VALEUR particulière. Quand on introduit une formule dans une feuille de programmation, elle apparaît dans le tableau de commande, mais seul le résultat de la formule figure dans la case. La formule peut commencer par n'importe quel caractère permis pour une entrée numérique, en plus de l'un des symboles suivants (, @, #. Cependant, pour éviter toute confusion, quand la première partie de la formule correspond à l'adresse de la case, on devra placer devant la formule l'un des signes: + − $ ou (. Par exemple, la formule B1 + B2 doit, pour ne pas être considérée comme un libellé par l'ordinateur, être introduite par l'expression + B1 + B2 ou (B1 + B2). Les exposants sont indiqués par l'accent circonflexe (^).

On peut donc utiliser des adresses de cases (telle B2) avec des symboles arithmétiques, comme le signe +, pour créer une formule. La case B5, par exemple, pourrait par conséquent contenir la formule + B2 + B3-B4. L'opérateur arithmétique placé au début indique alors au logiciel qu'il s'agit d'une formule. Celle-ci demande à l'ordinateur d'additionner les valeurs des cases B2 et B3 et de soustraire de cette somme la valeur de la case B4, pour placer le résultat dans la case B5, qui contient la formule. On appelle ces adresses de cases **références relatives**, parce qu'elles ordonnent à l'ordinateur d'aller chercher des valeurs dans des cases situées une, deux et trois lignes au-dessus de la case contenant la formule. Le système doit fréquemment utiliser le contenu de certaines cases pour faire des calculs. Le symbole $, ajouté à l'adresse d'une case (telle B2) indique une **référence absolue**, ce qui signifie que le logiciel doit utiliser cette case particulière pour effectuer le calcul d'une formule. Si l'utilisation d'une rangée est constante alors que l'ordre des colonnes varie, on devrait utiliser une **référence ou adresse mixte**, telle D$4. L'ordre des opérations est le suivant: d'abord les parenthèses, puis les exposants, puis les opérateurs de multiplication et de division, et enfin les opérateurs d'addition et de soustraction, de gauche à droite.

Pour des raisons de sécurité évidentes, on devrait sauvegarder fréquemment les feuilles de programmation, dont une fois avant de les imprimer. Le monde de l'informatique a fait sien le «principe de Murphy», selon lequel toute chose susceptible de mal tourner le fera inévitablement. Et le corollaire de O'Reilly de ce principe veut bien sûr qu'une catastrophe se produise effectivement au pire moment et de préférence le jour même de la remise d'un rapport de la plus haute importance.

Pour l'impression d'un document, il importe de choisir soigneusement le papier et l'imprimante que l'on va utiliser. Une feuille de papier standard peut contenir un maximum de 66 lignes et la plupart des chiffriers réservent six lignes à l'en-tête et aux notes en bas de page, qu'on les utilise ou non. Il est par contre possible de modifier les marges supérieure et inférieure implicites, mais il est généralement conseillé de ne pas imprimer plus de 60 lignes par page, et surtout avec une imprimante à laser.

Quattro Pro permet d'établir des graphiques directement à l'écran, à partir des données d'une feuille de programmation. Avec certains autres chiffriers électroniques, il est toutefois nécessaire de préparer d'abord un graphique et d'utiliser un autre programme pour l'imprimer. Quattro Pro permet la création d'une douzaine de graphiques différents, et peut même combiner deux types de graphiques (courbes, à barres ou XY). La figure 20.1 du chapitre précédent présente quelques-uns de ces graphiques.

Il est important de connaître la terminologie appropriée pour la création de graphiques avec Quattro Pro. L'**axe des X** est la ligne horizontale qui se trouve au bas d'un graphique, alors que l'**axe des Y** est la ligne verticale qui longe celui-ci. Un graphique peut avoir deux axes des Y, de façon à permettre la mesure de données de plus d'une façon. Un **point de données** est une valeur de la feuille de programmation, affichée dans un graphique. Ces points sont habituellement regroupés en **séries**. L'**échelle** correspond à une fourchette numérique divisée à intervalles réguliers le long d'un axe afin d'indiquer chaque série de valeurs. Les **lignes de grille** sont des lignes qui relient entre eux des repères (les petites lignes qui divisent l'échelle) dans un graphique. Le **modèle de remplissage** est un ensemble de motifs (comme des bandes ou des points) avec lesquels on remplit les barres d'un graphique à barres. Les **libellés** sont les caractères de la feuille de programmation qui situent divers points sur le graphique. La **légende** d'un graphique est la section qui explique les couleurs et les modèles de remplissage qui représentent chaque série de valeurs. Enfin, les **fontes** sont les styles des caractères utilisés dans un graphique.

On crée un graphique de **texte** à l'aide de l'**annotateur de graphique**, sans utiliser les données d'une feuille de programmation. Les graphiques de texte sont utilisés pour la projection d'acétates. Un graphique à **barres** est composé de barres horizontales dont la hauteur est déterminée par la valeur des points de données dans une série mesurée contre l'échelle de l'axe des Y. Ce genre de graphique convient particulièrement à l'illustration de valeurs comparées, comme les contributions au profit pour plusieurs produits. Le graphique à **barres subdivisées** place chaque valeur d'une série au-dessus des valeurs d'une autre série, pour chaque point de l'axe des X. C'est un graphique implicite qui montre très bien les contributions des unités aux profits de l'entreprise ou la répartition trimestrielle de ses dépenses. Le graphique à **bandes** est un graphique à barres dont l'axe des X est vertical et l'axe des Y est horizontal. Ce genre de graphique est très utile pour montrer les variances. Le graphique à **colonnes** superpose des barres, qui représentent des éléments provenant de chaque point de données, pour créer une colonne. Les dimensions de chaque section d'une colonne sont établies en fonction du pourcentage du total que représente le point de données. La **courbe** est la ligne qui relie les points de chaque série de données, tracée à partir de l'axe des Y. Ce graphique est idéal pour illustrer des tendances. Un graphique **XY** trace les valeurs d'une série par rapport aux valeurs d'une deuxième série, présentée dans une autre unité de mesure, afin d'établir des comparaisons, comme par exemple la comparaison des amoncellements de neige par rapport à la vitesse du vent. Les graphiques de **surface** tracent une ligne pour chaque série, les unes au-dessus des autres, correspondant à chaque point de l'axe des X. L'espace entre ces lignes est ensuite rempli par le modèle de remplissage. Ce genre de graphique est efficace pour montrer le total des différents points de l'axe des X ainsi que les composantes individuelles. Le graphique à secteurs (circulaire) illustre une série de valeurs, chaque secteur représentant une valeur. L'importance du secteur est proportionnelle au pourcentage que chaque valeur représente par rapport au total (100 p. 100) de toutes les valeurs de la série. On peut utiliser ce genre de graphique pour illustrer les proportions entre les nombres de la première série, sans tenir compte des autres séries. Le graphique en **banderole** peut servir à tracer des résultats financiers, par exemple relativement aux actions. Le graphique à **bulles** crée des bulles de dimensions différentes à différents endroits sur l'axe des X et l'axe des Y, afin de représenter la combinaison de chacune des valeurs de la première et de la deuxième séries de l'axe des X. On devrait utiliser ce genre de graphique pour montrer trois genres d'information à la fois. Enfin, un graphique à **trois dimensions** confère un aspect différent à un graphique à barres ou de surface, ou à une courbe. Il est possible d'ajouter du texte à un graphique.

L'**annotateur de graphique** est un dispositif de manipulation de graphiques utilisé pour le dessin. L'écran est divisé en quatre parties. Les carrés qui figurent au sommet de l'écran donnent le menu des **outils** et contiennent des symboles qui transmettent des commandes à l'annotateur. Le grand rectangle est la **zone de dessin** du graphique. À la droite de l'écran se trouvent deux cases. Celle du haut contient les éléments que l'on peut modifier et celle du bas renferme les couleurs, les modèles de remplissage et les styles des lignes que l'on peut utiliser. Comme de nombreux graphiques peuvent convenir à diverses feuilles de programmation, il pourrait s'avérer judicieux de leur donner un nom.

Pour consulter les graphiques ou pour organiser une présentation, on peut créer des diapositives dans le tableau d'un bloc de la feuille de programmation, qui indiquerait le nom de chaque graphique, le nombre de secondes pendant lesquelles la diapositive devrait être projetée, le temps et les effets de transition, s'il y a lieu, et les effets sonores possibles.

Chaque fois que Quattro Pro sauvegarde une feuille de programmation, il sauvegarde aussi tous les graphiques auxquels on a attribué un nom et le graphique à l'écran. On peut donc consulter n'importe quel graphique sans avoir à le redéfinir. Il est également possible de sauvegarder des graphiques pour les transférer dans d'autres logiciels, comme un logiciel de traitement de texte, en choisissant l'option Graphique/sortie sur fichier du menu d'impression des graphiques. Un sous-menu apparaît alors, affichant les choix suivants : EPS, PIC, Diapositive EPS, PCX et Quitter. L'option EPS extrait des fichiers en PostScript, le format PIC est le format graphique qu'utilise Lotus 1-2-3 (autre chiffrier très répandu), et le format PCX est utilisé par un progiciel graphique populaire. WordPerfect peut lire les formats PIC et PCX.

Les bases de données

Quattro Pro peut aussi servir de gestionnaire de base de données, soit comme complément aux feuilles de programmation, soit de façon autonome. Il peut aussi interagir avec la base de données Paradox, produite par la même entreprise, Borland. Une **base de données** est un ensemble de renseignements connexes, tel un annuaire de téléphone. Elle est composée d'**enregistrements**, qui contiennent toutes les données au sujet d'un élément de la base de données. Chacune des composantes d'un enregistrement s'appelle une **zone**. Une base de données Quattro Pro est un bloc de cases situées dans un chiffrier disposé en colonnes et en rangées. La première rangée d'une base de données peut contenir un maximum de 256 zones. Sous ces dernières, on peut mettre en mémoire quelque 8 191 enregistrements, à condition que l'ordinateur ait une capacité de mémoire suffisante. Une base de données peut se trouver n'importe où dans une feuille de programmation.

Voici trois critères relatifs aux bases de données :

- L'introduction du nom d'une zone doit se faire dans la case située directement au-dessus de la première donnée introduite dans la zone. Les noms des zones doivent apparaître dans le même ordre que dans le document source.

- Il ne faut pas insérer une ligne de division entre le nom d'une zone et la première donnée qui y est introduite. N'introduisez aucun espace à la fin du nom d'une zone et utilisez le caractère de soulignement (_) plutôt que l'espace pour séparer les mots dans un nom de zone.

- On devrait choisir des noms significatifs.

Pour accéder au menu des commandes de la base de données de Quattro Pro, on doit taper [/][D]. L'introduction de données se fait de la même façon que pour n'importe quelle case d'une feuille de programmation. Néanmoins, il peut être difficile de maintenir l'intégrité des données si des références relatives sont utilisées pour une opération de tri. Il est donc préférable d'établir des références absolues, mais on ne peut les utiliser entre les entrées de données dans la base de données. Il serait alors peut-être sage de convertir chaque entrée en sa valeur à l'aide de la commande [/][E][V].

Le courrier électronique

Il existe de nombreux progiciels de courrier électronique. On a créé ce produit pour une raison bien simple : la plupart des lettres et des notes de service rédigées dans une grande entreprise circulent dans le même immeuble, mais demeurent en transit pendant plusieurs heures, entre l'expéditeur et le destinataire. Avec le courrier électronique, on peut désormais transmettre une note de service d'un ordinateur à un autre presque instantanément. Par ailleurs, comme la plupart, sinon la totalité, des appels téléphoniques atteignent rarement leur destinataire, on a conçu le système d'audio-messagerie, qui permet de laisser un message à un répondeur téléphonique. Le système de courrier électronique

fonctionne d'une façon similaire. Si une personne ne se trouve pas à son bureau au moment où on envoie un message à son ordinateur (qui clignote ou émet un signal), ce dernier met automatiquement en mémoire le message, jusqu'à ce que son destinataire le lise. Ce système élimine donc les « jeux de cache-cache téléphoniques » ; il est d'une utilité particulière pour les employés qui doivent souvent s'absenter du bureau, comme les représentants.

Les messages qui ne demandent aucune réponse conviennent parfaitement au courrier électronique ; ces messages peuvent concerner l'enregistrement des commandes ou les demandes de renseignements connexes, les rapports de visites à des clients ou de problèmes d'équipement et l'inscription des diverses données financières ou relatives aux stocks. Le courrier électronique permet d'économiser d'énormes quantités de papier et de réduire ainsi l'espace réservé au classement des notes de service.

Les fournitures de bureau

La fourniture de bureau la plus courante est le papier. L'époque où nous n'aurons plus besoin de papier est encore loin, mais il reste que nous faisons des progrès. En effet, au cours des dernières années, nombre d'entreprises ont remplacé la majorité (sinon la totalité) de leurs imprimés, comme les factures, les ordres de fabrication, les relevés, et elles utilisent maintenant un logiciel qui permet de créer les formules en même temps qu'elles sont remplies et de les imprimer sur du papier ordinaire au moment voulu. Cette façon de procéder économise donc du temps et de l'argent, l'entreprise n'ayant pas à faire imprimer des quantités industrielles de formules à l'avance. Comme on doit souvent modifier ces dernières, on évite donc ainsi le gaspillage, puisqu'il suffit maintenant d'apporter quelques corrections au logiciel.

Les bureaux modernes ont besoin d'espace pour ranger d'autres fournitures et notamment les toneurs, en cartouche ou en pot, achetés pour les imprimantes à laser, les photocopieurs et certains télécopieurs. On doit également se procurer du papier spécial pour certains télécopieurs ou certaines applications de publication par ordinateur, ainsi que des produits de nettoyage particuliers pour les ordinateurs et les photocopieurs. Enfin, certains appareils permettent la reliure de rapports et obligent l'entreprise à acheter des fournitures particulières.

Les opérations de bureau

Le goulot d'étranglement clé se produit au stade de l'introduction des données dans l'ordinateur. Par conséquent, la plus importante opération est l'introduction des données, sur clavier, dans un format machine. Une fois la frappe exécutée, le reste des opérations peut être effectué par une machine.

La sécurité du bureau

Les mesures de sécurité peuvent réduire le vol et le vandalisme, en plus de protéger l'équipement et les dossiers importants d'un bureau. Nombre d'entreprises limitent l'accès à certaines zones de leurs bureaux en exigeant des employés qui veulent s'y rendre d'utiliser des cartes qui en ouvrent les portes. Dans certains immeubles, il faut avoir des cartes semblables pour utiliser les ascenseurs. De nombreuses entreprises embauchent des gardes pour surveiller les locaux et au Canada, des anciens militaires travaillent parfois pour les services de protection. Enfin, d'autres entreprises engagent de jeunes travailleurs et leur donnent ensuite une formation en matière de sécurité.

LA GESTION DES DOCUMENTS

La gestion des documents est une notion relativement simple, qu'il est toutefois plus difficile de mettre en pratique. La tâche consiste à placer les documents (habituellement sur papier), dans un endroit protégé afin de les consulter facilement le moment venu. Pour mettre au point le système de gestion des documents, on suit plusieurs étapes dans un ordre donné.

La première étape consiste à éliminer les documents qui ne devraient pas être classés. Ainsi, les documents qui n'ont qu'une utilité passagère devraient être recyclés selon un calendrier établi. On devrait également supprimer sans hésitation les documents en double exemplaire et ne garder que l'un des deux en un point central. On doit se souvenir qu'il est nécessaire d'exercer un contrôle étroit sur les dossiers, puisque ceux-ci, comme le travail, ont tendance à occuper tout l'espace dont on dispose dans un bureau.

L'étape suivante consiste à établir un système méthodique de conservation des documents. Certains documents doivent, selon la loi, être conservés, parfois en permanence et parfois pendant plusieurs années. On doit donc classer séparément les documents d'utilisation courante et les documents de référence, les premiers étant, comme leur nom l'indique, les ouvrages que l'on consulte le plus souvent, et les autres, des documents dont on se sert rarement, mais qu'il faut conserver pour des raisons juridiques.

De nombreuses entreprises ont recours à un système de dossiers annuels composé de dossiers mensuels. Ces dossiers sont utilisés toute l'année et servent parfois à rédiger le rapport annuel. À la fin de chaque année, on remplace ces dossiers par de nouveaux. Les dossiers de l'année précédente sont alors transférés dans un autre endroit, à proximité, remplaçant les dossiers qui s'y trouvaient, et ces derniers sont mis dans un entrepôt situé plus loin. On conserve les dossiers jusqu'à la date d'échéance, puis on les détruit.

Parmi les documents permanents, on compte la charte et les statuts de l'entreprise, les états financiers, les publications de l'entreprise et les grands livres, les dossiers des régimes de pension et les dossiers personnels. Pour leur part, les documents que l'on conserve habituellement pendant une période de sept ans sont les documents concernant la dissolution de sociétés, les dossiers bancaires, les documents afférents aux stocks, les valeurs mobilières annulées, les documents relatifs aux taxes de vente et les dossiers du Régime de pensions du Canada. Notons que l'on doit conserver certaines déclarations d'impôt jusqu'à ce qu'on ait obtenu la permission des gouvernements fédéral ou provincial d'en disposer, les autres peuvent être détruites après une période de sept ans.

Certaines entreprises utilisent un système de microfilms, d'autres la gestion électronique de documents, balayant pratiquement tous les genres de documents, de façon à les mettre en mémoire dans un ordinateur jusqu'à ce qu'on en ait besoin, auquel moment ils seront alors imprimés.

UN POINT DE VUE

Les entreprises à court d'informaticiens compétents

Les ordinateurs sont en train de révolutionner le monde du travail. Depuis les années 1980, l'avènement de nouvelles technologies a en effet bouleversé ce secteur. Or, peut-on se demander, les ordinateurs augmenteront-ils nos compétences et rendront-ils notre travail plus intéressant ? Ou, à l'inverse, la bureautique réduira-t-elle le nombre de débouchés et favorisera-t-elle la création d'ateliers où les ouvriers seront exploités ?

L'Enquête sociale générale de 1989 de Statistique Canada nous fournit à ce chapitre des données intéressantes sur l'effet de la bureautique au pays.

Selon cette étude, un tiers des employés canadiens utilisent des ordinateurs, soit les gros ordinateurs, les ordinateurs personnels ou les appareils de traitement de texte, dans le cadre de leur travail. Ils passent en moyenne 16 heures par semaine devant l'un de ces appareils. C'est en Ontario, en Alberta et en Colombie-Britannique que l'on utilise le plus les ordinateurs. On remarque en outre une utilisation élevée parmi les femmes, les membres de la génération du baby-boom (de 25 à 44 ans) et les diplômés universitaires.

L'image d'un atelier où l'on exploite les ouvriers est exagérée. En effet, la plupart des emplois pour lesquels au moins 60 p. 100 des employés utilisent l'ordinateur sont des postes de gestion ou des professions libérales. Il reste que l'ordinateur est autant utilisé par les employés qui occupent un poste moins élevé dans la hiérarchie, pour le travail courant de bureau. La bureautique touche donc toute la gamme des emplois de bureau.

Une analyse plus poussée semble indiquer que nouvelles technologies de l'information et emplois plus prestigieux vont de pair. En effet, les postes à grande sécurité d'emploi à temps plein, les postes de cadres inférieurs et intermédiaires et les postes dans les grandes entreprises font un usage en moyenne beaucoup plus élevé de l'ordinateur. Les employés qui travaillent avec cet outil affirment, contrairement aux autres, que leur travail demande plus de compétences, leur permet de prendre plus de décisions, leur offre un meilleur salaire et leur présente de bonnes possibilités de perfectionnement professionnel.

L'enquête se penche également sur les conséquences de ce changement technologique sur le travail des personnes. On a demandé aux répondants qui avaient un emploi au moment du sondage dans quelle mesure leur travail avait été modifié depuis l'arrivée de l'informatique ou de l'automatisation au cours des cinq dernières années.

Moins du tiers ont signalé que leur travail avait été sensiblement modifié par l'informatique ou l'automatisation, alors que 15 p. 100 ont signalé un certain changement. En revanche, 42 p. 100 des employés ont répondu n'en avoir éprouvé aucun effet.

De même, la technologie ne semble pas avoir modifié la sécurité d'emploi. La majorité des répondants n'ont en effet signalé aucune conséquence à cet égard. Moins d'une personne sur cinq parmi les employés affectés par les changements technologiques affirme avoir profité, en retour, d'une sécurité d'emploi accrue, alors qu'une personne sur dix estime que son travail est, depuis, moins sécuritaire.

Avant de conclure hâtivement que l'avènement de la bureautique au cours de la deuxième moitié des années 1980 n'a pratiquement eu aucun effet sur la sécurité d'emploi, on doit garder à l'esprit que cette enquête n'a été menée qu'auprès de personnes occupant un emploi. Par conséquent, toute personne s'étant retrouvée au chômage pour des raisons d'ordre technologique est évidemment exclue de ces résultats. Quoi qu'il en soit, les répondants semblaient très peu s'inquiéter des effets néfastes de la bureautique sur la sécurité de leur poste.

La bureautique semble en outre avoir rendu le travail plus intéressant. Plus de 60 p. 100 des personnes dont les tâches ont été modifiées par la bureautique de 1984 à 1989 ont en effet affirmé se livrer maintenant à un travail plus intéressant. Pratiquement aucun répondant n'a émis un avis contraire.

Ces tendances sont très révélatrices en ce qui a trait au caractère concurrentiel des entreprises canadiennes. D'une part, l'étude indique en effet que les Canadiens sont très réceptifs aux nouvelles technologies, attitude positive qui devrait faciliter le lancement des technologies futures, à condition que les employeurs n'exploitent pas la main-d'œuvre.

D'autre part, une meilleure utilisation de nos ressources humaines constitue certainement un ingrédient clé du caractère concurrentiel de nos entreprises. Environ six employés sur dix savent se servir d'un ordinateur au travail... Or, tirons-nous vraiment profit de cette mine de compétences ?

La réponse est non. Seulement 55 p. 100 des employés qui connaissent le fonctionnement d'un ordinateur l'utilisent dans le cadre de leur travail. Certes, on ne pourrait informatiser tous les emplois et qui souhaiterait le faire ? Il reste qu'une utilisation plus complète des capacités de l'ordinateur profiterait aux employés, aux employeurs et à l'ensemble de la société.

Source : Traduit de Graham Lowe, « Companies Fail to Use Fully Computer-Literate Workers », *Financial Post*, 17 juillet 1991, p. 9.

RÉSUMÉ

Sommaire

1. La bureautique est un ensemble de systèmes informatisés qui rassemblent, traitent, stockent et transmettent des documents à l'intérieur des entreprises.

2. Les bureaux informatisés sont des lieux où des personnes utilisent des outils perfectionnés pour créer, stocker, extraire, organiser, résumer et transmettre l'information nécessaire au fonctionnement de l'entreprise.

3. Les principales considérations qui entrent en jeu dans l'organisation et la dotation en personnel d'un bureau sont l'analyse du travail qui y sera accompli et la façon dont le travail sera réparti entre les employés du bureau. Il est en outre important de considérer le nombre et le genre d'employés nécessaires au bon fonctionnement du bureau.

4. Les logiciels de traitement de texte augmentent la productivité du bureau en facilitant la consultation et la correction des documents et le recyclage des blocs de texte. Ils permettent aussi la publication de documents assistée par ordinateur.

5. Les chiffriers présentent des fonctions de calcul pour la résolution rapide des problèmes et l'exécution des analyses de sensibilité nécessaires au processus décisionnel de la direction.

6. Les principales considérations entrant en jeu dans la gestion des documents sont l'élimination des documents inutiles et l'élimination méthodique des documents en double exemplaire.

Notions clés

L'ASCII

L'indicateur de case

La base de données

La bureautique

La justification

La ligne d'état

La planification du bureau

La recherche et le remplacement

Le curseur

Le logiciel de bureautique

Le retour à la ligne automatique

Le traitement de texte

Le WYSIWYG

Les blocs

Les chiffriers

Les documents

Les entrées de cases

Les formules

Les machines de bureau

Les références

Les zones

Exercices de révision

1. Qu'est-ce que la bureautique et pourquoi est-elle importante ?

2. Quelles sont les principales considérations entrant en jeu dans l'organisation et la dotation en personnel d'un bureau ?

3. Décrivez les logiciels de traitement de texte.

4. Décrivez les logiciels des chiffriers.

5. Décrivez les logiciels de base de données.

6. Décrivez les logiciels de courrier électronique.

7. Quelles sont les principales considérations entrant en jeu dans la gestion des documents ?

Matière à discussion

1. Pourquoi la plupart des entreprises ont-elles informatisé leurs bureaux ?

2. Êtes-vous d'accord avec la vision futuriste de l'auteur du texte d'introduction de chapitre ? Pourquoi ?

3. Êtes-vous d'accord avec le point de vue sur les compétences des informaticiens présenté à la fin du chapitre ? Pourquoi ?

Exercices d'apprentissage

1. La bureautique d'une entreprise personnelle

Donnez à Jacqueline Dion, propriétaire d'un petit magasin spécialisé dans les vêtements et les chaussures de danse sociale, des conseils sur les fonctions de son entreprise qu'elle devrait automatiser.

2. La bureautique d'une société

Donnez à vos vieux amis, propriétaires d'une concession d'automobiles canadiennes et importées, des conseils sur les fonctions de leur moyenne entreprise qu'ils devraient automatiser.

3. La bureautique d'une entreprise multinationale

Donnez aux dirigeants d'une multinationale dont le siège social est au Canada, des conseils sur l'automatisation des fonctions de leur entreprise à la fine pointe de la technologie.

4. La bureautique

Quelles sont les différences entre les trois catégories d'entreprises qui font l'objet des exercices précédents. Est-ce que les différences concernent le type ou l'importance de l'entreprise ?

PARTIE VIII

LA GESTION
DES CATÉGORIES
D'ENTREPRISES

Quels que soient la taille, la catégorie, la nature, l'objet ou le mode d'opération des entreprises, leur gestion présente des similitudes. On dit souvent que la gestion a une application universelle, tandis que la planification, l'organisation, la direction et le contrôle relèvent de présidents, de gestionnaires hiérarchiques et fonctionnels, de superviseurs et d'administrateurs. Une gestion efficace est indispensable, qu'il s'agisse d'une entreprise petite ou grande de produits ou de services, d'une association représentative d'un groupe d'intérêts particuliers ou d'un hôpital. En raison toutefois des différences subtiles dans la façon dont les gestionnaires établissent leurs plans, la présente partie traite de la gestion de trois grandes catégories d'entreprises : petites, internationales et à but non lucratif.

La première section du chapitre 22, *La petite entreprise et la franchise*, concerne le profil de la petite entreprise, les phases nécessaires à l'établissement de celle-ci et l'abondance des petites entreprises dans les secteurs de la fabrication, du commerce et des services. La deuxième section examine les avantages et les inconvénients ainsi que les facteurs de réussite ou d'échec de la petite entreprise. La troisième section se rapporte au franchisage, l'un des modes d'établissement d'une petite entreprise les plus répandus. La signification du franchisage, les types de franchises, de même que les avantages et les inconvénients correspondants sont précisés.

Le chapitre 23, *Les entreprises et la gestion internationale*, commence par un examen de la nature de la gestion internationale dans le cadre du marché mondial. La deuxième section traite du commerce international et de notions telles que la balance commerciale, la balance des paiements, le taux de change, les obstacles au commerce international, le rôle du gouvernement, les communautés économiques et les accords commerciaux internationaux. La troisième section couvre les contextes économique, politico-juridique et socio-culturel de la société multinationale (SM) et les fonctions de gestion de la SM (la planification, l'organisation, la direction et le contrôle).

Le chapitre 24, *Les organismes sans but lucratif*, comporte trois sections. La première section donne une définition de ceux-ci, y compris des organismes axés sur le public ou sur les membres. La deuxième section porte sur les fonctions de gestion des organismes sans but lucratif et comprend la planification, l'organisation, la direction et le contrôle. La dernière section présente les divers outils de gestion adaptés d'organismes du secteur privé ou conçus à l'intention de ces établissements à but non lucratif.

CHAPITRE
22

PLAN

Le profil de la petite entreprise
    Les mythes au sujet de la possession d'une petite entreprise

Les phases nécessaires à l'établissement d'une entreprise

Les domaines des petites entreprises
    Les entreprises de fabrication
    Les entreprises commerciales
    Les entreprises de services

Un point de vue : la possession d'une petite entreprise

Les avantages et les inconvénients de la petite entreprise
    Les avantages de la petite entreprise
    Les inconvénients de la petite entreprise

Les facteurs de réussite ou d'échec des petites entreprises
    Les facteurs de réussite des petites entreprises
    Les facteurs d'échec des petites entreprises

Un point de vue : l'esprit d'entreprise

Le franchisage
    La signification du franchisage
    Les types de franchises
    Les avantages et les inconvénients du franchisage

Un point de vue : le franchisage

Le gouvernement et la petite entreprise

L'avenir de la petite entreprise

Résumé

LA PETITE ENTREPRISE
ET LA FRANCHISE

Les objectifs du chapitre

Après avoir lu le présent chapitre, vous pourrez :

1. définir la petite entreprise et discuter des mythes qui l'entourent ;

2. résumer les phases nécessaires à l'établissement d'une entreprise ;

3. nommer les divers secteurs de l'économie dans lesquels fonctionnent les petites entreprises ;

4. citer les avantages et les inconvénients, parmi les plus importants, de démarrer une petite entreprise ;

5. résumer les raisons de la réussite ou de l'échec des petites entreprises ;

6. définir le franchisage, ainsi que les avantages et les inconvénients les plus importants qu'il comporte ;

7. préciser comment le gouvernement peut aider les petites entreprises ;

8. décrire l'avenir de la petite entreprise au sein de l'économie canadienne.

Metafix Inc. est une petite entreprise de Dorval, au Québec, qui conçoit, fabrique et vend du matériel qui récupère l'argent des pellicules et des plaques photographiques après le développement. Elle a été fondée en 1988 par Peter Le May, qui a consacré 25 ans de sa vie aux ventes et au marketing de l'entreprise 3M, et par John LaRiviere, qui a débuté comme musicien, mais s'est « retrouvé par hasard » dans l'industrie de la récupération des métaux, et qui a travaillé pour le compte d'une entreprise aujourd'hui disparue.

L'entreprise   Les douze employés de Metafix ont découvert un système qui peut mettre à profit la pollution. Depuis des générations, l'argent s'en allait droit à l'égout — un gaspillage, puisque l'argent a de la valeur et peut être réutilisé, qui nuisait également à l'environnement. En outre, le procédé de récupération peut effectivement prolonger la durée des produits chimiques utilisés dans le traitement de la photo — ce qui contribue d'autant plus à protéger l'environnement et à réduire les frais.

L'entreprise fabrique quatre modèles à des prix qui se situent entre 1 500 $ et 4 000 $. En général, les clients récupèrent leur investissement après 12 ou 15 mois. Parmi les clients de Metafix, on trouve des journaux, des services de radiographie hospitaliers, et des entreprises comme General Motors, Ford, les Publications Télé-Direct Inc. et McDonnell Douglas. Cette dernière utilise les radiographies industrielles afin de vérifier la fatigue des métaux.

Les ventes de Metafix ont grimpé de 40 p. 100 par année, pour atteindre un total de quelque 1,5 million de dollars. L'entreprise fonctionne dans un domaine fortement concurrentiel qui, contrairement à celui d'autres petites entreprises, n'a pas été éprouvé par la récession. L'entreprise jouit d'une solidité financière et, comme l'a signalé M. Le May : « Nos bénéfices ont servi à financer notre propre croissance ; nous ne devons rien à la banque ni à aucune autre institution financière. »

Les raisons de leur réussite   M. LaRiviere attribue une grande partie de leur réussite au fait d'avoir été au bon endroit au moment opportun. Les deux associés avaient entrevu le potentiel de croissance de la récupération de l'argent. Il y a quelques années encore, les entreprises n'envisageaient cette option que lorsqu'elles croyaient que le montant épargné par la récupération de l'argent justifierait les frais. L'argent récupéré sert généralement à fabriquer de nouvelles pellicules ou plaques. Mais ensuite, l'environnement est entré en jeu, surtout en Europe

où les États ont commencé à limiter de façon stricte ce que les entreprises pouvaient déverser. À l'heure actuelle, 80 p. 100 des activités de l'entreprise concernent l'extérieur du Canada. Metafix a connu une expansion non seulement en Europe, mais également aux États-Unis. Elle est en train de s'établir au Mexique par l'intermédiaire d'un distributeur local, et a même entamé des négociations en vue de commercer au Japon, un marché difficile à pénétrer.

La manière dont ils ont démarré   Les deux associés n'ont pas établi de stratégie détaillée avant de se lancer en affaires. Selon M. Le May : « Notre style se compare davantage à celui d'un tireur ; nous n'avons même pas procédé à une étude de marché. » Toutefois, ils ont demandé de l'aide à la Banque fédérale de développement, qui a analysé leur exploitation. Et ils ne manquent pas de participer aux missions commerciales fédérales et aux foires commerciales toutes les fois qu'ils le peuvent. En fait, les deux associés ont pris part à six foires commerciales l'automne dernier.

Une fois les relations établies, ils agissent rapidement afin d'organiser des rencontres et d'y énoncer leurs arguments de vente. Les entrepreneurs s'appuient sur deux règles principales lorsqu'ils démarrent dans un autre pays : d'abord, ils se trouvent un distributeur local qui les représente, ce qu'ils considèrent essentiel étant donné que les usages varient d'un pays à un autre. Ensuite, ils s'assurent toujours d'avoir un réseau en place afin de fournir un service après-vente[1].

LE PROFIL DE LA PETITE ENTREPRISE

Jusqu'ici, dans le présent ouvrage, les fonctions et les rôles des gestionnaires ont été expliqués

---

1. Traduit de Sheila McGovern, « Turning Silver into Gold », *The Gazette*, Montréal, section This Week in Business, 16 décembre 1991, p. 3.

sans tenir vraiment compte de la taille des entreprises qu'ils dirigeaient. Toutefois, les méthodes et les techniques de gestion diffèrent considérablement selon qu'elles s'appliquent à une petite entreprise, à une exploitation de taille moyenne ou à une société multinationale. Les difficultés qui guettent les entrepreneurs de petites entreprises diffèrent grandement de celles que rencontrent les dirigeants des organisations multinationales (ce qui sera abordé au chapitre 23, *Les entreprises et la gestion internationale*). L'objectif du présent chapitre est de se pencher sur la gestion de la petite entreprise.

Il est vrai que nombre d'étudiants sur le point d'obtenir leur diplôme rêvent de lancer leur propre entreprise afin d'être indépendants. Ceux qui s'intéressent à la gestion d'une petite entreprise trouveront ce chapitre révélateur, car il offre une information valable sur les étapes nécessaires au lancement de ce type d'entreprise, et sur les avantages et inconvénients qu'ont à envisager les exploitants. Même si les techniques de gestion utilisées dans la planification, l'organisation, la direction et le contrôle ont une application universelle, il importe de souligner que certaines de ces techniques ne devraient pas seulement être **adoptées** par ces exploitants, mais qui plus est, **adaptées** afin de convenir aux besoins particuliers en matière d'exploitation.

La plupart des entreprises canadiennes peuvent être considérées comme étant petites ou moyennes, car environ 95 p. 100 d'entre elles emploient moins de 50 personnes. Il est ironique de constater que nous entendons plus souvent parler — par l'intermédiaire de divers médias — des grandes entreprises comme Bell Canada, IBM, Ford, Shell et Loblaws, ce qui est normal, puisque ce sont surtout les grandes entreprises qui annoncent leurs produits et services à l'échelle nationale, en ayant recours à la télévision, à la radio, aux journaux, aux panneaux d'affichage et aux magazines. En outre, les décisions importantes qui proviennent des grandes entreprises au sujet de l'ouverture ou de la fermeture d'usines, de l'expansion de la fabrication, de la fixation des prix et du licenciement d'employés attirent généralement l'attention des médias et, par conséquent, du public en général. Chaque fois qu'un nouveau produit est lancé ou qu'une décision importante est prise par les gens d'affaires, les journalistes et même les dirigeants politiques participent activement à la diffusion de la nouvelle par l'intermédiaire des médias nationaux. Néanmoins, il importe de noter que les centaines de milliers de petites et moyennes entreprises que compte le système économique canadien jouent également un rôle essentiel.

Il existe différentes façons de définir une petite entreprise. Des ministères fédéraux la définissent comme étant une exploitation qui produit un revenu annuel imposable de moins de un million de dollars. Certaines personnes préfèrent distinguer la petite entreprise selon deux critères : le produit annuel de l'exploitation et le nombre d'employés. D'autres préfèrent utiliser les facteurs non quantifiables suivants :

- les gestionnaires sont habituellement les principaux propriétaires de l'entreprise;

- les capitaux nécessaires à l'achat d'éléments d'actif (terrain, bâtiments, matériel et fonds de roulement) sont fournis par un particulier ou par un petit groupe de personnes;

- les activités d'exploitation se limitent habituellement à une petite région géographique;

- l'entreprise est petite simplement en comparaison des autres entreprises de secteurs d'activités semblables.

D'autres personnes encore différencient une **petite entreprise** d'une **moyenne** en attribuant 5 ou 6 employés à la première et entre 60 et 200 employés à la seconde. Néanmoins, que l'entreprise soit considérée petite ou moyenne, elle possède les caractéristiques suivantes :

1. L'autonomie, c'est-à-dire qu'il n'existe aucun contrôle externe (par exemple, des contrôles financiers du fait de la présence d'actionnaires et d'obligataires).

2. **L'esprit d'entreprise**, c'est-à-dire que les propriétaires sont considérés comme étant des pionniers dans leur domaine, et sont prêts à prendre des risques financiers personnels ; ils font donc preuve d'une certaine dose d'esprit d'entreprise.

3. **La méthode personnelle**, c'est-à-dire que le propriétaire-exploitant connaît la plupart des gens liés à l'entreprise (employés, clients, fournisseurs).

Les mythes au sujet de la possession d'une petite entreprise

Il existe de nombreux mythes autour de la possession d'une petite entreprise. Dans son livre, David Bangs énonce les six idées les plus répandues et les plus pernicieuses qu'ont les gens à propos du démarrage et de la gestion d'une petite entreprise[2].

Je peux m'en tirer seul   Ceci a trait à la croyance selon laquelle on peut démarrer et réussir une affaire avec peu de moyens. Habituellement, il est risqué d'investir trop peu d'argent dans une entreprise, puisqu'une petite difficulté d'exploitation peut se traduire rapidement par un flux monétaire négatif. À ce stade, il est difficile pour l'entrepreneur de prendre les importantes décisions stratégiques et opérationnelles qui s'imposent afin que croisse l'entreprise.

Je peux vivre immédiatement des revenus de mon entreprise   Le démarrage d'une entreprise est coûteux. Les frais fixes comme le loyer et les salaires doivent être payés à temps, et il peut s'écouler parfois jusqu'à un an avant que l'entrepreneur ne puisse retirer un salaire adéquat afin de satisfaire à ses besoins personnels et à ceux de sa famille. Souvent durant la période de démarrage, les exploitants de petite entreprise

n'ont d'autre choix que d'assurer leur revenu par un emploi à temps partiel ou de laisser travailler leur conjoint jusqu'à ce que l'entreprise offre un revenu suffisant.

Je serai mon propre patron   Certaines personnes quittent leur emploi parce qu'elles désirent plus de liberté afin de réaliser leurs idées. Elles n'aiment pas avoir à rendre compte à un patron et devoir se conformer à des politiques, à des règles, à des règlements, à des méthodes, à des instructions et à des directives rigides. Bien que les personnes qui dirigent une petite entreprise disposent de plus de liberté afin d'exprimer et de réaliser leurs idées, les gens qui prennent leur réussite au sérieux auront tôt fait de découvrir qu'ils servent plusieurs maîtres, notamment les clients, les employés, les prêteurs, les vendeurs et les investisseurs.

Je serai riche du jour au lendemain   Une personne dont la petite entreprise réussit accumulera éventuellement des fonds ou des richesses, mais cela prend du temps. Plus du tiers des exploitants dont l'entreprise connaît une substantielle expansion soutenue ne deviennent pas riches avant au moins dix ans d'exploitation.

Je n'ai rien à perdre. Je vais constituer une entreprise et utiliser l'argent des autres   Utiliser l'argent des autres n'est pas si facile. Dans la plupart des cas, les exploitants de petite entreprise utilisent leurs propres capitaux, ou des fonds investis par des membres de la famille, des parents et des amis. Les prêteurs hésitent à avancer des fonds aux nouvelles entreprises parce qu'il existe trop d'inconnues (notamment la gestion, les produits, les services, les clients, les vendeurs et la concurrence). Utiliser l'argent des autres fonctionne habituellement pour les entreprises qui réussissent depuis de nombreuses années. Dans ces cas-là, les prêteurs, les investisseurs et les fournisseurs sont prêts à avancer davantage de fonds.

Il faut de l'argent pour faire de l'argent   Cela s'applique à certains cas, comme le démarrage

---

2. Traduit de Bangs, David H. Jr., *The Start Up Guide : A One-Year Plan for Entrepreneurs*, Dover, NH, Upstart Publishing Company Inc., 1989, p. 2-3.

d'une nouvelle usine de fabrication, où il faut des bâtiments, du matériel et de l'outillage. Toutefois, il existe d'autres types d'entreprise, comme celles du secteur des services, où des capitaux importants ne sont pas requis.

LES PHASES NÉCESSAIRES À L'ÉTABLISSEMENT D'UNE ENTREPRISE

La personne qui veut démarrer une entreprise et y réussir doit planifier soigneusement et répondre à de nombreuses questions, notamment : Quelles activités entreprendre ? Qui sera responsable de chaque fonction ? Quand entreprendre une activité ? Doit-on faire cette activité ? Comment la faire et combien cela coûtera-t-il ? Quelle est la séquence de chaque activité ? Le démarrage d'une entreprise comporte de lourdes conséquences sur la vie personnelle et sociale d'une personne. Il faut préciser et discuter avec d'autres les idées relatives au démarrage d'une entreprise, fixer des objectifs personnels et stratégiques, et rédiger des plans que l'on présentera à des conseillers et à des investisseurs.

La figure 22.1 indique une série de phases et d'étapes que doit traverser une personne qui démarre une entreprise. Ce qui suit décrit brièvement les phases de l'idée, de l'information, de la planification, de l'organisation, du plan d'exploitation, du démarrage et du contrôle.

La phase de l'idée   Durant la phase de l'idée, l'entrepreneur doit répondre à quelques questions fondamentales, notamment : Qu'est-ce que je veux faire de ma vie ? Est-ce que je désire travailler pour les autres ou à mon compte ? Suis-je prêt à prendre des risques ? Est-ce que je sais faire preuve d'initiative ? Puis-je motiver les autres ? À quel point suis-je créateur et innovateur ? Quelles sont mes attentes ? Quelles sont mes forces et mes faiblesses ? Si la personne est convaincue que démarrer une entreprise est la bonne solution, elle peut passer aux étapes suivantes.

FIGURE 22.1
Les phases de démarrage

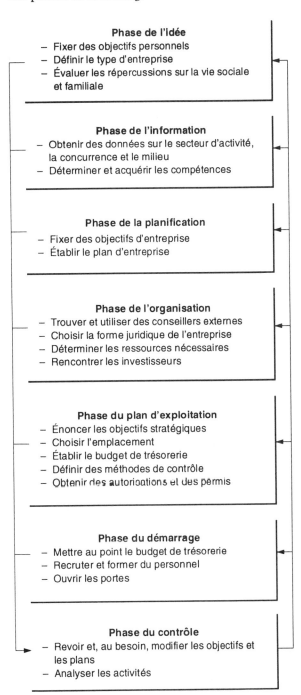

Phase de l'idée
– Fixer des objectifs personnels
– Définir le type d'entreprise
– Évaluer les répercussions sur la vie sociale et familiale

Phase de l'information
– Obtenir des données sur le secteur d'activité, la concurrence et le milieu
– Déterminer et acquérir les compétences

Phase de la planification
– Fixer des objectifs d'entreprise
– Établir le plan d'entreprise

Phase de l'organisation
– Trouver et utiliser des conseillers externes
– Choisir la forme juridique de l'entreprise
– Déterminer les ressources nécessaires
– Rencontrer les investisseurs

Phase du plan d'exploitation
– Énoncer les objectifs stratégiques
– Choisir l'emplacement
– Établir le budget de trésorerie
– Définir des méthodes de contrôle
– Obtenir des autorisations et des permis

Phase du démarrage
– Mettre au point le budget de trésorerie
– Recruter et former du personnel
– Ouvrir les portes

Phase du contrôle
– Revoir et, au besoin, modifier les objectifs et les plans
– Analyser les activités

Fixer des objectifs personnels signifie déterminer le capital que l'on est prêt à investir dans une entreprise, ainsi que le rendement de ces investissements que l'on prévoit obtenir au cours des premières années d'exploitation et à long terme.

Définir le type d'entreprise que veut lancer la personne importe, car l'accent est mis sur les ressources financières, l'expérience, les compétences et les aptitudes. Personne ne devrait démarrer une entreprise dans le seul but de jouir de sa liberté et de faire beaucoup d'argent. La personne qui choisit une entreprise doit **aimer** le travail et **se passionner** pour la vente des biens ou des services en question. Elle va consacrer sa vie à ce qu'elle vend, et si elle n'aime pas vraiment le travail, ses chances de réussite en affaires sont minces.

Évaluer les répercussions sur la vie sociale et familiale est essentiel. La gestion d'une entreprise n'est pas un emploi de 9 à 5. Surtout au début, il se peut que la personne travaille pendant 80 heures par semaine (de longues soirées et les fins de semaine), afin de démarrer l'affaire. Le temps de l'entrepreneur appartient aux autres. Posséder une petite entreprise influe sur chaque aspect de la vie d'une personne, et la vie sociale est toujours limitée. L'appui de la famille et d'amis compréhensifs importe aussi.

La phase de l'information   Les idées ne suffisent pas à mettre en action une entreprise. Elles doivent être soutenues par des données recueillies à la faveur d'une recherche judicieuse. On peut obtenir de l'information de diverses sources, dont les magazines, les associations professionnelles, les foires commerciales, les vendeurs ou fournisseurs, les clients, les entrepreneurs (les futurs concurrents), les relations d'affaires, les organismes gouvernementaux, les chambres de commerce locales, les amis.

Obtenir des données sur le secteur d'activité, la concurrence et le milieu sert à déterminer la quantité de ressources et de compétences

dont une personne a besoin pour réussir à démarrer une entreprise, et cela est donc essentiel.

Déterminer et acquérir les compétences importe également. Un entrepreneur ne réussira pas s'il lui manque certaines aptitudes administratives et techniques essentielles à l'exploitation d'une entreprise. Lorsqu'une personne est en mesure de connaître ses points forts et faibles, il est facile de déterminer le type de formation nécessaire afin d'améliorer ses forces et d'éliminer ou de réduire ses faiblesses. Certaines des compétences indispensables à la gestion d'une petite entreprise peuvent se regrouper en deux catégories : les aptitudes à la gestion, qui ont trait aux qualités de leader, à la planification, à l'organisation et au contrôle, et les aptitudes techniques, qui concernent notamment le marketing, la distribution, la fabrication, la vente, la promotion, l'administration et la budgétisation.

La phase de la planification   Cette phase porte sur ce que veut exactement réaliser la personne. L'entrepreneur doit avoir une **représentation mentale** très nette de l'entreprise qu'il veut lancer, ce qu'on appelle souvent une **vision**. Avoir un but détermine également, dans une large mesure, la forme de la préparation des objectifs et du plan d'entreprise, autrement dit, l'**énoncé de mission**. Il faut pouvoir répondre aux questions suivantes : Quels produits ou services vais-je vendre ? Où est mon marché cible ? Qui sont mes clients ? Comment vais-je vendre mes produits ou services ?

Fixer des objectifs d'entreprise consiste à définir des objectifs financiers quantifiables relativement aux revenus, aux coûts, au bénéfice et au rendement des investissements. Il existe d'autres objectifs non quantifiables, notamment les types de services à offrir, la façon de traiter les employés, les clients, les fournisseurs, les créanciers, les investisseurs et la collectivité.

Établir le plan d'entreprise, c'est rédiger un document qui sert de carte routière lors du lancement d'une entreprise. Il traduit les objectifs en mesures à exécuter par étapes, et fournit une orientation et un but. Comme l'indique le tableau 22.1, un plan d'entreprise se divise en cinq sections principales :

1. le passé, soit la description de celui-ci s'il s'agit d'une entreprise en exploitation ;

2. le présent, soit les aptitudes à la gestion et les aptitudes techniques ;

3. l'avenir, soit la description du projet même ;

4. les données financières ;

5. les documents à l'appui.

La phase de l'organisation   Une fois la recherche des données terminée et les objectifs et les plans d'entreprise fixés, l'entrepreneur est prêt à parler de l'information avec d'autres, et à établir des réseaux et des relations d'affaires essentiels.

Trouver et utiliser des conseillers externes qui peuvent aider l'entrepreneur importe à la réussite de l'entreprise. Les petites entreprises ne peuvent se permettre des consultants ou des conseillers onéreux. Voilà pourquoi la formation d'un système de réseau peut certainement aider l'entrepreneur à prendre de bonnes décisions d'affaires et à éviter les erreurs coûteuses. Parmi ces conseillers externes, citons les comptables, les banquiers, les publicitaires, les agents d'assurances, les avocats et les conseillers en affaires. Diriger une entreprise est une aventure solitaire, et les conseillers peuvent constituer des atouts valables. On trouve deux catégories de conseillers : les membres de professions libérales (les comptables agréés et les avocats), et les conseillers éclairés.

Choisir la forme juridique de l'entreprise est un facteur important du démarrage de l'entreprise. Un avocat et un comptable peuvent aider à déterminer la forme la plus appropriée d'entreprise. Il existe trois catégories de base : l'entreprise à propriétaire unique, la société de personnes et la société. Les facteurs les plus

TABLEAU 22.1
La structure du plan d'entreprise

Section 1: Passé
- Description de l'entreprise
- Rendement général
- Rendement de l'exploitation
- Rendement du marché

Section 2: Présent
- Aptitudes à la gestion et aptitudes techniques
- Milieu et concurrence

Section 3: Avenir
- Énoncé de mission
- Milieu
- Structure du capital social
- Équipe de gestion
- Équipe de projet
- Plan de marketing
- Plan de fabrication
- Plan de recherche et de développement
- Plan de main-d'œuvre
- Plan de localisation

Section 4: Données financières
- Provenance et utilisation des fonds
- Liste des biens d'équipement
- États financiers pro forma (récapitulation de trois exercices et détails mensuels pour le premier exercice)
  • état des résultats
  • bilan
  • mouvements de trésorerie
- Analyse du seuil de rentabilité
- Dossier des rapports financiers et des déclarations d'impôts

Section 5: Documents à l'appui
- Curriculum vitæ personnels
- Rapports de solvabilité
- Lettres de référence
- Lettres d'intention
- Copie des baux
- Documents juridiques

importants qui influent sur le choix de la forme d'entreprise concernent les frais de démarrage, le nombre de propriétaires, la liquidation ou la dissolution, les aspects juridiques, les restrictions gouvernementales, la confidentialité de l'exploitation, la capacité financière initiale et ultérieure, l'engagement financier, la continuité, les répercussions fiscales, la participation aux bénéfices, les documents (permis, lettres patentes, etc.), la croissance et la responsabilité financière (question qui a été abordée au chapitre 4, *Les formes d'entreprises*).

Déterminer les ressources nécessaires au démarrage et à la réussite à long terme exige une analyse minutieuse de la capacité de l'entrepreneur de mener à bien de façon réaliste les objectifs indiqués dans le projet de plan d'entreprise. On compte deux catégories de ressources : financières et gestionnaires. Les ressources financières comprennent les fonds nécessaires à l'établissement d'une entreprise (les immobilisations et les capitaux de démarrage), et le fonds de roulement (destiné notamment à payer les salaires, les vendeurs et les dettes). À ce stade, le propriétaire devra déterminer le montant à investir et le montant à emprunter des prêteurs et des investisseurs. Les aptitudes à la gestion et les aptitudes techniques désignent les compétences professionnelles ou techniques essentielles à l'exploitation d'une entreprise. Il faut également étudier comment les compétences du personnel peuvent compléter au mieux le talent et les capacités de l'entrepreneur.

Rencontrer les investisseurs signifie présenter le plan d'entreprise aux personnes intéressées à investir des capitaux dans l'entreprise. On peut grouper les investisseurs en actionnaires, et en créanciers à court et à long terme (sujet présenté au chapitre 17, *Les sources de capital*).

La phase du plan d'exploitation Cette phase a trait à la mise au point du plan d'entreprise après qu'il a été présenté aux divers conseillers et aux éventuels investisseurs. Elle est axée sur les aspects plus déterminés ou opérationnels de l'entreprise, tels que l'établissement de l'estimation détaillée des ventes et des coûts, l'énoncé d'un budget de trésorerie mensuel, et même la

sélection de l'emplacement et l'obtention des autorisations et permis appropriés.

Énoncer les objectifs stratégiques a trait notamment à la détermination des objectifs de ventes mensuels de l'entreprise, à la prévision des coûts, aux prix, au nombre de clients prévus et aux quotas.

Choisir l'emplacement qui convient dépend largement du type d'entreprise. S'il s'agit d'une entreprise de fabrication, par exemple, la région, la collectivité et le site représentent des éléments importants. Les facteurs essentiels à considérer lors du choix de l'emplacement d'une usine de fabrication comprennent la disponibilité de la main-d'œuvre et des ressources, la proximité des marchés, le transport, l'attitude de la collectivité, les installations, les impôts, le zonage, et les autres services offerts par la collectivité, notamment l'élimination des déchets. Choisir l'emplacement d'une entreprise de détail est également essentiel, mais les critères diffèrent. Les facteurs qui déterminent l'emplacement adéquat des entreprises de détail sont les prévisions du marché cible, les habitudes et les attentes des consommateurs.

Établir le budget de trésorerie détaillé représente une longue étape nécessaire qui permet de savoir exactement combien de capitaux il faudra afin d'exploiter l'entreprise. Le budget de trésorerie aide les banquiers à déterminer la marge de crédit adéquate et à quel moment celle-ci sera utile. Le budget de trésorerie permet de répartir, mensuellement, le produit des ventes et les charges (salaires, loyer, services publics, assurances, téléphone, affranchissements, déplacements, divertissement, location de matériel, fournitures de bureau, publicité et promotion, par exemple). La différence entre les recettes des ventes et les déboursés indique le niveau mensuel de l'excédent ou du déficit de caisse.

Définir des méthodes de contrôle comprend l'établissement des systèmes de tenue des livres, de comptabilité et de méthodes administratives. Un comptable est la personne la plus qualifiée pour donner des conseils au sujet du choix le plus approprié de systèmes comptables et de tenue de livres. Certains systèmes sont plus coûteux que d'autres, mais il importe de choisir ceux qui fournissent une information précise et ponctuelle, sous une forme qui aide les gestionnaires à prendre de bonnes décisions. Il importe également d'instaurer des méthodes de contrôle qui protègent contre les vols des employés et des clients. Un système de contrôle efficace peut parfois faire la différence entre la réussite ou l'échec d'une entreprise.

Obtenir des autorisations et des permis des autorités fédérales, provinciales et municipales avant de démarrer une entreprise est important. Il existe de nombreuses règles gouvernementales relativement à l'exploitation d'une entreprise, et le recours à des conseillers ou à des consultants externes sert à connaître les autorisations ou permis nécessaires selon le type (fabrication, gros ou détail) et l'emplacement de l'entreprise. Ainsi, une municipalité ne permettrait pas à une quincaillerie d'ouvrir ses portes dans un secteur exclusivement résidentiel ni à une usine de pâte à papier de s'installer dans un endroit zoné **légèrement commercial**.

La phase du démarrage Cette phase a trait à la mise en œuvre de la stratégie proposée dans le plan d'entreprise. L'entrepreneur peut vouloir, immédiatement avant d'ouvrir les portes, examiner de nouveau le budget de trésorerie, et réviser les objectifs et les plans, afin de tenir compte des changements intervenus au cours des derniers mois ou des dernières semaines. Il se prépare également à la grande ouverture, qui prend parfois des allures de représentation théâtrale. Au moment de l'ouverture, tout doit être parfaitement orchestré, car les premières impressions sont souvent durables. Le ménage, les invitations aux politiciens locaux et à la presse, le personnel formé, des activités de promotion et de publicité dûment préparées (dont la décoration du magasin), tout cela fait partie de l'ouverture d'une entreprise.

Mettre au point le budget de trésorerie consiste à revoir les détails du budget afin de s'assurer que les produits et les charges d'exploitation détaillées reflètent, aussi étroitement que possible, les prévisions financières (excédent ou déficit).

Recruter et former du personnel est essentiel, puisque l'entrepreneur veut offrir le meilleur service qu'il puisse se permettre. Le recrutement fait appel à la sélection de personnes aux qualifications adéquates, et à la négociation d'une rémunération intéressante et compétitive qui comprend le salaire (échelle salariale), les conditions de travail, les possibilités d'avancement, les avantages sociaux et la formation. Cette dernière importe afin d'assurer notamment que les employés sont courtois et connaissent bien les produits et les services vendus par l'entreprise, de même que les méthodes administratives.

Ouvrir les portes et servir les clients constituent probablement l'étape la plus facile du processus, si tout a bien été planifié.

La phase du contrôle Maintenant que l'entrepreneur est en affaires, il s'agit de surveiller le budget et de faire en sorte que tout fonctionne selon le plan. Il faudra **revoir et, au besoin, modifier les objectifs et les plans**, puis **analyser les activités** en vue d'assurer d'étroites relations de travail avec les employés, les vendeurs, les prêteurs, les investisseurs et les représentants de la collectivité.

LES DOMAINES DES PETITES ENTREPRISES

Les petites entreprises fonctionnent dans presque tous les secteurs de l'économie : la fabrication, le commerce (gros et détail) et les services.

Les entreprises de fabrication

Une organisation qui se consacre à l'achat de matières premières et à la transformation de celles-ci en produits finis (valeur ajoutée) afin de les vendre aux grossistes, aux détaillants ou aux consommateurs est une **entreprise de fabrication**. Les petites entreprises de fabrication se trouvent notamment dans les secteurs de l'imprimerie, de l'alimentation, du vêtement, de la chaussure et des pièces d'automobiles. Toutefois, il faut noter que les industries manufacturières ont été principalement dominées par les grandes entreprises, puisqu'il faut investir des sommes considérables dans des éléments d'actif tels que le terrain, les bâtiments, le matériel et l'outillage. Il n'empêche qu'il existe bon nombre de moyennes entreprises dans la fabrication, car elles jouent un rôle important dans la fourniture de pièces destinées, par exemple, aux grands fabricants d'automobiles, d'avions, de téléviseurs et de radios. Si ces grandes entreprises augmentent leurs ventes, manifestement, les petites et moyennes entreprises qui fournissent les pièces profiteront de cette augmentation. À l'instar des grandes entreprises, la réussite ou l'échec des petites et moyennes entreprises est souvent lié au contexte économique et politique national, provincial et régional.

Les entreprises commerciales

Nombre de petites et moyennes entreprises jouent un rôle d'intermédiaire dans le réseau de distribution, à titre soit de grossistes (vente à des détaillants, à des organismes gouvernementaux ou à des utilisateurs industriels), soit de détaillants (vente aux consommateurs).

Les grossistes Les grossistes achètent des marchandises auprès des fabricants dans l'intention de vendre celles-ci à d'autres intermédiaires comme les détaillants (à l'exclusion des consommateurs). Ils se trouvent dans la distribution des produits alimentaires, de la quincaillerie, de l'ameublement et du matériel électrique. Les agents et courtiers commerciaux (types de grossistes) vendent des produits pour le compte de fabricants dans une région donnée.

Ainsi, un fabricant de jouets de Toronto, qui vend une vaste gamme de produits au Canada et aux États-Unis, peut juger plus efficace de recruter un agent ou un courtier bien connu dans une région donnée, plutôt que d'avoir sa propre équipe de vente. Les fabricants peuvent vendre leurs produits par l'entremise d'une douzaine de grossistes reconnus et bien établis qui disposent de réseaux de distribution étendus et efficaces. Ces grossistes emploient souvent de nombreuses personnes.

Les détaillants Le commerce de détail est un secteur de l'économie où dominent les petites entreprises. Les détaillants achètent des marchandises principalement des grossistes, et les vendent directement aux consommateurs. Le principal rôle des détaillants consiste à rendre les produits aisément accessibles aux consommateurs. Parmi les commerces de détail courants, on trouve les stations-service, les magasins d'alimentation, les quincailleries, les fleuristes, les magasins de vêtements, les restaurants et les magasins populaires.

Les entreprises de services

Il s'agit d'une activité de plus en plus répandue parmi les petites et moyennes entreprises. On peut offrir littéralement des centaines de types de services. Le mot « service » désigne des activités qui correspondent à des biens intangibles comme les offrent les hôtels, les ateliers de réparation, les petits restaurants, les cabinets de comptables et d'avocats, les teintureries, les salons de coiffure et les motels.

De nombreuses raisons expliquent l'essor phénoménal des entreprises de services. D'abord, celles-ci, contrairement aux entreprises de fabrication, ne nécessitent pas un capital initial considérable. Ensuite, puisqu'il arrive si fréquemment que les deux conjoints travaillent, les gens ont moins de temps à consacrer aux tâches domestiques et par conséquent, ils allouent une plus grande part de leur budget aux services (garde d'enfants, nettoyage à sec, ménage, jardinage, par exemple). Enfin, les gens passent plus de temps à des activités de loisir, comme le patinage, le ski, le bateau et le bowling.

UN POINT DE VUE

Conference Board of Canada

La possession d'une petite entreprise

À mesure que s'intensifie le déclin économique actuel, on s'attend à ce que les faillites de petites entreprises dépassent les niveaux élevés que l'on connaît déjà, selon les experts. Mais certaines faillites peuvent être évitées si les difficultés financières sont décelées tôt, et soumises aux créanciers, avant d'atteindre des proportions dramatiques. «Dans cette conjoncture économique, les petites entreprises doivent surveiller de très près leur flux monétaire», au dire de Catherine Swift, vice-présidente et économiste en chef de la Fédération canadienne de l'entreprise indépendante. «Prévenir, c'est guérir. Si vous mordez la poussière, il faut le reconnaître avant que cela ne devienne trop sérieux, et en parler avec vos créanciers. Ainsi, vous n'aurez pas à le leur annoncer de but en blanc, lorsque la crise sera vraiment déclarée.»

«Les petites entreprises sont celles qui souffriront le plus parce que leurs ventes ralentiront», affirme Gilles Rhéaume, directeur des prévisions et de l'analyse du Conference Board of Canada. Cela rend difficile le financement par emprunt — habituellement assez élevé pour les entreprises dirigées par le propriétaire — dans une période de taux d'intérêt élevés. Il en résulte un resserrement monétaire. «Si leur flux monétaire chute fortement, ces entrepreneurs se trouveront dans une situation dont ils pourront difficilement se sortir», ajoute M. Rhéaume.

«Le propriétaire d'une entreprise qui connaît des difficultés, est souvent tiraillé entre le fait d'informer les créanciers et la perspective des répercussions, affirme Mme Swift. Les gens d'affaires déclarent souvent que s'ils se confient à leurs créanciers, ceux-ci vont leur couper les vivres. Et malheureusement, cela se produit assez souvent pour leur donner raison.»

Toutefois, si des difficultés croissantes sont portées à l'attention de la banque assez tôt, le banquier les jugera beaucoup plus favorablement que si on lui réserve une désagréable surprise, au dire de Larry Swain, directeur principal — Marché de la PME, à la Banque de Montréal. Il ajoute : «On ne peut négocier les surprises, car elles sont déjà là. C'est comme si on disait que quelqu'un pourrait nous appeler pour nous informer, mine de rien, avoir tiré un chèque qui le met à découvert de 20 000 $. Si le propriétaire d'une entreprise nous avertit de difficultés, au moins nous savons qu'il y prête attention, qu'il planifie et qu'il tente réellement de les régler. Alors, nous pouvons les examiner et voir ce que l'on peut faire.»

Source : Traduit de Colin Languedoc, «Monitor cash flow to avoid crunch», *The Financial Post*, 19 octobre 1991, p. 14.

LES AVANTAGES ET LES INCONVÉNIENTS DE LA PETITE ENTREPRISE

Les paragraphes suivants traitent des avantages et des inconvénients les plus importants associés à la gestion des petites entreprises.

Les avantages de la petite entreprise

Certains entrepreneurs préfèrent garder leurs entreprises petites en raison des avantages qu'elles comportent. Voici ceux que l'on mentionne le plus souvent :

L'indépendance   La personne qui préfère tenir les guides de sa destinée, ou faire les choses à sa manière, peut réaliser cet objectif simplement en possédant une entreprise. Le propriétaire d'une petite entreprise jouit d'une liberté d'action. Être en mesure de réaliser ses idées sans avoir constamment ses motifs reconsidérés par les autres peut être bien satisfaisant. Les gens qui travaillent au sein de grandes entreprises doivent exécuter des tâches très précises, conformément à la définition de leur poste. Souvent, ils doivent exécuter les décisions et les plans énoncés par d'autres (leurs supérieurs), et sont parfois mutés à d'autres postes ou à d'autres villes qui ne les intéressent pas vraiment. Diriger une petite entreprise offre à l'entrepreneur un lien direct entre l'effort, l'accomplissement et la récompense, ce qui n'est pas toujours le cas des employés des grandes entreprises. Si les entrepreneurs travaillent dur, ils peuvent en tirer des bénéfices directs.

Le défi   Souvent, le défi constitue un facteur primordial de motivation des personnes qui démarrent une entreprise. Le but final est évidemment la réussite, qui se transforme en récompense financière et affective. Les exploitants de petites entreprises ont souvent à concurrencer les moyennes et grandes entreprises, et le fait d'être en mesure de défier ces dernières comporte toujours une satisfaction psychologique. Ils doivent toujours être à l'affût de nouveaux produits ou services offerts par les concurrents, et être capables de s'adapter rapidement aux situations afin de maintenir leur part de marché.

Les bénéfices   Étroitement liée au défi, se trouve la possibilité d'obtenir des revenus confortables, supérieurs à un salaire. Il est bien connu que les propriétaires de petites entreprises doivent consacrer beaucoup de temps et consentir de nombreux sacrifices lorsqu'ils démarrent une affaire. Toutefois, nombreux sont ceux qui affirment qu'à long terme, le jeu en vaut la chandelle. Ainsi, un étudiant diplômé peut obtenir un poste dans une grande entreprise à un salaire annuel de l'ordre de 35 000 $ qui peut augmenter de 4 à 6 p. 100 par an. Une personne qui lance une entreprise peut gagner davantage et même, avec le temps, doubler ou tripler ce montant si le produit ou le service offert est exclusif. Habituellement, au cours des premières années d'exploitation, les propriétaires d'entreprises doivent faire des sacrifices personnels importants, mais ils y gagneront à long terme.

Les services personnalisés   Les propriétaires de petites entreprises peuvent offrir des produits et services exclusifs, et, en même temps, communiquer en personne avec leurs employés, clients et fournisseurs, ce qui leur permet de répondre plus efficacement aux besoins individuels. Les petites entreprises peuvent également produire des biens et services à des coûts moindres, car elles n'exigent pas de grandes structures organisationnelles, ni de méthodes administratives complexes. En outre, elles ne sont pas accablées par des frais généraux élevés, car elles n'emploient pas à temps plein des comptables, des avocats, des administrateurs, des acheteurs, des gardiens, des personnes affectées au service d'information, par exemple. Si elles ont besoin de ces services à un moment donné, elles embauchent alors des contractuels pendant une période déterminée.

La sécurité d'emploi   Les travailleurs autonomes ne dépendent pas des autres quand il s'agit de prendre des décisions au sujet de leurs perspectives de carrière, pas plus qu'ils ne se soucient de perdre leur emploi. Ils ne se posent certainement pas des questions comme : Mes patrons sont-ils satisfaits de mon rendement ? Me muteront-ils ailleurs ? À un autre poste ? Vont-ils me congédier ?

Les inconvénients de la petite entreprise

Diriger une petite entreprise comporte à coup sûr ses inconvénients. Les entrepreneurs doivent souvent faire face à des difficultés, notamment celles qui suivent :

Le manque d'aptitudes à la gestion   À cause d'une pénurie de fonds d'argent, souvent, les propriétaires de petites entreprises ne sont pas en mesure de recruter, même temporairement, des spécialistes. Les nouveaux propriétaires doivent exécuter une multitude de tâches, notamment la comptabilité, les ventes, les achats et le nettoyage. Nombre d'années peuvent s'écouler avant que l'entreprise ne soit en mesure d'offrir des salaires attrayants à des personnes compétentes.

La pénurie de fonds   Souvent, les petites entreprises ne peuvent fonctionner rondement en raison d'une pénurie de fonds. Elles ont donc de la difficulté à amasser des capitaux à long terme en vue d'acheter des immobilisations telles que le terrain, les bâtiments et le matériel, nécessaires au démarrage d'une affaire. Les prêteurs imposent souvent un fardeau supplémentaire aux petites entreprises en exigeant d'elles qu'elles remboursent leurs prêts dans des délais prescrits. Dans bien des cas, les petites entreprises doivent payer des taux d'intérêt supérieurs à ceux des grandes sociétés, à cause des risques accrus perçus et du peu d'empressement des banques à prêter aux petites entreprises. Les prêteurs sont sans doute plus intéressés à financer le projet de 1 million de dollars d'une société multinationale, plutôt que celui de 20000 $ d'un petit commerce de détail (les frais de traitement sont essentiellement les mêmes).

Les règlements gouvernementaux   Les petites entreprises sont sujettes aux mêmes règles et règlements du gouvernement que les grandes entreprises. Petites ou grandes, les entreprises doivent remplir les mêmes formulaires exigés par les divers organismes gouvernementaux. Ainsi, elles doivent tenir des registres à propos du Régime de pensions du Canada payé pour les employés, des versements d'assurance-chômage, et des impôts sur le revenu, tant au niveau fédéral que provincial. Elles doivent également percevoir la taxe de vente provinciale et la taxe fédérale sur les produits et services. Nombre de propriétaires de petites entreprises ne disposent pas des ressources financières et humaines nécessaires à l'exécution de ces tâches, et doivent souvent s'en charger eux-mêmes.

Le facteur de risque   Les exploitants de petites entreprises ne peuvent prendre trop de risques ; une erreur peut aisément compromettre leur viabilité financière, voire causer leur faillite. Ceux qui veulent mettre à l'essai de nouvelles idées doivent prudemment en évaluer les répercussions financières.

LES FACTEURS DE RÉUSSITE OU D'ÉCHEC DES PETITES ENTREPRISES

Un certain nombre d'études ont été réalisées afin d'évaluer les facteurs de réussite ou d'échec des petites entreprises. Voici certaines des raisons le plus souvent mentionnées :

Les facteurs de réussite des petites entreprises

– Dans la plupart des secteurs d'activités, il existe de nombreuses entreprises à peine rentables qui offrent des produits et des services médiocres à prix élcvés. Ceci permet aux petites entreprises de pénétrer ces marchés et d'occuper un petit créneau étroit dans ce secteur d'activité.

- Certaines petites entreprises sont en mesure d'offrir un service ou un produit exclusif.

- Parfois, ce sont les exploitants et non les conditions commerciales favorables qui sont à la base de la réussite.

- Quelquefois, les directeurs de grandes entreprises décident de lancer leur propre entreprise, et mettent leur talent et leur expérience à profit.

- De même, certaines personnes à l'emploi des grandes entreprises possèdent des compétences spécialisées, notamment en marketing, en production et en distribution, et décident de les utiliser dans leur propre intérêt.

- Certains exploitants ont la capacité d'obtenir de bons conseils des spécialistes appropriés.

- D'autres ont une vision et des valeurs solides, et ont la capacité de communiquer et d'entraîner les autres à leur suite.

- Nombreux sont ceux qui désirent garder leur entreprise petite.

Les facteurs d'échec des petites entreprises

Les études montrent que bon nombre de petites entreprises font faillite au cours de leur première année d'exploitation. Dun & Bradstreet affirme que 70 p. 100 des exploitants des petites entreprises ne durent pas plus de cinq ans. Voici la liste des principaux facteurs d'échec des petites entreprises.

1. Les facteurs personnels

   - Les propriétaires exploitants n'ont pas les compétences administratives, opérationnelles ou professionnelles nécessaires à l'exécution efficace de la tâche.

   - Ils n'écoutent pas les conseils.

   - Ils deviennent moins intéressés et ne consacrent plus les longues heures nécessaires à la réussite de l'entreprise.

   - Ils aiment le statu quo et résistent aux modifications nécessaires face au milieu en évolution.

   - Ils retirent des sommes importantes de l'entreprise lorsque tout va bien, au lieu de les investir pour l'avenir.

2. Le manque de planification

   - Les exploitants n'ont pas les compétences nécessaires à une planification efficace (dans bien des cas, ils ne prennent pas le temps de la faire).

   - Ils choisissent mal l'emplacement de leur usine de fabrication ou de leur commerce de détail (ils n'investissent pas dans une étude de marché).

   - Ils ont de la difficulté à discerner l'émergence d'un problème important.

   - Il leur manque les compétences nécessaires dans le domaine de l'analyse financière.

3. Le manque de fonds

   - Les propriétaires ne peuvent se permettre un bon emplacement pour leur entreprise.

   - Ils éprouvent souvent des difficultés à résoudre les difficultés financières.

   - Ils sont incapables d'acheter en grande quantité et de profiter ainsi de remises quantitatives.

   - Ils ne peuvent facilement étendre leurs activités face à une progression des affaires.

4. Des lacunes dans les méthodes de gestion

   - Les domaines des opérations et des charges manquent de contrôle.

   - La gestion des stocks est insuffisante, ainsi que celle des comptes clients.

   - Le matériel et l'outillage ne sont pas adéquatement entretenus.

5. La concurrence

 - Les aptitudes à la gestion sont souvent supérieures chez les concurrents plus importants.

 - Les concurrents disposent souvent de l'avantage de détenir des droits sur de nouveaux produits (brevets).

6. La conjoncture de l'économie ou du secteur d'activité laisse à désirer.

7. Les facteurs juridiques

 - Un changement de zonage, par exemple, peut aisément paralyser une entreprise.

UN POINT DE VUE

Peter Thomas, fondateur de Century 21 Les services immobiliers Canada Limitée

L'esprit d'entreprise

Il y a 12 ans, Peter Thomas menait la vie grisante dont d'autres entrepreneurs canadiens ne font que rêver. Il s'amusait à passer des fins de semaine à Las Vegas, à voyager à bord de jets privés et à éprouver les poussées d'adrénaline que procure la conclusion de marchés immobiliers de millions de dollars partout en Amérique du Nord. Ce spécialiste de la haute voltige financière et son associé, l'homme d'affaires albertain Nelson Skalbania, ont déjà rédigé des projets d'une valeur de plus de 12 millions de dollars sur des sous-verres, dans un club de squash d'Edmonton.

Mais en 1981, la récession les a brutalement ramenés sur terre. Les dettes de M. Thomas atteignaient 30 millions de dollars, par suite de l'effondrement de ses affaires et de l'empire de M. Skalbania. Cette humiliation montre à quel point le goût du risque en affaires peut provoquer de retentissants échecs autant que d'énormes réussites, comme le concède cyniquement M. Thomas : « L'excitation réside dans la conclusion de marchés, mais le danger est aussi là, affirmait-il dans une récente interview. Une foule de gens s'habituent à s'exposer constamment au danger, et la vie leur semble plutôt morne sans cela. »

M. Thomas, le fondateur de Century 21 Les services immobiliers Canada Limitée, décrit l'expérience dans son dernier livre *Never Fight With a Pig : A Survival Guide for Entrepreneurs*. L'idée en est de montrer aux entrepreneurs en herbe qu'ils peuvent apprendre de ses erreurs. « Il n'existe pas de cours véritable sur l'esprit d'entreprise, précise-t-il. On apprend le commerce et les mathématiques... mais on n'apprend pas à quel moment retirer sa mise et s'en aller. »

M. Thomas a finalement réussi à prendre des dispositions afin de rembourser ses dettes, et est à nouveau un homme riche. Toutefois, il reconnaît qu'il aurait pu s'éviter des ennuis à cette époque en suivant ses propres recommandations : écouter ses conseillers et ne pas s'estimer infaillible. M. Thomas affirme que sa plus grande réussite a été de décrocher les droits au Canada de Century 21, en 1974. Il lui en a coûté 100 000 $, dont 5 000 $ comptant. En 1988, après une brève bataille devant les tribunaux avec son associé Gary Charlwood, M. Thomas a vendu ses parts de 72 p. 100 de Century 21 Les services immobiliers Canada Limitée pour la somme de 25 millions de dollars.

Son principal atout commercial aujourd'hui est Samoth Capital Corp., une banque d'affaires dont le siège social est à Vancouver et qui se spécialise dans l'immobilier. En plus d'être président et principal actionnaire de Samoth, M. Thomas est président de la British Columbia Housing Commission, et il siège au conseil d'administration du Canadian Country Music Association. Il travaille également auprès de l'Organisation internationale des jeunes entrepreneurs et de la fondation Starlight, un groupe qui tente de réaliser les rêves d'enfants gravement malades. « Chaque entrepreneur devrait s'engager dans sa collectivité, en y redonnant quelque chose. »

Source : Traduit de Murray Oxby, « The entrepreneur's ups and downs », *The Gazette*, Montréal, 10 octobre 1991, p. C2.

LE FRANCHISAGE

Il existe essentiellement trois façons de lancer une entreprise : acheter une entreprise en exploitation, ouvrir une nouvelle entreprise ou acheter une franchise. Les paragraphes suivants décrivent le franchisage, en particulier, la signification de ce terme, les différents types de franchises, ainsi que les avantages et les inconvénients correspondants.

La signification du franchisage

Le franchisage est essentiellement un système par lequel un acheteur (le franchisé) acquiert certains droits d'un vendeur (le franchiseur), afin de distribuer des biens ou des services. Une franchise est une licence de brevet ou de marque de commerce qui permet au franchisé de mettre en marché des produits ou des services sous une marque de commerce.

La marque même est au cœur du réseau de distribution. Dans un réseau de franchisage, de nombreux points de vente vendent des biens et des services semblables qui portent la même marque de commerce ou appartiennent à la même classe d'affaires. Ils fonctionnent sous la même dénomination sociale ou le même emblème, et ils affichent les caractéristiques distinctes et l'apparence propres à tous les franchisés qui fonctionnent au sein du réseau de distribution.

Le franchisage est devenu populaire dans les années 1970 et s'est répandu dans les années 1980. Presque tout le monde reconnaît la marque de commerce de McDonald's, de Harvey's, de Pizza Hut, d'Avis et de Burger King. Ce sont toutes des franchises. Une franchise permet au franchisé d'utiliser une marque de commerce déjà connue et acceptée du grand public, et de vendre des produits et des services sous ce chapeautage. Le franchiseur peut aider le franchisé en offrant :

- le soutien d'une équipe de gestion solide ;

- l'utilisation d'un système efficace de comptabilité, de finances et de contrôle des dépenses ;

- la construction d'installations qui ont déjà été érigées sur le même modèle de nombreuses fois ;

- l'utilisation de matériel et d'outillage mis à l'épreuve par d'autres ;

- les techniques de promotion.

Pour ces avantages, le franchisé paiera au franchiseur un droit de franchisage, en plus de redevances régulières, et les deux parties se soumettront aux conditions générales prévues à l'entente contractuelle.

Le principal objectif du franchisage est de permettre à un exploitant indépendant de vendre des biens ou des services réputés, de la manière la plus efficace, dans un territoire donné. Voici une liste des activités habituelles du franchisé : - *acheteur.*

1. Payer, au franchiseur, les droits d'utilisation de la marque de commerce.

2. Acheter, du franchiseur, la marchandise, le matériel et l'outillage.

3. Assurer que l'entreprise offre des produits et des services de qualité.

4. Respecter les directives et les méthodes indiquées dans le manuel des opérations du franchiseur.

5. Payer, au franchiseur, les redevances des produits ou des services vendus.

Les types de franchises

Les réseaux de franchises peuvent se regrouper en trois catégories principales : la vente de produits ou de services, les entreprises de franchisage et l'utilisation du nom ou de la marque de commerce d'une franchise.

La vente de produits ou de services   Cette catégorie compte deux sous-groupes, selon que le réseau de franchises est **commandité par un fabricant** ou **un grossiste**. Les fabricants d'automobiles et les raffineries de pétrole ont été les premiers à utiliser le type de réseau de franchises commandité par un fabricant. Ainsi, dans le secteur du pétrole, des stations-service comme Esso, Shell et Pétro-Canada étaient gérées par des **locataires** qui achetaient des produits de leurs grandes sociétés respectives, afin de vendre ceux-ci à des consommateurs. Selon l'entente de franchisage, le franchiseur réalise son bénéfice en vendant au franchisé, et le franchisé fait à son tour des profits, grâce à la vente des biens aux consommateurs finaux.

Dans le cas du réseau **commandité par un grossiste**, un détaillant peut vendre des produits ou des services de marques connues à l'échelle nationale. L'entrepreneur s'engage à vendre des biens promus par le grossiste. IGA représente un exemple typique de ce réseau de franchises, où M. Loeb, grossiste, aide chaque point de vente en ce qui concerne les finances, la comptabilité et la gestion. Canadian Tire et Home Hardware font partie du même sous-groupe.

La mise en franchise d'entreprises   Les points de vente au détail les plus connus qui fonctionnent dans ce réseau comprennent Burger King, McDonald's, Saint-Hubert Bar-B-Q, Pizza Hut et Kentucky Fried Chicken. Les entreprises vendent des franchises afin de pénétrer de nouveaux marchés. Ce type de programme repose sur une gestion et un marchandisage solides. En vertu d'une telle entente, le franchisé peut non seulement utiliser la marque de commerce du franchiseur, mais également fabriquer les produits selon des méthodes très strictes. Le franchiseur fournit les matrices de fabrication, les structures et les caractéristiques au franchisé. Cette entente de franchisage est coûteuse en ce qui a trait à l'investissement initial et aux redevances permanentes.

L'utilisation du nom ou de la marque de commerce d'une franchise   En vertu de cette entente, le franchiseur permet au franchisé d'utiliser une marque de commerce établie. Là encore, le franchiseur exerce une certaine emprise sur les produits, les services et l'administration. RE/MAX, Century 21 et Hallmark constituent des exemples de ce type d'entente. Le coût de ce type de franchise se limite presque exclusivement à une mensualité, en échange de l'utilisation de la marque de commerce. Ainsi, dans le cas de RE/MAX, les franchisés doivent effectuer un investissement initial, puis remettre des redevances régulières qui sont calculées sur les commissions. Certaines conditions de base doivent également être respectées.

TABLEAU 22.2
Les avantages et les
inconvénients qui
concernent le franchisé

Avantages	Inconvénients
1. Un dossier de données sur les finances et sur l'exploitation est fourni.	1. Il faut sacrifier une certaine part de liberté en ce qui a trait aux décisions quotidiennes de fonctionnement.
2. La marque de commerce est réputée.	2. Il faut acheter les produits du franchiseur, même si l'on trouve de meilleurs prix ailleurs.
3. Le franchiseur offre une formation au moyen de techniques commerciales éprouvées, et une aide au chapitre du processus décisionnel, ce qui comprend des manuels de directives et de méthodes.	3. Les bénéfices sont partagés avec le franchiseur, selon une formule préétablie (pourcentage des ventes ou montant forfaitaire).
4. Les produits soumis à un test de marché et les marques de commerce réduisent les risques financiers.	4. Il est très coûteux de démarrer l'entreprise (investissement initial et frais d'exploitation permanents).
5. La franchise fait partie d'un vaste réseau de distribution.	5. La mauvaise réputation d'un franchisé de la région pourrait avoir une influence néfaste sur l'«image» des autres franchisés.
6. Une aide financière est possible.	6. Les marchés peuvent être saturés.
7. Le pouvoir d'achat combiné permet de bénéficier de ristournes.	7. Le franchiseur se réserve le droit de racheter un point de vente à la fin du contrat.

Les avantages et les inconvénients du franchisage

Le franchisage offre certains avantages et inconvénients tant au franchisé qu'au franchiseur. Le tableau 22.2 montre ceux qui concernent le franchisé.

Le franchisage est un mode intéressant d'exploitation qui n'est pas seulement réservé aux exploitants de petites entreprises ; les grandes entreprises peuvent également opter pour ce type d'entente.

UN POINT DE VUE

*Steven Rogers,
directeur général de
College Pro Painters Ltd.*

Le franchisage

Selon Steven Rogers, directeur général de College Pro Painters Ltd., une entreprise située à Toronto, il n'est pas facile de diriger une franchise. M. Rogers, dont le grand-père et l'arrière-grand-père étaient peintres et décorateurs à London, en Ontario, a débuté en 1978 à titre de directeur d'une franchise de College Pro, durant ses études à la University of Western Ontario.

Les franchisés embauchent des peintres qu'ils forment et supervisent, et ils apprennent également à gérer les mouvements de trésorerie, la production et le marketing, selon les méthodes d'exploitation et de gestion de l'entreprise. Cette année, College Pro a recruté 640 directeurs de franchise en Amérique du Nord, dont 280 au Canada. Chaque directeur emploie une dizaine de personnes.

College Pro elle-même emploie 100 personnes à temps plein, dont des directeurs généraux sur le terrain afin de prêter main-forte aux franchisés étudiants. Elle exige des redevances de 15 à 20 p. 100 des ventes, selon le nombre d'années de service à titre de directeur de franchise.

L'aspect pénible de la direction d'une franchise, selon Rogers, est que les directeurs doivent parfois recouvrer l'argent auprès de clients difficiles. Les directeurs doivent également enregistrer l'entreprise auprès des autorités provinciales, s'acquitter de la taxe sur les produits et services, et, règle générale, s'initier très tôt à tout ce qui touche la paperasserie gouvernementale.

Parmi les directeurs de franchise de cette année, 74 p. 100 ont été repris ou étaient peintres dans l'entreprise. Jack Roberts, étudiant à la Dalhousie University, à Halifax, en est à sa deuxième année à titre de directeur de franchise chez College Pro, dans le territoire de Halifax Nord. Il a consacré 4 000 $ l'an dernier, à établir son entreprise — principalement à l'achat d'un camion et de fournitures. Il a réalisé un chiffre d'affaires de 67 000 $, comparativement à la cible de 45 000 $ fixée par l'entreprise. Selon lui : « La clé de la réussite de cette franchise réside dans le porte à porte fait à l'improviste et accompagné d'estimations gratuites. » Cette année, il a commencé son marketing en janvier.

Source : Traduit de Sonita Horvitch, « Making money by the bucket », *The Financial Post*, 22 mars 1991, p. 11.

LE GOUVERNEMENT ET LA PETITE ENTREPRISE

Puisque les petites entreprises jouent un rôle important dans le système économique canadien, et qu'il leur faut un type d'aide particulier, les administrations fédérale, provinciales et municipales répondent à leurs besoins grâce à une aide financière et non financière. L'aide des administrations cherche surtout à rendre ces exploitations plus efficaces. Les programmes d'aide peuvent porter sur :

- le démarrage d'une entreprise ;
- l'expansion ;
- les innovations ;
- la mise au point de produits ;
- les brevets et permis ;
- la modernisation ;
- le rendement énergétique ;
- l'allégement fiscal ;
- la formation des employés ;
- l'achat de matériel ;

- les immobilisations ;
- le financement ;
- le marketing ;
- l'exportation ;
- la recherche et le développement ;
- les coûts de la main-d'œuvre.

Voici un aperçu du type d'aide offert aux petites entreprises par les organismes gouvernementaux :

L'aide financière   Les petites entreprises peuvent obtenir des prêts, des garanties de ces derniers et des subventions. L'aide financière est primordiale pour les petites entreprises, puisque les difficultés qui les guettent ont lieu en cours de démarrage ou d'expansion. Des prêts sont consentis, afin d'acheter du matériel, de l'outillage, des bâtiments et du terrain. La Banque fédérale de développement est une société d'État fédérale, dont les activités sont axées sur l'aide aux petites entreprises. Elle consent des prêts aux exploitants d'entreprises qui n'ont pas réussi à obtenir du financement du milieu bancaire conventionnel, aux conditions générales habituelles. Il existe également des programmes qui aident les petites entreprises à devenir plus compétitives au sein des marchés internationaux.

Les crédits d'impôt   Les crédits d'impôt peuvent aider directement les petites entreprises (abattement d'impôt sur le revenu, crédits de taxe d'accise, notamment). En ce qui a trait à l'impôt sur le revenu, les petites entreprises sont admissibles à une légère déduction de la taxe d'affaires qui réduit considérablement l'impôt fédéral sur le revenu. Par exemple, si le revenu imposable est inférieur à 200 000 $, les petites entreprises peuvent bénéficier d'un crédit d'impôt de 21 p. 100 (au lieu de payer 46 p. 100 du revenu imposable, elles sont admissibles à n'en acquitter que 25 p. 100). Ces crédits d'impôt visent surtout à offrir, aux petites entreprises, un fonds de roulement additionnel

qui peut servir à une expansion plus rapide. Les petites entreprises de fabrication peuvent également bénéficier des crédits d'impôt fédéraux déduits de la taxe d'accise.

L'aide à l'emploi   L'aide à l'emploi permet aux petites entreprises de recruter les employés qu'il leur faut. Emploi et Immigration Canada offre une vaste gamme de programmes aux petites entreprises, afin de les aider à embaucher et à former des employés. Par exemple, le Programme de formation dans l'industrie offre des services aux entreprises qui emploient moins de 15 employés.

Les Services de formation et de consultation en perfectionnement professionnel   En vertu de ces programmes, le gouvernement verse une partie des salaires des employés nouvellement recrutés, pendant une certaine période. La Banque fédérale de développement offre des programmes de consultation très variés. En voici quelques exemples :

Les **services d'information aux petites entreprises** aident les gestionnaires à obtenir des renseignements au sujet de leur admissibilité à différents programmes. La Banque fédérale de développement offre des séances d'information sur le genre d'entreprises admissibles à recevoir de l'aide, et sur les moyens de s'inscrire.

Les **séances de formation en gestion** visent à aider les exploitants de petites entreprises à accroître leurs aptitudes techniques à la gestion. Des séances de formation d'un jour sont offertes régulièrement dans divers centres de formation au Canada. Ces séances couvrent une vaste gamme de sujets, notamment le budget de trésorerie, le marketing, la production, l'administration générale, les systèmes de contrôle des coûts et la comptabilité.

La **consultation au service des entreprises**, mieux connue sous l'acronyme CASE, offre des conseils pratiques par l'intermédiaire de retraités qui ont réussi et qui connaissent les secteurs d'activités particuliers comme le marketing, la production, les finances et la comptabilité. Ces consultants aident les exploitants à améliorer leurs aptitudes à l'exploitation et à la gestion. Les honoraires versés pour ces services sont minimes.

L'AVENIR DE LA PETITE ENTREPRISE

Au Canada, l'avenir de la petite entreprise est prometteur. Divers types d'organismes sont de plus en plus attentifs à l'élément que constitue la petite entreprise au sein de l'économie canadienne. Les petites entreprises sont fermement ancrées dans cette dernière et forment une composante importante du système de libre entreprise.

Les exploitants de petites entreprises peuvent composer plus efficacement avec les difficultés de gestion et d'exploitation en raison de l'importance grandissante d'aide financière et non financière offerte par des organismes des secteurs public et privé.

Un nombre sans cesse croissant de diplômés de collèges ainsi que d'universités et d'employés de grandes entreprises désirent démarrer leur propre entreprise. L'autonomie, la liberté, et la perspective de croître et de contribuer de façon tangible à l'expansion de l'économie canadienne constituent les éléments principaux qui poussent les gens à se lancer à leur compte.

Les possibilités de démarrer de petites entreprises existent dans à peu près tous les secteurs de l'économie : la production, le gros, le détail et les services. Chaque secteur d'activité, même s'il est dominé par de gigantesques entreprises, offre des possibilités infinies aux exploitants de petites entreprises. Si les grandes entreprises connaissent une croissance, les entrepreneurs ont à coup sûr la possibilité de démarrer leur propre affaire et de croître. On a pu remarquer ce phénomène dans le secteur de l'électronique, entre autres. La petite entreprise s'épanouit considérablement dans les secteurs du gros et du détail, également. Dans le secteur tertiaire, une vaste gamme de services qui n'existaient pas sont dorénavant offerts par les petites entreprises.

À l'heure actuelle, il existe plus de petites entreprises que jamais auparavant. Malheureusement, de nombreuses échouent en raison de l'inexpérience de leurs exploitants. Avant de s'engager sur le plan financier, il est essentiel que la personne qui désire lancer une entreprise obtienne une analyse détaillée du contexte commercial, économique et sectoriel. Tout le monde ne peut pas exploiter une petite entreprise, car cela exige des aptitudes et des compétences très précises. La personne doit faire preuve d'aptitudes techniques dans le domaine où elle veut s'aventurer, travailler durant de longues heures, avoir un sens solide de l'organisation, prendre des risques, être patiente et avoir beaucoup d'énergie, notamment. En outre, elle doit aimer les gens, et avoir le don de bien s'entendre avec les clients, c'est-à-dire de comprendre leurs besoins en matière de produits et de services. De plus, elle doit bien saisir les responsabilités sociales et l'éthique des affaires, puisque les entrepreneurs font également partie de la communauté des gens d'affaires. Enfin, elle doit respecter les règles et règlements des administrations fédérale, provinciales et municipales.

RÉSUMÉ

Sommaire

1. La plupart des entreprises canadiennes sont petites ou moyennes, et jouent un rôle important dans notre société industrielle moderne. On peut définir une petite ou une moyenne entreprise comme étant

une exploitation gérée par son propriétaire et qui fonctionne dans une région géographique limitée.

2. Les phases nécessaires à l'établissement d'une petite entreprise sont : la phase de l'idée, la phase de l'information, la phase de la planification, la phase de l'organisation, la phase du plan d'exploitation, la phase du démarrage et la phase du contrôle.

3. Les petites et moyennes entreprises se trouvent dans presque tous les secteurs de l'économie, soit la fabrication, le commerce (gros et détail) et les services.

4. Les principaux avantages des petites et moyennes entreprises sont l'indépendance, le défi, les bénéfices, la sécurité d'emploi et, pour le consommateur, les services personnalisés à coûts réduits. Les principaux inconvénients concernent le manque éventuel d'aptitudes à la gestion, la probabilité d'une pénurie de fonds de démarrage, les règlements gouvernementaux et le facteur de risque.

5. Les principales raisons de la réussite des petites et moyennes entreprises sont l'existence d'entreprises à peine rentables dans le secteur d'activité, la capacité d'occuper un créneau du marché, l'esprit d'entreprise, les compétences dans un domaine donné et la capacité d'obtenir rapidement les conseils de spécialistes. Les raisons principales qui expliquent la faillite des entreprises concernent les facteurs personnels, le manque de planification, le manque de fonds, des lacunes dans les méthodes de gestion, la vive concurrence, la conjoncture économique et sectorielle défavorable et les facteurs juridiques.

6. Le franchisage est un système de distribution au sein duquel un franchisé obtient le droit de vendre des produits ou services réputés, d'un franchiseur, en échange de redevances. Les trois types de contrats de franchisage portent sur la vente de produits et de services, la mise en franchise d'entreprises et l'utilisation du nom ou de la marque de commerce d'une franchise. Avant de se lancer en affaires, il importe de comprendre les avantages et les inconvénients de chaque type de réseau de franchises.

7. Le gouvernement joue un rôle essentiel afin d'assurer la réussite des petites et moyennes entreprises au Canada. Tous les types de programmes d'aide gouvernementaux sont disponibles pour venir en aide aux exploitants de petites entreprises : l'aide financière, les crédits d'impôt, ainsi que la formation, le perfectionnement et la consultation.

8. L'avenir des petites et moyennes entreprises est prometteur, car un grand nombre d'organismes des secteurs public et privé veillent à assurer la croissance de ces entreprises.

Notions clés

L'esprit d'entreprise

La franchise commanditée par un fabricant

La franchise commanditée par un grossiste

Le franchisage

Les petites et moyennes entreprises

Exercices de révision

1. Que considère-t-on comme étant une petite ou une moyenne entreprise ?
2. Quelles phases comporte l'établissement d'une petite entreprise ?
3. Dans quels secteurs de l'économie trouve-t-on de petites et moyennes entreprises ?
4. Quels sont les principaux avantages des petites et moyennes entreprises ?
5. Quels sont les principaux inconvénients des petites et moyennes entreprises ?
6. Détaillez au moins trois raisons pour lesquelles les petites entreprises font faillite.
7. Qu'entend-on par **franchisage** ?
8. Décrivez les trois types principaux de réseaux de franchises.
9. Quels sont les principaux avantages et inconvénients du franchisage ?
10. Décrivez l'avenir des petites et moyennes entreprises.

Matière à discussion

1. Expliquez les différences les plus importantes entre la gestion d'une PME et d'une grande société.
2. Existe-t-il une différence entre un « exploitant de petite entreprise » et un entrepreneur ? Quelles sont les ressemblances ? Les différences ?

Exercices d'apprentissage

1. La gestion d'une petite entreprise

Après avoir passé 20 ans à travailler à titre de cadre intermédiaire chez plusieurs grands fabricants de papier, puis les 3 dernières années comme directeur général d'une importante association canadienne des papeteries, Gilles Paquet a décidé d'ouvrir sa propre imprimerie au centre-ville de Québec. Il possède une bonne expérience des affaires, dont une solide expérience professionnelle et un diplôme d'études commerciales universitaire. Gilles a toujours voulu devenir son propre patron. Au cours de sa carrière, Gilles a souvent confié à sa femme, Rita, qu'il était fatigué de se conformer aux règlements administratifs des grandes sociétés, et qu'il désirait mettre sur pied une entreprise dont il serait fier et qui assurerait un revenu à lui-même et à sa famille. Pendant des années, le défi de diriger sa propre entreprise l'a tenaillé, et finalement, il est passé aux actes.

Même s'il n'avait pas d'expérience dans la gestion d'une imprimerie, Gilles croyait que sa connaissance du secteur du papier et que ses relations d'affaires et professionnelles dans la région de Québec suffiraient à lui assurer la réussite à titre d'entrepreneur. Après avoir passé plusieurs semaines à supputer son avenir, il a décidé de quitter son emploi de directeur général. Au cours des mois qui ont suivi, il a mis au point un plan d'entreprise et cherché des locaux pour son bureau et du matériel d'imprimerie. Il a soumis son plan à un banquier local qu'il connaissait depuis nombre d'années, et a fait la demande d'un prêt-subvention auprès d'un organisme gouvernemental provincial. Après maintes délibérations, le banquier a consenti un prêt à Gilles afin d'acheter le matériel et l'outillage, et de constituer un fonds de roulement. Les biens personnels de Gilles (sa maison et ses assurances, notamment) ont servi de garanties.

Il a loué des locaux d'un deuxième étage au centre-ville de Québec en raison du prix. En effet, comme il l'a souligné dans son plan d'entreprise : « (...) l'emplacement d'une imprimerie n'est pas crucial, il importe davantage de démarrer l'entreprise à de faibles coûts fixes. » Après plusieurs mois, il a découvert que les ventes ne grimpaient pas, malgré la somme consacrée à la publicité. Il s'est rendu compte que l'emplacement nuisait à ses affaires. Il a alors décidé de déménager, deux rues plus loin, là où les loyers mensuels étaient presque le triple. Comme prévu, il a attiré de nouveaux clients. Il était plus visible et était ainsi en mesure d'attirer la clientèle des passants. Plus de 60 p. 100 de ses contrats lui sont venus de clients importants situés dans le même édifice, et le reste, de clients plus modestes de l'extérieur.

L'entreprise offrait une vaste gamme de produits et de services, dont l'impression couleur offset, la photocomposition au laser, les photocopies ultrarapides, le graphisme, la papeterie, le balayage, la conversion de texte, les manuels et les brochures, les bulletins, les dépliants, les diapositives couleur, les graphiques et les diagrammes. Gilles cherchait principalement à constituer un centre complet de publication et de production graphique, qui s'engageait à offrir des produits et des services de qualité, à des coûts économiques. Afin de mériter cette réputation, Gilles a dû travailler durant de longues heures, puisqu'il avait la responsabilité d'entrer en relation avec les clients actuels et nouveaux et de diriger l'imprimerie qui employait sept travailleurs. Le plan d'entreprise avait souligné que Gilles aurait à concurrencer quelque 20 exploitations à propriétaire unique et réputées à l'échelle nationale, telles que Copy-Wiz, Print Three, Kwik Kopy, PIP et Print 2000, toutes situées dans un rayon de huit kilomètres.

Dès le tout début, Gilles devait travailler entre 12 à 16 heures par jour, y compris les fins de semaine, et l'entreprise n'engendrait pas les bénéfices qu'il avait escomptés. Il avait peu de temps pour sa famille ou d'autres activités sociales. Il s'est rendu compte que diriger une petite entreprise était beaucoup plus ardu qu'il ne l'avait imaginé, et que les récompenses financières n'équivalaient pas à ce qu'il avait indiqué dans le plan d'entreprise. En fait, Gilles ne retirait que près de la moitié de son salaire précédent, et l'entreprise atteignait à peine le seuil de rentabilité. Gilles s'est mis à regretter sa décision et à se demander s'il devait continuer. Au cours d'un entretien avec son comptable, il a constaté que l'entreprise s'endettait davantage.

Un jour, Gilles a dîné avec un ami, Luc Hamel, un entrepreneur qui avait réussi depuis longtemps dans le secteur de la restauration, près de Québec. Au cours du repas, Gilles a été franc.

« Luc, je ne sais vraiment plus quoi faire. Je suis en affaires depuis deux ans et je ne vois pas la fin du tunnel. J'ai toujours été déficitaire, et si je continue à diriger cette entreprise, je ne crois pas que les banquiers vont prolonger ma marge de crédit. J'ai peur d'y laisser toutes mes économies et les fonds que j'ai amassés au cours des 25 dernières années. Mes employés ne sont pas des plus motivés ; en fait, ils critiquent continuellement leur salaire et leurs conditions de travail. Récemment, j'ai perdu un de mes meilleurs employés aux mains d'un concurrent qui pouvait lui offrir un salaire plus élevé. Je reçois maintenant des appels de fournisseurs importants qui commencent à s'inquiéter de ma situation financière. Les fonds n'arrivent pas assez rapidement, compte tenu de mes modalités de paiement de 30 jours. Je dois rencontrer mes banquiers la semaine prochaine, et je pressens qu'ils vont me demander un tas d'explications au sujet de mes activités financières et d'exploitation. Je ne sais tout simplement plus si je devrais quitter le navire et retourner travailler dans une grande entreprise ! »

Questions

1. Pourquoi croyez-vous que Gilles Paquet n'a pu réussir ? Donnez des raisons précises.

2. Si vous étiez Luc Hamel, pour chaque difficulté que vous avez relevée à la question 1, quelles mesures suggéreriez-vous à Gilles avant sa rencontre avec les banquiers ?

2. Le franchisage

Robert Mongrain est le propriétaire exploitant d'une petite entreprise de pizzas à emporter, située en banlieue de Trois-Rivières. Lorsqu'il a ouvert ses portes, il y a 7 ans, il avait amassé assez d'argent pour acheter le matériel initial et, au fil des ans, il a acheté du matériel neuf à même les bénéfices de l'entreprise. Il n'a jamais eu à emprunter de la banque. L'entreprise en elle-même n'est pas des plus lucratives. Pourtant, il aime faire de la pizza, rencontrer des clients et, qui plus est, être son propre patron.

Robert a démarré son entreprise après avoir terminé ses études au secondaire. Pendant 30 ans, son père a possédé et dirigé une entreprise de plomberie. Robert a toujours admiré le mode de vie de son père, et il rêvait de lancer sa propre entreprise. Adolescent, il passait l'année scolaire et la plupart des vacances d'été à exécuter de petites tâches dans l'entreprise de son père. Il aimait le milieu de travail et les défis que présentait l'entreprise. Le milieu familial explique probablement pourquoi il s'est toujours montré aussi intéressé à exploiter sa propre entreprise.

Robert songe maintenant à se marier. Il sait que sa pizzeria ne suffira pas à produire le type de revenu nécessaire afin de faire vivre confortablement sa famille et de constituer une rente pour ses enfants. Il croit devoir élargir ses activités en ouvrant d'autres pizzerias du même genre et (ou) un restaurant. Toutefois, il sait qu'une telle expansion exige des investissements considérables en matériel, outillage et fonds de roulement, en plus d'entraîner des responsabilités et risques additionnels. Il a 25 ans et se trouve à la croisée des chemins; il ne sait tout simplement pas quoi faire!

Un soir, son oncle Victor, également propriétaire d'une entreprise, vient rendre visite au père de Robert. Robert profite de l'occasion pour leur demander leur opinion au sujet de l'expansion. Victor donne un avis favorable, mais fait remarquer qu'il a vu une annonce dans le journal local à propos des restaurants National Pub House qui offrent un nouveau mode de restaurant européen au Canada, inspiré des bars sport. L'idée venait vaguement des pubs de quartier britanniques, un endroit où les gens du voisinage peuvent se détendre, verre à la main, et manger une nourriture bon marché, voir les sports à la télévision ou jouer aux fléchettes avec des amis. Le restaurant servait de l'alcool et offrait un menu à prix raisonnable, dont des sous-marins, de la pizza et autres casse-croûte. Le décor comprenait au moins deux téléviseurs (montrant divers événements sportifs), des cibles de jeu de fléchettes et des sièges confortables. Robert et son père jugent que l'idée mérite d'être approfondie.

Le lendemain, Robert communique avec les promoteurs afin d'obtenir plus de renseignements. Quelques jours plus tard, il reçoit des documents

Chapitre 22 La petite entreprise et la franchise 581

faisant état des réussites de franchisés en Europe et une liste des conditions liant le franchisé et le franchiseur.

Il ne sait trop s'il doit accroître son entreprise de lui-même ou joindre le réseau de franchises. Dans ce dernier cas, il devra se plier à des règles et règlements qui limiteront sa liberté. Toutefois, il croit qu'il s'agit là d'un prix négligeable à payer pour tous les conseils d'expert qu'il peut obtenir du franchiseur, en ce qui a trait notamment à la gestion, à la comptabilité, à l'exploitation et à la publicité. Il croit qu'il fera partie d'une grande famille, et que les chances de réussite seront accrues.

Robert retourne consulter son père. Ils passent toute une fin de semaine à étudier l'alternative. En raison de l'investissement important dans la franchise, son père se dit prêt à s'associer à part égale. Le franchiseur demande 15 000 $ de droits de franchisage, 20 000 $ de stocks de base et un pourcentage mensuel du produit des ventes. Cette commission couvrira la publicité, la gestion et l'aide à l'administration.

Robert a encore de forts doutes à propos de l'option du franchisage, du fait que les restaurants National Pub House débutent au Canada et n'ont pas le savoir-faire canadien vanté dans les brochures de promotion. Son père fait valoir que National Pub House a réussi dans de nombreux pays européens et qu'il devrait en être de même au Canada.

Question
Que recommanderiez-vous à Robert et pourquoi?

CHAPITRE

23

PLAN

La nature de la gestion internationale
    La participation des entreprises à l'échelle internationale

La mondialisation
    La spécialisation
    L'import-export

Un point de vue : la compétitivité du Canada à l'échelle internationale

Un aperçu sur le commerce international
    La balance commerciale
    La balance des paiements
    Le taux de change
    Les obstacles au commerce international
    Le rôle du gouvernement
    Les communautés économiques
    L'accord général sur les tarifs douaniers et le commerce
        (le GATT)
    L'accord de libre-échange entre le Canada et les États-Unis

Un point de vue : le libre-échange tripartite

La société multinationale (SM) et son contexte
    Le contexte économique
    Le contexte politico-juridique
    Le contexte socio-culturel

Les fonctions de gestion et la SM
    La planification
    L'organisation
    La direction
    Le contrôle

Un enjeu commercial actuel : la gestion internationale

Résumé

LES ENTREPRISES ET LA GESTION INTERNATIONALE

Les objectifs du chapitre

Après avoir lu le présent chapitre, vous pourrez :

1. saisir la nature de la gestion internationale ;

2. expliquer la notion de mondialisation ;

3. donner un aperçu des divers éléments du commerce international ;

4. décrire les différents contextes d'une société multinationale (SM) ;

5. résumer les fonctions de gestion de la SM.

Après avoir réduit ses dépenses pendant 18 mois et s'être **mondialisée**, Newbridge Networks Corp. (Ontario) affichera des bénéfices plus importants en 1992. L'entreprise, située à Kanata, en banlieue d'Ottawa, fabrique des multiplexeurs, c'est-à-dire des interrupteurs qui distribuent des volumes importants de son, de vidéo, de données et de phototélégraphies, ainsi que d'autre matériel destiné aux réseaux de télécommunications. Terry Mathews, fondateur de l'entreprise, a mondialisé cette dernière dès le départ, en ouvrant 40 bureaux internationaux de vente et de service. Afin de faire preuve de plus de dynamisme dans sa stratégie de **mondialisation**, Newbridge a retenu les services d'un Autrichien, Peter Stemmerer, en septembre 1990, à titre de chef de l'exploitation. On lui a donné carte blanche pour redorer l'image de l'entreprise qui affichait des pertes de l'ordre de 11,9 millions de dollars sur des ventes de 149 millions de dollars, pour l'exercice terminé le 31 avril 1991.

Comme première étape, Stemmerer a créé le comité d'exploitation Newbridge, un groupe de chefs de divisions chargés de diriger toute l'entreprise. Le comité, qui imite le modèle du *Vorstand* utilisé par les entreprises allemandes, comprend Stemmerer, directeur général des finances, les directeurs généraux régionaux et les vice-présidents de la recherche et du développement, de la gestion des produits et de l'exploitation. Les buts du comité consistent à rationaliser les frais d'exploitation et à allouer les ressources de manière à en obtenir les meilleurs résultats. Newbridge a consolidé la recherche et le développement au siège social, et a rationalisé la fabrication en fermant des usines à Puerto Rico et aux États-Unis. Elle a réparti la division des ventes en trois grandes régions principales : l'Amérique du Nord et du Sud, l'Europe et les pays en bordure du Pacifique. Elle a vendu sa part de certains avoirs qui ne cadrent pas avec son activité principale, et mis à pied plus de 100 de ses 1 300 travailleurs.

Les frais d'exploitation ont diminué, tandis que les bénéfices et le recouvrement des comptes clients se sont améliorés. Jim Marshall, directeur des affaires publiques chez Newbridge, considère l'exercice 1990-1991 comme une année de transition. En fait, la seule grande transition a consisté à terminer les plans en vue de devenir une entreprise internationale. Trois accords de marketing, conclus précédemment cette année, portent sur la vente de matériel à Newbridge par trois géants des télécommunications, soit Pacific Bell, American Telephone & Telegraph Co. et Siemens AG.

Il ne fait aucun doute que les télécommunications sont désormais un commerce mondial au sein duquel quelques émetteurs et fabricants de matériel dominent la scène internationale. Newbridge évalue le marché de ce matériel à quelque 120 milliards de dollars par année, et vise à devenir un fournisseur important des réseaux commerciaux de pointe. Selon Marshall, les contrats passés avec des clients aussi importants que

Sumitomo Corp., Coles Myer Ltd., Digital Equipment Corp., Alcatel, Bank of America, American Airlines Inc., Hughes Aircraft Co. et Lucky Goldstar portent sur des montants considérables. Newbridge a consacré quatre ans à faire accepter ses produits par ces entreprises, en s'adaptant aux normes internationales et en se démarquant à titre de producteur de multiplexeurs.

L'un des marchés qui connaît une croissance très rapide est la Communauté économique européenne (CEE), où les entreprises aussi bien que les compagnies de téléphone s'empressent de prendre de l'expansion au-delà de leurs frontières, en vue de l'union économique. On prévoit que la croissance des marchés du secteur privé au cours des prochaines années sera, plus que partout ailleurs au monde, supérieure dans la CEE. L'entreprise canadienne croit que des compagnies de téléphone comme Alcatel, BT, Deutsche Bundepost Telekon et Italtel détiendront un avantage dans la vente de réseaux commerciaux, car elles peuvent constituer des centres multiservices qui offrent lignes et matériel. Les compagnies de téléphone se lancent à l'assaut du marché à mesure qu'elles se voient doubler par les clients privés. En outre, en même temps que se resserre la concurrence dans le marché des télécommunications, évalué à 400 milliards de dollars, les occasions commerciales se multiplient, et l'avantage s'accroît.

Newbridge possède des bureaux de vente à Hong Kong, à Yokohama, à Auckland et à Moscou, et des ententes de distribution avec des entreprises qui vendent ses produits en Corée du Sud, à Singapour, en Inde et en Thaïlande. Elle compte parmi ses clients cinq des sept Baby Bells, aux États-Unis, et toutes les compagnies de téléphone canadiennes, sauf Bell Canada[1].

---

1. Traduit de Susan Noakes, « Going global helps put network manufacturer back on right track », *The Financial Post*, 11 novembre 1991, p. 41.

LA NATURE DE LA GESTION INTERNATIONALE

Au cours des 10 dernières années, de nombreux pays ont ouvert leurs frontières aux entreprises étrangères. L'accord de libre-échange canado-américain de 1989, l'expansion de la Communauté économique européenne, l'accord entre le Canada, les États-Unis et le Mexique, ainsi que le commerce accru entre les pays communistes et les pays de l'Ouest constituent tous des exemples de la tendance internationale des pays à échanger leurs biens et services dans les marchés internationaux.

Les entreprises canadiennes participent de plus en plus à la vente de biens et de services au sein des marchés mondiaux, voire à la fabrication correspondante dans des pays étrangers. Afin de commercer efficacement avec les autres pays, les entreprises canadiennes doivent ouvrir des bureaux de commercialisation et des usines de fabrication dans d'autres pays. Les entreprises florissantes ne s'intéressent pas qu'à la promotion de leurs biens et services à l'intérieur du pays, mais parlent désormais de part de marché mondial, et font des efforts inouïs afin de vendre leurs biens aux pays étrangers. De même, les entreprises étrangères entendent s'emparer d'une part plus importante des marchés canadiens. Le commerce international est une notion importante, qui signifie qu'un pays peut vendre ses produits et services à d'autres pays qui ne peuvent les produire de façon économique et efficace, et qu'à l'inverse, un pays peut acheter auprès d'autres pays pour les mêmes raisons.

Pour être efficaces, les gestionnaires canadiens doivent désormais diriger des entreprises qui recoupent les frontières internationales. Ces entreprises portent le nom de sociétés multinationales (SM). Les fonctions de gestion, les possibilités commerciales et les problèmes d'exploitation que connaissent ces entreprises diffèrent considérablement de celles qui concentrent leurs efforts

dans un seul pays. Les gestionnaires canadiens responsables d'exploitation dans des pays étrangers doivent traiter d'enjeux de gestion et de commerce qui comportent une dimension internationale. Le présent chapitre traite exclusivement de la gestion des SM, et sur le fonctionnement de celles-ci dans les contextes du commerce international et de l'exploitation.

Le présent chapitre comporte donc trois thèmes principaux : le **commerce international**, soit essentiellement l'échange de biens entre pays, l'**entreprise internationale**, c'est-à-dire une entreprise qui vend des produits et services dans les marchés internationaux ou dirige des usines dans d'autres parties du monde, et la **gestion internationale**, qui correspond à la pratique des fonctions de gestion (planification, organisation, direction et contrôle) au sein de la société multinationale. Manifestement, la gestion de SM canadiennes comme Northern Telecommunications, Alcan, Bata Shoes, Canada Packers et MacMillan Bloedel diffère considérablement de la gestion d'organisations dont le fonctionnement se limite à un pays.

La gestion internationale n'équivaut pas à la gestion des entreprises nationales à une plus grande échelle ; les activités en sont beaucoup plus complexes, puisque les gestionnaires de ces sociétés doivent connaître la langue, les coutumes et les lois des pays où ils font affaire. Les SM existent dans presque tous les pays industrialisés. Par exemple, Exxon a son siège social aux États-Unis, Royal Dutch Shell, en Angleterre, Toyota, au Japon, Volkswagen, en Allemagne et Renault, en France.

Pour faire accepter ses produits par les pays étrangers, une SM doit les adapter aux besoins particuliers des consommateurs de ces pays. Même la publicité et les messages de promotion doivent répondre à d'autres attentes et respecter différentes cultures. Ainsi, pour vendre des poupées Barbie en Asie, le directeur du marketing de Mattel Corporation a dû modifier les yeux de Barbie et leur donner un aspect oriental.

La gestion internationale est primordiale pour les entreprises canadiennes, parce que celles-ci exportent près de 30 p. 100 de leur fabrication (biens et services) à d'autres pays ; à eux seuls, les biens représentent presque la moitié de ces exportations. Il importe donc pour les gestionnaires canadiens de bien comprendre les facteurs en jeu dans le commerce international et la gestion internationale, s'ils veulent fonctionner au sein d'un marché mondial davantage soumis à la concurrence. Même les pays en bordure du Pacifique, comme le Japon, Singapour, Hong Kong et la Corée du Sud deviennent des concurrents plus féroces et menacent sérieusement les entreprises nord-américaines et européennes. Ces pays convoitent également un créneau du marché international. Les pays d'Europe et d'Amérique du Nord tentent de trouver des solutions face à cette nouvelle pression de la concurrence mondiale.

La participation des entreprises à l'échelle internationale

La figure 23.1 indique à quels niveaux une société peut faire concurrence au sein des marchés internationaux. Premièrement, il existe des entreprises qui fonctionnent presque exclusivement dans les marchés nationaux, mais qui vendent occasionnellement leurs produits et services à des pays étrangers. Bien que ces entreprises subissent l'influence des entreprises étrangères qui vendent des biens et services au sein du marché canadien, elles ne participent pas pleinement aux activités du commerce international.

Deuxièmement, certaines entreprises s'adonnent activement à l'import-export. Puisqu'elles vendent des biens aux marchés étrangers, elles doivent comprendre les activités que comportent le commerce international et la gestion internationale. Ces entreprises traitent avec des pays étrangers, et comptent souvent des agents ou des représentants sur place.

Troisièmement, certaines sociétés sont solidement ancrées dans les marchés internationaux par l'intermédiaire d'une organisation de marketing internationale plus dynamique. Elles possèdent des bureaux dans les pays étrangers, et emploient des gestionnaires responsables de l'administration de ces bureaux. Ces organisations sont considérées comme étant des SM, en

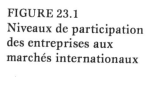

FIGURE 23.1
Niveaux de participation des entreprises aux marchés internationaux

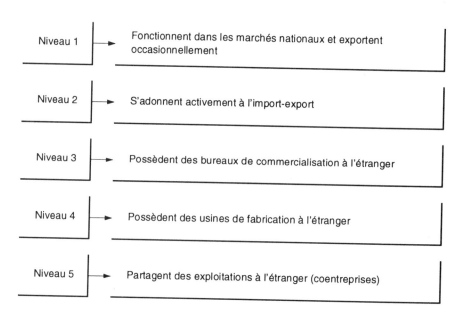

Niveau 1 → Fonctionnent dans les marchés nationaux et exportent occasionnellement

Niveau 2 → S'adonnent activement à l'import-export

Niveau 3 → Possèdent des bureaux de commercialisation à l'étranger

Niveau 4 → Possèdent des usines de fabrication à l'étranger

Niveau 5 → Partagent des exploitations à l'étranger (coentreprises)

raison de leur taille et de leur pouvoir économique. Par exemple, le produit des ventes chez Alcan Aluminium, Hiram Walker, Northern Telecom, MacMillan Bloedel, Seagram et Noranda excède le budget de nombreux pays.

Quatrièmement, certaines sociétés possèdent des usines de fabrication à l'étranger. Par exemple, depuis le début du siècle, de nombreuses sociétés américaines ont construit des usines au Canada, afin d'avoir un meilleur accès aux matières premières et de s'emparer d'une plus grande part du marché canadien. Des entreprises comme Nestlé (Suisse), Bayer (Allemagne), Renault (France) et Unilever (Grande-Bretagne) ont investi beaucoup en Amérique du Nord.

Cinquièmement, les sociétés forment des associations ou des partenariats commerciaux avec les entreprises d'autres pays (elles se regroupent en coentreprises en partageant les risques, les frais et les responsabilités de gestion). Ainsi, Alcan (Canada) et Pechiney (France) ont constitué une coentreprise en Argentine. On trouve également des coentreprises mixtes entre le secteur privé et les gouvernements locaux. Souvent, plus de deux sociétés participent aux coentreprises. Le terme «consortium» sert parfois à désigner ces exploitations au moins tripartites.

LA MONDIALISATION

Les entreprises traitent sur le plan mondial pour de nombreuses raisons[2]. Par exemple, les Canadiens aiment le café colombien, les voitures coréennes et allemandes, le parfum français et les magnétoscopes japonais. Afin de saisir pourquoi certains pays aiment échanger des biens, il faut comprendre les notions qui traitent de spécialisation, d'importation et d'exportation.

La spécialisation

La spécialisation n'est pas une notion nouvelle. Il est reconnu que l'**indépendance économique** n'est pas nécessairement le choix le plus attirant pour les individus, les entreprises, voire les pays. Au lieu de produire une multitude de biens différents, un pays peut décider de fabriquer seulement quelques biens, et de les vendre à d'autres pays. Trois raisons fondamentales expliquent pourquoi les pays se spécialisent dans la production d'un nombre limité de biens pour les échanger avec d'autres pays.

L'avantage des ressources   En raison du climat, des pays se spécialisent dans la production de certains biens. Par exemple, il convient évidemment mieux de faire pousser des grains de café en Colombie et au Brésil qu'au Canada ou en Angleterre. En revanche, le climat canadien, plutôt que celui des pays d'Amérique du Sud favorise davantage la croissance du blé. En outre, certains pays jouissent de **ressources naturelles** dont d'autres sont complètement dépourvus. Des pays disposent d'une main-d'œuvre diversifiée et compétente, et d'autres encore, surtout les pays industrialisés, possèdent les **ressources financières** à investir dans les immobilisations, tandis que de nombreux pays n'ont d'autre choix que de produire des biens qui exigent une forte main-d'œuvre. L'emplacement joue également un rôle important. Le fait que le Canada soit voisin des États-Unis est certainement une bonne raison pour laquelle ces deux pays ont conclu une entente juste et équitable de libre-échange. La même notion s'applique aux pays européens.

Les raisons économiques   Certains pays se **spécialisent** dans la production économique et efficace d'un nombre limité de biens, au lieu d'en produire une multitude — dont certains, de manière moins efficace. Il serait absurde, par exemple, de demander à une seule personne de construire une maison si l'objectif principal consiste à le faire de manière efficace et économique.

---

2. Source : Rabbior, G., *Les exportations canadiennes : chances et défis dans l'économie mondiale*, La Fondation canadienne d'éducation économique, 1985.

Il serait plus avantageux de demander à plusieurs personnes dotées de compétences **interdépendantes**, notamment en plomberie, en électricité, en menuiserie et en maçonnerie, de collaborer à la construction.

Le même principe s'applique aux pays et aux secteurs d'activités. Des pays se spécialisent dans certains biens comme les téléphones, les ordinateurs, les téléviseurs et les radios, tandis que d'autres pays se concentrent sur l'ameublement, la culture des céréales et la pêche. Les deux notions économiques qui influencent le choix d'un pays quant aux biens à produire sont le principe de l'avantage absolu et le principe de l'avantage comparatif.

Le principe de l'avantage absolu   Un pays jouit d'un avantage absolu lorsqu'il achète auprès d'autres pays des biens qu'il ne peut produire lui-même. Si un pays peut produire des biens à un prix beaucoup moins élevé que quiconque, il sera relativement facile de vendre ces biens à d'autres pays. Par exemple, le Canada devrait débourser des sommes énormes pour construire des serres afin de cultiver des oranges. Il investit donc plutôt dans ses pêcheries et ses réserves forestières, et échange ces produits contre d'autres, tels que les oranges et les grains de café. Si tous les pays se soumettaient au principe économique de l'avantage absolu, chacun se spécialiserait dans la production de biens la plus économique et la plus efficace en vue d'échanges internationaux.

Le principe de l'avantage comparatif   Ce principe se rapporte à ce qu'un pays peut produire de la manière la plus économique. Deux pays peuvent bénéficier d'un échange si chacun d'eux se spécialise dans la production de biens

et la vente de services qui lui permettent de réaliser, en comparaison, le bénéfice économique le plus élevé. Par exemple, le Canada dispose d'une abondance de terres propices à la culture du blé, et le Japon excelle dans la fabrication d'ordinateurs. Les deux tireraient parti d'un échange mutuel si chacun se concentrait sur sa spécialité. Supposons le cas hypothétique suivant, où le Canada et le Japon consacrent chacun 1 000 heures de travail réservées respectivement à la culture du blé et à la fabrication d'ordinateurs.

Comme l'indique le tableau 23.1, à lui seul, le Canada pourrait produire 1 200 tonnes de blé, comparativement à 675 lorsque les deux pays participent; et laissé à lui-même, le Japon serait en mesure de fabriquer 600 ordinateurs au lieu des 350 qui résultent de la fabrication conjointe. Les deux pays profiteraient de la spécialisation. Le Canada n'aurait qu'à acheter 50 ordinateurs du Japon et à produire 600 tonnes additionnelles de blé, tandis que le Japon achèterait 75 tonnes de blé du Canada et fabriquerait 300 ordinateurs de plus. Dans ce cas-ci, l'avantage économique est manifeste. La spécialisation permet aux deux pays de réaliser des bénéfices en échangeant des biens.

Les raisons politiques   La politique constitue une autre raison importante pour laquelle les pays aiment échanger entre eux, et désirent (ou refusent) de faire des échanges commerciaux. Voici quelques exemples: la Russie a appuyé la doctrine politique cubaine, et elle a aidé le gouvernement de Castro en ayant des échanges commerciaux avec lui. Par ailleurs, le Canada a refusé de vendre des biens à l'Afrique du Sud, parce qu'il désapprouvait la politique d'apartheid de ce pays. De nombreux pays affiliés aux Nations

TABLEAU 23.1
Exemple d'avantage comparatif

	Canada	Japon	Total
Blé	600 tonnes (500 h)	75 tonnes (500 h)	675 tonnes
Ordinateurs	50 unités (500 h)	300 unités (500 h)	350 unités

Unies n'exportent pas de biens à l'Iraq, ou n'achètent pas de ce dernier, parce qu'ils s'opposent aux mesures militaires de Saddam Hussein contre le Koweit. Assurément, la conduite du commerce international est très influencée par les mesures politico-économiques.

L'import-export

Les principes économiques de l'avantage absolu et de l'avantage comparatif soulignent l'importance de l'import-export pour les pays. De nos jours, la plupart des pays spécialisent leur production de biens ou de services, et en font l'échange au sein des marchés mondiaux. Il s'agit là de la pierre angulaire de l'économie mondiale. Comme nous l'avons déjà mentionné, le commerce international se définit comme étant le processus d'échange de biens et de services entre les pays. Tous les biens et services qui pénètrent dans un pays sont considérés comme des **importations**, et ceux qui sont expédiés aux marchés étrangers, comme des **exportations**.

Le Canada commerce avec de nombreux pays. Toutefois, six pays reçoivent quelque 85 p. 100 de ses exportations, et les États-Unis à eux seuls en achètent quelque 75 p. 100. Les principales exportations du Canada sont le bois, le papier, les automobiles, les pièces de véhicules automobiles, les céréales, le blé, les produits chimiques, le papier journal, le gaz naturel, le bois de charpente, le pétrole brut, l'outillage industriel, la viande, le poisson et l'acier. Le Canada importe principalement des pièces de véhicules automobiles, des automobiles, des camions, du pétrole brut, des ordinateurs, du matériel de télécommunications, des produits organiques et chimiques, des tubes électroniques, des semi-conducteurs et des avions.

Les avantages de l'exportation   Premièrement, un Canadien sur cinq est directement lié aux marchés d'exportation, et un accroissement des exportations crée presque automatiquement de l'emploi. L'économie d'échelle (la production d'une grande quantité de biens qui contribue à réduire le coût unitaire moyen de production) permet à une entreprise de devenir plus compétitive au sein des marchés internationaux, et d'ainsi accroître les perspectives d'emploi. Prenons l'exemple d'une entreprise qui produit 100 000 calculatrices de poche, au coût unitaire de 10 $. Si l'entreprise est en mesure de produire 25 000 unités additionnelles et de les vendre aux marchés étrangers (exportations), le volume ajouté aidera l'entreprise à réduire son coût unitaire de production de 50 cents. Essentiellement, ce sont les charges fixes qui permettent à une entreprise de réduire le coût unitaire de production, puisque celui-ci est absorbé par des quantités produites plus importantes.

Deuxièmement, le prix de vente constitue un autre avantage. Comme l'entreprise est en mesure de produire des biens à moindre coût, elle pourra vendre ses biens à des prix moins élevés et par conséquent, dissuader les entreprises étrangères de pénétrer les marchés nationaux.

Troisièmement, l'exportation de biens à prix réduits peut aider les entreprises canadiennes à devenir des concurrents plus efficaces dans les marchés internationaux. En accroissant leur production et leurs bénéfices, les entreprises canadiennes stimulent le rendement des investissements et encouragent ainsi les investisseurs à allouer plus de fonds aux immobilisations, ce qui, en retour, crée plus d'emploi.

Quatrièmement, les exportations favorisent la recherche et le développement. Une entreprise active au sein des marchés internationaux doit constamment améliorer ses produits, si elle veut maintenir ou augmenter sa part de marché.

Les avantages de l'importation   Le commerce international n'est pas une voie à sens unique. Si les pays étrangers achètent des biens et des services auprès des entreprises canadiennes, ils s'attendent à la réciproque. Plusieurs raisons expliquent pourquoi le Canada peut bénéficier de l'importation. Premièrement, le climat du pays ne permet pas au Canada de connaître l'autarcie, c'est-à-dire de produire tous les biens (par exemple, les oranges, le sucre et le café) nécessaires à la satisfaction de tous les besoins de la population. Les importations permettent aux Canadiens d'acheter tous les biens et services qu'il leur faut, pour vivre dans le confort et augmenter leur niveau de vie.

Deuxièmement, certains pays peuvent fabriquer et vendre des produits à moindre prix que les entreprises canadiennes (avantage comparatif).

Troisièmement, en achetant les biens et services de pays étrangers, le Canada peut contribuer à rendre les pays défavorisés plus forts sur le plan économique, et avec le temps, ces derniers peuvent croître et devenir des partenaires commerciaux dynamiques.

UN POINT DE VUE

La compétitivité du Canada à l'échelle internationale

Le Canada a besoin d'une nouvelle vision économique, et la mise en œuvre correspondante exigera un changement profond et difficile de toute la société canadienne, selon un rapport déterminant sur l'économie. Cette étude de 1 million de dollars, déposée récemment par l'économiste d'Harvard Michael Porter, condamne sévèrement toutes les attitudes et les pratiques des principaux participants de l'économie, soit la main-d'œuvre et le gouvernement.

L'économie est fondée sur une stratégie qui se désintègre, et ne réagit pas suffisamment aux forces jumelles que constituent la mondialisation et la concurrence accrue, selon M. Porter qui s'adressait hier, à Toronto, à un auditoire composé de gens d'affaires. Si nous n'agissons pas, nous a-t-il averti, le niveau de vie déclinera. Voulant mettre en garde un comité du *Financial Post*, il a déclaré que la base de la réussite économique canadienne est menacée, et que si les tendances actuelles se maintiennent, tous les Canadiens subiront une réduction de salaire.

L'analyse de M. Porter, qui a duré un an et qui porte sur 25 secteurs de l'industrie, brosse le portrait d'un pays trop dépendant de ses ressources naturelles, sans contenu à valeur ajoutée, qui tente de faire face à la concurrence dans un milieu plus âpre à l'égard des économies axées sur les ressources. L'étude, commandée et financée conjointement par le Conseil canadien des chefs d'entreprises et le gouvernement fédéral, jouera un rôle important dans l'initiative prochaine du gouvernement qui visera à améliorer la compétitivité du Canada. Le gouvernement entend lancer son « initiative de la prospérité » mardi prochain. De même, ajoute M. Porter, cette structure industrielle a ancré une attitude complaisante et empêché des efforts accrus dans le sens de la compétitivité. Selon lui, le problème réside dans le fait que cet ordre des choses nous a laissé un héritage qui imprègne l'économie et qui laisse cette dernière démunie face aux forces du changement. La moitié du problème consiste à changer les attitudes des gens à l'égard de la compétitivité.

Les consommateurs n'insistent pas assez sur la qualité, les entreprises sont trop conventionnelles, et leurs stratégies, trop rigides. La main-d'œuvre s'intéresse davantage à obtenir sa part du gâteau qu'à accroître la prospérité du pays, et le gouvernement a entravé le processus par des politiques mal conçues, selon M. Porter. Toutefois, tout n'est pas si sombre. Il a dit que certaines entreprises, comme Northern Telecom Ltd. et CAE Electronics Ltd. sont des exemples d'entreprises novatrices et compétitives. Un résumé du rapport de M. Porter décrit CAE Electronics, chef de file mondial des simulateurs de vols, comme étant un des quelques exemples de concurrent dynamique.

M. Porter, auteur également de *The Competitive Advantage of Nations*, un ouvrage qui a eu une certaine influence, a précisé que son analyse reflète les propos que tiennent les économistes canadiens et d'autres experts depuis quelque temps, au sujet de l'économie canadienne. Il y a plus de 10 ans, la commission royale Macdonald présentait substantiellement la même analyse que M. Porter. Mais celui-ci craint que le Canada n'ait pas beaucoup de temps à sa disposition en vue d'amorcer le changement économique, et affirme qu'il n'existe pas de solutions miracles qui renverseraient la tendance de l'économie, comme la dévaluation du dollar ou l'annulation de l'accord de libre-échange.

Source: Traduit de Toulin, Alan, «Economy crumbling: report», *The Financial Post*, 25 octobre 1991, p. 6.

UN APERÇU SUR LE COMMERCE INTERNATIONAL

Avant d'étudier la société multinationale et les divers contextes commerciaux où elle évolue, il est judicieux d'examiner les notions les plus importantes reliées au commerce international, dont la balance commerciale, la balance des paiements, le taux de change, les obstacles au commerce international, le rôle du gouvernement, les communautés économiques, l'Accord général sur les tarifs douaniers et le commerce (le GATT) et l'accord de libre-échange entre le Canada et les États-Unis.

La balance commerciale

Lorsque deux pays sont en mesure de déterminer quels biens chacun d'eux doit produire et l'avantage relatif de la spécialisation, l'étape suivante consiste à décider de la quantité de biens et de services que doit produire et échanger (exporter et importer) chaque pays réciproquement. Le rapport ou la différence entre la quantité de biens qu'un pays exporte et celle qu'il importe constitue la **balance commerciale**.

Un pays qui négocie des accords commerciaux avec d'autres pays doit d'abord examiner sa balance commerciale, c'est-à-dire premièrement, déterminer le niveau de consommation de chaque produit, deuxièmement, combien il peut en produire et troisièmement, combien il en achètera des autres pays. L'objectif principal de l'analyse de la balance commerciale est de déterminer dans quel produit ou service un pays devrait se spécialiser, afin de jouir de l'avantage économique absolu.

La balance des paiements

L'étude de la balance commerciale permet à un pays de déterminer le rapport entre ses exportations et ses importations, ainsi que le flux monétaire qui entre au pays ou en sort, ce qu'on appelle la **balance des paiements**. Essentiellement, la balance des paiements est un état financier qui rend compte de toutes les transactions qui ont eu lieu entre un pays et ses partenaires commerciaux. Un pays qui exporte davantage qu'il n'importe possède une balance commerciale favorable. Dans le cas inverse, celle-ci est défavorable. Les comptes principaux de la balance des paiements comprennent l'exportation et l'importation de biens et services (marchandises, voyages et transports, honoraires), l'échange d'aide extérieure, l'encaissement ou le décaissement d'investissements directs, la propriété de titres d'État et les fluctuations des réserves officielles. Les comptes sont regroupés en deux catégories : les comptes courants et les comptes de capital.

Les **comptes courants** affichent trois types de paiements reliés :

1. à l'encaissement et au décaissement de biens comme les automobiles, les ordinateurs, l'ameublement et les téléviseurs ;

2. à l'encaissement et au décaissement de services comme le tourisme, le transport et les services bancaires ;

3. au transfert de capitaux, comme l'intérêt et les dividendes versés sur des emprunts ou sur des investissements.

Le tableau 23.2 présente un exemple de balance des paiements reliée aux comptes courants. Le pays en question possède une balance commerciale favorable de 52 millions de dollars.

Essentiellement, les **comptes de capital** indiquent l'encaissement et le décaissement de capitaux. Le terme « capital » désigne le montant des fonds nécessaires aux fins d'investissement, dans des secteurs tels que la construction, l'agrandissement d'usines ou l'achat d'actions et de dépôts à terme.

Le taux de change

On peut définir le **taux de change** comme étant le nombre d'unités monétaires d'un pays nécessaires à l'achat d'une unité monétaire d'un autre pays. Par exemple, si une entreprise canadienne désire payer une firme anglaise en dollars canadiens, l'importateur devra alors échanger les dollars contre des livres dans une banque anglaise. Le taux de change permet de faire le lien entre les monnaies des pays commerçants, et aussi d'établir des prix internationaux et des comparaisons de coûts. Ainsi, au début des années 1990, il fallait 1,25 $ (en monnaie canadienne) pour acheter un dollar américain.

La valeur de la monnaie d'un pays est déterminée en grande partie par la prospérité du pays, les mesures gouvernementales et les conditions du marché. Lorsqu'un pays dévalue sa monnaie relativement à l'or ou à d'autres denrées, on parle de **dévaluation**. Si un pays dévalue sa monnaie, les pays étrangers peuvent alors acheter ses biens à prix réduits. Lorsque le dollar canadien valait 0,70 $ du dollar américain, on considérait que les entreprises canadiennes occupaient une position plus compétitive. Le taux

TABLEAU 23.2
Exemple de balance
de paiement

En millions de dollars	Montant reçu	Montant payé	Surplus ou déficit
Échange de biens	500	400	+ 100
Échange de services	250	300	− 50
Transfert de capitaux	6	4	+ 2
Total	756	704	+ 52

de change actuel de 85 cents rend la concurrence auprès des firmes américaines plus difficile pour les entreprises canadiennes. Un dollar dévalué attire également plus de voyageurs étrangers au Canada. À l'heure actuelle, la plupart des pays, dont le Canada, ont adopté le **taux de change flottant**, qui s'adapte aux conditions du marché.

Il est évident que le taux de change peut influencer la circulation de biens et de services entre les pays. Vu que le dollar canadien a reculé par rapport aux devises d'autres pays tels que l'Allemagne, le Japon et la Suisse, ces pays sont plus tentés d'acheter auprès d'entreprises canadiennes.

Les barrières ou restrictions au commerce international

Bien que les pays signent entre eux des accords commerciaux pour échanger des biens et des services, ils s'efforcent habituellement de protéger leur société, leurs secteurs d'activités et leurs entreprises de la domination étrangère. Par exemple, le gouvernement canadien serait mal avisé de laisser entrer au pays des biens étrangers qui se vendraient beaucoup moins cher que les mêmes biens canadiens. Sans restrictions commerciales, des secteurs d'activités ou des entreprises du Canada risqueraient d'être désavantagés, voire complètement éliminés. Afin de protéger ses secteurs d'activités, un pays a recours aux tarifs douaniers et aux restrictions commerciales.

Les **tarifs douaniers** constituent le principal instrument gouvernemental destiné à protéger les secteurs d'activités nationaux de la domination étrangère. Ils aident ces derniers à demeurer compétitifs à l'échelle nationale. Essentiellement, un tarif douanier est un impôt prélevé sur des biens importés. Supposons que des entreprises canadiennes vendent des chemises élégantes à 30,50 $, tandis que des entreprises étrangères, à cause de salaires bien inférieurs, demandent 20,50 $ pour le même article. Afin

de protéger le secteur national des chemises, le gouvernement canadien pourrait prélever un impôt de 5 à 8 dollars par chemise importée.

Toutefois, imposer trop de tarifs douaniers sur les biens importés comporte des risques pour un pays. Par exemple, si le Canada exige des tarifs trop élevés sur les produits d'un pays donné, le gouvernement dudit pays peut riposter par ses propres tarifs douaniers sur les produits canadiens. Lorsque de telles mesures font l'objet d'une surenchère, on assiste alors à une guerre économique.

Il existe deux types de tarifs douaniers : les **tarifs fiscaux**, qui visent à rapporter des fonds additionnels au gouvernement, et les **tarifs protecteurs**, habituellement plus élevés que les tarifs fiscaux, qui sont destinés à augmenter les prix de manière à réduire ou à décourager les importations.

Afin d'éviter les guerres économiques, les pays s'entendent habituellement sur les niveaux de prix de certains biens, et établissent des principes directeurs relativement aux quantités importées.

Les **restrictions commerciales** ou **barrières non tarifaires** sont des mesures que peut prendre un gouvernement afin d'imposer certaines conditions aux biens ou services importés. Les restrictions commerciales les plus fréquentes sont :

1. les **contingents d'importation**, c'est-à-dire les restrictions quantitatives d'un type de produit donné dans un marché national, pendant une certaine période ;

2. les **biens achetés par des organismes gouvernementaux** de producteurs nationaux, même si les prix sont plus élevés ;

3. les **embargos**, plus précisément, l'interdiction d'importer ou d'exporter certains produits qui entrent dans un pays ou en sortent, pour des raisons politiques, militaires, morales ou de santé ;

4. les **permis d'importation**, qui sont essentiellement des règlements du gouvernement destinés

à maîtriser la distribution des biens étrangers au sein des marchés nationaux ;

5. les règlements de **santé** et d'**étiquetage** qui obligent les entreprises étrangères à nommer, sur l'étiquette des produits, le pays d'origine et certaines caractéristiques du produit, notamment la liste des ingrédients, le poids et le volume.

Le tableau 23.3 affiche les principaux avantages et inconvénients des obstacles commerciaux.

Le rôle du gouvernement

Le gouvernement joue un rôle important dans la promotion d'un climat de concurrence qui est sain pour les secteurs d'activités nationaux. Comme nous l'avons déjà mentionné, un gouvernement peut décider de mesures protectrices sous la forme de tarifs douaniers ou de restrictions commerciales, et aussi offrir une aide financière.

Les gouvernements fédéral et provinciaux peuvent aider les secteurs d'activités canadiens par :

– des primes à l'exportation ;

– des accords commerciaux avec d'autres pays ;

– le marketing à l'étranger (par exemple, une visite du premier ministre, d'un ministre ou encore d'un haut fonctionnaire dans d'autres pays ou des foires commerciales) ;

– la nomination de coordinateurs ou d'intermédiaires commerciaux dans différents pays ;

– la promotion de la recherche et du développement.

Voici une liste représentative des organismes gouvernementaux qui offrent une aide précieuse aux entreprises canadiennes par la promotion à l'échelle internationale des produits de celles-ci.

– La **Société pour l'expansion des exportations** aide les entreprises en leur fournissant de l'assurance, en leur garantissant le crédit offert par les fournisseurs et d'autres formes de financement afin de favoriser l'exportation.

– L'**Agence canadienne de développement international** consent, aux pays en voie de développement, des subventions et des prêts destinés à l'achat de biens et de services auprès d'entreprises canadiennes (quelque 70 pays sont rejoints), et favorise la participation des organismes du secteur privé canadien au développement commercial et industriel des pays du Tiers monde.

– Les **organismes provinciaux pour l'expansion des exportations**, régis par les divers gouvernements provinciaux, favorisent et développent les possibilités d'exportations.

TABLEAU 23.3
Avantages et inconvénients des barrières au commerce international

Avantages des barrières commerciales	Inconvénients des barrières commerciales
1. Protéger les emplois au Canada. 2. Protéger les secteurs d'activités du Canada. 3. Protéger les entreprises du Canada. 4. Protéger certaines compétences, les ressources naturelles, et la sécurité nationale. 5. Élargir les marchés où les entreprises canadiennes vont faire de la concurrence.	1. Augmenter les prix au détriment des consommateurs canadiens. 2. Protéger des secteurs d'activités et des entreprises inefficaces. 3. Inciter d'autres pays à riposter en imposant leurs propres tarifs douaniers ou des restrictions commerciales.

– Le **Service de délégation commerciale** du gouvernement fédéral aide les entreprises à repérer les possibilités commerciales de différents pays.

– Le **centre de renseignements sur l'exportation** offre aux entreprises canadiennes de l'information au sujet des programmes et des services offerts à des fins commerciales.

– La **Banque de données du commerce international** offre aux entreprises canadiennes des données sur les importations et les exportations déclarées par les pays industrialisés et en voie de développement.

– La **Corporation commerciale canadienne** est une société de la Couronne qui aide les entreprises canadiennes à obtenir d'importants projets du gouvernement, surtout avec les pays en voie de développement.

– L'**Association internationale de développement** est affiliée à la Banque mondiale et prête à différentes entreprises.

Les communautés économiques

Les communautés économiques sont des pays qui forment un bloc commercial régional ou un marché commun, et qui consentent à éliminer les restrictions et les tarifs douaniers sur les importations et les exportations. Par exemple, à la faveur de l'accord de libre-échange entre le Canada et les États-Unis, de nombreux obstacles au commerce ont été éliminés, et on prévoit que d'autres vont disparaître au cours de la prochaine décennie. Lorsqu'un tel accord est conclu, chaque pays perd dans une certaine mesure son indépendance, mais profite de certains avantages économiques grâce à l'élimination des obstacles au commerce, ce qui permet une circulation plus libre des biens et des services. Des tarifs communs ou des restrictions commerciales font également l'objet de négociations avec des pays qui ne font pas partie du bloc commercial.

Les unions économiques les plus répandues sont :

– le **libre-échange**, qui permet aux pays participants des échanges commerciaux sans tarifs douaniers ou toute autre forme de restriction commerciale ;

– l'**union douanière**, qui est une entente entre plusieurs pays en vertu d'un système de libre-échange dans lequel on impose un tarif commun aux pays non membres ;

– le **marché commun**, qui favorise une union douanière et tente d'unir tous les gouvernements sous un seul ensemble de règles commerciales.

Le tableau 23.4 présente une liste des communautés économiques régionales les plus importantes.

L'Accord général sur les tarifs douaniers et le commerce (le GATT)

Après la Seconde Guerre mondiale, tandis que les pays s'efforçaient de reconstruire leur économie respective, nombreux sont ceux qui ont tenté de trouver des façons de réduire les tarifs douaniers à l'échelle internationale. Un grand nombre de pays ont signé l'Accord général sur les tarifs douaniers et le commerce (le GATT), à Genève, en 1947, lequel favorisait essentiellement la réduction des tarifs douaniers entre les pays membres. L'activité la plus importante du GATT consiste à organiser des assemblées, ou **négociations**, qui ont donné lieu à un certain nombre de réductions multilatérales de tarifs douaniers et de restrictions commerciales. Par exemple, des pays peuvent réduire de près de 40 p. 100 les tarifs douaniers sur certains produits, pendant quelques années. En 1979, les négociations de Tokyo ont abouti à une réduction de 33 p. 100 des tarifs douaniers. Aujourd'hui, quelque 100 pays sont membres du GATT.

TABLEAU 23.4
Communautés économiques régionales

Désignation	Organisations membres
Société andine de développement (ou Marché commun andin)	Bolivie, Colombie, Équateur, Pérou, Venezuela
Association des nations de l'Asie du Sud-Est	Indonésie, Malaisie, Philippines, Singapour, Thaïlande
Marché commun des Caraïbes	Antigua, la Barbade, République Dominicaine, Bélize, Grenade, la Guyana, Jamaïque, Montserrat, Saint Cristopher-Nevis-Anguilla, Sainte-Lucie, Saint-Vincent et les Grenadines, Trinité et Tobago
Marché commun centraméricain	Costa Rica, Salvador, Guatemala, Honduras, Nicaragua
Conseil de l'unité économique arabe	Iraq, Jordanie, Koweït, Syrie, Égypte, Soudan, Libye, Mauritanie, Organisation de libération de la Palestine, Somalie, Émirats arabes unis, République arabe du Yémen, République démocratique et populaire du Yemen
Conseil d'assistance économique mutuelle	Bulgarie, Tchécoslovaquie, Allemagne, Hongrie, République populaire mongole, Pologne, Roumanie, Russie, Cuba, Viêt-nam
Union douanière et économique de l'Afrique centrale	Cameroun, République centrafricaine, Congo, Gabon
Communauté économique des États de l'Afrique de l'Ouest	Bénin, Cap-Vert, Gambie, Ghana, Guinée, Guinée-Bissau, Côte-d'Ivoire, Libéria, Mali, Mauritanie, Niger, Nigéria, Sénégal, Sierra Leone, Togo, Haute-Volta
Communauté économique européenne (ou Marché commun)	Belgique, France, Allemagne, Italie, Luxembourg, Pays-Bas, Danemark, Irlande, Royaume-Uni, Grèce, Portugal, Espagne,
Association européenne de libre-échange	Autriche, Norvège, Suède, Suisse, Islande, Finlande (membres associés)
Association latino-américaine d'intégration	Argentine, Bolivie, Brésil, Chili, Colombie, Équateur, Mexique, Paraguay, Pérou, Uruguay, Venezuela
Organisation commune africaine et mauricienne	République centrafricaine, Côte-d'Ivoire, île Maurice, Niger, Ruanda, Sénégal, Togo, Haute-Volta, Bénin
Regional Cooperation for Development	Iran, Pakistan, Turquie
Communauté économique de l'Afrique de l'Ouest	Côte-d'Ivoire, Mali, Mauritanie, Niger, Sénégal, Haute-Volta (observateurs: Bénin et Togo)

L'accord de libre-échange entre le Canada et les États-Unis

Un accord commercial conclu entre de nombreux pays porte le nom d'**accord multilatéral**. Toutefois, lorsqu'un pays tel que le Canada conclut un accord avec un autre pays, comme les Etats-Unis, on parle alors d'**accord bilatéral**. Il y a plusieurs années, les deux pays ont commencé à négocier un accord qui portait sur l'échange de biens et de services. En 1989, l'accord de libre-échange a été conclu, ce qui enclenchait l'élimination graduelle des tarifs douaniers au cours de la décennie suivante.

Ces pourparlers ont semé la controverse au Canada, et divers groupes d'intérêts ont exprimé leur opinion pour et contre l'entente.

Voici quelques arguments en faveur de l'accord de libre-échange avec les États-Unis :

1. les exportateurs canadiens profiteraient d'un marché plus grand et accroîtraient leurs possibilités d'exportation ;
2. les exportateurs canadiens profiteraient de l'économie d'échelle et réaliseraient plus de bénéfices ;
3. compte tenu de cette dernière hypothèse, les investisseurs seraient plus intéressés à investir dans ces entreprises ;
4. les investissements étrangers additionnels dans l'entreprise canadienne créeraient plus d'emploi ;
5. les entreprises canadiennes investiraient davantage dans la recherche et le développement, afin de devenir plus compétitives ;
6. on assisterait à une rationalisation graduelle des industries canadiennes (certaines disparaîtraient et d'autres prospéreraient). La spécialisation et l'efficacité industrielle du Canada augmenteraient ;

7. les prix de détail subiraient une réduction graduelle au Canada, puisque les tarifs douaniers actuels tendent à gonfler les prix ;
8. en fin de compte, le Canada devrait participer à un bloc commercial.

Les arguments qui s'opposent à l'accord du libre-échange sont les suivants :

1. certains producteurs canadiens verraient leur niveau de production considérablement réduit, parce que les entreprises américaines obtiendraient une meilleure part du marché canadien ;
2. la souveraineté canadienne serait menacée étant donné que les deux sociétés tenteraient d'intégrer leurs politiques économiques, fiscales et monétaires, et que les États-Unis ont une population 10 fois supérieure à celle du Canada ;
3. une fois l'accord conclu, le Canada pourrait difficilement changer d'idée ;
4. de nombreuses usines américaines situées au Canada fermeraient leurs portes ;
5. l'accord permettrait aux entreprises américaines de réduire, voire de cesser, la recherche et le développement au Canada.

UN POINT DE VUE

Le libre-échange tripartite

Qu'ils le veuillent ou non, les Canadiens ont découvert hier que le Canada, les États-Unis et le Mexique ont fait les premiers pas en vue de l'établissement d'un territoire du libre-échange nord-américain. Le *Financial Post* s'est fait le défenseur de cet accord, et nous appuyons la décision du gouvernement du Canada d'aller de l'avant, en déplorant seulement le fait qu'il ait mis tant de temps à se décider.

La décision a été annoncée simultanément à une conférence à Toronto par Jaime Serra, secrétaire du Commerce et du développement industriel du Mexique, et à Ottawa, par John Crosbie, ministre canadien du Commerce international. Dans un discours qui a précédé l'annonce importante de la nouvelle, M. Serra a souligné pourquoi cet accord convient si bien aux trois pays.

On a dit que la politique étrangère d'un État repose sur la situation géographique de celui-ci. La proximité constitue l'une des raisons fondamentales d'en arriver à une zone de libre-échange nord-américaine. Quel endroit peut être plus propice à augmenter les échanges commerciaux qu'un continent où les frais de transport sont relativement peu élevés, et qui dispose d'un réseau de communications ferroviaire, routier, aérien et de télécommunications? Pourquoi le Canada devrait-il considérer l'Europe de l'Est avec plus d'enthousiasme que le Mexique, alors que nous jouissons d'un avantage naturel aussi puissant?

Ajoutez à cela la nature complémentaire de nos trois économies. On peut atteindre une efficacité économique considérable par la mise en commun judicieuse de nos ressources naturelles, de nos capitaux et de nos techniques opératoires.

Mais la plus grande ressource qui puisse être partagée est humaine. Les populations et la main-d'œuvre du Canada et des États-Unis vieillissent, alors que celles du Mexique sont jeunes. Au lieu d'envisager le recyclage des emplois peu rémunérateurs des Canadiens et des Américains, à une époque où le nombre de jeunes gens qui joignent la population active est en déclin, nous devrions donner ces emplois avec joie aux Mexicains, et nous concentrer sur l'extrémité supérieure de l'échelle de valeur ajoutée.

Les Canadiens et leur gouvernement ont eu tendance à envisager la perspective de ce regroupement avec crainte et timidité. Échaudé par les nombreux échecs de son programme, le gouvernement voit le libre-échange avec le Mexique comme une éventuelle responsabilité politique.

Mais les gens du pays tournés vers l'avenir ne verront pas les négociations de libre-échange sous un aspect uniquement défensif. Nous devrions plutôt avoir assez d'imagination pour saisir l'occasion, pour être les initiateurs d'un mouvement historique qui peut finalement transformer l'hémisphère occidental, de la Terre de Feu à l'Arctique, aussi radicalement que les événements récents ont modifié l'Europe.

Nos trois pays comptent une population de 355 millions, plus que les 324 millions de la CEE. Nos produits nationaux bruts combinés atteignent 5,5 trillions de dollars US, soit beaucoup plus que les 4 trillions de dollars US de la CEE. Uniquement sur le plan économique, le potentiel est énorme.

Le Canada et le Mexique ont en commun de nombreuses caractéristiques, et le fait que les États-Unis sont, de loin, le partenaire commercial le plus important de chacun n'est pas la moindre de ces dernières. Les Canadiens ont mis du temps à exploiter leur proximité du Mexique. Alors que 65 p. 100 du commerce du Mexique a lieu avec les États-Unis, le Canada est un partenaire qui n'en récolte que 2,1 p. 100. De nombreux opposants à l'Accord de libre-échange canado-américain croient que nous n'avons fait qu'augmenter notre dépendance économique envers les États-Unis en acceptant cet Accord.

Les Canadiens et les Mexicains disposent dorénavant d'un moyen de contrebalancer l'influence politico-économique de notre puissant voisin mutuel : commercer davantage les uns avec les autres. Il se peut que nous ayons besoin d'un allié dans nos conflits commerciaux avec les Américains, et il est disponible. Aucun nationaliste canadien réfléchi ne saurait désapprouver un accord tripartite de libre-échange en Amérique du Nord.

Source : Traduit de « Trilateral free trade : Full steam ahead », *The Financial Post*, 25 septembre 1990, p. 14.

LA SOCIÉTÉ MULTINATIONALE (SM) ET SON CONTEXTE

Les entreprises canadiennes font partie d'un réseau commercial qui se ramifie rapidement dans les marchés internationaux. Elles se consacrent désormais plus activement à l'exportation de leurs produits. Une entreprise qui a son port d'attache dans un pays, mais qui possède des usines et vend des produits dans des marchés étrangers porte le nom de société multinationale (SM). Étant donné la nature de telles exploitations, la prise de décisions de la haute direction doit tenir compte des considérations mondiales.

Les entreprises arrivent sur la scène du commerce international avec les objectifs suivants :

- acquérir les techniques opératoires les plus récentes sur le plan du marketing ;
- contourner les restrictions commerciales (par exemple, les tarifs douaniers) ;
- réduire ou éliminer les frais de transport élevés ;
- obtenir des subventions ou des prêts des gouvernements étrangers ;
- obtenir des garanties de contrôle des matières premières ;
- profiter des ressources naturelles du pays d'accueil ;
- acquérir un degré plus élevé de diversification géographique ;
- faire des affaires dans des marchés où le climat politique est favorable ;
- tenter d'augmenter la part des marchés étrangers.

Lorsqu'une entreprise devient une SM, la gestion doit être plus sensible aux contextes généraux et industriels de différentes nations. Ignorer les contextes économique, social, éthique et écologique qui prévalent dans un pays paralyse souvent l'administration efficace d'une SM, et peut même mener celle-ci à la faillite. Ces types de contexte varient d'un pays à un autre, et c'est pourquoi, pour réussir dans les marchés internationaux, les cadres supérieurs doivent comprendre la nature de trois contextes distincts, soit économique, politico-juridique et socio-culturel.

Il existe essentiellement trois systèmes économiques mondiaux en vertu desquels fonctionne la SM. D'abord, on trouve les pays industrialisés non socialistes, ensuite, les pays socialistes et enfin, les pays en voie de développement. Chacun de ces trois mondes évolue dans des contextes différents, et si la SM veut réussir, elle doit comprendre en détail ces contextes respectifs. Voici un bref aperçu de ces différents contextes, dans le cadre du commerce international.

Le contexte économique

Évidemment, les pays ont différents besoins, préoccupations et problèmes économiques. Les entreprises qui fonctionnent dans divers contextes économiques constateront des différences dans les éléments suivants :

- la croissance économique ;
- le niveau des investissements ;
- le taux d'inflation ;
- le taux de change ;
- les politiques fiscales et monétaires ;
- l'emprise du gouvernement sur les activités commerciales ;
- la provenance du financement ;
- l'efficacité des infrastructures (transport, communications, électricité) ;
- le niveau de la concurrence ;
- les importations et les exportations ;
- la balance commerciale.

Chaque pays possède des caractéristiques économiques distinctes qui varient entre deux extrêmes : l'économie libérale (capitalisme) et le système d'économie planifiée (socialisme). L'**économie libérale** ou **mixte** se trouve dans des pays comme le Canada, les États-Unis, le Japon et l'Allemagne, où existe la propriété privée. Ce marché sous-entend l'interaction entre les prix, les quantités, l'offre et la demande de produits et de ressources ; le gouvernement y joue un rôle secondaire. Les éléments clés qui expliquent la réussite de l'économie libérale sont la souveraineté du consommateur, et la liberté dont jouissent les gens et les entreprises au sein du marché.

En vertu du **système d'économie planifiée** ou **centralisée**, qu'on trouve dans les pays de l'Europe de l'Est, l'État joue un rôle dominant dans la détermination du niveau de production de différents produits. Il réglemente les prix et les salaires, et est responsable de la répartition de la main-d'œuvre dans différents secteurs d'activités. En fonction d'objectifs sociaux et économiques généraux, l'État établit un plan (souvent quinquennal) et tente d'harmoniser tous les secteurs de l'économie.

Le contexte politico-juridique

La SM doit aussi fonctionner dans des pays dont le **régime politique** est différent. Chaque pays possède ses propres lois et règlements, et ses systèmes bureaucratiques et administratifs distincts. Il y a un lien direct entre un régime politique et un système économique, car le régime politique influence le niveau des activités commerciales dans les marchés internationaux : le **régime politique démocratique** favorise les mécanismes d'économie libérale, tandis que le **régime politique totalitaire** endosse le système d'économie planifiée.

Le contexte politique et la stabilité du gouvernement au pouvoir sont essentiels à la SM. Dans une large mesure, les gouvernements influencent les activités de la SM dans leur pays, surtout en ce qui a trait aux investissements de capitaux. Une SM n'investirait probablement pas dans un pays où les gouvernements sont renversés tous les deux ans ! L'attitude du gouvernement à l'égard du commerce international et des SM influence grandement les décisions prises par les dirigeants. Puisque les gouvernements des démocraties représentent la voix du peuple, on s'attend à ce qu'ils répondent aux besoins et aux intérêts de celui-ci. D'ailleurs, cela n'a-t-il pas transparu au cours des délibérations sur le libre-échange entre le Canada et les États-Unis ? Et qu'en est-il des pourparlers au sujet de l'éventuel accord de libre-échange entre le Canada, les États-Unis et le Mexique ? Les directeurs des SM doivent bien connaître l'histoire politique de chaque pays où ils font affaire, et être en mesure de prévoir, aussi loin que possible, le climat politique avant d'investir des capitaux additionnels.

L'appareil judiciaire diffère également d'un pays à un autre, et il est essentiel de le comprendre puisqu'une SM doit se plier aux lois du pays d'accueil. Voici des domaines où la loi risque de varier :

- les importations et les exportations ;

– les conditions de travail ;

– les droits en matière de travail ;

– la pollution ;

– l'espionnage industriel ;

– la fiscalité ;

– les brevets et les droits d'auteur ;

– la promotion.

Il n'existe pas d'appareil judiciaire uniforme qui recouperait différents pays et résoudrait des problèmes de dimension internationale. Par conséquent, il importe aux cadres supérieurs qui travaillent dans différents pays de comprendre les lois applicables, s'ils veulent mettre efficacement en œuvre leurs décisions.

Le contexte socio-culturel

Chaque nation a sa propre culture. Celle-ci comporte les valeurs et les croyances communes d'une population donnée, ainsi que ses comportements et son mode de vie. Les cadres supérieurs qui dirigent une SM ne sont habituellement pas citoyens des pays où leur entreprise est établie, et entrent souvent en rapport avec des gens de différentes cultures. Même s'ils se trouvent matériellement dans le pays d'accueil, ils ne sont que des **visiteurs**. S'ils veulent réussir, ils doivent comprendre les coutumes, les normes, les critères et le mode de vie des habitants du pays d'accueil, et adapter leurs décisions d'affaires afin de respecter le mode de vie et les mesures administratives de ce pays. Certains domaines clés que le cadre doit comprendre sont la langue, la religion, les ethnies, la psychologie générale à l'égard de la morale du travail, de l'activisme politique et du niveau d'agitation sociale au sein de la population en général.

Le style de gestion de la SM devra peut-être différer d'une région à une autre. La tâche de diriger une SM s'est compliquée de manière inouïe, depuis que les cadres supérieurs doivent réunir les diverses parties d'une organisation en un tout coordonné. Dans tout milieu organisationnel, les cadres supérieurs doivent s'interroger de la manière suivante :

– À quel niveau de l'organisation les décisions doivent-elles être prises ?

– Qui doit les prendre ?

– Comment les employés préfèrent-ils travailler ? En groupe ou individuellement ?

– Comment les employés considèrent-ils les cadres ? Existe-t-il une confiance mutuelle ? Un respect mutuel ?

– L'employé qui fait partie d'une profession libérale souhaite-t-il se hisser au sommet de l'organisation ? À quel rythme désire-t-il le faire ?

– L'individu considère-t-il que son unité est plus importante que l'entreprise en général ?

– Quel rôle joue la politique dans les promotions ?

– Quelle est la morale du travail ?

– Envers qui les employés sont-ils le plus loyaux ? Envers leur famille ou l'entreprise ?

Geert Hofstede[3], consultant hollandais auprès de nombreuses SM, chercheur et auteur, a effectué une étude du comportement d'employés de grandes sociétés, dans 40 pays. Il a conclu à un regroupement des cultures nationales en quatre grandes catégories : la distance du pouvoir, l'évitement de l'incertitude, l'individualisme-collectivisme et la masculinité.

La distance du pouvoir   L'expression désigne la manière dont les employés perçoivent le pouvoir et dont l'autorité devrait être répartie au sein d'une organisation. Dans certains pays, l'autorité ou le pouvoir est accepté, lorsque les cadres ne se croient pas supérieurs aux employés mais se reconnaissent les mêmes droits. Si ces cadres se prétendaient supérieurs et détenaient

---

3. Geert Hofstede, « Motivation, Leadership and Organization: Do American Theories Apply Abroad ? », *Organizational Dynamics*, vol. 9, été 1980, p. 42-63.

certains privilèges, ils auraient de la difficulté à exercer leur autorité.

Il existe un lien direct entre la façon dont le pouvoir est réparti et la structure organisationnelle qui est soit centralisée, soit décentralisée. Dans certains pays où le pouvoir est respecté, la structure centralisée sera acceptée, alors que dans d'autres, la décentralisation sera le mode de fonctionnement prédominant. Les cadres de pays comme le Mexique, la Yougoslavie, le Venezuela et les Philippines n'acceptent pas le pouvoir aussi bien que ceux d'Australie, d'Israël, du Danemark et de Nouvelle-Zélande.

L'évitement de l'incertitude   Comment les membres d'une société perçoivent-ils les événements ambigus et incertains ? Jusqu'à quel point tenteront-ils d'éviter les risques ? Ceux qui sont en mesure d'établir un lien entre l'incertitude et le risque pourront travailler dans un milieu où les règles et les règlements sont peu nombreux. Ceux qui évoluent au sein d'un milieu sécuritaire sont plus efficaces s'ils sont soumis à des lois, à des règles et à des principes directeurs stricts. Les citoyens de pays comme la Grèce, le Portugal, la Belgique et le Japon font preuve d'une grande tolérance à l'égard du risque, comparativement à ceux qui habitent Singapour, le Danemark ou la Suède.

L'individualisme-collectivisme   Dans quelle mesure les individus ou les membres d'un groupe sont-ils prêts à s'entraider ? Le **nous** prime-t-il le **je** ? En répondant à cette question, on peut évaluer dans quelle mesure les gens préfèrent travailler seuls plutôt qu'en groupe. En vertu de l'approche individualiste (le **je**), le processus décisionnel est habituellement l'apanage d'une seule personne. L'approche collective (le **nous**) permet aux groupes d'individus de prendre les décisions.

Les États-Unis, l'Australie et l'Angleterre sont des pays où les décisions sont habituellement prises par des individus, tandis que dans des pays comme la Colombie, le Venezuela, le Pakistan et le Pérou, les gens préfèrent le processus décisionnel collectif.

La masculinité   La masculinité a trait à l'importance qu'une société accorde au sexe masculin, c'est-à-dire à l'affirmation de soi, à l'indépendance et à l'insensibilité. Une société **masculine** établit une distinction nette entre les deux sexes, et considère l'indépendance, l'envergure et la rapidité comme étant de grandes vertus. Une société **féministe** considère que les deux sexes sont égaux, et préconise l'interdépendance, la retenue et la lenteur.

Les pays masculins typiques sont le Japon, l'Autriche, le Venezuela et l'Italie, tandis que la Suède, la Norvège, la Yougoslavie et le Danemark sont considérés comme des pays **féministes**.

Il importe de souligner que même si chaque pays possède sa propre identité et sa propre culture, il est possible de trouver des ressemblances entre de nombreux pays. Une étude de Ronen et Kraut[4] indique que les valeurs et les attitudes des employés de 29 pays peuvent être regroupées en cinq types (voir tableau 23.5).

Puisqu'il est possible de trouver des valeurs et des attitudes communes à différents pays, il est également possible à la SM d'énoncer des politiques administratives qui s'appliquent à chaque pays, surtout si elles ont trait aux fonctions de gestion : la planification, l'organisation, la direction et le contrôle.

LES FONCTIONS DE GESTION ET LA SM

Examinons maintenant les fonctions de gestion telles qu'elles s'appliquent aux SM. La figure 23.2 indique comment le milieu international influence l'efficacité d'une entreprise qui fonctionne dans différents pays. Puisque les fonctions de gestion pratiquées dans les entreprises

---

4. Ronen, S., Kraut, I. A., « Similarities Among Countries Based on Employee Work Values and Attitudes », *Columbia Journal of World Business*, 1977, p. 89-96.

TABLEAU 23.5
Valeurs et attitudes communes à différents pays

Type	Pays
Anglo-américain	États-Unis, Angleterre, Canada, Australie, Nouvelle-Zélande, Irlande, Afrique du Sud.
Nordique	Norvège, Suède, Danemark, Finlande.
Latino-américain	Mexique, Argentine, Chili, Pérou, Colombie, Venezuela.
Latino-européen	France, Espagne, Italie, Portugal, Belgique.
Europe centrale	Allemagne, Suisse, Autriche.

FIGURE 23.2
Mode de gestion internationale

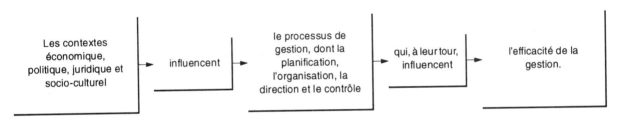

nationales diffèrent de celles des SM, il importe aux cadres supérieurs d'adapter leur style de gestion aux situations particulières, s'ils veulent atteindre leurs objectifs dans tous les secteurs de l'organisation. Par exemple, une SM ne peut pas toujours appliquer la gestion par objectifs à toutes les unités organisationnelles de tous les pays où elle fait affaire. Le processus de recrutement, de même que les communications entre les cadres et les employés peuvent également différer.

Les paragraphes suivants traitent des enjeux les plus importants de la planification, de l'organisation, de la direction et du contrôle, et de la façon de les appliquer à une entreprise qui fait des affaires dans divers pays.

La planification

Les activités de planification de la SM sont extrêmement complexes parce qu'elles comprennent plus de variables et qu'elles doivent être exécutées en fonction d'une perspective mondiale. Les cadres supérieurs doivent évaluer divers éléments économiques, sociaux et politiques, et les intégrer en un tout cohérent. La diversité des contextes généraux et des secteurs d'activités (c'est-à-dire économiques, politiques, culturels, techniques et sociaux, notamment) oblige la gestion à adapter tous les éléments à un effort de planification synchronisée. On peut imaginer les tâches de cadres en poste aux sièges de Toronto, qui doivent étudier les plans stratégiques élaborés par des cadres dispersés partout dans le monde, notamment en Argentine, au Japon, en Angleterre et en Norvège. Non seulement le système de planification doit-il être efficace, mais la circulation de l'information et les mécanismes de contrôle doivent aussi fonctionner rondement.

Le tableau 23.6 examine les divers éléments d'une entreprise qui œuvre dans un seul pays, parallèlement à la SM dont les bureaux sont dispersés dans différents pays. En plus d'examiner

TABLEAU 23.6
Planification
des sociétés nationale
et multinationale

Planification d'une société nationale	Planification d'une société multinationale
Langue unique	Langues multiples
Régime politique unique	Régimes politiques multiples
Monnaie unique	Devises multiples aux cours variables
Ensemble de réglementations gouvernementales unique	Réglementations gouvernementales multiples
Connaissance du contexte commercial	Contextes commerciaux multiples
Connaissance des valeurs culturelles	Contextes culturels multiples
Sources d'information locales	Sources d'information diverses et éloignées

Source: Traduit de Geert Hofstede, « Motivation, Leadership and Organization: Do American Theories Apply Abroad? », *Organizational Dynamics*, vol. 9, été 1980, p. 46-49.

les divers contextes sur le plan national, les cadres de la SM doivent [5]:

1. considérer de nombreux autres enjeux qui sont essentiels à la réussite de l'entreprise au sein des marchés mondiaux;

2. tenir compte, dans le processus décisionnel, des distances et des différents contextes;

3. accroître le niveau de rentabilité, tout en fonctionnant dans un milieu plus compétitif. Les cadres responsables d'une SM doivent donc établir des plans de marketing plus détaillés, des niveaux de rentabilité plus élevés et de meilleurs moyens de réduire les frais d'exploitation.

Il est vital pour ces grandes sociétés de connaître la personne responsable de chaque phase des activités de planification. Aux fins d'efficacité, il est impératif que les cadres supérieurs énoncent clairement des lignes de conduite et des priorités générales, et qu'ils laissent autant de latitude que possible aux cadres intermédiaires et subalternes, qui se trouvent dans différents pays. Cela permet aux cadres sur place d'énoncer des plans d'exploitation conformes aux contextes du pays d'accueil.

L'organisation

Dans une SM, une structure organisationnelle efficace doit répondre à la mission principale, soit pourvoir aux besoins des clients situés dans différents pays. Il s'agit là d'une tâche délicate, puisqu'il faut un équilibre parfait entre l'économie et l'efficacité de la structure organisationnelle.

L'**économie** désigne une structure dépouillée où le double emploi a été éliminé, et l'**efficacité**, l'assurance que toutes les tâches de l'exploitation sont synchronisées et destinées à atteindre la mission et les objectifs de l'organisation. Afin de structurer une SM adéquatement, il importe de prendre en considération ses différents contextes, sa taille, ses techniques et stratégies, et son personnel.

Au cours des dernières décennies, la structure organisationnelle de la SM a évolué considérable-

---

5. Donald A. Ball et Wendell H. Jr. McCullock, *International Business: Introduction and Essentials*, Plano (Texas), Business Publications, 2ᵉ édition, 1985, p. 611-612.

ment. Au début, on transformait les structures nationales ou locales en structures internationales, voire multinationales. Récemment, ces organisations ont fait l'objet d'un raffinement plus poussé, afin d'aider les cadres supérieurs à énoncer leurs stratégies mondiales de manière plus efficace. Cela s'est fait en séparant les activités nationales des activités internationales. De nos jours, il existe essentiellement cinq formes de structures organisationnelles: la division internationale, les divisions fonctionnelles, les divisions géographiques, les divisions par produit et l'organisation matricielle. La SM doit choisir la forme qui convient le mieux à ses stratégies, à ses ressources, à ses contextes et à ses marchés.

La division internationale   La figure 23.3 montre deux divisions: nationale et internationale. La première se préoccupe des activités qui ont trait au marketing national, à la production et aux questions financières, tandis que la seconde répond aux besoins de divers marchés étrangers. Comme nous l'avons indiqué, chaque cadre responsable d'un produit donné doit également rendre compte de toutes les activités fonctionnelles (par exemple, le marketing, la production et la recherche) de différentes régions géographiques.

Les divisions fonctionnelles   En vertu de cette structure, les activités fonctionnelles relèvent du champ de compétence d'un vice-président. Par exemple, le vice-président du marketing se charge de ces activités pour tous les produits vendus dans les marchés nationaux et internationaux. Cette structure laisse plus de responsabilités aux cadres supérieurs du siège social, et il s'agit d'une approche plus centralisée. La figure 23.4 présente quatre vice-présidents, dont chacun est responsable des activités nationales et internationales reliées à ses fonctions respectives.

Les divisions géographiques   Cette structure favorise la décentralisation et permet aux gestionnaires situés dans les pays d'accueil de réagir plus rapidement aux enjeux et aux marchés locaux. Comme l'indique la figure 23.5, un cadre est responsable d'un territoire donné (par exemple, l'Amérique du Nord ou du Sud), et y surveille la production et le marketing d'un produit

FIGURE 23.3
Structure globale d'une SM

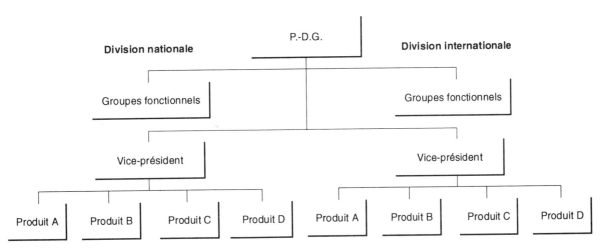

Divisions structurées selon les fonctions, les produits, les territoires ou d'autres critères

FIGURE 23.4
Structure fonctionnelle d'une SM

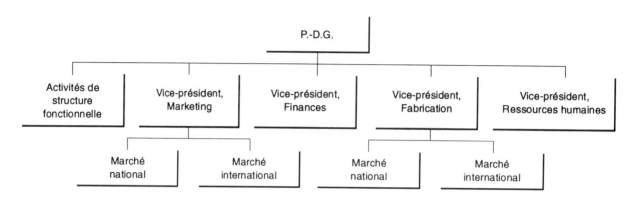

particulier. Cette structure oblige les cadres supérieurs à intégrer plus soigneusement toute la production aux fonctions de marketing.

Les divisions par produit Ici, les cadres sont responsables de la production et du marketing de différents produits vendus dans les marchés internationaux. Les responsabilités fonctionnelles sont clairement définies et contribuent à repérer les seuils de rentabilité de chaque produit (centres de profit). Cette structure favorise la recherche et le développement de nouveaux produits et marchés. Comme l'indique la figure 23.6, la SM compte trois vice-présidents, dont chacun est responsable d'un produit donné et de cadres subalternes situés dans divers pays ou territoires.

L'organisation matricielle La structure matricielle est une combinaison des différentes structures présentées plus haut. Comme on peut le voir à la figure 23.7, les cadres responsables d'un produit donné et ceux qui se trouvent dans divers territoires doivent partager les responsabilités. La structure se fonde sur les principes suivants : puisque deux groupes distincts (l'un responsable des produits et l'autre, des territoires) sont chargés de l'exploitation internationale, ils doivent coordonner soigneusement leurs activités. Une bonne relation de travail entre les deux groupes permet l'élaboration de stratégies mondiales et une meilleure affectation des ressources matérielles et humaines. Cette structure semble économique, mais toutefois difficile à gérer. S'il survient des conflits entre les deux groupes, le P.-D. G. doit les résoudre, car il détient la responsabilité ultime d'établir les priorités et d'affecter les ressources.

La direction

La gestion des organisations dans divers pays est une tâche difficile en raison des différentes approches auxquelles il faut avoir recours. Il ne serait pas réaliste pour la SM d'adapter un style de gestion uniforme dans toutes les unités organisationnelles des divers pays. Par exemple, si les cadres nord-américains tentaient d'imposer leur approche aux pays étrangers, ils éprouveraient certainement des difficultés à diriger ces organisations et à atteindre les résultas prévus. Assurément, ce ne sont pas les employés du pays d'accueil qui doivent s'adapter au style de travail nord-américain, mais bien l'inverse. Comme nous l'avons déjà mentionné, les employés qui travaillent dans des pays étrangers ont leurs cultures et leurs façons de faire respectives. Les cadres supérieurs doivent donc se sensibiliser à cette réalité. Ainsi,

FIGURE 23.5
Structure territoriale d'une SM

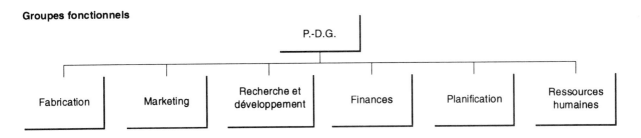

Groupes fonctionnels

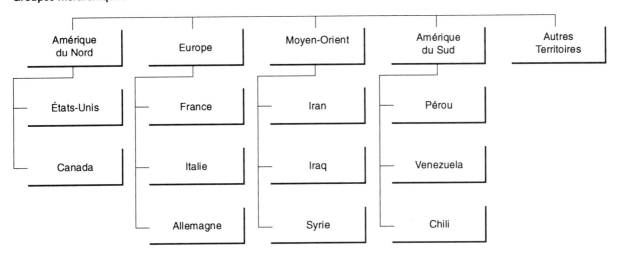

Groupes hiérarchiques

il est reconnu que les cadres et les employés japonais préfèrent le modèle participatif. En Allemagne, les grandes sociétés ont recours au principe de coexistence, et les employés sont même membres d'importants comités. En Russie, certains cadres ont été emprisonnés après avoir permis la production de biens de mauvaise qualité.

De nombreuses études ont comparé le mode de gestion japonais à celui qui se pratique en Amérique du Nord où l'on a largement recours à la **direction systématique**. Ici, toutes les fonctions de gestion sont systématiquement axées sur l'atteinte de la mission, des buts et des objectifs de l'entreprise. Les cadres de ces organisations préfèrent un mode de gestion intégré, afin d'assurer que les plans et les activités visent à réaliser leurs buts. Au Japon, la **direction organique** prédomine: les cadres et les employés envisagent leurs activités respectives dans le cadre de l'organisation au complet, au lieu de leur propre unité organisationnelle.

Il existe une différence fondamentale de gestion entre les deux extrêmes que sont l'individualisme et le collectivisme. Dans les pays comme le

FIGURE 23.6
Structure par produit d'une SM

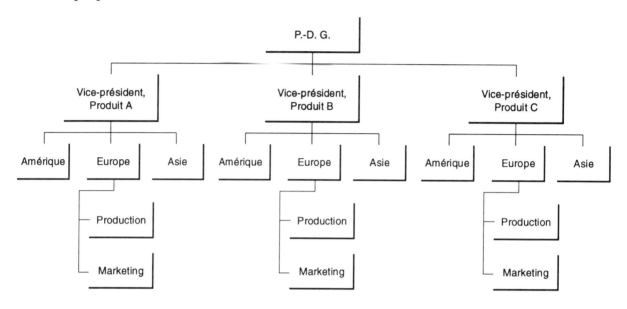

FIGURE 23.7
Structure matricielle d'une SM

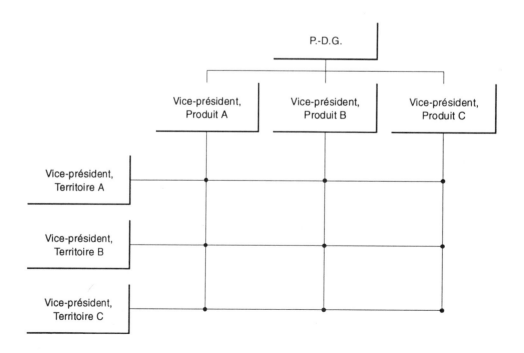

Canada, les États-Unis, l'Angleterre et l'Australie, le capitalisme et l'individualisme règnent, et l'intérêt personnel semble motiver les individus. Au Venezuela, en Yougoslavie, au Japon et au Mexique, le collectivisme est le modèle de prédilection. Dans ces pays, la loyauté envers l'organisation prime l'intérêt personnel, et le mode de groupe est de règle (par exemple, les objectifs de groupe, où le rendement de l'employé est évalué par le groupe).

Les facteurs qui motivent les gens de différentes cultures varient considérablement. Ainsi, les employés des organisations nord-américaines reçoivent des encouragements financiers liés au rendement, alors que dans d'autres pays, la sécurité d'emploi prévaut.

Il importe donc aux cadres qui travaillent au sein d'une SM d'adapter leur style de gestion à la culture, aux valeurs et aux aspirations du pays d'accueil. Il faut également mentionner que des organisations comme IBM et Hewlett-Packard ont réussi à faire accepter leur code de conduite par les employés de pays étrangers. Toutefois, pour que cela fonctionne, il faut mettre l'accent sur le processus de sélection des employés, la formation et le perfectionnement des gestionnaires.

Le contrôle

Le contrôle constitue également une importante fonction de gestion pour les cadres supérieurs de la SM qui veulent évaluer le rendement financier et opérationnel, les plans et les objectifs. Les domaines qui exigent des procédures de contrôle efficaces sont les ventes, la qualité, les frais de production, l'inflation, le fonds de roulement, la dévaluation de la monnaie et les activités de gestion principales.

Le contrôle comporte deux extrêmes, soit décentralisé et centralisé. Dans une structure organisationnelle décentralisée, les cadres du siège social ne participent pas au contrôle d'activités d'exploitation détaillées, tandis que la structure centralisée ne permet pas aux cadres intermédiaires et subalternes de prendre des décisions. Ces deux styles de gestion sont inefficaces. Un modèle prend place entre les deux. Par exemple, le siège social peut définir des rôles et des responsabilités de gestion précis, énoncer des politiques générales qui recoupent toutes les sections de l'exploitation, et déléguer le processus décisionnel aux cadres intermédiaires et subalternes. En vertu de ce modèle, seules les décisions importantes sont prises par la haute direction, surtout dans le domaine des dépenses.

Il importe également, dans le cadre du processus de contrôle, de déterminer **quelles** activités devront être contrôlées. Pour qu'un système de contrôle soit efficace, les centres de profit doivent souvent faire partie de la structure organisationnelle, et la gestion par objectifs permet aux cadres intermédiaires et subalternes de fixer leurs propres buts, financiers et autres. En vertu du système de centre de profit, les cadres intermédiaires et subalternes jouissent d'une liberté considérable pour diriger leur organisation, et seules les activités exceptionnelles font l'objet d'un examen au siège social. Les cadres supérieurs ne s'intéressent pas à ce qui va bien, mais plutôt, à ce qui ne tourne pas rond, et qui plus est, à la solution du problème. Lorsqu'une activité d'exploitation semble s'écarter du droit chemin, les cadres supérieurs participeront vraisemblablement au processus décisionnel.

UN ENJEU COMMERCIAL ACTUEL

La gestion internationale

Une plainte circule au sujet des gens d'affaires canadiens en Asie, chaque fois que l'on aborde le sujet de la compétitivité. Le thème est le même d'Hong Kong à Tokyo, et de Taipei à Séoul : les Canadiens ont peur du risque, et sont trop liés au marché américain. Ils attendent trop du gouvernement. Ils se contentent de bénéfices moyens, alors qu'un meilleur rendement est possible. Et ils connaissent mal l'Asie, même si depuis une décennie, c'est la région du monde qui croît le plus rapidement. Voici l'impression de M. John Henderson, directeur général de Pacific Rim Ventures Ltd., un groupe de consultation de Hong Kong : « D'après mon expérience, notre plus grande faiblesse provient de ce que nous ne sommes pas prêts à prendre des risques. Les gens se plaignent que les affaires sont difficiles, et on dirait qu'ils comptent sur quelqu'un d'autre pour améliorer la situation. »

Paul Summerville, économiste principal de Jardine Fleming Securities Ltd., à Tokyo, affirme que le Canada est de plus en plus dépendant des États-Unis, à une époque où l'Asie devient le moteur de la croissance économique mondiale. Il précise également qu'à titre de région, l'Amérique du Nord devient de moins en moins compétitive, et que nous restons à l'arrière, au lieu de foncer.

Un banquier canadien à Séoul envisage à regret la perspective que le Canada devienne une autre Argentine, un pays riche qui devient victime de sa propre complaisance. William MacDougall, P.-D. G. de Young Poong Manulife Insurance Co., affirme pour sa part : « Les Canadiens ne prennent pas de risques. Le Canada est faible partout dans le monde et non seulement ici. On voit des produits Hyundai et Lucky Goldstar partout au Canada, mais la présence canadienne est très effacée en Corée du Sud. Le Canada a échoué. » Enfin, selon le ministre du commerce international Michael Wilson : « La Corée du Sud est éloignée du Canada, et les clients éventuels parlent une langue étrangère. Il y existe différentes cultures et différentes manières de faire des affaires, ce qui ne rend pas la partie facile à un homme d'affaires anglo-saxon de Toronto. » M. Wilson signale que le Canada achète et vend davantage dans les pays asiatiques du Pacifique que dans toute l'Europe combinée. Néanmoins, le profil canadien demeure effacé. La Corée du Sud deviendra probablement bientôt notre quatrième partenaire commercial le plus important, mais seules quelques entreprises y ont ouvert des bureaux, et les investissements canadiens demeurent minimes.

Malgré les efforts du Canada en vue de promouvoir les produits manufacturés à valeur ajoutée, on exporte encore surtout des ressources naturelles. Les produits canadiens qui se vendent le mieux au Japon sont le charbon, le bois, les métaux et la pâte à papier. À Taïwan, le Canada vend des peaux, du cuir, des combustibles minéraux, de la pâte à papier, du fer et de l'acier. La seule exportation importante à Hong Kong consiste en des pièces d'or. La Corée du Sud achète principalement du charbon, de l'acier et de la pâte de bois. En retour, les Canadiens achètent des biens manufacturés et des articles de technique de pointe, comme les voitures, les chaînes stéréo, les appareils photo, les pièces d'automobile, les vêtements, les jouets et les jeux. La balance commerciale n'est pas favorable au Canada. L'année dernière, le Canada a accumulé un déficit avec presque tous ses partenaires commerciaux en Asie, malgré un léger surplus en Corée, au premier semestre.

M. Henderson affirme que les Canadiens réussiraient mieux en Asie s'ils s'efforçaient d'étudier le marché et la manière asiatique de faire des affaires, plutôt que de souhaiter bâcler une vente rapide et revenir sitôt fait au pays. M. Summerville croit que cet apprentissage est nécessaire, mais doute qu'il ait lieu. M. MacDougall renchérit: «Tous croient que l'Asie représente l'avenir. Mais, c'est trop tard. L'Asie du Pacifique constitue le présent. »

Source: Traduit de Kelly McParland, «Canada plays it too safe on Asia», *The Financial Post*, 18 novembre 1991, p. 13.

RÉSUMÉ

Sommaire

1. La **gestion internationale** porte sur la gestion des SM, c'est-à-dire des entreprises qui font des affaires dans différents pays. Une entreprise peut faire concurrence au sein des marchés internationaux de différentes façons : fonctionner dans les marchés nationaux et exporter occasionnellement, s'adonner activement à l'import-export, exploiter des bureaux dans des pays étrangers, ouvrir des usines à l'étranger, et partager la propriété avec des entreprises étrangères.

2. La **mondialisation** traite de la notion de spécialisation, qui signifie que différents pays produisent certains biens, de manière efficace, puis les échangent.

3. Le **commerce international** tient compte des éléments suivants : la balance commerciale, qui est la différence entre la quantité de biens qu'un pays exporte et importe ; la balance des paiements, qui est le rapport entre le flux monétaire qui entre au pays et en sort ; le taux de change, qui désigne le nombre d'unités monétaires d'un pays nécessaires à l'achat d'une unité monétaire d'un autre pays ; les tarifs douaniers et les barrières commerciales, au moyen desquels un pays peut protéger son économie, ses secteurs d'activités et ses entreprises de la domination étrangère ; le rôle du gouvernement qui, dans le contexte du commerce international, consiste à aider les entreprises nationales à concurrencer plus efficacement au sein des marchés internationaux ; les communautés économiques, composées de pays qui forment des blocs commerciaux régionaux.

4. La direction d'une SM doit comprendre l'importance des contextes généraux et des secteurs d'activités des différents pays, sur les plans économique, politico-juridique et socio-culturel.

5. Les activités reliées aux fonctions de gestion de la SM sont plus complexes que celles qui sont pratiquées par les entreprises nationales.

Notions clés

L'Accord général sur les tarifs douaniers et le commerce (GATT)
L'avantage absolu
L'avantage comparatif
La balance commerciale
La balance des paiements
La gestion internationale
La mondialisation
Le commerce international
Le taux de change
Les communautés économiques
Les exportations
Les importations
Les obstacles au commerce
Les tarifs douaniers

Exercices de révision

1. Expliquez la signification de la **gestion internationale**.
2. Expliquez la notion de mondialisation.
3. Dressez la liste des avantages les plus importants de l'import-export.
4. Qu'entend-on par les termes suivants :
   a) balance des paiements ?
   b) balance commerciale ?
   c) taux de change ?
5. Quelle est la différence entre tarifs douaniers et barrières commerciales ?
6. Quel est le rôle du gouvernement dans le contexte du commerce international ?
7. Détaillez les contextes les plus importants de la SM.
8. De quelle manière la planification diffère-t-elle entre une organisation nationale et une société multinationale ?
9. Présentez les formes d'organisation les plus répandues qu'utilisent les SM.
10. Comment les fonctions de direction et de contrôle au sein d'une SM diffèrent-elles de celles que pratique une entreprise nationale ?

Matière à discussion

1. Expliquez le rôle des SM dans les années à venir.
2. Pourquoi croyez-vous que la SM soit si puissante aujourd'hui ?

Exercices d'apprentissage

1. Le commerce international[6]

L'état lamentable de l'industrie forestière au Québec ne se compare plus à la récession de 1981-1982, mais bien à la crise des années 1930, selon les intervenants de l'industrie. Les salaires sont trop élevés, l'industrie fait face à une concurrence étrangère féroce, le matériel est désuet, et le dollar canadien élevé nous coûte des exportations en plus d'empêcher de nouveaux investissements dont le besoin est pressant.

Pour ajouter à ce sombre tableau, la productivité ne représente souvent que la moitié de celle des usines de pâtes et papiers et des scieries des États-Unis et de la Finlande. Viennent ensuite la récession actuelle, les stocks d'arbres qui diminuent, la position que le Canada tarde à prendre au sujet du recyclage, le manque d'investissements dans des systèmes antipollution nécessaires de manière urgente et exigés par les lois du Québec et du gouvernement fédéral, en plus des prévisions pessimistes sur l'avenir du secteur d'activité. Selon André Duchesne, président de l'Association des industries forestières du Québec, la comparaison avec les années 1930 est juste, et il ajoute que certaines scieries ont déjà fermé leurs portes, et qu'on assistera à des faillites et à des fusions spectaculaires, comme dans les années 1930.

Une réunion est prévue pour jeudi

Tous ceux qui œuvrent au sein de ce secteur d'activité, l'employeur le plus important du Canada, acceptent le besoin d'une restructuration de haut en bas, notamment parce que le secteur s'est fié trop longtemps à ses matières premières, tandis que les usines de désencrage et de recyclage nouvellement construites aux États-Unis menacent les fabricants de pâte à papier et de papier journal. Au Québec, à l'heure actuelle, on se demande combien, parmi les 85 000 travailleurs directement employés par le secteur des pâtes et papiers, vont perdre leur emploi, en plus des quelque 3 000 personnes déjà mises à pied au cours des dernières années. Dans un effort pour «se sortir du pétrin», le ministre québécois des Forêts, Albert Côté, a révélé au cours d'une entrevue téléphonique qu'il convoquerait, pour jeudi, une assemblée des directeurs d'entreprises, des représentants des syndicats et de l'association professionnelle. Selon lui, c'est alors que l'on verra si les syndicats et les entreprises sont prêts à conjuguer leurs efforts en vue de trouver des solutions. Il va notamment demander aux employés des scieries d'être plus souples à l'égard des diverses tâches qu'ils sont disposés à effectuer, car, selon certains, une approche multifonctionnelle stimulerait la productivité.

---

6. Traduit de François Shalom, « Working through the rot : Forest industry needs a complete haul », *The Gazette*, Montréal, 12 octobre 1991, p. C1.

Mais des analystes affirment que le gouvernement fait partie du problème. Deux scieries, largement financées par des subventions provinciales à Port-Cartier et à Matane, ont récemment fermé leurs portes, et d'autres fermetures, mises à pied et retranchements sont presque des faits quotidiens. Selon Jim Rowland, éditeur du *Canadian Paper Analyst*, qui est un bulletin sectoriel, la fermeture de scieries comme celles de Matane et de Port-Cartier n'est pas aussi grave que la fermeture qui pourrait toucher prochainement des usines établies qui desservent depuis longtemps des marchés solides. M. Rowland affirme que dans l'est du Canada, la situation est si désastreuse que non seulement l'outillage est arrêté, mais les usines ferment.

Les analystes précisent que trois usines sont particulièrement vulnérables au Québec : Abitibi-Price, à Jonquière, Domtar, à Donnacona, et l'usine des produits forestiers Canadien Pacifique ltée à La Tuque. Des prêts et subventions aisément consentis par le gouvernement ont bercé le secteur d'activité dans un faux sentiment de sécurité, au dire de M. Rowland. Il se demande si le Québec aura le courage politique de laisser fermer certaines scieries, ce qui réduirait le surplus de capacité, puis de permettre aux forces du marché de mener le secteur d'activité. Les experts sectoriels signalent souvent un taux de gonflement des effectifs de 30 p. 100 dans la plupart des usines de pâtes et papiers du Québec, selon Richard Lacasse, directeur de l'Association des manufacturiers de bois de charpente du Québec.

Malgré les nombreuses déclarations des porte-parole du secteur d'activité, selon lesquelles les entreprises ont investi plus d'un milliard de dollars dans la modernisation technique et l'expansion au cours des dernières années, il ne s'agissait « pas vraiment de modernisation », d'après M. Côté, qui ajoute que l'on a amélioré de vieilles machines, mais qu'elles restent toujours de vieilles machines. Certains malheurs qui s'abattent sur le secteur d'activité sont indépendants de sa volonté, surtout le sérieux déclin de la construction et du papier journal aux États-Unis. D'ailleurs, comme les dépenses des consommateurs sont à la baisse, et que la publicité dans les journaux suit, les producteurs canadiens reçoivent une demande moins forte de papier journal. Par conséquent, les scieries canadiennes ont fonctionné à une capacité de 88 p. 100 au cours des huit premiers mois de l'année, alors que la capacité était de 94 p. 100 l'année dernière à la même époque. La réserve actuelle de 614 000 tonnes, excède de 215 000 tonnes celle de l'an dernier. M. Lacasse souligne que le secteur d'activité a également souffert d'une baisse des mises en chantier américaines, qui ont chuté de 33 p. 100 à un total de 1,2 million d'unités en 1990, comparativement à 1,8 million en 1987, avant de tomber à un million de mises en chantier prévues cette année. En outre, des feux de forêts ont ravagé plus de 438 000 hectares de terres boisées au Québec, le printemps et l'été derniers. Mais l'effet le plus durable sur le secteur des produits forestiers provient du secteur même. Selon un représentant sectoriel, M. Duchesne, le Québec est à la limite du bois de charpente disponible, et il faut faire pousser des plants maintenant pour assurer un avenir. Les entreprises doivent se rendre compte qu'elles ont à consacrer beaucoup plus de ressources et de personnel à la sylviculture, à la replantation et aux soins des arbres.

On soulève également la question des salaires horaires, qui sont plus élevés en moyenne que ceux des États-Unis et de l'Europe. Le secteur se concentre sur des produits tels que la pâte à papier et le papier journal plutôt que sur des biens manufacturés à valeur ajoutée, et les scieries se servent d'outillage plus désuet, plus petit et moins efficace.

La Finlande en tête

M. Côté affirme que la Finlande s'est hissée au sommet de l'industrie internationale au cours des 15 dernières années, grâce à un programme de modernisation dynamique — en rasant littéralement des usines et des scieries pour en construire de nouvelles à l'aide de techniques de pointe — tandis que les entreprises québécoises se limitaient souvent à renouveler quelques pièces sur de vieilles machines.

De ce fait, selon une étude effectuée par Price Waterhouse Associés, conseillers en administration, l'industrie canadienne perd, sans beaucoup d'espoir de reprise, du terrain au sein du marché international. Michael McCallum, qui a dirigé le groupe d'étude de Price Waterhouse, affirme que toute solution devra comporter des réductions salariales et des investissements de capitaux par les entreprises.

Mais le représentant du Syndicat canadien des travailleurs du papier, Keith Newman, conteste l'idée des réductions salariales dans le secteur d'activité, où le salaire horaire moyen avoisine 18 $. Selon M. Newman, le problème ne réside pas dans les salaires, mais bien dans le fait que les entreprises installent un outillage qui exige trop de main-d'œuvre.

Questions

1. Pourquoi croyez-vous que l'industrie des pâtes et papiers se trouve dans une situation fâcheuse ?
2. Aurait-on pu éviter cette situation ? Comment ?
3. Que devrait faire ce secteur d'activité maintenant afin de devenir plus compétitif au sein des marchés internationaux ?

2. La gestion internationale

B & K International ltée est une entreprise canadienne dont le siège social est à Montréal. Georges Aquilina, P.-D.G. de l'entreprise, et son groupe de gestion étudient la possibilité d'ouvrir des bureaux de vente dans d'autres pays, proposition présentée par une entreprise de consultation en gestion. Cette étude a été commandée il y a six mois par le conseil d'administration de l'entreprise. À l'heure actuelle, B & K International ltée exporte plus de 800 millions de dollars vers quatre marchés : les États-Unis, l'Amérique du Sud, l'Europe et le Japon. Lors d'un entretien avec ses cadres supérieurs, M. Aquilina a signalé que dans les deux prochaines années, l'entreprise lancerait de nouveaux produits qui feraient aisément doubler le chiffre d'affaires de l'entreprise, si celle-ci adoptait un réseau de distribution des ventes plus efficace et plus dynamique dans ces quatre territoires.

L'entreprise vend actuellement cinq types de produits et, au cours du présent exercice, entend en introduire un sixième. Bien que les cadres prévoient de substantielles augmentations du volume des ventes, ils croient que l'ouverture de nouveaux bureaux de vente et centres de production dans les marchés ferait que les premières années d'exploitation se solderaient par des pertes.

Après avoir étudié en détail le rapport du groupe de gestion, M. Aquilina a déclaré : « Nous devons prendre une importante décision. Deux options s'offrent à nous. La première, soit le **statu quo**, consiste à accroître nos ventes de près de 5 p. 100 par an dans le marché canadien et dans divers pays. La seconde consiste à devenir plus compétitifs dans les marchés étrangers, où nos produits et services sont désormais connus et acceptés ; nous ouvririons des bureaux de vente et commencerions même à fabriquer nos biens dans certains territoires stratégiques. Je me rends compte qu'il s'agit d'une entreprise risquée, mais je crois fermement que si nous organisons et planifions cette expansion avec prudence, notre entreprise s'emparerait, à long terme, d'une part plus importante des marchés étrangers et sa rentabilité augmenterait. »

Après cette brève introduction, chaque vice-président a pris la parole.

Robert Vézina, vice-président, marketing :

« Je crois que nous sommes maintenant prêts à effectuer cette transition importante. Toutefois, soyons francs, nous sommes novices en matière de marketing international. Même si nous disposons d'excellentes gammes de produits, nous opérerons en territoire inconnu. Il importe de bien comprendre les valeurs, la culture, le mode de vie et les habitudes d'achat de nos clients éventuels. Il nous faut aussi, par exemple, étudier les différents médias de publicité, les réseaux de distribution et les concurrents, dans chaque marché. Je crois qu'il est trop ambitieux de pénétrer simultanément différents marchés, et que notre stratégie devrait se concentrer sur un seul à la fois, au cours de la prochaine décennie ; autrement, nous pourrions nous fourvoyer sérieusement, au détriment de notre bénéfice. »

Jeanne Lapointe, vice-présidente, planification stratégique :

« Je crois que Robert a raison. Toutefois, je pense que la stratégie qui consiste à pénétrer tous les marchés à la fois serait plus efficace. Si nous retardons l'introduction de nos produits dans différents marchés, je suis convaincue que nos concurrents tireront parti de nos tergiversations et qu'ils s'empareront d'une part de marché plus importante, ce qui rendra encore plus difficile notre entrée ultérieure dans ces marchés. Notre organisation est dynamique et prête à ouvrir des bureaux dans tous les marchés, au lieu de continuer à vendre nos produits par des intermédiaires. Au début, je crois que la production devrait encore avoir lieu au Canada, et, selon nos incursions dans les marchés, nous pourrions envisager de construire des usines dans les pays étrangers. »

Yves Martin, vice-président, finances :

« Je crois que nous devrions bâtir au moins deux usines immédiatement. Je sais que cela représente des sommes importantes, mais si nous choisissons de le faire, il faudrait trouver environ 30 millions de dollars, à un coût de 11,5 p. 100. Si nous atteignons les résultats prévus dans le rapport du groupe de gestion, nos investissements pourraient facilement nous rapporter le double du coût du capital. Toutefois, je crois qu'il faut examiner cette éventualité plus à fond avant de nous lancer. »

André Lafontaine, vice-président à la direction :

« Nous sommes en affaires depuis plus de 50 ans. Nous devons prendre la décision qui sera la plus lucrative pour notre entreprise et pour nos actionnaires, sans mettre en danger ce que nous avons accompli jusqu'ici. Je crois sincèrement que les options qui s'offrent à nous auront un effet important sur nos activités de marketing et de production. Nous fonctionnerons dans des pays dont les cultures sont variées et où les techniques, les modes et les styles de gestion diffèrent énormément. Il faut certainement examiner en détail les répercussions de cette décision. Si nous décidons d'ouvrir des bureaux dans de nouveaux marchés, n'oublions pas qu'il nous faudra peut-être décentraliser le processus décisionnel, ce à quoi nous ne sommes pas habitués. En outre, nous nous aventurerons dans de nouveaux marchés sans même connaître le type de structure organisationnelle qui conviendrait le mieux à chaque pays. Je crois qu'il faut étudier la proposition en entier beaucoup plus à fond, et demander des éclaircissements sur ce point au groupe de gestion. »

M. Aquilina a clôturé l'assemblée par ces mots :

« Je vous remercie de vos observations. Comme plusieurs d'entre vous, je crois qu'il faut continuer d'étudier l'affaire en détail. Pourquoi ne discutez-vous pas du rapport du groupe de gestion avec vos cadres respectifs et, lors de notre prochaine assemblée dans deux semaines, nous déciderons si nous devons ou non entreprendre une analyse plus détaillée des différentes options. »

Question

Si vous étiez le consultant responsable de ce projet, de quels facteurs tiendriez-vous compte dans votre analyse ?

CHAPITRE

24

PLAN

La définition des organismes sans but lucratif

Les types d'organismes sans but lucratif
    Les organismes axés sur le public
    Les organismes axés sur les membres
    Les autres organismes

Un point de vue : un organisme sans but lucratif

Les fonctions de gestion d'un organisme sans but lucratif
    La planification
    Un point de vue : la planification
    L'organisation
    La direction
    Le contrôle

Les outils de gestion des organismes sans but lucratif
    Les outils adaptés d'organismes du secteur privé
    Les outils conçus à l'intention
      des organismes sans but lucratif

Un enjeu commercial actuel : la budgétisation

Résumé

LES ORGANISMES SANS BUT LUCRATIF

Les objectifs du chapitre

Après avoir lu le présent chapitre, vous pourrez :

1. expliquer ce qu'on entend par **organisme sans but lucratif** ;

2. définir les différents types d'organismes sans but lucratif ;

3. expliquer les fonctions de gestion des organismes sans but lucratif ;

4. présenter les divers outils de gestion qu'utilisent les organismes sans but lucratif.

Les Amputés de guerre du Canada, organisme de bienfaisance enregistré, fonctionne sans but lucratif grâce au contrôle et à la direction de ses membres. Il s'agit du seul organisme au Canada qui offre une aide spécialisée, tant sociale que financière, aux amputés de tout âge. Environ un Canadien sur 10 000 est amputé et, pour ces personnes, le besoin d'un organisme comme les Amputés de guerre est évidemment essentiel.

Les amputés de guerre de tout le pays ont contribué à façonner cette association au fil du temps. L'un des pionniers fut le père Sidney Lambert qui a galvanisé ses camarades dans les premières années et qui a également inspiré un deuxième groupe d'amputés après que la Seconde Guerre mondiale a fait plus de victimes. Il a mené une campagne en vue d'établir un atelier protégé en 1946, où les amputés de guerre pouvaient travailler à des salaires compétitifs et fournir un service qui procurerait des fonds à l'organisme.

Depuis 60 ans, cet établissement en a appris davantage sur l'amputation que tout autre organisme canadien, en plus d'être respecté à l'échelle internationale. Jamais sa mission n'est oubliée, car l'association tente d'améliorer la qualité de vie de tous les amputés canadiens. La philosophie de l'organisme, «des amputés à l'aide d'amputés», le caractérise depuis 1918, quand des soldats amputés sont revenus de la Première Guerre mondiale. Elle préconise une société fraternelle en mesure d'offrir une orientation à ses membres qui pourvoit à leurs besoins. Par ses nombreux programmes qui réunissent les amputés de tout le Canada, l'organisme ne perd jamais de vue la **réalité** que constitue la vie avec des membres artificiels. Aux assemblées de l'association et par correspondance ou au téléphone, les amputés partagent leur expérience des prothèses, ce qui permet aux Amputés de guerre d'évaluer les nouvelles prothèses ainsi que ceux qui les conçoivent.

Parmi les autres activités des Amputés de guerre, on trouve le Programme pour enfants amputés (Les Vainqueurs), le Programme de liaison civile, le Programme jouez prudemment, le Programme les mères solidaires et les ateliers protégés.

Les activités les plus importantes des Amputés de guerre du Canada sont:

- le service aux membres, qui comprend l'aide aux veuves des anciens membres;
- les prestations des anciens combattants: par un processus consultatif, l'organisme cherche toujours à améliorer les prestations des anciens combattants;
- la participation au Conseil national des anciens combattants du Canada, qui regroupe 19 organismes, dont l'Association de l'aviation royale du Canada, l'Association des pensionnés et des retraités des forces armées, et l'Association du premier bataillon de parachutistes canadiens;
- le programme de films a permis aux Amputés de guerre du Canada de produire, au cours

des 20 dernières années, quelque 30 films diffusés par câblodistribution ou par d'autres moyens télévisuels;

- le service des plaques porte-clés fournit à la fois de l'emploi à un nombre considérable de personnes handicapées et un service au public à qui l'on offre des porte-clés et des étiquettes d'adresses. L'organisme ne reçoit aucune subvention du gouvernement, et a pu diriger les ateliers protégés et d'autres programmes grâce aux dons du public, à la faveur des services des porte-clés et des étiquettes d'adresses.

Aujourd'hui, l'organisme prépare le terrain à la transformation des Amputés de guerre du Canada en Fondation canadienne pour les amputés. Lorsque les amputés de guerre ne pourront plus mener l'association, la nouvelle Fondation continuera le travail important de l'organisme et s'assurera que l'on prend soin des amputés du Canada à l'avenir[1].

LA DÉFINITION DES ORGANISMES SANS BUT LUCRATIF

Les organismes sans but lucratif ont connu un essor prodigieux au cours des dernières décennies. Ils constituent désormais un segment tellement important de la société canadienne que des spécialistes en gestion ont rédigé des principes directeurs correspondants; certains auteurs ont même parlé de **troisième secteur** de la société.

Contrairement aussi bien aux organisations du secteur privé, dont le but premier consiste à réaliser des bénéfices, qu'aux établissements du secteur public qui offrent un service au public en général, les organismes sans but lucratif existent principalement afin de répondre aux besoins très précis de groupes d'intérêts particuliers. Peter Drucker prétend que les organismes sans lucratif constituent l'employeur le plus important

---

1. **Source**: Les Amputés de guerre du Canada, brochures et publications.

en Amérique, car on y trouve plus de 8 millions d'employés et 80 millions de bénévoles[2].

Les organismes sans but lucratif participent à une vaste gamme d'activités sociales axées sur les universités, écoles, collèges, associations commerciales, conseils, groupes d'intérêt public, groupes religieux, centres médico-sociaux, hôpitaux, syndicats et organismes d'aide internationale. Les pages jaunes de l'annuaire de toute ville moyenne du Canada contiennent des dizaines d'organismes sans but lucratif, notamment Amnistie Internationale, l'Association des ingénieurs-conseils du Canada, l'Association canadienne des automobilistes, la Fédération canadienne de la faune, l'Association canadienne de l'industrie du médicament. Le tableau 24.1 présente une liste partielle représentative des associations canadiennes sans but lucratif.

Les organismes sans but lucratif se sont multipliés et ont grossi au cours des dernières décennies, car de nombreuses personnes se rendent compte désormais que les gouvernements à eux seuls ne suffisent pas à combler efficacement les besoins sociaux de groupes déterminés de la société. Voici quelques exemples des objectifs d'organismes canadiens sans but lucratif :

- le Conseil canadien sur le tabagisme et la santé désire faire interdire complètement la publicité sur la cigarette, et presse le gouvernement fédéral de faire adopter par la Cour suprême du Canada une loi qui interdirait l'usage du tabac ; évidemment, l'association de l'industrie du tabac riposte avec force ;

- les groupes pro-vie et pro-choix s'entrattaquent depuis plus de 10 ans, afin d'inciter les gouvernements à modifier leurs lois relativement à l'avortement ;

- différents groupes comme Greenpeace, la Société pour vaincre la pollution et Les Amis de la Terre invitent les Canadiens à protester

---

2. Peter Drucker, *Managing the Nonprofit Organization : Principles and Practices*, New York, Harper Collins, 1990, p. 13.

TABLEAU 24.1
Liste représentative des associations canadiennes

Académie de médecine

Action Éducation des Femmes

Alliance Autochtone du Québec

Association canadienne d'exportation

Association canadienne de canotage

Association canadienne de hockey amateur

Association canadienne des déménageurs

Association canadienne des optométristes

Association canadienne des radiodiffuseurs

Association des banquiers canadiens

Association des cercles canadiens

Association des chemins de fer du Canada

Association des consommateurs du Canada

Association des universités et collèges du Canada

Association du transport aérien du Canada

Association internationale des pompiers (Bureau du Canada)

Centre canadien du marché du travail et de la productivité

Centre canadien pour le contrôle des armements et le désarmement

Centre pour enfants maltraités

Congrès du Travail du Canada

Conseil canadien de l'enfance et de la jeunesse

Conseil canadien des arpenteurs-géomètres

Conseil national de l'industrie laitière du Canada

Fédération canadienne de gymnastique

Fédération canadienne des femmes diplômées des universités

Fédération canadienne des services de garde à l'enfance

Héritage Canada

Institut canadien du marketing

Les amis du Musée des beaux-arts du Canada

Parent-secours

Scouts Canada

Société canadienne du cancer

Société canadienne du sida

Syndicat des détaillants, grossistes et magasins à rayons

contre les grandes entreprises responsables de la pollution de l'environnement. Ils critiquent également l'inertie du gouvernement.

Un plus grand nombre de Canadiens constatent maintenant que les organismes sans but lucratif deviennent essentiels à l'amélioration de la qualité de vie au Canada et qu'ils constituent un moyen important de soutenir les valeurs et les enjeux principaux de la société. Comme leur nom l'indique, les organismes sans but lucratif ne visent pas la réalisation de bénéfices, la vente de produits, la présentation de politiques et de lois, la réglementation de secteurs d'activités ni la surveillance d'entreprises. Le but primordial de ces organismes est de jouer le rôle d'**agents de changement** et de sensibiliser la société, y compris les citoyens et les organisations du secteur privé, aux enjeux d'ordre collectif. La mission consiste à changer les attitudes et le comportement des gens à l'égard de la vie humaine et de l'environnement. Un organisme sans but lucratif remplit pleinement son rôle s'il réussit à aider les Canadiens à :

– se libérer de tous les types de pollution ;

– respecter les membres défavorisés de la société ;

– mieux traiter les animaux ;

– accorder plus d'importance à la prévention et au traitement des maladies graves ;

– se sensibiliser aux injustices au Canada et dans d'autres pays ;

– faire preuve de plus de civisme, de compréhension et de tolérance les uns envers les autres.

Bien sûr, il est tout aussi important de gérer efficacement les organismes sans but lucratif que les entreprises axées sur les bénéfices. La difficulté de gérer les premiers provient du fait qu'ils n'ont pas de **résultat net**, ce qui complique la mesure du rendement. Toutefois, à l'instar des entreprises, les organismes sans but lucratif ont une mission ainsi que des objectifs, des stratégies, des plans, des budgets, des ressources

et des normes de rendement. Les gestionnaires de ces organismes doivent faire preuve de beaucoup d'efficacité et d'efficience, puisque les ressources qu'ils utilisent afin de répondre à leurs priorités, d'assumer leurs responsabilités et d'accomplir leurs tâches, sont habituellement limitées.

Chaque organisme sans but lucratif a une **mission** distincte. Par exemple, certains organismes existent afin d'aider les personnes défavorisées, d'autres tentent de sensibiliser les gens à la vie dans un environnement plus propre et moins dangereux, d'autres encore entendent protéger certaines espèces animales de la disparition, et de nombreux autres, comme ceux des groupes pro-vie et pro-choix, défendent un enjeu précis qui peut changer les valeurs sociales. Ces organismes doivent, afin d'accomplir leur mission respective, énoncer des **stratégies** innovatrices en ce qui concerne la manière de recueillir des fonds, d'attirer des bénévoles, de gagner l'appui du public, d'exercer des pressions auprès des politiciens et de diffuser leurs services. Ils ont besoin, en vue de mettre en œuvre ces stratégies, d'une **direction** ferme qui peut réunir les gens à la faveur d'une vision et de valeurs communes, former des réseaux de communication efficaces, stimuler les équipes de travail et guider les employés dans la voie des mesures adéquates et du résultat final escompté. Les **techniques de budgétisation** sont tout aussi importantes, car elles répartissent efficacement de maigres ressources et servent à surveiller les objectifs et les plans.

Les gestionnaires des organismes sans but lucratif subissent également de plus en plus de pression, du fait qu'ils doivent dorénavant obtenir un rendement **efficace**.

LES TYPES D'ORGANISMES SANS BUT LUCRATIF

On peut classer les organismes sans but lucratif en deux groupes selon que les services offerts s'adressent aux membres de la société (organismes axés sur le public) ou à leurs propres membres (organismes axés sur les membres)[3].

Le présent chapitre ne traite pas des organismes du secteur public, tels que les ministères ou organismes des administrations fédérale, provinciales ou municipales. Ces organismes sont considérés comme étant sans but lucratif, mais leurs cadres s'occupent principalement d'énoncer et de mettre en œuvre des politiques publiques et répondent habituellement aux besoins de leurs membres par l'intermédiaire de leurs représentants élus. Le secteur public, la gestion des programmes gouvernementaux et les politiques que comportent ces organismes diffèrent beaucoup de ceux dont le tableau 24.1 donne la liste, notamment les écoles, les universités et les hôpitaux, qui font l'objet du présent chapitre.

Les organismes axés sur le public

Ces types d'organismes comprennent les organismes sans but lucratif les plus importants et les plus visibles, notamment les universités, les collèges, les hôpitaux, les musées, les sociétés des arts d'interprétation et les organismes de services bénévoles, comme le Musée des beaux-arts, le Centre national des Arts, l'Association canadienne du diabète, La Société canadienne de la Croix-Rouge, l'Aide à l'enfance — Canada et l'Institut canadien des droits de la personne. Il s'agit du segment le plus remarquable de l'éventail des organismes sans but lucratif, et d'organismes **axés sur la clientèle**, puisqu'ils offrent des types de services spéciaux à un groupe précis. La qualité et les coûts de la prestation de services dans ces organismes, tout comme dans les entreprises, peuvent se mesurer, car ces établissements réalisent des bénéfices,

investissent des fonds dans des immobilisations et supportent des dépenses d'exploitation. Par exemple, il est certainement possible de préciser le coût du traitement des patients dans les hôpitaux et de la prestation de services aux étudiants des universités.

Il existe des frais (tels que salaires et chauffage) liés au traitement des patients des hôpitaux et à l'instruction des étudiants des universités et des collèges. Il incombe aux administrateurs de ces organismes de déterminer ces frais, qu'ils soient remboursés directement par les bénéficiaires de ces services ou par l'intermédiaire de subventions gouvernementales directes.

Les organismes axés sur les membres

Le second groupe important sans but lucratif comprend les organismes axés sur les membres, telles les associations professionnelles et commerciales. Parmi les organismes types, on trouve l'Association des ingénieurs-conseils du Canada, la Fraternité canadienne des cheminots, employés des transports et autres ouvriers, l'Association canadienne des médecins d'urgence, l'Institut canadien des comptables agréés et le Syndicat canadien de la Fonction publique.

Comme leur nom l'indique, ces organismes offrent des services particuliers à leurs membres qui versent des cotisations annuelles. Ainsi, un comptable agréé qui débute voudra être membre de l'Institut canadien des comptables agréés, en échange de frais d'adhésion, car ce dernier dispense des services particuliers, tels la formation, l'assurance de groupe et un magazine.

Les autres organismes

Il existe également de nombreuses associations qui ne se classent pas dans les catégories mentionnées ci-dessus, comme les groupes religieux et les groupes d'intérêt public. Par exemple, les

---

3. Traduit de J.R. Birkofer *et al.*, « Budgeting in Nonprofit Organizations », dans *Handbook of Budgeting*, H.W.A. Sweeny et R. Rachlin, New York, Ronald Press Publication, 1981, p. 597.

Églises catholique et anglicane offrent une orientation spirituelle grâce à leurs services liturgiques et aussi à travers les médias.

Il peut être difficile de déterminer si certains groupes d'intérêt appartiennent aux organismes axés sur le public ou sur les membres. Ainsi, le mouvement Greenpeace compte plus de 350 000 membres, et la Société pour vaincre la pollution, 30 000 membres au Canada. Les deux organismes préconisent le bien-être non seulement de leurs membres dûment inscrits, mais de tous les citoyens canadiens.

UN POINT DE VUE

Un organisme sans but lucratif

Greenpeace est intervenu valablement par le passé, mais il n'est pas l'ami du Canada. Il a éliminé, au moyen d'une propagande douteuse, la chasse aux phoques qui assurait la subsistance de pauvres Inuit et Terre-Neuviens.

Greenpeace a appuyé Earth First, dont les hommes de main plantaient des clous dans les arbres, mettant ainsi en danger les ouvriers forestiers. Sa propagande a également attaqué la vente de produits forestiers de l'ordre de 3 milliards de dollars en Europe. Actuellement, il s'insurge contre le réacteur Candu et prétend avec exagération et incurie qu'il est « intrinsèquement non sécuritaire ». L'attention que la presse a accordée à cet événement n'a pas beaucoup aidé les représentants du réacteur Candu qui s'efforcent de vendre d'autres réacteurs en Corée du Sud.

Tout ce que contenait le rapport de Greenpeace était déjà connu du public. Quelles sont les références de l'auteur du document de 70 pages ? Que sait-il des longues études exhaustives qui ont confirmé la sécurité du réacteur ?

Les parallèles qu'établit Greenpeace entre Tchernobyl et la conception du Candu tiennent du sensationnalisme intéressé de bas étage, et rien de plus. Les sympathisants citeront à l'appui un article d'une publication peu connue, dans laquelle l'auteur prétend que Candu « est le plus proche parent de Tchernobyl en exploitation », pour déclarer cependant un peu plus loin que les conceptions sont extrêmement différentes, et que toute probabilité d'une explosion semblable dans une centrale canadienne est purement théorique.

Candu est muni de nombreuses couches de protection sans faille. Par exemple, le réacteur Candu 6 comprend notamment dans son système, une série de détecteurs qui forcent le réacteur à fermer les niveaux d'alimentation lorsque la température du cœur devient trop élevée. Afin de détraquer tous les détecteurs, il faudrait que neuf séries d'instruments soient également en panne au même moment, ce qui constitue une probabilité infime, voire impossible.

Dans sa logique partiale, Greenpeace accuse les mesures de sécurité et l'obligation redditionnelle du Canada de constituer des preuves de faiblesse. Or, le fait d'être tenu de déclarer à l'autorité réglementaire tout événement inusité contribue à minimiser davantage le risque d'accidents graves. De même, les améliorations mineures continuelles au cours de la construction de nouveaux réacteurs améliorent encore la sécurité du système.

Greenpeace combat également la deuxième phase du projet hydro-électrique de la baie de James. Que veut Greenpeace ? Que nous fermions l'industrie canadienne et que nous vivions sous la tente ? Ou que nous produisions de l'électricité en utilisant des combustibles fossiles ? Greenpeace n'a pas à se préoccuper de ce dilemme. Il n'a simplement qu'à recourir encore à sa publicité spectaculaire et à empocher les dons qui lui parviennent — comme lors de la campagne en faveur des phoques. L'utilisation de combustibles fossiles tue beaucoup plus de personnes chaque année que ne l'a jamais fait la production d'énergie nucléaire. Mais les chances de financement augmentent lorsqu'on dépeint des scénarios de cataclysmes éventuels imputables au « nucléaire ».

Les Canadiens à l'œuvre dans les entreprises et ailleurs participent activement à l'élimination des dangers qui touchent l'environnement. Greenpeace n'a pas le monopole des préoccupations environnementales, et sa dramatisation irresponsable ne se justifie pas dans le cadre du développement durable.

Source : Traduit de « Green zealots hit our industry », *The Financial Post*, 16 décembre 1991, p. 9.

LES FONCTIONS DE GESTION D'UN ORGANISME SANS BUT LUCRATIF

Il existe des ressemblances et des différences fondamentales dans la façon dont les organismes sans but lucratif et les entreprises sont dirigés. Les cadres des deux organisations doivent planifier, organiser, communiquer, mener et contrôler. Toutefois, un examen de l'application de certaines techniques de gestion dans les deux organisations démontre qu'elles peuvent différer énormément.

La première différence importante repose sur l'absence de mesure des bénéfices dans les organismes sans but lucratif, ce qui a des répercussions variées sur la façon d'évaluer ces derniers. On peut préciser toutefois que les deux organisations :

– utilisent des **intrants** du milieu extérieur (information du marché, règlements gouvernementaux, conjoncture économique, progrès technique, préoccupations sociales) et de l'organisation même (personnel, argent, matériel, équipements) ;

– agissent à titre d'**agents de traitement**, c'est-à-dire qu'elles fournissent des services à la faveur de l'utilisation efficace des ressources humaines, techniques, financières et d'information ;

– produisent des **extrants** (information, valeurs économiques, satisfaction).

Ce qui distingue fondamentalement les organismes sans but lucratif de ceux à but lucratif est la façon de les mesurer. Dans une entreprise, les bénéfices constituent une mesure générale d'efficacité, soit le degré auquel une entreprise réalise ses objectifs prévus, et d'efficience, c'est-à-dire le rendement des investissements, ou la relation entre les intrants (investissements) et les extrants (bénéfices). Dans l'organisme sans but lucratif, il est plus difficile de quantifier et de mesurer les extrants ou les effets souhaités.

Une autre différence fondamentale entre ces deux types d'organisations concerne la manière de répartir les responsabilités entre les diverses unités organisationnelles. Les cadres des organisations axées sur les bénéfices sont responsables des bénéfices repérables, et il est plus facile d'imputer à des cadres individuels la responsabilité de leurs gestes. Le processus d'imputabilité n'est pas aussi visible dans les organismes sans but lucratif. Par exemple, les cadres des organismes sans but lucratif divisent le travail parmi des unités administratives. Il est plus facile de répartir des coûts selon les activités ou les postes de dépenses, notamment les salaires, la formation et les déplacements, et par conséquent, plus difficile pour le système d'information comptable de déterminer l'efficacité des cadres responsables d'activités particulières. Le manque de processus d'imputabilité adéquat complique l'introduction de mécanismes de contrôle appropriés, qui mesurent l'efficacité et l'efficience des services rendus.

Une autre différence entre les deux organismes porte sur la capacité de déterminer l'identité véritable du client. Les entreprises déploient beaucoup d'énergie, afin de s'assurer que les produits et services qu'elles offrent répondent bien aux besoins de la clientèle. Dans les organismes sans but lucratif, les bénéfices s'obtiennent en grande partie de sources extérieures, c'est-à-dire des subventions du gouvernement ou d'institutions privées, et des groupes particuliers que l'organisme tente de satisfaire. On peut même alléguer que les employés peu rémunérés et moins instruits, qui travaillent dans des établissements de restauration rapide (où existe un résultat net), traitent leurs clients plus poliment que ne le font les professionnels plus instruits du secteur hospitalier ou scolaire ! En affaires, tout le monde connaît l'importance de conserver la loyauté du client, ce qui n'est pas nécessairement le cas des organismes sans but lucratif.

Une dernière différence entre les deux types d'organisations se rapporte au fait que dans les organismes sans but lucratif, les superviseurs sont souvent appelés administrateurs plutôt que gestionnaires ou dirigeants, en raison de la façon dont ils conçoivent leurs tâches et leurs responsabilités. Un administrateur est une personne qui :

– applique des politiques énoncées par une autre personne ou un autre groupe ;

– exerce peu d'influence sur la détermination ou le changement des politiques de l'organisme ;

– préfère le statu quo et ne prend pas de risques, parce que le pouvoir ou l'autorité sont fondés sur l'énoncé même des politiques et non sur l'administrateur.

Par ailleurs, les gestionnaires se soucient principalement d'efficience, et tentent de **bien faire les choses**. Ils ne feront des changements qu'au besoin. Les dirigeants (leaders) s'intéressent à l'efficacité, c'est-à-dire à **faire les bonnes choses**. On les croit créateurs, innovateurs et très réceptifs au changement[4]. Le tableau 24.2 présente les différences fondamentales entre un administrateur, un gestionnaire et un gestionnaire-leader relativement à la prise de décisions, à la structure organisationnelle, à la résolution de conflits, aux contrôles, à la délégation de pouvoir, à l'utilisation de l'intuition et à la formation d'une équipe.

Même si les organismes sans but lucratif fonctionnent dans un milieu différent et sont considérés comme étant plus difficiles à évaluer, cela ne constitue pas une raison de les diriger moins efficacement. En fait, en raison de la nature de ces organismes, leurs cadres devraient **adapter** les processus et les outils de gestion, afin de les rendre plus efficaces et efficients.

Le reste du présent chapitre traite de certaines techniques utilisées par les organismes sans but lucratif en matière de planification, d'organisation, de direction et de contrôle.

---

4. Traduit de Dale D. McConkey, « Are You an Administrator, a Manager, or a Leader ? », *Inside Guide*, automne 1990, p. 56 (article paru à l'origine dans *Business Horizons*, septembre-octobre 1989).

TABLEAU 24.2
Administrateur, gestionnaire ou leader?

	Administrateur	Gestionnaire	Leader
Prise de décisions	Applique la politique et les règlements	S'en tient à la politique, sauf exceptions dûment justifiées	S'adapte aux circonstances
Efficience et efficacité	Examine chaque détail en profondeur	Fait bien les choses	Fait les bonnes choses
Structure organisationnelle	Bureaucratique à nombreux niveaux	Conventionnelle	Réduite à peu de niveaux
Personnes	Accent sur le contrôle et le temps	Accent sur l'effort d'équipe	Accent sur l'exemple à donner
Changement	Statu quo, sans rien bousculer	À cause d'importantes modifications ou de pression accumulée	Encouragé constamment
Conflits	Évités à tout prix	Gérés s'ils deviennent importants	Reconnus inévitables — s'efforce de les résoudre, afin d'améliorer la situation
Prise de risques	Évitée à tout prix	Minimale acceptée	Planifiée, encouragée
Autorité	Officielle et pouvoir important	Caractéristique du poste	Aussi informelle que possible
Motivation principale	Pouvoir	Pouvoir et réalisations	Réalisations
Délégation	Limitée comme l'autorité	Nettement limitée à la responsabilité confiée	Étendue assortie et peu de contrôle
Contrôles	Intensifs et souvent excessifs	Assortis à la délégation	Minimums afin de diriger
Ressources	Concentration sur les dépenses et non sur le rendement	Tentative de mêler les deux	Concentration sur le rendement
Chronométrage ou heures de travail	De 9 à 5	Selon la charge de travail	Moins importants que les résultats
Voie hiérarchique	Scrupuleusement respectée	Liste détaillée à observer	Observée uniquement pour les lignes de conduite et les problèmes importants
Recours à l'intuition	Minime, observation de la politique	Moyen, adaptation à la réalité	Important, utilisation des données aux fins de contrôle et de l'équilibre
Formation d'équipe	Choix de doubles	Selon les compétences nécessaires au travail	Choix de personnel aux aptitudes complémentaires
Orientations stratégiques	Rares, traitement des enjeux quotidiens à mesure	Axées sur l'amélioration du travail, vu les marchés et mission actuels	Détermination des principales, puis octroi à l'équipe de nouveaux marchés et missions

Source: Traduit de Dale D. McConkey, « Are You an Administrator, a Manager, or a Leader? », *Inside Guide*, automne 1990, p. 56 (article paru à l'origine dans *Business Horizons*, septembre-octobre 1989).

La planification

La planification importe à la réussite des organismes sans but lucratif. L'énoncé en ce qui concerne la mission, les objectifs, politiques, plans stratégiques et opérationnels, programmes, budgets et normes sont certainement des composantes importantes de la gestion des organismes sans but lucratif. La figure 24.1 présente un modèle de planification de base d'un organisme sans but lucratif vu sous deux angles.

Premièrement, on trouve le système organisationnel. Les organismes sans but lucratif fonctionnent comme un système (intrants, agents de traitement, extrants). La figure 24.1 décrit non seulement le fonctionnement d'un système de gestion mais :

1. donne une vision globale du jeu réciproque de l'organisme au sein d'un système socio-économique plus vaste plutôt que d'un système fermé. Une faculté d'une université, un service de police ou le service d'urgence d'un hôpital représentent des exemples d'organismes qui tirent leurs intrants de la société avant que ces derniers soient transformés en services ou en extrants ;

2. met l'accent sur le jeu réciproque des organismes sans but lucratif avec leurs divers milieux ; les forces de ces derniers exercent certainement un effet sur le fonctionnement des organismes sans but lucratif ;

3. montre l'importance du système intégré de gestion devenu un instrument qui offre une information essentielle à la direction, nécessaire afin d'évaluer l'efficacité et l'efficience de l'organisme.

Deuxièmement, on trouve les éléments du processus officiel de planification. La figure 24.1 montre également la relation entre les éléments importants de la planification d'un organisme sans but lucratif. Les paragraphes qui suivent abordent chaque élément.

Les hypothèses de planification

La réussite virtuelle de l'effort de planification de tout organisme sans but lucratif réside dans la façon de déterminer les hypothèses ou les prémisses de la planification. Deux éléments entrent en jeu : le processus même de planification et le type d'information nécessaire aux divers groupes de gestion afin d'exécuter les activités de planification.

Avant de participer à l'effort de planification, les gestionnaires de tous les niveaux doivent d'abord bien comprendre le but de chaque élément et le fonctionnement du processus de planification, puis l'interaction entre toutes les activités et les groupes (fonctionnels et hiérarchiques) qui participent au processus. Plus l'organisme est important, plus le système de planification et l'interaction entre les groupes seront complexes. La mise en œuvre réussit habituellement lorsque les gestionnaires disposent d'un guide de planification, d'instructions détaillées et de formation professionnelle.

L'autre élément des hypothèses de planification a trait à l'information même, souvent divisée en trois catégories :

- l'information sur les attentes des principaux groupes d'intérêt de l'extérieur, tels que les membres, les actionnaires, la société, la collectivité, les fournisseurs et les créanciers ;

- l'information sur les attentes des groupes internes, tels que les cadres supérieurs, intermédiaires et subalternes, les spécialistes et les autres employés ;

- les données sur le rendement passé, présent et futur de l'organisme, et tous les éléments du contexte (social, économique, politique, éthique).

La vision et les valeurs

La planification traite de l'avenir, et façonner un avenir réussi signifie que les cadres supérieurs ont la tâche de se représenter ce que doit

FIGURE 24.1
Un modèle de
planification de base
d'un organisme sans
but lucratif

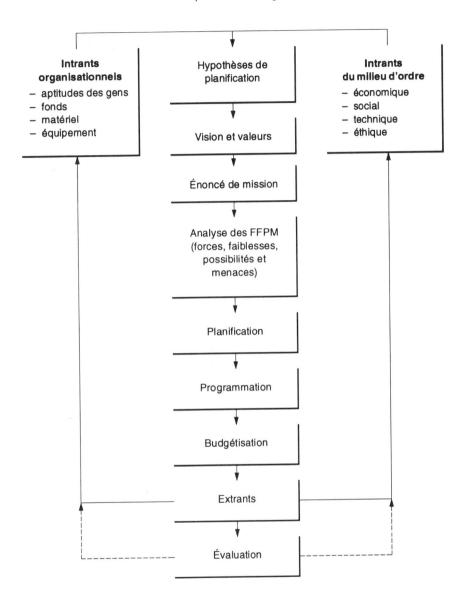

être l'image de leur organisme. Il s'agit d'une importante première étape, avant de jeter sur papier tous les détails des plans et des activités. On parle de **visualisation**, qui consiste en fait à dépeindre d'intéressantes images de l'avenir. La haute direction désire ardemment une vision envers laquelle s'engager. Les réalisations résultent souvent de l'imagination traduite par des mots et des gestes. Rien d'important ne se produit tant qu'une vision n'est pas partagée avec des tiers. Un élément important du processus de planification repose sur la capacité des cadres supérieurs de captiver l'imagination de leurs subordonnés grâce à des énoncés bien articulés, et de leur inspirer leur vision qui habituellement propose un projet excitant, nouveau, différent et meilleur. Le tableau 24.3 présente des exemples de leaders aux visions puissantes.

TABLEAU 24.3
Quelques leaders et leur vision

Leaders	Vision
Winston Churchill	«La victoire de la démocratie sur la tyrannie.»
John F. Kennedy	(au sujet d'un homme sur la Lune) «Ce ne sera pas un seul homme qui ira sur la Lune... ce sera une nation entière.»
Thomas J. Watson, Sr.	«Fabriquer des machines industrielles qui fonctionnent à la vitesse de la lumière.»
Napoléon	«Surpasser la puissance et la gloire de Rome.»
Mahatma Gandhi	«Se libérer de l'intolérance.»
Walt Disney	«Si vous pouvez en rêver, vous pouvez le réaliser.»
Martin Luther King, Jr.	(au sujet de l'égalité pour tous) «Du sommet de chaque montagne, laissez triompher la liberté.»

Organisations	Vision
Northern Telecom	«Vers l'univers numérique intelligent»
Bata	«Le fabricant de chaussures du monde»
Panasonic	«À l'avant-garde du temps»

Intimement liées à la vision se trouvent les **valeurs** et les **croyances** organisationnelles, créatrices de l'énergie qui cimente souvent les groupes. Lorsque les valeurs sont partagées et enchâssées dans le comportement, les attitudes et les relations de travail des employés, elles peuvent produire des résultats positifs et amener les gens à des niveaux d'accomplissement plus élevés. Pour les cadres des organismes sans but lucratif, il est essentiel de découvrir les valeurs intrinsèques qui feront de leur organisme une

réussite. Parmi ces dernières figurent le plus souvent le service, la qualité du produit, l'honnêteté, la confiance, le respect des gens, la fiabilité et la capacité d'innover. Les valeurs partagées donnent un sens au travail et aux relations avec les collègues et les clients.

À Énergie, Mines et Ressources Canada, le bulletin interne[5] énonce les valeurs qui ont cours au sein du ministère :

« La confiance, l'honnêteté, l'équité, la justice et l'intégrité sont à la base de nos relations avec les gens que nous servons, et de nos échanges mutuels.

Nous croyons que :

1. Le service de qualité à nos clients constitue la norme.

   – nous recherchons l'excellence dans nos produits et services ;

   – la pensée créatrice, selon nos connaissances et recherches spécialisées, offre des solutions innovatrices aux défis que nous relevons.

2. **Les gens représentent notre grande force.**

   – on nous encourage, nous appuie et nous donne des possibilités de nous épanouir ;

   – un milieu de travail sain, sécuritaire et convenable est essentiel.

3. **Chaque poste est important.**

   – il faut que nous sachions ce que l'on attend de nous et dans quelle mesure nous nous acquittons bien de notre tâche ;

   – nous reconnaissons le droit à l'équilibre entre le travail et la vie privée. »

L'énoncé de mission

Une fois que la haute direction a imaginé à quoi devait ressembler l'organisme, l'étape suivante du processus de planification consiste à articuler ou à rédiger l'énoncé de mission. Une mission

---

5. Énergie, Mines et Ressources Canada, *Entre Nous*, Ottawa, janvier 1991, vol. 8, n° 9, p. 7.

est un énoncé opérationnel écrit qui donne l'image de la destination future de l'organisme et qui précise ce que celui-ci tente d'accomplir. Cette étape rapproche le rêve de la réalité. Un énoncé de mission fournit un but à un organisme et aide les employés à axer leurs actions sur les priorités et les activités les plus importantes. L'énoncé de mission a de l'importance, car il précise les résultats escomptés et incite les gens à travailler aux mêmes fins. Quelques missions types d'organismes sans but lucratif sont présentées au tableau 24.4.

L'énoncé de mission d'Énergie, Mines et Ressources Canada a paru dans le magazine interne et a été distribué à tous les employés. On peut y lire : « Énergie, Mines et Ressources Canada guidera les Canadiens dans la compréhension de notre vaste territoire, et dans le développement et l'utilisation responsables de nos ressources minières et énergétiques. Nous servons le Canada par l'excellence de nos employés, de nos connaissances et de notre expérience[6]. »

La mission de la Société pour Vaincre la Pollution a été communiquée aux citoyens canadiens au moyen d'une brochure publicitaire de cet organisme : « La mission de la Société pour Vaincre la Pollution consiste à faire en sorte que tous les Canadiens fassent de la protection de l'environnement une priorité d'action. L'organisme s'engage à ce qui suit :

– accroître la qualité et la quantité d'information disponible aux individus et aux établissements à propos des problèmes de l'environnement et la façon de les résoudre ;

– augmenter la participation des individus et des établissements aux solutions de l'environnement ;

– accélérer l'adoption, par les individus et les établissements, de pratiques préventives et curatives en vue d'un environnement sain. »

TABLEAU 24.4
Missions pour organismes sans but lucratif

Organismes	Énoncés de mission
Hôpital	Réconforter les affligés
Guides	Aider les jeunes filles à devenir de jeunes femmes fières, sûres d'elles et dignes
Collège	Transmettre le savoir
Armée du Salut	Faire des citoyens à part entière de ceux que l'on a rejetés

Ces énoncés de mission offrent des principes directeurs qui vont régir l'établissement des plans stratégiques et opérationnels. Principalement, ils déterminent la manière dont les ressources doivent répondre aux différentes demandes et facilitent la détermination des possibilités et des menaces à examiner au cours du processus de planification. Ils encadrent les activités que doivent examiner différentes unités organisationnelles et empêchent les gens de travailler à des plans qui divergent de l'idée maîtresse de l'organisation.

L'analyse des FFPM

Les lettres FFPM correspondent aux mots forces, faiblesses, possibilités et menaces. Cette analyse détermine dans une large mesure les types de stratégies et de plans que le processus de planification fait apparaître.

L'analyse des forces et des faiblesses traite d'auto-analyse et d'auto-évaluation. Avant d'énoncer des plans, il importe à la direction de repérer les **faiblesses** d'exploitation interne (notamment une image médiocre, un service inefficace, des communications déficientes) qui peuvent entraver le rendement. Les **forces** (notamment la qualité de la gestion, une bonne productivité et un bon moral des employés) doivent également

---

6. *Ibidem.*

être examinées, si l'on veut capitaliser sur elles et assurer la réussite de l'organisme.

L'analyse des menaces et des possibilités traite des événements du milieu extérieur, et s'accomplit en partie lors de l'énoncé des hypothèses de planification. Les **menaces** qu'on peut trouver concernent des éléments sociaux et politiques (par exemple, le changement des politiques, des règles et des règlements du gouvernement, ainsi que les nouveaux produits et services offerts par les concurrents). Le processus de planification traite également de la découverte de **possibilités**, et de la façon d'exploiter celles-ci au maximum (par exemple, des subventions accrues du gouvernement, une demande plus importante de services en raison de changements démographiques).

La planification

Comme l'indique la figure 24.1, l'étape suivante du processus concerne la planification qui détermine les buts et l'énoncé de stratégies. Cette activité est davantage axée sur l'action et doit démontrer de quelle façon on entend réaliser la mission de l'organisme. La clarté des objectifs va de pair avec la précision des programmes. Par exemple, les stratégies et les plans d'un musée destiné à la collection et à la conservation seront vraisemblablement différents de ceux d'un musée dont la mission est l'éducation populaire. De même, les objectifs d'une université dont la mission comporte la **recherche** différeront considérablement de ceux d'un collège dont l'activité principale est l'**enseignement**. Il importe que l'énoncé de mission et les objectifs soient étroitement reliés, de façon à assurer l'affectation adéquate des ressources.

Dans le cas d'un hôpital, les priorités et les objectifs généraux types peuvent se répartir ainsi :

Priorités générales

1. Une meilleure intégration de toutes les disciplines qui forment l'équipe des soins de santé,

afin d'offrir la meilleure qualité de vie aux patients en phase terminale.

2. Une meilleure collaboration avec les établissements d'enseignement.

Objectifs généraux

1. L'amélioration de la qualité de vie et l'utilisation optimale du potentiel de rétablissement des patients par l'offre de services sociaux et de soins physiques, psychologiques et spirituels, destinés à soulager toute forme de douleur et à donner de l'espoir aux malades et un sens à leurs souffrances.

2. La collaboration avec les universités et les collèges de la région afin de favoriser l'expérience clinique des étudiants inscrits aux programmes officiels de médecine, de soins infirmiers et paramédicaux.

La programmation

Une fois l'énoncé de mission défini et les priorités et les objectifs généraux établis, la phase suivante du processus de planification consiste à trouver différentes façons d'accomplir les tâches. Essentiellement, la programmation traduit les objectifs stratégiques en plans d'action chronophasés, c'est-à-dire les moyens et les ressources (intrants) nécessaires pour atteindre les résultats escomptés (extrants). Par exemple, les administrateurs d'un hôpital auront à déterminer les mesures à mettre en œuvre afin d'offrir des soins aux personnes malades ou blessées, et d'ouvrir un centre des grands brûlés. Dans le cas d'une université, il s'agira de modifier ou d'introduire un nouveau grade (baccalauréat, maîtrise, doctorat), et une galerie d'art devra planifier de réserver deux semaines à l'exposition des œuvres d'un artiste. Un théâtre devra assurer la promotion d'une nouvelle pièce, et une clinique d'hygiène mentale aura à déterminer différents programmes tels que les services cliniques, communautaires, de déficience mentale, de réadaptation et de recherche. La programmation ne vise pas nécessairement à examiner les ressources nécessaires à l'accomplissement des tâches, mais plutôt les questions suivantes :

- Quelles sont les solutions de rechange disponibles afin d'atteindre les objectifs ?

- Les ressources existantes (ou supplémentaires) suffisent-elles à créer de nouvelles tâches ?

- Quelles fonctions organisationnelles sont nécessaires à la mise en œuvre des nouveaux programmes ?

- Quels objectifs réaliseront ces tâches ?

- Dans quelle mesure ces tâches seront-elles efficaces ?

- Quelles personnes au sein de l'organisme seront responsables de la mise en œuvre de ces activités ?

- Quels sont les avantages (ou les répercussions) de décider de ne pas mettre en œuvre ces activités ?

La budgétisation

L'étape suivante du processus de planification fait appel à la traduction des programmes en termes quantifiables, ou en budget. Les programmes recoupent souvent différents centres de responsabilités, ce qui ne facilite pas la tâche de préciser la charge et l'imputabilité de la gestion de chaque programme. Souvent, des organismes tels que les hôpitaux et les universités ne modifieront pas leur structure organisationnelle afin de relier la mise en œuvre d'un programme à la responsabilité de gestion. Par exemple, tant les médecins que les infirmières d'un hôpital sont responsables d'un programme de soins de santé, et rendent souvent compte à des gestionnaires différents. Un processus de budgétisation efficace tente d'aborder trois zones de problèmes éventuels, soit :

- déterminer la chronologie des ressources exactes nécessaires à la mise en œuvre du programme ;

- assurer que les frais répartis à divers programmes ne dépassent pas les sommes totales prévues au budget (contrôle d'exploitation) ;

- imputer aux gestionnaires la responsabilité de leurs activités (si les programmes et les objectifs recoupent les responsabilités organisationnelles, on peut lier les budgets à des gestionnaires individuels).

Les extrants - productivité

Un des principaux problèmes de la gestion des organismes sans but lucratif repose sur la difficulté de mesurer la productivité organisationnelle. Dans les organisations du secteur privé, les bénéfices constituent un élément important et mesurable ; un tel facteur est absent dans les organismes sans but lucratif. Si ceux-ci veulent atteindre un niveau supérieur de rendement en dépit de ressources réduites, les gestionnaires n'ont d'autre choix que de mettre au point un moyen de mesurer la productivité et l'efficacité de l'organisme et des employés, et d'en rendre compte. On constate de plus en plus que gérer la productivité est essentiel à une gestion efficace des ressources de ces organismes et à la prestation de services de niveau supérieur.

Puisque la productivité combine efficacité et efficience, les gestionnaires doivent examiner si les résultats escomptés (efficacité) sont atteints et déterminer si les ressources nécessaires en vue d'arriver à ceux-ci (efficience) sont adéquates. Le ratio de ces deux éléments donne un indice de productivité calculé comme suit :

$$\text{indice de productivité} = \frac{\text{extrant obtenu}}{\text{intrant dépensé}}$$

$$\frac{\text{rendement réalisé}}{\text{ressources utilisées}} = \frac{\text{efficacité}}{\text{efficience}}$$

Évidemment, une des données préalables à la mesure de la productivité organisationnelle consiste à déterminer aussi exactement que possible les extrants et les intrants. L'absence de ces deux dimensions empêche de gérer les efforts de productivité prévus, ce qui est particulièrement important pour les organismes sans but lucratif. Comme l'indique la figure 24.2, le processus de la productivité se compose de trois éléments, soit les intrants (ressources), le système qui les transforme (l'organisme) et les extrants (services). Le tableau 24.5 présente des indicateurs d'efficience et d'efficacité types d'un hôpital.

TABLEAU 24.5
Indicateurs d'efficience et d'efficacité d'un hôpital

Efficience	Efficacité
Coût d'une radiographie	Délai d'une admission
Coût d'admission par patient	Nombre de plaintes
Coût d'un repas	Satisfaction des clients
Coût de nettoyage d'une livre de linge	Nombre de plaintes

La figure 24.2 indique le processus de productivité d'un hôpital dont la mission consiste à offrir des soins aux personnes malades et blessées par l'entremise d'un personnel spécialisé.

L'évaluation

La phase finale du mode de gestion est l'évaluation, qui est une activité destinée à s'assurer que les objectifs et les plans ont été exécutés de la manière prescrite. La mesure de la productivité prend tout son sens lorsque les gestionnaires peuvent déterminer si les ressources sont bien utilisées et si les services satisfont aux normes. Fondamentalement, l'évaluation constitue un effet de rétroaction qui permet aux décideurs d'adapter leurs plans. Il existe deux types d'effets de rétroaction. D'abord, les **effets de rétroaction positifs** traitent de la découverte de façons innovatrices de mieux utiliser les ressources organisationnelles et d'améliorer la qualité des services. Ensuite, les **effets de rétroaction négatifs** servent à modifier l'équilibre existant entre les intrants et les extrants. Par exemple, s'il faut améliorer la qualité des services (efficacité), il se peut qu'on doive changer la façon de répartir les ressources (efficience).

L'absence de l'activité d'évaluation compliquerait certainement les tâches d'établir le niveau de ressources approprié et nécessaire à la prestation de nouveaux services, de savoir combien l'on pourrait épargner si les services existants étaient réduits ou éliminés, ou encore de connaître le coût d'expansion des activités existantes.

La gestion d'un organisme sans but lucratif à l'aide d'un mode de planification rigoureux, tel que celui de la figure 24.1, présente les principaux avantages suivants[7] :

- Traduire les buts élevés en actions concrètes.

- Contribuer à déterminer les priorités et à mieux affecter les ressources limitées.

- Rappeler aux gestionnaires qu'une organisation efficace découle de buts bien établis.

- Avertir les gestionnaires du besoin constant d'analyser, d'évaluer et d'expérimenter, afin de voir ce qui fonctionne vraiment avant de lancer un nouveau programme.

- Souligner l'importance de la rétroaction dans le processus de planification.

- Rappeler aux gestionnaires d'examiner périodiquement leur milieu, afin d'y déceler de nouvelles menaces et possibilités.

- Inciter les gestionnaires de tous les niveaux de l'organisation à communiquer régulièrement entre eux à propos des buts, des solutions de rechange et de l'affectation des ressources.

7. Traduit de Grover Starling, *Managing the Public Sector*, Homewood (Illinois), The Dorsey Press, 1982, p. 201-202.

FIGURE 24.2
Le processus de la productivité dans les hôpitaux

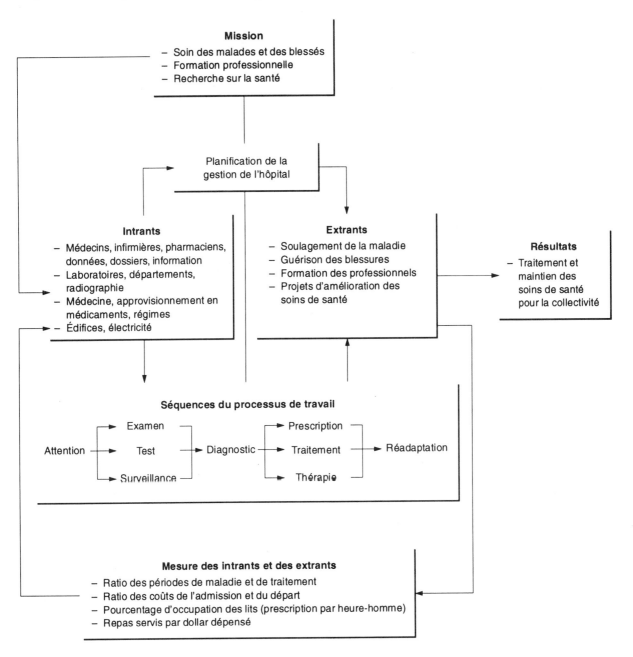

Source : Traduit de Paul Mali, *Improving Total Productivity : MBO Strategies for Business, Government, and Not-For-Profit Organizations*, New York, A Wiley-Interscience Publication, 1978, p. 48.

UN POINT DE VUE

*Esther Wachtell, présidente,
The Music Centre of Los
Angeles*

La planification

En 1988, The Music Centre of Los Angeles a entrepris une étude et une analyse d'un an du centre et des troupes permanentes qu'il abritait. Dirigée par un comité de planification à long terme qui comprenait des gens d'affaires en vue de la ville, cette analyse exhaustive a examiné les besoins sans cesse croissants et changeants de la collectivité, la réponse à ces besoins (en 1990 seulement, les services se sont accrus au rythme de 20 p. 100), ainsi que les défis que pose l'avenir. Un ambitieux plan quinquennal de financement a été élaboré, afin d'obtenir les ressources nécessaires pour satisfaire la demande de la population croissante et diversifiée du sud de la Californie.

La campagne de 1991 visait une augmentation de 15 p. 100 des ressources qui passeraient de 15,3 à 17,6 millions de dollars entre 1990 et 1991, afin que le centre accommode la croissance constante des auditoires et des services, en plus de maintenir l'excellence de la qualité des représentations.

Les ingrédients clés de la réussite d'une telle stratégie de campagne de financement sont les suivants :

Une campagne de marketing   Il faut d'abord vendre l'organisme, et la campagne doit être tout aussi efficace et pénétrante que celle des autres gens d'affaires, avant de brosser un vaste tableau à l'intention de l'équipe de vente et d'inciter les gens à l'action.

La motivation est essentielle   Les responsables d'une campagne de financement doivent se sentir à l'aise de vendre le produit. Il faut qu'ils soient complètement convaincus de ce qu'ils font et que chacun de leurs gestes vise à expédier une équipe enthousiaste et motivée sur le terrain en vue de la vente au public.

Tous les trucs sont permis   On doit utiliser les outils de tout genre afin d'attirer l'attention des souscripteurs : une fondation, les sollicitations familiales, individuelles et auprès des sociétés, les entreprises commanditaires, le courrier, le télémarketing, le soutien des bénévoles de la collectivité dans son ensemble, les événements spéciaux, les ventes au détail, un bureau de conférences et les programmes de déplacements.

Établir une cible de 60 000 donateurs éventuels   Selon un plan de marketing très précis, chaque donateur éventuel fait l'objet d'une approche personnalisée, à l'aide d'un ou des outils mentionnés ci-dessus (par exemple, une lettre, un appel ou une réunion).

Le cours de base en matière de campagne de financement   Tous les bénévoles doivent assister à des conférences qui leur expliquent notamment le but de chaque campagne de financement, les organismes de soutien disponibles, les avantages des donateurs et les nouvelles lois fiscales.

Autrement dit, on fournit aux bénévoles tous les outils et les connaissances de soutien nécessaires afin de présenter leur cause aux donateurs éventuels.

La méthode des pairs   Il importe de travailler avec un groupe choisi de leaders d'entreprises et de la collectivité qui, avec les outils qu'on leur remet, sollicitent des dons dans leur propre sphère d'influence.

De généreux nouveaux venus   «Courtiser» les nouveaux venus par l'intermédiaire de leur propre groupe de pairs représente un élément clé de la mobilisation de contributions importantes. Par exemple, notre section d'entreprises japonaises consiste en 12 équipes distinctes qui englobent à peu près tout, qu'il s'agisse de fabricants de voitures, de matériel électronique ou de services financiers.

L'envergure des organismes   Le calibre des bénévoles peut constituer l'un des facteurs les plus importants de la réussite d'une campagne. Non seulement faut-il les attirer, mais aussi les garder.

Les organismes réservés   Ces organismes peuvent jouer un rôle de premier plan en matière d'éducation, grâce au financement sous forme de prix et de concours de bourses d'études. Par exemple, Blue Ribbon commandite 32 000 élèves de cinquième année qui donnent une représentation annuelle au Music Centre of Los Angeles.

Source: Traduit de Esther Wachtell, «Using All The Fund-Raising Tools», *Fund Raising Management*, août 1991, p. 23.

L'organisation

La fonction d'organisation doit être intégrée à la fonction de planification, si l'organisme veut atteindre ses objectifs de la manière la plus efficace et la plus efficiente. Si les gestionnaires et les employés doivent collaborer à la mise en œuvre de leurs plans stratégiques et opérationnels, il faut qu'ils comprennent bien leurs rôles et responsabilités, ainsi que la manière dont ils sont liés les uns aux autres et à l'organisme. L'organisation traite 1) du regroupement des activités nécessaires en vue d'atteindre les objectifs organisationnels, 2) de l'affectation des tâches aux gestionnaires et de la détermination du niveau de responsabilité et d'autorité qu'il leur faut pour mettre en œuvre leurs plans et superviser leurs unités organisationnelles, et 3) de la coordination horizontale et verticale de toutes les unités administratives de la structure.

Dans son ouvrage *Organization Revolution*, G. Skibbins[8] a présenté plusieurs structures qui indiquent le fonctionnement des gens au sein d'une organisation. Ces différents modes de fonctionnement vont de l'organisation du leader et de l'exécutant à l'organisation organique.

L'organisation du leader et de l'exécutant

Cette structure particulière place le gestionnaire au centre et les exécutants à la périphérie. Les gestionnaires ne décident pas de la modification des structures. Selon le sociologue allemand Max Weber, cette structure d'autorité formelle et militaire produit trois types d'autorité légitime: l'autorité légale qui est associée au droit légitime

---

8. Traduit de G. Skibbins, *Organizational Revolution*, New York, AMACOM, division de American Management Association, 1975.

[annotation manuscrite: À l'instar de — following the example of, fashion =]

d'un gestionnaire d'exercer son pouvoir, l'**autorité traditionnelle** associée au pouvoir exercé par les rois, les parents et les officiers responsables de l'application de la loi, et l'**autorité charismatique** qui implique de la part des exécutants une dévotion entière envers leur leader.

L'organisation en mosaïque

Cette structure intègre des unités organisationnelles vaguement reliées. En vertu de cette structure, les gestionnaires sont responsables de leurs unités organisationnelles respectives, jouissent d'un certain degré d'autonomie et sont liés moralement par quelques éléments de buts communs. Comme dans l'organisation du leader et de l'exécutant, les gestionnaires de la structure en mosaïque n'ont pas d'influence sur leur milieu de fonctionnement ni sur les changements de technique ou de système, et éprouvent des difficultés à modifier leur entourage. Des structures organisationnelles en mosaïque types sont, par exemple, l'ONU, l'OTAN, la CEE, les entreprises d'avocats et les universités.

L'organisation pyramidale

Cette structure symbolise le système hiérarchique classique et souligne l'importance de la relation entre le supérieur et le subordonné. L'organisation pyramidale peut être illustrée par une structure bureaucratique où l'on trouve :

- une division nette de la main-d'œuvre, fondée sur la spécialisation fonctionnelle ;

- une hiérarchie bien définie du pouvoir ;

- un ensemble de règles qui régissent les droits et les devoirs des gestionnaires et des employés ;

- un régime de procédures détaillées qui traitent des situations de travail ;

- des relations impersonnelles entre les gens ;

- un processus de sélection et de promotion qui se fonde sur les compétences techniques.

En vertu de ce type de structure, les gestionnaires ont aussi de la difficulté à réagir avec efficacité aux changements techniques, et ils n'apportent qu'une contribution limitée à la modification des structures. Les organisations pyramidales types se trouvent dans la plupart des ministères, les entreprises de services publics et de transport, les banques, les organismes religieux et les systèmes d'instruction publique.

L'organisation en conglomérat

[annotation manuscrite: = assemblée de hiérarchies unies au sommet seulement]

Cette structure assemble des unités organisationnelles distinctes en un tout concerté. À l'instar des organisations gouvernementales où chaque ministre détient l'autorité sur son ministère, il existe une autorité légitime qui prédomine sur la structure pyramidale en entier (des organismes centraux comme le Conseil du Trésor et la Commission de la Fonction publique, par exemple). Toutefois, en général, on tente de décentraliser le niveau d'autorité au sein de la hiérarchie organisationnelle. Ce type de structure était inévitable lorsque sont apparues les organisations à grande échelle du secteur privé (General Motors, Bell Canada) et du secteur public (les ministères du gouvernement fédéral). Les organisations en conglomérat ressemblent à une assemblée de hiérarchies unies au sommet seulement. En vertu de cette disposition, les gestionnaires jouissent également d'une certaine souplesse, afin d'adapter les progrès de la technique et du système, et de modifier leurs structures organisationnelles.

L'organisation organique

Cette structure est un réseau libre mais étroitement uni de systèmes individuels (tout comme l'organisme humain), dont chacun tend à s'épanouir dans un milieu favorable de croissance. Les gestionnaires de ces organisations jouissent d'une liberté de communication relative (latérale et horizontale), particulièrement avec le milieu qui encadre le système. Les adeptes des structures organiques suggèrent qu'en raison des rapides changements du milieu, il s'agit du seul type de structure qui rendra les organisations de demain efficaces et qui contribuera à réaliser leurs visions et leurs objectifs. En vertu de cette structure, la spécialisation est faible, et il n'existe pas de limites de travail clairement définies. En voici les caractéristiques de fonctionnement principales : les individus décident de leurs propres méthodes de travail, les membres du groupe visent des buts, l'autorité et le contrôle se fondent sur l'engagement commun, l'interaction est latérale, la communication est axée sur les conseils et l'information, la loyauté converge vers le groupe, et le prestige provient de la liberté personnelle. Aujourd'hui, les sociétés les plus admirées, comme Merk, Rubbermaid, 3-M, Générale Électrique, Wal-Mart et Procter & Gamble, affichent les caractéristiques de cette structure.

La direction

La direction des organismes sans but lucratif est tout aussi essentielle que celle des organismes axés sur les bénéfices. Les exécutants des deux types d'organisations ont les mêmes besoins individuels et organisationnels. Afin d'assurer l'efficacité de ces organisations, les gestionnaires doivent former des équipes loyales, comprendre la dynamique de l'organisation, se concentrer sur les lignes de conduite qui produisent de bons résultats, mobiliser les ressources, satisfaire aux besoins des employés, trouver des façons de multiplier leurs capacités, insister sur les compétences créatrices et innovatrices des gens, inspirer confiance, défier le statu quo, et faire preuve d'assez de souplesse pour changer de parcours lorsque le milieu évolue très rapidement.

Au cours des 10 dernières années, de nombreuses études se sont efforcées de brosser le tableau de ce que les exécutants attendent de leur leader. Ces employés ont souvent eu à répondre à la question : « Quelles sont les valeurs que vous recherchez et admirez chez votre supérieur ? » Les études ont dénombré plus de 225 valeurs, qualités et caractéristiques, dont les plus souvent mentionnées sont : honnête, compétent, tourné

vers l'avenir, stimulant, intelligent, objectif, ouvert, direct, imaginatif, fiable, solidaire, courageux, attentionné, coopératif, mûr, ambitieux, déterminé, maître de soi, loyal et indépendant[9].

Dans leur ouvrage *The Leadership Challenge : How to Get Extraordinary Things Done in Organizations*, Kouzes et Posner ont déterminé les pratiques de direction suivantes, communes à tous les leaders qui réussissent[10] :

1. Ils défient continuellement le processus par la créativité, l'innovation et la réorganisation, qui entraînent toutes un changement du statu quo.

2. Ils expérimentent en prenant des risques et en apprenant des erreurs qui en résultent ; ils désirent ardemment provoquer les événements en se tournant vers l'avenir et en inculquant à leurs exécutants leurs idéaux, mais par-dessus tout, ils croient passionnément au changement amené par les gens.

3. Ils permettent aux autres d'agir en favorisant la collaboration, la formation d'équipes et en habilitant les autres.

4. Ils sont capables de rallier les autres à une vision commune en faisant appel à leurs valeurs, à leurs intérêts, à leurs espoirs et à leurs rêves. Ils peuvent amener les autres à agir, parce qu'ils se rendent compte que les réalisations extraordinaires exigent un climat de confiance et le respect de la dignité humaine.

9. W.H. Schmidt et B.Z. Posner, *Managerial Values and Expectations : The Silent Power in Personal and Organizational Life*, New York, American Management Association, 1982. B.Z. Posner et al., « Shared Values Make a Difference : An Empirical Test of Corporate Culture », *Human Resource Management*, 1985, 24 (3), p. 293-309. B.Z. Posner et W.H. Schmidt, « Values and the American Manager : An Update », *California Management Review*, 1984, 26 (3), p. 202-216. B.Z. Posner et W.H. Schmidt, « Values and Expectation of Federal Service Executives », *Public Administration Review*, 1986, 46 (3), p. 447-454.

10. J.M. Kouzes et B.Z. Posner, *The Leadership Challenge : How to Get Extraordinary Things Done in Organizations*, San Francisco, Jossey-Bass Publishers, 1987, p. 14.

5. Ils suscitent la collaboration en faisant valoir les buts généraux et en instaurant la confiance.

6. Ils renforcent les autres en partageant l'information et le pouvoir, et en augmentant leur liberté d'agir et leur visibilité.

7. Ils donnent l'exemple aux autres en se comportant conformément aux valeurs énoncées.

8. Ils planifient de petites victoires qui favorisent le progrès constant et l'engagement.

9. Ils reconnaissent l'importance de la contribution individuelle à la réussite de chaque projet.

10. Ils célèbrent régulièrement les réussites d'équipes.

Le contrôle

Les activités reliées au contrôle des organismes sans but lucratif sont semblables à celles que l'on trouve dans les organismes axés sur les bénéfices. Les gestionnaires responsables à différents niveaux de la hiérarchie organisationnelle doivent recevoir mensuellement des rapports qui indiquent le rendement de leurs unités organisationnelles, comparativement aux plans et aux budgets. Ces rapports établissent habituellement la comparaison entre le rendement mensuel et le cumul de l'année, et les budgets. Un élément clé apparaît dans les rapports des organismes sans but lucratif, mais non dans ceux des entreprises. Il porte le nom d'**engagements** et correspond aux fonds engagés par une unité organisationnelle dans une activité particulière, sans être encore dépensés. Ce type de rapport importe particulièrement aux organismes qui désirent imputer à leurs gestionnaires la responsabilité de l'utilisation des fonds. Les hôpitaux et les universités ont souvent recours aux engagements. Lorsqu'il est bien utilisé, ce système ajoute plus de contrôle à l'utilisation des décaissements. Par exemple, le directeur d'une bibliothèque peut disposer d'un budget de 100 000 $, afin d'acheter des livres au cours d'un exercice donné. Au premier trimestre, le directeur de la bibliothèque peut avoir dépensé 75 000 $ et engagé 20 000 $ à l'achat de livres. Dans ce cas, il sait que 95 000 $ de son budget sont utilisés, et qu'il ne reste que 5 000 $ pour acheter des livres jusqu'à la fin de l'exercice.

Un mécanisme efficace de contrôle du budget doit indiquer les écarts des résultats monétaires et non monétaires. L'analyse des écarts permet aux gestionnaires des centres de responsabilités de modifier leur budget original, et de réduire ou d'accroître les activités planifiées.

LES OUTILS DE GESTION DES ORGANISMES SANS BUT LUCRATIF

Au cours des dernières décennies, un nombre considérable de techniques de gestion ont été mises au point afin de diriger plus efficacement les organisations modernes. De nombreux outils qu'utilisent les organismes sans but lucratif ont été empruntés aux entreprises, et d'autres ont été conçus spécialement pour eux[11]. Le tableau 24.6 présente des exemples de caractéristiques de la budgétisation sans but lucratif.

Les outils adaptés d'organismes du secteur privé

Les outils de gestion les plus populaires utilisés par les entreprises et adaptés aux organismes sans but lucratif sont la comptabilité d'un centre de responsabilités, la méthode des coûts et le budget variables, les normes de coûts et de rendement, la mesure du travail et la déclaration du temps.

La comptabilité d'un centre de responsabilités

Ce modèle se fonde sur l'hypothèse que les gestionnaires sont responsables et doivent rendre

---

11. J.R. Birkofer *et al.*, *ibidem*, p. 634-637.

TABLEAU 24.6
Les caractéristiques de la budgétisation des organismes sans but lucratif

1. La planification budgétaire
Pour l'organisme sans but lucratif, l'absence de bénéfices renforce le besoin d'énoncer les priorités avant d'établir le budget.

2. La budgétisation des revenus
Les organismes sans but lucratif éprouvent des difficultés particulières à reconnaître les revenus, et à les inscrire au budget.

3. La budgétisation des dépenses
En préparant et en utilisant les budgets de dépenses, les organismes sans but lucratif ont souvent de la difficulté à faire correspondre les dépenses de la prestation de services aux revenus qui soutiennent ces services.

4. La mesure de l'efficacité et du contrôle
La plupart des organismes sans but lucratif éprouvent des difficultés à mesurer leur efficacité relativement à l'atteinte des niveaux de service prévus.

5. L'adaptabilité du budget
Les budgets des organismes sans but lucratif sont souvent difficiles à modifier, une fois établis. D'année en année, les affectations du budget tendent à être déterminées selon la budgétisation différentielle.

6. La participation au budget
Le processus de budgétisation des organismes sans but lucratif fait appel à des participants dont les antécédents et les objectifs sont variés.

7. La structure organisationnelle sans but lucratif
Les structures organisationnelles sans but lucratif entravent souvent l'élaboration d'une budgétisation efficace.

8. La pratique comptable sans but lucratif
Les règlements et pratiques comptables des organismes sans but lucratif peuvent réduire l'utilité de l'information budgétaire.

9. Les exigences du public en matière de déclaration
Les exigences en matière de déclaration à des parties de l'extérieur influencent souvent les pratiques internes de budgétisation des organismes sans but lucratif.

Source: Traduit de J.R. Birkofer, «*Budgeting in Nonprofit Organizations*», dans Handbook of Budgeting, H.W.A. Sweeny et R. Rachlin, New York, Ronald Press Publication, 1981, p. 597.

compte de la préparation, de la gestion et du contrôle de leur budget. Les organismes sans but lucratif ont emprunté des systèmes d'information comptable aux entreprises, afin de mieux diriger leurs centres de revenus, de dépenses, de profits et d'investissements. Par exemple, l'organisation de la campagne de financement d'une université peut être considérée comme étant un centre de revenus (tout comme sa contrepartie, le marketing, dans une organisation à but lucratif), tandis que le bureau du registraire, qui ne dispose d'aucune source de revenus, pourrait être désigné comme étant un centre de dépenses, parce que le traitement des inscriptions des étudiants occasionne des frais. Si la comptabilité du centre de responsabilités doit être efficace, chaque centre doit définir sa mission, ses extrants et des indices de mesure (efficacité et efficience).

La méthode des coûts variables et le budget

Cette technique sert aux centres de responsabilités qui peuvent regrouper leurs dépenses selon qu'elles sont fixes ou variables. Par exemple, le budget de l'unité de service alimentaire d'un hôpital comprend des frais fixes comme les locaux à louer, l'amortissement et les salaires de la direction, tandis que les coûts variables ont trait à l'achat de nourriture. Le même principe s'applique aux unités administratives où existe le volume de production, et couvre par exemple, les écritures nécessaires à l'admission d'un patient à l'hôpital, au collège ou à l'université, relativement à l'utilisation d'un ordinateur ou aux coûts reliés aux soins des patients d'un hôpital.

Les normes de coûts et de rendement

Un système d'information comptable qui soustrait les coûts d'exploitation fixes du total des coûts peut aider les gestionnaires à établir des normes de rendement organisationnel. Si l'on peut préciser le coût unitaire de la prestation d'un service (par exemple, le coût du traitement d'une inscription ou d'un repas), on peut alors facilement comparer les coûts d'exploitation actuels aux coûts d'origine ou du budget. L'analyse de la courbe des coûts permet d'effectuer une étude des interactions coût–volume–bénéfice aux fins de contrôle et de budgétisation. Dans le cas d'une université ou d'un collège, par exemple, les bénéfices de l'équation sont à la fois fixes et variables. Les frais de scolarité varient relativement au nombre d'étudiants admis, tandis que les dons, les subventions et les contrats ne relèvent pas de l'inscription. L'autre côté de l'équation indique les coûts fixes et variables. L'établissement des coûts standard permet à l'organisme d'analyser le seuil de rentabilité et de déterminer la relation entre les bénéfices (volume et prix unitaire) et les coûts (fixes et variables).

La mesure du travail

La méthode des coûts variables et les normes de coûts aident les gestionnaires des organismes sans but lucratif à effectuer des études d'ingénierie, que l'on appelle couramment la mesure du travail. Celle-ci permet aux gestionnaires de relier les intrants aux extrants. Le rendement peut se mesurer relativement :

– au coût unitaire (par exemple, le coût du traitement d'une inscription) ;

– au coefficient de travail (par exemple, le nombre de minutes consacrées au traitement d'une inscription) ;

– aux indices de productivité (par exemple, le nombre d'inscriptions quotidiennes, hebdomadaires, mensuelles ou annuelles qu'un agent peut traiter).

La déclaration du temps

Cette technique sert surtout dans les unités administratives où les services sont offerts par des spécialistes (par exemple, le contentieux ou le service de la comptabilité). Ainsi, ce système permet de minuter le temps qu'un avocat ou un comptable consacre à une tâche demandée par

un client. Cette méthode est aussi utilisée par les professeurs et les médecins.

Les outils conçus à l'intention des organismes sans but lucratif

Les deux modes de planification et de budgétisation les plus populaires mis au point à l'intention des organismes sans but lucratif sont la rationalisation des choix budgétaires (RCB) et le budget à base zéro (BBZ).

La rationalisation des choix budgétaires

Cette méthode a été conçue à l'intention de l'aviation américaine par la Rand Corporation, et mise en œuvre par le ministère de la Défense en 1961. En raison de sa réussite, elle a ensuite été introduite dans tous les ministères et les organismes du gouvernement américain en 1965, et l'euphorie entourant la RCB a amené certains spécialistes de la gestion à la qualifier d'amélioration de la gestion la plus importante de son histoire. La méthode a également reçu l'accueil favorable des administrations fédérale, provinciales et municipales du Canada, ainsi que des organismes sans but lucratif. L'idée directrice consiste 1) à préciser les objectifs (plutôt que les activités), 2) à établir les coûts de chaque programme qui répondra le mieux aux objectifs (après avoir vérifié diverses solutions grâce à l'analyse coûts–avantages), 3) à choisir les programmes les plus économiques, 4) à affecter les ressources nécessaires à la mise en œuvre de chaque programme, et 5) à évaluer les résultats réels des programmes.

La méthode de RCB a été très appréciée du fait que les administrateurs pouvaient se concentrer sur les objectifs plutôt que sur les activités et n'affectaient pas les ressources simplement en fonction de l'objet des dépenses (par exemple, les salaires, les déplacements, la formation, la communication). Le succès de la RCB a diminué, lorsque les gestionnaires ont découvert qu'ils avaient de la difficulté à déterminer leurs objectifs et tous les coûts correspondants.

Le budget à base zéro

Le succès qu'a connu la RCB dans les années 1960 correspond à celle du budget à base zéro (BBZ) dans les années 1970. Ce mode de gestion a d'abord été utilisé par une importante entreprise électronique américaine, Texas Instruments, afin de réduire les coûts d'exploitation. Les agences et les ministères du gouvernement ont ensuite adopté ce mode, car il obligeait les gestionnaires à justifier leurs demandes budgétaires à compter de zéro, plutôt que de recourir à la budgétisation différentielle. Cette dernière suppose que par le passé, tout a été fait de manière économique et efficiente, et que la seule exigence consiste à accroître le budget de l'année précédente afin de tenir compte de l'inflation, du volume additionnel et des nouvelles activités. Le BBZ a obligé les gestionnaires à répondre aux questions suivantes :

– L'activité est-elle vraiment nécessaire ?

– Si tel est le cas, peut-on l'effectuer de manière plus économique ?

– Cette activité doit-elle être restreinte, maintenue ou accrue ?

– Peut-on l'accomplir de manière plus efficiente ?

– Comment cette activité est-elle reliée aux objectifs généraux et aux priorités de l'organisation ?

Le BBZ consiste en trois étapes :

Étape 1 Chaque division est considérée comme étant une unité décisionnelle où toutes les activités sont examinées à titre d'indices d'extrants et de mesure (efficience et efficacité).

Étape 2 Chaque gestionnaire doit établir son budget à l'aide de descriptifs décisionnels, c'est-à-dire en liant les ressources à des services déterminés reconnaissables.

Étape 3 Chaque descriptif décisionnel est classé par ordre d'importance.

UN ENJEU COMMERCIAL ACTUEL

La budgétisation

Mesurer l'extrant et non l'intrant Les pires budgets établissent seulement des cibles de coûts, ce qui amène les gestionnaires à contrôler ce que leur organisme dépense et à ignorer ce qu'il gagne. Selon Jason S. Schweizer, professeur à l'American Graduate School of International Management de Thunderbird, il est plus facile de contrôler les encaissements que les éléments tels que les pertes et profits. Mais la simplicité est coûteuse, car cette notion amène une organisation à gérer de l'intérieur, valorise les règles plus que l'initiative et peut mener les vérificateurs à enquêter sur chaque léger écart de budget d'un service.

Mais pas chez Emerson Les bénéfices, et non les dépenses, sont la mesure clé, ce dont tient compte l'exploitation dans toute l'étendue de l'organigramme. Par conséquent, selon le président Al Suter, si le directeur d'une division a l'occasion d'obtenir une part de marché, il peut aller acheter tout l'acier qu'il lui faut. Il ne rend de comptes à personne.

Qu'en est-il des services comme la recherche et le développement, la facturation ou le personnel, qui ne comportent que des dépenses et pas de revenus? Il leur faut d'autres mesures pertinentes de rendement, telles que le pourcentage des ventes de l'entreprise qui proviennent de nouveaux produits, l'ancienneté des créances et le roulement des employés. Bien conçues, ces mesures préviennent les «liposuccions» fantaisistes et motivent également les unités de personnel à appuyer plutôt qu'à entraver les unités opérationnelles.

Source: Traduit de Thomas A. Stewart, « Why Budgets are Bad for Business », *Fortune*, 4 juin 1990, p. 182.

RÉSUMÉ

Sommaire

1. Les organismes sans but lucratif comprennent les universités, les écoles, les collèges, les associations commerciales et professionnelles, les conseils, les groupes d'intérêt public ou religieux, et existent en vue de répondre aux besoins très précis de certains groupes de la société.

2. On peut regrouper les organismes sans but lucratif en deux catégories: les organismes axés sur le public, qui offrent des types de services particuliers à des groupes précis de la société, et les organismes axés sur les membres, comme les associations professionnelles et commerciales, qui offrent des services aux membres qui paient des cotisations annuelles.

3. Il existe des ressemblances et des différences fondamentales dans la façon dont les gestionnaires des organismes sans but lucratif et des entreprises planifient, organisent, dirigent et contrôlent. Les éléments du processus de planification des organismes sans but lucratif comprennent les hypothèses de planification, la vision et les valeurs, l'énoncé de mission, l'analyse des FFPM, les priorités et les objectifs, la programmation, la budgétisation, les extrants et l'évaluation. Les organismes sans but lucratif peuvent avoir différentes organisations: leader et exécutant, en mosaïque, pyramidale, en conglomérat ou organique. Les fonctions de direction et de contrôle des organismes sans but lucratif sont tout aussi importantes que celles des entreprises à but lucratif.

4. Les outils de gestion empruntés au secteur privé et adaptés aux organismes sans but lucratif sont: la comptabilité d'un centre de responsabilités, la méthode des coûts variables et le budget, les normes de coûts et de rendement, la mesure du travail et la déclaration du temps. Les outils conçus à l'intention des organismes sans but lucratif comprennent la rationalisation des choix budgétaires (RCB) et le budget à base zéro (BBZ).

Notions clés

L'organisme axé sur le public

L'organisme axé sur les membres

L'organisme sans but lucratif

La comptabilité d'un centre de responsabilités

La mesure du travail

La méthode des coûts variables

La programmation

La rationalisation des choix budgétaires (RCB)

Le budget à base zéro (BBZ)

Le budget variable

Les normes de coûts et de rendement

Exercices de révision

1. Définissez l'expression **organisme sans but lucratif**.

2. Établissez la différence entre un organisme axé sur le public et un organisme axé sur les membres.

3. Quelles sont les différences entre un organisme sans but lucratif et une entreprise axée sur les bénéfices ?

4. Expliquez la procédure et les éléments du processus de planification tel que les organismes sans but lucratif le pratiquent.

5. Expliquez le sens des termes suivants :

   a) vision ;

   b) mission ;

   c) programmation ;

   d) budgétisation.

6. Décrivez les types de structures organisationnelles qu'utilisent les organismes sans but lucratif.

7. Quelles sont les principales qualités ou caractéristiques que recherchent les exécutants chez leurs leaders ?

8. Discutez des outils de gestion qu'ont empruntés les organismes sans but lucratif aux entreprises.

9. Expliquez le processus de la RCB.

10. Quelles sont les principales étapes du budget à base zéro ?

Matière à discussion

1. Les organismes sans but lucratif prendront-ils de l'importance à l'avenir ? Justifiez votre réponse.

2. Voyez-vous plus ou moins de différences, à l'avenir, en ce qui a trait à la manière de diriger les organismes sans but lucratif, comparativement aux entreprises axées sur les bénéfices ?

Exercices d'apprentissage

1. La planification

Le Centre national des Arts (CNA) est une société fédérale de la Couronne située à Ottawa. Il s'agit d'un centre national des arts d'interprétation, unique en son genre au Canada. Il a été fondé par le Parlement du Canada en juillet 1966, à titre d'entreprise d'État, et est devenu une réalisation importante du gouvernement fédéral dans la région de la capitale nationale. Les programmes du CNA se classent sous les grandes rubriques du théâtre, de la musique, de la danse et des variétés.

Un conseil d'administration rend compte directement au ministre des Communications qui, en retour, est comptable envers le Parlement. Le président et le vice-président du conseil d'administration sont nommés par le gouverneur général en conseil, pour un maximum de deux périodes de quatre ans, et neuf autres membres sont également nommés par le gouverneur général en conseil. Ceux-ci sont choisis afin de représenter les régions du Canada et la dualité linguistique.

Le conseil d'administration compte également cinq membres d'office, soit les maires d'Ottawa et de Hull, le directeur du Conseil des arts du Canada, le président de la Société Radio-Canada (SRC) et le Commissaire du gouvernement à la cinématographie. Ils siègent au conseil afin d'assurer une relation étroite avec la région de la capitale nationale et les trois autres organismes culturels importants.

Le directeur général du CNA est nommé par le conseil d'administration pour une période maximum de cinq ans renouvelable une seule autre fois. Cette durée incite l'organisme à demeurer à jour dans un milieu fort dynamique. La Loi sur le Centre national des Arts prévoit que le directeur général supervise l'organisation du travail et du personnel de la société.

Le CNA occupe un site de 2,6 hectares, don de la ville d'Ottawa. On y trouve quatre salles appelées l'opéra, le théâtre, le studio et le salon. La salle de l'opéra est la plus vaste. Le nombre de personnes qui peuvent assister à un concert au CNA est évidemment limité. Cette limite a donné lieu à ce que le directeur général appelle son programme « favori », soit celui de sensibiliser les gens aux arts d'agrément partout au Canada.

La communication électronique et, plus précisément, les émissions de télévision pancanadiennes servent à cette fin. Le directeur général en a fait sa priorité, car il se consacre à la poursuite de ce qu'il appelle la « magie » des arts d'agrément.

L'organisme compte quatre divisions principales :

1. la division de la direction artistique et de la programmation, responsable des représentations de musique, de théâtre, de danse et de variétés qui constituent la fonction principale du CNA. Même si l'on peut considérer qu'il s'agit du secteur d'activités le plus important, c'est néanmoins un chaînon dans un organisme fondé sur la collaboration dans tous les domaines ;

2. les communications et le marketing, qui constituent la plus petite unité et qui s'occupent des relations publiques ;

3. la division de l'administration, qui comprend les finances, les ressources humaines et les systèmes intégrés de gestion ;

4. le segment de l'exploitation, qui est responsable du guichet, de l'entretien, de l'approvisionnement et des services, du restaurant et des traiteurs.

Questions

1. Si vous étiez conseiller auprès du CNA, quel type de processus de planification et quelles étapes précises recommanderiez-vous ?

2. En ce qui a trait au CNA, donnez des exemples :
   a) d'un énoncé de mission ;
   b) de domaines clés de résultats ;
   c) de valeurs et de croyances ;
   d) de forces, de faiblesses, de possibilités et de menaces ;
   e) d'objectifs généraux ou institutionnels ;
   f) de priorités générales.

3. Si vous étiez directeur d'une des sous-unités administratives (par exemple, le théâtre, la musique, les ressources humaines, le guichet, l'entretien), donnez des exemples :
   a) d'un énoncé de mission ;
   b) d'extrants ;
   c) d'indices d'efficience ;
   d) d'indices d'efficacité ;
   e) d'un objectif d'une activité permanente ;
   f) d'un objectif de programme.

2. La budgétisation

La division des services alimentaires d'un centre de santé de taille moyenne d'Ottawa est responsable de la préparation des repas de tous les pensionnaires. Le centre traite des malades chroniques et des malades ambulatoires, et il emploie quelque 400 personnes à temps plein, et 200 à temps partiel.

Voici l'énoncé de mission du centre et ses quatre objectifs généraux principaux.

L'énoncé de mission

Le centre est un établissement privé financé par le public, qui dispense des services de soins de santé principalement aux personnes âgées d'Ottawa-Carleton et qui se veut un partenaire actif dans un système de santé intégré et complet. Le centre offre des soins palliatifs, à long terme, de réadaptation et de relève dans un milieu résidentiel, ambulatoire et accessible. À l'appui de ce qui précède, le centre s'est engagé à l'éducation et à la recherche.

Les objectifs généraux

1. Offrir aux patients des soins complets de grande qualité et organisés de manière efficace.
2. Améliorer la qualité de vie et optimiser le potentiel de rétablissement des patients en leur offrant des services physiques, psychologiques, sociaux et spirituels, en soulageant toute forme de douleur et en redonnant espoir aux malades ainsi qu'un sens à leurs souffrances.
3. Créer une ambiance où le personnel peut travailler dans un esprit de communauté, et où l'on reconnaît la dignité et la valeur de chaque personne.
4. Favoriser l'enseignement, la recherche et les programmes d'éducation, afin de répondre aux besoins du personnel, des patients et du public en général.

Le centre reçoit environ 225 pensionnaires à la maison de santé et fournit également les repas destinés à un centre de désintoxication, aux livraisons à domicile et aux cliniques de jour, ce qui totalise quelque 452 repas. Le service alimentaire est également responsable de la cafétéria qui nourrit environ 400 personnes par jour et offre des services de traiteur au sein de l'organisme. La nourriture servie par la division est fournie congelée par un restaurant ; il faut donc la dégeler et la chauffer.

Des 60 employés du service alimentaire, seulement 13 travaillent à temps plein, les autres sont à temps partiel, bien qu'à eux tous, ils équivalent à 37 emplois à temps plein.

Contrairement aux autres établissements semblables, le service de nutrition clinique, qui se charge des diètes spéciales et des programmes d'éducation connexes, est distinct de la division des services alimentaires. Néanmoins, il existe une relation étroite entre les deux unités, étant donné la nature de leurs activités respectives et le fait qu'elles partagent bon nombre d'objectifs. La figure 24.3 présente l'organigramme de l'unité.

Figure 24.3
Organigramme de l'unité

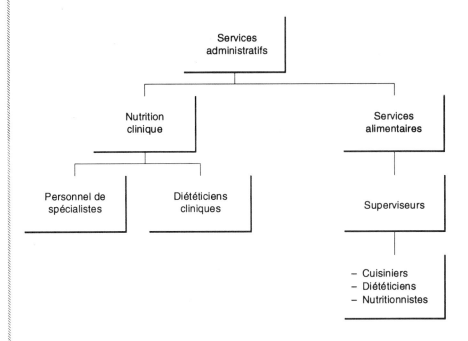

Questions

1. Quel type de processus d'établissement d'objectifs croyez-vous que le centre doive adopter, et surtout, comment doit-il transmettre les objectifs au sein des diverses unités organisationnelles ?

2. Donnez quelques objectifs de la division des services alimentaires.

3. Quel type de budgétisation suggéreriez-vous à la division des services alimentaires ?

4. Définissez la division des services alimentaires relativement aux éléments suivants :

   a) la mission ;

   b) les extrants ;

   c) les indices d'efficience ;

   d) les indices d'efficacité.

5. Déterminez les niveaux de service que pourrait offrir l'unité des services alimentaires.

6. Quels systèmes de contrôle instaureriez-vous afin de surveiller les objectifs et les budgets de la division ?

PARTIE IX

LE MILIEU DES AFFAIRES

Toutes les entreprises sont exploitées dans divers milieux et interagissent avec ceux-ci. La dernière partie du livre, consacrée aux chapitres 25 à 28, donne les renseignements de base sur les milieux les plus pertinents applicables aux entreprises commerciales et dont les gestionnaires doivent tenir compte dans leurs décisions.

Le chapitre 25, *Les contextes économique et social*, traite des notions de base et des enjeux actuels dc la macroéconomie et de la microéconomie que tout gestionnaire a besoin de connaître. Il se termine par les aspects gestionnels essentiels des enjeux sociaux actuels.

Le chapitre 26, *L'environnement*, aborde les composantes fondamentales de l'environnement, le rôle des gouvernements et des entreprises, la pollution, les enjeux écologiques et la collaboration internationale sur les enjeux reliés à l'environnement. Il se termine par les projets de développement durable d'une entreprise.

Le chapitre 27, *Le contexte juridique*, traite du système juridique canadien, des sources de celui-ci, de la nature des tribunaux canadiens et des différentes divisions du droit commercial.

Le chapitre 28, *Les relations entre les entreprises et l'État*, décrit l'interface entre les entreprises et l'État. Il montre notamment où et comment l'État intervient dans l'économie. Il traite aussi des divers contrôles, impôts et taxes gouvernementaux.

CHAPITRE

25

PLAN

Le contexte économique

La macroéconomie
    Le produit intérieur brut
    Le produit national brut
    Le produit nominal et le produit réel
    L'inflation
    Les déficits
    Le chômage
    L'infrastructure
    Les investissements
    La participation étrangère
    Les cycles économiques

Un point de vue : les économistes

Un point de vue : la dette nationale

Un point de vue : le déficit

La mésoéconomie

La microéconomie
    Le lien entre l'offre et la demande
    Les indicateurs de la productivité
    Un point de vue : la productivité internationale
    La loi de la jungle

Le contexte social

Les systèmes commercial et social
    Qu'entend-on par système social ?
    La réglementation sociale

Les enjeux sociaux
    L'équité en matière d'emploi
    La protection des consommateurs
    La protection des travailleurs

La régie interne et la réglementation de l'État

Le consumérisme

Résumé

LES CONTEXTES ÉCONOMIQUE ET SOCIAL

Les objectifs du chapitre

Après avoir lu le présent chapitre, vous pourrez :

1. décrire l'économie canadienne ;
2. définir les principales notions macroéconomiques ;
3. définir les principales notions microéconomiques ;
4. définir les principaux enjeux économiques actuels ;
5. décrire le contexte social canadien ;
6. définir les principaux enjeux sociaux actuels ;
7. décrire la réglementation de l'État.

Dans une étude rendue publique le 16 septembre 1992, le Fonds monétaire international (FMI) affirme que l'économie canadienne devrait se redresser plus rapidement en 1993 que celle des autres pays industrialisés importants.

Selon le rapport *Perspectives de l'économie mondiale*, qui sera présenté dans le cadre de la 47e assemblée annuelle du FMI et de la Banque mondiale qui débute cette fin de semaine, la croissance du produit intérieur brut réel du Canada augmentera de 4,5 p. 100, comparativement à 2 p. 100 en 1992, le taux d'inflation sera de 2 p. 100 et le taux de chômage demeurera essentiellement inchangé à 11 p. 100.

Le rapport estime que le pays semble disposer d'assises solides propices à une expansion économique vigoureuse, notamment de vastes ressources inutilisées, qu'il a fait des progrès sur le plan de la réduction du déficit budgétaire structurel, que le taux d'inflation compte parmi les moins élevés des grands pays industrialisés et que les taux d'intérêt ont été considérablement réduits.

Par suite de la stagnation en 1991, la croissance mondiale devrait être de 1 p. 100 cette année (1992) et de 3 p. 100 en moyenne en 1993. Par ailleurs, la Communauté économique européenne affichera un taux de croissance de 2,5 p. 100, et le Japon, de 3,75 p. 100.

Le rapport indique que les taux d'intérêt au Canada ont baissé de 2,5 points de janvier à août, la diminution la plus marquée de tous les pays industrialisés. Il estime également que la diminution continue du loyer de l'argent de même que la stabilité des prix dépendront de la cadence de l'activité économique. Au cours de la même période de huit mois, le dollar américain a perdu 7,5 p. 100 par rapport au mark et au franc français, et 5,5 p. 100 au regard de la livre, mais il a gagné 3,25 p. 100 comparativement au dollar canadien[1].

LE CONTEXTE ÉCONOMIQUE

L'économie canadienne est mondiale, et les événements extérieurs ont souvent des répercussions sur elle, voire sur les petites entreprises. Les dirigeants doivent continuellement être au fait de la conjoncture mondiale afin d'y déceler les facteurs économiques et sociaux qui affecteront leur propre entreprise. On divise généralement l'économie en macroéconomie (le pays) et en microéconomie (l'entreprise). Dans certains cas, les dirigeants doivent également tenir compte de la mésoéconomie (l'industrie). On parle d'économie positive et d'économie normative. La première décrit les événements réels, la raison pour laquelle ceux-ci se produisent et ce qui se produira vraisemblablement, advenant un

changement ; la seconde tente simplement d'expliquer ce qui devrait se produire.

LA MACROÉCONOMIE

La macroéconomie est l'étude de l'activité économique globale. Cette dernière désigne le rendement économique d'un pays dans son ensemble, lequel est indiqué par les revenus et le niveau de vie de la population ainsi que les changements au niveau du chômage, de l'inflation et de la masse monétaire. La macroéconomie étudie également le taux de croissance de l'économie, les fluctuations du taux de chômage ainsi que le niveau moyen des prix.

Le gouvernement du Canada tente d'établir des politiques destinées à assurer la croissance durable du pays et à accroître le niveau de vie de la population. Cela exige une augmentation de la productivité, laquelle se fonde sur la hausse des investissements dans les ressources humaines (éducation et formation), le capital matériel des entreprises et de l'infrastructure, ainsi que sur le perfectionnement des techniques.

L'accroissement du niveau de vie de la population canadienne provient des améliorations internes et des exportations, et l'abaissement des barrières commerciales intérieures et extérieures peut contribuer à améliorer celui-ci. Le gouvernement a tenté d'abaisser les barrières commerciales extérieures à la faveur du GATT, de l'Accord de libre-échange canado-américain et de l'Accord de libre-échange nord-américain. Il a également essayé de réduire les nombreuses barrières commerciales interprovinciales, mais jusqu'à présent, ses efforts à cet égard ont été vains.

Le gouvernement canadien s'est aussi efforcé d'établir un milieu macroéconomique stable en jugulant l'inflation et en tentant de maîtriser les déficits. Les efforts à cette fin portent notamment sur l'efficacité accrue du gouvernement. Ce dernier a aussi procédé à la déréglementation et à la privatisation.

---

1. Traduit de Rod McQueen, « IMF Sees Canada Leading Rebound », *The Financial Post*, 17 septembre 1992, p. 5.

FIGURE 25.1
Politiques destinées à la croissance durable

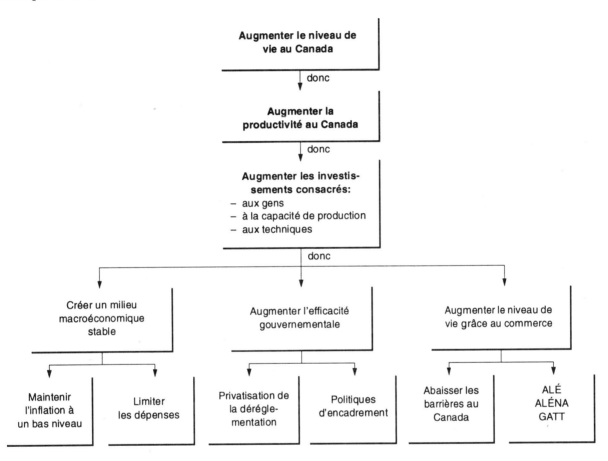

Le schéma de la figure 25.1 présente la conception que le gouvernement a des liens qui sous-tendent la croissance durable[2].

Le produit intérieur brut

Le produit intérieur brut (PIB) du Canada désigne la valeur de la totalité des biens et des services produits au pays, en plus d'indiquer le niveau de vie de la population. Le PIB se mesure de trois façons : à l'aide des dépenses, des revenus de facteurs ou des extrants, tous mesurés aux prix du marché. Pour mesurer le PIB (ou Y) à l'aide des dépenses, il suffit d'additionner les dépenses de consommation (C), d'investissement (I) et publiques (P) ainsi que les exportations (X), puis de soustraire les importations (M) du total. L'équation est donc la suivante : $Y = C + I + P + X - M$. Pour mesurer le PIB à l'aide des revenus de facteurs, on additionne les salaires, intérêts, loyers, bénéfices et frais d'amortissement. Pour mesurer le PIB à l'aide des extrants, on additionne la valeur des extrants de

2. Don Mazankowski, *Investir dans la croissance : document d'information afférent à l'exposé économique et financier,* Gouvernement du Canada, 2 décembre 1992, p. 2.

chaque secteur d'activité. La méthode des dépenses est la plus fréquemment employée. Statistique Canada publie les comptes du revenu national et des dépenses trimestriellement et annuellement.

Le produit national brut

Le produit national brut (PNB) du Canada désigne la valeur de la totalité des biens et des services produits au pays (PIB), plus les revenus gagnés à l'étranger par les Canadiens, moins les revenus gagnés au Canada par les étrangers.

Le produit nominal et le produit réel

Les données économiques peuvent être présentées en dollars courants actuels ou en dollars d'une année de référence. Les PIB et PNB nominaux sont présentés en dollars courants, et les PIB et PNB réels, en dollars d'une année de référence. Ils doivent donc être rajustés, pour tenir compte des effets de l'inflation ou de la déflation ; on dit alors qu'ils sont « déflatés », c'est-à-dire qu'ils sont exprimés en dollars constants. Le déflateur du PIB est un indice calculé comme étant le ratio du PIB nominal au PIB réel, multiplié par 100 ; il mesure le niveau global des prix. Il diffère de l'indice des prix à la consommation (IPC), lequel ne mesure que le coût d'un panier particulier de biens et de services que consomment les ménages urbains types. Par conséquent, le déflateur du PIB est une mesure plus globale.

L'inflation

L'inflation désigne généralement la hausse du niveau moyen des prix telle que mesurée par l'unité monétaire du pays, mais peut aussi indiquer la perte de valeur de la monnaie. Si, par exemple, la quantité matérielle de biens d'une économie demeure constante durant une période donnée, mais que les prix augmentent durant la même période, il est évident que la valeur de la monnaie

a diminué, étant donné qu'il en faut maintenant davantage pour se procurer quoi que ce soit. Ainsi, la cause première de l'inflation est généralement un accroissement de la masse monétaire. Dans les économies modernes actuelles, l'augmentation de la masse monétaire est surtout attribuable aux déficits de l'État, mais peut aussi provenir de la vitesse de circulation accrue de la monnaie. En effet, si les consommateurs perdent confiance dans celle-ci, ils la dépenseront le plus rapidement possible, ce qui augmentera automatiquement la masse monétaire effective.

Les déficits

On compte deux types de déficits : le déficit externe et le déficit interne. Le premier peut se produire dans la balance des paiements, tandis que le second représente un déficit de l'État, lorsque les dépenses excèdent les recettes. Le gouvernement fédéral dispose de trois sources de revenus : les taxes et les impôts, l'emprunt et la création de monnaie (inflation). Par ailleurs, les administrations provinciales ne disposent que de deux sources : les taxes et l'emprunt. Le débiteur désireux d'emprunter plus que ce que les prêteurs tiennent pour prudent devra payer un taux d'intérêt plus élevé ; et si les déficits s'accumulent, il viendra un temps où les pourvoyeurs de fonds cesseront de prêter. Les gouvernements canadiens accumulent des déficits depuis nombre d'années. La cote de solvabilité de certains a été réduite, ce qui les a obligés à payer des taux d'intérêt supérieurs.

Le chômage

Le chômage se mesure à l'aide du taux de chômage, lequel désigne le nombre de personnes à la recherche d'un emploi exprimé en pourcentage de la population active. Cette dernière comprend l'ensemble des personnes âgées de 16 à 65 ans à la recherche active d'un travail et disponibles. Statistique Canada effectue des enquêtes périodiques auprès des ménages afin d'estimer le taux de chômage. Malheureusement, les statistiques ne tiennent pas compte des personnes qui ont perdu espoir de trouver un emploi et ont cessé leur recherche. Elles excluent également les travailleurs à temps partiel sous-employés qui désirent trouver un emploi à temps plein. Les personnes mises en disponibilité comptent cependant parmi les chômeurs.

L'infrastructure

L'infrastructure désigne les services publics comme les routes, aéroports, pipelines, télécommunications, barrages, centrales électriques, réseaux d'égout et d'aqueduc, ainsi que les hôpitaux et les services de police et de protection contre les incendies présents dans toute économie. Les pays qui investissent dans leur infrastructure deviennent plus productifs, et les dépenses à cette fin suivent généralement un cycle à long terme de 50 ans. Étant donné que la dernière grande vague s'est produite après la Seconde Guerre mondiale, le temps est presque venu d'entreprendre un autre cycle de dépenses en infrastructure.

En raison de la vaste étendue et de la population peu nombreuse du Canada, les investissements dans l'infrastructure sont très coûteux — puisque les coûts sont répartis sur un petit nombre d'habitants. Les Canadiens disposent toutefois de compétences qui devraient permettre aux entreprises du pays d'obtenir des contrats dans les domaines de la construction d'aéroports et d'installations portuaires, des transports urbains, des télécommunications et des centrales électriques dans de nombreux pays où la demande de tels projets est très élevée (notamment en Europe de l'Est et en Asie).

Les investissements

Les investissements représentent la hausse nette du capital dont dispose une économie. Le capital comprend les logements et les bâtiments, le matériel et l'outillage, ainsi que les biens durables et les stocks. L'épargne se distingue de la consommation. On peut investir les sommes épargnées sous forme d'investissements fixes dans des biens productifs ou d'investissements dans les stocks. Dans les deux cas, il doit s'agir d'articles que les consommateurs désirent se procurer.

La participation étrangère

La participation d'intérêts étrangers à l'économie canadienne fut à l'origine d'un débat politique houleux dans les années soixante-dix. Le principal avantage de la participation étrangère réside dans le fait que le pays importe des capitaux et un savoir technique, lesquels seraient autrement absents. Il se crée une synergie qui se répercute sur les entreprises canadiennes. Aux yeux de certains, il existe cependant un inconvénient, car des décisions pouvant avoir des répercussions négatives sur les travailleurs canadiens sont prises à l'extérieur du pays, par des étrangers qui ne tiendront pas nécessairement compte de tous les facteurs pertinents, comme le feraient les investisseurs nationaux. Sur le plan financier, bien entendu, le Canada a toujours compté sur les capitaux étrangers, et les investisseurs s'attendent à un rendement du capital investi. On verse aux propriétaires des dividendes qui peuvent être réinvestis ou reportés. Les investissements étrangers représentent donc un moyen souple de financer la croissance économique.

La propriété étrangère continue de croître, mais à un rythme ralenti. La récession du début des années 1990 a obligé les investisseurs étrangers à injecter de l'argent frais dans leurs filiales canadiennes. Dans le passé, les bénéfices non répartis représentèrent les deux tiers de l'accroissement de la valeur marchande des investissements étrangers au Canada. Selon Statistique Canada, la valeur marchande des investissements étrangers directs au Canada s'établissait à 130 milliards de dollars, à la fin de 1991, soit le double du niveau de 1981. Cela représente environ le quart des dettes brutes du Canada envers les étrangers — 10 ans plus tôt, c'était le tiers. Leur importance relative a diminué parce que les emprunts du Canada, effectués principalement par les gouvernements, ont triplé au cours de la dernière décennie. À l'opposé des dividendes versés aux investisseurs étrangers, que l'on peut réduire ou même annuler, l'intérêt sur les obligations doit être versé à la date prévue, deux fois l'an, ou la faillite s'ensuit.

Les cycles économiques

Les fluctuations périodiques de l'activité économique s'appellent les cycles économiques. Ceux-ci sont fréquents et peuvent être importants. Les plus remarquables furent ceux de la crise de 1929 (1929-1933) et de la Seconde Guerre mondiale (1942-1945). Depuis lors, les périodes de croissance et de ralentissement économiques ont été de moindre importance. Les périodes de prospérité ont été reliées à des guerres (la Seconde Guerre mondiale, la guerre de Corée et la guerre du Viêt-nam), lesquelles ont eu des répercussions à l'échelle mondiale, même dans les pays qui ne participaient pas directement aux hostilités. Les récessions se sont produites après les guerres, ou ont été reliées à des événements externes comme la hausse des prix du pétrole des années 1970. Cependant, les modifications des politiques de nombreux pays importants dans les années 1980 et 1990 ont été grandement tenues responsables des récessions de 1981-1982 et de 1990-1993. La tendance à long terme est à la hausse, et les fluctuations cycliques se trouvent au-dessus et au-dessous de la ligne de tendance.

L'explication théorique des cycles économiques s'appuie sur l'hypothèse selon laquelle l'économie possède une population et une main-d'œuvre données. Le PIB dépend alors des techniques et du capital existants. La fonction de production et la partie non amortie du capital déterminent les ressources totales dont dispose l'économie.

Les changements techniques amènent un cycle, étant donné que le perfectionnement technique et le capital génèrent d'autres ressources qui seront utilisées au cours du prochain cycle. Ces ressources additionnelles peuvent être investies dans du capital supplémentaire, lequel produit encore davantage de ressources à l'aide des techniques existantes. À la faveur de nouvelles innovations techniques, la fonction de production augmente, le taux d'intérêt réel accroît le rendement du capital investi et les investisseurs injectent des capitaux additionnels. L'accumulation du capital s'accompagne d'un ralentissement de l'expansion, puis de la baisse des taux d'intérêt.

Les changements techniques et le capital accru augmentent aussi la productivité de la main-d'œuvre. Par conséquent, les travailleurs accroissent leurs revenus, et les investisseurs du capital et les inventeurs des techniques profitent également de rendements accrus. Étant donné que tout le monde dispose d'un revenu plus élevé, la consommation s'accroît.

L'expansion de la consommation stimule les entreprises, lesquelles empruntent du capital afin de se procurer des stocks destinés à la vente aux consommateurs. Les entreprises qui reçoivent les commandes des détaillants doivent accroître leur production; elles embauchent souvent des travailleurs additionnels ou paient des heures supplémentaires aux employés existants. Certains producteurs de biens de consommation sont alors obligés de bâtir de nouvelles usines et d'acheter du nouveau matériel, ce qui accroît la production de leurs fournisseurs. Toute cette activité stimule l'ardeur et la confiance des intéressés, et en amène plusieurs à spéculer sur le prolongement de la croissance.

Lorsque les progrès techniques ralentissent et que le capital se déprécie, les ressources de l'économie décroissent et la récession s'enclenche, étant donné que la population perd confiance dans l'avenir. Les entreprises n'empruntent plus pour se procurer des stocks, leurs fournisseurs n'ont plus à produire puisque personne ne veut acheter leurs biens, les travailleurs sont mis à pied, les usines ferment, la consommation décroît et le pessimisme s'installe.

L'économie a alors besoin d'un stimulant pour redémarrer. Les innovations résultant de la recherche et du développement, les procédés venant de l'extérieur ou même les changements au niveau de l'organisation des entreprises peuvent suffire à la tâche.

Les exportations ont toujours joué un rôle clé dans l'économie canadienne. Elles ne sont pas incluses dans la théorie que nous venons de décrire parce que celle-ci se fonde sur un modèle d'économie fermée. Si l'économie canadienne est modeste comparativement à bien d'autres, elle est aussi nettement plus ouverte que la plupart. Par conséquent, les exportations des entreprises canadiennes peuvent suffire à maintenir le niveau d'emploi au pays et à atténuer les fluctuations du cycle. C'est une des raisons pour lesquelles le gouvernement canadien s'est montré si empressé de conclure des accords de libre-échange et de soutenir les initiatives destinées à étendre le commerce mondial, comme les négociations dans le cadre du GATT. Les biens exportés ont changé au fil des années, passant de ressources naturelles comme le blé à des biens industriels comme les automobiles; et les prochaines exportations seront peut-être les projets d'infrastructure.

UN POINT DE VUE   Les économistes

Certains professionnels ont l'oreille attentive des gens. Ce n'est cependant pas le cas des économistes, particulièrement lorsqu'il s'agit de ceux qu'ils cherchent à influencer le plus : les politiciens.

⚹ Premier exemple. Le salaire minimum rebute un économiste. Celui-ci remarque qu'un très grand nombre d'études prouvent que la hausse du salaire minimum ne donne aucun résultat favorable et ne fait qu'accroître le chômage des jeunes. Pourtant, quel est le premier geste que pose un gouvernement provincial néo-démocrate en arrivant au pouvoir ? Il augmente le salaire minimum. (Il suffit ensuite de blâmer le gouvernement fédéral du taux de chômage élevé.)

Second exemple. On apprend que la mode actuelle chez les « conservateurs libéralisants », sans mentionner les libéraux et autres socialistes, est de dire que la meilleure façon de remédier à l'inflation est d'accroître les dépenses de l'État.

Dépenser, en ce qui concerne l'État canadien, correspond à emprunter. Depuis la récession du début des années 1980, la dette d'Ottawa et des provinces a passé de 220 milliards de dollars à 750 milliards de dollars. Il semble évident que des dépenses (emprunts) de cet ordre n'ont pas été garantes d'une économie vigoureuse, et que la solution ne se trouve pas dans un déficit encore plus élevé. Il est temps que les politiciens s'attaquent aux déficits, ce qui maintiendra les taux d'inflation et d'intérêt à des niveaux raisonnables.

Les politiciens n'ont pas l'habitude d'apprendre leur leçon rapidement, ni la gauche d'ailleurs, qui se targue d'être populiste et influente.

Prenons l'exemple du groupe qui — à défaut de pouvoir l'appeler autrement — se dit « nationaliste ». De nos jours, être nationaliste, c'est conspuer le libre-échange. La semaine dernière, des bien-pensants en provenance d'organismes nationalistes, de syndicats et du NPD ont déclaré que le libre-échange avec le Mexique constituait un tel anathème qu'il faudrait en débattre pendant des mois, puis tenir une élection fédérale à ce sujet.

Dans le passé, les mêmes groupes ont décrié la présence d'un trop grand nombre de multinationales américaines qui considéraient le Canada comme un pays d'investissement tout désigné. Les investissements étrangers furent l'idée fixe des années 1960 et 1970 et du début des années 1980, une obsession qui s'éternisa.

La cible est maintenant différente. En effet, on n'entend presque plus parler des iniquités des multinationales omnipotentes, dont la plupart s'affairent à l'heure actuelle à renflouer leur exploitation canadienne. Elles se sont, pour ainsi dire, rachetées. Bien entendu, les gouvernements prodigues plaisent toujours à quiconque présente un penchant interventionniste. Le libre-échange est donc devenu le paria de notre époque.

La position est difficile à tenir, parce que les gouvernements font actuellement ce que l'on accusait les multinationales de faire dans le passé : ils siphonnent l'avoir du pays et hypothèquent son indépendance. Le libre-échange et les marchés ouverts, par contre, font partie de la solution. Qui douterait que le Canada peut commercer davantage avec le Mexique, le Chili ou tout autre pays de l'Amérique latine ? Un commerce et des investissements accrus nous permettront de rembourser notre dette plus adéquatement et de nous offrir un niveau de gouvernement qui excède nos moyens actuels.

Jusqu'au début des années 1980, le déficit des comptes courants était le reflet des multinationales étrangères qui avaient investi au Canada et rapatrié leurs bénéfices sous forme de dividendes. En raison de leur productivité, ces investissements ne représentaient pas la tare dont les accusaient nationalistes et partisans de la gauche. Ce qui s'est produit depuis inquiète davantage. La dette extérieure nette du Canada représente maintenant 40 p. 100 de son PIB, et la hausse la plus importante a été celle de la dette des gouvernements. Dans un bulletin récent, les économistes de Burns Fry ont souligné qu'au cours des trois dernières années, l'économie ne s'était accrue que de 6 p. 100, tandis que la dette commerciale avait fait un bond de 10 p. 100, la dette des ménages, de 21 p. 100, celle du gouvernement fédéral, de 26 p. 100, et celle des provinces, de 35 p. 100.

À l'opposé des investissements étrangers dans de nouvelles installations, le placement de portefeuille peut être réalisé facilement, mais il alourdit le fardeau du débiteur. Le versement de dividendes peut être annulé durant des périodes infructueuses, mais pas celui des intérêts. En outre, l'importante dette du Canada n'inspire pas confiance, et elle est à l'origine de notre crise d'anxiété actuelle, au moment où l'on se demande si les taux d'intérêt diminueront et si l'économie se redressera.

Les nationalistes et les partisans de la gauche qui, pendant nombre d'années, ont condamné les investissements étrangers, devraient s'attaquer au véritable monstre, à savoir les gouvernements criblés de dettes qui placent la destinée du pays entre les mains des fournisseurs de capital étrangers. Ils devraient également défendre une autre cause, le libre-échange, qui offre l'occasion de réduire notre déficit des comptes courants.

N'est-il donc pas étrange que les nationalistes et les militants contre les investissements étrangers d'antan soient devenus les apôtres de l'État-providence et des marchés fermés ? Ce qu'ils proposent mine l'indépendance du pays et l'affaiblit.

Source : Traduit de Peter Cook, « The Council of Confused Canadians », *The Globe and Mail Report on Business*, 16 novembre 1992, p. B2.

UN POINT DE VUE   **La dette nationale**

La dette nationale canadienne de 450 milliards de dollars a enclenché un processus qui mène lentement à la catastrophe économique et dont on voit déjà les manifestations. Par exemple, la raison principale du fléchissement récent du dollar canadien provient du fait que les cercles financiers se sont rendu compte que le déficit fédéral atteindrait près de 35 milliards de dollars cette année, le plus élevé que le Canada ait jamais enregistré.

Les taux d'intérêt battent de l'aile en tentant d'accomplir l'impossible, soit rassurer également les prêteurs nerveux et encourager les emprunteurs hésitants.

John Crow, gouverneur de la Banque du Canada, qui se montre généralement aussi discret qu'un confesseur, a donné un indice important lorsqu'il a affirmé dernièrement que le dollar canadien répondait à la « qualité de la dette » émise par des « entités canadiennes », qu'il n'a pas nommées. Le commentaire est très révélateur. Lloyd Atkinson, économiste en chef de la Banque de Montréal, estime que la dette publique du Canada (dettes fédérale et provinciales) se chiffre maintenant à environ 93 p. 100 du PIB, et ne cesse d'augmenter. Selon Franco Modigliani, professeur au Massachussetts Institute of Technology et spécialiste des finances des pays souverains, elle dépasse nettement le plafond acceptable. Les frais d'intérêt de la dette atteignent 33 p. 100 des recettes totales ; il y a 20 ans, ils se chiffraient à 13 p. 100.

Le Canada est menacé d'être saigné à blanc. Des déficits élevés se traduiront par une augmentation des taux d'intérêt, l'économie paralysée progressera lentement ou stagnera, le chômage augmentera, et s'accroîtront aussi les taxes et les impôts déjà élevés. Les agences de renseignements commerciaux déclasseront la devise canadienne, le Japon et l'Allemagne cesseront vraisemblablement de prêter, et il deviendra difficile et plus coûteux d'emprunter. Au bout du compte, les gouvernements devront sabrer les dépenses aveuglément.

Le propre du héros shakespearien est de poser des gestes destructeurs, malgré ses énormes ressources. Le rideau est déjà levé sur le drame du Canada des années 1990. Il s'agit maintenant de savoir s'il n'est pas trop tard pour annuler la représentation de ce triste spectacle.

Source: Traduit de Éditorial, *The Financial Post*, décembre 1992, p. 10.

UN POINT DE VUE

Le déficit

Un déficit important peut freiner la croissance à long terme, mais ce n'est pas la principale cause du ralentissement. Cet honneur revient plutôt au manque d'investissements adéquats dans la formation, l'éducation, les routes, les ponts, les réseaux d'aqueduc et autres piliers d'une économie moderne.

Il faut établir une distinction importante entre le fait de dépenser et celui d'investir, dans les secteurs public et privé. Dans le premier cas, on n'augmente pas la productivité future, alors qu'on y parvient à la faveur d'investissements. Lorsque l'État finance la justice criminelle, la défense nationale, l'assurance-chômage, l'aide sociale, les services de santé mentale ou l'aide agricole, par exemple, il maintient ponctuellement la sécurité économique de la population. Mais lorsqu'il finance l'éducation, la formation des travailleurs, la construction de routes et de ponts, il améliore la capacité de production future de la population.

La distinction a des répercussions directes sur le déficit. En effet, emprunter à des générations futures afin d'investir dans la capacité de production de celles-ci se justifie certainement mieux qu'emprunter pour faciliter la vie de la population actuelle. Dans le premier cas, on favorise la croissance économique, laquelle permettra aux générations futures de rembourser le prêt et de profiter des fruits de celle-ci; dans le second cas, on impose un fardeau aux générations futures, sans générer de croissance. L'obsession du déficit voile cette distinction.

Source: Traduit de Robert Reich (conseiller du président américain), « Failure to invest biggest drag on growth », cité dans « Worth Repeating », *The Globe and Mail Report on Business*, 2 novembre 1992, p. B4.

LA MÉSOÉCONOMIE

La mésoéconomie désigne les aspects économiques que partagent tous les membres d'un secteur donné. C'est un volet relativement nouveau et secondaire de l'économique, mais qui revêt une grande importance aux yeux de nombreux dirigeants d'entreprise.

Selon une étude récente de Burns Fry[3], 10 secteurs ont surclassé l'économie pendant une décennie et ont connu une croissance de 28 p. 100 depuis 1987, notamment un taux de croissance de 6 p. 100 au cours de la dernière année, malgré la récession. Ce sont les secteurs du matériel de bureau, des produits pharmaceutiques, des mines d'or, des télécommunications, des services financiers, des boissons gazeuses, des véhicules et des pièces d'automobiles, des plastiques et des résines, ainsi que du caoutchouc. Ces industries représentent plus de 14 p. 100 du PIB canadien. Par ailleurs, les secteurs suivants, qui représentent 7 p. 100 du PIB, sont en décroissance. Ces industries ne se sont jamais remises de la récession de 1981-1982 et n'ont cessé d'être en perte de vitesse depuis 1986. Il s'agit des secteurs des gros électroménagers, du ciment et du béton, des articles de toilette, du mobilier de maison et de bureau, du vêtement, des savons et produits de nettoyage, de l'impression et de l'édition, ainsi que de l'hébergement et de la restauration. Les 165 secteurs restants sont stagnants.

Une autre étude — portant surtout sur l'Accord de libre-échange — précise que les secteurs du matériel de bureau, des télécommunications et du matériel de précision sont les grands gagnants[4], puisqu'ils ont accru leurs exportations de 74 p. 100, malgré la récession. Parmi les perdants, on compte des secteurs traditionnels en déclin, dont un grand nombre à forte main-d'œuvre, comme le mobilier, le vêtement, la transformation des aliments, la restauration et les boissons, ainsi que divers produits ménagers.

Une troisième étude, menée par Nuala Beck and Associates, définit la matière grise comme étant le bien le plus précieux des années 1990 et de l'avenir[5].

On s'attend donc dorénavant à ce que les cerveaux des entreprises soient garants des bénéfices et de la croissance futurs. On calcule le coefficient de matière grise d'un secteur ou d'une entreprise en déterminant le nombre de travailleurs de l'information — cadres supérieurs, professionnels, ingénieurs, personnel scientifique et technique — par rapport au nombre total des effectifs. Le coefficient de matière grise mesure ainsi le quotient intellectuel (QI) du secteur ou de l'entreprise. Les secteurs qui possèdent le QI le plus élevé devraient se démarquer des autres, et les entreprises dont le QI est le plus élevé dans leur secteur respectif, devraient mieux tirer leur épingle du jeu. Les 10 secteurs présentant un coefficient très élevé sont ceux des missiles et des engins spatiaux, du matériel informatique, des produits pharmaceutiques, du matériel de radiodiffusion, des instruments de précision, des produits chimiques industriels, du pétrole et du gaz, de l'aérospatiale, des journaux et du matériel photographique. Les 10 secteurs dont le coefficient est le plus bas sont ceux de l'industrie forestière, de la volaille, du carton et des boîtes, du vêtement, des produits de boulangerie, du mobilier et des agencements, du bois d'œuvre et des produits du bois, des textiles, des scieries et du revêtement de sol.

Les similitudes entre les trois études sont très intéressantes.

3. *The Globe and Mail Report on Business*, 9 septembre 1992, p. B3.
4. Bruce Little, « Howe Study Finds Free-Trade Winners », *The Globe and Mail Report on Business*, 20 octobre 1992, p. B1 et B6.

5. Nuala Beck, *Shifting Gears: Thriving in the New Economy*, Toronto, Harper-Collins, 1992, chapitre 8.

LA MICROÉCONOMIE

La microéconomie est l'étude des décisions des personnes et des entreprises qui influent sur ce qui est fabriqué, sur les modes de fabrication ainsi que sur les consommateurs. Elle étudie les principes qui régissent les décisions relatives à la production et à la consommation ainsi qu'à la répartition des ressources et des revenus. L'application de la microéconomie au processus décisionnel commercial s'appelle l'économie de gestion.

Le lien entre l'offre et la demande

Dans une économie de marché, les prix dépendent de l'interaction entre l'offre et la demande.

L'offre du marché désigne la totalité de l'offre de toutes les entreprises, à tous les niveaux de prix. La quantité offerte à tous les niveaux de prix se représente graphiquement par une courbe de l'offre. Celle-ci présente une pente ascendante vers la droite, lorsque le prix est mesuré sur l'axe vertical et la quantité est portée sur l'axe horizontal. La courbe totale peut se déplacer, en réponse aux changements des déterminants de l'offre autres que le prix des marchandises.

La demande du marché désigne la totalité de la demande des consommateurs, à tous les niveaux de prix. La quantité demandée à tous les niveaux de prix se représente graphiquement par une courbe de la demande. Celle-ci présente une pente descendante vers la droite, lorsque le prix est mesuré sur l'axe vertical et la quantité est portée sur l'axe horizontal. À des prix élevés, les consommateurs tendent à trouver des substituts (effet de substitution); étant donné leur budget limité, il se produit un effet de revenu, attribuable à la diminution du pouvoir d'achat. La courbe totale peut se déplacer, en réponse à des changements autres que le prix d'un bien particulier.

Le marché atteint le seuil d'équilibre lorsque, à un prix donné, la quantité demandée égale la quantité offerte. Le prix d'écoulement du marché, ou prix d'équilibre, est le prix auquel la quantité demandée égale la quantité fournie. La figure 25.2 est celle d'un marché en équilibre, où la quantité demandée est représentée par la courbe $D(p)$, et la quantité offerte, $O(p)$. Le marché est en équilibre au prix p_e, où la quantité demandée égale la quantité offerte. Au prix supérieur, p_2, on a un surplus, et il faut que le prix se retrouve à p_e, pour écouler les biens sur le marché. Au prix inférieur p_1, on a une pénurie parce que la quantité demandée excède la quantité offerte; par conséquent, il faut que le prix augmente, pour que le marché retrouve son équilibre. Le prix augmente parce que les consommateurs se livrent à la surenchère pour obtenir les biens en quantité limitée. De même, en cas de surplus, les vendeurs désireux d'écouler leur marchandise préfèrent couper les prix plutôt que de ne rien vendre. Lorsque le marché atteint son équilibre, aucune pression n'est exercée sur les prix.

FIGURE 25.2
Marché en équilibre

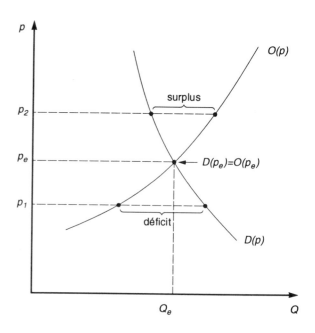

La plupart des marchés ne demeurent pas stables longtemps. La demande et l'offre changent, notamment au cours de longues périodes. En situation de déséquilibre, lorsque la demande excède l'offre, il se peut que des producteurs additionnels soient attirés par les bénéfices que laisse espérer le marché. Ainsi, on a assisté à la ruée des producteurs sur le secteur de l'ordinateur personnel, et la croissance accélérée de l'offre par rapport à la demande a occasionné une baisse des prix. À ce stade, les prix inférieurs attirent un plus grand nombre de consommateurs, et entraînent un autre déséquilibre.

Les indicateurs de la productivité

La productivité est une mesure de l'efficience de la production. Elle dépend des moyens techniques, des travailleurs, des employeurs, de l'État et de l'éducation. Les facteurs clés sont les moyens techniques, les travailleurs et les employeurs. Ceux-ci organisent le travail, mais rien ne peut être fabriqué sans la technique et les travailleurs. Ces derniers constituent le facteur le plus variable.

La production horaire de la main-d'œuvre (rendement de la main-d'œuvre) est l'un des principaux indicateurs de la productivité, étant donné que le revenu par habitant réel ne peut s'accroître sans une augmentation de la production par habitant. Le coût unitaire de la main-d'œuvre (ou coût moyen de la main-d'œuvre) mesure le coût de la main-d'œuvre par unité de production. Le coût unitaire de la main-d'œuvre est inversement proportionnel au rendement de celle-ci. En effet, les coûts unitaires de la main-d'œuvre diminuent à mesure que s'accroît la productivité, et réciproquement. Étant donné que la main-d'œuvre reçoit un salaire horaire, l'augmentation du temps mis à produire une unité, comme l'exige souvent la réglementation syndicale, entraîne la hausse des coûts de la main-d'œuvre à l'unité. En réduisant le temps de production, on diminue les coûts de la main-d'œuvre à l'unité, ce qui est nettement préférable.

UN POINT DE VUE   La productivité internationale

Chaque année, le American Productivity and Quality Centre de Houston (Texas) publie *Perspectives,* qui tente d'évaluer les tendances de la productivité mondiale et de commenter les événements et les changements importants dans la productivité et la qualité à l'échelle internationale. La qualité et la productivité (l'efficience et l'efficacité avec lesquelles on transforme les ressources en produits et en services) déterminent la compétitivité d'un pays, sa santé économique et le niveau de vie de ses citoyens. Elles revêtent un intérêt national, et c'est sur elles que repose la situation concurrentielle d'un pays.

La façon la plus simple de mesurer le rendement de la main-d'œuvre d'un pays à l'échelle internationale est de diviser le PIB par le nombre de travailleurs. Selon cette échelle, le Canada se classe au deuxième rang des populations actives les plus productives au monde, derrière les États-Unis. Cette mesure absolue ne présente cependant qu'un aspect de la question, et le taux de croissance de la productivité importe davantage. La productivité s'accroît lorsque le PIB par employé augmente, et l'on obtient le taux de croissance de la productivité en mesurant les améliorations au cours des périodes données.

Entre 1950 et 1990, le taux d'amélioration de la productivité a augmenté en moyenne de 1,7 p. 100 par année aux États-Unis. Depuis 1973 toutefois, ce taux n'a atteint que 0,9 p. 100. On a observé les mêmes tendances au Canada. Parce que les taux d'amélioration de la productivité de la main-d'œuvre sont plus élevés ailleurs, la position du Canada et des États-Unis en tant que leaders est menacée. À la lumière des taux moyens d'amélioration de la productivité des principaux pays industrialisés au cours des 10 dernières années (France, 2,1 p. 100 ; Allemagne, 1,4 p. 100 ; Japon, 2,9 p. 100 ; Corée, 5,3 p.100), et en extrapolant, on se rend compte que les États-Unis et le Canada glisseront aux quatrième et cinquième rangs respectivement.

À moins de renverser la vapeur, la compétitivité de ces deux grands pays diminuera. Le vrai responsable est le secteur des services, et comme les économies des deux pays sont de plus en plus axées sur les services, leur compétitivité se dégradera davantage. Pour que les deux pays demeurent en tête du peloton, les travailleurs, la population, les dirigeants d'entreprise et les politiciens doivent contribuer à l'amélioration de la qualité et de la productivité. Leur prospérité à long terme et leur survie en dépendent.

Source : Traduit de John A. Miller, « International Productivity Performance », *CMA Magazine*, juillet-août 1992, p. 27.

La loi de la jungle

Dans le régime de la concurrence, les entreprises qui réussissent sont celles qui peuvent produire et vendre à profit les biens que les consommateurs désirent acheter. Elles peuvent réinvestir les bénéfices et croître. Les entreprises ne pouvant produire ce que veulent les consommateurs disparaissent. Les forces du marché sont implacables, et seuls les plus forts survivent.

LE CONTEXTE SOCIAL

Le contexte social comprend également la culture. Il affecte le commerce à la faveur du comportement et des attitudes des consommateurs. Le Canada est un pays multiculturel composé de deux peuples fondateurs — les Anglais et les Français — auxquels se sont ajoutés de nombreux autres groupes ethniques. Les habitants d'un pays partagent généralement le même patrimoine, et les membres de la collectivité réagissent de manière semblable. Les populations suédoise et japonaise sont très homogènes, et la plupart des citoyens partagent la presque totalité des valeurs. Bien que la majorité des Canadiennes et des Canadiens aient des valeurs communes, le creuset culturel du pays donne lieu à des différences, parfois marquées, au sein des segments de la population et même entre eux. Comme il existe des différences importantes dans le mode de vie des anglophones et des francophones du pays, il faut adapter les méthodes de marketing en conséquence.

LES SYSTÈMES COMMERCIAL ET SOCIAL

Le commerce fait partie intégrante du système social, lequel comprend tous les aspects du milieu extérieur d'une entreprise. Nous parlerons ici des contextes économique et social, et reviendrons, dans les chapitres ultérieurs, sur les contextes physique (l'environnement) et juridique, ainsi que sur la réglementation gouvernementale des entreprises.

Qu'entend-on par système social ?

Un système social se compose de sous-systèmes qui agissent constamment les uns sur les autres, et les entreprises commerciales constituent un sous-système. Dans un système social, le comportement collectif des membres détermine les activités de la société. Ceux-ci choisissent leur gouvernement par le processus politique, lequel adopte des lois dans l'intérêt public. Les entreprises commerciales reçoivent des intrants du système social, qu'elles transforment et qu'elles renvoient sous forme d'extrants. Par conséquent, les entreprises influent sur le système social et réciproquement.

La réglementation sociale

La réglementation sociale reflète les grands objectifs sociaux d'une collectivité et fait aussi partie du milieu externe des entreprises commerciales. Elle affecte les conditions de production et de vente des produits et des services, ainsi que les caractéristiques matérielles des marchandises. La réglementation est divisée en quatre catégories : la santé et la sécurité, l'environnement, l'équité et la culture.

Les règlements sur la santé et la sécurité englobent la santé et la sécurité professionnelles, la sécurité des biens de consommation et celle du transport. Le pays compte des lois et des règlements relatifs à certaines activités dangereuses (qui peut les effectuer et à quel moment), à certaines matières prohibées (l'usage d'ivoire et de plumes d'espèces animales menacées est interdit), et à certains emplois (notamment qui peut piloter un avion ou conduire un camion et le nombre d'heures de sommeil requis avant le travail des pilotes et des camionneurs).

Les règlements sur l'environnement concernent les modes de contrôle de la pollution de l'air et de l'eau, l'utilisation du sol et la mise en valeur des ressources. La réglementation relative à l'équité englobe la protection contre la fraude, la supercherie, la présentation d'information inexacte et la discrimination en matière d'embauche. La réglementation culturelle porte notamment sur le contenu canadien des émissions de radio et de télévision, la restriction ou l'interdiction de la participation étrangère aux secteurs névralgiques de l'économie et les questions linguistiques.

Les lois sociales régissent les caractéristiques des produits, exigent la communication d'information pertinente et influent sur les modes de fabrication et les modalités de vente. Elles s'appliquent à l'ensemble des secteurs et des entreprises, bien que leur effet se fasse sentir principalement sur un nombre restreint d'entre eux. Les lois relatives à la pollution de l'air et de l'eau ont peu d'effet sur les détaillants, par exemple, mais davantage sur les aciéries. Dans certains cas, les prix des services monopolistiques peuvent être réglementés, pour des raisons d'équité.

LES ENJEUX SOCIAUX

Les enjeux sociaux changent au fil de l'histoire, comme les valeurs sociales changent avec la situation économique. À l'heure actuelle, les trois enjeux sociaux les plus importants sont l'équité en matière d'emploi et la parité salariale pour des fonctions équivalentes, la protection des consommateurs et la protection des travailleurs.

L'équité en matière d'emploi

L'équité en matière d'emploi est conforme aux systèmes d'entreprise privée qui ont été décrits au chapitre 2. La combinaison des ressources les plus efficaces permet la maximisation de la croissance économique lorsque les travailleurs les plus qualifiés obtiennent les meilleurs emplois. La discrimination fondée sur des critères arbitraires comme le sexe, l'âge ou l'origine ethnique est incompatible avec la théorie économique et la réalité canadienne. Certaines lois exigent que l'on offre des occasions égales d'emploi aux membres de certains groupes ayant été victimes de discrimination dans le passé, chaque fois que des postes sont à combler. Après l'embauchage cependant, les pratiques discriminatoires peuvent entraver les promotions ou créer des situations où des travailleurs qui effectuent le même travail ne touchent pas le même salaire. C'est la raison pour laquelle les lois de certaines provinces exigent la parité salariale pour des fonctions équivalentes.

La protection des consommateurs

La protection des consommateurs englobe un vaste éventail d'activités destinées à protéger les consommateurs contre les pratiques commerciales qui violent les droits de ces derniers, notamment en ce qui concerne la sécurité des denrées alimentaires, la réglementation des produits pharmaceutiques et la responsabilité découlant du vice d'un produit.

La sécurité des denrées alimentaires inclut les additifs alimentaires, comme la saccharine et l'aspartame, ainsi que la bonne manutention de la nourriture et des produits alimentaires entre la ferme et le consommateur. Elle vise à déterminer les pratiques dangereuses pour les supprimer. La sécurité des denrées alimentaires comprend aussi l'étiquetage, étant donné que certaines personnes sont allergiques à des aliments comme les noix, et peuvent mourir après en avoir ingéré de petites quantités mêlées à d'autres ingrédients.

La réglementation des produits pharmaceutiques est, bien entendu, destinée à protéger les consommateurs contre les médicaments nocifs ou inefficaces. De longues périodes d'essai sont parfois requises pour éprouver de nouveaux médicaments, mais elles peuvent également empêcher des malades de se procurer des produits aptes à leur sauver la vie. Les nombreuses poursuites relatives à la responsabilité découlant du vice d'un produit intentées contre les entreprises des États-Unis ont incité des citoyens des pays où sont vendus des produits d'origine américaine à prendre les mêmes mesures, notamment au Canada. Certains exportateurs canadiens sont exposés à ce genre de poursuites. On ne peut donc pas les passer sous silence, et les entreprises du monde entier doivent soigner la qualité de leurs produits.

La protection des travailleurs

La protection des travailleurs importe à la fois aux employeurs et à la société. Certains produits ou procédés de fabrication peuvent représenter un danger pour les humains (l'amiante, par exemple), même s'il n'est ni évident ni bien connu. La recherche est donc indispensable, et lorsqu'on découvre un danger, il faut prendre les mesures appropriées. Il est préférable que les entreprises agissent de leur propre gré (comme l'a fait Johns Manville en cessant ses activités en raison des dangers de l'amiante), faute de quoi l'État devra intervenir.

LA RÉGIE INTERNE ET LA RÉGLEMENTATION DE L'ÉTAT

Un règlement est un acte législatif qui restreint, régit ou interdit le comportement de personnes physiques ou morales. Certains secteurs ont mis sur pied des associations commerciales qui ont établi des mécanismes de régie interne à l'intention des entreprises, dont l'application est facultative.

On ne peut cependant se soustraire aux lois de l'État, lesquelles résultent d'échecs commerciaux (comme on l'a mentionné au chapitre 2) ou de la sollicitation de groupes de pression. La création de bureaux de réglementation semi-indépendants dotés d'un pouvoir décisionnel permet aux gouvernements de se dissocier de toute réaction défavorable et de répondre aux besoins de la population tels qu'ils sont exprimés par les groupes de pression.

LE CONSUMÉRISME

Le mouvement des consommateurs qui a pris naissance au début des années 1960 a montré aux entreprises du monde entier que leurs clients s'attendaient à ce qu'elles atteignent des niveaux élevés d'efficience et de fiabilité. Parce que les entreprises n'ont pas toujours répondu à ces attentes rapidement, des défenseurs des droits des consommateurs comme Phil Edmonston ou Ralph Nader ont eu recours à la publicité, aux poursuites et aux pressions pour obtenir des réponses à leurs questions. Nombre d'entreprises ont mis sur pied des services à la clientèle chargés de traiter les demandes et les plaintes des consommateurs, et certaines ont installé des lignes 800 à cette fin. Enfin, l'État a forcé des entreprises à rappeler des produits, ce que d'autres ont fait volontairement.

RÉSUMÉ

Sommaire

1. L'économie canadienne évolue sur le plan mondial. Des événements extérieurs influencent souvent les activités intérieures et celles des petites entreprises. On divise l'économique en macroéconomie (le pays) et en microéconomie (l'entreprise). L'économie positive porte sur les événements réels, alors que l'économie normative tente d'expliquer ce qui devrait se produire.

2. Les principales notions macroéconomiques.

   - Le produit intérieur brut (PIB) : la valeur de la totalité des biens et des services produits par un pays à l'intérieur de ses frontières.
   - Le produit national brut (PNB) : le PIB, plus les revenus gagnés à l'étranger par les Canadiens, moins les revenus gagnés au Canada par les étrangers.
   - L'inflation : la hausse du niveau général des prix.
   - Le chômage : le nombre de personnes à la recherche d'un emploi exprimé en pourcentage de la population active.
   - L'infrastructure : les investissements dans les services du secteur public comme la construction de routes, d'aéroports et de pipelines.
   - Les investissements : en général, l'accroissement du capital d'une économie.
   - Les cycles économiques : les fluctuations périodiques de l'activité économique.

3. Les principales notions microéconomiques.

   - Le rapport entre l'offre et la demande indique qu'un marché est en équilibre lorsque la quantité offerte d'un bien égale la quantité demandée, à un prix donné.

- La productivité mesure l'efficience de la production. Un des principaux indicateurs de la productivité est la production horaire de la main-d'œuvre.
- La loi de la jungle veut que, dans un marché concurrentiel, les entreprises qui produisent et vendent des biens à profit survivent, alors que les autres disparaissent.

4. Les principaux enjeux économiques actuels sont le chômage, les déficits et la productivité.

5. Le contexte social canadien inclut la culture et influe sur les entreprises à la faveur du comportement et des attitudes des consommateurs.

6. Les principaux enjeux sociaux actuels sont l'équité en matière d'emploi et la parité salariale pour des fonctions équivalentes, la protection des consommateurs et la protection des travailleurs.

7. Les règlements de l'État sont une solution de rechange à la régie interne. Ils restreignent, régissent ou interdisent le comportement des personnes physiques ou morales.

Notions clés

L'équité en matière d'emploi

L'inflation

L'infrastructure

L'investissement

L'IPC

L'offre et la demande

La macroéconomie

La microéconomie

La participation étrangère

La productivité

La protection des consommateurs

La régie interne

La réglementation culturelle

La réglementation sociale

Le chômage

Le consumérisme

Le cycle économique

Le déflateur du PIB

Le produit nominal

Le PIB

Le PNB

Le produit réel

Les caractéristiques des produits

Exercices de révision

1. Quelles sont les principales composantes des contextes social et économique du Canada ?
2. Quelles sont les principales notions macroéconomiques ?
3. Quelles sont les principales notions microéconomiques ?
4. Quels sont les principaux enjeux économiques actuels ?
5. Quels sont les principaux enjeux sociaux actuels ?
6. Quels sont les principaux avantages reliés à la réglementation de l'État ?

Matière à discussion

1. Les prévisions du Fonds monétaire international selon lesquelles le Canada serait le chef de file du redressement économique en 1993 ont-elles été confirmées ?
2. Expliquez pourquoi les emprunts excessifs à l'étranger menacent l'économie canadienne.
3. Expliquez pourquoi la façon dont le gouvernement dépense le capital emprunté est importante.

Exercices d'apprentissage

1. Un programme de formation

En 1992, le Canada comptait plus de 1,5 million de chômeurs, alors que plus de 500 000 postes étaient vacants parce que les chômeurs ne possédaient pas les compétences requises. Le gouvernement fédéral et un consortium d'entreprises privées ont mis sur pied un programme de 7 millions de dollars, le Forum for International Trade Training. Il a été conçu pour mettre au point un programme de formation du personnel des petites et des moyennes entreprises et des jeunes gens ; le programme sera lancé à l'automne de 1993. Croyez-vous que le programme sera couronné de succès ? Pourquoi ? Pouvez-vous justifier votre réponse ?

2. L'offre et la demande

Certaines entreprises canadiennes prospectent des diamants dans le nord du pays. Des scientifiques estiment que des diamants de haute qualité se trouveraient dans plusieurs régions de l'Ontario, du Québec et du Yukon. Supposons que ces firmes trouvent effectivement les diamants et que l'offre mondiale de cette pierre précieuse double du jour au lendemain. En vous appuyant sur vos connaissances de la microéconomie, qu'arriverait-il au prix des diamants ? Pourquoi ?

CHAPITRE

26

PLAN

Les composantes de l'environnement

Le rôle de l'État

Un point de vue : l'environnement

Le rôle des entreprises

La crise urbaine
    Le problème urbain
    Les entreprises et les villes

La pollution
    Les sources
    Les types
    Les effets

Les enjeux écologiques
    L'air
    Le sol
    L'eau
    Des suggestions destinées à améliorer la qualité
       de l'environnement

Un enjeu commercial actuel : qui doit payer la note ?

La collaboration internationale

Un point de vue : les projets de développement durable
   de Shell Canada

Résumé

L'ENVIRONNEMENT

Les objectifs du chapitre

Après avoir lu le présent chapitre, vous pourrez :

1. décrire les composantes de l'environnement ;
2. décrire le rôle des gouvernements en matière d'environnement ;
3. décrire le rôle des entreprises en matière d'environnement ;
4. décrire la crise urbaine ;
5. définir les principaux enjeux en matière de pollution ;
6. définir les principaux enjeux écologiques ;
7. décrire la collaboration internationale en matière d'environnement.

Les entreprises n'ont jamais été aussi sensibilisées aux questions d'environnement, notamment par rapport aux perceptions des consommateurs. Et aucune entreprise ne l'est davantage que Bell Canada. Celle-ci a récemment mis sur pied un groupe d'intervention en matière d'environnement et la mesure a porté ses fruits rapidement.

En 1991, le groupe a découvert un fait inquiétant : l'édifice de Fieldway Road, à Etobicoke (Ontario) produisait 2 000 livres de déchets chaque jour — suffisamment pour remplir un immeuble de 12 étages tous les deux ans — malgré la présence de boîtes de recyclage pour le papier et le verre. Le groupe conçut un projet d'élimination des déchets qui n'entraînait aucune diminution de la productivité ou hausse des coûts. Un mois et demi plus tard, il présenta un projet général appelé Zéro Déchet.

Les statistiques de Fieldway Road témoignent de la réussite de l'initiative : au début de

1991, on avait porté les déchets à 700 livres par jour et à 140 livres, en octobre. Selon les données les plus récentes, le volume quotidien des déchets n'atteint que 36 livres. Cela représente environ trois sacs pour 1 000 employés et une diminution de 80 p. 100 depuis 1989. En 1992, Bell Canada a détourné quelque 52 000 000 de livres de déchets des sites d'enfouissement.

Zéro Déchet compte sept étapes: la vérification, la mise sur pied d'une équipe de gestion, la mise sur pied d'une équipe d'employés, la conception d'un plan de remise en état du site, une journée de démarrage, une nouvelle vérification et la mesure continue des déchets. Bien que l'efficacité du programme soit surprenante, Bell ne s'en étonna pas outre mesure. L'entreprise savait que le projet serait couronné de succès, mais elle ne s'attendait pas à une réussite aussi brillante en si peu de temps. À l'heure actuelle, environ 80 édifices participent au programme Zéro Déchet. On compte porter ce nombre à 100 à la fin de 1992 et le programme doit s'appliquer à l'ensemble des installations de Bell à la fin de 1993. En outre, l'entreprise a l'intention de mettre en œuvre un programme de conservation de l'énergie[1].

LES COMPOSANTES DE L'ENVIRONNEMENT

Les composantes clés de l'environnement sont l'air, le sol et l'eau. La vie est impossible sans ces éléments essentiels. L'environnement fournit les ressources nécessaires au processus de production et au maintien de la vie. Les difficultés viennent du fait que ces processus ainsi que la consommation humaine produisent de vastes quantités de déchets dont il faut se défaire de manière à minimiser les dangers pour l'environnement.

Étant donné que certaines ressources utilisées dans les processus de production ne sont pas renouvelables, il faut trouver des substituts. D'autres ressources renouvelables doivent être gérées adéquatement. Ainsi faut-il que les exploitants forestiers remplacent les arbres et que les pêcheurs résistent à la tentation de la surpêche, qui occasionnera la disparition du poisson. Les gouvernements ont parfois à intervenir, pour faire respecter les mesures de protection qu'ils ont prises.

LE RÔLE DE L'ÉTAT

Au Canada, les gouvernements sont responsables d'une bonne partie de la pollution, notamment celle de l'eau. Ils ont toutefois hésité à assumer la responsabilité des problèmes qu'ils créent. Un grand nombre de municipalités ne traitent pas leurs eaux usées, préférant ainsi refiler le problème, tandis que d'autres organismes gouvernementaux utilisent toujours des quantités excessives de pesticides dangereux. Évidemment, un des rôles importants de l'État est de minimiser la pollution qui résulte des activités des organismes gouvernementaux.

Un autre rôle clé de l'État est d'assurer la direction et la mise en place des cadres juridique et de réglementation auxquels tous doivent se conformer. Ainsi, le gouvernement doit exiger des entreprises, particulièrement celles qui œuvrent dans les secteurs dont les activités sont les plus polluantes, de cesser ou de diminuer la pollution. Les gouvernements ont le pouvoir d'adopter et d'exécuter des lois, si les gens qu'ils représentent leur demandent d'agir. Ils sont toutefois souvent myopes et ont tendance à ne voir que le présent, peut-être parce que les générations futures ne peuvent pas voter. C'est pourquoi les électeurs d'aujourd'hui doivent penser à leurs enfants et petits-enfants, et protéger l'environnement dont ceux-ci hériteront un jour.

---

1. Traduit de Andrew Dodds, « Call of the Wild », *Inside Guide*, décembre/janvier 1993, p. 45-48.

Le Canada a signé un accord international avec les États-Unis et le Mexique relativement aux oiseaux migrateurs. L'entente est administrée par le gouvernement fédéral. Parmi les lois fédérales en matière d'environnement, on compte les Règlements sur la prévention de la pollution par les hydrocarbures en application dans la Loi sur la marine marchande du Canada, la Loi sur la prévention de la pollution des eaux arctiques, la Loi sur les ressources en eaux du Canada, la Loi sur les pêches, ainsi que la Loi sur le transport des marchandises dangereuses. La plupart des provinces disposent également de lois contre la pollution de l'eau et de l'atmosphère et pour la protection de la faune.

UN POINT DE VUE   L'environnement

L'écologisme compte parmi les termes les plus néo-orthodoxes en usage à l'heure actuelle. Il est presque impossible de s'opposer à toute proposition relative à un environnement plus propre et plus sécuritaire sans être taxé d'ennemi de la planète et de ses habitants.

Un grand nombre de pays dont le Canada disposent de lois efficaces et avantageuses destinées à protéger l'environnement. Mais les pressions sont toujours énormes pour l'adoption d'autres lois et d'autres règlements qui, dans la plupart des cas, occasionnent des coûts additionnels aux entreprises et aux secteurs économiques. Il suffit de songer aux lois de la Colombie-Britannique qui s'appliquent aux usines de pâte à papier.

Dans maints cas, les parties intéressées assument ces coûts sans broncher. Après tout, les gens d'affaires respirent aussi de l'air, boivent de l'eau et profitent des espaces verts encore vierges. Mais dans d'autres cas cependant, les charges imposées par les gouvernements qui répondent aux pressions d'écologistes fanatiques sont exorbitantes.

On peut certainement remettre en question certaines lois et certains règlements adoptés sous la pression des écologistes sans passer pour un pollueur inconscient. Le Conseil canadien des chefs d'entreprises (CCE), le Keidanren du Japon et la Confédération des industries de l'Inde constituent de bons exemples. La Chambre de commerce internationale a publié une charte commerciale du développement durable. On retrouve aussi le Conseil des entreprises pour le développement durable qui a travaillé en collaboration avec le CCE.

Un grand nombre d'écologistes dénoncent la lenteur des progrès et c'est la raison pour laquelle ils exercent des pressions auprès des gouvernements, afin que ceux-ci adoptent des règlements coûteux relativement à l'évacuation des déchets, au recyclage, à l'assainissement de l'atmosphère et à d'autres enjeux. Dans certains cas, les principes scientifiques qui sous-tendent les exigences sont douteux et les coûts excèdent nettement les avantages.

Si une entreprise doit cesser ses activités en raison des coûts reliés au respect des lois ou parce que des lois en matière d'environnement la désavantagent par rapport à ses concurrents, l'environnement sera protégé, mais moins de travailleurs actifs en profiteront. Les entreprises en faillite ne contribuent plus au perfectionnement des techniques en matière d'environnement, et une assiette fiscale réduite se traduit par une diminution des sommes que les gouvernements peuvent appliquer à l'assainissement de l'environnement.

Bien qu'ils puissent œuvrer à l'amélioration des normes environnementales, les dirigeants d'entreprises doivent être conscients des coûts. Un sondage du *Financial Post* auprès des membres de l'Association canadienne de science économique des affaires est révélateur à cet égard. Lorsqu'on a demandé aux répondants si certaines dispositions du projet de loi ontarien sur les droits en matière d'environnement seraient plus coûteuses pour les entreprises en raison des innombrables enquêtes, révisions et poursuites éventuelles, 36 p. 100 ont dit oui et 35 p. 100, non. Quelque 55 p. 100 des économistes du secteur public se sont prononcés en faveur du projet de loi, comparativement à seulement 26 p. 100 des économistes du secteur privé.

Les gouvernements et les groupes de pression écologistes doivent reconnaître le besoin d'une évaluation plus prudente des coûts et des avantages reliés aux lois et aux règlements en matière d'environnement. Il faut examiner la façon de réduire les risques pour l'environnement de manière rentable. Les initiatives du secteur privé ne doivent pas être vues d'un mauvais œil pour la simple raison qu'elles émanent de gens qui ne brandissent pas d'étendard vert.

Source: Traduit de «Need Cooler Heads on Environment», *The Financial Post*, éditorial du 24 août 1992, p. S16.

LE RÔLE DES ENTREPRISES

Les entreprises ne sont pas responsables de tous les maux dont souffre l'environnement. Un grand nombre d'entre elles ont manifesté de l'empressement à régler les problèmes qu'elles ont créés, mais les solutions sont onéreuses. Dans une économie de libre entreprise, les coûts du matériel antipollution que doit engager la firme sensibilisée à l'environnement accroîtront ses frais, et si ses concurrents n'emboîtent pas le pas, celle-ci se retrouvera dans une situation désavantageuse. Pour que toutes les entreprises d'un secteur d'activité soient traitées de la même manière, il est préférable que les gouvernements imposent des règlements universels.

LA CRISE URBAINE

Environ la moitié de la population de la planète vit dans des villes. En Amérique du Nord, cette proportion atteint 75 p. 100. Les grandes villes constituent un élément important de la vie moderne. Au Canada, on compte 28 agglomérations métropolitaines dont la population dépasse 100 000 habitants. Dans certains pays du Tiers monde, la population de certaines villes est supérieure à celle de l'Ontario et du Québec combinés.

Il existe un lien entre la croissance urbaine, l'utilisation du sol et le transport. La taille des villes fut jadis limitée par la capacité de celles-ci de tirer leurs moyens de subsistance du milieu avoisinant. Cependant, les progrès techniques et les nouveaux modes de transport permettent maintenant aux villes de s'approvisionner en denrées originaires des quatre coins du monde. La croissance urbaine découle de l'accroissement naturel de la population du pays, de la migration de la population rurale et de l'immigration.

Le problème urbain

La densité de la population des villes présente des dangers pour la santé humaine sous forme d'épidémies et de maladies d'origine hydrique, et en raison de la concentration des déchets. Les activités des villes éprouvent grandement les ressources disponibles, et un bon nombre de centres-villes se sont dégradés à la suite de l'exode des usines et de la population vers les banlieues.

Parmi les problèmes urbains importants, on compte l'écart grandissant entre les conditions de la vie rurale et de la vie urbaine — qui favorise un plus grand exode vers les villes —, la qualité de vie décroissante dans les villes en raison de la densité de la population dans un espace limité, ainsi que la répartition moins qu'optimale des ressources à l'intérieur des pays et des régions.

Les entreprises et les villes

Les activités manufacturières des villes ont toujours été moins importantes au Canada que dans d'autres pays. Le Canada est encore en période de désindustrialisation, et les activités de fabrication perdent de leur importance. Environ la moitié de la population des villes travaille dans des bureaux. Il semble donc que les usines, une source de polluants, sont remplacées par des bureaux. Ceux-ci, ainsi que le matériel qu'ils abritent, sont à l'origine d'autres problèmes à l'intérieur des édifices, problèmes qu'il faudra éventuellement régler.

LA POLLUTION

On parle de pollution chaque fois que les déchets rejetés dans l'environnement excèdent la capacité de dilution de la nature. Les dommages ainsi causés dépendent des sources, des types et des effets des polluants.

Les sources

Les sources de pollution sont nombreuses et variées. La pollution atmosphérique provient notamment des gaz d'échappement des véhicules automobiles, des émissions d'incinérateurs et des cheminées d'usines. La pollution du sol peut être occasionnée par les déchets industriels et domestiques, et la pollution de l'eau, par les écoulements agrochimiques et les engrais, les effluents industriels et les décharges municipales.

Les types

On peut classer les types de pollution de la manière suivante :

- La **pollution atmosphérique**, causée par la présence de particules gazeuses ou solides dans l'atmosphère, peut occasionner des maladies et endommager les biens.

- La **pollution du sol**, causée par l'évacuation de déchets solides ou liquides sur (ou dans) le sol, peut rendre certains endroits impropres à l'habitation.

- La **pollution de l'eau**, causée par l'évacuation de déchets liquides ou solides dans les cours d'eau, peut endommager la chaîne alimentaire et nuire aux humains.

- La **pollution par les pesticides**, causée par l'utilisation abusive des pesticides, peut affecter l'atmosphère, le sol et l'eau à des distances considérables de son lieu d'origine, ainsi que les populations non informées.

- La **pollution nucléaire**, causée par l'évacuation de matières radioactives sur (ou dans) le sol, peut constituer un danger grave pour la santé. La conception ou l'utilisation impropres de centrales nucléaires — comme Three Mile Island et Tchernobyl — peut créer des difficultés internationales de grande envergure. Maintenant que nous disposons de traités sur la destruction des armes nucléaires américaines et soviétiques, peut-on détruire celles-ci en toute sécurité ?

– La **pollution sonore**, causée notamment par le bruit excessif des véhicules automobiles, des avions et des usines, peut occasionner des troubles nerveux et contribuer à l'accroissement de la criminalité.

– La **pollution esthétique**, causée notamment par la prolifération des panneaux d'affichage, des enseignes lumineuses au néon ainsi que des poteaux et fils téléphoniques, peut affecter le comportement des humains.

Les trois premiers types (air, sol et eau) comprennent les autres et constituent, par conséquent, les préoccupations principales des gestionnaires.

Les effets

Certains effets de la pollution sont particulièrement évidents, comme nous l'avons mentionné. Il existe probablement de nombreux effets insoupçonnés, et il faudra prendre les dispositions appropriées, à mesure de leur découverte.

LES ENJEUX ÉCOLOGIQUES

L'importance de nombreux enjeux écologiques variera à mesure que nous améliorerons nos connaissances sur les causes et les effets de la pollution. On dénombre plus de 100 000 produits chimiques à des fins commerciales présentement en usage, et des centaines font leur apparition chaque année. Un grand nombre n'ont jamais été éprouvés, et nous savons peu de choses sur eux. Ils se retrouveront inévitablement dans la nature. De nombreux sont peut-être à la fois toxiques et persistants, et il se peut que leur effet cumulatif soit difficile à détecter et qu'il justifie des contre-mesures d'une portée et d'une importance considérables.

L'air

Les pluies acides sont un enjeu écologique important. Elles influent sur la qualité de l'air et des écosystèmes aquatiques et terrestres, notamment dans le bouclier canadien et dans la région de l'Atlantique. Les pluies acides proviennent principalement des émissions d'anhydride sulfureux et d'oxyde d'azote, lesquelles peuvent parcourir d'énormes distances avant de retomber au sol sous forme de pluie ou de neige. Dans l'est du Canada seulement, on estime que les pluies acides ont endommagé quelque 2,5 millions de kilomètres carrés.

Les principales sources canadiennes des émissions d'anhydride sulfureux sont les fonderies de cuivre et de nickel — qui produisent presque la moitié des émissions — ainsi que les centrales thermiques. Les principales sources d'émissions d'oxyde d'azote proviennent du secteur du transport, des centrales thermiques ainsi que des chaudières commerciales et résidentielles. Les progrès techniques permettent la réduction graduelle de ces émissions, à mesure que l'on remplace le matériel désuet.

Les pluies acides constituent un problème international. Quelque 50 p. 100 des polluants qui contribuent aux pluies acides au Canada proviennent des États-Unis, et les émissions nord-américaines affectent l'Europe, étant donné que les vents altitudinaux dominants soufflent d'ouest en est. Le besoin d'une collaboration internationale est grand. Malheureusement, les coûts des mesures correctives seront extrêmement élevés.

Le sol

Bien que les pluies acides endommagent autant le sol que l'atmosphère, les dangers les plus graves ont pour origine les ordures ménagères et les déchets des hôpitaux et des industries essentielles. Dans certains cas, notre ignorance est le vrai coupable et dans d'autres, il s'agit de notre inertie.

Dans le célèbre cas de Love Canal, il semble que l'ignorance et la cupidité sont à l'origine des événements qui ont amené le drame. Love Canal se trouve dans la péninsule de Niagara, dans l'État de New York. Une entreprise de produits chimiques y a entreposé ses déchets pendant des décennies, ayant recours à des techniques jugées adéquates à l'époque. Les déchets toxiques furent placés dans des réceptacles scellés et enfouis dans des fosses cimentées, que l'on couvrit de nombreuses couches de gravier et de terre. La compagnie avisa les autorités locales de toutes les précautions prises. Des années plus tard, l'entreprise ferma l'usine et abandonna le site d'enfouissement. Le temps passa, et une nouvelle administration municipale procéda à un nouveau zonage du sol. On bâtit alors une école, en raison du prix peu élevé des terrains, ainsi que des logements. Puis un jour, on se rendit compte que les déchets toxiques avaient remonté à la surface et se déversaient dans la rivière. Le gouvernement américain condamna le secteur et réinstalla 230 familles, trois kilomètres plus loin. Comble de malheur pour ces gens, ce lieu se trouvait également sur un ancien site d'enfouissement. La région de Niagara compte un grand nombre de complexes industriels des deux côtés de la frontière en raison de l'eau et de l'électricité qu'on y trouve en abondance, lesquelles sont nécessaires aux procédés de ces usines. On croit maintenant que de nombreuses matières toxiques déversées dans la rivière proviennent de ces sites.

L'eau

L'eau est affectée par les pluies acides, l'évacuation des déchets et des eaux usées, ainsi que l'écoulement des pesticides et des déchets toxiques. L'eau est essentielle à la vie. Lorsqu'elle ne peut plus diluer les toxines, les êtres vivants en souffrent. Un problème que l'on retrouve à l'échelle mondiale est l'empoisonnement au mercure. Une foule d'activités et de procédés industriels produisent des quantités excessives de mercure, notamment l'affinage de l'or, la fabrication de fongicides, les batteries et les laboratoires dentaires.

Les populations de Grassy Narrows (Ontario), de Minamata (Japon), ainsi que celles de l'Iraq, du Ghana, du Guatemala et du Pakistan ont toutes souffert de l'empoisonnement au mercure. Au Canada et au Japon, le problème est attribuable aux effluents d'entreprises de produits chimiques. Au Canada, l'évacuation s'est produite à quelque 80 kilomètres en amont de la réserve indienne de Grassy Narrows. Au Japon, la source était un complexe pétrochimique qui déversait ses effluents dans la baie de Siranui. Dans les deux cas, des personnes sont décédées parce qu'elles avaient consommé du poisson et des crustacés en provenance des eaux polluées. Des chats furent également touchés. En Iraq et dans d'autres pays en voie de développement, on transforma en farine des semis de céréales préalablement traités au mercure afin d'en prévenir la détérioration, au lieu de les planter. Des gens ayant mangé de la nourriture empoisonnée en moururent, et d'autres subirent des troubles neurologiques permanents.

Les ressources hydriques renferment à l'évidence un grand nombre de contaminants, dont certains se manifestent de façon naturelle. Le danger que courent les humains et les animaux dépend de la quantité de contaminants que ceux-ci absorbent au cours d'une période donnée. En Iraq, l'exposition fut de brève durée (quelques mois seulement), mais les quantités étaient considérables ; au Canada et au Japon, les quantités étaient moindres, mais les périodes d'exposition, nettement plus longues.

Les nombreuses innovations techniques donnent naissance à une multitude de nouveaux produits chimiques, lesquels se retrouvent par la suite dans les cours d'eau de la planète.

Personne ne connaît les incidences de certaines substances, encore moins les effets combinés de celles-ci. D'aucuns affirment qu'il faut faire plus de recherches sur les répercussions néfastes de toutes les formes de pollution, dans le but de prendre les mesures appropriées dès que l'on se rend compte des répercussions négatives, et ce peu importe les coûts. Étant donné que ceux-ci seront vraisemblablement très élevés, aucune entreprise jugée coupable ne pourra agir seule. Il faudra donc multiplier les efforts conjoints, au moins au niveau des secteurs.

Des suggestions destinées à améliorer la qualité de l'environnement

Les dommages causés par la pollution représentent une externalité négative. Les décisions des responsables de la pollution ne tiennent généralement pas compte des coûts de celle-ci. L'eau et l'air ont toujours été considérés comme des ressources gratuites. Il fut un temps où l'on pouvait laisser s'écouler les effluents sans risque pour l'environnement, en raison des petites quantités déversées.

Mais l'accroissement de la population et sa concentration dans les villes, l'abondance et la consommation accrues, combinées avec les progrès techniques et des attentes sans cesse grandissantes, ont contribué aux problèmes. Il existe à l'heure actuelle un mouvement écologiste mondial, dirigé par des groupes de pression et des partis politiques, qui suggère des moyens d'améliorer la qualité de l'environnement. On compte quatre types de suggestions à cette fin :

- l'étude exhaustive de l'incidence sur l'environnement des projets avant la mise en œuvre de ceux-ci — notamment en ce qui concerne les travaux de construction importants ;

- la définition de normes relatives à la limite admissible de polluants que l'on peut rejeter dans l'environnement ainsi que des amendes aux contrevenants — notamment pour endiguer la pollution atmosphérique ;

- la réglementation de l'évacuation des déchets à la faveur de l'émission de permis qui limitent le nombre de pollueurs éventuels ainsi que les méthodes et les techniques utilisées — notamment pour maîtriser la pollution de l'eau ;

- l'analyse détaillée des substances avant leur commercialisation — utilisée fréquemment pour les médicaments, les cosmétiques et les produits alimentaires.

La première méthode s'applique principalement aux grands projets de construction, lorsqu'il y a chevauchement des compétences fédérale et provinciale, mais elle sert aussi aux projets qui relèvent exclusivement des provinces. Au Manitoba, par exemple, on a tenu des audiences publiques sur un projet d'aluminerie devant créer des centaines d'emplois permanents, en plus de ceux reliés à la construction elle-même. On estima que les risques de pollution étaient trop importants, et le projet ne se concrétisa pas. Au Québec, la controverse se poursuit relativement aux avantages des projets hydroélectriques de Grande Baleine et de la baie de James. Dans le nord du pays, on a tenu de nombreuses audiences publiques sur l'exploration pétrolière et la construction de pipelines, et les dangers que représentent ceux-ci pour le milieu et la faune. Un autre danger sur lequel on ne s'est vraisemblablement pas suffisamment penché est le transport du pétrole de l'Alaska dans des pétroliers monocoques, le long de la côte ouest. Le tristement célèbre déversement accidentel de l'Exxon Valdez aurait pu être évité. Étant donné que de nombreuses audiences publiques dépendent de conjectures relatives aux répercussions d'événements qui ne se sont pas encore produits, les débats continuent de faire rage.

Il est très difficile de déterminer certains coûts reliés à la pollution comme l'incidence, sur l'Amérique du Nord, de la destruction des forêts tropicales humides sud-américaines, africaines et du sud-est asiatique, lesquelles semblent si lointaines. Le réchauffement planétaire affectera-t-il réellement l'agriculture des prairies canadiennes et jusqu'à quel point ? Par ailleurs, la diminution de la couche d'ozone augmentera-t-elle les cas de cancer de la peau, endommagera-t-elle les récoltes et modifiera-t-elle le climat de la planète ?

Dans certains cas, il faut prendre des décisions importantes. Par exemple, vaut-il mieux, pour le bien-être des êtres humains, protéger certains types d'animaux de l'extinction, ou faut-il accorder la priorité à la satisfaction des besoins des personnes, même si cela se traduit par la destruction irréversible d'habitats essentiels ? Un gouvernement ne peut régler seul ces enjeux, même si l'habitat en question se trouve à l'intérieur de ses frontières, étant donné les répercussions probables sur l'environnement d'autres pays.

UN ENJEU COMMERCIAL ACTUEL

Qui doit payer la note ?

Le dilemme est le suivant. Comme la plupart des pays occidentaux, nous commençons à peine à calculer la facture d'assainissement des sites industriels qui, dans certains cas, subissent l'assaut des pollueurs depuis 100 ans. Au Canada, la facture s'élèverait à quelque 20 milliards de dollars. Qui paiera la note ?

La croyance populaire veut que ce soit les pollueurs qui paient, ce qui s'applique bien aux pollueurs actuels et futurs. En effet, la réglementation actuelle sur la pollution est très claire, et tant pis si les gens sont trop ineptes pour en prendre connaissance. En ce qui concerne la « vieille » pollution cependant, la situation est plus délicate. Selon l'âge du site, il se peut que le pollueur original soit décédé, ait fait faillite ou qu'on ne puisse le retracer, par suite d'innombrables fusions ou acquisitions. Qui réglera alors la note ? Et que faire des sites qui furent contaminés avant l'adoption des lois antipollution ? La responsabilité rétroactive du pollueur est-elle juste ?

Le Canada n'est pas le seul pays aux prises avec ces difficultés. Lors d'une visite récente d'usines allemandes, j'ai vu une relique de l'ancienne Allemagne de l'Est, une vieille usine grinçante de transformateurs électriques, à Dresden. Propriété de Siemens avant la guerre, l'usine fut confisquée par les communistes et gérée selon les principes d'efficacité marxistes que l'on connaît bien, ce qui veut dire qu'on n'a pas investi un sou dans l'usine ou le matériel et qu'on n'a pas donné une seule couche de peinture en 40 ans. Comme c'est le cas pour la plupart des usines de cette région du monde, la pollution est omniprésente, mais aucun document ne mentionne la nature de celle-ci, ni les quantités et l'origine des polluants. On ne peut se fier qu'aux anecdotes ahurissantes des employés et aux odeurs nauséabondes qui se dégagent des sites de déversement.

Siemens a repris possession de l'usine, mais a préalablement réglé la question de la responsabilité en matière de pollution. Qui paiera la note ?

Sachant pertinemment que les investissements dont a tant besoin le pays ne se matérialiseraient pas avant que soit réglée cette question, le gouvernement allemand décida que les entreprises paieraient des frais nominaux et que le reste proviendrait d'investissements publics. Dans le cas de l'usine de Dresden, la responsabilité de Siemens s'établit aux premiers trois millions de dollars en frais d'assainissement, lequel coûtera certainement bien davantage.

Nous devons prendre le même genre de décisions au Canada. Qui devra payer, maintenant que les règles du jeu ont été modifiées et que la population a décidé d'assainir l'environnement ? Le pollueur, le propriétaire des lieux, l'État, les banques ? À la lumière de lois adoptées récemment, il faut conclure que toutes ces parties et bien d'autres devront contribuer au règlement de la facture. L'Ontario, par exemple, est la province la plus stricte au pays à cet égard et constitue un modèle à suivre : la responsabilité reviendra aux propriétaires ou gestionnaires des lieux contaminés. En principe, même les prêteurs pourraient être tenus de participer aux coûts de dépollution de biens qu'ils ont acquittés il y a longtemps.

Cela ne suffit cependant pas. Nous savons où mène généralement la combinaison d'enjeux importants et de lois ambiguës au Canada — à des poursuites longues et onéreuses. Sur ce plan, nous pouvons tirer des leçons des lois américaines relativement au Superfund, un fonds général destiné à l'assainissement de l'environnement. Adoptée par le Congrès pour assainir 1 245 sites d'enfouissement de déchets toxiques, la loi place la responsabilité sur presque toutes les parties intéressées. Après une douzaine d'années cependant, seulement 84 sites ont été décontaminés. Cela s'explique par le fait que seulement 10 p. 100 des sommes consacrées par les compagnies d'assurance au règlement des demandes en vertu du Superfund ont été appliquées à l'assainissement, et les avocats ont empoché le reste.

La responsabilité touche un des principes essentiels du capitalisme : il faut savoir qui paie. D'ici à ce que nous prenions une décision à cet égard, nous nous exposons à la congestion systématique de transactions économiques clés, en commençant par les opérations immobilières commerciales. Dans cette situation, les acheteurs refusent d'acheter, les vendeurs ne peuvent vendre et les prêteurs n'osent saisir les biens, craignant d'hériter d'une facture de dépollution plus élevée que le prêt.

La méthode sans faute constitue une solution sensée à ce problème. Aux États-Unis, on songe déjà à modifier le Superfund, qui ne se fonderait plus sur la responsabilité, mais sur les travaux publics financés par les différents secteurs de l'économie, sans égard à la responsabilité. On désire ainsi que les interventions se fassent sur le terrain, plutôt que devant les tribunaux.

Ne s'agit-il que d'un autre fardeau fiscal imposé aux entreprises ? C'est peut-être le cas, mais si l'on y songe, la réponse à la question : « Qui paie ? » est toujours : « Vous et moi. » Les coûts reviennent toujours aux consommateurs et aux contribuables. Bien que la facture de 20 milliards de dollars paraisse énorme à l'heure actuelle — et elle ne cesse de croître — elle n'est probablement rien comparativement aux coûts reliés à l'inertie ou aux interminables poursuites devant les tribunaux. Quelle que soit la décision, assurons-nous qu'elle ne profitera pas seulement aux avocats.

Source : Traduit de Randall Litchfield, « The $20-Billion Question : Who Pays ? », *Canadian Business*, septembre 1992, p. 15.

LA COLLABORATION INTERNATIONALE

S'il est difficile pour une entreprise de combattre seule la pollution, il en va de même pour un pays, comme en témoignent les politiques américaines décevantes en matière d'environnement. Par conséquent, on a conçu des propositions multilatérales destinées à améliorer la qualité de l'environnement à la faveur du développement économique durable. Il n'y a pas unanimité au sujet de la définition de cette notion, mais on s'accorde pour dire qu'elle constitue un objectif louable.

La Commission mondiale des Nations Unies sur l'environnement et le développement a présenté la notion de développement durable en 1987. Depuis lors, celle-ci a servi de cadre destiné à la mise sur pied d'économies qui respectent l'environnement, notamment dans les pays en voie de développement. La notion ne fait pas encore l'unanimité, mais certains pays tentent de trouver des solutions à l'évacuation des déchets toxiques et d'autres sont à la recherche de carburants plus propres. Pour la majorité des pays du Tiers monde toutefois, le réchauffement planétaire, la destruction des forêts tropicales humides, les retombées toxiques et la détérioration de la couche d'ozone sont loin d'être des priorités.

Selon les travaux de la Conférence des Nations Unies sur l'environnement et le développement tenue à Rio de Janeiro en juin 1992, il faudrait que les pays riches de l'hémisphère nord fournissent des ressources économiques aux pays pauvres de l'hémisphère sud. Les gouvernements et les entreprises ont des rôles importants à jouer à cet égard.

UN POINT DE VUE

Les projets de développement durable de Shell Canada

Shell Canada croit fermement au développement durable. La Société a confirmé son engagement à la faveur d'énoncés, de politiques, d'interventions et de la définition d'objectifs, lesquels constitueront le fondement de projets particuliers de développement durable à l'échelle de l'entreprise.

Une politique de développement durable

Shell Canada s'est engagée à intégrer les questions économiques et environnementales au processus décisionnel afin de promouvoir le développement durable en :

- appliquant les principes du développement durable à l'ensemble des activités de la Société ;

- appliquant des mécanismes d'autosurveillance du développement durable ;

- évaluant l'opinion publique sur le développement durable ;

- participant aux processus de consultation sur le développement durable.

Les principes qui sous-tendent le développement durable

La Société exigera la conception, la construction, l'exploitation et la mise hors service des installations de manière sûre et efficiente, en respectant l'environnement, selon une méthode de cycle de vie. Elle tentera de fabriquer et d'utiliser des produits et des conditionnements destinés à réduire l'incidence négative des produits et des déchets sur l'environnement. Elle travaillera activement de concert avec ses fournisseurs et sa clientèle afin d'encourager l'usage et la mise au point de produits et de pratiques qui respectent ces principes.

Au nom de la **responsabilité partagée**, tous les secteurs de la Société acceptent de soutenir l'environnement et l'économie, et reconnaissent la nécessité de se consulter et de collaborer.

Les politiques, programmes et décisions de la Société mettront l'accent sur la **prévention** des répercussions négatives de ses activités sur les plans environnemental, économique, social et culturel.

La Société pratiquera la **conservation** et la **gestion des ressources** dans toutes ses activités afin de protéger les humains, la flore, la faune ainsi que la qualité de l'air, de l'eau et du sol. Elle veillera également à la conservation et à l'efficience énergétiques à l'intérieur et à l'extérieur de ses rangs. Elle améliorera l'offre d'énergie grâce à la technique et à l'exploration, en plus de soutenir les innovations destinées à réduire les effets des combustibles fossiles.

La **gestion des déchets** s'effectuera à la faveur de l'élimination ou de la réduction. La Société mettra l'accent sur la réutilisation, le recyclage et la récupération des sous-produits, et l'évacuation des déchets restants se fera d'une manière compatible avec l'environnement.

La **réhabilitation** et la **reconquête** reposeront sur la consultation et la collaboration des intéressés pour déterminer des mesures en vue de réparer les dommages causés à l'environnement qui résultent des activités passées et actuelles de la Société.

La Société appuiera les **innovations scientifiques** et **techniques** destinées à améliorer l'état de l'environnement et le bien-être de l'économie.

En matière de **responsabilité internationale**, la Société reconnaît que tous les secteurs canadiens doivent collaborer, afin d'atteindre un niveau de développement durable à l'échelle internationale et de trouver des solutions aux problèmes mondiaux.

Les objectifs et les interventions aux fins du développement durable

Le **respect des lois** — la Société s'engage à prendre pour normes minimales dans toutes ses installations et pour l'ensemble de ses projets les exigences de toutes les lois.

La **planification** — des plans de développement durable, incluant des objectifs de rendement, seront conçus et exécutés dans l'ensemble des installations et pour tous les projets de la Société.

La **vérification** — la Société effectuera des vérifications environnementales périodiques dans l'ensemble de ses installations et pour tous ses projets, et corrigera toutes les déficiences relevées.

L'**énergie** — la Société révisera ses politiques d'utilisation de l'énergie et établira des objectifs de réduction de sa consommation.

Les **déchets solides** — la Société fera l'inventaire des déchets solides et réduira les exigences d'évacuation de ces derniers d'au moins 50 p. 100 d'ici à l'an 2000.

Les **émissions** — la Société procédera à l'inventaire de toutes les émissions hydriques et gazeuses afin d'en déterminer les contaminants, les volumes et les incidences. Son objectif à long terme est de gérer efficacement les émissions nocives en provenance de ses installations.

Les **CFC** — dans la mesure du possible, la Société n'utilisera pas de chlorofluorocarbures dans ses nouveaux projets et éliminera les CFC de ses activités à mesure que des solutions de rechange se présenteront.

La **présentation de l'information** — la Société publiera un rapport annuel sur les progrès réalisés en matière de protection de l'environnement.

Les **règles de conduite** — la Société favorisera la définition de règles de conduite en matière d'environnement, ainsi que le respect de celles-ci à l'intention des associations des secteurs auxquelles elle appartient. Elle travaillera de concert avec les gouvernements, l'industrie et les autres parties intéressées afin d'établir des niveaux d'émissions cibles, à l'intérieur du contexte général.

La **recherche** et la **technique** — la Société aura recours aux techniques les plus perfectionnées et appuiera les activités de recherche, afin d'améliorer son rendement environnemental.

La **consultation** — la Société utilisera la table ronde afin de permettre la participation des intéressés à la planification du développement durable.

Source: Traduit de J. M. MacLeod, « Environmental Stewardship at Shell », *Canadian Business Review*, automne 1991, p. 10.

RÉSUMÉ

Sommaire

1. Les ressources naturelles — l'air, l'eau et le sol — constituent les éléments de l'environnement sans lesquels toute vie est impossible.

2. Le rôle des gouvernements en matière d'environnement consiste à minimiser toutes les formes de pollution que peuvent occasionner leurs propres activités et à fournir un cadre législatif destiné à endiguer la pollution en provenance de toute autre source. Au Canada, les difficultés proviennent du fait que le pouvoir est divisé entre le gouvernement fédéral et les provinces, alors que les administrations municipales comptent parmi les plus grands pollueurs de l'eau.

3. Le rôle des entreprises en matière d'environnement consiste à minimiser les dommages causés par leurs émissions et effluents d'une manière rentable et conformément aux lois en vigueur.

4. La crise urbaine résulte de l'accroissement continu de la population des villes. La croissance urbaine repose sur la capacité des villes de tirer leurs moyens de subsistance du milieu avoisinant ; cette limite a été étendue grâce aux progrès dans les techniques et le transport, qui permettent l'importation de denrées en provenance des quatre coins du monde.

5. Les principaux enjeux actuels en matière de pollution sont la contamination de l'atmosphère, du sol et des ressources hydriques de la planète.

6. Les principaux enjeux écologiques portent sur l'amélioration de la qualité de l'environnement à la faveur d'études d'incidence des projets sur l'environnement, de la définition de normes relativement à la pollution maximale admissible, de la réglementation du nombre, des méthodes et des techniques des pollueurs, ainsi que de l'analyse des nouveaux produits avant leur mise en marché.

7. La collaboration internationale est importante, en raison des nombreuses répercussions de la pollution sur les autres pays. À l'heure actuelle, on met l'accent sur le développement durable de la planète à la faveur des efforts conjoints des entreprises, des gouvernements et des organismes internationaux.

Notions clés

L'écologie

L'empoisonnement au mercure

L'externalité négative

La méthode sans faute

La pollution atmosphérique

La pollution de l'eau

La pollution du sol

La pollution esthétique

La pollution nucléaire

La pollution par les pesticides

La pollution sonore

La responsabilité en matière de pollution

Le développement durable

Le programme Zéro Déchet

Le réchauffement planétaire

Les effluents

Les études d'incidence

Les pluies acides

Les problèmes urbains

Les ressources non renouvelables

Les ressources renouvelables

Exercices de révision

1. Quels sont les éléments clés de l'environnement?
2. Quels sont les rôles des gouvernements fédéral et provinciaux, ainsi que des administrations municipales, en matière d'environnement?
3. Quel est le rôle des entreprises en matière d'environnement?
4. Qu'entend-on par crise urbaine, et quels sont les moyens d'y remédier?
5. Quelles sont les principales sources de pollution?
6. Quels sont les principaux enjeux écologiques?
7. Quel type de collaboration internationale existe-t-il à l'heure actuelle en matière d'environnement?

Matière à discussion

1. Commentez le programme Zéro Déchet. A-t-il des applications plus vastes?
2. Parlez des possibilités d'un programme Zéro Déchet. En supposant qu'un tel programme soit possible, devrait-on le mettre sur pied? Justifiez votre réponse.

3. Qui doit payer la note de la pollution ? Donnez des détails.

4. Parlez du développement durable.

5. Le monde a-t-il besoin d'une Croix-Verte internationale (à l'image de la Croix-Rouge) ?

Exercices d'apprentissage

1. Le traitement des déchets

La plupart des municipalités enfouissent leurs déchets dans des sites après avoir suivi la règle des « trois R » : réduction, réutilisation et recyclage. On ne fait presque rien pour trier et traiter les contaminants que renferment les déchets. Si l'on incinérait ces derniers, la plupart seraient captés par les dispositifs de régulation des émissions, étant donné que ce procédé est soumis à des normes, alors que l'évacuation des déchets ne l'est pas. Les dispositifs de régulation des émissions ne sont pas, bien entendu, parfaits. Cependant, l'incinération peut également produire de l'énergie — une tonne de déchets peut remplacer un baril de pétrole, et la vérification des incinérateurs est déjà plus stricte que celle des centrales électriques.

Questions

1. Croyez-vous que l'on doive incinérer les déchets solides des municipalités ?

2. À quelle hausse de taxes municipales consentiriez-vous, afin d'assurer l'incinération de vos déchets ?

2. Une menace publique

Chaque année, quelque 26 millions de pneus usagés s'amoncellent un peu partout au Canada, et les dépotoirs présentent des risques d'incendie et menacent la santé et la sécurité de la population. On ne recycle qu'environ 10 p. 100 des pneus, et on se débarrasse du reste légalement ou illégalement. Le problème est du ressort des provinces. L'Ontario a recueilli environ 120 millions de dollars en taxes sur les pneus au cours des trois dernières années, mais n'a consacré que 12 millions de dollars de cette somme au recyclage. La Colombie-Britannique dispose d'un programme complet destiné à encourager l'incinération planifiée ainsi que le recyclage. Terre-Neuve possède une stratégie originale : chaque année, le jour de Guy Fawkes, les citoyens brûlent des dizaines de milliers de pneus usagés dans des feux de joie. L'événement favorise la participation de la population, mais constitue une source de pollution. Pendant que les gouvernements se demandent quoi faire, les montagnes de pneus continuent de croître.

Questions

1. Comment devrait-on régler le problème ?
2. Le gouvernement fédéral peut-il et devrait-il prendre l'initiative ?
3. Que peuvent faire les entreprises avec les vieux pneus (des voitures du personnel de vente et des camions de livraison) ?
4. Que peuvent faire les citoyens à cet égard ?

CHAPITRE
27

PLAN

Le droit et ses divisions

Les sources du droit
    La *common law*
    Le droit du Code civil
    Le droit législatif
    Le droit constitutionnel

Un enjeu commercial actuel : les limites raisonnables
  de la charte

La nature des tribunaux
    Les cours provinciales
    Les cours fédérales
    La Cour suprême du Canada
    La Cour canadienne de l'impôt
    Les tribunaux administratifs

Le droit commercial

Les différentes divisions du droit commercial
    Le droit et la commercialisation
    Le droit et les finances
    Le droit et le travail
    Un enjeu commercial actuel : premiers résultats
      de la loi sur l'équité
    Le droit foncier
    Le droit des sociétés

Résumé

LE CONTEXTE JURIDIQUE

Les objectifs du chapitre

Après avoir lu le présent chapitre, vous pourrez :

1. déterminer les caractéristiques du système juridique canadien ;

2. préciser les sources du droit ;

3. traiter de la *common law* ;

4. décrire le droit civil ;

5. indiquer les principales divisions du droit commercial.

Bill Rourke est resté bouche bée quand il a reçu, de son avocat, une note d'honoraires de 8 000 $. Président et copropriétaire de Linian Systems Ltd., un créateur de logiciels situé à Toronto, Rourke reconnaissait que la croissance de son entreprise créée depuis cinq ans nécessitait, plus que dans les années de démarrage, des tâches juridiques plus complexes. En octobre 1989, Rourke a demandé à un cabinet d'avocats de Bay Street, d'une part, de mettre sur pied un régime d'achat d'actions destiné au personnel de niveau supérieur et, d'autre part, d'établir les documents en vue de créer une société de portefeuille dans l'intérêt des associés de Linian. Soucieux des frais juridiques, Rourke avait d'abord demandé une estimation. Elle s'élevait à 4 000 $.

Rourke accepta ce montant et crut que les avocats respecteraient leur estimation. «Je n'avais aucune raison de penser le contraire.» Son précédent avocat, qui travaillait seul, mais qui avait finalement opté pour l'immobilier, respectait toujours ses estimations. Mais, vers la fin de février 1990, le nouveau cabinet d'avocats de Rourke envoya à ce dernier deux notes d'acomptes qui totalisaient 4 951 $. Consterné par le dépassement des coûts, Rourke autorisa le paiement après avoir obtenu la confirmation qu'aucune autre note d'honoraires ne suivrait. «J'étais prêt à accepter une majoration de 25 p. 100 plutôt que d'exiger des explications détaillées», indiquait-il plus tard dans sa lettre au cabinet d'avocats, avant de préciser «Je voulais aussi régler rapidement quelqu'un avec qui j'espérais entretenir une relation à long terme.»

Sa tolérance ne servit à rien. En mars, la note finale lui parvenait et faisait grimper le total à 8 000 $. Un examen minutieux du relevé de compte permit de constater qu'un travail avait été facturé deux fois et que des travaux facturés n'avaient pas été exécutés. Une partie des travaux était incomplètement exécutée et contenait des erreurs, selon lui. «Je croyais à une erreur de leur part. Il s'agissait des manœuvres les plus révoltantes et les moins conformes à l'éthique que j'aie jamais vues. Ces gens-là semblent adopter des règles totalement différentes de celles que nous connaissons ailleurs.»

À l'instar de Rourke, de nombreux entrepreneurs rapportent des cas abusifs d'astuces légales exorbitantes au chapitre des coûts. Mais on ne peut éviter les avocats. Qu'il s'agisse d'avis au sujet de restructuration ou de financement, de la protection de la responsabilité ou encore de litige, les propriétaires doivent posséder une connaissance spécialisée du droit. Dans tous les secteurs, depuis le secteur de la fabrication jusqu'à celui des services d'entreprise à entreprise, la rédaction de contrats, de garanties, de conventions des actionnaires et d'ententes de fusion relève de spécialistes, compte tenu de la multitude d'opérations qui pourraient être litigieuses. Il est indispensable d'utiliser au mieux le temps d'un avocat et de se méfier des avocats qui savent s'y prendre afin de faire payer du superflu[1].

LE DROIT ET SES DIVISIONS

Le droit est défini comme étant un ensemble de règles destinées à guider le comportement humain. Celles-ci sont imposées et mises en application parmi les membres d'une nation donnée[2].

Chaque nation possède son propre système juridique, qui consiste en un ensemble de lois, et elle dispose de son système judiciaire qui interprète et fait respecter celles-ci. Comme le droit positif est édicté par l'instigateur des lois souverain qu'est le gouvernement, il est sujet à changement. Tout système juridique peut être divisé en droit public et en droit privé.

Le droit public est l'ensemble de lois qui s'appliquent au public en général ou à certains segments de ce public. En voici les principales divisions.

Le **droit constitutionnel** ou la base de l'autorité législative et judiciaire d'un pays. Dans des États fédéraux tels que le Canada, certains pouvoirs sont confiés au gouvernement et aux Cours fédéraux, alors que d'autres sont donnés aux gouvernements et aux Cours provinciaux.

Le **droit administratif** ou les règles et les règlements d'organismes administratifs, qui régissent les activités économiques et privées. Les décisions du Conseil de la radiodiffusion et des télécommunications canadiennes en sont un exemple.

Le **droit criminel** ou la réglementation du comportement de chacun en ce qui concerne la paix publique, l'ordre, la sécurité, la santé et la moralité. À cet effet, le Code criminel du Canada s'applique à tout le pays.

Le **droit fiscal** ou les lois et les règlements concernant la perception de fonds par les gouvernements fédéral et provinciaux. Le droit fiscal

1. Traduit de Colin Languedoc, «Legal Eagles or Turkey Vultures?», *Profit*, septembre 1991, p. 24-28.

2. Philip S. James, *Introduction to English Law*, Butterworths, 1982, p. 5.

comprend, au niveau fédéral, la Loi de l'impôt sur le revenu, les Règles concernant l'application de l'impôt sur le revenu, le Règlement de l'impôt sur le revenu, de même que toutes les conventions fiscales sur le revenu et la Loi sur l'interprétation des conventions en matière d'impôts sur le revenu correspondante, plus, au niveau provincial, les lois de l'impôt sur le revenu et les règlements correspondants, ainsi que la jurisprudence. Les conventions fiscales l'emportent sur toutes dispositions incompatibles contenues dans les lois, règles et règlements. Le ministère des Finances rédige les projets de lois fiscales fédérales avant que ces dernières ne soient adoptées par la Chambre des communes et le Sénat. Revenu Canada, qui applique ces lois, perçoit les impôts pour la plupart des provinces. Les résidents canadiens sont imposés sur leurs revenus mondiaux, et les non-résidents, sur leurs revenus gagnés au Canada.

Le **droit international** ou les règles qui régissent les relations internationales entre nations. Le droit privé porte sur les intérêts privés des personnes physiques et morales. Voici les principales divisions du droit privé.

Le **droit en matière de contrats** ou le droit qui se rapporte aux ententes consensuelles ou exécutoires entre personnes physiques et (ou) morales.

Le **droit en matière de biens** ou les règles qui concernent les droits de propriété et de possession, légalement reconnus, de biens meubles et immeubles.

Le **droit en matière de délits et de quasi-délits** ou les règles qui régissent les atteintes délibérées aux droits privés d'autrui et l'abrogation, faite avec négligence, d'obligations légalement reconnues de soins envers autrui.

Le **droit international** ou les règles qui se rapportent aux relations privées entre personnes physiques et morales, dans différents pays.

LES SOURCES DU DROIT

Le Canada est une nation où sont utilisés quotidiennement les deux plus importants régimes juridiques au monde, soit la *common law* (le droit coutumier) et le droit civil. Le droit privé du Québec est contenu dans le Code civil. La *common law* prévaut dans le reste du Canada, la plupart des pays anglophones et dans de nombreux autres pays, notamment ceux qui font ou ont fait partie du Commonwealth. Le droit civil est utilisé dans la plupart des pays dont la langue dérive du latin, ou dans d'anciennes colonies de ces derniers.

En Occident, le Canada et les États-Unis utilisent les deux régimes juridiques, alors que la plupart des autres pays ont opté pour le droit civil. Aux États-Unis, la *common law* prédomine, mais de nombreux états qui appartenaient à la France ou à l'Espagne se servent d'un code civil. Le Mexique et le reste de l'Amérique latine entrent dans cette seconde catégorie. Dans les Antilles, l'un des deux régimes se retrouve selon les pays.

Outre le système juridique national propre à chaque pays, le droit couvre aussi la constitution de la nation et tout traité conclu avec d'autres pays. Ainsi, au Canada, la constitution canadienne et les traités que le Canada a signés, tels que l'Accord de libre-échange entre le Canada et les États-Unis ou l'Accord nord-américain de libre-échange peuvent l'emporter sur la *common law* et le droit civil. D'autres ententes internationales et les organisations correspondantes, telles que l'Union postale internationale, les accords bilatéraux d'harmonisation douanière, les ententes sur les droits d'auteur, les règles de l'Organisation de l'aviation civile internationale et de l'Accord général sur les tarifs douaniers, de même que l'ONU, peuvent influer aussi bien sur le système juridique du Canada que sur les droits et les obligations des entreprises.

Néanmoins, la majorité des lois qui ont une incidence sur les entreprises sont les lois nationales adoptées par le parlement fédéral et le corps législatif des provinces.

La *common law*

Le système juridique moderne de la *common law* tire ses origines de l'Angleterre féodale, à l'époque de la conquête normande. La *common law* repose sur les us et coutumes, de même que sur les jugements déjà rendus. Il est ainsi possible de dégager des principes généraux applicables aux problèmes à résoudre. Dans le régime juridique de la *common law*, la règle dite de l'**autorité des précédents** oblige les juges à se conformer aux jugements déjà rendus par des instances supérieures, chaque fois qu'il existe une similitude avec la situation de fait de la cause à juger.

Le droit du Code civil

Le droit privé du Québec repose sur le Code Napoléon, d'origine française. Il est en fait divisé en deux : le Code civil et le Code de procédure civile. Le Code civil est fondé sur une série exhaustive de principes codifiés. Chaque cause est jugée en conformité avec ces doctrines de base. Contrairement à ce qui se passe dans le système juridique de la *common law*, les juges ne sont pas liés par des précédents, mais ne passent habituellement pas outre ces derniers.

Même si le Code civil est censé être exhaustif, il est évident qu'il ne peut l'être. Donc, chaque fois que le code ne s'applique pas précisément à une situation donnée, le juge doit recourir à des principes afin d'en arriver à un jugement.

Le droit législatif

Le droit législatif, œuvre du gouvernement, est aussi appelé législation, lois ou projets de loi

(publiés par le gouvernement fédéral dans *Lois du Canada*). Au début, il s'agissait surtout de consigner par écrit les façons habituelles d'agir, en vue d'une consultation publique éventuelle. À mesure que de nouveaux problèmes surgissaient et que des jugements étaient rendus, les lois étaient révisées. Les gouvernements provinciaux publiaient leurs propres lois.

Le juge instruit d'une cause couverte par une loi doit d'abord contrôler la constitutionnalité des pouvoirs du corps législatif qui a adopté cette loi. Il doit ensuite déterminer le sens de la loi. Quand il interprète celle-ci et rend son jugement, ce dernier devient un précédent qui fera ultérieurement, de la même façon, l'objet d'une interprétation dans les instances inférieures.

Le droit constitutionnel

La Loi constitutionnelle de 1982 est la Constitution du Canada. Elle comprend aussi la Charte canadienne des droits et libertés. Elle remplace l'Acte de l'Amérique du Nord britannique de 1867. La Constitution établit le gouvernement du Canada. Les gouvernements assument généralement les pouvoirs législatif, exécutif et judiciaire. Le premier pouvoir légifère, le deuxième applique les lois et le troisième, en plus d'interpréter celles-ci, sert en quelque sorte d'arbitre si un gouvernement tente de faire adopter une loi qui excède l'étendue des pouvoirs constitutionnels de celui-ci.

La Loi constitutionnelle divise le pouvoir entre le gouvernement fédéral et les provinces. Le gouvernement fédéral détient le pouvoir en ce qui concerne les opérations bancaires, la monnaie, le service postal, le commerce, le recensement, les statistiques, la défense nationale, la navigation, le transport par eau, les poids, les mesures, les faillites, les brevets, les droits d'auteur, la naturalisation, les mariages, les divorces et le droit criminel. Les provinces détiennent le pouvoir en ce qui concerne l'éducation, les hôpitaux et les affaires locales, y compris la propriété et les droits civils. Les deux paliers de gouvernement peuvent constituer des personnes morales.

La Charte canadienne des droits et libertés précise que chacun a des droits et libertés garantis, dans des limites raisonnables et dont la justification peut se démontrer dans le cadre d'une société libre et démocratique.

Les libertés garanties comprennent les libertés fondamentales aux chapitres suivants : conscience et religion, pensée, croyance, opinion et expression, réunion pacifique et association. De plus, chaque citoyen bénéficie de droits démocratiques, de droits de circulation et d'établissement, de garanties juridiques et de droits à l'égalité. Le français et l'anglais sont mentionnés comme étant les langues officielles du Canada. Toute personne, victime de violation ou de négation des droits ou libertés garantis, peut s'adresser à un tribunal compétent pour obtenir une réparation appropriée.

UN ENJEU COMMERCIAL ACTUEL

Les limites raisonnables de la charte

La Cour suprême a donné une interprétation des limites raisonnables de la Charte canadienne des droits et libertés. Le critère Oakes, qui constitue le précédent, spécifie deux conditions. En premier lieu, l'objectif que doivent servir les mesures qui apportent une restriction doit être suffisamment important pour justifier la suppression d'un droit constitutionnel. Il doit se rapporter à des préoccupations urgentes et réelles. En deuxième lieu, les moyens choisis pour atteindre l'objectif doivent être proportionnels ou appropriés aux fins à atteindre.

La proportionnalité revêt un triple aspect en ce qui concerne les mesures restrictives : elles doivent être soigneusement conçues pour atteindre l'objectif ou avoir un lien rationnel avec cet objectif ; elles doivent porter le moins possible atteinte au droit prévu dans la charte ; et leurs effets ne doivent pas concerner si profondément les droits individuels et collectifs que l'abrégement des droits pourrait malgré tout l'emporter sur l'objectif législatif. Donc, pour qu'une restriction soit raisonnable et que sa justification puisse se démontrer dans le cadre d'une société démocratique, cette restriction doit être rationnelle, non disproportionnée et constituer un moyen qui gêne au minimum l'atteinte d'un objectif pressant et réel du gouvernement.

Bien entendu, comme la Charte canadienne des droits et libertés est relativement récente, les critères ne sont pas nombreux et le recours à des avocats s'impose. De nombreuses entreprises comptent des avocats dans leur effectif. Ces derniers peuvent conseiller valablement tout le personnel.

Source : Le critère Oakes a été énoncé dans l'affaire R. c. Oakes [1986] 1 R.C.S. 103, et soutenu dans l'affaire R. c. Edwards Books and Art Ltd. [1986] 2 R.C.S. 713.

LA NATURE DES TRIBUNAUX

Les tribunaux canadiens sont instruits des causes civiles et criminelles. Ils sont généralement ouverts au public et à la presse, car la justice doit être rendue au vu et au su de tous. Dans certaines causes où interviennent des enfants, des adolescents ou la sécurité nationale, les tribunaux peuvent siéger à huis clos.

L'audition ou le procès doit être équitable. Les parties doivent être avisées des points litigieux et pouvoir présenter leur version des faits. Dans les causes civiles, deux parties s'en remettent à l'arbitre que constitue le tribunal, afin que ce dernier statue sur un différend. La décision repose sur la **prépondérance des probabilités** en faveur de l'une ou de l'autre des parties. Dans les causes criminelles, l'infraction est considérée avoir été commise contre l'État, et la victime est uniquement témoin au procès. Le procureur de la Couronne plaide la cause du gouvernement. Il doit convaincre le juge et le jury que l'accusé est coupable **hors de tout doute raisonnable**.

Les tribunaux ont une double fonction : les procès et les appels. Ils sont chargés des causes au tribunal de première instance ou tribunal d'origine, c'est-à-dire celui qui est le plus proche de l'affaire. Au tribunal de première instance, les témoins apportent des preuves et le juge ou le jury rend une décision. Si l'une des parties conteste cette décision, elle peut en appeler à une instance supérieure. À la cour d'appel, la cause n'est pas à nouveau jugée : seuls les avocats des parties se présentent devant un groupe composé généralement de 3 juges qui étudient le dossier constitué au tribunal d'origine. D'habitude, les cours d'appel s'attachent uniquement aux questions de droit et non aux faits, car le tribunal d'origine a établi ces derniers. Il est possible d'interjeter appel auprès d'instances de plus en plus élevées, jusqu'à la Cour suprême.

Les cours provinciales

Les tribunaux varient quelque peu selon les provinces. Toutes sont dotées, au niveau le plus bas, de tribunaux tels que le tribunal de la famille, la cour des petites créances, le tribunal correctionnel ou la cour provinciale. Le tribunal de la famille se spécialise dans les causes qui concernent les relations familiales. La cour des petites créances traite de matière civile pour laquelle le montant en litige n'excède pas un certain seuil, de 2 000 $, par exemple. Le tribunal correctionnel se charge des causes criminelles mineures. Dans plusieurs provinces, toutes ces fonctions incombent à la cour provinciale.

La plupart des provinces sont dotées d'une instance intermédiaire appelée cour de comté ou cour de district. Ces cours traitent de matière criminelle et de litiges civils, plus importants, qui portent sur des montants élevés (d'au moins 25 000 $, en général). Les juges de ces cours sont nommés par le gouvernement fédéral, d'après des listes fournies par les gouvernements provinciaux.

La plus haute instance après la cour provinciale est appelée la Cour suprême, la Haute Cour ou la cour du Banc de la Reine, et sa compétence dans les causes civiles n'est pas assortie d'une limite monétaire.

Dans chaque province, la plus haute instance est la cour provinciale d'appel. Dans certaines provinces, elle constitue une division distincte de la Cour suprême ou de la Haute Cour. Dans d'autres provinces, il s'agit d'une entité distincte. Cette cour est uniquement instruite des appels.

Les cours fédérales

Les cours fédérales comprennent la Cour fédérale du Canada, la Cour suprême du Canada et la Cour canadienne de l'impôt. La Cour fédérale du Canada comprend une division réservée aux procès et une autre, aux appels. La première division est instruite des causes qui relèvent de la compétence fédérale. C'est le cas des différends sur les droits d'auteur et les brevets, ainsi que des litiges avec des organismes et des commissions fédéraux. La seconde division est instruite des appels de la première division et des tribunaux administratifs. Un appel de la Cour fédérale du Canada, interjeté, est directement adressé à la Cour suprême du Canada.

La Cour suprême du Canada

La Cour suprême du Canada est la plus haute instance du pays utilisée en dernier recours[3]. Elle est instruite des appels des causes criminelles et civiles, lorsque l'autorisation d'interjeter appel a été accordée. Elle exerce ainsi un certain contrôle sur sa charge de travail.

La Cour suprême peut aussi donner une opinion sur des affaires constitutionnelles ou qui ont trait à l'interprétation de la Constitution, sur les mesures législatives fédérales ou provinciales, ainsi que sur les pouvoirs des parlements fédéral et provinciaux.

La Cour canadienne de l'impôt

La Cour canadienne de l'impôt est très spécialisée. Créée en 1983, elle est instruite des litiges qui concernent les impôts fédéraux. Les contribuables peuvent contester des cotisations fiscales auprès de cette cour. Il est possible d'interjeter appel des jugements qu'elle rend, auprès de la Cour suprême du Canada.

Les tribunaux administratifs

Par ailleurs, il existe des tribunaux administratifs qui ressemblent à des cours et agissent comme elles, mais n'en sont pas, alors que les décisions qu'ils rendent ont même force exécutoire. Les cours font partie de la division judiciaire du gouvernement, et les tribunaux administratifs, de l'ordre exécutif. Ils sont chargés d'appliquer la politique gouvernementale et de trancher les litiges qui résultent de cette application. Ce sont donc des organismes quasi judiciaires dans lesquels de nombreuses dispositions associées aux cours ne s'appliquent pas. Ils existent aux paliers fédéral et provincial: le Conseil des relations de travail, la Commission des accidents du travail et la Commission de l'emploi et de l'immigration. Comme il a été mentionné précédemment, il est possible, à la suite des jugements rendus par ces tribunaux, d'interjeter appel auprès de la Cour fédérale du Canada, à la division réservée aux appels.

LE DROIT COMMERCIAL

Le droit commercial englobe généralement le droit de la responsabilité délictuelle (délits privés délibérés ou imputables à la négligence), le droit des contrats, le droit du mandat, le droit des titres négociables, le droit des biens et le droit des sociétés.

Les contrats doivent être conclus par des parties dotées de la capacité juridique (et non des mineurs ou des personnes en état d'ivresse, par exemple). Celles-ci doivent avoir l'intention de conclure une entente contractuelle, ce qui exige une offre et une acceptation assorties d'une contrepartie, sous forme pécuniaire généralement. La capacité juridique, la légalité, l'intention, le consentement et la contrepartie constituent les éléments essentiels de tout contrat. Le consentement peut être verbal, mais certains contrats, notamment tous ceux qui sont complexes, doivent être conclus par écrit.

La Loi relative aux preuves littérales exige que les contrats soient conclus par écrit s'ils ne peuvent être exécutés dans le délai d'un an, s'ils

---

3. Quand le Canada était une colonie, il était possible, mais rare, de faire appel au Royaume-Uni.

se rapportent à l'immobilier, s'ils contiennent des garanties ou des indemnités, ou encore s'ils comportent des promesses en contrepartie d'un mariage.

Presque toutes les activités commerciales reposent sur des contrats. Ces derniers en constituent la structure juridique de base. Les parties aux contrats sont légalement tenues de se conformer aux conditions correspondantes que les tribunaux peuvent, au besoin, rendre exécutoires. Les contrats commerciaux, y compris les bons de commande et les garanties, entrent dans de nombreuses catégories.

Une relation de mandataire est habituellement établie par un contrat appelé mandat qui lie deux parties : un mandataire et son mandant. La première de ces parties agit au nom de la seconde. Les activités des dirigeants de sociétés relèvent de la loi du mandat, car ils sont les mandataires des actionnaires.

La jurisprudence et les lois régissent de nombreuses opérations financières et la preuve correspondante. Les titres négociables comprennent les chèques, les lettres de change et les billets. Ils représentent le droit d'obtenir des fonds auprès d'un débiteur ou d'une institution financière déterminés. Ils remplacent l'argent et facilitent les opérations qui portent sur de fortes sommes. Ils sont librement transférables.

LES DIFFÉRENTES DIVISIONS DU DROIT COMMERCIAL

Les plus importantes divisions du droit commercial qui touchent les dirigeants ont trait aux fonctions commerciales fondamentales de la commercialisation, des finances et du travail.

Le droit et la commercialisation

La Loi sur la vente d'objets   Cette loi est très importante en matière de commercialisation.

Au Canada, elle a été adoptée avec de légères variations dans chaque province qui applique la *common law*. Elle est fondée sur une loi britannique qui, en 1893, a codifié l'importante jurisprudence relative aux litiges contractuels liés à l'achat et à la vente d'objets.

La législation antitrust   Des dispositions du Code criminel rendent illégal le fait a) de comploter, de se liguer, de s'entendre ou de s'arranger afin de restreindre indûment les moyens de transporter, de produire, de fabriquer, d'approvisionner, d'entreposer ou de faire le commerce de tout article ou fourniture qui peut faire l'objet d'une opération ou d'un commerce, b) d'entraver ou de compromettre ces deux derniers ou encore c) d'empêcher ou d'affaiblir indûment la concurrence. La fixation des prix et la publicité trompeuse sont aussi illégales.

Les règlements provinciaux et locaux   Des lois provinciales et municipales régissent les heures d'ouverture et certains prix. Elles limitent certains types d'entreprises telles que celles qui vendent et annoncent des boissons alcooliques. Certaines provinces réglementent l'importation de denrées agricoles.

Le droit et les finances

Le droit en matière de finances comprend diverses lois destinées à la protection publique telles que la Loi sur les banques, la Loi sur les lettres de change ou encore la Loi sur la faillite et l'insolvabilité.

La Loi sur les banques

La Loi sur les banques a été adoptée en 1991 et est entrée en vigueur le 1er juin 1992, en même temps que la *Loi sur les compagnies fiduciaires et les compagnies de prêt*, la *Loi sur les sociétés d'assurance* et la *Loi sur les associations coopératives*, dans le cadre d'importantes réformes financières. Chacune de ces lois régit l'un des piliers du système financier canadien. La Loi sur les banques est la plus importante, car ces dernières financent en majeure partie les entreprises commerciales.

La Loi sur les banques est normalement révisée tous les 10 ans environ. Elle comporte notamment une restriction importante : personne ne peut posséder plus de 10 p. 100 des actions avec droit de vote d'une banque canadienne de l'annexe I (autrefois annexe A). Les actionnaires non résidents ne peuvent détenir plus de 25 p. 100 des actions d'une banque. Cette vaste répartition des actions empêche un actionnaire majoritaire d'obtenir de sa banque un prêt consenti à des fins non lucratives.

Depuis 1980, la Loi sur les banques prévoit deux catégories de banques canadiennes, selon qu'elles relèvent maintenant de l'annexe I ou II (autrefois B). Dans les deux cas, les pouvoirs généraux, les restrictions et les obligations sont identiques. Mais des différences existent. L'annexe I regroupe les banques canadiennes, créées au Canada et qui ont toujours relevé de la Loi sur les banques. L'obligation de 10 p. 100 au sujet des actionnaires ne s'applique pas aux banques de l'annexe II qui sont toutefois assujetties à d'autres restrictions, notamment au chapitre de la taille de ces établissements. Les nouvelles banques canadiennes dont les propriétaires sont peu nombreux peuvent relever de l'annexe II, sous réserve de toutes les restrictions applicables à cette catégorie. Elles peuvent devenir des banques de l'annexe I, dès qu'elles respectent les conditions correspondantes. La plupart des banques de l'annexe II sont des filiales de banques étrangères. Dans chaque banque de l'annexe II, l'actif au Canada ne peut excéder 20 fois le capital autorisé ; de ce fait, l'établissement est et restera plutôt petit. De plus, la totalité de l'actif de toutes les banques de l'annexe II est limitée de façon que les banques canadiennes dominent toujours. Au milieu de 1991, il existait 11 banques de l'annexe I et 60 de l'annexe II. Parmi ces dernières, une seule, la Banque Laurentienne, n'appartenait pas à des étrangers.

La Loi sur les banques précise quelles sortes de prêts les banques peuvent consentir, de même que les sortes de réserves que ces établissements doivent constituer. Tous ces règlements visent à assurer le public de la gestion prudente des banques. Le surintendant des institutions financières, au palier fédéral, supervise les banques afin de s'assurer du respect de toutes les lois et de toutes les ententes internationales applicables.

Les lois qui régissent les autres institutions financières (sociétés de fiducie, compagnies d'assurance, caisses de crédit et caisses populaires) sont similaires à la Loi sur les banques, mais moins rigoureuses en ce qui concerne les restrictions à la propriété.

La Loi sur les lettres de change

La Loi sur les lettres de change du Canada repose sur la loi britannique de 1890. De nombreuses causes jugées au Canada et au Royaume-Uni peuvent donc servir de précédents. Afin de pouvoir être négociable, une lettre, un billet ou un chèque doit être un écrit signé de sa main par lequel une personne ordonne ou promet sans condition à une autre partie identifiable une somme d'argent précise, sur demande ou à une échéance déterminée ou susceptible de l'être. Un effet de commerce payable au porteur peut être simplement cédé par la remise de ce document que le possesseur peut encaisser ou vendre.

Le détenteur régulier d'une lettre, d'un billet ou d'un chèque est la personne qui a pris le document complet et ordinaire de bonne foi et contre valeur, sans avis de défectuosité du document ou du titre de la personne qui effectue la négociation avant l'échéance. Tout acheteur légitime d'un effet négociable a un titre opposable aux tiers même si l'acheteur précédent avait un titre inopposable aux tiers. Cette caractéristique facilite les opérations avec et entre les tiers.

La Loi sur la faillite et l'insolvabilité

La nouvelle Loi sur la faillite et l'insolvabilité est entrée en vigueur le 30 novembre 1992. Elle remplace finalement la loi de 1949. La faillite est un procédé légal qui permet de liquider ou de réorganiser une entreprise commerciale dont le passif excède la valeur réelle de l'actif. Les entreprises insolvables ne peuvent effectuer les versements sur leurs dettes à court terme à mesure que ces dernières échoient. L'insolvabilité conduit souvent à la faillite qui peut être volontaire (à la demande des dirigeants de l'entreprise) ou involontaire (à la demande d'une partie ou de la totalité des créanciers). La nouvelle loi simplifie la faillite des consommateurs. Une fois que le tribunal est saisi de l'affaire, il supervise le procédé. D'ordinaire, il est nécessaire que le tribunal décide du caractère temporaire ou permanent de l'insolvabilité. Dans le premier cas, un délai supplémentaire peut suffire au règlement des dettes. Dans le second cas, la question est de savoir s'il faut liquider l'entreprise ou tenter de la réorganiser, par exemple, par l'octroi d'actions en règlement de certaines dettes.

Une cession, un transport, une dispersion, une exécution et une insolvabilité sont cinq actes de faillite, car tout créancier peut alors demander au tribunal la faillite et celui-ci pourra intervenir. Dans une cession, la propriété des biens d'un débiteur est transférée à quelqu'un d'autre. Il s'agit d'un cas de faillite si un débiteur a) cède des biens à un créancier situé n'importe où dans le monde, b) transporte, par préférence ou frauduleusement, donne, transfère ou livre des biens n'importe où dans le monde, c) disperse les biens afin de retarder ou de gêner des créanciers, d) ne libère pas des biens saisis en vertu d'un ordre d'exécution et e) admet ne pas pouvoir payer ses dettes (auquel cas il s'agit aussi d'insolvabilité).

Chaque fois qu'un cas de faillite est déclaré, une proposition doit être présentée au tribunal au sujet de ce qu'il faut faire. Pendant que le tribunal étudie cette proposition, les intérêts sur les dettes cessent.

Si la liquidation est décidée, le tribunal nomme un syndic de faillite qui vendra les biens et paiera les créanciers à même le produit des ventes. Les créanciers sont payés dans l'ordre de priorité ; les créanciers garantis sont payés les premiers. Les créanciers garantis ont prêté des fonds et ont obtenu des biens déterminés à titre de garantie. Quand ces derniers sont vendus, les créanciers garantis sont payés et si leur créance n'est pas totalement remboursée, ces personnes deviennent des créanciers ordinaires en ce qui concerne le reste qui leur est dû. En deuxième place arrive le syndic. La troisième place est réservée aux travailleurs à qui des salaires sont dus ; ces personnes sont payées jusqu'à une certaine limite et deviennent des créanciers ordinaires pour le reste. La quatrième place revient aux impôts locaux. En cinquième se trouve le loyer dû au propriétaire. Finalement, les créanciers ordinaires, y compris le gouvernement fédéral pour les impôts impayés, recevront une certaine somme. En général, à ce stade, il ne reste plus d'argent. Néanmoins, s'il en reste, les actionnaires privilégiés, puis les actionnaires ordinaires seront payés.

La Loi sur les arrangements avec les créanciers des compagnies

La Loi sur les arrangements avec les créanciers des compagnies est une loi peu appliquée qui date de l'époque de la dépression et a connu un regain de popularité pendant la récession du début des années 1990. Cette loi est similaire au chapitre 11 des procédures de faillite aux États-Unis. Elle offre de protéger les entreprises insolvables contre les créanciers garantis, à l'aide d'obligations ou de débentures en circulation pendant que ces établissements essaient de se réorganiser. Cette mesure empêche les créanciers de mettre en faillite une entreprise. Toutefois, la protection ne dure que pendant le temps nécessaire à l'étude du dossier par le tribunal. Cette loi si ancienne par rapport à la nouvelle Loi sur la faillite est donc encombrante et compliquée. Algoma Steel Corporation a eu recours à cette loi en 1990, afin de faire cesser toutes les procédures contre l'entreprise qui étaient notamment d'ordre juridique et environnemental. Le gouvernement s'est alors porté caution de l'entreprise.

Le droit et le travail

Les gouvernements fédéral et provinciaux ont adopté des mesures législatives à propos des syndicats, des syndiqués et de la marche à suivre correspondante. Quand une majorité de travailleurs vote afin de se joindre à un syndicat, une demande peut être faite afin de certifier le syndicat qui devient alors l'agent de négociation des travailleurs.

Les deux paliers de gouvernement ont également adopté des mesures législatives au sujet des régimes de retraite des employés, en plus du Régime de pensions du Canada ou du Régime de rentes du Québec, obligatoire pour tous les travailleurs. La caisse de retraite qu'un employeur choisit de créer est assujettie à la Loi

sur les normes de prestation de pension ou à l'équivalent de cette loi au palier provincial.

Des mesures législatives concernent aussi notamment l'équité salariale, l'équité en matière d'emploi, les fêtes légales, les congés payés, les heures de travail, les salaires minima, les indemnités de licenciement, les congés de maternité, l'assurance chômage et les accidents du travail. Le Code canadien du travail couvre les secteurs qui sont de compétence fédérale. Les provinces disposent de textes législatifs similaires.

Les lois provinciales sur la santé et la sécurité du travail, de même que les lois fédérales correspondantes protègent la santé des travailleurs par des règlements sur les risques professionnels imputables à des agents chimiques, biologiques et physiques. Des étiquettes d'information et des fiches techniques sur la sécurité matérielle sont obligatoires.

UN ENJEU COMMERCIAL ACTUEL

Premiers résultats de la loi sur l'équité

La loi sur l'équité a «d'énormes répercussions» selon certains ou n'est «d'aucune utilité» selon d'autres. La première loi canadienne sur l'équité, destinée au secteur privé et qui vise le recrutement et la promotion des femmes et des minorités, vient de franchir la période d'essai de cinq ans. Le gouvernement fédéral doit maintenant juger si elle fonctionne.

Selon les statistiques de 1991 publiées par Emploi et Immigration Canada, a) l'écart salarial entre les minorités visibles et les autres employés a augmenté en cinq ans, b) les femmes ont bénéficié de plus de la moitié des promotions pendant chacune de ces mêmes années et, la dernière année, elles ont atteint le nombre ciblé dans la main-d'œuvre, bien que la cible puisse ne plus être d'actualité, c) même si les employés handicapés et autochtones ont augmenté, leur recrutement et leur promotion sont bien inférieurs à leur disponibilité.

La loi s'applique seulement aux entreprises d'au moins 100 employés qui relèvent de la compétence fédérale: banques, entreprises de transport et de communications, sociétés d'État, notamment. Elle touche environ 620 000 travailleurs et 350 employeurs.

À Ottawa, il s'agit surtout de savoir s'il faut modifier la cible de la loi. Pour le moment, la loi met l'accent sur les rapports, car les employeurs font l'objet d'une amende de 50 000 dollars au maximum s'ils ne font pas le décompte des minorités comprises dans leur effectif. Mais un co-mité de la Chambre des communes et des groupes minoritaires veut que l'on cible l'atteinte des objectifs : les employeurs seraient contraints d'atteindre leurs propres buts. Ces derniers reposeraient sur le nombre de postes disponibles chaque année, et les employeurs auraient à s'expli-quer s'ils n'atteignent pas leurs propres buts et à payer d'importantes amendes s'ils continuent.

Source: Traduit de Sean Fine, «Equity Law's First Report Card», *The Globe and Mail*, 30 décembre 1992, p. A1.

Le droit foncier

L'expression biens immobiliers désigne les ter-rains et tout ce qui y est fixé ou construit de fa-çon permanente, y compris les bâtiments. En général, les propriétaires de terrains possèdent non seulement la surface, mais aussi les mine-rais sous terre et une partie de l'air au-dessus des terrains. Un avion peut survoler le terrain de quelqu'un sans enfreindre de loi, mais d'autres incursions aériennes dues à des bran-ches d'arbres ou à des lignes d'énergie électri-que pourraient habiliter des propriétaires à in-tenter des poursuites, sauf si l'extinction de ce droit est d'ordre gouvernemental ou contrac-tuel. La plupart des parcelles de terrains sont as-sorties de droits de passage destinés aux lignes d'énergie électrique et aux égouts, notamment.

Le droit de propriété intégrale représente le droit le plus important sur un terrain. L'on parle de droit de propriété en fief simple ou d'une sorte de droit de propriété en franche te-nure. Comme la plupart des acheteurs ne peu-vent payer au comptant, un prêt hypothécaire est d'habitude destiné à financer l'achat de la propriété. Ce prêt sous-entend une tierce partie qui est généralement une institution financière. Le titre de propriété est cédé au prêteur et sera rétrocédé sur réception du dernier versement hypothécaire. Les prêts hypothécaires sont habi-tuellement assortis de versements mensuels de capital et d'intérêts réunis, pendant des termes de 5 ans, qui s'achèvent au bout de 25 à 30 ans.

À la fin de chaque terme, le prêt hypothécaire doit être refinancé au taux alors en cours. Les taux d'intérêt fluctuent beaucoup. En 1981, les gens qui renouvelaient leur prêt hypothécaire contracté à 9 p. 100 devaient payer 19 p. 100 d'intérêt. Comme beaucoup ne pouvaient plus effectuer leurs versements qui avaient alors plus que doublé, les institutions financières sont devenues, malgré elles, propriétaires fon-cières. Le droit de propriété comporte, en effet, des risques.

Les dirigeants des entreprises peuvent ache-ter le terrain et les bâtiments nécessaires à l'ex-ploitation de celles-ci qui n'ont en fait besoin que de l'usage du terrain et des bâtiments. C'est pourquoi le terrain et les bâtiments sont sou-vent loués. Les baux doivent, selon la loi, cou-vrir une période définie ; une entreprise peut louer un terrain pour 99 ou même 999 ans. Un bail crée un lien juridique entre le propriétaire et le locataire. Ce lien donne des droits et des responsabilités à chacune des parties. Certaines provinces ont aussi adopté des mesures législati-ves destinées à régir les loyers.

Le droit des sociétés

Les entreprises doivent au moins compter un président et un secrétaire, bien qu'une seule per-sonne puisse assumer les deux fonctions dans une petite société. Le secrétaire général se trouve à la tête de l'administration de la société. Il repré-sente la voie de communication habituelle entre l'entreprise, les actionnaires de celle-ci et les tiers tels que le gouvernement. Il est le dépositaire des livres, du sceau et des documents importants de la société tels que les statuts et les règlements administratifs.

Le secrétaire général est aussi chargé des contrats qui arrivent à échéance, des échéances, des changements législatifs qui influent sur la société, des règlements sur les opérations d'initié, des exigences en matière de renseignements à fournir, des procurations et des prospectus. Les procurations sont des mandats signés par les actionnaires qui ne peuvent assister aux assemblées annuelles ou autres. Les prospectus sont des documents juridiques exigés au moment où une société vend des actions ou des obligations au public.

Une assemblée annuelle des administrateurs et un rapport annuel aux actionnaires présenté habituellement à l'assemblée annuelle des actionnaires constituent un minimum. Un rapport annuel est aussi destiné aux autorités gouvernementales appropriées. Le secrétaire général est chargé de la totalité de ces tâches.

RÉSUMÉ

Sommaire

1. Le système juridique canadien combine les deux plus importants régimes juridiques au monde, soit la *common law* et le droit civil. Le droit privé du Québec est contenu dans le Code civil. La *common law* prévaut dans le reste du Canada.

2. Les coutumes, les précédents en *common law*, les codes civils, le droit législatif, les constitutions et les traités internationaux constituent les sources fondamentales du droit.

3. La *common law* repose sur les us et coutumes, de même que sur les jugements déjà rendus. Il est ainsi possible de dégager des principes généraux que l'on peut appliquer aux problèmes à résoudre. Dans le régime juridique de la *common law*, la règle dite de l'**autorité des précédents** oblige les juges à se conformer aux jugements déjà rendus par des instances supérieures, chaque fois qu'il existe une similitude avec la situation de fait de la cause à juger.

4. Le Code civil est fondé sur une série exhaustive de principes codifiés. Chaque cause est jugée en conformité avec ces doctrines de base. Contrairement à ce qui se passe dans le système juridique de la *common law*, les juges ne sont pas liés par des précédents, mais ne passent habituellement pas outre ces derniers.

5. Les divisions fondamentales du droit commercial concernent la commercialisation, les finances et le travail, de même que le droit des sociétés.

Notions clés

L'autorité des précédents
L'insolvabilité

La Charte canadienne des droits et libertés
La *common law*
La Constitution
La Cour canadienne de l'impôt
La Cour suprême du Canada
La faillite
La loi
La Loi sur les banques
La prépondérance des probabilités
Le Code civil
Le doute raisonnable
Le droit privé
Le droit public
Le fief simple
Le mandat
Le précédent
Le traité
Les cours fédérales
Les cours provinciales
Les tribunaux administratifs

Exercices de révision

1. Quelles sont les plus importantes caractéristiques du système juridique canadien ?

2. Quelles sont les plus importantes sources du droit canadien ?

3. Quelles sont les plus importantes caractéristiques de la *common law* ?

4. Quelles sont les plus importantes caractéristiques du droit du Code civil ?

5. Quelles sont les plus importantes divisions du droit commercial ?

Matière à discussion

1. Les conseils juridiques sont-ils trop coûteux ? Comment savoir si ces conseils en valent le coût ?

2. Pourquoi la Constitution du Canada autorise-t-elle les gouvernements fédéral et provinciaux à accorder une charte aux sociétés ?

3. De quel recours dispose votre entreprise si vous contestez une décision d'un tribunal de première instance ? d'un tribunal administratif ?

4. À quel objectif social répond la Loi sur la faillite ?

5. Quelles sont les fonctions d'un secrétaire général ?

Exercices d'apprentissage

1. La constitution de société

Jacinthe Doe (voir chapitre 4, *Exercices d'apprentissage*) a décidé de constituer son nouvel établissement. Elle a le choix entre une constitution fédérale ou provinciale en Ontario.

Question

Que lui conseilleriez-vous ? Pourquoi ?

2. Le cas Peoples et Zale

Au moment de la rédaction du présent volume, l'un des plus importants détaillants spécialisés du Canada, la chaîne de 268 magasins, Les Bijoutiers Peoples, a obtenu la protection de la Loi sur les arrangements avec les créanciers des compagnies, le 29 décembre 1992. La protection s'étendait jusqu'au 31 mars 1993. À l'époque, des rumeurs laissaient entendre que l'établissement avait agi ainsi avant que sa banque ne le mette en faillite. Ce dernier est exploité dans tout le Canada sous les noms de Peoples et de Mappins. Les difficultés financières remontaient à un certain temps. Six semaines auparavant, le président de Peoples démissionnait. Un an plus tôt, la filiale américaine, Zale Corp., la plus importante bijouterie au détail des États-Unis, demandait la même protection en vertu du chapitre 11 du code de la faillite américain. Zale devait un milliard et demi de dollars US et ne pouvait rembourser l'intérêt de ses obligations.

Questions

1. Qu'est-il arrivé à Peoples et à Zale après le 31 mars 1993 ?

2. Parmi les motifs les plus souvent avancés de la chute de Peoples, deux se détachent. L'un a trait à la récession du début des années 1990, et l'autre se rapporte à l'achat de Zale par Peoples en 1986, achat financé par l'émission d'obligations de pacotille. (Ces dernières sont des obligations à risque et à taux d'intérêt élevés, fréquemment utilisées dans les années 1980 à l'occasion d'offres publiques d'achat.) Quelle explication privilégiez-vous ?

CHAPITRE
28

PLAN

L'État et l'économie

Les modes d'intervention de l'État

Les contrôles de l'État
   La concurrence
   Les investissements étrangers
   Un point de vue : la pertinence des investissements
      étrangers
   Les investissements intérieurs
   Un point de vue : le crédit d'impôt à l'investissement
   Les tarifs et le commerce

Impôts et taxes
   L'impôt sur le revenu
   Les droits régulateurs

L'interface entre les entreprises et l'État

Un enjeu commercial actuel : le gaspillage de l'État

Résumé

LES RELATIONS ENTRE LES ENTREPRISES ET L'ÉTAT

Les objectifs du chapitre

Après avoir lu le présent chapitre, vous pourrez :

1. décrire les trois ordres de gouvernement au Canada ;

2. décrire les moyens dont disposent les gouvernements pour influer sur l'économie ;

3. décrire les différents modes de contrôle économique à la disposition des gouvernements ;

4. décrire les différents types d'impôts et de taxes ;

5. décrire l'interface entre les entreprises et l'État.

Supposons que vous imposiez les entreprises qui embauchent de nouveaux employés, mais consentiez à celles-ci des allégements fiscaux et des réductions de prix pour l'achat de nouvelles immobilisations. On vous accuserait de tentative d'élimination d'emplois. C'est pourtant ce genre de politiques que le gouvernement fédéral poursuit, délibérément ou non, depuis trois ans.

Ernie Stokes, économiste auprès du groupe WEFA — une firme de prévisions de Toronto — affirme que le dollar canadien élevé, la taxe sur les produits et les services (TPS), ainsi que d'autres mesures fiscales fédérales ont contribué à la baisse des coûts de matériel et d'outillage et, par le fait même, orienté l'économie vers une production à prédominance de capital, en plus d'entraîner la mise à pied de travailleurs.

Le chômage accru devrait diminuer le coût de la main-d'œuvre (notamment les salaires), jusqu'à ce que celui-ci soit de nouveau en concurrence avec le capital. Mais le marché canadien de la main-d'œuvre manque malheureusement de souplesse, et les gouvernements fédéral et provinciaux ont aggravé la situation en haussant continuellement les cotisations sociales.

Selon une étude récente du groupe WEFA, « le remplacement de la main-d'œuvre par le capital se poursuivra — dans la mesure où l'on considère que le prix relativement moins élevé de ce dernier est permanent ou persistera — et la croissance de l'emploi sera lente au cours de la reprise économique ».

Stokes estime que les politiques suivantes ont contribué à la baisse des coûts en capital.

1. – Les politiques de la Banque du Canada destinées à stabiliser les prix à la faveur de taux d'intérêt élevés ont entraîné une hausse importante de la valeur du dollar canadien, ce qui s'est traduit par la baisse des coûts de matériel et d'outillage, lesquels sont importés dans la plupart des cas.

2. – Selon le ministère des Finances, la mise en vigueur de la TPS a soustrait les biens de placement à la taxe de vente fédérale, ce qui a diminué le coût du capital de 4 p. 100.

3. – Le dernier budget fédéral a majoré la déduction pour amortissement des entreprises de fabrication et de transformation, ce qui a diminué le coût des immobilisations après impôt.

Par ailleurs, les coûts de la main-d'œuvre des employeurs ont augmenté pour les raisons suivantes.

– Les primes d'assurance chômage ont augmenté de 54 p. 100 depuis 1989.

– Les cotisations au Régime des pensions du Canada ont augmenté de 14 p. 100 depuis 1989.

– L'inflation occasionnée par la TPS a mené à des hausses salariales compensatoires, à un moment où la récession aurait dû freiner de telles demandes.

– Les cotisations sociales provinciales comme l'indemnisation des accidents du travail et l'impôt aux employeurs pour les services de santé de l'Ontario ont augmenté rapidement.

Au cours des deux années terminées au dernier trimestre de 1991, les prix de matériel et d'outillage ont baissé de 8 p. 100, alors que les salaires et les cotisations sociales par employé se sont accrus de 10 p. 100. Quelles répercussions cela a-t-il eu ? Au cours de la même période, les investissements réels en matériel et outillage ont augmenté de 1,1 p. 100 (ils avaient chuté de 20 p. 100 au cours de la récession de 1981-1982), tandis que l'emploi rémunéré non agricole a baissé de 2,4 p. 100.

Les politiques tendant à favoriser le capital au détriment de la main-d'œuvre ne découlent pas d'un effort délibéré de la part d'Ottawa d'éliminer des emplois, mais résultent plutôt d'un mélange confus d'initiatives opposées. La hausse des cotisations à l'assurance chômage devait servir à combler le déficit des comptes de l'assurance chômage, et le dollar canadien plus élevé était le fruit de politiques monétaires restrictives combinées à des politiques budgétaires plus ouvertes.

Un économiste du ministère des Finances affirme qu'un trop grand nombre de facteurs sont en présence pour attribuer la diminution de l'emploi à ce changement des coûts. Selon lui, des coûts de capital moins élevés n'incitent pas nécessairement une entreprise à diminuer ses effectifs. Par contre, un apport de capital peut accroître le rendement des travailleurs et justifier des salaires supérieurs.

Les entreprises répondent aux changements des coûts de la main-d'œuvre et en capital de maintes façons. Une banque peut remplacer un caissier par un guichet automatique, mais comment la compagnie d'assurance peut-elle remplacer un vendeur ? Selon Stokes, la diminution des coûts en capital et la hausse de ceux de la main-d'œuvre occasionneront, à court terme, l'élimination d'emplois. À long terme cependant, la TPS, le libre-échange et la stabilité des prix devraient augmenter la compétitivité de l'économie et des entreprises, et augmenter ainsi les occasions d'emploi. Mais il faudra attendre que les taux de chômage élevés produisent leur effet sur les salaires[1].

L'ÉTAT ET L'ÉCONOMIE

Le Canada est une monarchie constitutionnelle qui se compose d'un gouvernement fédéral, de 10 assemblées législatives provinciales et de trois assemblées législatives territoriales. Le Canada est un membre autonome du Commonwealth, de l'Organisation des Nations Unies, de l'Organisation du Traité de l'Atlantique Nord, de l'Organisation de coopération et de développement économiques, ainsi que de la Francophonie. Le monarque britannique est le chef d'État du pays. Le gouverneur général représente la Couronne et agit sur l'avis du premier ministre et du Cabinet.

Le Parlement fédéral comprend le chef d'État, un Sénat, dont les membres sont nommés et une Chambre des communes, dont les membres sont élus. Le premier ministre, généralement le chef du parti politique qui a la plus forte représentation à la Chambre, est le chef du gouvernement et c'est lui qui choisit le Cabinet. Le Parlement doit se réunir au moins une fois l'an, et des élections doivent être tenues au moins tous les cinq ans, bien qu'elles aient généralement lieu avant.

Les législatures provinciales s'appellent des Assemblées législatives — l'Assemblée nationale au Québec. Celles-ci ressemblent à la Chambre des communes fédérale. Dans chaque province, le monarque est représenté par un lieutenant-gouverneur, lequel agit sur l'avis du cabinet provincial.

Les administrations municipales existent en vertu des lois provinciales et se composent généralement d'un maire et d'un conseil municipal élus, qui disposent de pouvoirs étendus.

La Constitution définit les rôles législatifs des gouvernements fédéral et provinciaux. Le gouvernement fédéral étend son pouvoir législatif sur les banques et la monnaie, le droit criminel et les droits et libertés des personnes, alors que les gouvernements provinciaux ont droit de légiférer dans des domaines comme l'éducation, les biens et certains droits civils, les institutions municipales et les relations de travail.

Les trois ordres de gouvernement adoptent des lois susceptibles d'affecter les entreprises qui exercent des activités relevant de leur pouvoir respectif.

LES MODES D'INTERVENTION DE L'ÉTAT

Le gouvernement doit souvent traiter de nombreuses questions simultanément et il dispose d'un grand nombre d'outils d'intervention à cette fin. Malheureusement, ces instruments produisent des effets distincts ; certains sont délibérés, d'autres, involontaires. Lorsqu'on évalue les décisions stratégiques du gouvernement, il est très difficile de savoir ce qui se serait produit en leur absence.

Les gouvernements peuvent interdire, condamner ou encourager certains comportements. Pour réglementer l'activité économique, ils peuvent aussi intervenir directement, par des mesures émanant d'un ministère, ou indirectement, par l'entremise d'un office de réglementation semi-autonome ou d'une société d'État. Le gouvernement intervient généralement pour améliorer l'efficience économique, assurer une répartition plus équitable de la richesse ou réaliser des objectifs socio-économiques reliés à l'identité ou aux intérêts nationaux.

LES CONTRÔLES DE L'ÉTAT

Toute règle, loi ou procédure administrative qui limite, régit ou refrène le comportement des

---

1. Traduit de Greg Ip, « Are Ottawa's Policies Now Killing Jobs ? », *The Financial Post*, 26 mars 1992, p. 13.

citoyennes et des citoyens constitue une inter-vention de l'État. Le gouvernement intervient lorsque les marchés échouent, comme on l'a dit au chapitre 2, et dans des circonstances particulières. La mise sur pied d'un organisme officiel de réglementation permet au gouvernement de se distancer de toute réaction défavorable à des décisions en la matière, tout en témoignant de sa préoccupation relativement à un enjeu important. Étant donné que certains effets de la réglementation ne sont pas manifestes, le gouvernement peut venir en aide à des groupes d'intérêt, et en faire assumer les coûts par d'autres moyens. Les gouvernements créent des organismes en vertu de lois, afin de s'assurer que les objectifs fixés sont atteints.

La concurrence

Au Canada, la concurrence est régie par la Loi sur la concurrence. Les pratiques ou les fusions sont évaluées selon qu'elles empêchent ou diminuent grandement la concurrence.

Le Bureau de la politique de concurrence, un organisme fédéral, surveille les opérations commerciales au pays, afin de déterminer s'il faut intervenir. Les infractions criminelles comme les complots et la publicité mensongère sont soumises au procureur général aux fins de poursuite. Le Tribunal de la concurrence est saisi des causes civiles et peut interdire ou dissoudre les fusions, interdire les pratiques destinées à diminuer la concurrence et rendre des ordonnances enjoignant les contrevenants de se départir d'actifs ou d'actions.

Le Bureau doit être avisé de tout projet important de fusion ou d'acquisition.

Les fusions et les acquisitions peuvent être amicales ou hostiles. Dans le premier cas, les parties s'entendent, alors que dans le second, l'entreprise cible ne désire pas être absorbée, auquel cas il se peut que ses dirigeants trouvent un autre acquéreur — un « sauveur » — ou qu'ils conseillent aux actionnaires de rejeter l'offre.

On parle de fusion lorsqu'une entreprise généralement plus importante — l'acquéreur — assume l'actif et le passif d'une autre entreprise généralement plus petite — la cible — laquelle cesse alors d'exister. L'acquisition peut être partielle ou totale. Les acquisitions sont généralement hostiles et entraînent l'achat de la totalité des actions de l'entreprise cible, laquelle cesse alors d'exister. En cas d'acquisition partielle, l'entreprise cible devient une filiale de l'acquéreur.

Les fusions et les acquisitions tranchent sur les regroupements où deux entreprises fusionnent pour en créer une nouvelle, puis cessent d'exister. La fusion légale est un type particulier de regroupement d'entreprises effectué en conformité avec les dispositions d'une même loi.

La Loi définit les fusions importantes comme des opérations où les actifs ou les revenus de l'entreprise cible excèdent 35 millions de dollars. En ce qui concerne les fusions, les actifs ou les revenus de l'entreprise cible doivent être supérieurs à 75 millions de dollars, et la valeur combinée de ces derniers doit dépasser 400 millions de dollars. Les acquisitions importantes sont celles où l'actionnaire majoritaire disposerait de plus de 50 p. 100 des actions d'une entreprise, par suite de l'opération.

Les investissements étrangers

La Loi sur Investissement Canada régit les investissements étrangers au pays. Elle fut adoptée afin de promouvoir l'investissement au Canada par les étrangers et par les Canadiens. Une agence fédérale, Investissement Canada, est responsable de l'application de la loi. Elle effectue des recherches sur les investissements nationaux et internationaux, et aide les investisseurs à définir et à saisir les occasions de perfectionnement technique.

La loi est assortie de règlements qui déterminent le moment où il faut aviser Investissement Canada des investissements étrangers, ainsi que le moment où l'agence doit examiner ceux-ci. À l'exception des investissements dans des domaines reliés au patrimoine culturel ou à l'identité nationale du pays comme l'édition, le cinéma, la musique et la vidéo, les investisseurs étrangers doivent fait part de leurs intentions à Investissement Canada, avant de procéder à l'investissement ou dans les 30 jours suivant celui-ci. En général, aucun autre renseignement n'est requis.

Cela s'applique également aux investisseurs étrangers (à l'exception des investisseurs américains, en vertu de l'accord de libre-échange canado-américain) qui font l'acquisition d'une entreprise existante, s'il s'agit d'une acquisition directe et que les actifs canadiens sont inférieurs à cinq millions de dollars ; si l'entreprise canadienne est acquise indirectement dans une opération qui vise essentiellement l'acquisition d'une entreprise non canadienne exerçant certaines activités au Canada, et dont les actifs canadiens sont inférieurs à 50 millions de dollars et ne représentent pas plus de 50 p. 100 de la totalité des actifs que l'on se propose d'acquérir ; ou encore si les actifs canadiens représentent plus de 50 p. 100 des actifs dont on se propose de faire l'acquisition, mais sont inférieurs à cinq millions de dollars. La notification permet à Investissement Canada de voir si le patrimoine culturel ou l'identité nationale sont touchés par les acquisitions, lesquelles, dans d'autres circonstances, ne sont pas soumises à cet examen.

En vertu de l'accord de libre-échange canado-américain, les procédures d'examen des investissements en provenance des États-Unis sont semblables, mais les seuils sont plus élevés. En 1992, par exemple, le seuil des acquisitions directes s'élevait à 150 millions de dollars, et celui des acquisitions indirectes avait été éliminé. En vertu de l'accord, le seuil des acquisitions directes sera rajusté à l'aide d'un indice d'inflation.

Les investissements étrangers supérieurs aux seuils de notification sont assujettis à l'examen d'Investissement Canada, qui évalue les avantages nets pour le Canada. Le gouvernement n'est intéressé qu'aux investissements étrangers qui procurent des avantages nets au pays, et il examine tous les investissements ayant des répercussions sur le patrimoine culturel ou l'identité nationale, peu importe l'importance de ceux-ci.

Dans le cadre de l'examen, l'investisseur étranger doit présenter une demande à Investissement Canada dans les délais dont nous avons parlé précédemment. Si Investissement Canada n'émet aucun avis de révision dans les 15 jours, la demande est réputée complète. La demande doit être évaluée dans les 45 jours, afin de définir les avantages pour le Canada. Durant cette période, le requérant et l'agence peuvent négocier des concessions et des accords. Il se peut également que l'on consulte les provinces susceptibles d'être touchées. Si aucune décision n'est prise dans les 75 jours, la demande est réputée approuvée. Les fonctionnaires de l'agence ont donc intérêt à traiter chaque demande promptement.

Afin de déterminer les **avantages nets** pour le Canada, l'agence examine :

- l'effet du niveau et de la nature de l'activité économique au pays ;

- le sens d'une participation canadienne à l'entreprise ;

- les effets sur la productivité, l'efficience, la technologie, les produits novateurs, ainsi que la variété des produits au Canada ;

- l'effet sur la concurrence au sein des secteurs canadiens ;

- la compatibilité des activités de l'entreprise acquise avec les politiques fédérales et provinciales en matière industrielle, économique et culturelle ;

- les effets de l'investissement sur les capacités compétitives du Canada sur les marchés mondiaux.

Un aspect important de l'évaluation des avantages nets est de s'assurer que le Canada ne subit aucun préjudice. Depuis sa mise sur pied,

Investissement Canada n'a rejeté aucune demande d'investissement étranger.

D'autres lois fédérales limitent la participation étrangère dans certains secteurs clés comme les banques, la radiodiffusion, l'uranium, les journaux, les lignes aériennes, la pêche, la navigation côtière, le financement commercial et les prêts à la consommation. Dans certains cas, des entreprises qui appartenaient à des étrangers au moment de l'adoption de ces lois ont été exemptées de leur application.

Les gouvernements provinciaux ne limitent pas la participation étrangère, à l'exception des propriétaires absents de biens immobiliers. L'Ontario et le Québec perçoivent certains impôts fonciers sur la cession de biens immobiliers à des étrangers, bien que la plupart des acquisitions industrielles en soient exemptées.

UN POINT DE VUE

La pertinence des investissements étrangers

Si les entreprises étrangères sont nuisibles, l'accord de libre-échange profite au Canada. Dans son ouvrage intitulé *The Betrayal of Canada*, Mel Hurtig blâme les entreprises étrangères qui exercent des activités au Canada. Selon lui, et il défend ce point de vue depuis le temps où l'Agence d'examen de l'investissement étranger scrutait les investissements étrangers, notre économie «de succursale» est responsable du taux de chômage élevé, des dépenses modestes en recherche et en développement, ainsi que de la dépendance excessive sur les sociétés mères pour les fournitures. Les entreprises étrangères ont également la mauvaise habitude d'acheter nos élections.

Bien que l'on puisse contester facilement chacune de ces allégations, supposons que Hurtig ait raison, et que le Canada souffre du trop grand nombre d'investissements étrangers. Dans ce cas, le libre-échange devrait régler le problème. En effet, les tarifs constituent la seule raison pour laquelle un grand nombre d'entreprises étrangères se sont installées au Canada, lesquels les empêchent de vendre leurs produits directement sur notre marché. En éliminant ceux qui restent, les succursales qui sont demeurées, malgré la réduction des tarifs dans le cadre du GATT au cours des 40 dernières années, plieront probablement bagage.

L'ouvrage de Hurtig renferme de nombreuses prédictions sinistres sur les entreprises qui déménagent aux États-Unis (un chapitre entier est consacré à ce phénomène), à cause de l'accord de libre-échange. Hurtig devrait s'en réjouir, car si les entreprises étrangères constituent un véritable fardeau pour l'économie canadienne, tout ce qui accélère leur départ devrait s'avérer salutaire.

Malgré ces prévisions d'exode — selon le critère qu'utilise généralement l'auteur pour mesurer la causalité et qui consiste à dire que si un événement en a précédé un autre, il en fut la cause — l'accord de libre-échange a occasionné une forte hausse des investissements au Canada. «L'année 1990 fut témoin d'une augmentation sans précédent des investissements étrangers », affirme l'auteur, qui ajoute que lorsque l'on publiera les statistiques sur la participation et le contrôle, celles-ci « montreront des hausses importantes de la participation étrangère dans chaque secteur ».

Il faut préciser qu'au cours des cinq dernières années, les investissements étrangers directs se sont chiffrés à :

- 4,6 milliards de dollars, en 1987 ;

- 4,4 milliards de dollars, en 1988 ;

- 4,2 milliards de dollars, en 1989 ;

- 6,6 milliards de dollars, en 1990 ;

- 5,9 milliards de dollars, en 1991.

Ces chiffres tranchent nettement sur la moyenne de moins 0,8 milliard de dollars entre 1981 et 1986, ce qui signifie qu'au cours de la première moitié des années 1980, les investisseurs étrangers ont, dans l'ensemble, retiré des fonds du Canada. En tenant compte du fait que le plafond des investissements étrangers au pays s'est établi à 1,7 milliard, au cours des 20 dernières années, la moyenne de 5,1 milliards de dollars enregistrée entre 1987 et 1991 est impressionnante.

Même si ces investissements ont servi surtout au financement des acquisitions plutôt qu'à la mise sur pied de nouvelles entreprises, il semble que la hausse marquée des investissements étrangers constitue un étrange vote de confiance en une économie qui, à cause du libre-échange, perd apparemment tout avantage dans le secteur manufacturier. Hurtig règle la contradiction en affirmant que « bien qu'il soit vrai qu'un grand nombre de succursales canadiennes ferment leurs portes et emménagent dans des installations sous-utilisées des États-Unis, il est également vrai que les nouvelles acquisitions servent à cimenter l'emprise (des Américains) sur le marché et à diminuer la concurrence ».

Mais pourquoi les Américains prendraient ils ces moyens ? L'accord de libre-échange leur permet maintenant d'éliminer leurs concurrents canadiens, s'ils en ont l'intention, en vendant directement sur le marché canadien, sans l'imposition de tarifs. Pourquoi venir s'installer ici alors ? Surtout si, comme l'affirme Hurtig, les coûts de production sont presque toujours moins élevés aux États-Unis.

✷ En réalité, le Canada est un pays où de nombreuses gens, incluant des personnes intelligentes et à l'esprit d'initiative, désirent vivre. Informez-vous auprès de l'Organisation des Nations Unies et auprès de Hurtig. En effet, *The Betrayal of Canada* comprend de longs passages sur la supériorité de la qualité de vie au Canada, comparativement à celle des États-Unis, et ce, malgré nos taux d'imposition plus élevés. Les étrangers vont continuer à désirer investir au Canada, parce que le pays dispose d'un nombre élevé de gens productifs. En outre, le pays deviendra de plus en plus le siège d'investissements dans d'autres pays.

En fait, les investissements directs des Canadiens à l'étranger se sont chiffrés à 48,3 milliards de dollars au cours des années 1980, comparativement à des investissements étrangers au Canada de l'ordre de 79,2 milliards de dollars. Cela signifie que nos investissements à l'étranger représentent maintenant les deux tiers des investissements étrangers au Canada, comparativement à seulement le quart en 1970. (Hurtig estime qu'étant donné que le quart de nos investissements étrangers directs s'effectue par l'entremise de «succursales», il ne faut pas en tenir compte. Il omet cependant de mentionner que 60 p. 100 des capitaux étrangers dans des investissements effectués depuis le Canada sont entre les mains d'entreprises qui appartiennent à des intérêts canadiens.)

L'accord de libre-échange a facilité l'apport de capital étranger en portant à 150 millions de dollars (dollars de 1992) la limite des actifs des acquisitions américaines qui ne font pas l'objet d'un examen d'Investissement Canada. On s'arrête donc à Etac Sales Ltd., de Toronto — dont les actifs s'élevaient à 148,5 millions de dollars en 1991 et qui occupait le 333e rang — au tableau d'honneur des 500 grandes entreprises du *Financial Post*. Bien entendu, Hurtig s'inquiète également du fait qu'un nombre relativement restreint d'entreprises gèrent un pourcentage élevé des actifs canadiens. Il y a lieu de demeurer optimiste, étant donné que si nous pouvons encore réviser les acquisitions des 333 entreprises les plus importantes au pays, nous pouvons protéger un fort pourcentage de la totalité de ces actifs.

✂ Il est vrai que si les intérêts étrangers font l'acquisition d'entreprises canadiennes et réinvestissent les bénéfices qu'ils réalisent au pays, ils peuvent augmenter leurs actifs canadiens, sans faire l'objet d'examen. Les données de Hurtig montrent que c'est précisément ce que la plupart font. Leur conduite est déloyale aux yeux de ce dernier, puisqu'elle dénote que ces investisseurs n'ont pas vraiment besoin du capital, ce qui n'empêche pas les Canadiennes et les Canadiens de la trouver exemplaire.

Source: Traduit de William Watson, «What's So Wrong with Foreign Investment», *The Financial Post*, 22 juillet 1992, p. 12.

Les investissements intérieurs

Trois ordres de gouvernement offrent un vaste éventail de stimulants fiscaux à l'investissement pour encourager les activités commerciales. Certains se présentent sous la forme de stimulants fiscaux comme les déductions et les crédits, d'autres, de subventions, de prêts, de prêts garantis et d'assurance.

Les gouvernements fédéral et provinciaux offrent des taux d'imposition moins élevés à des entreprises manufacturières et à des exploitations minières, ainsi qu'à des régions déterminées. Ces mesures changent continuellement, afin de répondre à la conjoncture économique. Au niveau fédéral, on trouve le Fonds de diversification de l'économie de l'Ouest et l'Agence de promotion économique du Canada atlantique.

Les stimulants des administrations municipales consistent dans des mesures incitatives aux entreprises, afin que celles-ci s'installent dans certaines villes, notamment la recherche de sites appropriés et des taux de location et d'imposition réduits pour les parcs industriels viabilisés.

⚜ Pour être admissible, l'investisseur doit généralement convaincre le gouvernement approprié des avantages économiques et sociaux certains reliés à son entreprise, notamment la création d'emplois, le transfert technologique, le perfectionnement des compétences ou l'accroissement du potentiel d'exportation.

UN POINT DE VUE   Le crédit d'impôt à l'investissement

Au cours des dernières années, le gouvernement fédéral et ses divers organismes consultatifs ont publié une foule de documents sur la compétitivité, la productivité et la prospérité, en soulignant l'importance des secteurs de matière grise et des services à titre de « moteurs de croissance ».

Lorsque Don Mazankowski, ministre des Finances, a annoncé récemment, dans un exposé économique, un crédit d'impôt à l'investissement temporaire à l'intention des petites entreprises, on aurait pu s'attendre à ce que ces notions et ces secteurs en fassent partie. Mais cela ne fut pas le cas. Il semble que le gouvernement ait simplement repris une vieille définition des petites entreprises admissibles qui date des années 1970 et qui exclut de telles activités.

L'exposé économique du 2 décembre 1992 renferme une disposition relative à un crédit d'impôt à l'investissement de 10 p. 100 applicable à certains achats de matériel et d'outillage neufs par les petites entreprises. Les investissements admissibles se limitent au matériel et à l'outillage destinés à la fabrication et à la transformation, aux activités minières, pétrolières et gazières, à l'industrie forestière, à l'agriculture et à la pêche, de même qu'à la construction et au transport.

Le crédit d'impôt sera en vigueur pendant deux ans, et il semble que la mesure soit une tentative de stimuler, voire d'accélérer les programmes d'investissement et de dépenses. Cependant, il y a lieu de s'interroger sur la pertinence des secteurs retenus.

En ce qui concerne l'agriculture et la pêche, le problème en est un de surcapitalisation, c'est-à-dire d'un nombre trop élevé, et non insuffisant, d'actifs matériels. Le secteur manufacturier a cédé aux pressions et est en train de rationaliser ses activités. Certains des aspects les plus dynamiques de ce secteur sont les activités reliées à la matière grise, lesquelles ne sont souvent pas admissibles à la mesure incitative.

Dans le cadre des discussions sur la prospérité, les activités primaires comme les mines et l'exploitation forestière ont été considérées comme des secteurs peu prometteurs sur le plan de l'investissement et de la création d'emplois à court terme, particulièrement en ce qui concerne les petites entreprises.

Sur quel principe s'est-on alors appuyé pour choisir les types d'investissements admissibles? On ne trouve pas d'explication à ce sujet dans l'exposé du ministre des Finances, ni dans la documentation connexe. Il semble donc que les responsables de la préparation du budget ont tout simplement ressuscité une définition de l'admissibilité qui date des années 1970, à une époque où l'on voyait les occasions de croissance d'un tout autre œil.

L'enjeu relié à la compétitivité dont on a le plus parlé au cours des dernières années est celui de la grande popularité du magasinage outre-frontières. Les suggestions à cet égard ne profitent nullement aux secteurs du détail et du gros, lesquels ont grandement souffert du phénomène, mais qui reprendront vraisemblablement vigueur, à la faveur d'un dollar moins élevé. Les retombées des mesures incitatives dans ces secteurs sous forme de création de nouveaux emplois ne sont certainement pas moins importantes que dans les secteurs choisis.

Les détaillants et les grossistes, ainsi que les entreprises des secteurs du tourisme et des services, souffrent déjà des incongruités des régimes fiscaux fédéral et provinciaux. Ils ne sont admissibles ni au taux réduit d'impôt sur les sociétés consenti aux fabricants ni aux amortissements accélérés, et la presque totalité de leurs achats de matériel est assujettie à la taxe provinciale de vente au détail. On leur refuse en outre le crédit d'impôt à l'investissement de 10 p. 100. À cause du régime fiscal, les investissements dans le secteur des services coûtent entre 15 p. 100 et 20 p. 100 plus cher que ceux dans le matériel et l'outillage devant servir à la fabrication.

Lorsque des mesures destinées à accroître la compétitivité et la prospérité, et à servir de stimulants à court terme profitent à des secteurs surcapitalisés dont les perspectives à court terme sont les moins prometteuses, le temps est venu d'examiner le rapport entre la prospérité et les politiques fiscales. Dans la plupart des cas, le gouvernement actuel n'a même pas tenté de déterminer les gagnants, préférant plutôt laisser libre cours aux forces du marché. S'il faut faire volte-face et offrir des stimulants en matière d'investissement à des secteurs choisis pour des raisons budgétaires ou afin de maximiser les résultats, le gouvernement doit réexaminer ses stratégies et cesser de compter sur de vieilles recettes.

Source: Traduit de David Leslie et Satya Poddar, «Investment Tax Credit is Very Poorly Targeted», *The Financial Post*, 24 décembre 1992, p. 9.

Les tarifs et le commerce

Au temps de la Confédération, les politiques nationales du Canada étaient axées sur l'imposition de tarifs élevés sur les biens manufacturés étrangers. Ces mesures visaient à stimuler la production de tels biens au pays. À l'époque, le Canada exportait surtout des ressources naturelles ; à l'heure actuelle, il exporte la plupart des biens manufacturés qu'il fabrique. Le commerce international représente environ 40 p. 100 de la production manufacturière du pays et il fournit plus de trois millions d'emplois. Les politiques commerciales canadiennes actuelles visent à assurer la place du pays dans le système de commerce international et à améliorer son accès aux marchés mondiaux.

Par suite des nombreuses rondes de négociations tenues dans le cadre du GATT depuis la Seconde Guerre mondiale, la communauté internationale a procédé à la réduction ou à l'élimination des tarifs, et le Canada a emboîté le pas. Par conséquent, les tarifs et les recettes tirées des droits de douane connexes n'ont cessé de diminuer. L'accord de libre-échange canado-américain et celui entre le Canada, les États-Unis et le Mexique ont réduit davantage, voire éliminé les tarifs imposés aux biens en provenance de ces deux pays.

Le Canada impose des tarifs peu élevés de la nation la plus favorisée aux importations en provenance de la plupart des pays, et ses exportations reçoivent le même traitement dans ces derniers. Des tarifs encore plus bas sont imposés aux importations en provenance des pays du Tiers monde (système généralisé de préférences) ainsi qu'à certains pays du Commonwealth. Les tarifs canadiens demeurent toutefois plus élevés que ceux des États-Unis ou de la Communauté économique européenne. Outre les tarifs, la TPS et les taxes de vente provinciales s'appliquent à la plupart des importations, ce qui ajoute au prix que doivent payer les consommateurs canadiens.

Les tarifs sont spécifiques ou ad valorem (calculés sur la valeur du bien importé). La plupart des tarifs canadiens sont calculés sur la valeur, et la valeur utilisée aux fins de la fixation des tarifs est le prix de transaction (le prix payé pour l'exportation de biens au Canada). Depuis 1988, le Canada fait partie du système harmonisé de désignation et de codification des marchandises pour la classification des importations aux fins de la fixation des tarifs.

Les droits compensatoires sont imposés sur les importations en provenance de pays qui subventionnent la production ou l'exportation de marchandises qui entrent au Canada et qui causent un préjudice à la production canadienne de biens semblables. Le gouvernement canadien peut imposer un droit antidumping lorsqu'un producteur canadien estime qu'une entreprise étrangère vend des biens au Canada à un prix inférieur au prix intérieur du pays d'origine. Le Tribunal canadien des importations détermine si les produits importés ont causé ou menacé de causer un préjudice au producteur canadien.

Le Canada ne contingente généralement pas les importations, à l'exception de celles des textiles, des vêtements et de certains produits agricoles régis par les offices de commercialisation. L'exportation des ressources énergétiques est régie par l'Office national de l'énergie, et tous les exportateurs doivent obtenir un permis à cette fin. Finalement, la Loi sur les licences d'exportation et d'importation accorde des pouvoirs étendus au gouvernement.

IMPÔTS ET TAXES

Le but premier des impôts et des taxes est de fournir un revenu au gouvernement, qui peut ainsi financer ses activités. Au début, le gouvernement était modeste, et les recettes tirées des droits de douane suffisaient grandement à défrayer les coûts des activités gouvernementales. Par suite de la diminution des tarifs et de la croissance du gouvernement, il a fallu trouver de nouvelles sources de revenu. L'impôt sur le revenu, une mesure temporaire à l'origine, fut créé pour financer la Première Guerre mondiale. Récemment, le gouvernement a instauré la taxe sur les produits et les services, et pourtant le déficit subsiste.

Les impôts ne constituent pas seulement une source de revenu, mais ils servent également de mesures incitatives et dissuasives en modifiant les prix relatifs. La redistribution des revenus affecte la capacité de dépenser des particuliers, laquelle influe à son tour sur la production globale.

Les impôts peuvent servir à stabiliser l'économie : on les hausse en période de croissance, et on les diminue en période de ralentissement. Bien que le principe soit louable, les gouvernements ne peuvent malheureusement pas y adhérer. Il y a déjà un effet de stabilisation automatique, étant donné que même si les taux d'imposition demeurent stables, les recettes de l'État augmentent durant les périodes de croissance, en même temps que les bénéfices sur lesquels se fonde l'impôt des sociétés, et les travailleurs gagnent davantage et paient plus d'impôt. En période de récession, les recettes de l'État diminuent, en même temps que les bénéfices des entreprises ; les travailleurs font moins d'heures supplémentaires et certains sont mis à pied, de sorte que les recettes tirées des revenus des particuliers décroissent. Par ailleurs, les dépenses de l'État augmentent, étant donné qu'un nombre accru de personnes comptent sur l'assurance-chômage ou l'aide sociale. Ainsi, les impôts constituent principalement des sources de revenus ou servent à des fins régulatrices.

En vertu de la Constitution du Canada, le gouvernement fédéral peut mobiliser des fonds à la faveur de tout mode ou régime fiscal, mais les provinces sont limitées à l'imposition directe. Les gouvernements fédéral et provinciaux imposent les revenus réalisés n'importe où dans le monde par des particuliers et des sociétés résidant sur leur territoire, en plus de percevoir des taxes d'accise. Le gouvernement fédéral prélève aussi des droits de douanes et la taxe sur les produits et les services, tandis que les gouvernements provinciaux, à l'exception de l'Alberta, perçoivent des taxes de vente au détail. Les deux ordres de gouvernement prélèvent aussi des taxes particulières sur les secteurs des ressources. Les provinces lèvent un impôt sur le capital des sociétés qui exercent des activités sur leur territoire. Quant aux municipalités, elles ne perçoivent que des impôts fonciers.

L'impôt sur le revenu

L'impôt sur le revenu des particuliers représente la principale source de revenu des gouvernements ; l'impôt sur les sociétés en constitue une autre. Les budgets des gouvernements renferment souvent des modifications aux régimes fiscaux. Les gouvernements présentent habituellement un discours du budget annuel qui fait état des changements proposés, mais il se peut que les modifications soient plus fréquentes. Il est par conséquent presque impossible, pour le commun des mortels, de se tenir au fait des tout derniers changements.

Les régimes fiscaux peuvent offrir des stimulants relativement à certains types de revenus comme les gains en capital en établissant des taux d'imposition différents pour différents types de revenus. Ils peuvent également comprendre des stimulants comme les déductions fiscales ou les crédits d'impôt pour encourager les particuliers à consacrer des ressources à des fins sociales. Ainsi, le crédit d'impôt pour les dons à des organismes de charité encourage les contribuables à se montrer généreux vis-à-vis des organismes privés, ce qui permet aux gouvernements d'épargner. Ce genre de stimulant est considéré comme une dépense fiscale, parce que le gouvernement serait tenu autrement de percevoir des impôts, puis de mettre sur pied une bureaucratie destinée à administrer le programme. Il s'agit donc d'une façon plus efficace d'appliquer des sommes aux fins désirées.

Périodiquement, on propose de permettre aux contribuables canadiens de déduire l'intérêt hypothécaire et l'impôt foncier du revenu imposable, comme le font les Américains. Cette déduction est une forme de subvention au logement de type propriétaire-occupant, et elle augmenterait la demande en réduisant le prix d'achat effectif des logements, mais le prix réel s'accroîtrait, étant donné qu'il faudrait du temps avant que l'offre ne corresponde à la demande. Les prix plus élevés entraîneraient une hausse de l'offre de logements, ce qui stimulerait la construction résidentielle et créerait des emplois, en plus de profiter aux fournisseurs d'électroménagers, de mobilier et de moquettes. Un tel changement de politique constitue peut-être un bon moyen de mettre un terme à une récession, comme celle du début des années 1990, mais il s'agit d'un changement unique. En effet, une fois que l'intérêt hypothécaire est déductible, quelle autre mesure peut produire les mêmes résultats ? Il faut aussi tenir compte des coûts d'une telle politique, si l'on désire que les avantages excèdent ceux-ci. Le gouvernement perd des recettes fiscales importantes, à moins qu'il ne hausse les taux d'imposition. Le gouvernement conservateur de Joe Clark, en 1980, fut le dernier à envisager sérieusement une telle mesure.

Les droits régulateurs

Les droits régulateurs peuvent servir à promouvoir la conservation. Par exemple, l'imposition d'une taxe sur une ressource peu abondante comme le pétrole incitera vraisemblablement les consommateurs à en utiliser moins. Les taxes peuvent alors servir à réduire la consommation à des fins sociales. Les taxes d'accise très élevées sur le tabac et l'alcool en augmentent le prix relatif et amènent les gens à freiner, voire à arrêter leur consommation.

De même, les stimulants fiscaux peuvent servir à accroître la consommation. On peut encourager l'usage de matériaux destinés à conserver l'énergie, comme les isolants, en diminuant le prix relatif de ces derniers. Les stimulants peuvent se présenter sous forme de remises, de déductions ou de crédits d'impôt, ou on peut réduire le taux de la taxe de vente.

On peut aussi corriger des problèmes externes, comme la pollution, en taxant la source de celle-ci — comme le gaz utilisé dans les systèmes de climatisation des voitures, lequel contribuerait à l'effet de serre. En pareil cas, les revenus générés ne constituent pas la motivation première, l'objectif étant d'augmenter le coût de la pollution et, partant, d'encourager l'utilisation de substituts non polluants.

L'INTERFACE ENTRE LES ENTREPRISES ET L'ÉTAT

Les gestionnaires doivent tenir compte de deux types d'activités dans l'interface entre les entreprises et l'État : d'une part, les situations où les entreprises prennent l'initiative pour influer sur les politiques de l'État et, d'autre part, celles où un secteur répond à des initiatives gouvernementales. Peu importe la situation, l'enjeu peut avoir été soulevé par une seule personne ou un seul groupe, mais il est davantage probable qu'il s'agisse des efforts concertés d'une association commerciale ou d'un organisme du secteur privé, ou d'un ou de plusieurs ministères du gouvernement.

Il est parfois difficile de séparer les deux types d'activités bien qu'elles soient distinctes. Par exemple, le gouvernement a annoncé, en 1985, qu'il avait l'intention de modifier le cadre juridique du secteur financier. Les associations commerciales représentant les banques, sociétés de fiducie, compagnies d'assurance et autres intéressés ont alors exercé de fortes pressions sur le gouvernement. Une fois enclenché, le processus s'est poursuivi, et la nouvelle loi fut adoptée. Les pressions pour apporter des changements commencèrent presque aussitôt, dans un processus qui semble n'avoir aucune fin.

Au cours des dernières années, maintes entreprises ont mis sur pied un service de relations publiques et gouvernementales devant servir d'interface avec l'État, généralement sous la direction d'un vice-président, et dont la mission première est de surveiller et d'analyser les activités du gouvernement et de diffuser l'information au sein de l'entreprise. Un autre rôle consiste à faire valoir le point de vue de l'entreprise auprès des législateurs, bureaucrates et autres représentants gouvernementaux. On tente également de prévoir les interventions de l'État, afin que l'entreprise réponde de manière appropriée et au moment opportun.

Les pressions peuvent s'exercer directement ou indirectement. Les premières comprennent les communications personnelles à la faveur notamment de rencontres officielles et officieuses, de présentations et d'exposés. Parmi les secondes, on compte les campagnes de publipostage et de relations publiques (discours, articles, manifestations, événements médiatiques), ainsi que des recours juridiques comme les actions types et les appels. On dénombre d'autres méthodes comme les contributions financières ou en nature à des candidats ou à des partis politiques, ou la coalition avec d'autres entreprises ou associations commerciales. Un producteur de régulateurs de pollution peut tenter de faire front commun avec un groupe qui se porte à la défense de l'environnement tel Greenpeace, par exemple.

UN ENJEU COMMERCIAL ACTUEL

Le gaspillage de l'État

Notre mémoire individuelle est sélective et incohérente, et faiblit avec le temps. Notre mémoire collective est malheureusement moins qu'incohérente — elle est inexistante. Cela ne surprend guère, étant donné que les collectivités ne pensent pas. Mais la chose demeure inquiétante. Cela donne une nation qui vacille d'un projet de développement économique à l'autre, comme si chaque événement était un phénomène unique et isolé. Non seulement nous oublions, mais nous ne sommes même pas en mesure d'établir de liens.

Il suffit de songer à quatre événements. À Calgary, Petro-Canada, dans laquelle le gouvernement fédéral a englouti des milliards de dollars au fil des années, a annoncé qu'elle fermait 1 000 stations-service et se départait de trois raffineries. À Sydney, en Nouvelle-Écosse, le gouvernement provincial a annoncé qu'il vendrait l'usine non rentable Sydney Steel, un échec financier qui aurait coûté 1,5 milliard de dollars aux deux ordres de gouvernement au cours des 25 dernières années.

Ces deux événements coïncident plus ou moins avec deux autres. L'avionnerie de Havilland, de Toronto, poursuivra ses activités grâce à une aide financière de 500 millions de dollars des gouvernements fédéral et de l'Ontario. Enfin, on a récemment dévoilé un plan pour venir en aide à Algoma Steel, de Sault-Sainte-Marie (Ontario).

Peut-on établir des parallèles ? Se soucie-t-on du fait que de Havilland et Algoma deviendront les Petro-Canada et Sysco de 1995 ou de 1996, ou que les quatre s'inscrivent dans la longue liste des investissements gouvernementaux et des renflouages catastrophiques des 30 dernières années ? On dirait que le pays a été soumis à des électrochocs collectifs destinés à nous paralyser, afin que nous acceptions ce qui se passe sans broncher.

Nous avons grandement besoin d'un traitement de rappel de mémoire, voire d'une séance d'hypnose collective, afin de nous ouvrir les yeux sur la piètre performance du gouvernement sur le plan de ses interventions économiques. On pourrait faciliter la tâche si l'on disposait d'un tableau des coûts cumulés des renflouages antérieurs et des investissements ayant reçu l'appui de l'État.

Il y a environ un an, la liste qui suit fut rendue publique, manifestement sans effet.

- Massey-Ferguson, de Toronto — 200 millions de dollars en prêts garantis ;
- Canadair ltée, de Montréal — 2 milliards de dollars en capitaux propres et en prêts garantis ;
- White Farm Equipment, de Brantford (Ontario) — 19 millions de dollars en prêts garantis ;
- Co-operative Implements Ltd., de Winnipeg — 50 millions de dollars en prêts garantis ;
- Minaki Lodge Resort, de Minaki (Ontario) — 45 millions de dollars en dépenses de caisse ;
- Clarke Irwin — 1,5 million de dollars en prêts garantis ;
- Whistler Village — investissement de l'État de 20 millions de dollars ;
- Canada Cycle and Motor (CCM), de Toronto — 20 millions de dollars en prêts garantis ;
- Electrohome Ltd., de Kitchener (Ontario) — 1,5 millions de dollars en prêts garantis ;
- Consolidated Computer Inc., d'Ottawa — 125 millions de dollars en prêts garantis et subventions ;
- Maislin Industries Ltd. — 34 millions de dollars en prêts garantis ;
- Dome Canada — combien de milliards ?

La plupart de ces entreprises ont dissipé leur financement, et les pertes totales s'élèvent à 2,3 milliards de dollars.

On peut ajouter d'autres entreprises à la liste : Sydney Steel (aide de 1,5 milliard de dollars), Bricklin Motors, Churchill Forest Industries (aide de l'État de 71 millions de dollars), Deuterium of Canada (425 millions de dollars) et Quintette Coal, en Colombie-Britannique. Il existe probablement des centaines d'exemples additionnels, notamment les récents efforts de diversification de l'Alberta et Suncor, en Ontario.

L'économie en a grandement souffert. Le coût cumulé, en se fondant sur les coûts d'intérêts composés et les valeurs actuelles, s'élève à des dizaines de milliards de dollars, et pourrait même atteindre 100 milliards de dollars, soit le quart de la dette nationale actuelle.

Pourquoi le pays poursuit-il des politiques aussi peu sensées ? Les raisons économiques et politiques sont nombreuses, et nous avons eu vent de certaines au cours du renflouage de Havilland : l'entreprise deviendra la pierre angulaire de l'industrie aérospatiale canadienne et un centre de recherche et de développement, en plus de protéger un très grand nombre d'emplois secondaires et d'assurer la présence du Canada dans une industrie mondiale cruciale.

On a utilisé le même thème, assorti de quelques variantes, dans chaque initiative de renflouage et d'investissement de l'État à caractère politique, depuis Petro-Canada à Canadair, en passant par Sysco et Bricklin. Les résultats seront vraisemblablement toujours les mêmes.

Source : Traduit de Terence Corcoran, « More National Tombstones of Waste », *The Globe and Mail Report on Business*, 25 janvier 1992, p. B2.

RÉSUMÉ

Sommaire

1. Les administrations municipales ainsi que les gouvernements provinciaux et fédéral sont les trois ordres de gouvernement qui peuvent adopter des lois susceptibles d'affecter les activités commerciales.

2. Les gouvernements peuvent influencer l'économie : le gouvernement fédéral, par ses politiques budgétaires et monétaires, et le gouvernement fédéral et les gouvernements provinciaux, par la réglementation et l'imposition.

3. Les principaux moyens dont disposent les gouvernements et qui ont des répercussions sur les activités économiques sont les contrôles de la concurrence et des investissements étrangers, en plus des stimulants à l'investissement intérieur et les tarifs.

4. Les principaux types de taxes et d'impôts sont les taxes sur le revenu (impôt sur le revenu, TPS et taxes de vente au détail) et les droits régulateurs (droits de douane et taxes d'accise).

5. L'interface entre les entreprises et l'État comprend les initiatives d'entreprises ou d'associations commerciales de même que celles de l'État. Les entreprises désirent s'assurer que le gouvernement comprend leur position, et un grand nombre ont mis sur pied un service de relations publiques et gouvernementales à cette fin. Elles ont recours à des moyens de pression directs et indirects pour influencer

les législateurs et les bureaucrates, et forment parfois des coalitions avec des organismes qui poursuivent des buts semblables.

Notions clés

L'acquisition directe

L'acquisition indirecte

L'amalgamation

L'identité nationale

L'impôt sur le revenu

L'interface

L'investissement étranger

L'investissement intérieur

La concurrence

La réglementation de l'État

Le dépense fiscale

Le gouverneur général

Le lieutenant-gouverneur

Le monarque

Le patrimoine culturel

Les avantages nets

Les droits régulateurs

Les impôts

Les pressions directes

Les pressions indirectes

Les tarifs

Les taxes

Exercices de révision

1. Quels sont les principaux modes de contrôle économique du gouvernement fédéral ?

2. Quels sont les principaux modes de contrôle économique des gouvernements provinciaux ?

3. Quels sont les principaux modes de contrôle économique des administrations municipales ?

4. Quels sont les principaux types d'impôts sur le revenu ?

5. Quels sont les principaux types de droits régulateurs ?

6. Quels sont les principaux avantages et inconvénients de l'interface entre les entreprises et l'État ?

Matière à discussion

1. Pourquoi le gouvernement fédéral doit-il disposer d'une politique économique globale et cohérente ?

2. Pourquoi les gouvernements canadiens offrent-ils autant de stimulants économiques aux entreprises ?

3. Pouvez-vous songer à un exemple de renflouage de l'État qui ait été couronné de succès ?

Exercices d'apprentissage

1. Une proposition d'affaires

On vous demande de conseiller un fabricant japonais de matériel de jeux électroniques destinés au grand public sur la meilleure façon de présenter sa proposition à Investissement Canada. L'entreprise désire acquérir une usine de fabrication de pièces d'automobiles près de Windsor (Ontario), qui est au seuil de la faillite. Elle engagera plusieurs centaines de millions de dollars à l'importation de matériel de production de pointe du Japon. Elle compte embaucher des centaines de travailleurs de la région parmi ceux qui ont été mis à pied à la suite de la fermeture d'autres installations. Lorsque la production atteindra sa pleine capacité, l'entreprise exportera environ la moitié des produits fabriqués à l'usine canadienne.

2. Le cas de DynaTek Automation Systems Inc.

Dans son édition du 28 décembre 1992, le *Globe and Mail* rapporte que DynaTek Automation Systems Inc. s'apprêtait à quitter Toronto à destination de Halifax (Nouvelle-Écosse), parce qu'elle n'apprécie guère la législation du travail de l'Ontario. DynaTek fabrique des disques durs multiples qui peuvent restaurer l'information qui serait autrement perdue en cas de panne. L'entreprise affirme également que Halifax constitue un endroit de choix pour l'exportation de ses produits en Europe, et le fuseau horaire la place exactement entre la Californie et la Grande-Bretagne.

On s'attend à ce que DynaTek embauche immédiatement 100 Néo-Écossais et porte son effectif à 250 employés en trois ans. À Toronto, l'entreprise employait 130 personnes, et son chiffre d'affaires annuel atteignait 70 millions de dollars. Elle n'a pas dit si ses effectifs de Toronto auraient l'occasion de déménager à Halifax.

Les dépenses en usine et en matériel seront défrayées par un prêt de 4 millions de dollars pour la construction de l'usine et par un autre prêt à terme de la province de 3,4 millions de dollars, échelonné sur 10 ans. Le gouvernement de la Nouvelle-Écosse obtient des actions de l'entreprise, qui seront converties en une hypothèque ordinaire de premier rang après trois ans. En outre, la province a accordé une marge de crédit de 4 à 10 millions de dollars à titre de capital d'exploitation, en plus de consentir, conjointement avec Ottawa, une subvention de 1,4 million de dollars.

Questions

1. Selon vous, qu'est-ce qui a motivé l'entreprise ?

2. Le gouvernement doit-il encourager une entreprise à déménager d'une province à l'autre, ou serait-il préférable d'attirer une firme étrangère à Halifax ?

3. L'entreprise aurait-elle fait faillite, sans l'aide de l'État ?

BIBLIOGRAPHIE

PARTIE I

Les défis des entreprises canadiennes

Crener, M., Doutriaux, J., Laurent, P. et Lévy, B., *L'entreprise : économie et gestion*, Gaëtan Morin Éditeur, 1989.

DeGeorge, R.T., *Business Ethics*, 3e édition, Macmillan, 1990.

Kanter, R. M., *The Change Masters*, Simon & Schuster, 1983.

Le Goff, J.P., *Économie managériale*, Presses de l'Université du Québec, 1993.

Leroux, F., *Introduction à l'économie de l'entreprise*, 3e édition, Gaëtan Morin Éditeur, 1992.

Miller, D., *The Icarus Paradox*, Harper Business, 1990.

Naisbitt, J. et Aburdene, P., *Megatrends 2000*, William Morrow and Company, Inc., 1990.

Naisbitt, J. et Aburdene, P., *Re-inventing the Corporation*, Warner Books, 1985.

O'Toole, *Vanguard Management : Redesigning the Corporate Future*, Doubleday, 1985.

Peters, Tom, *Thriving on Chaos*, Alfred A. Knopf, 1988.

Toffler, A., *Power Shift*, Bantam Books, 1990.

Poff, C.D. et Waluchow, W.J., *Business Ethics in Canada*, 2e édition, Prentice-Hall Canada, Inc., 1991.

PARTIE II

La gestion

Abravanel, H., Allaire, Y., Firsirotu, M., Hoobs, B. et Poupart, R., *La culture organisationnelle : aspects théoriques, pratiques et méthodologiques*, Gaëtan Morin Éditeur, 1988.

Bennis, Warren, *On Becoming a Leader*, Addison Wesley, 1989.

Bergeron, P.G., *La gestion dynamique*, Gaëtan Morin Éditeur, 1986.

Bergeron, P.G., *La gestion moderne*, 2e édition, Gaëtan Morin Éditeur, 1989.

Gagnon, P.D., Savard, G., Carrier, S. et Decoste, C., *L'entreprise et son environnement*, Gaëtan Morin Éditeur, 1990.

Garfield, Charles, *Peak Performers*, William Morrow and Company, Inc., 1986.

Kouzes, James, M. and Posner et Barry, Z., *The Leadership Challenge*, Jossey-Bass Publishers, 1987.

Lawrence, R.J. et Glueck, W.F., *Management stratégique et politique générale*, McGraw-Hill, éditeurs, 1990.

Mintzberg, Henry, *Mintzberg on Management*, Free Press, 1989.

Walton, Sam and Juey, John, *Sam Walton : Made in America*, Doubleday, 1992.

PARTIE III	## La gestion des ressources humaines

Bélanger, L., Benabou, C., Foucher, R., Bergeron, J.L. et Petit, A., *Gestion stratégique des ressources humaines*, Gaëtan Morin Éditeur, 1988.

Benabou, C. et Abravanel, H., *Le comportement des individus et des groupes dans l'organisation*, Gaëtan Morin Éditeur, 1986.

Boivin, J. et Guilbault, J., *Les relations patronales-syndicales*, 2e édition, Gaëtan Morin Éditeur, 1989.

Comstock, T.W., *Communicating in Business and Industry*, Delmar Publishers, 1985.

Côté, N., Abravanel, H., Jacques, J. et Bélanger, L., *Individu, groupe et organisation*, Gaëtan Morin Éditeur, 1986.

Craig, Alton, W.J., *The System of Industrial Relations in Canada*, Prentice-Hall Canada, Inc., 1990.

Dionne, P. et Ouellet, G., *La communication interpersonnelle et organisationnelle : l'effet Palo Alto*, Gaëtan Morin Éditeur, 1990.

Fisher, C.D., Schoenfeldt, L.F. et Shaw, J.B., *Human Resource Management*, Houghton Mifflin, 1990.

Gérin-Lajoie, Jean, *Les relations du travail au Québec*, Gaëtan Morin Éditeur, 1992.

Hackman, J.R., *Groups That Work (and Those That Don't)*, Jossey-Bass, 1990.

Haney, W.V., *Communication and Interpersonal Relations : Text and Cases*, Richard D. Irwin, 1986.

Kotter, J.P., *Power and Influence : Beyond Formal Authority*, Free Press, 1985.

Tjozvold, D., *Working Together to Get Things Done*, Lexington Books, 1986.

Zander, A., *The Purpose of Groups and Organizations*, Jossey-Bass, 1985.

PARTIE IV	## La gestion de la fonction marketing

Duhaime, C., Kindra, G.S., Laroche, M. et Muller, T.E., *Le comportement du consommateur au Canada*, Gaëtan Morin Éditeur, 1991.

Dussart, C., *Stratégie de marketing*, Gaëtan Morin Éditeur, 1986.

Filion, M. et Colbert, F., *Gestion du marketing*, Gaëtan Morin Éditeur, 1990.

Kotler, P., McDougall, G.H.G., Picard, J.L., *Principes de marketing*, Gaëtan Morin Éditeur, 1985.

Kotler, P., Di Maulo, V., McDougall, G.H.G. et Armstrong, G., *Le marketing : de la théorie à la pratique*, Gaëtan Morin Éditeur, 1991.

Porter, M.E., *Competitive Strategy*, Free Press, 1980.

PARTIE V	## La gestion de la fonction de production

Carrier, S., Decoste, C., Gagnon, P.D. et Savard, G., *La gestion des opérations : une approche pratique*, Gaëtan Morin Éditeur, 1992.

Chase, Richard, B. et Aquilano, Nicholas, J., *Production and Operations Management : A Life Cycle Approach*, Richard D. Irwin, 1981.

Crosby, P.A., *Quality is Free*, McGraw-Hill, 1979.

Gaither, N. et Carrier, S., *L'entreprise et la gestion des opérations*, Les Éditions HRW ltée, 1983.

Ishikawa, K., *What is Total Quality Control ? The Japanese Way*, trad. David J. Lu, Prentice-Hall, 1985.

Krajewski, Lee, J. et Ritzman, Larry, P., *Operations Management, Strategy and Analysis*, Addison-Wesley, 1987.

Nedzela, M., *Introduction à la science de la gestion*, 3e édition, Presses de l'Université du Québec, 1989.

Nollet, J., Kélada, J. et Diorio, M.O., *La gestion des opérations et de la production : une approche systémique*, Gaëtan Morin Éditeur, 1986.

PARTIE VI

La gestion des fonctions financières

Belzile, R., Mercier, G. et Rassi, F., *Analyse et gestion financières*, Presses de l'Université du Québec, 1989.

Bergeron, Pierre G., *Finance for Non-Financial Managers*, Nelson Canada, 1991.

Bernard, M. et Dumas, Y., *Introduction à la comptabilité financière*, 2e édition, Gaëtan Morin Éditeur, 1992.

Bernard, M., et Lauzon, L.P., *La comptabilité : un outil de gestion* - tome 2, Gaëtan Morin Éditeur, 1989.

Brigham, Eugene, F., Kahl, Alfred, L., Rentz, William, F. et Gapenski, Louis, C., *Canadian Financial Management*, 3e édition, Holt, Rinehard and Winston of Canada, Limited, 1991.

Brien, R. et Senécal, J., *Comptabilité 1 : principes et applications*, Gaëtan Morin Éditeur, 1991.

Gagnon, J.M. et Khoury, N., *Traité de gestion financière*, Gaëtan Morin Éditeur, 1987.

Mercier, G. et Théorêt, R., *Traité de gestion financière*, Presses de l'Université du Québec, 1993.

PARTIE VII

La gestion de la fonction administrative

Bergeron, F., Raymond, L. et Reix, R., *Informatiser son entreprise*, Gaëtan Morin Éditeur, 1992.

Decoste, C., Gagnon, P.D., Savard, G., Tremblay, P., *La gestion de la bureautique*, Gaëtan Morin Éditeur, 1988.

Decoste, C., Lavoie, G. et Viau, B., *L'informatique de gestion*, Gaëtan Morin Éditeur, 1990.

PARTIE VIII

La gestion des catégories d'entreprises

Austin, James, E., *Managing in Developing Countries: Strategic Analysis and Operating Techniques*, The Free Press, 1990.

Ball, Donald, A. et McCullock, Wendell, H., Jr., *International Business: Introduction and Essentials*, 2e édition, Business Publications, 1985.

Bangs, David, H., Jr., *The Start Up Guide: A One-Year Plan for Entrepreneurs*, Upstart Publishing Company, Inc., 1989.

Barnes, Kenneth, Banning, Everett, *Money Makers' The Secrets of Canada's Most Successful Entrepreneurs*, McClelland and Stewart, 1985.

Bibeau, J.P., *Introduction à l'économie internationale*, Gaëtan Morin Éditeur, 1991.

Butler, Robert, E. et Rappaport, Donald, *A Complete Guide to Money & Your Business*, New York Institute of Finance (A Prentice-Hall Company), 1987.

Chaussé, R., *La gestion de l'innovation dans la PME*, Gaëtan Morin Éditeur, 1987.

Debloc, C. et Éthier, D., *Mondialisation et Régionalisation*, Presses de l'Université du Québec, 1992.

Drucker, Peter, *Managing the Nonprofit Organization: Principles and Practices*, Harper Collins, 1990.

Gould, Allan, *The New Entrepreneurs: 80 Canadian Success Stories*, Seal Books, 1986.

Julien, P.A., Chicha, J. et Joyal, A., *La PME dans un monde en mutation*, Presses de l'Université du Québec, 1986.

Lévy, B., *Les affaires internationales: l'économie confrontée aux faits*, Gaëtan Morin Éditeur, 1989.

Nollet, J., Haywood-Farmer, J., *Les entreprises de services*, Gaëtan Morin Éditeur, 1992.

Ryans, C.C., *Managing the Small Business*, Prentice-Hall, 1989.

Starling, Grover, *Managing the Public Sector*, The Dorsey Press, 1982.

PARTIE IX

Le milieu des affaires

Frederick, W.C., Davis, K. et Post, J.E., *Business and Society: Corporate Strategy, Public Policy, Ethics*, 6e édition, McGraw-Hill, 1988.

Montreuil, P., *Droits des affaires*, 2e édition, Gaëtan Morin Éditeur, 1988.

Montreuil, P., *Initiation au droit commercial*, Gaëtan Morin Éditeur, 1991.

Ringleb, A.H., Meiners, R.E. et Edward, F.L., *Managing in the Legal Environment*, West Publishing, 1990.

Steiner, George, A. et Steiner, John, F., *Business, Government and Society: A Managerial Perspective*, McGraw-Hill, Inc., 1991.

Wood, D.J., *Business and Society*, Scott, Foresman, 1990.

INDEX DES AUTEURS

A

Aburdene, P., 11
Adams, J.S., 168
Alderfer, C.P., 166
Alexander, R.S., 289, 294
Ancona, P., 249
Atkinson, L., 663

B

Ball, D.A., 604
Bangs Jr, D.H., 558
Barger, J.P., 127
Barnard, C.I., 162
Beck, N., 665
Bennis, W., 172, 181
Birkofer, J.R., 623
Bittel, L.R., 231
Blake, R.R., 178
Blanchard, K.H., 180
Blunn, R., 394
Bombardier, J.A., 125
Bradley, A., 276
Bridger, T., 482
Bronfman Jr, E., 321
Bunn, L., 524

C

Caldwell, D., 69
Chiat, J., 328
Clemens, L., 525
Collison, R., 108
Cook, P., 663
Corcoran, T., 724
Craig, A.W.J., 263
Crispo, J., 260, 262
Crosby, P., 426
Crow, J., 475, 663
Cu-Uy-Gam, M., 429

D

Daniel, M.J., 21
Deal, T.E., 19
DeJong, R., 428
Descarpentries, J.M., 131
Desjardins, A., 466

Dodds, A., 676
Dougherty, K., 320
Drucker, P., 97, 621
Dumaine, B., 20, 171, 288
Dungan, P., 475

E

Edmonston, P., 671
Enrico, R., 291
Evans, M.G., 179
Evans, M., 306

F

Fayol, H., 98
Fiedler, F.E., 178
Fine, S., 704
Ford, H., 444
Foster, C., 276, 402
Friedman, M., 64

G

Galt, V., 270
Gates, B., 482
Gay, K., 241
Gewirth, A., 63
Ghiselli, E., 176
Godfrey, J., 184
Gordon, C., 298
Grant, J., 508

H

Haggett, S., 489
Harris, V., 273
Helfer, E.A., 417
Hersey, P., 180
Herzberg, F., 165
Hodgetts, R.M., 235
Hofstede, G., 601
Horvitch, S., 573
House, R.J., 179
Howitt, P., 476
Huey, J., 161
Hurtig, M., 714

I

Ip, G., 711

J

James, P.S., 694
Johnston, C.G., 21
Josephson, M., 64

K

Katz, R.L., 104
Kennedy, A.A., 19
Kindra, G.S., 299
Kirkpatrick, D., 6
Kolodny, H., 213
Koontz, H., 147, 171
Kotter, J.L., 105
Kraut, I.A., 602

L

Lacasse, D., 78
Languedoc, C., 565, 694
Laroche, M., 299
Larson, P., 16, 17, 202
Lawler III, E.E., 29, 167
Leroy, X., 71
Leslie, D., 718
Likert, R., 176
Litchfield, R., 207, 685
Little, B., 665
Lorine, J., 148
Lowe, G., 547

M

MacLeod, J.M., 687
Mali, P., 635
Maslow, A.H., 163
Mazankowski, D., 657, 717
McCallum, J.S., 10, 462
McClelland, D.C., 167
McConkey, D.D., 626, 627
McCullock Jr, W.H., 604
McDougall, B., 364
McGovern, S., 556

McGregor, D., 177
McNeil, A., 19, 20
McParland, K., 611
McQueen, R., 656
Miller, D., 6
Miller, J.A., 668
Mintzberg, H., 108
Modigliani, F., 663
Morton, P., 258
Mouton, J.S., 178
Moyer, J., 523
Muller, T.E., 299

N

Nader, R., 671
Naisbitt, J., 11
Noakes, S., 584

O

O'Donnell, C., 147, 171
Odiorne, G.S., 29, 134
Ouchi, W., 18
Oxby, M., 570

P

Peters, T.J., 18
Poddar, S., 718
Porter, L.W., 167
Porter, M.E., 46
Posner, B.Z., 639
Pritchard, T., 224

R

Ramson, W.J., 62
Reich, R., 664
Rezaee, A., 346
Rice, F., 329
Rogers, S., 572
Ronen, S., 602
Rourke, B., 693

S

Salter, M., 436
Schein, E.H., 19
Schmidt, W.H., 174, 639
Sellers, P., 322
Skibbins, G., 637
Skinner, B.F., 169

Stewart, T.A., 6, 644
Stogdill, R.M., 171, 176
Stokes, E., 709

T

Tait, N., 422
Tannenbaum, R., 174
Taylor, J.W., 245
Thomas, P., 569
Toffler, A., 6
Toulin, A., 276, 591

U

Urlocker, M., 118, 314, 408, 424

V

Vroom, V., 167

W

Wachtell, E., 636
Walker, D., 55
Walton, S., 19, 159
Waterman Jr, R.H., 18
Watson, W., 716
Weihrich, H., 147
Welch Jr, J.F., 102

Z

Zeidenberg, J., 530

INDEX DES SUJETS

A

accessoire, équipement, 301-302
accidents du travail, assurance des, 494
accomplissement, théorie du besoin d', 167
accord
  bilatéral, 596
  de libre-échange, *voir* libre-échange
  général sur les tarifs douaniers et le commerce (GATT), 595, 661, 714, 719
  multilatéral, 596
accréditation
  syndicale, 267-268
  vote d'__, 268
achat, 292
  biens d'__, 300-301
  fonction d'__, 368
acheminement, 355
ACNOR (Association canadienne des normes), 348
acquisition, frais d', 468
actes constitutifs, 82
actif
  à court terme, 387, 391
  rotation de l'__, 414-415
  total de l'__
    ratio dettes/__, 412
    rendement du __, 415-416
action(s), 472
  ordinaires, 392
  privilégiées, 392
  programmes d'__, 229
  positive, 239
activités
  coupure des __ inutiles, 426
  d'exploitation, 399-400
    section des __, 394-396
  d'investissement, 400-401
  de financement, 400
  section des __ autres que d'exploitation, 396
actuaires, 485
adhésion, classification selon l', 265
ad hoc, comité, 212
adresse mixte, 540
ad valorem, tarifs, 719
administration
  conseil d'__, 11-13
    composition du __, 12
    fonctions du __, 12

des ressources humaines, 225
  frais d'__, 395
affacturage, sociétés d', 443-444
affectations anticipées, 244
affiliation, besoin d', 167
agence(s)
  commerciales, 330
  de publicité, 327
agent(s), 63, 330, 486
  commerciaux, 330
aide
  gouvernementale, 447-449
  systèmes d'__ à la décision (SAD), 508
Alderfer, théorie d', 166-167
alignement des prix, 324-325
aménagement
  cellulaire, 354, 356
  de l'usine, 353-355
amortissement, tableaux d', 442
Amputés de guerre du Canada, 619
analyse
  des données, 510-511
  des postes, 229-230
  F.F.P.M. (forces, faiblesses, possibilités, menaces), 631-632
  processus d'__, 347
annotateur de graphique, 542
annuité
  différée, 498
  immédiate, 498
ANSI (American National Standards Institute), 348
anticipation comportementale, théorie de l', 167-168
antisélection, loi de l', 485
antitrust, législation, 700
appel, produits d', 324
application de mesures de redressement, 146
apprentissage, 243
approche(s)
  de leadership, 175-180
  trajet-but, 179
aptitude(s)
  à diriger, 16-17
  à la gestion, 21-24
  tests d'__, 238
    professionnelle, 238
arbitrage, 272
  conseil d'__, 272

arguments, *voir* libre-échange
art, gestion est un, 127
ASCII (American Standard Code for Information Interchange), 536
assemblage
  langage d'__, 514
  processus d'__, 347
assistance professionnelle, 243
Association canadienne des normes (ACNOR), 348
associés
  anonymes, 80
  commanditaires, 80
  de complaisance, 80
  gérants, 80
  passifs, 80
assurance
  auto-__, 483-484
  automobile, 489-490
  cautionnement, 492
  compagnies d'__, 486-489
  contrat(s) d'__
    variable, 498
    vie entière, 497
  -chômage, 494
  contre le cambriolage, 491
  contre les pertes d'exploitation, 491
  crédit, 491-492
  de groupe, 499
  des accidents du travail, 494
  des frais de justice, 493
  détournement, 492
  incendie, 492
  maladie, 492
  maritime, 493
  mixte, 498
  responsabilité civile, 493
  société, 492-493
  titres, 493-494
  vie, 495-499
    entière, 496
atelier
  fermé, 266
  formation en __-école, 243
  ouvert, 267
  syndical, 266
attitude de laisser-faire, leaders qui adoptent une, 175
attribution
  de pouvoirs aux employés, 165

de la responsabilité de la fonction de
finances, 409-410
attributs physiques du marché, 297
auto-assurance, 483-484
automatisation, 349-350
automobile, assurance, 489-490
autonomie financière, ratio d', 412
autorité, 26, 197
délégation de l'_, 198
des précédents, 696
état major, 204
fonctionnelle, 204
hiérarchique, 203
organisationnelle, 203-204
avantage(s)
de l'exportation, 589
de l'importation, 589-590
de la petite entreprise, 566-567
des comités, 212-213
des ressources, 587
du franchisage, 572
principe de l'_
absolu, 588
comparatif, 588
sociaux, 247-248
avenir
de la petite entreprise, 575
gestionnaire de l'_, 24-25
axe
des X, 541
des Y, 541

B

bail
cession-_, 445
crédit-_, 444-445
balance
commerciale, 591
de vérification, 385
des paiements, 591-592
banque(s), 440-441
à charte, 463
du Canada, 441, 457, 460-461, 475,
509, 663, 710
fédérale de développement, 448-449
Loi sur les _, 700
de 1980, 463
barre de défilement, 537
barrières
au commerce international, 593-594
non tarifaires, 593
base(s)
de données, 542-543
du processus de communication, 181
points de _, 460

BASIC, 514
bénéfice(s)
après impôts, 396
brut, 395
d'exploitation, 395-396
non répartis, 392
état des _, 388, 396-397
régime de participation aux _, 470
bénéficiaire, 484
besoin(s)
calcul des _ nets, 372
d'affiliation, 167
d'estime, 165
de fonds, 436
de pouvoir, 167
de rapprochement, 166
de réalisation de soi, 165
de réussite, 167
de sécurité, 164
hiérarchie des _ de Maslow, 163-165
physiologiques, 164
sociaux, 165
théorie du _ d'accomplissement, 167
biens
d'achat, 300-301
de consommation, 296, 300-301
droit en matière de _, 695
industriels, 296, 301-302
bilan, 386, 389-392
ratios tirés du _, 410
Blake et Mouton, grille de gestion de, 178
bloc, 538
numérique, 520
bons de souscription, 473
bourse(s), 471
de Toronto (TSE) 300, 471, *voir* TSE *et*
indice
boutiques spécialisées, 331
boycottage, 274
primaire, 275
secondaire, 275
budget(s), 140
d'exploitation, 147
financiers, 147
variable, 641
techniques du _, 425-426
budgétisation, 633, 643-644
bureau
construction du _, 531-532
fournitures de _, 543-544
gestion administrative du _, 533-544
opérations de _, 544
planification du _, 531
sécurité du _, 544
bureautique, 530-531
but, *voir aussi* organisme(s)
approche trajet-_, 179

C

cadres
consultatifs, 102
hiérarchiques, 102
intermédiaires, 102
perfectionnement des _, 243-244
subalternes, 101
supérieurs, 102
caisse(s)
de retraite, 468-470
escomptes de _, 324
populaires, 465-466
variation nette des comptes de fonds de
roulement hors _, 398-399
calcul des besoins nets, 372
cambriolage, assurance contre le, 491
Canada, *voir aussi* libre-échange
accord de libre-échange entre le _ et
les États-Unis, 596-597
Amputés de guerre du _, 619
Banque du _, 441, 457, 460-461, 475,
509, 663, 710
compétitivité du _ à l'échelle
internationale, 590-591
Cour suprême du _, 699
histoire du syndicalisme au _,
259-261
Investissement _, 714
Loi sur _, 712
mouvement ouvrier au _, 258-263
Revenu _, 468
Statistique _, 509, 545, 658, 659
candidats, sélection des, 235-240
capital, 40, *voir* capitaux
comptes de _, 592
coût du _, 423
société d'investissement en _-risque,
446-447
capitalisme, 44, 55, 63, 71
capitaux, *voir* capital
marchés des _, 470
propres, 387, 392
rendement des _, 416
société de _, 81
caractéristiques
de comportement des consommateurs,
297
de la monnaie, 458
des objectifs, 134
cartes
de crédit, 459, *voir* monnaie plastique
de débit, 459
cas, méthode des, 244
case, 537, *voir* cellule
catalogue, salle de vente par, 332
catégories

de décisions, 113-115
de gestionnaires, 102
restreintes de fournitures
 grossistes à __, 330
 magasins à __, 331
cautionnement, assurance, 492
CCE (Conseil canadien des chefs
 d'entreprises), 677
CCT (Congrès canadien du travail), 261
CD-ROM, 509
cellule, 537, *voir* case
centralisation, 205-207
centre(s)
 de coûts, 207
 de profit, 207
 de rentabilité, 207
 de responsabilité, 207
  comptabilité d'un __, 640-641
 de revenus, 207
certificat d'incorporation, 82
cessation d'emploi, 248, 249
cession-bail, 445
chaîne de commandement, 196
 double, 210
Chambre de commerce internationale,
 677
change
 Loi sur les lettres de __, 701
 taux de __, 592-593
  flottant, 593
changements
 culturels, 9
 sociaux, 7-8
charges constatées par régularisation, 392
charte, 82
 banque à __, 463
 canadienne des droits et libertés, 697
chef(s)
 Conseil canadien des __ d'entreprises
  (CCE) 677
 organisation du __ et de l'exécutant,
  637-638
chiffriers, 455, 518, 536-542
choix
 liberté de __, 41
 rationalisation des __ budgétaires
  (RCB), 642-643
chômage, 658-659
 assurance- __, 494
circuits de distribution, 329
 types de __, 332-333
classe, formation en, 243
classification, 293-294
 selon l'adhésion, 265
 selon la géographie, 265-266
clavier, 520
 de fonction, 520

clientèle
 sectionnement par __, 210
 système de renseignements sur la __ et
  les produits (SRCP), 527
clients, comptes, 391, *voir aussi*
 compte(s)
clôture, frais de, 441
Coalition Act, 261
COBOL, 514
code
 de déontologie, 65, 73
 canadien du travail, 262
 droit du __ civil, 696
comités, 212-213
 ad hoc, 212
 avantages des __, 212-213
 inconvénients des __, 212-213
 permanents, 212
 types de __, 212
commande
 frais de __, 371
 quantité économique de __ (QEC), 371
 tableau de __, 537
commandement
 chaîne de __, 196
  double, 210
 unité de __, 196-197
commanditaires, associés, 80
commerce
 Accord général sur les tarifs douaniers
  et le __ (GATT), 595, 661, 714, 719
 international(e), 585, 591-597
  barrières au __, 593-594
  Chambre de __, 677
  restrictions au __, 593-594
commercialisation, droit et, 700
commissaires de transport, 334
commissionnaires
 à la vente, 331
 négociants- __, 330
common law, 695, 696
communautés économiques, 595
communication(s), 143
 bases du processus de __, 181
 de gestion, 181-184
 élimination des obstacles à la __, 184
 fonctionnelles croisées, 15
 obstacles à une __ efficace, 182
 orientation des __, 14-16
communisme, 45, 56
compagnies
 d'assurance, 486-489
 de vente aux enchères, 330
comparaison
 entre gestionnaire et leader, 172
 par paires, 246
compétences

conceptuelles, 104-105
 en gestion, 104-105, 107-108
 psychologiques, 105
 reliées aux
  processus, 23-24
  relations humaines, 24
  systèmes, 21-23
 techniques, 105
compétitivité du Canada à l'échelle
 internationale, 590-591
complaisance, associés de, 80
comportement
 des consommateurs, 298-302
  caractéristiques de __, 297
 théorie du __, 176
composantes
 de l'environnement, 676
 de la planification, 133-140
 du système économique, 38, 55
composition
 de la population, 8-9
 du conseil d'administration, 12
 du financement, 423-424
compression des effectifs, planification de
 la, 425
comptabilité, 383, 386-388
 d'un centre de responsabilité, 640-641
 en partie double, 384
compte(s)
 clients, 391
  décisions de gestion reliées aux __,
   418
 courants, 592
 de capital, 592
 de régularisation, 439
 fournisseurs, 392, 438-440
 unité de __, 458
 variation nette des __ de fonds de
  roulement hors caisse, 398-399
concept du marketing, ère du, 289
conciliation, 271-272
concurrence, 43, 56, 712
 impure, 43, 56, 322
 mondiale, 10-11
 pure, 43, 56
  conjoncture de __, 322
conditions entourant la prise de
 décisions, 113
conduite directive, 179
congédiement, 249
conglomérat, organisation en, 638
Congrès canadien du travail (CCT), 261
conjoncture
 de concurrence pure, 322
 économique, 7
 oligopolistique, 323
connaissances, tests de, 238

conseil
d'administration, 11-13
composition du __, 12
fonctions du __, 12
d'arbitrage, 272
canadien des chefs d'entreprises
(CCE), 677
consommateurs
comportement des __, 298-302
caractéristiques de __, 297
protection des __, 670
consommation
biens de __, 296, 300-301
indice des prix à la __ (IPC), 658
produits de __ courante, 300
constitution, 695, 711
construction du bureau, 531-532
consultation, personnel de, 200
consumérisme, 671
conteneurs, méthode des deux, 372
contenu spécifique de la motivation,
théories du, 163
contexte
économique, 599-600
politico-juridique, 600-601
société multinationale (SM) et son __,
599-602
socio-culturel, 601-602
contingence
théories de la __ ou situationnelles,
178
contingents d'importation, 593
contrat(s)
à terme, 474
d'assurance
variable, 498
vie entière, 497
droit en matière de __, 695
contrôle(s), 99, 148-149, 609, 640
budgétaires, 147
continus, 146
d'exploitation, 148
de vérification, 148
de l'État, 711-714
de la qualité, 366-367
des références et des lettres de
recommandation, 238
financiers, 148
fonction de __, 27, 143-148
personnel de __, 201
postérieurs, 147
préventifs, 146
processus de __, 143-144, 365-367
système de __ des stocks, 373
techniques de __, 147-148
types de __, 146-147
contrôleur, 409

convention collective
gestion d'une __, 271
négociation d'une __, 271
coopération internationale, 9
coopérative(s), 86, 88
de crédit, 465-466
coordination, 196
horizontale, 199
verticale, 197-199
corollaire d'O'Reilly, 540, *voir aussi*
principe de Murphy
correspondance
grossiste par __, 330
maisons de vente par __, 331-332
cotisations déterminées, régime de
retraite à __, 469
coupure des activités inutiles, 426
courrier électronique, 543
cour(s)
canadienne de l'impôt, 699
fédérales, 698-699
magistral, 244
provinciales, 698
suprême du Canada, 699
courtiers, 330
en valeurs mobilières, 446
coût(s)
centre de __, 207
des marchandises vendues, 394
du capital, 423
méthode du/des __, 324
variables, 641
normes de __, 641-642
couverture de frais financiers, ratio de,
412-413
crédit, 384
cartes de __, 459, *voir aussi* monnaie
plastique
assurance __, 491-492
-bail, 444-445
commercial, 438-440
coopératives de __, 465-466
d'impôt à l'investissement, 717-718
marge de __, 440
Société du __ agricole, 448
crénage, 536
crise urbaine, 678-679
croissance, 166
stratégie de __, 137
cueillette d'information, 294
culture, 300
de l'entreprise, 102-104
organisationnelle, 130
curseur, 518, 539
cycle(s)
comptable, 384-386
de transformation de l'encaisse, 416

de vie du/d'un produit, 316-319,
350-352
des mouvements de trésorerie, 436-437
économiques, 660-661

D

débenture, 446
débit, 384
cartes de __, 459
décentralisation, 205-207
Déchet, Zéro, 675, 676
décision(s)
catégories de __, 113-115
d'exploitation, 424-428
d'investissement, 416-422
de financement, 422-424
de gestion
de la trésorerie, 416
reliées aux comptes clients, 418
reliées aux stocks, 419
non programmées, 115
prise de __, 110, 117-118
conditions entourant la __, 113
programmées, 113-114
systèmes d'aide à la __ (SAD), 508
déclaration du temps, 642
déficit(s), 658
externe, 658
interne, 658
défilement, barre de, 537
définition
d'un marché, 295-296
de la gestion financière, 408-410
des organismes sans but lucratif,
620-622
des tâches, 232
du marketing, 288-291
déflateur du PIB, 658, *voir* PIB
délai de recouvrement, méthode du, 421
délits, droit en matière de __ et de
quasi-, 695
délégation de l'autorité, 198
délégué syndical, 265
demande, 666
déontologie, code de, 65, 73
dépanneurs, 331
départementalisation, 197, 208-211
divisionnaire, 209-210
fonctionnelle, 208
par gamme de produits, 210
dépôts à vue, 459
description de poste, 230-232
destinataires, 63
détail traditionnels, magasins de, 331
détaillants, 331-332, 564

à domicile, 331
de grandes surfaces, 332
détournement, assurance, 492
dettes
à long terme, 387
ratio __/total de l'actif, 412
développement
Banque fédérale de __, 448-449
de (nouveaux) produit(s), 316, 319-320
durable, 686
différends
au sein de l'organisation hiérarchique, 201-202
Loi des enquêtes en matière de __ industriels, 261
direction, 99, 606-609, 639-640
fonction de __, 26-27, 142-143
distributeur(s)
automatiques, 331
marques de __, 320
distribution
circuits de __, 329
types de __, 332-333
forcée, 246
physique, 333-334
stratégie de __, 329-334
diversification, stratégies de, 137
division(s)
du travail, 195
fonctionnelles, 605
géographiques, 605-606
internationale, 605
par produit, 606
documents, gestion des, 544-545
domaines des petites entreprises, 563-565
domicile, détaillants à, 331
données
analyse des __, 510-511
bases de __, 542-543
présentation des __, 511
traitement des __, 509-511
transmission de __, 514
DOS, 515
droit(s), 694
administratif, 694
Charte canadienne des __ et libertés, 697
civil, 695
commercial, 699-700
compensatoires, 719
constitutionnel, 694, 696-697
criminel, 694
des sociétés, 704-705
du Code civil, 696
du travail, 261-263
en matière de
biens, 695

contrats, 695
délits et de quasi-délits, 695
et commercialisation, 700
et finances, 700-703
fiscal, 694
foncier, 704
international, 695
législatif, 696
Loi canadienne sur les __ de la personne, 239
privé, 695
public, 694
régulateurs, 721
sources du __, 695-697

E

eau
expédition par __, 334
pollution de l'__, 679
écart, 510
type, 510
échange, *voir aussi* libre échange
moyen d'__, 458
échantillon, 510
échec(s)
du marché, 42
facteurs d'__ des petites entreprises, 568-569
échelle, 541
compétitivité du Canada à l'__ internationale, 590-591
d'évaluation graphique, 246
école
de gestion
behavioriste, 130
classique, 128
moderne, 130
quantitative, 130
formation en atelier-__, 243
écologisme, 677
économie
libérale, 600
mixte, 45, 56
société d'__, 86
système d'__ planifiée, 600
écrémage du marché, 325
effectifs, planification de la compression des, 425
effet(s)
à payer, 392
d'une grève, 275-276
externes, 42
financier, 439-440
efficacité, 97
être efficace, 62

garantir l'__ des programmes de formation et de perfectionnement, 244-245
efficience, 97
être efficient, 62
EISA (Enhanced Industry Standard Architecture), 348
élimination des obstacles à la communication, 184
emballage, 321
embargos, 593
embauche de nouveaux employés, 240-241
émission publique d'obligations, 446
emplacement de l'usine, 352-353
emploi(s)
cessation d'__, 248, 249
entrevue d'__, 238
équité en matière d'__, 670
formation en cours d'__, 243-244
formation et __ de demain, 233-235
offre d'__, 239
résumé de l'__, 230
rotation d'__, 243, 244
employé(s)
attribution de pouvoirs aux __, 165
embauche de nouveaux __, 240-241
évaluation du rendement de l'__, 229
habilitation des __, 170-171
sollicitude envers les __, 179
empoisonnement au mercure, 681
emprunt, financement par, 401-402
encaisse, 391
cycle de transformation de l'__, 416
enchères, compagnies de vente aux, 330
encouragement
des simplifications, 426
du travail de qualité, 426
endettement, ratios d', 410, 412
endroit, 303
utilité d'__, 291
énergie, Office national de l', 710
enjeux
écologiques, 680-683
éthiques commerciaux, 73
énoncé de mission, 630-631
enquêtes
Loi des __ en matière de différends industriels, 261
Loi sur les relations industrielles et sur les __, 261
entreposage, 293, 370
entrepreneuriat, 40
entrepreneurs de transports publics, 334
entreprise(s)
Conseil canadien des chefs d'__ (CCE), 677

culture de l'__, 102-104
esprit d'__, 569-570
et l'État, 721-722
fermée, 41
internationale, 585
personnelle, 78-79, 87
petite(s) __
    avantages de la __, 566-567
    avenir de la __, 575
    domaines des __, 563-565
    facteurs d'échec des __, 568-569
    facteurs de réussite des __, 567-568
    gouvernement et la __, 573-575
    inconvénients de la __, 567
    mythes au sujet de la possession
        d'une __, 558-559
    possession d'une __, 565
    profil de la __, 556-559
    phases nécessaires à l'établissement
        d'une __, 559-563
plan d'__, 452-455
rôle des __, 678
structuration de l'__, 141
syndicat d'__, 265
entretien
    facteurs d'__, 165
    libre, 238
    théorie de motivation-__ de Herzberg,
        165
entrevue
    d'emploi, 238
    dirigée, 238
    en profondeur, 238
    préliminaire, 238
    semi-dirigée, 238
environnement, composantes de l', 676
épargne-retraite (REER), régimes
    enregistrés d', 465
équation comptable, 383-384
équilibre financier, règle de l', 422
équipement accessoire, 301-302
équité
    en matière d'emploi, 670
    salariale, 66
    théorie de l'__, 168-169
ère
    de production, 289
    des ventes, 289
    du concept du marketing, 289
    du marketing, 289
escompte(s), 324
    de caisse, 324
    taux d'__, 460
espacement, 536
espionnage commercial, 67
esprit d'entreprise, 569-570
estime, besoins d', 165

établissement(s)
    de modèles, 243
    de(s) prix
        des nouveaux produits, 325
        méthode d'__, 324-325
        variables, 324-325
    parabancaires, 441-446
    phases nécessaires à l'__ d'une
        entreprise, 559-563
étalagistes, grossistes, 330
étapes
    de la formation, 241-243
    de la sélection, 236-239
    de la structuration, 141
    du perfectionnement, 241-243
    du processus décisionnel, 115-117
état
    contrôle de l'__, 711-714
    de l'évolution de la situation
        financière, 388, 397-401
    des bénéfices non répartis, 388,
        396-397
    des résultats, 387, 394-396
        ratios tirés de l'__, 410
    entreprises et l'__, 721-722
    indicateurs d'__, 538
    ligne d'__, 534
    major, 200
        autorité de l'__, 204
        organisation hiérarchique et __, 200
        postes de l'__, 200
    modes d'intervention de l'__, 711
    régie interne et réglementation de l'__,
        670-671
    rôle de l'__, 676-677
    société d'__, 83
États-Unis, *voir* libre-échange
étendue des responsabilités, 198
éthique, 62, 72
    commerciale, 64, 69, 71, 73
    normative, 63
    personnelle, 63, 73
    professionnelle, 63, 73
étiquetage, 321
    règlements de santé et d'__, 594
étranglement, goulots d', 346
étude de marketing, 294-297
eurodollars, marché des, 475
évaluation, 138
    du rendement, 145-146, 245-247
        comme instrument efficace de
            gestion, 247
        de l'employé, 229
        objectifs de l'__, 245-246
        révisions officielles de l'__, 243
        techniques d'__, 246-247
    échelle d'__ graphique, 246

évolution de la situation financière, état
    de l', 388, 397-401
examens médicaux, 238
Excel, 536
excellence, leadership dédié à l', 180
exception, gestion par, 145
exécutant, organisation du chef et de l',
    637-638
exemplarité, pouvoir d', 174
existence, 166
expansion des exportations (SEE),
    Société pour l', 447-448
expédition, 369-370
    par eau, 334
expert en sinistres, 484
exploitation
    activités d'__, 399-400
        section des __, 394-396
    assurance contre les pertes d'__, 491
    bénéfice d'__, 395-396
    budgets d'__, 147
    contrôles d'__, 148
    décisions d'__, 424-428
    gestionnaires d'__, 409
    prêts d'__, 440
    produit d'__, 394
    ratios d'__, 410, 413-415
    rentabilité d'__, 415
    section des activités autres que d'__,
        396
exportation(s), 38, 589, 661
    avantages de l'__, 589
    Société pour l'expansion des __ (SEE),
        447-448
exposants, 540
extraction, 521
    processus d'__, 347
extrants, 633-634

F

fabricant, réseau commandité par un, 571
fabrication
    processus de __, 347
    synchrone, 345
facteurs
    d'échec des petites entreprises,
        568-569
    d'entretien, 165
    de motivation, 165
    de production, 38
    de réussite des petites entreprises,
        567-568
faillite et l'insolvabilité, Loi sur la,
    701-702
familiarisation, période de, 239-240

FCR (fichier central de renseignements), 508

featherbedding, 266, *voir* sinécure

F.F.P.M. (forces, faiblesses, possibilités, menaces), analyse, 631-632

fiabilité, 247

fichier central de renseignements (FCR), 508

fiducie, 64
sociétés de __, 441, 464-465

financement, 294
activités de __, 400
composition du __, 423-424
décisions de __, 422-424
formes de __, 423
par emprunt, 401-402
sociétés de __, 444
sources
de __, 422
et formes de __, 422-423

finances
attribution de la responsabilité de la fonction de __, 409-410
droit et __, 700-703

flottant négatif, notion du, 418

FMI, 655

fonction(s)
attribution de la responsabilité de la __ de finances, 409-410
clavier de __, 520
d'achat, 368
d'organisation, 26, 141-142
de contrôle, 27, 143-148
de direction, 26-27, 142-143
de gestion, 98-100, 161
d'un organisme sans but lucratif, 625-634
et la SM, 602-609, *voir* SM
de planification, 25-26, 131-133
de la monnaie, 458
du conseil d'administration, 12
du marketing, 292-294
et responsabilités, 230
grossistes à __ limitée, 330
matrice produit-__, 210

fonds
besoin de __, 436
de roulement, 411
variation nette des comptes de __ hors caisse, 398-399
relevé des sources et des utilisations des __, 397-398
sociétés de __ mutuel, 467
sources de __, 437-438

fonte(s), 521, 541

Format, 536

formation, 241-245
en atelier-école, 243
en classe, 243
en cours d'emploi, 243-244
étapes de la __, 241-243
et emplois de demain, 233-235
extérieure, 243, 244
garantir l'efficacité des programmes de __ et de perfectionnement, 244-245
programme de __, 243

forme(s)
de financement, 423
sources et __, 422-423
utilité de __, 290

formulaire de remplacement, 232

formule, 540
Rand, 267

FORTRAN, 514

fourchette, 510

fournisseurs, comptes, 392, 438-440

fournitures, 302
catégories restreintes de __
grossistes à __, 330
magasins à __, 331
de bureau, 543-544
grossistes de __ de tout genre, 330

frais
assurance des __ de justice, 493
d'acquisition, 468
d'administration, 395
de clôture, 441
de commande, 371
de possession, 370
de vente, 395
payés d'avance, 391
ratio de couverture de __ financiers, 412-413

franchisage, 570-573
avantages du __, 572
inconvénients du __, 572
signification du __, 570-571

franchisé, 570

franchises, types de, 571

franchiseur, 570

fusion(s), 712
stratégies de __, 137

G

gamme de produits, départementalisation par, 210

GATT (Accord général sur les tarifs douaniers et le commerce), 595, 661, 714, 719

géographie, classification selon la, 265-266

gérants, associés, 80

gestion
administrative du bureau, 533-544
aptitudes à la __, 21-24
communication de __, 181-184
compétences en __, 104-105, 107-108
décisions de __
de la trésorerie, 416
reliées aux comptes clients, 418
reliées aux stocks, 419
définition de la __ financière, 408-410
d'une convention collective, 271
de la publicité, 327
de la qualité totale, 21, 225, 356
principes de la __, 23
des documents, 544-545
des matières, 367-368
des ressources humaines, 141, 225
processus de __, 224-229
responsables de la __, 225
des risques, 483-484
des stocks, 370
école de __
behavioriste, 130
classique, 128
moderne, 130
quantitative, 130
est un art, 127
est une science, 128
évaluation du rendement comme instrument efficace de __, 247
fonctions de __, 98-100, 161
d'un organisme sans but lucratif, 625-634
et la SM, 602-609, *voir* SM
grille de __ de Blake et Mouton, 178
internationale, 585, 609-611
nature de la __, 585-587
niveaux de __, 197
notions de __, 127
par objectifs, 134-135
par exception, 145
principes de __, 127
processus de __, 99-100, 130
ratios de __, 148
simulations de __, 244
style de __, 131
systèmes intégrés de __ (SIG), 508

gestionnaire(s)
catégories de __, 102
comparaison entre __ et leader, 172
d'exploitation, 409
de l'avenir, 24-25
niveaux de __, 101-102
rôles du __, 108-110

goulots d'étranglement, 346

gouvernement
et la petite entreprise, 573-575

rôle du __, 42-43, 594-595
Grammatik, 536
graphique, 541
 annotateur de __, 542
grève, 274
 effets d'une __, 275-276
grief(s), 272
 procédure de règlement des __, 272
grille
 de gestion de Blake et Mouton, 178
 lignes de __, 541
groupe
 assurance de __, 499
 implantation en __, 354
grossiste(s), 329-331, 564
 à catégories restreintes de fournitures, 330
 à fonction limitée, 330
 au comptant, 330
 de fournitures de tout genre, 330
 en service, 330
 étalagistes, 330
 -livreurs, 330
 marchands __, 329
 par correspondance, 330
 réseau commandité par un __, 571
 spécialisés, 330
guerre du Canada, Amputés de, 619

H

habilitation, 20-21
 des employés, 170-171
 des travailleurs, 426
habitation, Loi nationale sur l', 441
harcèlement sexuel, 68
Herzberg, théorie de
 motivation-entretien de, 165
hiérarchie des besoins de Maslow, 163-165
histoire du syndicalisme au Canada, 259-261
horizontalité de la structure
 organisationnelle, 199
Hugo, 536
hypermarchés, 332
hypothèque(s), 441
 à risques partagés, 448
 Société canadienne d'__ et de logement (SCHL), 441
hypothèses de planification, 628

I

identification du travail, 230
immobilisations, 387, 391

rotation des __, 414
implantation
 en groupe, 354
 fixe, 355
 par le processus, 354
 par le produit, 354
import-export, 589-590
importance de la planification, 132-133
importation(s), 38, 589
 avantages de l'__, 589-590
 contingents d'__, 593
 permis d'__, 593
impôt(s)
 bénéfice après __, 396
 Cour canadienne de l'__, 699
 crédit d'__ à l'investissement, 717-718
 et taxes, 719-721
 exigible, 392
 sur le revenu, 396, 720-721
imprimante, 521
incendie, assurance, 492
incident critique, méthode de l', 246-247
inconvénients
 de la petite entreprise, 567
 des comités, 212-213
 du franchisage, 572
incorporation, certificat d', 82
indemnisation, 487
indemnité, principe d', 484
indicateurs
 d'état, 538
 de productivité, 425
 de rendement, 144
indice
 composé TSE 300, 471, *voir* TSE
 des prix à la consommation (IPC), 658
inflation, 658
influence(s)
 externes, 299-300
 familiale, 299
 personnelles, 299
 sociale, 299
information, cueillette d', 294
infrastructure, 39, 659
injonction, 275
insolvabilité, Loi sur la faillite et l', 701-702
installations, 301
instrument(s)
 évaluation du rendement comme __ efficace de gestion, 247
 fiable, 235
 valides, 235
intégration
 horizontale, 196
 stratégies d'__, 137
 verticale, 196

intérêt
 à rabais, 440
 assurable, 484
 public, 42
interlignage, 536
intermédiaires, 329
 en gros, 330
intervention de l'État, modes d', 711
investissement(s), 487, 659
 activités d'__, 400-401
 Canada, 714
  Loi sur __, 712
 crédit d'impôt à l'__, 717-718
 décisions d'__, 416-422
 étrangers, 712-714
 intérieurs, 716-717
 société(s) d'__
  en capital-risque, 446-447
  Loi sur les __, 467
investisseurs étrangers, 713
IPC (indice des prix à la consommation), 658
ISA (Industry Standard Architecture), 349

J

jeu de rôle, 244
journaux, 385
juste-à-temps, 67
justice, assurance des frais de, 493

K

kaizen, 364
kanban(s), 356, 419
Keidanren, 677

L

laisser-faire, leaders qui adoptent une attitude de, 175
langage(s)
 binaire, 514
 d'assemblage, 514
 informatiques, 514
 machine, 514
leader(s), 175
 autocratiques, 174
 axés sur les personnes, 175
 axés sur les tâches, 175
 comparaison entre gestionnaire et __, 172
 démocratiques, 175
 qui adoptent une attitude de laisser-faire, 175

leadership, 142, 171-180, 181
   approches de __, 175-180
   dédié à l'excellence, 180
   nature du __, 171-172
   participatif, 180
   styles de __, 174-175
légende, 541
législation antitrust, 700
lettres
   contrôle des références et des __ de recommandation, 238
   Loi sur les __ de change, 701
   patentes, 82
levier, ratios de, 148
libellé(s), 539, 541
liberté(s)
   Charte canadienne des droits et __, 697
   de choix, 41
libre-échange, 595
   accord de __, 695, 713, 716
      arguments contre l'__, 597
      arguments en faveur de l'__ avec les États-Unis, 597
      entre le Canada et les États-Unis, 596-597
      tripartite, 597-599
licenciement, 248
ligne(s)
   de grille, 541
   d'état, 534
   méthode de la __ rouge, 372
Likert, système 4 ou théorie de l'organisation participative de, 176
liquidité
   ratio(s) de __, 148, 410
      générale, 411
      immédiate, 411-412
livreurs, grossistes-, 330
livres
   grands __, 385
   tenue des __, 382-389
lock-out, 275
logement (SCHL), Société canadienne d'hypothèque et de, 441
logiciels, 509, 515, 533
logistique industrielle, 352
loi
   canadienne sur les droits de la personne, 239
   de l'antisélection, 485
   des enquêtes en matière de différends industriels, 261
   des grands nombres, 485
   nationale sur l'habitation, 441
   sur Investissement Canada, 712
   sur la faillite et l'insolvabilité, 701-702
   sur les banques, 700

de 1980, 463
sur les lettres de change, 701
sur les relations industrielles et sur les enquêtes, 261
sur les sociétés d'investissement, 467
Lotus 1-2-3, 536

M

machine, langage, 514
macroéconomie, 656-661
magasins
   à catégories restreintes de fournitures, 331
   de détail traditionnels, 331
   de rabais, 332
   généraux, 331
   grands __, 331
main-d'œuvre, 39
maisons de vente par correspondance, 331-332
maladie, assurance, 492
marchandises
   coût des __ vendues, 394
   remises sur __, 324
marchands grossistes, 329
marché(s), 666
   attributs physiques du __, 297
   commun, 595
   définition d'un __, 295-296
   des capitaux, 470
   des eurodollars, 475
   du travail, 232
   échecs du __, 42
   écrémage du __, 325
   financiers, 470-474
   mise en __, 357-358
   monétaires, 470
   monopolistique, 323
   prix de pénétration d'un __, 325
   segmentation des __, 296-298
marge
   bénéficiaire, 415
   de crédit, 440
marketing
   définition du __, 288-291
   ère du concept du __, 289
   ère du __, 289
   étude de __, 294-297
   fonctions du __, 292-294
   international, 291-292
   organisation du __, 289-290
   raison d'être du __, 290-291
   stratégie de __, 302-303
marque(s)
   communes, 320

de distributeur, 320
   types de __, 320
Maslow, hiérarchie des besoins de, 163-165
masse
   monétaire, 459-460
   production de __, 347
matériel, 513-514
matières
   gestion des __, 367-368
   premières, 302
matrice
   multidimensionnelle, 210-211
   produit-fonction, 210
   produit-région, 210
McGregor, théorie X et théorie Y de, 177
mécanisation, 348
médias publicitaires, 326-327
médiation, 272
membres, organismes axés sur les, 623
mémoire
   externe, 513
   interne, 513, 519
   unités de __, 519
mercure, empoisonnement au, 681
mesure(s)
   application de __ de redressement, 146
   du rendement, 145
   du travail, 642
méthode(s), 139
   administrative, 128
   d'établissement des prix, 324-325
   de l'incident critique, 246-247
   de production au moment adéquat, 356-357
   de la ligne rouge, 372
   des cas, 244
   des/du coût(s), 324
      variables, 641
   des deux conteneurs, 372
   des systèmes, 130
   du délai de recouvrement, 421
   scientifique, 128
   situationnelle, 130
micro-ordinateurs, 516-522
microéconomie, 666-667
mise en œuvre, 138
mise en marché, 357-358
mission, 134
   énoncé de __, 630-631
modalité, 138
modèle(s)
   de remplissage, 541
   établissement de __, 243
mode(s)
   d'intervention de l'État, 711
   de vie, 8

moment adéquat
   méthode de production au __, 356-357
   stockage au __, 419
mondialisation, 587-590
moniteur, 517
monnaie, 457-459
   caractéristiques de la __, 458
   fonctions de la __, 458
   plastique, 459, *voir aussi* cartes de crédit
monopole, 43, 44, 56
monopsone, 44
mosaïque, organisation en, 638
motivation, 142, 162-170
   facteurs de __, 165
   nature de la __, 162-163
   théories de __-entretien de Herzberg,
     165
   théories de la __, 163-170
     en tant que processus, 167
   théories de renforcement de la __, 169
   théories du contenu spécifique de la __,
     163
Mouton, grille de gestion de Blake et, 178
mouvement(s)
   cycle des __ de trésorerie, 436-437
   ouvrier au Canada, 258-263
moyen d'échange, 458
moyenne, 510
Murphy, principe de, 540, *voir aussi*
   corollaire d'O'Reilly
mythes au sujet de la possession d'une
   petite entreprise, 558-559

N

Nations Unies, 685
nature
   de la gestion internationale, 585-587
   de la motivation, 162-163
   du leadership, 171-172
nécessité, produits de première, 39
négociants-commissionnaires, 330
négociation
   collective, 270-271
   d'une convention collective, 271
   zone de __, 271
niveaux
   de gestion, 197
   de gestionnaires, 101-102
nombres, loi des grands, 485
nom collectif, société en, 79-81, 87
normalisation, 293-294
normes
   Association canadienne des __
     (ACNOR), 348
   de coûts, 641-642

de rendement, 144, 641-642
notion(s)
   de gestion, 127
   du flottant négatif, 418
   fondamentales sur l'organisation,
     194-199

O

objectifs, 133-134, 197
   à long terme, 134
   caractéristiques des __, 134
   de l'évaluation du rendement, 245-246
   des syndicats, 266-267
   fonctionnels, 134
   gestion par __, 134-135
   officiels, 134
   politiques et __ en matière de
     ressources humaines, 226-228
   spécifiques, 134
obligations, 472-473
   émission publique d'__, 446
obstacles
   à une communication efficace, 182
   élimination des __ à la communication,
     184
Office national de l'énergie, 719
offre, 666
   d'emploi, 239
oligopole, 44, 56
opérations de bureau, 544
options, 473
ordinateur(s), 372-373, 511-515
   personnel, 517
ordonnancement, 355-356
O'Reilly, corollaire d', 540, *voir aussi*
   principe de Murphy
organigramme, 195-197
organisation(s), 98, 604-606, 637-639
   centralisées, 206
   décentralisées, 206-207
   d'un syndicat, 263-268
   du chef et de l'exécutant, 637-638
   du marketing, 289-290
   en conglomérat, 638
   en mosaïque, 638
   fonction d'__, 26, 141-142
   hiérarchique
     différends au sein de l'__, 201-202
     et état major, 200
   matricielle, 210-211, 606
   notions fondamentales sur l'__,
     194-199
   organique, 638-639
   pyramidale, 638
   structures des __, 13-14

système 4 ou théorie de l'__
   participative de Likert, 176
   types d'__, 199-202
organisme(s)
   à but non lucratif, 86, 88
   axés sur le public, 623
   axés sur les membres, 623
   outils adaptés d'__ du secteur privé,
     640-642
   sans but lucratif
     définition des __, 620-622
     fonctions de gestion d'un __,
       625-634
     types d'__, 622-624
organisation hiérarchique, 199-200
orientation, 229
   des communications, 14-16
outils adaptés d'organismes du secteur
   privé, 640-642

P

paiements
   balance des __, 591-592
   système canadien des __, 459-460
paires, comparaison par, 246
paramètres, 510
parité, principe de, 198
participation
   étrangère, 659-660
   régime de __ aux bénéfices, 470
partie double, comptabilité en, 384
passif
   à court terme, 387, 391-392
   à long terme, 392
patentes, lettres, 82
pénétration d'un marché, prix de, 325
perfectionnement, 241-245
   des cadres, 243-244
   étapes du __, 241-243
   garantir l'efficacité des programmes de
     formation et de __, 244-245
période
   de familiarisation, 239-240
   de recouvrement, 413
permis d'importation, 593
personnalité, tests de, 238
personnel
   de consultation, 200
   de contrôle, 201
   de service, 201
   particulier, 200
   relations avec le __, 258
   rémunération du __, 229
personne(s)
   leaders axés sur les __, 175

Loi canadienne sur les droits de la __, 239

pertes d'exploitation, assurance contre les, 491

pesticides, pollution par les, 679

phases nécessaires à l'établissement d'une entreprise, 559-563

PIB (produit intérieur brut), 38, 657-658
    déflateur du __, 658

pièces, 302

pipeline, transport en, 334

piquetage, 274

placement, sociétés de, 467

plan d'entreprise, 452-455

planification, 98, 603-604, 628-634, 636-637
    composantes de la __, 133-140
    de la compression des effectifs, 425
    de la production, 350-358
    des ressources humaines, 228-229
    du bureau, 531
    fonction de __, 25-26, 131-133
    hypothèses de __, 628
    importance de la __, 132-133
    processus de __, 135-138
    stratégique, 140-141

plans, 135
    à court terme, 135
    à long terme, 135
    à usage unique, 139-140
    auxiliaires, 135, 138-140
    fonctionnels, 138
    intermédiaires, 135, 137-138
    opérationnels, 135
    permanents, 138-139
    stratégiques, 135, 137

pluies acides, 680

PNB (produit national brut), 38, 658

points de base, 460

politique(s), 138
    et objectifs en matière de ressources humaines, 226-228
    monétaire, 460-461
    nationale, 39

pollution, 679-680
    atmosphérique, 679
    de l'eau, 679
    du sol, 679
    esthétique, 680
    nucléaire, 679
    par les pesticides, 679
    sonore, 680

population, 510
    composition de la __, 8-9
    profil de la __ active, 13

possession
    d'une petite entreprise, 565

mythes au sujet de la __, 558-559

frais de __, 370

poste(s)
    analyse des __, 229-230
    description de __, 230-232
    de stagiaire, 244
    état major, 200
    pouvoir émanant du __, 172

pouvoir(s), 172
    attribution de __ aux employés, 165
    besoin de __, 167
    coercitif, 173
    d'exemplarité, 174
    de prééminence, 174
    de récompense, 173
    émanant du poste, 172
    légitime, 174
    personnel, 174

précédents, autorité des, 696

prééminence, pouvoir de, 174

présélection, 229-232

présentation
    des données, 511
    graphique, 511

prestations déterminées, régime de retraite à, 469

prêts
    à terme, 445-446
    basés sur les prix, 448
    d'exploitation, 440

prévision, stock de, 368

primes, 484, 487-488

principe(s)
    d'indemnité, 484
    de gestion, 127
    de Murphy, 540, *voir aussi* corollaire d'O'Reilly
    de parité, 198
    de l'avantage
        absolu, 588
        comparatif, 588
    de la gestion de la qualité totale, 23
    hiérarchique, 198

priorité, règles de, 365

prise
    de décisions, 110, 117-118
        conditions entourant la __, 113
    de risques, 294

prix, 303
    alignement des __, 324-325
    de pénétration d'un marché, 325
    établissement de(s) __
        des nouveaux produits, 325
        méthodes d'__, 324-325
        variables, 324-325
    indice des __ à la consommation (IPC), 658

prêts basés sur les __, 448

stratégie des __, 322-325

problème urbain, 679

procédé, sectionnement par, 210

procédures de règlement des griefs, 272

processeur, 518

processus, 26
    bases du __ de communication, 181
    compétences reliées aux __, 23-24
    comptable, 382-389
    d'analyse, 347
    d'assemblage, 347
    d'extraction, 347
    de contrôle, 143-144, 365-367
    de fabrication, 347
    de gestion, 99-100, 130
        des ressources humaines, 224-229
    de planification, 135-138
    de synthèse, 347
    étapes du __ décisionnel, 115-117
    implantation par le __, 354
    théories de la motivation en tant que __, 167

production
    continue, 347
    de masse, 347
    ère de __, 289
    facteurs de __, 38
    intermittente, 347
    méthode de __ au moment adéquat, 356-357
    planification de la __, 350-358
    système de __, 352
    technologie de la __ optimisée, 372
    temps de __ le plus court, 366

productivité, 39, 667
    indicateurs de __, 425

produit(s), 302
    cycle de vie du/d'un __, 316-319, 350-352
    d'appel, 324
    d'exploitation, 394
    de consommation courante, 300
    de première nécessité, 39
    de spécialité, 301
    développement de (nouveaux) __, 316, 319-320
    divisions par __, 606
    établissement des prix des nouveaux __, 325
    implantation par le __, 354
    intérieur brut (PIB), 38, 657-658
        déflateur du __, 658
    matrice __-région, 210
    matrice __-fonction, 210
    national brut (PNB), 38, 658
    publicité de __, 326

stratégie de __, 304-306, 315-319, 321-322
système de renseignements sur la clientèle et les __ (SRCP), 527
taxe sur les __ et services (TPS), 709
profession, 127
profil
de la petite entreprise, 556-559
de la population active, 13
profit(s), 41
centre de __, 207
stratégie de __, 137
programmation, 632-633
programme(s), 139
d'action, 229
positive, 239
de formation, 243
garantir l'efficacité des __ de formation et de perfectionnement, 244-245
projet, 139
promotion, 248, 303
des ventes, 328
stratégie de __, 325-328
propriétaires, section des, 396
propriété
privée, 41, 55
utilité de __, 291
protection
des consommateurs, 670
des travailleurs, 670
public, organismes axés sur le, 623
publicité, 325-327, 328-329
agence de __, 327
de produit, 326
gestion de la __, 327
institutionnelle, 326
locale, 326
nationale, 326
types de __, 326
pull, stratégie, 325
push, stratégie, 325
pyramide renversée, 14-15, 20

Q

QEC (quantité économique de commande), 371
qualité
contrôle de la __, 366-367
encouragement du travail de __, 426
gestion de la __ totale, 21, 225, 356
principes de la __, 23
quantité économique de commande (QEC), 371
Quattro Pro, 536

R

rabais
intérêt à __, 440
magasins à __, 332
rachat, valeur de, 497
raison(s)
d'être du marketing, 290-291
du syndicalisme chez les travailleurs, 259
Rand, formule, 267
rapport(s)
annuels, 392-394
critique, 366
des vérificateurs, 388-389
rapprochement, besoins de, 166
rationalisation des choix budgétaires (RCB), 642-643
ratio(s)
d'autonomie financière, 412
d'endettement, 410, 412
d'exploitation, 410, 413-415
de couverture de frais financiers, 412-413
de gestion, 148
de levier, 148
de liquidité, 148, 410
générale, 411
immédiate, 411-412
de rentabilité, 148, 410, 415-416
dettes/total de l'actif, 412
financiers, 410
mixtes, 410
tirés de l'état des résultats, 410
tirés du bilan, 410
RCB (rationalisation des choix budgétaires), 642-643
réalisation de soi, besoins de, 165
réception, 369-370
réchauffement planétaire, 685
recherche et remplacement, 536
recommandation, contrôle des références et des lettres de, 238
récompense(s)
externes, 162
internes, 162
pouvoir de __, 173
recouvrement
méthode du délai de __, 421
période de __, 413
recrutement, 229, 232-233
externe, 233
interne, 233
redressement, application de mesures de, 146
REER (régimes enregistrés d'épargne-retraite), 465

références
contrôle des __ et des lettres de recommandation, 238
relatives, 540
régie interne et réglementation de l'État, 670-671
régime(s)
de retraite
à cotisations déterminées, 469
agréés (RRA), 465
à prestations déterminées, 469
de participation aux bénéfices, 470
enregistrés d'épargne-retraite (REER), 465
région, matrice produit-, 210
réglementation
régie interne et __ de l'État, 670-671
sociale, 669
règlement(s)
de santé et d'étiquetage, 594
procédures de __ des griefs, 272
règle(s), 139
de l'équilibre financier, 422
de priorité, 365
proportionnelle, 488
régression, 510
régularisation
charges constatées par __, 392
comptes de __, 439
relations
avec le personnel, 258
compétences reliées aux __ humaines, 24
du travail, 258
Loi sur les __ industrielles et sur les enquêtes, 261
ouvrières-patronales, 142, 273-274
relevé des sources et des utilisations des fonds, 397-398
remises
saisonnières, 324
sur marchandises, 324
quantitatives, 324
remplacement
formulaire de __, 232
recherche et __, 536
remplissage, modèle de, 541
rémunération, 247-248
directe, 247
du personnel, 229
indirecte, 247
rendement
des capitaux propres, 416
du total de l'actif, 415-416
évaluation du __, 145-146, 245-247
comme instrument efficace de gestion, 247

de l'employé, 229
objectifs de l'__, 245-246
révisions officielles de l'__, 243
techniques d'__, 246-247
indicateurs de __, 144
mesure du __, 145
normes de __, 144, 641-642
renforcement de la motivation, théories
de, 169
renseignements
fichier central de __ (FCR), 508
système de __ sur la clientèle et les
produits (SRCP), 527
rentabilité, 64
centre de __, 207
d'exploitation, 415
ratios de __, 148, 410, 415-416
répartition, 365-366
des risques, 485
repli, stratégies de, 137
réseau
commandité par un
fabricant, 571
grossiste, 571
local (RL), 508
réserve(s)
de valeur, 458
primaires, 460
secondaires, 461
responsabilité(s), 198
assurance __ civile, 493
attribution de la __ de la fonction de
finances, 409-410
centre(s) de __, 207
comptabilité d'un __, 640-641
étendue des __, 198
fonctions et __, 230
sociale, 64, 65
responsables de la gestion des ressources
humaines, 225
ressources
avantage des __, 587
humaines, *voir* ressources humaines
naturelles, 38
ressources humaines
administration des __, 225
gestion des __, 141, 225
processus de __, 224-229
responsables de la __, 225
planification des __, 228-229
politiques et objectifs en matière de __,
226-228
restrictions
au commerce international, 593-594
commerciales, 593
restructuration, 207-208
résultats

état des __, 387, 394-396
ratios tirés de l'__, 410
résumé de l'emploi, 230
retraite
caisses de __, 468-470
régime(s) de __
à cotisations déterminées, 469
agréés (RRA), 465
à prestations déterminées, 469
régimes enregistrés d'épargne-__
(REER), 465
rétrogradation, 248
réussite
besoin de __, 167
facteurs de __ des petites entreprises,
567-568
revenu(s)
Canada, 468
centre de __, 207
impôt sur le __, 396, 720-721
révisions officielles de l'évaluation du
rendement, 243
révolution industrielle, 348
Right Writer, 536
risque(s), 482
assurables, 484-485
gestion des __, 483-484
hypothèque à __ partagés, 448
prise de __, 294
pur, 482, 483
répartition des __, 485
sociétés d'investissement en
capital-__, 446-447
spéculatif, 482, 483
RL (réseau local), 508
robots, 349
rôle(s)
décisionnels, 109-110
de l'État, 676-677
des entreprises, 678
du gestionnaire, 108-110
du gouvernement, 42-43, 594-595
informationnels, 109
interpersonnels, 108-109
jeu de __, 244
rotation
d'emplois, 243, 244
de l'actif, 414-415
des immobilisations, 414
des stocks, 413-414
roulement
fonds de __, 411
variation nette des comptes de __
hors caisse, 398-399
RRA (régimes de retraite agréés), 465

S

SAD (systèmes d'aide à la décision), 508
salles de vente par catalogue, 332
santé et d'étiquetage, règlements de, 594
SCHL (Société canadienne d'hypothèques
et de logement), 441
science, gestion est une, 128
secteur privé, outils adaptés
d'organismes du, 640-642
section
des activités d'exploitation, 394-396
des activités autres que d'exploitation,
396
des propriétaires, 396
sectionnement
par clientèle, 210
par procédé, 210
territorial, 210
sécurité
besoins de __, 164
du bureau, 544
stocks de __, 368
SEE (Société pour l'expansion des
exportations), 447-448
segmentation des marchés, 296-298
sélection, 229
des candidats, 235-240
étapes de la __, 236-239
service(s), 302
grossistes en __, 330
personnel de __, 201
taxe sur les produits et __ (TPS), 709
SIDA, 489
SIG (systèmes intégrés de gestion), 508
signification du franchisage, 570-571
simplifications, encouragement des, 426
simulations de gestion, 244
sinécure, 266, *voir* featherbedding
sinistres, expert en, 484
situation
état de l'évolution de la __ financière,
388, 397-401
vérification de la __, 135-136
SM (société multinationale)
fonctions de gestion et la __, 602-609
la __ et son contexte, 599-602
socialisme, 45, 56
société(s), 81, 87, *voir* société de capitaux
assurance __, 492-493
canadienne d'hypothèques et de
logement (SCHL), 441
d'affacturage, 443-444
d'économie mixte, 86
d'État, 83
d'investissement
en capital-risque, 446-447

Loi sur les __, 467
de capitaux, 81
de fiducie, 441, 464-465
de financement, 444
de fonds mutuel, 467
de placement, 467
droit des __, 704-705
du crédit agricole, 448
en nom collectif, 79-81, 87
fermée, 83
multinationale (SM) et son contexte, 599-602
ouverte, 83
pour l'expansion des exportations (SEE), 447-448
sol, pollution du, 679
sollicitude envers les employés, 179
sources
de financement, 422
de fonds, 437-438
du droit, 695-697
et formes de financement, 422-423
externes, 438
internes, 438
relevé des __ et des utilisations des fonds, 397-398
souris, 521
souscription, 486-487
bons de __, 473
sous-traitants, 350
spécialisation, 587-589
spécialité, produits de, 301
SRCP (système de renseignements sur la clientèle et les produits), 527
stagiaire, postes de, 244
standardisation, 348-349
Statistique(s), 510
Canada, 509, 545, 658, 659
statuts, 82
stimulant, 41
stockage au moment adéquat, 419
stock(s), 391
décisions de gestion reliées aux __, 419
de prévision, 368
de sécurité, 368
en transit, 368
gestion des __, 370
rotation des __, 413-414
système de contrôle des __, 373
tampons, 268
stratégie(s)
d'intégration, 137
de croissance, 137
de distribution, 329-334
de diversification, 137
de fusion, 137
de marketing, 302-303

de produit, 304-306, 315-319, 321-322
de profits, 137
de promotion, 325-328
de repli, 137
des prix, 322-325
pull, 325
push, 325
structuration
de l'entreprise, 141
étapes de la __, 141
structure(s), 26
des organisations, 13-14
officieuse, 196
organisationnelle(s), 202-203
horizontalité de la __, 199
officielle, 195
verticalité de la __, 199
style(s)
de gestion, 131
de leadership, 174-175
succursales de vente, 330
suivi, 366
SuperCalc, 536
supermarchés, 332
surfaces, détaillants de grandes, 332
syndicalisme
histoire du __ au Canada, 259-261
raisons du __ chez les travailleurs, 259
syndicat(s)
d'entreprise, 265
industriel, 265
international, 266
local, 265
national, 266
objectifs des __, 266-267
organisation d'un __, 263-268
professionnel, 265
régional, 266
synergie, 508
synthèse, processus de, 347
système(s)
4 ou théorie de l'organisation participative de Likert, 176
canadien des paiements, 459-460
compétences reliées aux __, 21-23
d'aide à la décision (SAD), 508
d'économie planifiée, 600
de contrôle des stocks, 373
de production, 352
de renseignements sur la clientèle et les produits (SRCP), 527
économique, 38
composantes du __, 38, 55
intégrés de gestion (SIG), 508
juridique, 694
méthode des __, 130
unité du __, 518

T

tableau(x)
d'amortissement, 442
de commande, 537
tâches
définition des __, 232
leaders axés sur les __, 175
tampons, stocks, 268
TAPS (Transaction-based Automated Procurement System), 436
tarifs, 719
ad valorem, 719
douaniers, 593, *voir* GATT
fiscaux, 593
protecteurs, 593
taux
d'escompte, 460
de change, 592-593
flottant, 593
taxe(s)
impôts et __, 719-721
sur les produits et services (TPS), 709
techniques
d'évaluation du rendement, 246-247
de contrôle, 147-148
du budget, 425-426
technologie de la production optimisée, 372
téléconférence, 529
temps
déclaration du __, 642
de production le plus court, 366
utilité de __, 291
tendances technologiques, 7
tenue des livres, 382-389
terme
à court __
actif __, 387, 391
passif __, 387, 391-392
plans __, 135
à long __,
dettes __, 387
objectifs __, 134
passif __, 392
plans __, 135
contrats à __, 474
prêts à __, 445-446
tests
d'aptitude, 238
professionnelle, 238
de connaissances, 238
de personnalité, 238
professionnels, 238
texte, traitement de, 534
théorie(s)
d'Alderfer, 166-167

de motivation-entretien de Herzberg, 165
de renforcement de la motivation, 169
de traits, 176
de l'anticipation comportementale, 167-168
de l'équité, 168-169
de l'organisation participative (ou système 4) de Likert, 176
de la contingence ou situationnelles, 178
de la motivation, 163-170
en tant que processus, 167
du besoin d'accomplissement, 167
du comportement, 176
du contenu spécifique de la motivation, 163
situationnelle, 180, *voir aussi* théorie(s) de la contingence
X et théorie Y de McGregor, 177
titres, assurance, 493-494
TPS (taxe sur les produits et services), 709
Trade Union Act, 261
trajet-but, approche, 179
traitement
de texte, 534
des données, 509-511
traits, théories de, 176
transactions, 63
transfert, 248
transformation de l'encaisse, cycle de, 416
transit, stocks en, 368
transmission de données, 514
transport(s), 292
aérien, 334
commissaires de __, 334
en pipeline, 334
entrepreneurs de __ publics, 334
ferroviaire, 334
routier, 334
transporteurs
contractuels, 334
privés, 334
travail
assurance des accidents du __, 494
Code canadien du __, 262
Congrès canadien du __ (CCT), 261
division du __, 195
droit du travail, 261-263
encouragement du __ de qualité, 426
identification du __, 230
marché du __, 232
mesure du __, 642
préliminaire, 270-271
relations du __, 258
valorisation du __, 165

travailleurs
habilitation des __, 426
protection des __, 670
raisons du syndicalisme chez les __, 259
trésorerie
cycle des mouvements de __, 436-437
décisions de gestion de la __, 416
trésorier, 409
tribunaux, 698
administratifs, 699
TSE (Bourse de Toronto) 300, 471
indice composé __, 471
type(s)
d'organisation, 199-202
d'organisme sans but lucratif, 622-624
de circuits de distribution, 332-333
de comités, 212
de contrôle, 146-147
de franchises, 571
de marque, 320
de publicité, 326
écart __, 510

U

UC (unité centrale), 513
union douanière, 595
unité(s)
centrale (UC), 513
de commandement, 196-197
de compte, 458
de mémoire, 519
du système, 518
usage unique, plans à, 139-140
usine
aménagement de l'__, 353-355
emplacement de l'__, 352-353
utilisations des fonds, relevé des sources et des, 397-398
utilité
d'endroit, 291
de forme, 290
de propriété, 291
de temps, 291

V

valeur(s), 540, 630
courtiers en __ mobilières, 446
de rachat, 497
réserve de __, 458
validité, 247
valorisation du travail, 165
variance, 510

variation nette des comptes de fonds de roulement hors caisse, 398-399
vente(s), 292
commissionnaires à la __, 331
compagnies de __ aux enchères, 330
ère des __, 289
frais de __, 395
maisons de __ par correspondance, 331-332
personnelle, 327-328
promotion des __, 328
salles de __ par catalogue, 332
succursales de __, 330
vérificateurs, rapport des, 388-389
vérification(s)
balance de __, 385
contrôles de __, 148
de la situation, 135-136
externes, 148
internes, 148
verticalité de la structure organisationnelle, 199
vie
assurance __, 495-499
assurance __ entière, 496
contrats d'__, 497
cycle de __ du/d'un produit, 316-319, 350-352
mode de __, 8
vision, 23
visualisation, 629
vote d'accréditation, 268
vue, dépôts à, 459

W

WordPerfect, 534
WYSIWYG (What You See Is What You Get), 536

X

X, axe des, 541
X et théorie Y de McGregor, théorie, 177

Y

Y, axe des, 541
Y de McGregor, théorie X et théorie, 177

Z

Zéro Déchet, 675, 676
zone de négociation, 271

imprimerie gagné ltée

IMPRIMÉ AU CANADA